CB064060

TERCEIRO REICH
NO PODER

3ª edição
2ª reimpressão

RICHARD J. EVANS

TERCEIRO REICH
NO PODER

Tradução
Lúcia Brito

CRÍTICA

Copyright © Richard Evans, 2005
Copyright © Editora Planeta do Brasil, 2011, 2014, 2017
Todos os direitos reservados.
Título original: *The Third Reich in Power*

Revisão: Túlio Kawata, Fernanda Umile, Luciana Soares, Bruna de Carvalho e Angela Viel
Diagramação: Triall
Mapas: Andras Bereznay
Capa: Compañía
Imagem da capa: Rolls Press/Popperfoto / Contributor

CIP-BRASIL. CATALOGAÇÃO NA PUBLICAÇÃO
SINDICATO NACIONAL DOS EDITORES DE LIVROS, RJ

E93t

Evans, Richard J.
O Terceiro Reich no poder / Richard J. Evans ; [tradução Lúcia Brito]. - [3. ed.]. - São Paulo: Planeta, 2016.
: il.

Tradução de: The Third Reich in power
ISBN 978-85-422-0824-5

1. Guerra Mundial, 1939-1945 - Alemanha. 2. Alemanha - Forças armadas - História. 3. Alemanha - História - 1933-1945. I. Brito, Lúcia. II. Título.

16-37740   CDD: 940.53
                CDU: 94(100)'1939-1945'

Ao escolher este livro, você está apoiando o manejo responsável das florestas do mundo

2022
Todos os direitos desta edição reservados à
EDITORA PLANETA DO BRASIL LTDA.
Rua Bela Cintra, 986 – 4o andar – Consolação
São Paulo-SP – 01415-002
www.planetadelivros.com.br
faleconosco@editoraplaneta.com.br

Para Matthew e Nicholas

Sumário

Lista de imagens	9
Lista de mapas	13
Prefácio	15
Prólogo	19
1 O ESTADO POLICIAL	37
"Noite das Facas Longas"	38
Repressão e resistência	62
"Inimigos do povo"	90
Instrumentos do terror	106
2 A MOBILIZAÇÃO DO ESPÍRITO	149
Esclarecendo o povo	150
Escrevendo para a Alemanha	173
Problemas de perspectiva	198
Da discórdia à harmonia	223
3 CONVERTENDO A ALMA	259
Questões de fé	260
Católicos e pagãos	275
Conquistando a juventude	304
"Luta contra o intelecto"	338

4	PROSPERIDADE E PILHAGEM	371
	"A batalha pelo trabalho"	372
	Negócios, política e guerra	404
	Arianizando a economia	434
	Divisão dos espólios	449
5	CONSTRUINDO A COMUNIDADE DO POVO	471
	Sangue e solo	472
	A sina da classe média	495
	A domesticação do proletariado	517
	Promessa social e realidade social	541
6	RUMO À UTOPIA RACIAL	571
	No espírito da ciência	572
	As Leis de Nuremberg	604
	"Os judeus devem sair da Europa"	625
	A noite dos cristais	652
7	O CAMINHO PARA A GUERRA	687
	Da fraqueza à força	688
	Criando a Grande Alemanha	716
	A violação da Tchecoslováquia	746
	A marcha para o leste	773
Notas		801
Bibliografia		907
Índice onomástico		1007

Lista de imagens

1. Hitler falando nas celebrações de 1º de maio no campo de Tempelhof em Berlim, 1935.
2. Ernst Röhm, o líder camisa-parda, sentado à sua escrivaninha, em 1933.
3. Heinrich Himmler na galeria de tiro da polícia em Berlim-Wannsee, em 1934 (copyright © AKG, Londres).
4. Hitler recebe a saudação em um desfile da Polícia da Ordem durante o comício do Partido em Nuremberg, em setembro de 1937 (copyright © AKG, Londres).
5. Reinhard Heydrich, chefe do Serviço de Segurança da SS (copyright © Corbis).
6. Prisioneiros do campo de concentração de Flossenbürg.
7. Leni Riefenstahl no comício do Partido em Nuremberg, em 1934, durante a filmagem de *O triunfo da vontade* (copyright © Corbis).
8. Anúncio do aparelho de rádio "Receptor do Povo" (copyright © Bundesarchiv, Koblenz).
9. O ator Emil Jannings e o ministro da Propaganda Joseph Goebbels no Festival de Salzburgo, em 1938 (copyright © AKG, Londres).
10. O Memorial de Guerra de Magdeburg, de Ernst Barlach, 1929 (copyright © Kunstverlag Peda).
11. *Prontidão*, de Arno Breker, exibida na Grande Exposição de Arte Alemã, em 1938 (copyright © Arno Breker by Marco-VG, Museu Arno Breker, Bonn).
12. O pavilhão alemão de Albert Speer na Exposição Mundial de Paris, em 1937.

13. Capa do livreto que acompanhava a mostra de Música Degenerada (copyright © Bildarchiv Preussischer Kulturbesity).
14. O cardeal Caccia Dominioni, o *maestro di camera* do papa, prestes a levar Hermann Göring para uma audiência com Pio XI, em 12 de abril de 1933 (copyright © AKG, Londres).
15. Cartaz exortando os pais a tirarem os filhos da educação gerida pela Igreja (copyright © Bundesarchiv, Koblenz).
16. Crianças de uma classe de escola primária, em 1939 (copyright © The Weiner Library, Londres).
17. O ministro da Educação, Bernhard Rust, fotografado em 3 de agosto de 1935 (copyright © Corbis).
18. Pôster da campanha de 1936 para fazer todos os jovens alemães unirem-se à Juventude Hitlerista (copyright © Bundesarchiv, Koblenz).
19. Acampamento da Juventude Hitlerista em Nuremberg, 8 de agosto de 1934 (copyright © Corbis).
20. Uma ponte em autoestrada da década de 1930.
21. Fritz Todt recompensa trabalhadores das fortificações da Muralha do Oeste (copyright © Corbis).
22. Anúncio da companhia automobilística Daimler-Benz, 1936.
23. Jovem casal alemão em um fusca da Volkswagen, o "carro da Força pela Alegria" (copyright © Bundesarchiv, Koblenz).
24. Cartum em *Simplicissimus,* 11 de março de 1934, elaborado para anunciar a fraqueza defensiva da Alemanha.
25. Uma família comendo o ensopado obrigatório de domingo, conforme mostrado em uma cartilha de leitura escolar, em 1939.
26. O salão de Carinhall, a cabana de caça de Hermann Göring (copyright © Bildarchiv Preussischer Kulturbesity).
27. O ideal de vida da família camponesa: *Colheita,* de Karl Alexander Flügel, exibido na Grande Exposição de Arte Alemã, em 1938.
28. Mineiros de carvão em Penzberg, na Baviera, deixando de prestar a saudação de Hitler (copyright © Staatsarchio, Munique).
29. Um pôster de 1935 mostra um alemão saudável carregando o fardo de manter os doentes mentais em instituições.

30. Ilustração de propaganda de 1933, exortando os alemães a terem mais filhos.
31. Desfile de um casal acusado de "contaminação da raça".
32. Pesquisa racial em um acampamento cigano, em 1933 (copyright © Bundesarchiv, Koblenz).
33. "Judeus entram aqui por sua conta e risco!" Faixa sobre a estrada que conduz a Rottach-Egern, no Lago Tegern, na Baviera, em 1935.
34. A manhã seguinte ao *pogrom* da "Noite dos Cristais do Reich", 10 de novembro de 1938 (copyright © Bildarchiv Preussischer Kulturbesity).
35. Rudolf Hess, o assessor de Hitler, com Martin Bormann em Berlim, 1935 (copyright © AKG, Londres).
36. Os efeitos do plebiscito do Sarre, 1935: crianças fazem a saudação nazista sob um dossel de suásticas (copyright © Corbis).
37. Habitantes da Renânia saúdam o Exército alemão em sua entrada na zona desmilitarizada, em 7 de março de 1936 (copyright © AKG, Londres).
38. Membros da Legião do Condor no porto de Gijón, deixando a Espanha a caminho da Alemanha, em 3 de junho de 1939 (copyright © Corbis).
39. Soldado alemão é recepcionado em Viena, em 21 de março de 1938 (copyright © Corbis).
40. Judeus vienenses são forçados a remover das ruas uma pichação pró--austríaca, em março de 1938 (copyright © Bildarchiv Preussischer Kulturbesity).
41. Stálin e Ribbentrop apertam as mãos após a assinatura do Pacto Nazista-Soviético, em 24 de agosto de 1939 (copyright © Bildarchiv Preussischer Kulturbesity).

Fez-se todo o esforço para se encontrar os detentores dos direitos autorais, mas isso não foi possível em todos os casos. Se notificada, a editora de bom grado retificará quaisquer omissões na primeira oportunidade.

Lista de mapas

1. Seções do Partido Nazista no Terceiro Reich, 1935 — 68
2. Campos de concentração em agosto de 1939 — 112
3. O plebiscito de 12 de novembro de 1933 — 140
4. Posse de rádios em julho de 1938 — 166
5. Exposição de Arte Degenerada — 214
6. Afiliação religiosa em 1936 — 278
7. Escolas de elite nazistas — 330
8. O declínio das universidades alemãs, 1930-39 — 344
9. A rede de autoestradas — 374
10. A queda no desemprego, 1930-38 — 392
11. Principais exportadores para o Terceiro Reich — 408
12. Fazendas Hereditárias do Reich — 484
13. Emigração judaica ultramarina, 1933-38 — 626
14. Emigração judaica dentro da Europa, 1933-38 — 628
15. Sinagogas destruídas em 9-10 de novembro de 1938 — 660
16. Judeus no censo racial nazista de 1939 — 674
17. Alemães étnicos na Europa central e do leste, 1937 — 692
18. O plebiscito do Sarre e a remilitarização da Renânia, 1935-36 — 714
19. A anexação da Áustria, 1938 — 734
20. Grupos étnicos na Tchecoslováquia, 1920-37 — 748
21. O desmembramento da Tchecoslováquia, 1938-39 — 768
22. Anexações alemãs pré-guerra — 796

Prefácio

Este livro conta a história do Terceiro Reich – o regime criado na Alemanha por Hitler e seus nacional-socialistas – a partir do instante em que completou a tomada de poder, no verão de 1933, até o momento em que mergulhou a Europa na Segunda Guerra Mundial, no início de setembro de 1939. Trata-se da sequência de um volume anterior, *A chegada do Terceiro Reich,* que conta a história das origens do nazismo, analisa o desenvolvimento de suas ideias e mostra sua ascensão ao poder durante os anos da malfadada República de Weimar. Um terceiro volume, *O Terceiro Reich em guerra,* virá a seguir, cobrindo o período de setembro de 1939 a maio de 1945 e explorando o legado do nazismo na Europa e no mundo durante o restante do século XX até o presente. A abordagem geral dos três volumes é apresentada no Prefácio de *A chegada do Terceiro Reich* e não precisa ser repetida em detalhes aqui. Os que já leram aquele livro podem ir direto para o início do primeiro capítulo deste; mas alguns leitores talvez desejem se lembrar dos argumentos centrais do volume anterior, e para isso basta recorrer ao Prólogo, que esboça as linhas principais do que aconteceu antes do final de junho de 1933, época em que começa a história contada nas páginas a seguir.

A abordagem adotada no presente livro é necessariamente temática, mas, a exemplo do primeiro volume, tentei, em cada capítulo, misturar narrativa, descrição e análise, e mapear a situação rapidamente cambiante que se desenrolou ao longo do período. O Terceiro Reich não foi uma ditadura estática ou monolítica; foi dinâmico e de rápida movimentação, consumido desde o princípio por ódios e ambições viscerais. O ímpeto para a guerra dominava tudo, uma guerra que Hitler e os nazistas viam como o meio condutor da reordenação racial germânica da Europa central e oriental e da reemergência da Alemanha como o poder dominante do continente europeu e mais além – do mundo. Em cada um dos capítulos que se seguem, tratando sucessivamente de policiamento e repressão, cultura e propaganda, religião e educação, economia, sociedade e vida cotidiana, política racial e antissemitismo, e política externa, o imperativo supremo de preparar a Alemanha e seu povo para uma grande guerra emerge claramente como o fio condutor. Mas esse imperativo não era racional em si mesmo, tampouco seguido de modo coerente. As contradições e irracionalidades internas do regime emergem em um setor após o outro; a investida impetuosa dos nazistas rumo à guerra continha as sementes da destruição final do Terceiro Reich. Como e por que seria assim é uma das principais questões que perpassa este livro e une suas partes separadas. O mesmo ocorre com muitas questões adicionais: sobre até que ponto o Terceiro Reich conquistou o povo alemão; a maneira como operou; o grau em que Hitler, em vez de fatores sistemáticos inerentes à estrutura do Terceiro Reich como um todo, levou a política adiante; as possibilidades de oposição, resistência, dissenção ou mesmo de inconformismo em relação aos preceitos do nacional-socialismo sob uma ditadura que reivindicava a sujeição total de todos os seus cidadãos; a natureza do relacionamento do Terceiro Reich com a modernidade; as formas em que suas políticas em diferentes setores assemelhavam-se às que eram seguidas em outras partes da Europa e do mundo durante a década de 1930, ou delas diferiam; e muito mais. O fio narrativo é proporcionado pela organização dos capítulos, que se aproximam de forma progressiva da guerra à medida que o livro avança.

Porém, ao separar os muitos e diferentes aspectos do Terceiro Reich em diversos temas para facilitar sua apresentação de modo coerente, é inevitável pagar-se um preço, visto que esses aspectos entrechocaram-se de várias formas. A política externa teve impacto na política racial, a política racial teve impacto na política educacional, a propaganda caminhou de mãos dadas com a repressão, e assim por diante. Desse modo, o tratamento de um tema em um capítulo específico é necessariamente incompleto em si mesmo, e os capítulos individuais não devem ser tratados como relatos abrangentes dos tópicos que abordam. Assim, por exemplo, a remoção dos judeus da economia é tratada no capítulo sobre economia, em vez de no capítulo sobre política racial; a formulação das metas de guerra de Hitler no chamado memorando de Hossbach, em 1937, é abordada na seção sobre rearmamento em vez de no capítulo sobre política externa; e o impacto que a tomada da Áustria pelos alemães exerceu sobre o antissemitismo no Terceiro Reich é discutido no capítulo final, em vez de na seção sobre o antissemitismo em 1938. Espero que essas decisões sobre a estrutura do livro façam sentido, mas sua lógica só ficará clara para aqueles que o lerem de forma contínua do início ao fim. A quem quiser usar o livro simplesmente como obra de referência recomenda-se que vá ao índice, no qual a localização dos personagens principais do livro é exposta em detalhes.

Na preparação desta obra, fui mais uma vez beneficiado pelos incomparáveis recursos da Biblioteca da Universidade de Cambridge, da Biblioteca Wiener e do Instituto Histórico Alemão de Londres. O Staatsarchiv der Freien- und Hansestadt Hamburg e o Forschungsstelle für Zeitgeschichte de Hamburgo gentilmente permitiram a consulta dos diários não publicados de Luise Solmitz, e Bernhard Fulda generosamente forneceu cópias de assuntos-chave de jornais alemães. As sugestões e o apoio de muitos amigos e colegas foi crucial. Meu agente, Andrew Wylie, e sua equipe, em particular Christopher Oram e Michal Shavit, dedicaram seu tempo ao projeto de muitas maneiras. Stephanie Chan, Christopher Clark, Bernhard Fulda, Christian Goeschel, Victoria Harris, Robin Holloway, Max Horster, Valeska Huber, Sir Ian Kershaw, Scott Moyers, Jonathan Petropoulos, David Reynolds, Kristin Semmens, Adam Tooze, Nikolaus Wachsmann e Simon Winder leram os primeiros rascunhos, salvaram-me de diversos erros e deram muitas sugestões proveitosas: a eles sou grato pela ajuda. Christian Goeschel também conferiu gentilmente as provas das Notas e da Bibliografia. Simon Winder e Scott Moyers foram editores exemplares, e seus conselhos e entusiasmo foram essenciais ao longo de tudo. Conversas com – ou sugestões de – Norbert Frei, Gavin Stamp, Riccarda Tomani, David Welch e muitos outros foram inestimáveis. David Watson foi um revisor de texto exemplar; Alison Hennessy esmerou-se imensamente na pesquisa de imagens e foi extremamente instrutiva ao trabalhar com Andras Bereznay nos mapas. Christine L. Corton leu o manuscrito inteiro e, além da aplicação de sua perícia profissional, seu apoio prático ao longo dos anos foi indispensável ao conjunto do projeto. Nossos filhos, Matthew e Nicholas, a quem este livro, assim como seu predecessor, é dedicado, proporcionaram um bem-vindo alívio a esse tema lúgubre. Sou grato a todos eles.

Richard J. Evans
Cambridge, maio de 2005

Prólogo

I

O Terceiro Reich chegou ao poder na primeira metade de 1933 sobre as ruínas da primeira tentativa de democracia na Alemanha, a malfadada República de Weimar. Até julho desse ano os nazistas haviam criado praticamente todos os aspectos fundamentais do regime que governaria a Alemanha até o colapso quase doze anos depois, em 1945. Haviam eliminado a oposição em todos os níveis, criado um Estado de um partido único e coordenado todas as principais instituições da sociedade alemã, com exceção do Exército e das igrejas. Muita gente tentou explicar como os nazistas conseguiram alcançar tal posição de domínio total na política e na sociedade alemã com tamanha velocidade. Uma tradição explicativa aponta as fraquezas de longa data do caráter nacional alemão que o fizeram hostil à democracia, inclinado a seguir líderes implacáveis e suscetível ao apelo de militaristas e demagogos. Mas, quando se olha para o século XIX, pode-se ver pouquíssima evidência desses traços. Os movimentos liberais e democráticos não eram mais débeis do que em muitos outros países. Talvez fosse mais relevante a criação relativamente tardia de uma nação-Estado alemã. Depois do colapso em 1806 do Sacro Império Romano criado por Carlos Magno um milênio antes – o famoso Reich de mil anos que Hitler tentou emular –, a Alemanha ficou desunida até as guerras arquitetadas por Bismarck entre 1864 e 1871, que levaram à formação do que mais tarde foi chamado de Segundo Reich, o império alemão regido pelo *Kaiser*. Aquele foi um Estado moderno em muitos aspectos: possuía um Parlamento nacional que, ao contrário de seu congênere britânico, por exemplo, era eleito por sufrágio masculino universal; as eleições atraíam mais de 80% dos votantes; e os partidos políticos eram bem organizados e uma parte reconhecida do sistema político. O maior deles em 1914, o Partido Social-Democrata, tinha mais de 1 milhão de membros e era comprometido com a democracia, a igualdade, a emancipação das mulheres e o fim da discriminação e do preconceito racial, inclusive do antissemitismo. A economia da Alemanha era a mais dinâmica do mundo, alcançando rapidamente a britânica na virada do século, e nos setores mais avançados, como indústrias elétricas e químicas, rivalizava até mesmo com a americana. Os valores, a cultura e o comportamento da classe média eram dominantes na Alemanha na virada do século. A arte e a cultura modernas começavam a impor sua marca nas pinturas de expressionistas como Max Beckmann e Ernst Ludwig Kirchner, nas peças de Frank Wedekind e nos romances de Thomas Mann.

Claro que havia um lado negativo no Reich de Bismarck. O privilégio aristocrático permaneceu arraigado em alguns setores, os poderes do Parlamento nacional eram limitados, e os grandes industriais, a exemplo de seus pares nos Estados Unidos, eram profundamente hostis ao trabalho sindicalizado. A perseguição feita por Bismarck, primeiro aos católicos nos anos de 1870 e depois aos incipientes social-democratas na década de 1880, habituou os alemães à ideia de que um governo podia declarar categorias inteiras "inimigas do Reich" e restringir drasticamente suas liberdades civis. Os católicos reagiram tentando integrar-se mais intimamente aos sistemas social e político, e os social-democratas agarraram-se com firmeza à lei e repudiaram a ideia de resistência ou revolução violentas; esses dois traços comportamentais voltariam à tona com efeito desastroso em 1933. Além disso, nos anos 1890 surgiram pequenos partidos e movimentos políticos extremistas. Segundo eles, a obra de unificação de Bismarck estava incompleta porque milhões de alemães étnicos ainda viviam fora do Reich, especialmente na Áustria, mas também em muitas outras partes da Europa oriental. Enquanto alguns políticos começaram a argumentar que a Alemanha precisava de um amplo império ultramarino, como o que os britânicos já possuíam, outros começaram a dar vazão às sensações da classe média baixa de estar sendo sobrepujada pelos grandes negócios, ao medo do pequeno lojista diante das lojas de departamento, ao ressentimento dos homens funcionários de escritório pela crescente presença de mulheres na atividade, ao senso de desorientação burguesa quando confrontada pela arte expressionista e abstrata, e a muitos outros efeitos inquietantes da impetuosa modernização social, econômica e cultural da Alemanha. Tais grupos encontraram um alvo fácil na minúscula minoria de judeus da Alemanha, meros 1% da população, que em sua maior parte havia sido bem-sucedidos na sociedade e na cultura alemãs desde sua emancipação de restrições legais ao longo do século XIX. Para os antissemitas, os judeus eram a fonte de todos os seus problemas. Argumentavam que as liberdades civis dos judeus tinham que ser restritas e suas atividades econômicas, coibidas. Em pouco tempo, partidos como o de Centro e o Conservador estavam perdendo votos para os partidos periféricos de antissemitas. Eles reagiram incorporando a seus programas a promessa de reduzir o que descreveram como influência subversiva dos judeus na sociedade e na cultura alemãs. Ao mesmo tempo, em um setor muito diferente da sociedade, os darwinistas sociais e eugenistas começavam a argumentar que a raça alemã precisava ser fortalecida, para isso deixando-se de lado o tradicional respeito cristão pela vida e se esterilizando ou mesmo matando os fracos, os deficientes, os criminosos e os loucos.

Essas ainda eram correntes minoritárias de pensamento antes de 1914; e ninguém as havia fundido em nenhum tipo de síntese efetiva. O antissemitismo estava disseminado pela sociedade alemã, mas ainda era raro qualquer ato de violência aberta contra os judeus. O que mudou essa situação foi a Primeira Guerra Mundial. Em agosto de 1914, multidões entusiasmadas saudaram a deflagração da guerra nas principais praças da Alemanha, a exemplo do que aconteceu também em outros países. O *Kaiser* declarou que não mais reconhecia partidos, apenas alemães. O espírito de 1914 tornou-se um símbolo mítico de unidade nacional, assim como a imagem de Bismarck evocou uma nostalgia mítica por um líder político forte e decisivo. O impasse militar a que se chegou em 1916 fez com que o esforço de guerra alemão fosse colocado nas mãos de dois generais que haviam conquistado importantes vitórias no front oriental, Paul von Hindenburg e Erich Ludendorff. Mas, a despeito de sua rigorosa organização do esforço de guerra, a Alemanha não teve condições de resistir ao poderio dos americanos quando estes entraram na guerra em 1917, e no início de novembro de 1918 a guerra estava perdida.

A derrota na Primeira Guerra Mundial teve um efeito desastroso sobre a Alemanha. Os termos de paz, embora não mais severos do que aqueles que a Alemanha planejava impor aos outros países em caso de vitória, causaram amargo ressentimento em quase todos os alemães. Incluíram a exigência de vultosas reparações financeiras pelos danos causados pela ocupação alemã da Bélgica e do norte da França, a destruição das forças naval e aérea alemãs, a restrição do Exército alemão a 100 mil homens, a proibição de armas modernas como tanques e a perda de território para a França e sobretudo para a Polônia. A guerra também destruiu a economia internacional, que não se recuperaria por outros trinta anos. Não só havia grandes custos a pagar, como também o colapso do Império de Habsburgo e a criação de novos países independentes no leste da Europa haviam alimentado o egotismo econômico nacional e tornado impossível a cooperação econômica internacional. A Alemanha em particular vinha pagando a guerra imprimindo dinheiro com a esperança de respaldá-lo mediante a anexação de áreas industriais da França e da Bélgica. A economia alemã não podia saldar a conta das reparações sem aumentar os impostos, e nenhum governo alemão estava disposto a fazer isso, porque, se o fizesse, a oposição teria condições de acusá-lo de taxar os alemães para pagar os franceses. O resultado foi uma inflação. Em 1913, o dólar valia quatro marcos de papel-moeda; no final de 1919 valia 47; em julho de 1922, 493; em dezembro de 1922, 7 mil. As reparações tinham que ser pagas em ouro e mercadorias, e, com esse índice de inflação, os alemães não tinham nem vontade nem condições de tratar dos pagamentos. Em janeiro de 1923, franceses e belgas ocuparam o vale do Ruhr e começaram a se apoderar de bens e produtos industriais. O governo alemão anunciou uma política de não cooperação. Isso fez o valor do marco diante do dólar despencar em uma escala sem precedentes. Um dólar americano custava 353 mil marcos em julho de 1923; em agosto, 4,5 milhões; em outubro, 25.260 milhões; em dezembro, 4 trilhões, ou um quatro seguido de doze zeros. O colapso da Alemanha era iminente.

A inflação foi enfim detida. Introduziu-se uma nova moeda; a resistência passiva à ocupação franco-belga chegou ao fim; as tropas estrangeiras foram retiradas; o pagamento das reparações foi retomado. A inflação fragmentou as classes médias, lançando os grupos de interesse uns contra os outros, de modo que nenhum partido político era capaz de uni-los. A estabilização, retração e racionalização pós-inflação significou perdas de emprego maciças, tanto na indústria quanto no serviço público. De 1924 em diante, havia milhões de desempregados. As empresas ressentiram-se do fracasso do governo em ajudá-las nessa situação deflacionária e começaram a procurar alternativas. Para as classes médias em geral, a inflação significou uma desorientação moral e cultural que para muitos só foi agravada pelo que viam como excessos da cultura moderna da década de 1920, do *jazz* e dos cabarés de Berlim a arte abstrata, música atonal e literatura experimental (como a poesia concreta dos dadaístas). Esse senso de desorientação estava presente também na política, uma vez que a derrota na guerra ocasionou o colapso do Reich, a fuga do *Kaiser* para o exílio e a criação da República de Weimar com a revolução de novembro de 1918. A República de Weimar tinha uma Constituição moderna, com voto feminino e representação proporcional, mas esses elementos não foram decisivos para sua derrocada. O verdadeiro problema da Constituição era o presidente eleito de forma independente, que possuía poderes de emergência de largo alcance mediante o artigo 48, que lhe permitia governar por decreto. Esse poder já fora usado de forma extensiva pelo primeiro presidente, o social-democrata Friedrich Ebert. Quando ele morreu em 1925, seu sucessor eleito foi o marechal de campo Paul von Hindenburg, um monarquista ferrenho que não tinha um compromisso profundo com a Constituição. Em suas mãos, o artigo 48 se mostraria fatal à sobrevivência da República.

O legado final da Primeira Guerra Mundial foi o culto à violência, não apenas de veteranos como os Capacetes de Aço, da direita radical, mas mais especificamente da geração mais jovem de homens que não tinham idade suficiente para lutar e agora tentavam igualar os feitos heroicos dos mais velhos lutando no *front* doméstico. A guerra polarizou a política, com revolucionários comunistas à esquerda e vários grupos radicais emergindo à direita. Os mais notórios destes foram as Brigadas Livres, bandos armados que foram usados pelo governo para derrubar levantes revolucionários comunistas e de extrema esquerda em Berlim e Munique no inverno de 1918--19. As Brigadas Livres tentaram um golpe de Estado violento em Berlim no começo da primavera de 1920, o que gerou um levante armado de esquerda no Ruhr, e houve mais levantes de esquerda e de direita em 1923. Mesmo nos anos relativamente estáveis de 1924 a 1929, pelos menos 170 membros de vários esquadrões políticos paramilitares foram mortos em combates de rua; no início da década de 1930, as mortes e lesões registraram uma escalada dramática, com trezentos mortos nas ruas e em confrontos em locais de reunião apenas no período de março de 1930 a março de 1931. A tolerância política deu lugar ao extremismo violento. Os partidos de centro liberal e esquerda moderada sofreram grandes perdas eleitorais na metade da década de 1920, à medida que o espectro da revolução comunista recuava e as classes médias votavam em partidos mais à direita. Os partidos que apoiaram ativamente a República de Weimar jamais obtiveram maioria parlamentar depois de 1920. Por fim, a legitimidade da República foi ainda mais solapada pela predisposição do Judiciário em favor de assassinos e insurgentes de direita que alegavam patriotismo como motivo, e pela posição neutra adotada pelo Exército, que ficou cada vez mais ressentido com o fracasso da República em persuadir a comunidade internacional a suspender as restrições impostas a seu efetivo e equipamento pelo Tratado de Versalhes. A democracia alemã, improvisada às pressas na esteira da derrota militar, não estava de modo algum fadada ao fracasso desde o início, mas os eventos da década de 1920 fizeram com que ela jamais tivesse muita chance de se estabelecer sobre uma fundação estável.

II

Havia uma enorme variedade de grupos extremistas antissemitas de ultradireita em 1919, especialmente em Munique, mas, em 1923, um deles pairava acima dos restantes: o Partido Nacional-Socialista dos Trabalhadores Alemães, dirigido por Adolf Hitler. Tanta coisa foi escrita sobre o poder e o impacto de Hitler e dos nazistas que é importante destacar que o Partido situava-se na periferia distante da política até o final da década de 1920. Em outras palavras, Hitler não era um gênio político que angariou sozinho o apoio em massa para si e seu partido. Nascido na Áustria em 1889, era um artista fracassado com um estilo de vida boêmio que possuía um grande dom: a capacidade de mobilizar as massas com sua retórica. Seu partido, fundado em 1919, era mais dinâmico, mais implacável e mais violento que outros grupos periféricos da extrema direita. Em 1923, o Partido sentiu-se confiante o bastante para tentar um golpe de Estado violento em Munique como prelúdio para uma marcha sobre Berlim na linha da bem-sucedida Marcha sobre Roma de Mussolini no ano anterior. Mas o Partido fracassou em conquistar o Exército ou as forças políticas conservadoras da Baviera, e o golpe foi dissipado com uma saraivada de tiros. Hitler foi condenado e colocado na prisão de Landsberg, onde ditou seu tratado político autobiográfico, *Minha luta*, para seu lacaio Rudolf Hess. Por certo não era um plano para o futuro, mas um compêndio das ideias de Hitler, sobretudo a respeito do antissemitismo e da conquista racial da Europa oriental, para todos aqueles que se interessassem em ler.

Na época em que saiu da prisão, Hitler havia montado a ideologia do nazismo a partir de elementos díspares de antissemitismo, pangermanismo, eugenia e a chamada higiene racial, expansionismo geopolítico, hostilidade à democracia e hostilidade ao modernismo cultural, que circulavam há algum tempo, mas até então não haviam sido integrados em um conjunto coerente. Ele reuniu a sua volta uma equipe de subordinados imediatos – o talentoso propagandista Joseph Goebbels, o decidido homem de ação Hermann Göring e outros – que construiu sua imagem de líder e reforçou seu senso de destino. Mas, apesar de tudo isso e não obstante o ativismo violento de seus paramilitares camisas-pardas na rua, Hitler não chegou a lugar nenhum em termos políticos até o final da década de 1920. Em maio de 1928, os nazistas obtiveram apenas 2,6% dos votos, e uma "Grande Coalizão" de partidos de centro e de esquerda liderada pelos social-democratas assumiu o gabinete em Berlim. Entretanto, em outubro de 1929, a quebra de Wall Street fez a economia alemã desmoronar com ela. Os bancos americanos retiraram os empréstimos que vinham financiando a recuperação econômica alemã desde 1924. Como reação, os bancos alemães tiveram que resgatar seus empréstimos de empresas alemãs, e as empresas não tiveram outra opção além de dispensar trabalhadores ou ir à falência, o que de fato aconteceu com muitas. Dentro de pouco mais de dois anos, um em cada três trabalhadores alemães estava desempregado, e milhões tinham apenas trabalho de curto prazo ou ordenados reduzidos. O sistema de seguro-desemprego quebrou por completo, deixando um número crescente de pessoas na miséria. A agricultura, já em apuros devido à queda na demanda mundial, também entrou em colapso.

Os efeitos políticos da Depressão foram calamitosos. A Grande Coalizão desintegrou-se em desordem; as divisões entre os partidos a respeito de como lidar com a crise eram tão profundas que não se conseguia mais chegar a uma maioria parlamentar para nenhum tipo de ação decisiva. Hindenburg, o presidente do Reich, nomeou um gabinete de técnicos liderado pelo político católico Heinrich Brüning, um monarquista confesso. O gabinete tratou de impor severos cortes deflacionários, o que só piorou ainda mais a situação. E fez isso usando o poder presidencial de governar por decreto sob o artigo 48 da Constituição, ignorando o Reichstag por completo. O poder político foi desviado para cima e para baixo do Parlamento, para o círculo em torno de Hindenburg e para as ruas, onde a violência aumentou em escala exponencial, impulsionada pelas tropas de assalto dos camisas-pardas de Hitler, que agora somavam centenas de milhares. Para os milhares de jovens que se filiaram aos camisas-pardas, a violência tornou-se rapidamente um estilo de vida, quase uma droga, enquanto desencadeavam contra os comunistas e social-democratas a fúria que seus antecessores haviam lançado sobre o inimigo em 1914-18.

Muitos camisas-pardas estavam sem emprego no início da década de 1930. Não foi o desemprego, porém, que motivou as pessoas a apoiar os nazistas. Os desempregados afluíram sobretudo para o Partido Comunista, cuja votação cresceu de modo constante até chegar a 17%, dando aos comunistas cem assentos no Reichstag em novembro de 1932. A violenta retórica revolucionária dos comunistas, prometendo a destruição do capitalismo e a criação de uma Alemanha soviética, aterrorizou as classes médias do país, que sabiam muito bem o que havia acontecido com suas contrapartes na Rússia depois de 1918. Consternadas pelo fracasso do governo em resolver a crise, e apavoradas com a ascensão dos comunistas, começaram a abandonar as pequenas facções rixentas da direita política convencional e a gravitar na direção dos nazistas. Outros grupos foram atrás, inclusive muitos pequenos agricultores protestantes e operários manuais de zonas onde a cultura e as tradições dos social-democratas eram fracas. Todos os partidos de classe média colapsaram por completo, ao passo que os social-democratas e o Partido de Centro conseguiram restringir suas perdas. Mas, em 1932, eles eram tudo que restava do centro moderado, espremidos e impotentes entre cem comunistas uniformizados e 196 deputados de camisas-pardas no Reichstag. A polarização da política dificilmente poderia ter sido mais dramática.

Assim, conforme mostraram as eleições de setembro de 1930 e julho de 1932, os nazistas eram um partido aglutinador de protesto social, com apoio particularmente forte da classe média e respaldo relativamente fraco, ainda que muito significativo, da classe operária nas urnas. Haviam irrompido de seu núcleo de eleitorado protestante das classes médias baixas e da comunidade agrícola. Outros partidos, amedrontados com suas perdas, tentaram vencer os nazistas entrando no jogo deles. Isso não tinha nada a ver com políticas específicas, mas muito mais com a imagem de dinamismo que os nazistas projetavam. Era preciso livrar-se da odiada e calamitosa República de Weimar e unir o povo outra vez em uma comunidade nacional que não conhecesse partidos ou classes, a exemplo do que acontecera em 1914; a Alemanha tinha que se reafirmar no cenário internacional e se tornar um poder líder novamente: era mais ou menos isso que constava do programa dos nazistas. Eles modificavam suas políticas específicas de acordo com a plateia, não divulgando, por exemplo, o antissemitismo onde este não causava impressão, ou seja, na maior parte do eleitorado após 1928. Além dos nazistas e comunistas em batalha nas ruas, e dos intrigantes em torno de Hindenburg que disputavam a atenção do idoso presidente, um terceiro jogador de peso entrou na disputa política a essa altura: o Exército. Cada vez mais alarmado com a ascensão do comunismo e os crescentes atos violentos nas ruas, o Exército também viu a nova situação política como uma oportunidade de se livrar da democracia de Weimar e impor uma ditadura militar autoritária que repudiaria o Tratado de Versalhes e rearmaria o país nos preparativos para uma guerra de reconquista dos territórios perdidos da Alemanha, e talvez algo mais.

O poder do Exército jazia no fato de ser a única força que efetivamente podia restabelecer a ordem no país despedaçado. Quando a reeleição do presidente Hindenburg em 1932 foi obtida apenas com o auxílio dos social--democratas, que o respaldaram como uma opção menos inaceitável que o principal adversário, Hitler, os dias do chanceler Brüning estavam contados. Ele fracassara em quase tudo que havia empreendido, da solução da crise econômica à restauração da ordem nas aldeias e cidades da Alemanha, e agora ofendera Hindenburg ao falhar em garantir a reeleição sem oposição e ao propor a repartição do tipo de propriedade agrária que o próprio Hindenburg possuía no leste da Alemanha para ajudar os camponeses na miséria. O Exército estava ansioso para se livrar de Brüning porque suas políticas deflacionárias impediam o rearmamento. Como muitos grupos conservadores, o Exército tinha esperança de alistar os nazistas, agora o maior partido político, na legitimação e apoio à destruição da democracia de Weimar. Em maio de 1932, Brüning foi forçado a renunciar, sendo substituído pelo aristocrata rural católico Franz von Papen, amigo pessoal de Hindenburg.

A chegada de Papen ao poder soou o toque fúnebre da democracia de Weimar. Ele usou o Exército para depor o governo estadual social-democrata da Prússia e preparou a reforma da Constituição de Weimar restringindo o direito ao voto e reduzindo drasticamente os poderes legislativos do Reichstag. Começou a banir temas críticos dos jornais diários e a restringir as liberdades civis. Mas as eleições que convocou em julho de 1932 apenas registraram aumento adicional da votação nazista, que então atingiu 37,4% nas urnas. A tentativa de Papen de arregimentar Hitler e os nazistas em apoio a seu governo fracassou quando Hitler insistiu que ele, e não Papen, tinha que chefiar o governo. Carecendo de quase qualquer apoio no país, Papen foi forçado a renunciar quando o Exército perdeu a paciência com ele e colocou um dos seus homens no gabinete. O novo chefe do governo, o general Kurt von Schleicher, não se saiu melhor na restauração da ordem ou na cooptação dos nazistas para dar um ar de respaldo popular à sua política de criação de um Estado autoritário. Depois de os nazistas perderem 2 milhões de votos nas eleições de novembro de 1932 para o Reichstag, seu declínio evidente e a falta de fundos causaram séria divisão nas fileiras do Partido. O organizador do Partido e segundo homem efetivo de Hitler, Gregor Strasser, renunciou, frustrado pela recusa de Hitler em negociar com Hindenburg e Papen. Parecia a hora certa para tirar vantagem da fraqueza dos nazistas. Em 30 de janeiro de 1933, com a concordância do Exército, Hindenburg nomeou Hitler chefe do novo governo no qual todos os demais cargos, exceto dois, eram de conservadores, com Papen à frente como vice-chanceler.

III

Na realidade, 30 de janeiro de 1933 marcou o início da tomada nazista do poder, e não de uma contrarrevolução conservadora. Hitler havia evitado os erros que cometera dez anos antes: chegou ao cargo sem destruir formalmente a Constituição e com o apoio dos conservadores e do Exército. A questão agora era como converter sua posição de mais um gabinete de coalizão de Weimar em uma ditadura de um Estado de partido único. Primeiro, tudo em que conseguiu pensar foi intensificar a violência nas ruas. Persuadiu Papen a nomear Hermann Göring ministro do Interior da Prússia, e nessa função Göring prontamente alistou os camisas-pardas como polícia auxiliar. Eles prosseguiram na investida violenta, destruindo escritórios de sindicatos, surrando comunistas e interrompendo reuniões dos social-democratas. Em 28 de fevereiro, o acaso veio em auxílio dos nazistas: Marinus van der Lubbe, um anarcossindicalista holandês, incendiou sozinho o prédio do Reichstag em protesto contra as injustiças do desemprego. Hitler e Göring persuadiram um gabinete, já disposto a tanto, a suprimir efetivamente o Partido Comunista. Quatro mil comunistas, incluindo praticamente toda a liderança do partido, foram presos na mesma hora, espancados, torturados e jogados em campos de concentração recém-criados. Não houve afrouxamento na campanha de violência e brutalidade nas semanas seguintes. No final de março, a polícia prussiana registrava 20 mil comunistas na prisão. No verão, mais de 100 mil comunistas, social-democratas, sindicalistas e outros haviam sido detidos; até mesmo as estimativas oficiais fixavam em seiscentos o número de mortos sob custódia. Toda essa estratégia foi sancionada por um decreto de emergência, assinado por Hindenburg na noite após o incêndio, que suspendeu as liberdades civis e permitiu ao gabinete tomar quaisquer medidas necessárias para proteger a segurança pública. O ato solitário de van der Lubbe, o incendiário do Reischtag, foi retratado por Joseph Goebbels, que logo se tornaria ministro da Propaganda do Reich, como resultado de uma conspiração comunista para encenar um levante armado. Isso convenceu muitos eleitores de classe média de que o decreto era correto.

Contudo, o governo não baniu os comunistas nos sentidos formal e legal por temer que os eleitores do partido desertassem para os social-democratas nas eleições convocadas por Hitler para 5 de março. Em meio à maciça propaganda nazista, paga por um influxo de novos recursos provenientes da indústria, e à intimidação violenta, na qual a maioria das reuniões políticas dos rivais foi proibida ou interrompida, os nazistas ainda assim fracassaram em atingir a maioria absoluta, chegando a 44% e ultrapassando a barreira dos 50% apenas com a ajuda de sua coalizão de parceiros conservadores nacionalistas. Os comunistas ainda conquistaram 12%, e os social-democratas, 18%, com o Partido de Centro mantendo-se firme nos 11% dos votos. Isso significava que Hitler e seus companheiros de gabinete ainda estavam bem longe da maioria de dois terços necessária para alterar a Constituição. Mas em 23 de março de 1933 deram jeito de obtê-la, ameaçando com uma guerra civil caso fossem frustrados e convencendo os deputados do Partido de Centro com a promessa de uma Concordata abrangente com o papado para garantir os direitos dos católicos. A chamada Lei Plenipotenciária, aprovada pelo Reichstag nessa data, deu ao gabinete o direito de governar por decreto sem prestar contas ao Reichstag ou ao presidente. Junto com o Decreto do Incêndio do Reichstag, a lei proporcionou o pretexto legal para a criação de uma ditadura. Apenas os 94 deputados social-democratas presentes votaram contra.

Os social-democratas e os comunistas haviam conquistado o total de 221 assentos nas eleições de novembro de 1932 para o Reichstag, contra 196 dos nazistas e outros 51 do Partido Nacionalista, aliado dos nazistas. Mas fracassaram por completo em armar qualquer resistência organizada à tomada nazista do poder. Estavam duramente divididos. Os comunistas, sob as ordens de Stálin em Moscou, rotulavam os social-democratas de "social-fascistas" e argumentavam que eles eram piores que os nazistas. Os social-democratas relutavam em cooperar com um partido cuja sinuosidade e falta de escrúpulos eles justificadamente temiam. Suas organizações paramilitares lutavam com vigor contra os nazistas nas ruas, mas não seriam páreo para o Exército, que respaldava o governo de Hitler em tudo em 1933, e seus números também ficavam bem abaixo dos camisas-pardas, que somavam mais de 750 mil em fevereiro de 1933. Os social-democratas queriam evitar um banho de sangue e permaneceram fiéis às suas tradições de cumprir a lei. Os comunistas acreditavam que o governo de Hitler era o último suspiro de um sistema capitalista moribundo que logo entraria em colapso, abrindo o caminho para uma revolução proletária, de modo que não viram necessidade de se preparar para um levante. Por fim, uma greve geral estava fora de questão quando o desemprego situava-se em 35%; trabalhadores grevistas seriam rapidamente substituídos por desempregados desesperados para resgatar a si e suas família da privação.

Goebbels conseguiu a adesão dos líderes sindicais no apoio à criação de um novo feriado nacional no 1º de Maio, uma exigência de longa data dos sindicatos, e o transformou no assim chamado Dia Nacional do Trabalho, com centenas de milhares de trabalhadores reunindo-se sob a suástica em praças públicas da Alemanha para ouvir discursos de Hitler e outros líderes nazistas transmitidos por alto-falantes. No dia seguinte, camisas-pardas de toda a Alemanha deram batidas em sindicatos e escritórios e instalações social-democratas, saqueando-os, levando suas verbas e fechando-os. Dentro de poucas semanas, a detenção em massa de funcionários dos sindicatos e de líderes social-democratas, muitos dos quais espancados e torturados em campos de concentração improvisados, havia prostrado o espírito do movimento trabalhista. Foi a vez de outros partidos caírem na mira. Os partidos liberais e fragmentados, reduzidos pelo desgaste eleitoral a grupinhos à margem da política, foram forçados a se dissolver. Teve início uma campanha maledicente contra os parceiros nacionalistas da coalizão de Hitler, acoplada ao assédio e à detenção de funcionários e deputados nacionalistas. O principal aliado nacionalista de Hitler, Alfred Hugenberg, foi forçado a renunciar ao gabinete, enquanto o líder da bancada do partido no Reichstag foi encontrado morto em seu escritório em circunstâncias suspeitas. Os protestos de Hugenberg depararam com um acesso histérico de Hitler, que ameaçou promover um banho de sangue caso os nacionalistas resistissem mais tempo. No final de junho, o Partido Nacionalista também havia sido dissolvido. O grande partido independente que restava, o de Centro, sofreu sina semelhante. Ameaças nazistas de despedir funcionários públicos católicos e fechar organizações leigas católicas, combinadas com o pavor que o papado tinha do comunismo, levaram a um acordo concluído em Roma. O partido concordou em se dissolver em troca da finalização da Concordata já prometida por ocasião da Lei Plenipotenciária. Isso supostamente garantiria a integridade da Igreja Católica na Alemanha, bem como de todas as suas posses e organizações. O tempo haveria de mostrar que as promessas não valiam o papel em que foram escritas. Nesse meio-tempo, contudo, o Partido de Centro seguiu os outros rumo ao esquecimento. Em meados de julho de 1933, a Alemanha era um Estado de partido único, posição ratificada por uma lei que bania formalmente todos os outros partidos com exceção do Nazista.

Entretanto, não foram abolidos apenas partidos e sindicatos. O assalto nazista às instituições existentes afetou a sociedade como um todo. Cada governo estadual, cada assembleia estadual do sistema político federativo da Alemanha, cada aldeia, distrito e Câmara de Vereadores foi implacavelmente expurgado; o Decreto do Incêndio do Reichstag e a Lei Plenipotenciária foram usados para exonerar supostos inimigos do Estado, o que significava na prática inimigos dos nazistas. Cada associação nacional de voluntários e cada clube local foram colocados sob controle nazista, de grupos de resistência industriais e agrícolas a associações esportivas, clubes de futebol, corais masculinos, organizações de mulheres – em resumo, toda a trama da vida associacional foi nazificada. Clubes ou sociedades de orientações políticas rivais foram fundidos em um único organismo nazista. Os líderes em exercício das associações de voluntários foram afastados sem cerimônia ou se submeteram por conta própria. Muitas organizações expulsaram membros de visão política esquerdista ou liberal e declararam submissão ao novo Estado e a suas instituições. Esse processo ("coordenação", no jargão nazista) foi adiante por toda a Alemanha, de março a junho de 1933. No fim, as únicas associações não nazistas que sobraram foram praticamente o Exército e as igrejas com suas organizações leigas. Enquanto isso estava em andamento, o governo aprovou uma lei que lhe permitiu expurgar o serviço público, uma vasta organização na Alemanha, que incluía professores escolares, pessoal das universidades, juízes e muitas outras profissões que não eram controladas pelo governo em outros países. Social-democratas, liberais e não poucos católicos e conservadores também foram afastados. Para salvar o emprego numa época em que o desemprego havia atingido dimensões aterrorizantes, 1,6 milhão de pessoas filiaram-se ao Partido Nazista entre 30 de janeiro e 1º de maio de 1933, quando a liderança nazista proibiu mais recrutamento, ao passo que o número de paramilitares camisas-pardas cresceu para mais de 2 milhões no verão de 1933.

A proporção de funcionários públicos, juízes e outros que foram despedidos por motivos políticos na verdade foi muito pequena. O principal motivo para a demissão não foi político, mas racial. A lei do serviço público aprovada pelos nazistas em 7 de abril de 1933 permitiu a demissão de servidores judeus, embora Hindenburg tivesse conseguido inserir uma cláusula protegendo o emprego de veteranos de guerra judeus e daqueles contratados sob o *Kaiser*, antes de 1914. Os judeus, alegava Hitler, eram um elemento parasita subversivo do qual era preciso livrar-se. Na verdade, a maioria dos judeus era de classe média e tinha uma visão política liberal-conservadora, se é que tivessem alguma. Não obstante, Hitler acreditava que eles haviam minado a Alemanha de forma deliberada durante a Primeira Guerra Mundial e provocado a revolução que havia criado a República de Weimar. Uns poucos líderes socialistas e comunistas haviam sido judeus, é verdade, mas a maioria não. Para os nazistas, isso não fazia diferença. No dia seguinte à eleição de março, as tropas de assalto marcharam com violência pela Kurfürstendamm, uma elegante rua de compras de Berlim, caçando e espancando judeus. Sinagogas foram arrasadas, enquanto por toda a Alemanha gangues de camisas-pardas adentravam de modo intempestivo nos tribunais e arrastavam juízes e advogados judeus para fora, surrando-os com cassetetes de borracha e dizendo que não voltassem. Entre aqueles detidos por serem comunistas ou social-democratas, os judeus eram tratados com particular severidade. Mais de quarenta judeus haviam sido assassinados pelas tropas de assalto no fim de junho de 1933.

Tais incidentes eram amplamente divulgados na imprensa estrangeira. Isso serviu de pretexto para Hitler, Goebbels e a liderança nazista colocarem em ação o plano há muito cogitado de boicote às lojas e aos negócios judaicos em âmbito nacional. Em 1º de abril de 1933, as tropas de assalto postaram-se de maneira ameaçadora do lado de fora desses estabelecimentos, advertindo as pessoas para que não entrassem. A maioria dos alemães não judeus obedeceu, mas sem qualquer entusiasmo. As maiores empresas judaicas ficaram incólumes por contribuírem muitíssimo para a economia. Ao perceber que havia fracassado em suscitar o entusiasmo popular, Goebbels cancelou a ação depois de alguns dias. Mas os espancamentos, a violência e o boicote impactaram a comunidade judaica na Alemanha, da qual 37 mil membros haviam emigrado até o fim do ano. O expurgo de judeus promovido pelo regime – que definia judeus não pelo credo religioso, mas por critérios raciais – teve efeito em particular na ciência, na cultura e nas artes. Maestros e músicos judeus como Bruno Walter e Otto Klemperer foram sumariamente demitidos ou proibidos de se apresentar. A indústria do cinema e o rádio foram rapidamente expurgados tanto de judeus quanto de opositores políticos dos nazistas. Jornais não nazistas foram fechados ou submetidos a controle nazista, enquanto o sindicato dos jornalistas e a associação das editoras de jornais colocaram-se sob a liderança nazista. Escritores de esquerda e liberais, como Bertolt Brecht, Thomas Mann e muitos outros, não puderam publicar seus livros; um grande número deles deixou o país. Hitler reservou especial animosidade a artistas modernistas como Paul Klee, Max Beckmann, Ernst Ludwig Kirchner e Vassily Kandinsky. Antes de 1914, ele havia sido rejeitado pela Academia de Arte de Viena porque seus meticulosos desenhos representativos de prédios foram considerados desprovidos de talento. Sob a República de Weimar, artistas abstratos e expressionistas obtiveram riqueza e reputação com o que Hitler julgava borrões feios e sem sentido. Enquanto Hitler vituperava contra a arte moderna em seus discursos, diretores de galerias e museus eram despedidos e substituídos por homens que removeram com entusiasmo as obras modernistas de exposição. Os muitos artistas e compositores modernistas que detinham cargos em instituições educacionais, como Klee ou Schönberg, foram todos demitidos.

No total, cerca de 2 mil pessoas ativas nas artes emigraram da Alemanha em 1933 e nos anos seguintes. Ou seja, quase todos os nomes de reputação internacional. O anti-intelectualismo nazista foi ainda mais ressaltado por eventos nas universidades. Ali também os professores judeus em todas as áreas foram demitidos. Muitos, incluindo Albert Einstein, Gustav Hertz, Erwin Schrödinger, Max Born e vinte ganhadores passados ou futuros do Prêmio Nobel, deixaram o país. Em 1934, cerca de 1,6 mil de 5 mil professores universitários haviam sido removidos do emprego, um terço destes por serem judeus, o restante por serem oponentes políticos dos nazistas. Dezesseis por cento dos professores e assistentes de física emigraram. Nas universidades, foram sobretudo os alunos, auxiliados por um pequeno número de professores nazistas, como o filósofo Martin Heidegger, que levaram o expurgo adiante. Eles forçaram a saída de professores judeus e esquerdistas por meio de manifestações violentas, e então, em 10 de maio de 1933, organizaram manifestações nas praças principais de dezenove aldeias e cidades universitárias, nas quais empilharam e atearam fogo a enormes quantidades de livros de autores judeus e esquerdistas. O que os nazistas estavam tentando efetuar era uma revolução cultural na qual influências culturais alienígenas – notadamente de judeus, mas também da cultura modernista em termos mais gerais – fossem eliminadas e o espírito alemão renascesse. Os alemães não tinham apenas que aprovar o Terceiro Reich, tinham que apoiá-lo de corpo e alma, e a criação do Ministério da Propaganda sob o comando de Joseph Goebbels, que logo adquiriu o controle de toda a esfera da cultura e das artes, era o principal expediente pelo qual os nazistas buscavam atingir esse fim. Não obstante, o nazismo era em muitos aspectos um fenômeno totalmente moderno, entusiástico no uso da tecnologia mais recente, das armas mais novas e dos métodos mais científicos para remodelar a sociedade alemã à sua vontade. Raça, para os nazistas, era um conceito científico, e, ao torná-la a base de todas as suas políticas, estavam assumindo a posição do que concebiam como a aplicação do método científico à sociedade humana. Nada, nem mesmo crenças religiosas, tampouco escrúpulos éticos, nem tradição há muito consagrada, ficaria no caminho dessa revolução. Contudo, no verão de 1933, Hitler sentiu-se compelido a dizer a seus seguidores que estava na hora de a revolução chegar ao fim. A Alemanha precisava de um período de estabilidade. Este livro começa nesse momento, quando a destruição dos vestígios da República de Weimar estava concluída e o Terceiro Reich enfim estava no poder.

O Estado policial

1

"Noite das Facas Longas"

I

Em 6 de julho de 1933, Hitler reuniu as lideranças nazistas para um balanço geral da situação. A revolução dos nacional-socialistas tivera êxito, declarou ele; o poder era deles e somente deles. Agora era a hora de estabilizar o regime. Não deveria haver mais conversas do tipo que andava circulando entre os membros do alto escalão da ala paramilitar camisa-parda do Partido, a Divisão de Assalto (Sturmabteilung, ou SA), sobre uma "segunda revolução" que viria na sequência da "conquista do poder":

> Revolução não é uma situação permanente. Ela não deve virar uma situação permanente. O curso da revolução esteve desimpedido, mas deve ser canalizado para o leito seguro da evolução... O *slogan* da segunda revolução era justificado enquanto ainda estivessem presentes na Alemanha posições que pudessem servir de pontos de cristalização para uma contrarrevolução. Esse já não é o caso. Não deixamos qualquer dúvida de que, se necessário, afogaremos uma tentativa desse tipo em sangue. Pois uma segunda revolução só pode dirigir-se contra a primeira.[1]

Essa declaração foi seguida de numerosas afirmações semelhantes, ainda que menos ameaçadoras, de outros líderes nazistas nas semanas posteriores. Os ministérios da Justiça e do Interior do Reich aumentavam a pressão para que se desse jeito na violência arbitrária, e o Ministério da Economia do Reich receava que a agitação contínua transmitisse à comunidade internacional uma impressão de instabilidade ininterrupta na Alemanha e assim desencorajasse os investimentos e a recuperação econômica. O Ministério do Interior reclamava das detenções de funcionários públicos, o Ministério da Justiça das detenções de advogados. A violência dos camisas-pardas era contínua por todo o país, mais notoriamente na "Semana Sangrenta de Köpenick" em junho de 1933, quando um esquadrão de patrulha da organização encontrou resistência de um jovem social-democrata em um subúrbio de Berlim. Após o social-democrata matar três camisas-pardas a tiros, as tropas de assalto mobilizaram-se em massa e detiveram mais de quinhentos homens da região, torturando-os com tamanha brutalidade que 91 morreram. Entre eles havia muitos políticos social-democratas famosos, como o ex-ministro-presidente de Mecklenburg, Johannes Stelling.[2] Era óbvio que esse tipo de violência tinha que ser refreado; não era mais necessário submeter os oponentes dos nazistas à pancada e estabelecer um Estado de partido único. Além disso, Hitler estava começando a se preocupar com o poder que os tumultos da cada vez maior SA conferiam a seu líder Ernst Röhm, que em 30 de maio de 1933 havia declarado que a tarefa da SA de completar a revolução nacional, socialista "ainda estava por fazer". "Não interessa se todos os dias chegam declarações de lealdade de clubes de apicultores ou de boliche 'coordenados'", acrescentou Röhm, "nem se as ruas das cidades recebem nomes atualizados". Outros podiam celebrar a vitória nazista, mas os soldados políticos que haviam lutado por ela, disse Röhm, tinham que se encarregar do assunto e levá-la adiante.[3]

Em 2 de agosto de 1933, preocupado com tais declarações, Hermann Göring, na função de ministro-presidente da Prússia, revogou uma ordem de fevereiro que recrutava os camisas-pardas como agentes auxiliares da polícia prussiana. Os ministros de outros estados federados seguiram o exemplo. A força policial constituída agora tinha mais margem de manobra para lidar com os excessos das tropas de assalto. O ministro prussiano da Justiça montou um gabinete de promotoria central para tratar de assassinatos e outros crimes graves nos campos de concentração, embora também ordenasse o encerramento dos processos em curso contra homens da SA e da SS por crimes de violência, e o perdão daqueles já sentenciados. Foram emitidas normas estritas sobre quem estava autorizado a colocar pessoas sob custódia preventiva e quais procedimentos deveriam ser observados ao se fazer isso. Uma indicação do que havia sido a prática até então foi oferecida pelas proibições contidas nas normas consolidadas emitidas em abril de 1934: ninguém deveria ser levado sob custódia preventiva por motivos pessoais como difamação, ou por ter demitido empregados, ou ter agido como representante legal de pessoas subsequentemente aprisionadas, ou por ter apresentado uma ação legal questionável diante do tribunal. Privada de sua razão de ser inicial – o braço das brigas de rua e badernas de botequim do movimento nazista – e removida da posição de comando em muitos dos pequenos campos de concentração e centros de tortura improvisados, a SA de repente viu-se sem papel.[4]

As eleições agora já não eram mais disputadas a sério, de modo que as tropas de assalto foram destituídas da oportunidade que as constantes campanhas eleitorais do início da década de 1930 haviam lhes concedido: de desfilar pelas ruas e dissolver os encontros de seus oponentes. A desilusão começou a se instaurar. A SA havia se expandido tremendamente na primavera de 1933, à medida que ia sendo inundada de simpatizantes e oportunistas de muitas procedências. Em março de 1933, Röhm havia anunciado que qualquer homem alemão "de mente patriótica" podia se alistar. Quando o recrutamento do Partido Nazista foi sustado em maio de 1933 porque sua liderança temia que um número excessivo de oportunistas estivesse aderindo e que o movimento estivesse se enchendo de homens não totalmente comprometidos com a causa, muita gente viu o alistamento nos camisas-pardas como uma alternativa, enfraquecendo assim os elos entre o Partido e sua ala paramilitar. A incorporação dos Capacetes de Aço, uma enorme associação de veteranos, na organização camisa-parda na segunda metade de 1933 impulsionou mais ainda os números da SA. No início de 1934 havia seis vezes mais camisas-pardas que no começo do ano anterior. O efetivo total da "Divisão de Assalto" agora atingia quase 3 milhões de homens; 4,5 milhões contando-se os Capacetes de Aço e outros grupos paramilitares. Isso reduziu por completo o tamanho das Forças Armadas alemãs, legalmente restritas a meros 100 mil homens pelo Tratado de Versalhes. Ao mesmo tempo, contudo, não obstante as restrições impostas pelo Tratado, o Exército era de longe a força de combate mais bem equipada e treinada.

O espectro de guerra civil que assomara de modo tão ominoso no início de 1933 começava a despontar de novo.⁵

O descontentamento das tropas de assalto não se limitava à inveja em relação ao Exército e à impaciência com a estabilização da política após julho de 1933. Muitos "velhos combatentes" ressentiam-se dos recém-chegados que haviam pulado para o bonde nazista no começo de 1933. A tensão era especialmente alta com os ex-Capacetes de Aço que entraram para a organização. Essa tensão teve cada vez mais escape em brigas e rixas nos primeiros meses de 1934. Na Pomerânia, a polícia baniu unidades de antigos Capacetes de Aço (agora organizados como a Liga dos Combatentes da Frente Nacional-Socialista Alemã) após um líder camisa-parda ser assassinado por um ex-membro dos Capacetes de Aço.⁶ Mas o ressentimento dos velhos camisas-pardas também pôde ser sentido em escala mais ampla. Muitos haviam esperado ricas recompensas com a eliminação dos rivais dos nazistas, e ficaram desapontados quando os políticos tradicionais locais e os parceiros conservadores dos nazistas pegaram muitas das melhores sobras. Um ativista camisa-parda, nascido em 1897, escreveu em 1934:

> Após a tomada do poder, as coisas mudaram de modo drástico. Gente que até então havia me desprezado agora cumulava-me de louvores. Em minha família e entre todos os parentes eu era considerado o maioral, depois de anos de amarga hostilidade. Minha Divisão de Assalto cresceu a passos largos mês a mês, de modo que (de 250 em janeiro) em 1º de outubro de 1933 eu tinha 2,2 mil membros – o que me levou à promoção de líder sênior da Divisão de Assalto na época do Natal. Contudo, quanto mais os filisteus me enalteciam, mais eu suspeitava de que aqueles salafrários pensavam que tinham me vencido... Após a incorporação dos Capacetes de Aço, quando as coisas deram uma parada, investi contra a turminha reacionária que de modo sorrateiro estava tentando me fazer parecer ridículo diante de meus superiores. Houve todo tipo de denúncia contra mim nos gabinetes mais altos da SA e junto às autoridades públicas... Enfim, tive êxito em ser indicado a prefeito local... de modo que pude acabar com todos os filisteus de destaque e os remanescentes conservadores dos velhos tempos.⁷

Tais sentimentos eram ainda mais fortes entre os muitos veteranos camisas-pardas que não conseguiram se colocar em posições de poder, como esse homem fez com sucesso.

À medida que os jovens camisas-pardas viram suas energias violentas privadas de um escoadouro francamente político, passaram a se envolver em um número crescente de badernas e brigas por toda a Alemanha, com frequência sem qualquer motivo político óbvio. Gangues de camisas-pardas ficavam bêbadas, causavam distúrbios tarde da noite, surravam transeuntes inocentes e atacavam a polícia se esta tentasse detê-las. A coisa ficou ainda pior com a tentativa de Röhm de remover os camisas-pardas da jurisdição da polícia e dos tribunais em dezembro de 1933; foi dito às tropas de assalto que dali em diante todos os assuntos disciplinares tinham que ser tratados pela própria organização. Foi uma licença para a inércia, embora os processos ainda fossem movidos. Röhm teve mais dificuldade para estabelecer uma jurisdição separada da SA que tratasse retroativamente de mais de 4 mil processos contra homens da SA e da SS por crimes de vários tipos que ainda estavam nos tribunais em maio de 1934, a maioria proveniente dos primeiros meses de 1933. Muitos outros haviam sido arquivados, e jamais haviam sido instaurados processos em um número ainda maior de delitos, mas mesmo assim aquele era um volume considerável. Além disso, o Exército tinha sua corte marcial; assim, ao montar um sistema paralelo dentro da SA, Röhm obteria em grande medida um *status* equivalente para a sua organização. Em caráter privado, ele havia anunciado em julho que um líder da SA com jurisdição sobre o assassinato de um homem da SA teria condições de sentenciar à morte até doze membros "da organização inimiga que cometeu o assassinato". Isso fornece uma indicação sinistra da natureza do sistema de justiça que ele esperava criar.[8] Estava claro que era preciso encontrar algumas maneiras de desviar todo esse excesso de energia para canais úteis. Mas a liderança da SA só piorou as coisas ao tentar dirigir o ativismo violento do movimento para o que um líder regional do leste, Edmund Heines, descreveu publicamente como "a continuação da revolução alemã".[9] Como chefe da SA, Ernst Röhm falou em inúmeros comícios e marchas nos primeiros meses de 1934, enfatizando de modo semelhante a natureza revolucionária do nazismo e desferindo ataques abertos à liderança do Partido e em particular ao Exército alemão, cujos altos oficiais eram, segundo os camisas-pardas responsáveis por seu banimento temporário ordenado pelo ex-chanceler do Reich Heinrich Brüning em 1932. Röhm causou um alarme considerável na hierarquia do Exército quando declarou querer que os camisas-pardas constituíssem a base de uma milícia nacional, efetivamente ignorando – e quem sabe por fim substituindo – o Exército de vez. Hitler tentou distrair Röhm fazendo-o ministro sem pasta com um assento no gabinete em dezembro de 1933, mas, dada a crescente improficuidade do gabinete àquela altura, isso significou muito pouco em termos práticos, e não foi um substituto para a verdadeira ambição de Röhm, que era ocupar o Ministério da Defesa, na época sob domínio do representante do Exército, o general Werner von Blomberg.[10]

Privado de poder de verdade no centro, Röhm começou a construir um culto de sua liderança dentro da SA e continuou a pregar a necessidade de mais revolução.[11] Em janeiro de 1934, tropas de assalto deram expressão prática a seu radicalismo ao irromper no Hotel Kaiserhof em Berlim e acabar com a celebração do aniversário do ex-Kaiser assistida por vários oficiais do Exército.[12] No dia seguinte, Röhm enviou um memorando a Blomberg. Talvez exagerando a importância daquilo para causar efeito, Blomberg disse que o memorando exigia que a SA substituísse o Exército como a principal força de combate do país e que o corpo militar tradicional se limitasse a treinar as tropas de assalto para assumir esse papel.[13] Para a liderança do Exército, os camisas-pardas agora pareciam uma ameaça cada vez mais séria. Desde o verão de 1933, Blomberg havia manejado o Exército da neutralidade política anterior rumo a um apoio cada vez mais declarado ao regime. Blomberg e seus aliados foram seduzidos pelas promessas de Hitler de expansão maciça do poderio militar alemão por meio da retomada do recrutamento. Foram persuadidos pela garantia de Hitler de que ele conduziria uma política exterior agressiva que culminaria com a recuperação dos territórios perdidos pelo Tratado de Versalhes e a deflagração de uma nova guerra de conquista a leste. Blomberg, por sua vez, demonstrou lealdade ostensiva ao Terceiro Reich ao adotar o "Parágrafo Ariano", que impedia os judeus de servirem no Exército, e incorporar a suástica às insígnias da instituição. Embora fossem gestos bastante simbólicos – por insistência do presidente Hindenburg, por exemplo, os veteranos de guerra judeus não puderam ser dispensados, e apenas uns setenta soldados foram de fato mandados embora –, ainda assim eram concessões importantes à ideologia nazista, que indicavam o quanto o Exército estava de acordo com a nova ordem política.[14]

Ao mesmo tempo, contudo, o Exército não era de modo algum uma instituição nazificada. Sua independência relativa era baseada no atento interesse em seu destino por parte do presidente do Reich, Paul von Hindenburg, seu comandante em chefe oficial. De fato, Hindenburg havia se recusado a nomear Walther von Reichenau, a opção pró-nazista de Hitler e Blomberg, para suceder o conservador e antinazista Kurt von Hammerstein como chefe do Exército quando este foi reformado. Em vez disso, impôs a nomeação do general Werner von Fritsch, um popular oficial do Estado-Maior de visão fortemente conservadora, com paixão por equitação e uma abordagem estritamente protestante de vida. Solteiro, fanático pelo trabalho e de visão militar estreita, Fritsch tinha o desprezo arrogante dos oficiais prussianos pela vulgaridade dos nazistas. Sua influência conservadora era respaldada pelo chefe do Gabinete da Força Militar, general Ludwig Beck, nomeado no final de 1933. Beck era um homem circunspecto, tímido e reservado, um viúvo cuja principal recreação também era montar cavalos. Com homens como Fritsch e Beck ocupando dois dos cargos mais graduados da liderança do Exército, não havia chance de este ceder à pressão da SA. Blomberg obteve um encontro com Hitler e a liderança da SA e da SS em 28 de fevereiro de 1934, no qual Röhm foi forçado a assinar um acordo de que não tentaria substituir o Exército por uma milícia camisa-parda. A força militar da Alemanha no futuro, declarou Hitler enfaticamente, seria um Exército profissional e bem equipado, no qual os camisas-pardas poderiam agir apenas em uma função auxiliar. Após os oficiais do Exército terem deixado a recepção subsequente, Röhm disse a seus homens que não obedeceria o "cabo ridículo" e ameaçou botar Hitler "de licença". Tal insubordinação não passou despercebida. De fato, ciente da atitude de Röhm, Hitler já o havia colocado sob vigilância secreta da polícia.[15]

A competição com a SA levou Blomberg e os líderes militares a tentar conquistar os favores de Hitler de várias maneiras. O Exército considerava a SA uma fonte em potencial de recrutas. Mas preocupava-se com a possibilidade de que isso levasse à infiltração política, e escarnecia o fato de a liderança da SA incluir homens desligados da força militar com desonra. Assim, o Exército preferiu propor a reintrodução do recrutamento, concretizando-a em um plano esboçado por Beck em dezembro de 1933. Ao conversar com os líderes do Exército em fevereiro daquele ano, Hitler já havia prometido que isso aconteceria. De fato, havia dito ao ministro britânico Anthony Eden que seria um erro permitir a existência de um "segundo Exército", e que pretendia colocar a SA sob controle e tranquilizar a opinião estrangeira desmilitarizando-a.[16] A despeito disso, começaram a se multiplicar as histórias de comandantes camisas-pardas locais e regionais profetizando a criação de um "estado da SA" e uma "noite das facas longas". Foi relatado que Max Heydebreck, um líder da SA em Rummelsburg, teria dito: "Alguns oficiais do Exército são uns suínos. A maioria dos oficiais está velha demais e tem que ser substituída por jovens. Queremos esperar até que papai Hindenburg esteja morto, e então a SA marchará contra o Exército. O que 100 mil soldados podem fazer contra uma força muitíssimo maior de homens da SA?".[17] Os homens da SA começaram a interceptar o abastecimento dos militares em trânsito e a confiscar armas e suprimentos. Contudo, no geral, esses incidentes eram locais, esporádicos e descoordenados. Röhm jamais concebeu nenhum plano orquestrado. Ao contrário de alegações posteriores de Hitler, Röhm não tinha a intenção imediata de deflagrar um golpe. De fato, Röhm anunciou no começo de junho que estava indo para Bad Wiessee, perto de Munique, em repouso forçado por ordens médicas e saiu de licença da SA por todo o mês de julho.[18]

II

As perturbações contínuas e a retórica violenta eram suficientes para preocupar não apenas os líderes do Exército, mas também alguns dos colegas conservadores de Hitler no gabinete. Até a aprovação da Lei Plenipotenciária, o gabinete havia continuado a se reunir regularmente a fim de aprovar projetos de decretos a serem encaminhados ao presidente. Entretanto, a partir do final de março, o gabinete começou a ser ignorado pela Chancelaria do Reich e pelos ministérios individuais. Hitler não gostava das discussões compridas e às vezes críticas que ocorriam nas reuniões de gabinete. Preferia que os decretos fossem elaborados tão plenamente quanto possível antes de chegar à reunião do conjunto de ministros. Com isso, o gabinete cada vez mais reunia-se apenas para endossar leis previamente decididas. Até o recesso de verão de 1933, ainda se reuniu quatro ou cinco vezes por mês, e houve encontros relativamente frequentes em setembro e outubro de 1933. A partir de novembro de 1933, porém, pôde se observar uma nítida mudança. O gabinete reuniu-se apenas uma vez naquele mês, três em dezembro, uma em janeiro de 1934, duas em fevereiro e duas em março. A seguir, deixou de se reunir em abril de 1934, encontrou-se apenas uma vez em maio e não teve sessão alguma em junho. A essa altura, já deixara há muito de ser dominado até mesmo em termos numéricos pelos conservadores, visto que o chefe da propaganda nazista, Joseph Goebbels, havia entrado como ministro da Propaganda do Reich em março de 1933, seguido de Rudolf Hess e Ernst Röhm em 1º de dezembro e de outro nazista, o ministro da Educação Bernhard Rust, em 1º de maio de 1934. O nacionalista Alfred Hugenberg havia renunciado em 29 de junho de 1933, sendo substituído como ministro da Agricultura pelo nazista Walther Darré. O gabinete nomeado por Hindenburg em 30 de janeiro de 1933 continha apenas três nazistas – Hitler, Wilhelm Frick, o ministro do Interior, e Hermann Göring, como ministro sem pasta. Entretanto, dos dezessete ministros do gabinete em exercício em maio de 1934, uma nítida maioria – nove – eram membros de longa data do Partido Nazista. Havia ficado claro, até para um homem propenso à autoilusão e cegueira política como o vice-chanceler conservador Franz von Papen, que as expectativas originais com que ele e seus colegas conservadores haviam ingressado no gabinete em 30 de janeiro de 1933 estavam completamente destroçadas. Não eram eles que manipulavam os nazistas, mas os nazistas que os manipulavam, e também intimidavam e maltratavam.[19]

Contudo, Papen, espantosamente, não havia de forma alguma abandonado seu sonho, abertamente articulado durante seu período como chanceler do Reich em 1932, de uma restauração conservadora realizada com apoio em massa do Partido Nazista. No verão de 1933, Edgard Jung, seu redator de discursos, continuava a argumentar em favor de uma ideia de "revolução alemã" que envolveria "a despolitização das massas, sua exclusão da condução do Estado". O populismo feroz da SA parecia um sério obstáculo ao regime antidemocrático e elitista que Papen desejava. Em torno do vice-chanceler havia se juntado um grupo de jovens conservadores que compartilhava dessa visão. Enquanto isso, a Vice-Chancelaria tornou-se o destino de um crescente número de queixas de pessoas de todos os tipos sobre a violência e o comportamento arbitrário dos nazistas, dando a Papen e sua equipe uma visão cada vez mais negativa dos efeitos da "revolução nacional" que eles até então haviam respaldado, e rapidamente transformando seu grupo em um foco para todos os tipos de descontentes.[20] Em maio de 1934, Goebbels reclamava de Papen em seu diário; os rumores diziam que ele estava de olho na Presidência assim que o velho Hindenburg morresse. Outros membros conservadores do gabinete tampouco estavam isentos do desprezo do chefe de propaganda ("tem que haver uma verdadeira faxina tão logo seja possível", ele escreveu).[21] Havia um perigo óbvio de que o grupo de Papen, já sob atenta vigilância policial, unisse forças com o Exército. De fato, o secretário de imprensa de Papen, Herbert von Bose, estava começando a estabelecer contato ativo com importantes generais e oficiais de alta patente preocupados com as atividades da SA. Era sabido que Hindenburg, há tempos um amortecedor entre o Exército e os conservadores de um lado e as lideranças nazistas de outro, estivera gravemente enfermo em abril de 1934. Logo ficou claro que não se recuperaria. Ele retirou-se para sua propriedade rural em Neudeck, no leste da Prússia, no começo de junho, para aguardar seu fim. Era claro que sua morte criaria um momento de crise para o qual o regime tinha que estar preparado.[22]

O momento era ainda mais crítico para o regime porque, como muita gente estava sabendo, o entusiasmo de 1933 pela "revolução nacional" havia diminuído de forma perceptível passado um ano. Os camisas-pardas não eram o único setor da população a se sentir desapontado com os resultados. Agentes social-democratas reportaram à liderança do partido exilada em Praga que o povo estava apático, reclamando constantemente e contando infindáveis piadas políticas sobre os líderes nazistas. Os encontros nazistas eram muito pouco frequentados. Hitler ainda era amplamente admirado, mas as pessoas estavam começando a dirigir críticas também para esses lados. Muitas das promessas nazistas não haviam sido mantidas, e temores de uma nova inflação ou de uma guerra súbita estavam levando ao pânico de compras e estocagem de mantimentos em alguns locais. As classes educadas temiam que a desordem causada pelas tropas de assalto pudesse transbordar como caos ou, pior ainda, bolchevismo.²³ As lideranças nazistas estavam cientes de que tais murmúrios de descontentamento podiam ser ouvidos por baixo da superfície aparentemente tranquila da vida política. Em resposta às perguntas do jornalista americano Louis P. Lochner, Hitler deu-se ao trabalho de sublinhar a lealdade incondicional que ele exigia dos subordinados.²⁴

As coisas estavam chegando a um ponto crítico. O ministro-presidente da Prússia, Hermann Göring, ele mesmo um ex-líder da SA, agora estava tão preocupado com o curso dos acontecimentos que concordou em entregar o controle da polícia política prussiana a Heinrich Himmler em 20 de abril de 1934, habilitando o jovem e ambicioso líder da SS, já no comando da polícia política em todas as outras partes da Alemanha, a centralizar o aparato policial em suas mãos. A SA, da qual a SS a essa altura ainda fazia parte em termos nominais, era um obstáculo óbvio à efetivação das metas de Himmler.²⁵ Em um cruzeiro de quatro dias no *Deustchland*, uma embarcação da Marinha, ao largo da Noruega em meados de abril, Hitler, Blomberg e os altos oficiais militares parecem ter chegado a um acordo de que a SA deveria ser refreada.²⁶ Passou-se maio e a primeira metade de junho sem que Hitler fizesse um movimento aberto. Não foi a primeira vez que Goebbels começou a se sentir frustrado com a aparente indecisão de seu senhor. No final de junho, ele registrava: "A situação está ficando mais séria que nunca. O Líder tem que agir. Do contrário, a Reação será demasiada para nós".²⁷

A mão de Hitler por fim foi forçada quando Papen proferiu um discurso público na Universidade de Marburg, em 17 de junho de 1934, no qual preveniu sobre uma "segunda revolução" e atacou o culto à personalidade que cercava Hitler. Estava na hora de o levante permanente da revolução nazista chegar ao fim, disse ele. O discurso, redigido por Edgar Jung, conselheiro de Papen, armou um pesado ataque ao "egoísmo, falta de caráter, falsidade, falta de cavalheirismo e arrogância" no cerne da chamada "revolução alemã". Foi saudado com aplausos estrondosos dos ouvintes. Logo depois, ao aparecer em um elegante evento hípico em Hamburgo, Papen foi saudado com hurras e gritos de "Salve, Marburg!" da multidão.²⁸ Na volta de um encontro frustrante com Mussolini em Veneza, Hitler extravasou a irritação com as atividades de Papen antes mesmo de ficar sabendo do discurso de seu vice-chanceler em Marburg. Dirigindo-se aos fiéis do Partido em Gera, Hitler atacou os "pigmeuzinhos" que estavam tentando deter a vitória da ideia nazista. "É ridículo quando um vermezinho desses tenta combater uma renovação tão poderosa do povo. Ridículo quando um pigmeuzinho desses julga-se capaz de obstruir a gigantesca renovação do povo com umas poucas frases vazias." O punho cerrado do povo, ameaçou, "esmagaria qualquer um que ousasse fazer até mesmo a mais leve tentativa de sabotagem".[29] Ao mesmo tempo, a reclamação do vice-chanceler a Hitler, combinada com uma ameaça de renúncia, deparou com a promessa de que o ímpeto da SA rumo a uma "segunda revolução" seria detido e com a sugestão, prontamente aceita por Papen, de que toda a situação seria discutida no devido tempo com o presidente enfermo.[30] Não foi a primeira vez que Papen aquietou-se com um falso sentimento de segurança das promessas insinceras de Hitler e uma fé indevida na influência de Hindenburg.

Hitler saiu às pressas para deliberar com Hindenburg. Chegando em Neudeck em 21 de junho, foi confrontado por Blomberg, que estivera discutindo o discurso de Papen com o presidente. O chefe do Exército deixou claro que, se os camisas-pardas não fossem imediatamente subjugados, Hindenburg estaria preparado para declarar lei marcial e colocar o governo nas mãos do Exército. Hitler não tinha opção a não ser agir.[31] Ele começou a planejar a deposição de Röhm. A polícia política, em colaboração com Himmler e seu assistente Reinhard Heydrich, chefe do Serviço de Segurança da SS, começou a produzir evidências de que Röhm e suas tropas de assalto estavam planejando um levante de âmbito nacional. Oficiais da liderança da SS foram apresentados às "evidências" em 24 de junho e receberam instruções sobre como lidar com o suposto golpe. Foram redigidas listas de pessoas "politicamente desleais" e líderes locais da SS foram informados de que seriam convocados para matar algumas delas, em especial qualquer uma que resistisse, quando chegasse o dia da ação, 30 de junho. O Exército colocou seus recursos à disposição da SS para a eventualidade de um conflito sério.[32] Em uma transmissão de rádio em 25 de junho, Rudolf Hess advertiu que infortúnios acometeriam qualquer um que pensasse em trair a lealdade ao Führer e promover uma agitação revolucionária vinda de baixo.[33]

Em 27 de junho, Hitler reuniu-se com Blomberg e Reichenau para assegurar a cooperação do Exército; eles reagiram expulsando Röhm da Liga de Oficiais Alemães no dia seguinte e colocando o Exército em alerta máximo. Em 29 de junho, Blomberg publicou um artigo no principal jornal nazista, o *Observador Racial*, declarando a lealdade absoluta do Exército ao novo regime. Enquanto isso, ao que parece, Hitler ficou sabendo que Hindenburg havia concordado em conceder uma audiência a Papen, marcada para 30 de junho, dia da ação planejada contra a SA. Isso corroborou a crença das lideranças nazistas de que a oportunidade devia ser usada para se atingir também os conservadores.[34] Nervoso e apreensivo, Hitler tentou abrandar as suspeitas indo a uma festa de casamento em Essen, de onde telefonou para o ajudante de Röhm em seu hotel de férias em Bad Wiessee ordenando que os líderes da SA se reunissem com ele naquele local na manhã de 30 de junho. A seguir, Hitler organizou uma conferência apressada em Bad Godesberg com Goebbels e Sepp Dietrich, o oficial da SS que comandava sua guarda pessoal. Ele agiria contra Röhm no dia seguinte, disse a um Goebbels atônito, que esperava um mero golpe contra os "reacionários" e até então fora mantido no escuro sobre todo o restante.[35] Göring foi mandado a Berlim para assumir o comando da ação por lá. Começaram a circular rumores fantásticos, e a própria SA começou a ficar alarmada. Cerca de 3 mil camisas-pardas investiram sobre as ruas de Munique na noite de 29 de junho, bradando que esmagariam qualquer tentativa de trair sua organização e denunciando o "Líder" e o Exército. A calma enfim foi restaurada por Adolf Wagner, o líder regional de Munique; mas houve outras manifestações semelhantes em mais localidades. Quando Hitler ficou sabendo desses acontecimentos ao precipitar-se para o aeroporto de Munique às 4h30 da manhã de 30 de junho de 1934, ele decidiu que não podia esperar pela conferência planejada com líderes da SA na qual deflagraria o expurgo. Agora não havia um minuto a perder.[36]

III

Hitler e sua comitiva dirigiram-se primeiro para o Ministério do Interior bávaro, onde confrontaram os líderes da manifestação camisa-parda pelas ruas da cidade na noite anterior. Em fúria, Hitler gritou que eles seriam fuzilados. A seguir arrancou as dragonas deles. Enquanto os camisas-pardas punidos eram conduzidos para a prisão estadual de Munique em Stadelheim, Hitler reuniu um grupo de guarda-costas da SS e policiais e partiu em um comboio de sedãs e conversíveis para Bad Wiessee, onde entraram no Hotel Hanselbauer. Acompanhado de Julius Schreck, seu principal chofer, e seguido por um grupo de detetives armados, Hitler marchou para o primeiro andar. Os camisas-pardas ainda dormiam após a grande bebedeira da noite anterior. Erich Kempka, que havia levado Hitler para Wiessee, descreveu o que aconteceu a seguir:

> Sem reparar em mim, Hitler entra no quarto onde o líder do grupo de superiores da SA, Heines, está alojado. Ouço-o gritar: "Heines, se você não estiver vestido em cinco minutos, farei com o que o fuzilem aqui mesmo!". Recuo alguns passos, e um agente da polícia sussurra para mim que Heines estava na cama com um líder de tropa graduado da SA de dezoito anos. Por fim, Heines sai do quarto com um rapaz loiro de dezoito anos requebrando-se na frente dele. "Para a lavanderia com eles!", ordena Schreck. Enquanto isso, Röhm sai de seu quarto em um traje azul e com um charuto no canto da boca. Hitler olha para ele com ar carrancudo, mas não diz nada. Dois detetives levam Röhm para o vestíbulo do hotel, onde ele se atira numa poltrona e pede um café para o *barman*. Fico parado meio de lado no corredor, e um detetive me conta como Röhm foi detido. Hitler havia entrado sozinho no quarto de Röhm com um chicote na mão. Atrás dele postaram-se dois detetives segurando pistolas destravadas e de prontidão. Ele cuspiu as palavras: "Röhm, você está preso". De seus travesseiros na cama, Röhm olhou sonolento. "Salve, meu líder." "Você está preso", Hitler berrou pela segunda vez. Ele girou sobre os calcanhares e saiu do quarto. Enquanto isso, no corredor do andar de cima as coisas tinham ficado muito agitadas. Líderes da SA saem dos quartos e são detidos. Hitler grita para cada um: "Você tem alguma coisa a ver com as maquinações de Röhm?". Claro que nenhum deles diz que sim, mas isso não ajuda em nada. Hitler sabe a maior parte das respostas; de vez em

quando volta-se para Goebbels ou Lutze com a pergunta. E então vem sua decisão: "Preso!".³⁷

Os camisas-pardas foram trancados na despensa de roupa de cama do hotel e logo depois levados para Stadelheim. Hitler e seu grupo seguiram de volta para Munique. Enquanto isso, as lideranças dos camisas-pardas que chegavam à estação principal de Munique a caminho da planejada reunião eram detidas pela SS ao descer do trem.³⁸

De volta a Munique, Hitler foi para a sede do Partido Nazista, que ele havia bloqueado com tropas regulares, e vociferou contra Röhm e os líderes camisas-pardas, anunciando que estavam exonerados e seriam fuzilados. "Figuras indisciplinadas e desobedientes e elementos antissociais ou doentios" seriam aniquilados. Um camisa-parda veterano, Viktor Lutze, que vinha passando informações sobre Röhm há algum tempo e acompanhou Hitler ao hotel de Bad Wiessee, foi nomeado o novo líder da SA. Röhm, bradou Hitler, estivera a soldo dos franceses, era um traidor e havia conspirado contra o Estado. Os fiéis do Partido que haviam se reunido para ouvir a diatribe urraram em concordância. Sempre obsequioso, Rudolf Hess ofereceu-se para abater os traidores pessoalmente. Em segredo, Hitler relutava em mandar Röhm, um de seus partidários há mais tempo em serviço, para a morte; em 1º de julho, ele enfim mandou dizer que Röhm poderia ter um revólver para se matar. Como Röhm não conseguiu aproveitar a oportunidade, Hitler mandou Theodor Eicke, o comandante de Dachau, e outro oficial da SS daquele campo, a Stadelheim. Os dois oficiais da SS entraram na cela de Röhm, deram-lhe uma Browning carregada e disseram-lhe que cometesse suicídio; caso contrário, voltariam em dez minutos e acabariam com ele. Esgotado o tempo, ao entrarem novamente na cela encontraram Röhm de pé, encarando-os de peito nu em um gesto dramático para enfatizar sua honra e lealdade; sem proferir uma palavra, mataram-no no mesmo instante atirando à queima-roupa. Além disso, Hitler ordenou que o camisa-parda Edmund Heines, da Silésia, que havia liderado um levante contra o Partido Nazista em Berlim em 1932, fosse fuzilado junto com os líderes da manifestação em Munique na noite anterior, e outros três. Outros homens da SA foram levados ao campo de concentração de Dachau e brutalmente surrados pelos guardas da SS. Às seis da tarde, Hitler voou para Berlim para tomar conta dos acontecimentos na capital, onde Hermann Göring estivera implementando suas ordens com uma impiedade que desmentiu sua muito difundida reputação de moderado.[39]

Göring não se limitou a levar a cabo a ação contra os líderes dos camisas-pardas. A atmosfera no gabinete de Göring, onde o ministro-presidente prussiano trancou-se com Heydrich e Himmler, foi mais tarde descrita como de "ruidosa sede de sangue" e "caráter vingativo hediondo" por um policial que observava enquanto Göring bradava ordens para que pessoas da lista fossem mortas ("atirem neles... atirem... atirem de uma vez") e se unia em acessos de riso estridente a seus companheiros quando chegavam notícias de operações de assassinato bem-sucedidas. Marchando de um lado para o outro da sala com uma túnica branca, botas brancas e calças cinza-azuladas, Göring ordenou o assalto à Vice-Chancelaria. Entrando com uma unidade armada da SS, agentes da Gestapo dispararam contra o secretário de Papen, Herbert von Bose, ali mesmo. O guru ideológico do vice-chanceler, Edgar Jung, detido em 25 de junho, também foi fuzilado; seu corpo foi despachado sem cerimônia em uma vala. Papen escapou da morte; ele era uma figura por demais proeminente para ser abatido a sangue-frio. O assassinato de dois de seus associados mais íntimos deveria ser um aviso suficiente. Papen foi confinado em sua casa por um tempo, enquanto Hitler ponderava sobre o que fazer com ele.[40]

Outros pilares da ordem conservadora não se deram tão bem. O general von Schleicher, predecessor de Hitler como chanceler do Reich e homem que uma vez descreveu Hitler como inapto para exercer o cargo, foi fuzilado pela SS em casa, junto com a esposa. Não foi o único oficial do Exército a ser morto. O general de divisão Kurt von Bredow, que se pensava ter publicado críticas ao regime no exterior, foi morto em casa, baleado, segundo informaram os jornais, ao tentar resistir à prisão como participante da infame conspiração de Röhm. Antes de qualquer coisa, esses assassinatos serviram de aviso à liderança do Exército de que também teria que arcar com as consequências se não entrasse na linha nazista. O ex-chefe de polícia e líder da "Ação Católica" Erich Klausener, agora um alto funcionário público no Ministério dos Transportes, foi abatido por ordem de Heydrich como aviso a outro ex-chanceler, Heinrich Brüning, que fora informado do expurgo e saíra do país. O assassinato de Klausener mandou uma mensagem clara aos católicos de que uma nova edição de atividade política católica independente não seria tolerada. As alegações subsequentes de que homens como esses estavam envolvidos na "revolta" de Röhm eram pura invenção. A maioria desses homens havia sido listada por Edgar Jung como possíveis membros de um futuro governo, sem que de fato tivessem concordado ou sequer soubessem disso. A mera inclusão na lista equivaleu a uma sentença de morte para a maioria deles.[41]

Gregor Strasser, o homem que muitos consideravam uma possível figura de ponta para o Partido Nazista em um governo conservador restaurado, também caiu na mira. Pouco antes da nomeação de Hitler como chanceler do Reich em janeiro de 1933, Strasser, o chefe da administração do Partido Nazista e arquiteto de muitas de suas principais instituições, havia renunciado em desespero pela recusa de Hitler em entrar em qualquer coalizão de governo exceto como chefe. Na ocasião, Strasser havia negociado com Schleicher e houve rumores de que haviam lhe oferecido um cargo no gabinete de Schleicher no final de 1932. Embora vivesse retirado desde a renúncia, Strasser continuou a representar uma ameaça potencial na mente das lideranças nazistas como um parceiro aceitável de coalizão para os conservadores. Ele também era um inimigo pessoal de longa data de Himmler e Göring, e não havia poupado críticas a eles enquanto era membro da alta liderança do Partido. Göring fez com que Strasser fosse detido e levado à sede da polícia, onde foi fuzilado. Paul Schulz, amigo e colaborador de Strasser, um ex-alto oficial da SA, também foi procurado por emissários de Göring e levado a uma floresta para ser fuzilado; ao descer do carro no local escolhido para a execução, ele correu e se fingiu de morto ao ser baleado, embora estivesse apenas levemente ferido. Efetivou a fuga enquanto os atacantes voltavam ao carro para pegar um lençol para embrulhar seu corpo, e mais tarde conseguiu negociar seu exílio da Alemanha com Hitler em pessoa. Outro alvo que escapou foi o capitão Ehrhardt, líder das Brigadas Livres no golpe de 1920, que havia ajudado Hitler em 1923; ele fugiu quando a polícia entrou em sua casa e por fim deu jeito de cruzar a fronteira para a Áustria.[42]

Em Berlim, a "ação" assumiu um caráter diferente dos acontecimentos em Munique, onde líderes da SA de todo o país haviam se reunido por ordem de Hitler. Em Munique, os camisas-pardas foram os alvos principais; em Berlim foram os conservadores. A ação foi cuidadosamente planejada de antemão. Ernst Müller, o chefe do Serviço de Segurança da SS em Breslau, recebeu uma carta selada e pós-datada em Berlim em 29 de junho e mandado para casa em avião particular fornecido por Göring. Na manhã de 30 de junho, Heydrich telefonou e mandou-o abrir a carta; ela continha uma lista de líderes dos camisas-pardas a serem "eliminados", junto com instruções para a ocupação da sede da polícia e a convocação dos líderes da SA para um encontro. Ordens adicionais incluíam a apreensão dos depósitos de armas da SA, a segurança de aeroportos e emissoras de rádio e a ocupação de prédios da SA. Ele seguiu as instruções ao pé da letra. No começo da noite, não só as celas da polícia de Breslau estavam cheias, mas inúmeras outras salas também estavam apinhadas de aturdidos prisioneiros camisas-pardas. Heydrich telefonou para Müller repetidas vezes para determinar a execução dos homens da lista que ainda não haviam sido liquidados em Munique. Os homens foram levados ao quartel-general da SS, tiveram as dragonas retiradas; conduzidos a uma floresta próxima, foram fuzilados no meio da noite.[43]

Houve mais detenções e fuzilamentos na manhã seguinte, em 1º de julho. No clima geral de violência, Hitler e seus lacaios aproveitaram a oportunidade para acertar velhas contas ou eliminar rivais pessoais. Alguns, claro, eram grandes demais para se atingir, notadamente o general Erich Ludendorff, que andara causando algumas dores de cabeça para a Gestapo com suas campanhas de extrema direita e antimaçonaria; o herói da Primeira Guerra Mundial foi deixado em paz; viria a morrer pacificamente em 20 de dezembro de 1937, sendo-lhe conferidas exéquias respeitosas pelo regime. Mas, na Baviera, o ex-ministro-presidente Gustav Ritter von Kahr, que havia desempenhado um papel-chave ao esmagar o golpe de Hitler em 1923, foi trucidado pelos homens da SS. O crítico de música Wilhelm Eduard Schmid também foi morto na crença errônea de que era Ludwig Schmitt, um ex-partidário do irmão radical de Gregor Strasser, Otto, que havia sido forçado a renunciar ao Partido devido a suas visões revolucionárias e desde então mantinha, da segurança de seu exílio, uma avalanche constante de críticas a Hitler. O político conservador bávaro Otto Ballerstedt, que tivera êxito em processar Hitler por interromper uma reunião política na qual ele falava em 1921, resultando em um mês de prisão para o líder nazista em Stadelheim, foi detido e fuzilado em Dachau em 1º de julho. Um alto oficial da SS, Erich von dem Bach-Zelewski, escolheu o momento para se livrar de um rival odiado, o líder da cavalaria da SS, Anton von Hohberg und Buchwald, que foi devidamente abatido em casa. Na Silésia, o chefe regional da SS, Udo von Woyrsch, fez fuzilar seu ex-rival Emil Sembach, a despeito de acordo prévio com Himmler de que Sembach seria enviado a Berlim para que lá tratassem do caso dele. A violência também transbordou para outro setor sem conexão. Quatro judeus foram detidos em Hirschberg e "abatidos ao tentar escapar". O líder da liga de veteranos judeus em Glogau foi levado a um bosque e fuzilado.[44]

A despeito dessas ações com motivação tão obviamente pessoal, os nazistas não perderam tempo em acionar a propaganda para justificar os assassinatos. Goebbels transmitiu um comprido relato da "ação" no dia seguinte, alegando que Röhm e Schleicher estavam conspirando para produzir uma "segunda revolução" que teria mergulhado o Reich no caos. "Cada punho cerrado que se erguer contra o Líder e este regime", ele avisou, generalizando a possibilidade de ação contra qualquer tipo de oposição, "será forçado a se abrir, se necessário à força".[45] Apesar disso, Hitler ainda teve que dar muita explicação, inclusive para o Exército, do qual ele havia assassinado dois altos oficiais durante o expurgo. Dirigindo-se ao gabinete em 3 de julho, Hitler alegou que Röhm vinha tramando contra ele com Schleicher, Gregor Strasser e o governo francês há mais de um ano. Ele havia sido forçado a agir, uma vez que os complôs ameaçavam culminar em um golpe a 30 de junho. Se houvesse objeções legais ao que ele tinha feito, sua resposta seria de que o devido processo não seria possível sob tais circunstâncias. "Se irrompesse um motim a bordo de um navio, o capitão não só estaria totalmente autorizado, mas também seria obrigado a esmagar o motim na mesma hora." Portanto, não deveria haver julgamento, apenas uma lei retroativa para legalizar a ação, amparada com entusiasmo pelo ministro de Justiça do Reich, Franz Gürtner. "O exemplo que ele deu seria uma lição salutar para o futuro. Ele estabilizou a autoridade do Reich para sempre."[46] Na imprensa, Goebbels concentrou-se em sublinhar a extensão e a profundidade do apoio à ação, a fim de garantir ao público que a ordem havia sido restaurada em vez de solapada. A gratidão formal de Blomberg e Hindenburg foi registrada em manchetes garrafais, enquanto outras histórias registravam "declarações de lealdade vindas de toda a Alemanha" e "veneração e admiração pelo Líder por toda parte". Os eventos em geral eram descritos como uma limpeza de elementos perigosos e degenerados no movimento nazista. Alguns dos líderes camisas-pardas, segundo relatou a imprensa, haviam sido encontrados com "catamitos" e um "acordou em sobressalto na mais repugnante situação".[47]

Quando o Reichstag foi convocado em 13 de julho, Hitler estendeu-se nesses comentários em um discurso transmitido pelo rádio, que ribombou sobre a população em *pubs*, bares e praças por todo o país. Cercado de homens da SS com capacetes de aço, ele presenteou os ouvintes com uma elaborada e fantástica teia de alegações e asserções sobre a suposta conspiração para derrubar o Reich. Havia quatro grupos de descontentes envolvidos, disse ele: combatentes de rua comunistas infiltrados na SA, líderes políticos que jamais haviam se conformado com a irreversibilidade de 30 de janeiro de 1933, elementos instáveis que acreditavam em revolução permanente, e "vadios" da classe alta que buscavam preencher sua vida vazia com mexerico, boataria e conspiração. Agora ele sabia que as tentativas de coibir os excessos da SA haviam sido frustradas pelo fato de que todos faziam parte do complô montado para subverter a ordem pública. Ele havia sido forçado a agir sem recorrer à lei:

> Se alguém me reprova e pergunta por que não invocamos os tribunais regulares para sentenciar, minha única resposta é a seguinte: naquela hora, eu era responsável pelo destino da nação alemã e era, portanto, o magistrado supremo do povo alemão!... Dei a ordem para fuzilar os principais cúmplices responsáveis por essa traição... A nação deve saber que ninguém pode ameaçar sua existência – que é garantida pela lei e ordem internas – e escapar impune! E cada pessoa deve saber para sempre que, se erguer a mão para atingir o Estado, seu destino será a morte certa.[48]

Essa confissão pública da completa ilegalidade de sua ação em termos formais não deparou com nenhuma crítica das autoridades judiciárias. Pelo contrário: o Reichstag aplaudiu a justificativa de Hitler com entusiasmo e aprovou uma resolução agradecendo-lhe por sua ação. O secretário de Estado, Otto Meissner, enviou um telegrama em nome do presidente enfermo Hindenburg concedendo-lhe sua aprovação. Uma lei foi rapidamente aprovada, conferindo legalidade retroativa à ação.[49]

Agentes social-democratas reportaram que os acontecimentos de início haviam gerado uma confusão considerável entre a população. Qualquer um que criticava publicamente a ação era imediatamente detido. A imprensa registrou que a polícia havia emitido um "aviso contundente aos agitadores subversivos e maliciosos". "Ameaça de campo de concentração" para "prática de boataria e manifestação de insultos injuriosos ao movimento em si e ao seu Líder". Essa onda de repressão, que continuou na primeira parte de agosto, deixou as pessoas apreensivas quanto ao futuro, com receio de serem detidas. Muitos suspeitavam que havia mais coisa nos acontecimentos de 30 de junho do que aquilo que se via, e as autoridades policiais locais registraram uma atmosfera de rumor e especulação, "sussurros" e "desaprovação" generalizados. O Ministério da Propaganda notou com alarme em um memorando "os inumeráveis boatos disparatados em circulação". A campanha de imprensa orquestrada que se seguiu teve pouco efeito em neutralizar tais sentimentos. As divisões expostas pelo conflito levaram a conversas otimistas entre ex-social-democratas e ex-nacionalistas alemães de que "Hitler em breve estaria acabado".[50] A maior parte das pessoas, porém, ficou no mínimo aliviada por Hitler ter agido contra os "mandachuvas marrons" e porque as ruas, ao que parecia, agora ficariam a salvo dos excessos das tropas de assalto de bêbados e desordeiros.[51]

Bem típica foi a reação de Luise Solmitz, uma professora escolar conservadora de Hamburgo, que havia ficado muito entusiasmada com o gabinete de coalizão e o Dia de Potsdam em 1933 ("aquele grande e inesquecivelmente belo dia alemão!"), apenas para vir a se preocupar com as possíveis tendências socialistas do regime quando este começou a confiscar as posses de emigrados judeus, como Albert Einstein. ("Não deviam fazer isso. Não confundam o conceito de propriedade; sem ele é bolchevismo.")

Como muitos outros, ela descreveu o 30 de junho de 1934 como "um dia que nos despedaçou em cheio no mais íntimo de nosso coração". Semipersuadida das "transgressões morais" de alguns dos homens assassinados ("uma desgraça para toda a Alemanha"), ela passou o tempo trocando boatos com amigos e ouvindo rádio sofregamente na casa de um amigo em busca das últimas notícias. À medida que os detalhes começaram a emergir, ela viu-se dominada de admiração pela conduta de Hitler. "A coragem pessoal, a determinação e a eficiência que ele mostrou em Munique, isso é único." Comparou-o a Frederico, o Grande, da Prússia ou Napoleão. O fato de, conforme ela notou, não ter havido "julgamento, conselho de guerra sumário" pareceu apenas aumentar sua admiração. Ela ficou plenamente convencida de que Röhm estava planejando um levante com Schleicher.

Aquela havia sido a última das muitas aventuras políticas do largamente desacreditado ex-chanceler, observou Luise Solmitz. Sua credulidade e alívio foram típicos da maioria dos alemães de classe média após as horas iniciais de confusão. Eles haviam apoiado Hitler em meados de 1933 entre outras coisas por ter restaurado a ordem nas ruas e a estabilidade da cena política, e agora ele havia realizado isso pela segunda vez. No dia seguinte à ação, multidões juntaram-se diante da Chancelaria do Reich e do Ministério da Propaganda, entoando a Canção de Horst Vessel e expressando lealdade ao Líder, embora não se saiba ao certo se foi entusiasmo, nervosismo ou alívio que as incitou. Houve um amplo consenso de que a posição de Hitler foi fortalecida por sua ação rápida e decisiva. Na mente de muitos, ela contrastou ainda mais agudamente que antes com a desordem e o radicalismo do Partido.[52] Alguns, como o ex-social-democrata Jochen Klepper, ficaram chocados com o assassinato da esposa de Schleicher, que provavelmente não podia ser suspeita de coisa nenhuma.[53] Apenas os mais insatisfeitos comentaram acidamente que a única coisa errada do expurgo era que pouquíssimos nazistas haviam sido executados.[54]

A escala do expurgo foi considerável. O próprio Hitler disse ao Reichstag, em 13 de julho de 1934, que 74 pessoas haviam sido mortas, enquanto Göring sozinho mandou deter mais de mil. Sabe-se que pelo menos 85 pessoas foram sumariamente assassinadas sem ter sido adotado qualquer procedimento legal contra elas.[55] Dos mortos, doze eram deputados do Reichstag. Os líderes da SA e seus homens quase não haviam desconfiado de nada; muitos deles, na verdade, foram para a morte acreditando que sua detenção e execução haviam sido ordenadas pelo Exército e jurando lealdade eterna ao "Líder". Nos dias e semanas seguintes, as detenções e expulsões continuaram, dirigidas em particular contra os elementos mais desordeiros e mais corruptos entre os camisas-pardas. Bebedeira, homossexualidade, peculato, comportamento dissoluto, todas as coisas que haviam emprestado tamanha notoriedade pública aos camisas-pardas ao longo dos meses prévios foram implacavelmente expurgadas. Dali em diante ainda ocorreu baderna por bebedeira envolvendo tropas de assalto nazistas, mas não mais na escala perigosa dos meses anteriores a 30 de junho de 1934. Desiludidos, sem função e incapazes de se reafirmar, os camisas-pardas começaram a deixar a organização em massa – 100 mil apenas em agosto e setembro de 1934. De uma filiação total de 2,9 milhões em agosto de 1934, a SA caiu para 1,6 milhão em outubro de 1935 e 1,2 milhão em abril de 1938. Exigências rigorosas e cotas de admissão limitaram o recrutamento. A queda do desemprego e, a partir de 1935, a introdução do alistamento militar, também afastaram muitos dos jovens que do contrário teriam ingressado na SA.[56]

Embora não mais ameaçasse o Exército ou o Estado, o potencial dos camisas-pardas para a violência e agressão sobreviveu. Um relatório de um líder da SA sobre os acontecimentos no acampamento dos camisas-pardas durante uma única noite do comício de Nuremberg em 1934 indica isso muito claramente. Todo mundo estava bêbado, ele anotou, e uma enorme briga entre dois grupos regionais em certa manhã deixou vários homens com ferimentos por faca. No caminho de volta para o acampamento, os camisas-pardas atacaram carros, jogaram pedras e garrafas nas janelas e espancaram os ocupantes. Toda a força policial de Nuremberg foi mobilizada para tentar deter a violenta desordem. Um camisa-parda foi içado da latrina do acampamento, onde havia caído no estupor da bebedeira, mas morreu de envenenamento por gás cloro pouco depois. O acampamento só ficou em silêncio depois das quatro da manhã, sendo que até essa hora seis homens haviam sido mortos e trinta feridos, e outros vinte haviam se machucado ao pular em ou de carros e caminhões, pendurar-se nas laterais ou cair da traseira com o veículo em movimento. Tais incidentes repetiram-se em outras ocasiões. Punida, reduzida em número, privada de autonomia e – segundo afirmavam os líderes nazistas – expurgada dos elementos mais extremistas, violentos e corruptos, a SA não obstante permaneceu uma fonte de violência sempre que o regime escolhia fazer uso dela e, às vezes, mesmo quando não escolhia.[57]

Enquanto isso, o Exército suspirou aliviado. O general Blomberg expressou sua gratidão e assegurou Hitler da completa devoção do Exército. Congratulou Hitler pela "decisão aguerrida" para lidar com "traidores e assassinos". O general von Reichenau rapidamente colocou panos quentes no assassinato a sangue-frio de Kurt von Schleicher, um dos mais graduados e proeminentes oficiais: em um comunicado, alegava que este vinha conspirando com Röhm e potências estrangeiras para derrubar o Estado, e que havia sido baleado ao oferecer resistência armada à prisão. Ele não disse se a esposa de Schleicher, também fuzilada, estava envolvida. Em meio à confusão, oficiais do Exército abriram garrafas de champanhe para celebrar. Desde jovens agitadores, como o tenente Claus von Stauffenberg, que descreveu a ação como a perfuração de um furúnculo, até oficiais mais velhos, como o general de divisão Erwin von Witzleben, que disse que gostaria de estar presente para ver Röhm ser fuzilado, todos rejubilaram-se em um grau que Blomberg considerou indecoroso. Só um homem, um capitão reformado e ex-funcionário público da Chancelaria do Reich, Erwin Planck, considerou o júbilo equivocado. "Se você ficar olhando sem mover um dedo", ele disse ao general von Fritsch, "terá a mesma sina, mais cedo ou mais tarde".[58]

Repressão e resistência

I

Enquanto esses eventos desenrolavam-se, o estado de saúde do presidente do Reich, Hindenburg, se deteriorava ininterruptamente. Quando Hitler visitou-o em Neudeck em 1º de agosto, em uma confusão que simbolizou vividamente a mudança do equilíbrio de poder e autoridade entre os dois homens ocorrida ao longo dos dezoito meses anteriores, Hindenburg dirigiu-se a ele como "majestade", sem dúvida pensando que estava conversando com o Kaiser.[59] Observando a dissolução física e mental do idoso, os médicos de Hindenburg disseram a Hitler que o presidente tinha apenas 24 horas de vida. Ao voar de volta para Berlim, Hitler convocou uma reunião do gabinete para a mesma noite. Sem esperar pela morte do velho, o gabinete chegou a um acordo sobre um decreto que fundia os cargos de presidente e chanceler e transferia todos os poderes do primeiro para o último, a entrar em vigor no momento em que Hindenburg falecesse. Hitler não teve que esperar muito. Às 9h da manhã de 2 de agosto de 1934, o presidente enfim entregou a alma a Deus. Muitos conservadores alemães sentiram que aquele era o fim de uma era. Luise Solmitz anotou em seu diário que Hindenburg era "um verdadeiro lutador e um ser humano irrepreensível, e havia levado a sua, a nossa era com ele para o túmulo". Também levou seu cargo para o túmulo. O título de presidente do Reich, Hitler anunciou, estava "inseparavelmente ligado ao nome do grande finado". Seria errado usá-lo de novo. No futuro, Hitler seria conhecido como "Líder e chanceler do Reich". Foi apresentada uma lei nesse sentido, ratificada em plebiscito nacional em 19 de agosto.[60]

Com a lei, Hitler tornou-se chefe de Estado no pleno sentido do termo. O atributo mais importante desse cargo era ser o chefe de Estado ao qual as Forças Armadas juravam fidelidade. Em 2 de agosto de 1934, tropas de todo o país foram reunidas e prestaram um novo juramento, delineado pelo general von Reichenau sem qualquer consulta ao próprio Hitler. O velho juramento prometia lealdade à entidade abstrata da Constituição de Weimar e à pessoa sem nome do presidente. O novo era muito diferente: "Em nome de Deus faço esse juramento sagrado de que prestarei obediência incondicional ao Líder do Reich e do povo alemão, Adolf Hitler, comandante supremo das Forças Armadas, e como um bravo soldado estou disposto e pronto a arriscar minha vida por este juramento a qualquer hora".[61] Não era apenas um voto formal. Isso porque o juramento de lealdade tinha muito mais importância no Exército alemão que a maioria de seus equivalentes em outros lugares. Era tema de sessões específicas de treinamento e educação, nas quais dever e honra eram enfatizados e se davam exemplos das consequências de quebrá-lo. O mais importante de tudo talvez fosse a inédita inclusão do voto de obediência *incondicional* a Hitler, quer suas ordens fossem consideradas legais ou não, em contraste com a primazia concedida às "instituições legais" da nação alemã pelo juramento anterior de lealdade à Constituição.[62]

Poucos oficiais militares estavam plenamente cientes do que o juramento significava. Alguns tinham dúvidas. Na noite após prestar juramento, o general de divisão Ludwig Beck, oficial da artilharia conservador e muito trabalhador que despontou em 1934 para se tornar chefe do Gabinete da Força Militar (renomeada Estado-Maior Geral do Exército em 1935), descreveu 2 de agosto como "o dia mais negro de minha vida". Mas a maioria estava ou a favor, dada a forma como Hitler havia realizado muitos desejos do Exército ao longo dos últimos dezoito meses, ou permanecia ignorante do significado potencial do juramento. O próprio Hitler não tinha dúvida sobre a importância do que havia sido feito. Após promulgar uma lei em 20 de agosto de 1934 concedendo validade legal retroativa ao novo juramento, ele escreveu uma fastidiosa carta de agradecimento ao general Werner von Blomberg, ministro da Defesa, expressando gratidão e prometendo que a lealdade do Exército teria reciprocidade. Gratificado, Blomberg por sua vez ordenou que as Forças Armadas agora se dirigissem a Hitler como "Meu Líder" em vez da designação civil de "senhor Hitler" que haviam usado antes.[63] O juramento militar forneceu o modelo para um voto semelhante determinado por lei em 20 de agosto a ser prestado pelos funcionários públicos. Mais uma vez, era um juramento ao "Líder do Reich e do povo alemão", um cargo desconhecido em qualquer constituição, uma forma de autoridade derivada da pessoa de Hitler em vez de ser proveniente do Estado alemão.[64]

Esses eventos consolidaram o poder de Hitler como "Líder". Conforme o jovem advogado constitucionalista Ernst Rudolf Huber explicou em 1939, aquele não era um cargo governamental, mas derivava sua legitimação da "vontade unida do povo":

> A autoridade do Líder é total e todo-abrangente: dentro dela fundem-se todos os recursos disponíveis do corpo político; ela cobre cada faceta da vida do povo; abrange todos os membros da comunidade alemã comprometidos em lealdade e obediência ao Líder. A autoridade do Líder não está sujeita a supervisões ou controles; não é restringida por reservas privadas de direitos individuais ciosamente guardados; ela é livre e independente, avassaladora e desagrilhoada.

A opinião de Hitler – declarou Huber em seu tratado sobre a *Lei constitucional do grande Reich alemão*, que rapidamente se tornou uma obra padrão – representava a vontade "objetiva" do povo, e dessa maneira ele podia opor-se à "opinião pública desencaminhada" e passar por cima da vontade egoísta do indivíduo. A palavra de Hitler, conforme notou um outro comentarista, Werner Best, intelectual nazista que havia sido figura central no "caso Boxheim" em 1931, com isso era lei e podia passar por cima de todas as leis existentes. Ele não recebia seus poderes do Estado, mas da história. Por isso, com o tempo, seu título secundário meramente constitucional de chanceler do Reich foi, sem alarde, abandonado.[65]

Não só Hitler pessoalmente, mas o movimento nazista em geral sempre havia mostrado desprezo pela palavra da lei e pelas instituições do Estado. Desde o princípio havia operado de forma extralegal, e isso continuou mesmo depois de ter abandonado a ideia de um golpe direto como caminho para o poder. Para os nazistas, a bala e a urna eleitoral eram ferramentas de poder complementares, não alternativas. Votos e eleições eram tratados cinicamente como formas de legitimação política formal; a vontade do povo era expressa não pela livre articulação da opinião pública, mas pela pessoa de Hitler e pela incorporação pelo movimento nazista do destino histórico dos alemães, mesmo que os alemães em si discordassem. Além do mais, normas legais amplamente aceitas, como a noção de que as pessoas não devem cometer assassinato ou atos de violência, destruição e furto, foram desconsideradas desde o início pelos nazistas porque estes acreditavam que a história e os interesses da raça alemã ("ariana") justificavam medidas extremas na crise que se seguiu à derrota da Alemanha na guerra.[66]

Ao mesmo tempo, pelo menos nos primeiros anos do Terceiro Reich, o aparato em massa da burocracia do Estado, Judiciário, polícia, sistemas penal e de previdência herdado da República de Weimar e, em última análise, em larga extensão do Reich bismarckiano não podia ser simplesmente varrido para o lado ou atropelado à vontade. Existiu ali o que o cientista político exilado Ernst Fraenkel chamou de *O Estado dual*, para citar o título de seu célebre livro, publicado nos Estados Unidos em 1941. Por um lado havia o "Estado normativo", limitado por regras, procedimentos, leis e convenções e consistindo de instituições formais como a Chancelaria do Reich, os ministérios, as autoridades locais e assim por diante, e por outro havia o "Estado prerrogativo", um sistema essencialmente extralegal que derivava sua legitimidade inteiramente da autoridade supralegal do Líder.[67] Teóricos como Huber fizeram uma cuidadosa distinção entre "a autoridade do Estado e a autoridade do Líder", e deixaram claro que a última tinha precedência sobre a primeira. Assim, atos formalmente ilegais como os assassinatos cometidos na "Noite das Facas Longas" eram sancionados pela autoridade do Líder e, portanto, de fato não eram ilegais em absoluto. Detenções, prisões e assassinatos foram levados a cabo não pela polícia ou pelas agências regulares da lei, mas pela SS, e o aparato formal da lei e do Estado quase tombou sobre si mesmo na pressa em conferir a aprovação da lei a esses atos de violência. Foi uma demonstração vívida de que o conflito entre os sistemas "normativo" e "prerrogativo" da Alemanha nazista era cada vez menos grave. O primeiro teve que acatar o último mais e mais e, com o passar do tempo, ficou cada vez mais impregnado de seu espírito; as normas foram relaxadas, as leis foram dispensadas, os escrúpulos foram abandonados. Já no início de julho de 1933, Hans-Heinrich Lammers, chefe do gabinete do chanceler do Reich, começou a assinar suas cartas com "Salve Hitler!" (*Heil* Hitler!).[68] Perto do fim do mês, todos os funcionários públicos, inclusive professores universitários, advogados e outros empregados estatais, foram instruídos a usar a "saudação alemã" ao tratar de assuntos oficiais. Não dizer "*Heil* Hitler" ou não fazer a saudação nazista quando a ocasião parecia exigir foi considerado a partir desse momento um sinal público de dissidência.[69] Esses eram apenas sinais externos de uma anuência que aumentou rapidamente de intensidade à medida que o regime acomodou-se no poder.

Ministros como Franz Gürtner, que havia sido ministro da Justiça do Reich nos dois últimos gabinetes antes de Hitler e que continuou no cargo durante o Terceiro Reich, ainda fizeram árduos esforços para tentar conseguir conciliar a autoridade arbitrária do Líder com atos formais da lei. Isso exigiu a invenção repetida de frases e conceitos projetados para fazer parecer em retrospecto que as ordens de Hitler estavam em conformidade com as normas e regulações legais existentes. Em alguns casos, como na "Noite das Facas Longas", também significou aprovar legislação concedendo legalidade retroativa aos mais flagrantes atos ilegais do regime. Em 1º de dezembro de 1933, a supremacia do Estado prerrogativo sobre o normativo foi formalmente proclamada na Lei para as Garantias da Unidade do Partido e do Estado, embora os termos vagos nos quais a legislação foi expressa significassem que ela tinha pouco efeito na prática. Na realidade, essa situação significava que havia conflito contínuo entre os órgãos do Partido e do Estado, com chefes nazistas interferindo na política do Estado e na tomada de decisão em todos os níveis, das autoridades locais para cima. Hitler tentou controlar a interferência dos líderes regionais e outros oficiais do Partido Nazista nos negócios do Estado, em particular em 1934, visto que ameaçavam desintegrar a política econômica em algumas áreas. Ele declarou que o Partido era basicamente um instrumento de propaganda, agora que o Estado estava na mão dos nazistas. Mas, no fim, isso também significou muito pouco.[70]

Para começar, Hitler também introduziu uma série de medidas para tornar o Partido mais eficiente. A descentralização da organização após a renúncia de Gregor Strasser, no final de 1932, estava criando problemas. As constantes brigas e luta pelo poder entre as facções dentro do Partido permitiram que funcionários públicos espertos reduzissem a influência do Partido jogando as facções umas contra as outras. Ansioso para centralizar o Partido outra vez sem colocar o poder nas mãos de um rival em potencial, Hitler primeiro fez do sempre fiel Rudolf Hess "assistente do Líder para assuntos partidários", mas sem controle sobre o aparato organizacional. Então, em 1º de dezembro de 1933, nomeou Hess para um cargo no gabinete. Em 27 de julho de 1934, Hitler determinou que todas as leis e os decretos propostos pelos ministérios do Reich tinham que passar pelo departamento de Hess. Em 1935, Hess obteve também o poder de analisar nomeações e promoções do alto escalão do funcionalismo público. Tudo isso deu ao Partido extensa influência sobre o Estado. O próprio Hess mal teve condições de gerenciar essas decisões. Hess não tinha ambições maiores além de se dedicar à vontade de Hitler. Contudo, seus poderes foram cada vez mais usados pelo sem dúvida ambicioso Martin Bormann, chefe de equipe do gabinete de Hess a partir de 1º de julho de 1933. Bormann criou um elaborado aparato para a "equipe do assistente do Líder", organizado em diferentes departamentos e preenchido com defensores locais que compartilhavam de sua decisão de centralizar o Partido e usá-lo de forma sistemática para criar políticas e levá-las a cabo no serviço público. Em 1935, Bormann assumiu o gerenciamento da sede rural de Hitler em Obersalzberg, na Baviera. Usou sua presença lá para atuar como secretário particular de Hitler e exercer controle crescente sobre o acesso ao Líder. Dada a forma como o Terceiro Reich era conduzido, era normal que o escritório de Bormann agora rivalizasse com a instituição estatal da Chancelaria do Reich, dirigida pelo funcionário público de alto escalão Hans-Heinrich Lammers. Quando Hitler estava em Berlim, Lammers tinha mais acesso e, portanto, mais influência; mas o Líder passava cada vez mais tempo em Obersalzberg, onde Bormann podia negar acesso inclusive ao próprio Lammers.[71]

Esse tipo de dualidade repetia-se em todos os níveis. À medida que diminuiu o caos da tomada de poder na primeira metade de 1933, o

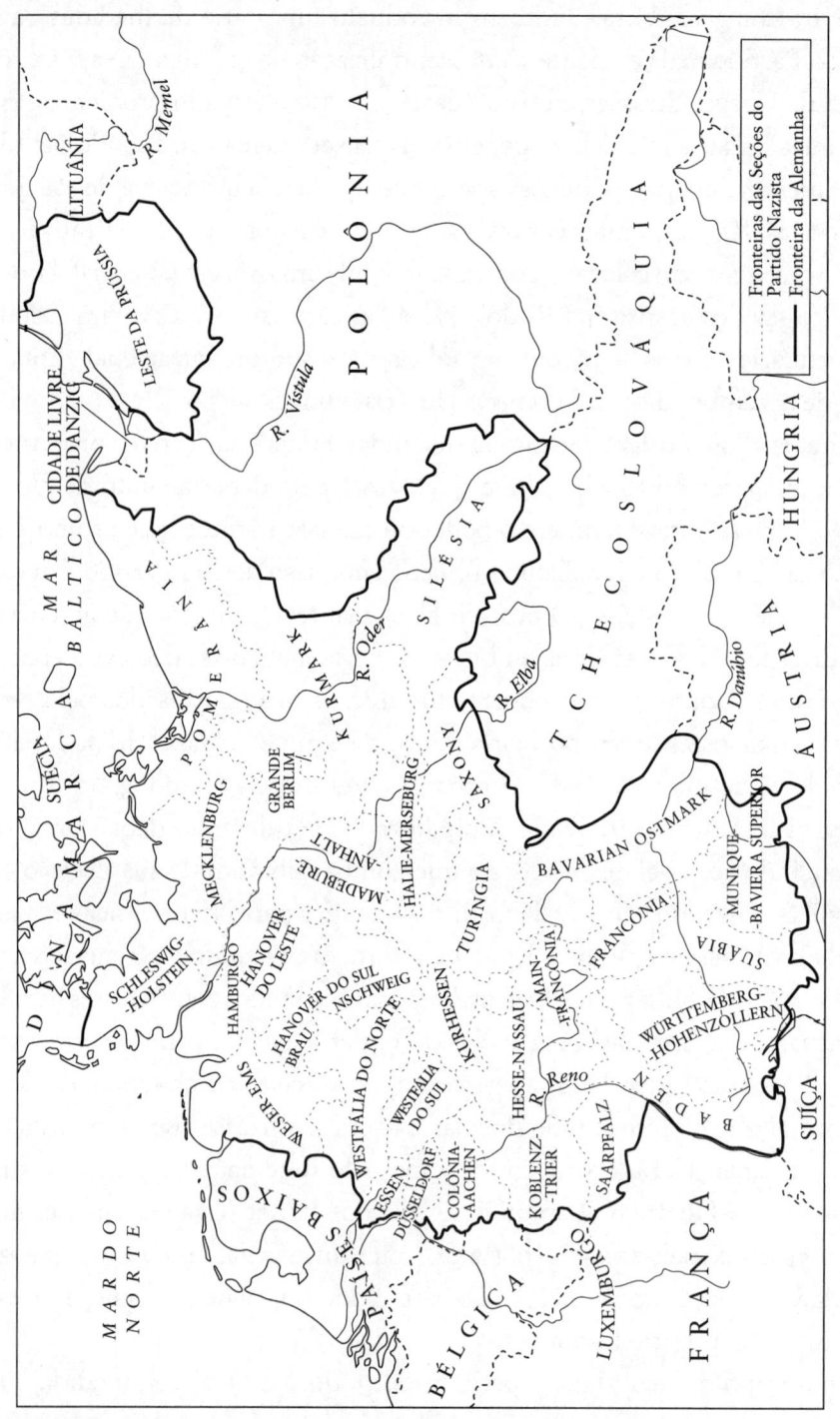

Mapa 1. Seções do Partido Nazista no Terceiro Reich, 1935

Terceiro Reich ficou com uma massa generalizada de instituições rivais. Governadores, ministros-presidentes e líderes regionais do Reich, todos competiam pela supremacia nos Estados federados, e, na Prússia, que cobria mais da metade do território da Alemanha, também com os governadores estaduais regionais. Esses confrontos foram parcialmente resolvidos pela nomeação do principal líder regional de cada Estado federado como governador do Reich em sua região específica em abril de 1933. Outro passo foi dado em 30 de janeiro de 1934, quando, sob pressão do Ministério do Interior do Reich, dominado pelo nazista Wilhelm Frick, uma nova lei aboliu todos os estados federados, da Prússia para baixo, junto com seus governos e parlamentos, e os fundiu com os ministérios do Reich correspondentes. Assim, a Constituição federativa que havia caracterizado o sistema político alemão de uma certa forma por mais de mil anos – e que voltaria a fazê-lo depois de 1945 – foi levada de roldão. Porém, como era característico, alguns elementos do federalismo permaneceram, de modo que o processo de dissolução foi incompleto. Os líderes regionais do Partido mantiveram o posto de governador regional e continuaram a ocupar posições poderosas dentro da hierarquia do Partido. Eles manejavam uma considerável influência sobre assuntos locais e regionais, embora a Lei do Governo Local do Reich de 1935, ao abolir eleições locais, tenha colocado a nomeação de prefeitos amplamente dentro da competência do Ministério do Interior em Berlim. Isso, por sua, vez incitou a hostilidade dos líderes distritais (*Kreisleiter*) do Partido, que com frequência exploravam o direito de participação outorgado por lei na nomeação de oficiais locais para interferir no governo local e colocar seus camaradas e clientes em cargos para os quais com frequência eles não tinham aptidão.[72]

Não é preciso dizer que nenhuma dessas brigas internas implicou qualquer oposição real à liderança nazista ou às suas políticas. Após os expurgos de 1933, a maioria dos burocratas estatais pertencia ao Partido Nazista ou era amplamente simpática ao movimento. Os chefes de alguns dos ministérios-chave em Berlim também eram. Sua posição foi reforçada por figuras de liderança do movimento como Hermann Göring, que, de modo característico, deu jeito de impedir que a maior parte das mudanças propostas para a administração do Estado prussiano fosse colocada em prática. De fato, a oposição dos líderes regionais, entre outros, garantiu que o conjunto da reforma jamais fosse tão longe quanto o Ministério do Interior do Reich pretendia, de modo que as estruturas administrativas dos estados federados permaneceram largamente intactas mesmo depois de serem abolidos a maioria dos aspectos de sua autonomia e todos os vestígios que restavam de suas instituições representativas.[73] Não havia nada organizado na administração do Terceiro Reich, e a ideia de que se tratava de um estado completamente centralizado, em funcionamento tranquilo, foi abandonada há tempo pelos historiadores. De fato, a mixórdia de instituições rivais e competências conflitantes efetivamente impediam a máquina do estado "normativo" afirmar-se contra as intervenções arbitrárias do aparato do estado "prerrogativo" e a fadaram a um lento declínio em termos de poder e autonomia.

Enquanto isso, após os levantes do verão e começo do outono de 1934, Hitler agiu discretamente para fazer arranjos para a eventualidade de ele ficar incapacitado ou ser abatido de forma inesperada. Não foi Hess, nem Himmler, que desempenhou o papel-chave na "Noite das Facas Longas", mas o temível, implacável e resoluto Hermann Göring. Em 7 de dezembro de 1934, Hitler emitiu um decreto fazendo de Göring "seu substituto em todos os aspectos do governo nacional" caso ele ficasse incapaz de cumprir seus deveres. A posição de Göring como segundo homem do Terceiro Reich foi consolidada poucos dias depois por outra lei, emitida em 13 de dezembro, na qual Hitler nomeou Göring seu sucessor e instruiu o funcionalismo público, o Exército, a SA e a SS a prestar juramento de lealdade pessoal a Göring imediatamente após a sua própria morte. Göring viria a usar sua posição nos próximos anos para construir uma condição tão poderosa para si mesmo no Terceiro Reich que, como foi dito, equivalia a um estado dentro do estado. Entretanto, sua designação como substituto e sucessor de Hitler também mostrou quão rapidamente após a morte de Hindenburg a distribuição real e formal de poder dentro do Terceiro Reich virou um caso de personalidades em vez de normas e regulações constitucionais. Essa era agora uma ditadura plenamente desenvolvida, na qual o Líder podia fazer o que desejasse, inclusive nomear seu sucessor sem consulta a mais ninguém.[74]

II

Em lugar algum a natureza pessoal da autoridade de Hitler ficou mais clara do que na ascensão da SS à proeminência e ao poder. Originada como guarda particular de Hitler e "Esquadrão de Proteção" (*Schutzstaffel*, daí a abreviatura "SS"), devia lealdade somente a ele e não obedecia leis a não ser as suas próprias. Heinrich Himmler, seu líder desde 1929, ergueu-a rapidamente, até atingir um efetivo de mais de 50 mil na primavera de 1933. Dessa ampla força Hitler mais uma vez escolheu uma elite para compor uma nova "Guarda do Quartel-General", renomeada "Guarda Pessoal de Adolf Hitler" em setembro de 1933; outros grupos de elite de homens da SS foram colocados em destacamentos especiais para ficar à disposição de Hitler para tarefas específicas de policiamento, terror e operações como a "Noite das Facas Longas".[75] Já em 1934, Himmler pensava na SS em termos mais ambiciosos do que apenas uma força especial de tropas leais a serem usadas por Hitler quando ele necessitasse. Himmler concebeu a ambição de tornar a SS o cerne de elite da nova ordem racial nazista. Em contraste deliberado com a desordem plebeia dos camisas-pardas, Himmler pretendia que a SS fosse estritamente disciplinada, puritana, racialmente pura, inquestionavelmente obediente, incorporando o que ele considerava os melhores elementos da raça alemã. Pouco a pouco, a geração mais antiga de homens da SS, com histórico de violência muitas vezes remontando às Brigadas Livres dos primeiros anos da República de Weimar, foi reformada, para ser substituída por uma geração mais jovem e mais educada de oficiais.[76]

Himmler criou uma elaborada hierarquia de oficiais da SS, cada nível com seu título de sonoridade grandiosa – líder sênior de grupo, líder *standard* (*Obergruppenführer, Standartenführer*) e assim por diante – e sua sutil indicação de *status* na insígnia usada nos vistosos uniformes de estilo militar que todos os oficiais trajavam. Esses uniformes redesenhados agora incluíam não só o distintivo prateado com a caveira da organização, mas também uma versão pseudorrúnica das letras "SS" no formato de um relâmpago duplo; as máquinas de escrever da SS logo foram providas de uma tecla especial com o caractere rúnico a ser usado em correspondências e memorandos oficiais.

Seguiram-se mais graduações e insígnias. Himmler chegou a angariar fundos para a organização distribuindo patentes e títulos honorários como "membro patrocinador" aos doadores, e o dinheiro logo começou a afluir, proveniente de industriais, banqueiros e empresários. Entre os "amigos da SS do Líder do Reich", outra fonte de recursos, estavam homens como o banqueiro Friedrich Flick, o diretor da I. G. Farben Heinrich Bütefisch e representantes de firmas como Siemens-Schückert, Deutsche Bank, Rheinmetall-Borsig e da frota mercante Hamburgo-América. Muitos desses homens receberam títulos honorários da SS como recompensa. Isso, como eles sem dúvida perceberam, era mais que um gesto vazio, visto que a associação com a SS podia proteger seus negócios da interferência de membros do Partido excessivamente zelosos. Não é de surpreender que a revista lançada por Himmler para seus "amigos" tivesse uma circulação de 365 mil exemplares em setembro de 1939, e as contribuições financeiras coletivas dos amigos ficassem entre meio milhão e 1 milhão de reichsmarks por ano.[77]

Tudo isso ameaçava diluir o caráter de elite e a forte organização da SS, de modo que, entre 1933 e 1935, Himmler dispensou nada menos que 60 mil homens de suas inchadas fileiras. Ele expurgou em particular homossexuais, alcoólatras e homens que haviam se alistado por óbvio oportunismo e nada tinham de nazistas plenamente convictos. Além de tudo, a partir de 1935, ele exigiu prova de ancestralidade ariana pura, conforme denominou, remontando a 1800 para os subalternos e 1750 para os oficiais. Homens em serviço na SS ou aspirantes esquadrinharam certidões paroquiais em busca de prova de sua pureza racial, ou contrataram genealogistas profissionais. Recrutas agora tinham que se submeter a um exame físico para confirmar suas qualidades "arianas". Himmler considerava que, com o passar do tempo e uma evolução racial dirigida de forma adequada, apenas homens loiros seriam aceitos. Já desde 1931, cada homem da SS tinha que receber permissão especial de Himmler ou de seu gabinete para se casar; ela só seria concedida se a noiva também fosse racialmente adequada.[78] Mas todos esses planos ficaram muito aquém do ideal. Por exemplo, dos 106.304 homens da SS que solicitaram certidões de casamento emitidas de 1932 a 1940, apenas 958 receberam uma negativa, embora 7.518 tenham satisfeito todas as exigências. As poucas centenas de homens expulsos por infringir as regras para casamento foram subsequentemente reintegrados. Estava claro que ia levar muito tempo para se chegar à nova elite racial.[79]

A elite formada pela SS veio a adquirir gradativamente uma característica diferente da supremacia racial originalmente pretendida por Himmler. Ela era sobretudo, e em nítido contraste com a SA, altamente educada.[80] Nomes de liderança da SS como Werner Best, Otto Ohlendorf, Walter Schellenberg e Franz Six possuíam graduação universitária, até mesmo doutorado; nascidos no período anterior à Primeira Guerra Mundial, eram jovens demais para lutar no *front*, mas ficaram imbuídos do fanatismo nacionalista compensatório muito prevalente nas universidades que frequentaram na década de 1920. Chegando à maturidade em uma era de incerteza, na qual o sistema político estava se desmanchando, o dinheiro, ao menos por um tempo, havia perdido o valor, e um emprego fixo ou uma carreira estável pareciam fora de questão, eles perderam os limites morais, e talvez nem mesmo tenham adquirido um. Para esses rapazes, o movimento nazista parecia oferecer uma identidade sólida, certezas morais e uma perspectiva de futuro. Típico dessa geração era Otto Ohlendorf, nascido em 1907 em uma próspera família rural protestante de inclinações políticas conservadoras e nacionalistas. Ohlendorf juntou-se aos camisas-pardas em 1925 enquanto ainda frequentava a segunda metade do ensino fundamental e foi transferido para a SS em 1927, quando também se filiou ao Partido Nazista. De 1928 a 1931, estudou direito e ciência política nas universidades de Leipzig e Göttingen, depois passou um ano na Universidade de Pavia a fim de aprender sobre o fascismo italiano. A experiência deixou-o desiludido com a rigidez do "Estado corporativo", mas também dirigiu sua atenção para a economia, que ele começou a estudar a sério, embora as tentativas de fazer um doutorado e construir uma carreira acadêmica tenham falhado. De 1936 em diante ele concentrou-se em desenvolver suas ideias dentro da SS, na qual tornou-se diretor do setor de economia do Serviço de Segurança (*Sicherheitsdienst*, ou SD) e na qual seus ataques à economia nazista por prejudicar as classes médias meteram-no em apuros, mas também lhe granjearam uma reputação pela inteligência e autoconfiança. Provavelmente foram essas aptidões, denotando disposição para digerir e articular verdades desagradáveis, que lhe garantiram, em setembro de 1939, o cargo de diretor das regiões de língua alemã abrangidas pelas operações do Serviço de Segurança.[81]

O Serviço de Segurança em si teve origem nos relatórios do início de 1931 de que o Partido Nazista havia sido infiltrado pelos inimigos. Himmler estabeleceu o Serviço de Segurança para investigar as denúncias e colocou a atividade nas mãos de um homem que na sequência tornou-se talvez mais universal e violentamente temido e antipatizado que qualquer outra figura de liderança do regime nazista: Reinhard Heydrich. Nascido em 1904 em uma família de classe média muito ligada à cultura – o pai era cantor de ópera, a mãe era atriz –, Heydrich era um violinista talentoso, que, segundo relatos contemporâneos, tocava com emoção, muitas vezes chorando. Alto, esguio, loiro, com sua impressionante boa aparência maculada para alguns apenas pelo rosto estreito e os olhos pequenos e muito juntos, tornou-se também um hábil espadachim, sobressaindo-se na esgrima. Entrando para as Brigadas Livres aos dezesseis anos de idade, alistou-se como cadete da Marinha em 1922 e se tornou tenente em 1928, trabalhando no departamento de sinais. Seu futuro nas Forças Armadas parecia garantido.[82] Mas Heydrich também tinha facilidade para fazer inimigos. Os marinheiros não gostavam de seus modos abruptos e altivos e faziam troça de sua voz aguda, quase um falsete. Os inúmeros casos com mulheres meteram-no em encrenca com os superiores quando o pai de uma das namoradas, um diretor da I. G. Farben e amigo do almirante Raeder, comandante da Marinha, reclamou; não só a moça estava grávida, como, no tribunal de honra naval convocado para ouvir o caso, Heydrich tentou atribuir a ela a culpa pela concepção, causando ultraje geral entre os oficiais e levando-o a ser expulso da Marinha em abril de 1931. Casando-se com a nova namorada, Lina von Osten, que nutria fortes convicções nazistas e possuía conexões familiares com o chefe da SS em Munique, Karl von Eberstein, Heydrich encontrou um novo emprego na SS e imediatamente deu início ao trabalho de extirpar os infiltrados. Ele foi tão meticuloso na tarefa que convenceu Himmler de que o Serviço de Segurança precisava expandir o âmbito de suas atividades para se tornar o cerne de uma nova polícia e força de vigilância alemã. Suas investigações intrusivas incitaram a hostilidade de vários velhos nazistas, inclusive o líder regional de Halle-Merseburg, que retrucou com a alegação maliciosa de que Heydrich tinha antepassados judaicos no sangue. Uma investigação determinada por Gregor Strasser, líder da organização do Reich do Partido Nazista na época, chegou ao laudo conclusivo de que as alegações eram falsas, embora elas tenham continuado a perseguir Heydrich pelo resto de sua carreira e também tenham vindo à tona periodicamente desde sua morte.[83]

Nada disso deteve a ascensão meteórica de Heydrich ao poder dentro da SS. Insensível, frio, eficiente, com fome de poder e plenamente convencido de que os fins justificavam os meios, logo persuadiu Himmler de sua visão ambiciosa da SS e de seu Serviço de Segurança como o cerne de um novo sistema abrangente de policiamento e controle. Já em 9 de março de 1933, os dois homens assumiram o serviço de polícia da Baviera, tornando o setor policial autônomo e deslocando pessoal do Serviço de Segurança da SS para alguns dos postos-chave. Foram em frente, assumindo o serviço de polícia política em um estado federado atrás do outro, com respaldo do centralizador ministro do Interior do Reich, Wilhelm Frick. A essa altura, porém, depararam com um importante obstáculo ao plano de criar um sistema nacional unificado de polícia política na forma do temível Hermann Göring, o ministro-presidente prussiano, que em 30 de novembro de 1933 estabeleceu um serviço separado de polícia política para a Prússia. Este foi sediado no setor de polícia política do presídio da polícia de Berlim, que havia atuado como centro de coleta de informações sobre comunistas durante a República de Weimar e era provido por policiais profissionais, chefiados pelo policial de carreira Rudolf Diels. A nova força independente de Göring ficou conhecida como Polícia Secreta do Estado, *Geheime Staatspolizei*, ou Gestapo na forma abreviada.[84]

Os conflitos que reverberaram ao longo dos primeiros meses de 1934 foram por fim resolvidos pela necessidade sentida por Göring de se opor à crescente ameaça dos camisas-pardas de Röhm. Diels havia implementado a política nazista com entusiasmo no curso de 1933, mas seu destacamento profissional era inadequado para a tarefa de combater os camisas-pardas por meios justos ou sujos. Em 20 de abril de 1934, Göring substituiu Diels por Himmler na chefia da Gestapo.[85] Himmler e Heydrich então jogaram Göring e Frick um contra o outro, e ganharam mais margem de manobra graças ao corte dos laços formais que uniam a SS e a SA depois da "Noite das Facas Longas". Göring e Frick foram forçados a reconhecer que eram incapazes de controlar a Gestapo, quaisquer que fossem os poderes formais que pudessem reivindicar sobre ela. Enquanto Göring efetivamente abandonou seus esforços em novembro de 1934, Frick e o Ministério do Interior continuaram a luta burocrática. Ela por fim foi resolvida em favor de Himmler em 1936. Uma nova lei, aprovada em 10 de fevereiro, tirou a Gestapo da jurisdição dos tribunais, de modo que dali em diante não se podia apelar contra suas ações a nenhum organismo externo. A seguir, um decreto emitido por Hitler em 17 de junho fez de Himmler o chefe da polícia alemã. Nesse cargo, Himmler colocou Heydrich no comando da Gestapo e da polícia criminal, bem como do Serviço de Segurança da SS, enquanto a polícia uniformizada também era dirigida por um homem da SS, Kurt Daluege. Com efeito, polícia e SS começaram a se fundir, com policiais profissionais agora aderindo à SS em números crescentes, e homens da SS assumindo um número crescente de cargos dentro da força policial. Assim, uma agência-chave da lei no Reich começou a se deslocar decisivamente do Estado "normativo" para o "prerrogativo", uma transição simbolizada em 1939 pela subordinação do Serviço de Segurança da SS e da polícia de segurança ao Gabinete Central de Segurança do Reich, controlado de cima por Himmler e Heydrich.[86]

III

O elaborado aparato de policiamento e repressão do Terceiro Reich era direcionado em primeiro lugar à caça e à captura dos inimigos do nazismo dentro da Alemanha. Uma oposição organizada ao nazismo foi oferecida apenas pelos comunistas e social-democratas nos anos iniciais da ditadura. Os partidos políticos de esquerda haviam conquistado 13,1 milhões de votos na última eleição plenamente livre da Alemanha, em novembro de 1932, contra os 11,7 milhões dos nazistas. Eles representavam uma enorme fatia do eleitorado alemão. Contudo, não possuíam meios efetivos de fazer frente à violência nazista. Todo o seu aparato, junto com o das alas paramilitares – a Liga dos Combatentes da Frente Vermelha e a Reichsbanner – e organizações associadas como os sindicatos, foi implacavelmente varrido nos primeiros meses de 1933, seus líderes foram exilados ou aprisionados, seus milhões de membros e defensores, muitos deles rememorando o comprometimento de uma vida inteira com a causa, ficaram isolados e desorientados. Ex-ativistas foram colocados sob vigilância mais ou menos permanente, espionados, com a correspondência e os contatos monitorados. Divididos, mutuamente hostis e pegos de surpresa pela velocidade e crueldade da tomada nazista do poder, de início ficaram impotentes e sem saber como agir. Reorganizar-se para formar um movimento de resistência efetivo parecia fora de questão.[87]

Todavia, de certa forma, os social-democratas e os comunistas estavam mais bem preparados para a resistência que qualquer outro grupo na Alemanha nazista. O movimento trabalhista havia sido repetidamente banido ou sufocado no passado, sob a repressão policial de Metternich no início do século XIX, na reação pós-revolucionária dos anos de 1850 e início da década de 1860, e mais notadamente durante a Lei Antissocialista de Bismarck de 1878-90. Ir para a clandestinidade não era nada de novo. De fato, quando os social-democratas desenvolveram toda uma rede de contatos e comunicações secretos sob os nazistas, alguns veteranos da Lei Antissocialista ainda estavam na ativa, passados quarenta e tantos anos. Alimentados por suas histórias de heroísmo e intrepidez na década de 1880 e desiludidos com os acordos que o partido havia feito nos últimos anos da República de Weimar, muitos social-democratas mais jovens saboreavam a perspectiva de retorno às tradições revolucionárias do partido. Com certeza era improvável que Hitler, um demagogo de cervejaria, tivesse êxito em esmagá-los, visto que Bismarck, um estadista internacional, havia fracassado nisso. Ativistas social-democratas começaram rapidamente a mimeografar volantes, panfletos e jornais ilegais, e distribuí-los em segredo entre simpatizantes para tentar fortalecer a decisão de resistir às tentativas do novo regime de subjugá-los. Muitos amparavam-se na crença, enraizada na teoria marxista que ainda dominava o pensamento dos social-democratas na época, de que era improvável que o regime nazista durasse. Tratava-se de uma tentativa final e desesperada de autopreservação de um sistema capitalista mergulhado na maior crise de todos os tempos desde a quebra de 1929.

Tudo que se fazia necessário era aguentar firme e se preparar para a autodestruição do Terceiro Reich. Ao se espalhar informações claras e exatas sobre o estado das coisas na Alemanha, seria possível destruir as fundações ideológicas do regime e alinhar as massas para removê-lo.[88]

Em muitas partes da Alemanha, sobretudo nos redutos industriais, com décadas de tradição de solidariedade do movimento trabalhista, os grupos clandestinos organizaram-se depressa e se lançaram à ação. Mesmo em ambientes culturais menos seguros, os social-democratas deram um jeito de se reagrupar e continuar suas atividades em segredo. Em Hanover, por exemplo, o jovem Werner Blumenberg, que mais tarde faria nome como estudioso de Marx, montou uma "Frente Socialista", que contava com cerca de 250 membros e produziu uma série de informativos mimeografados, os *Sozialistische Blätter* (Folhetos Socialistas), em edições de 1,5 mil unidades distribuídas a contatos em toda a região.[89] Grupos menores semelhantes foram estabelecidos nas aldeias bávaras de Augsburg e Regensburg, e até na "capital" do movimento nazista, Munique. Suas atividades incluíam ações como colar pôsteres na rua à noite e incitar as pessoas a votar "não" no plebiscito de 19 de agosto de 1934. Folhetos com *slogans* ou notícias curtas criticando a apresentação dos acontecimentos pela máquina de propaganda nazista eram deixados nos locais de trabalho. Por toda a Alemanha, milhares de ex-ativistas do Partido Social-Democrata engajaram-se nesse tipo de ação. Concentraram-se particularmente em manter contatos com a liderança do partido no exílio em Praga. A meta não era apenas incitar as massas, mas manter os velhos adeptos do partido e dos sindicatos congregados e esperar por tempos melhores. A maioria vivia uma vida dupla, mantendo uma conformidade externa com o regime, mas engajando-se nas atividades da resistência em segredo nas horas livres. Alguns reuniam os folhetos e jornais que a organização exilada do partido imprimia, tais como o *Neue Vorwärts* (Novo Avante), em jornadas através das fronteiras, contrabandeavam-nos para dentro da Alemanha e distribuíam aos membros remanescentes do partido. E também abasteciam a liderança no exílio com informações detalhadas sobre a situação na Alemanha, provendo-a mês a mês com uma avaliação notavelmente sensata e cada vez mais realista sobre as chances de se promover uma revolta.[90]

Todavia, essas atividades tinham pouca chance de alcançar a mais básica de suas metas, de manter a solidariedade entre ex-social-democratas, que dirá espalhar a mensagem da resistência entre as massas. Havia muitas razões para isso. A resistência carecia de liderança. A maioria dos social-democratas mais proeminentes tinha ido para o exílio. Mesmo aqueles que quiseram ficar eram conhecidos demais para escapar da atenção da polícia por muito tempo. Otto Buchwitz, por exemplo, deputado do Reichstag pela Silésia, conseguiu fugir por um triz, várias vezes, enquanto viajava pela Alemanha distribuindo literatura ilegal do partido, antes de finalmente curvar-se ao inevitável e permitir que o movimento clandestino o contrabandeasse para a Dinamarca no início de agosto de 1933.[91] A essa altura, quase todos os outros social-democratas de destaque que haviam permanecido na Alemanha estavam na prisão, em um campo de concentração, silenciados ou mortos. A liderança no exílio mostrou-se um substitutivo insatisfatório. Sua posição intransigente já havia alienado muitos companheiros que optaram por ficar na Alemanha em 1933 e deixou as coisas piores em janeiro de 1934 com o lançamento do "Manifesto de Praga", que reivindicava uma política radical de desapropriação para destruir os grandes negócios e as grandes propriedades rurais assim que Hitler fosse derrubado.[92] Isso era intragável para muitos grupos locais de oposição, e ao mesmo tempo não conseguia convencer outros de que a liderança do partido havia realmente se livrado da passividade e do fatalismo que tolhera sua disposição para resistir em 1932-33.[93] Insatisfeitos com o que viam como fragilidade do partido, pequenos grupos radicais agiam de forma independente, adotando uma variedade de nomes, como Liga Internacional Socialista de Combate, Socialistas Revolucionários da Alemanha ou Tropa de Choque Vermelha (uma organização puramente berlinense). Esses altercavam-se com outros grupos clandestinos que permaneciam leais à liderança exilada em Praga, discordando não só sobre políticas, mas também sobre táticas.[94]

Sob tais circunstâncias, qualquer ideia de incitar as massas a uma oposição frontal ao regime, a meta tradicional almejada por movimentos clandestinos na história europeia, estava fadada ao fracasso desde o princípio. Encontrar uma base nas massas era quase impossível. Os resquícios esfarrapados da cultura do movimento trabalhista que perduraram sob o Terceiro

Reich eram poucos e no geral insignificantes. A "coordenação" nazista de todos os tipos de vida associacional local havia sido simplesmente total. Círculos de criadores de coelhos, clubes de ginástica e grupos semelhantes que mudaram de nome tirando termos social-democratas de seus títulos, mas que mantiveram a mesma liderança e quadro de sócios de antes, foram rapidamente desmascarados e fechados pela polícia ou pelas autoridades municipais. Assim, a resistência social-democrata jamais teve condições de se expandir além de pequenos grupos e elite de ativistas organizados municipalmente. Além do mais, o regime nazista não podia ser retratado de forma convincente, como os regimes de Metternich ou Bismarck, como representativo de uma elite minúscula e autoritária; pelo contrário: sua retórica anunciava desde o princípio que pretendia representar o povo como um todo, mobilizando-o no apoio a um novo tipo de Estado que superaria divisões internas e criaria uma nova comunidade nacional para toda a raça alemã. Esse era um fato desalentador, ao qual os ativistas social-democratas logo se renderam.[95]

Provavelmente foi a lealdade à memória dos sindicatos de orientação social-democrata que esteve por trás da abstenção em massa verificada nas eleições anuais exigidas por lei para os representantes dos operários da indústria em 1934 e 1935. Houve tantos votos em branco ou nulos que os resultados foram mantidos em segredo em 1934 e 1935 e o processo foi abandonado dali em diante.[96] A Gestapo rastreou muitos "marxistas" que distribuíam panfletos incitando o voto de "não" no plebiscito de 19 de agosto de 1934, detendo mais de 1,2 mil deles apenas na zona do Reno-Ruhr. Ondas de detenção em massa atingiram outras partes da Alemanha, como Hamburgo. O tema de um panfleto especial dos social-democratas em 1º de maio de 1935 instigou uma série adicional de detenções. No fim do ano, a organização formal clandestina dos social-democratas havia sido efetivamente destruída. Contudo, o simples tamanho do antigo quadro de filiados do partido e o poder duradouro de seu antigo ambiente cultural e tradições garantiram que centenas de milhares de velhos social-democratas permanecessem leais em seus corações ao valores fundamentais do partido. Grupos de social--democratas vagamente organizados, informais e descentralizados continuaram a manter vivos esses valores e ideais por todo o restante do Terceiro Reich, embora não pudessem fazer nada para colocá-los em prática.[97]

Um pequeno número de radicais social-democratas, reunidos desde 1929 em um grupo que se chamava Novo Começo (*Neu-Beginnen*), adotou a visão de que o principal pré-requisito para uma resistência bem-sucedida dos trabalhadores era a reunificação do movimento operário alemão, cuja amarga divisão entre social-democratas e comunistas eles julgavam ter aberto o caminho para a ascensão do nazismo. Seus aproximadamente cem membros, amparados por um número bastante grande de simpatizantes, despenderam grandes esforços para tentar unir os partidos, usando táticas como infiltração nas células comunistas e trabalho para mudar a linha do partido a partir de seu interior. O manifesto da organização, redigido por seu líder Walter Loewenheim e publicado em Karlsbad em agosto de 1933 com uma edição de 12 mil exemplares, suscitou algum debate nos círculos de resistência da Alemanha quando foi distribuído em segredo no país. Mas, em 1935, Loewenheim concluiu que as perspectivas de sucesso eram tão pequenas que não fazia sentido ir adiante. Embora alguns membros, como o futuro historiador Francis Carsten, tivessem tentado continuar, as ondas de detenção pela Gestapo logo mutilaram os resquícios do movimento; o próprio Carsten emigrou e começou um doutorado sobre a história antiga da Prússia. Outros pequenos grupos no exílio e dentro do país trabalharam em linhas semelhantes, inclusive a Liga Internacional Socialista de Combate e o Partido Socialista dos Trabalhadores da Alemanha, do qual um dos membros de destaque era o jovem Willy Brandt, que deixou a Alemanha rumo ao exílio na Escandinávia e se tornou prefeito de Berlim Ocidental e depois chanceler federal da Alemanha após a guerra. Entretanto, todos esses grupos rejeitavam as políticas dos dois maiores partidos da classe trabalhadora e as viam como divisoras e antiquadas sem realmente desenvolver qualquer conceito político coerente para colocar no lugar delas.[98]

A atitude linha-dura dos comunistas tornava qualquer ideia de criação de uma frente unida completamente impossível de se concretizar. Desde o final da década de 1920, o Partido Comunista da Alemanha vinha seguindo a linha partidária ultraesquerdista de Moscou, que condenava os social-democratas como "social-fascistas" e de fato os considerava o maior obstáculo a uma revolução proletária. Nada do que aconteceu em 1933 ou 1934 mudou isso. Em maio de 1933, o Comitê Central do Partido Comunista alemão reafirmou o que o Comintern louvava como a "linha política absolutamente correta" do partido contra o "social-fascismo". "A exclusão completa dos social-fascistas do aparato estatal, a eliminação brutal da organização partidária social-democrata e de sua imprensa, assim como a nossa, não altera o fato de que hoje, como antes, eles constituem o principal apoio social à ditadura do capital." Os críticos da linha ultraesquerdista e os defensores da cooperação com os social-democratas, como Hermann Remmele e Heinz Neumann, já haviam sido removidos da liderança do partido em 1932, deixando o sempre leal Ernst Thälmann no comando pelo menos nominal, embora ele na prática estivesse fora de ação desde a detenção e o aprisionamento logo após o incêndio do Reichstag em fevereiro de 1933. "Para a classe trabalhadora", alardeava o líder comunista alemão Fritz Heckert no final de 1933, apesar de todas as evidências, "existe apenas um inimigo real – que é a burguesia fascista e a social-democracia, seu principal apoio social".[99]

Tais visões de irrealismo grotesco não eram simplesmente resultado de uma obediência incondicional a Moscou. Refletiam também o longo legado de amargura entre os dois principais partidos da classe trabalhadora desde a Revolução de 1918 e do assassinato dos líderes comunistas Karl Liebknecht e Rosa Luxemburgo por unidades das Brigadas Livres recrutadas a mando dos social-democratas. Os social-democratas, por sua vez, sabiam que o regime bolchevique russo havia assassinado alguns milhares de oponentes e que os mencheviques, que eram seus semelhantes na Rússia, estavam entre as primeiras vítimas. O desemprego, que afetou os comunistas mais que os social-democratas, impulsionou ainda mais a cisão entre os dois partidos. Ninguém promoveu a perspectiva de ação conjunta tanto dentro do Partido Social-Democrata quanto do Partido Comunista com qualquer sucesso em 1931-34.

Os social-democratas podiam gabar-se de uma filiação muito maior que a do Partido Comunista – mais de 1 milhão no começo de 1933, contra apenas 180 mil ou algo assim dos comunistas – e seus membros tendiam a permanecer leais ao partido por mais tempo que os comunistas. Entretanto, anos de expurgos e os repetidos corretivos nos dissidentes internos haviam deixado os comunistas bem disciplinados e unidos, ao mesmo tempo em que uma tradição de trabalho clandestino e organização secreta mais recente e mais eficiente que a dos social-democratas garantiu que células comunistas ilegais fossem rapidamente formadas por toda a Alemanha, passado o choque dos primeiros meses de 1933. A falta de realismo do partido a respeito da situação foi, ironicamente, outro fator positivo. Acreditando ardentemente que o colapso final não só do nazismo mas do capitalismo como um todo era agora apenas uma questão de meses, os comunistas viam todos os motivos para arriscar sua liberdade e vida em uma luta que por certo acabaria em pouco tempo com a vitória total da revolução proletária.[100]

Contudo, em que consistia aquela luta? Apesar de toda a propaganda alarmista dos nazistas em 1933 sobre a iminência de uma revolução comunista violenta, o fato era que o Partido Comunista alemão reconstituído podia fazer pouco mais que os social-democratas. Houve uns poucos atos de sabotagem, e um punhado de comunistas tentou obter informações militares para abastecer a União Soviética. Mas a maioria dos milhares de comunistas ativos da resistência podia apenas concentrar-se em manter o movimento vivo na clandestinidade, preparado para o dia em que o nazismo caísse junto com o sistema capitalista que eles julgavam que o sustentava. Realizavam encontros secretos, distribuíam propaganda política ilícita importada, recolhiam taxas de filiação e produziam e faziam circular toscos folhetos e informativos mimeografados, às vezes em tiragens bastante grandes, visando atingir tantas pessoas quanto possível e incitá-las a se opor ao regime. Montaram redes clandestinas de distribuição de revistas e panfletos produzidos pelo aparato comunista fora da Alemanha e o contrabandearam para dentro do país por mensageiros. Havia também extensa cooperação entre a resistência dentro da Alemanha e a liderança no exterior: o jornal *A Bandeira Vermelha*, por exemplo, era editado no exílio, mas impresso em diversos centros dentro do país, incluindo, por exemplo, uma gráfica ilegal em Solingen-Ohligs, que produzia cerca de 10 mil cópias de cada edição uma ou duas vezes por mês. Em uns poucos locais, os comunistas encenaram manifestações secretas no Dia do Trabalho, hasteando bandeiras vermelhas ou estandartes com a foice e o martelo em prédios altos e pichando *slogans* em estações de trem. Assim como os social-democratas, os comunistas panfletaram pelo voto de "não" no plebiscito de 19 de agosto de 1934.[101]

Não há dúvida de que os comunistas foram mais ativos e mais persistentes que os social-democratas em organizar a resistência nos primeiros anos do Terceiro Reich. Tirando o maior comprometimento – alguns diriam fanatismo – de seus membros, o Partido Comunista também tinha instruções de sua liderança no exílio de manter uma presença tão visível quanto possível na Alemanha. Mensageiros e agentes iam e vinham de Paris, Bruxelas, Praga e outros centros no exterior, muitas vezes sob identidades falsas, tentando constantemente manter o movimento operante ou reavivá-lo onde havia sido destruído. Batidas e detenções eram frequentemente seguidas de panfletagem maciça, assertiva e animada, para expor a brutalidade da polícia e demonstrar o fracasso do regime em destruir a resistência. Mas tais práticas revelaram-se a ruína do partido, visto que inevitavelmente tornaram-no visível não só para os trabalhadores, mas também para a Gestapo.[102] A estrutura e os hábitos burocráticos do partido também ajudaram a polícia a identificar e rastrear seus membros, pois tesoureiros e secretários de seções, como Hans Pfeiffer em Düsseldorf, por exemplo, continuaram a guardar meticulosamente cópias de cartas, minutas de reuniões, registros de subscrições e listas de membros, que se mostraram inestimáveis ao regime quando caíram nas mãos da polícia.[103] Os mesmos problemas que afligiam os social-democratas também atormentavam os comunistas: dificuldade de comunicação com a liderança exilada, destruição da infraestrutura social e cultural do movimento trabalhista, exílio, aprisionamento ou morte dos líderes mais experientes e talentosos.[104]

Apesar da legendária disciplina do partido, também emergiram sérias divisões dentro da liderança exilada, entre uma maioria de ultraesquerda que continuava a destilar veneno sobre os social-democratas e a Internacional Comunista, que reconheceu a escala da derrota que o partido sofreu e por fim começou a incitar a colaboração com os social-democratas em uma "frente popular" contra o fascismo. Em janeiro de 1935, a Internacional Comunista condenou abertamente a antiga política do partido como "sectária" e começou a baixar o tom de sua retórica revolucionária. Ao sentir de que lado o vento estava soprando, uma minoria cada vez maior entre os comunistas alemães seguiu a nova linha de Moscou. Essa minoria em expansão foi liderada por Walter Ulbricht, o ex-líder comunista de

Berlim, e Wilhelm Pieck, deputado de longa data no Reichstag e companheiro de Liebknecht e Luxemburgo em seus últimos dias, antes de serem assassinados pelas Brigadas Livres durante o "levante de Espártaco" de 1919. Junto com essa reorientação ideológica, a estrutura centralizada do partido na Alemanha, tão útil à Gestapo, foi então desmantelada e substituída por uma organização mais frouxa, nas quais as diferentes partes eram mantidas bem separadas. O caminho finalmente parecia livre para uma resistência unida e efetiva da classe trabalhadora contra os nazistas.[105]

Mas era tarde demais. Os organizadores locais e muitos do baixo escalão da resistência comunista haviam passado tempo demais brigando com os social-democratas para abandonar seu ódio agora. Quando 7 mil trabalhadores desfilaram em Essen na metade de 1934 para fazer uma manifestação no túmulo de um comunista que havia morrido na prisão, a liderança comunista local deixou claro que os social-democratas, "contra quem o falecido sempre havia lutado", não seriam bem-vindos. Além disso, Ulbricht, encarregado de criar uma frente popular de comunistas e social-democratas na Alemanha a partir de sua posição de exilado em Paris, tinha um talento para antagonizar pessoas. Alguns pensavam que ele estivesse sendo deliberadamente áspero de modo a culpar os social-democratas pelo fracasso de uma política que ele de qualquer forma não apoiava de verdade. Também provou-se impossível comunicar a nova linha partidária para muitos ativistas dentro da Alemanha, dada a vigilância exercida pela Gestapo sobre os mensageiros. Os social-democratas alemães, de sua parte, permaneceram tão desconfiados da Frente Popular – que realmente levou a uma genuína, ainda que incômoda, cooperação na França e na Espanha – quanto haviam sido da "Frente Unida", uma famosa tática dos comunistas para miná-los durante a República de Weimar. O legado de amargura semeado em 1919--23 mostrou-se poderoso demais para qualquer cooperação real efetivar-se na Alemanha.[106]

Em todo caso, no momento em que a política da Frente Popular estava em pleno andamento, tanto as organizações de resistência comunistas quanto as social-democratas já haviam sido severamente danificadas pela Gestapo. As detenções em massa levadas a cabo em junho e julho de 1933 obrigaram o movimento de resistência a se reagrupar, mas a Gestapo logo estava no rastro das novas organizações e começou a deter seus membros também. A experiência do setor da resistência comunista ilegal em Düsseldorf provavelmente não foi atípica. Um grande centro industrial com tradição de radicalismo, Düsseldorf era um baluarte do Partido Comunista, que conquistou 78 mil votos na eleição do Reichstag de novembro de 1932, 8 mil a mais que os nazistas e mais que o dobro dos social-democratas. As detenções em massa que se seguiram ao Decreto do Incêndio do Reichstag em 28 de fevereiro de 1933 danificaram seriamente o partido local, mas, sob a liderança de Hugo Paul, de 27 anos, ele se reagrupou e publicou um fluxo constante de folhetos e propaganda. Em junho de 1933, porém, a Gestapo apoderou-se dos registros do partido e prendeu Paul na casa do homem que imprimia os folhetos. Um interrogatório brutal revelou o nome de mais ativistas, e mais de noventa foram detidos até o final de julho. A liderança clandestina do partido em Berlim enviou uma série de substitutos para Paul, trocando-os diversas vezes para evitar sua descoberta, e na primavera de 1934 a organização local tinha cerca de setecentos filiados, produzindo um informativo interno em edições de 4 mil a 5 mil cópias, e distribuindo panfletos que eram colocados nas caixas de correspondência à noite ou jogados do telhado de prédios altos, como estação de trem, bancos, cinemas e hotéis por meio de um equipamento conhecido como "busca-pé" *(Knallfrosch)*. O partido considerou a distribuição de um comentário agudamente sarcástico sobre a "Noite das Facas Longas" um especial sucesso.

Entretanto, a Gestapo conseguiu transformar um funcionário comunista clandestino, Wilhelm Gather, em agente duplo e, logo depois de ele entrar novamente no Partido Comunista local após ser solto em 1934, vieram as detenções – sessenta no distrito central da cidade, seguidas de cinquenta no distrito operário de Friedrichstadt. Outros comunistas detidos e torturados cometeram suicídio em vez de trair os companheiros. Apesar da repressão, o assassinato de Röhm levou a um otimismo renovado sobre o colapso iminente do regime, e as filiações realmente aumentaram, atingindo cerca de 4 mil nos distritos do Baixo Reno e do Ruhr somados. Isso não durou muito. A centralização e a eficiência crescentes da Gestapo sob Himmler e Heydrich logo conduziram a mais detenções; de maneira ainda mais crítica, toda a liderança nacional secreta do Partido Comunista em

Berlim foi levada sob custódia em 27 de março de 1935. Isso deixou os grupos locais e regionais desorientados e sem liderança, com o moral ainda mais abalado pela crescente desilusão com a política de ultraesquerda seguida pelo partido desde o final da década de 1920. Deserções e mais detenções deixaram a organização clandestina do partido no Ruhr e no Baixo Reno em frangalhos. Na época em que o novo líder distrital, Waldemar Schmidt, chegou, em junho de 1935, ela consistia em nada mais que uns poucos grupos isolados. Porém, Schmidt teve pouco tempo de fazer um relatório para a liderança exilada do partido, visto que foi detido muito rapidamente.[107]

Uma história semelhante podia ser contada em praticamente cada uma das outras regiões da Alemanha. Em Halle-Merseburg, por exemplo, um espião da polícia levou a Gestapo a uma reunião da liderança distrital no começo de 1935; os detidos foram torturados e forçados a revelar o nome de outros membros; foram apreendidos documentos, houve mais detenções, mais tortura; no fim, mais de setecentas pessoas foram detidas, destruindo por completo a organização regional do Partido Comunista e deixando os poucos membros restantes completamente desmoralizados. Os quadros do partido ficaram politicamente paralisados, não sem motivo, por suspeitas mútuas.[108] Por meio de cuidadosa coleta de informação, revistas domiciliares, interrogatório e tortura impiedosos de suspeitos e uso de espiões e informantes, a Gestapo teve êxito em destruir a resistência organizada do Partido Comunista no final de 1934, inclusive a organização de assistência Auxílio Vermelho (*Rote Hilfe*), dedicada a ajudar as famílias de prisioneiros e os membros que haviam sucumbido nos tempos difíceis. Dali em diante, apenas pequenos grupos informalmente organizados de comunistas conseguiram continuar se reunindo, e em muitos locais nem mesmo esses existiam.[109] Os comunistas praticamente abandonaram a antiga ambição de incitar as massas e em vez disso focaram-se em se preparar para a época em que o nazismo enfim caísse. De todos os grupos que resistiram contra o nazismo nos primeiros anos do Terceiro Reich, os comunistas foram os mais persistentes e mais destemidos. Em consequência, pagaram um preço mais alto.[110]

Os comunistas que buscaram refúgio da repressão na União Soviética não se deram muito melhor que os camaradas que permaneceram na Alemanha. A combinação da ameaça do fascismo pela Europa, dos fracassos da coletivização agrícola na Rússia e na Ucrânia e das dores e atribulações do crescimento industrial forçado levaram a um senso crescente de paranoia na liderança soviética, e quando Sergei Kirov, um dos líderes mais proeminentes e populares da geração mais jovem de bolcheviques, foi assassinado com a cumplicidade óbvia de oficiais do Partido Bolchevique em 1934, o líder soviético Josef Stálin começou a organizar a detenção em massa de funcionários do Partido Bolchevique, deflagrando um expurgo maciço que depressa adquiriu impulso próprio. Em breve funcionários comunistas importantes eram detidos e fuzilados aos milhares, e forçados a confessar crimes fantásticos de subversão e traição em julgamentos espetaculosos largamente propagandeados. O expurgo espalhou-se rapidamente para baixo entre as fileiras do partido, onde oficiais e membros comuns competiam uns com os outros na denúncia de supostos traidores e subversivos entre seus próprios pares. O "arquipélago Gulag" de campos de trabalho forçado ao longo das regiões menos hospitaleiras da União Soviética, sobretudo na Sibéria, incharam até quase explodir com milhões de prisioneiros no final da década de 1930. Desde a obtenção do poder supremo por Stálin no final da década de 1920 até sua morte em 1953, estima-se que mais de 750 mil pessoas tenham sido executadas na União Soviética, enquanto no mínimo 2,75 milhões morreram nos campos.[111]

Nessa atmosfera de terror, medo e recriminação mútua, qualquer coisa fora do comum podia tornar-se pretexto para detenção, aprisionamento, tortura e execução. Contato com governos estrangeiros, até mesmo residência prévia em um outro país, começaram a levantar suspeitas. Em breve os expurgos começaram a sugar os comunistas alemães em seu vórtice de destruição. Milhares de comunistas alemães que tinham buscado refúgio na Rússia de Stálin foram detidos, mandados para campos de trabalho ou exilados na Sibéria. Mais de 1,1 mil foram condenados por alegações de diversos crimes, torturados pela polícia secreta de Stálin e aprisionados em condições sinistras nos campos de trabalho por longos períodos. Muitos foram executados. Entre os assassinados incluíam-se vários membros ou ex-membros do Politburo do partido: Heinz Neumann, o ex-chefe de propaganda cuja defesa da violência em 1932-33 fora rejeitada com veemência pelo Politburo; Hugo Eberlein, ex-amigo de Rosa Luxemburgo cujas críticas a Lênin não agradaram na União Soviética; e Hermann Remmele, que fora incauto o bastante para dizer em 1933 que a tomada nazista do poder marcava uma derrota da classe trabalhadora. Dos 44 comunistas que pertenciam ao Politburo do partido alemão entre 1920 e 1933, mais foram mortos nos expurgos de Stálin na Rússia do que nas mãos da Gestapo e dos nazistas na Alemanha.[112]

"Inimigos do povo"

I

Em custódia após a detenção por ter ateado fogo ao Reichstag em 27--28 de fevereiro de 1933, o jovem anarquista holandês Marinus van der Lubbe devia saber que jamais sairia vivo da prisão. Hitler de fato havia dito isso. Os réus, ele declarou, seriam enforcados. Mas, ao dizer isso, na mesma hora meteu-se em uma enrascada com a lei. Enforcamento era o método preferencial de execução em sua Áustria nativa, mas não na Alemanha, onde a decapitação havia sido o único método usado por quase um século. Além disso, o código criminal alemão não considerava incêndio criminoso passível de morte, a menos que alguém tivesse morrido em decorrência, e ninguém havia morrido como resultado direto do ato de van der Lubbe. Ignorando os escrúpulos dos conselheiros legais e burocratas do Ministério da Justiça do Reich, o gabinete persuadiu o presidente Hindenburg a emitir um decreto em 29 de março de 1933 aplicando as disposições de pena de morte do Decreto do Incêndio do Reichstag de 28 de fevereiro de modo retroativo a delitos, inclusive traição e incêndio criminoso, cometidos desde 31 de janeiro, o primeiro dia de Hitler no governo.

Conforme alguns comentaristas de jornal ousaram destacar, isso violava um princípio fundamental da lei, isto é, de que as leis não deveriam aplicar punições retroativas a crimes que não previam tais sanções quando foram cometidos. Se a pena de morte estivesse prescrita para incêndio criminoso na época do delito de van der Lubbe, isso poderia tê-lo impedido de cometer o ato. Agora ninguém que cometesse um crime poderia saber ao certo qual seria a punição.[113]

Hitler e Göring não estavam determinados apenas a ver van der Lubbe executado; também queriam imputar o ataque incendiário ao Partido Comunista alemão, que haviam banido efetivamente com base na alegação de que estava por trás do atentado. Assim, em 21 de setembro de 1933, não foi apenas van der Lubbe, mas também Georgi Dimitrov, o chefe búlgaro do bureau da Europa ocidental da Internacional Comunista em Berlim, dois de sua equipe, e o líder da bancada comunista no Reichstag alemão Ernst Togler, que se sentaram no banco dos réus no Tribunal do Reich em Leipzig para responder pelas acusações de incêndio criminoso e alta traição. Na presidência dos trabalhos estava Wilhelm Bünger, o juiz conservador e ex--político do Partido Popular. Mas Bünger, não obstante todos os seus preconceitos políticos, era um advogado da velha escola, e se ateve às normas. Dimitrov defendeu-se com engenhosidade e perícia, fazendo Hermann Göring parecer um completo tolo quando foi chamado ao banco de testemunhas. Combinando habilidade forense com retórica comunista apaixonada, Dimitrov conseguiu assegurar a absolvição de todos os acusados, com exceção de van der Lubbe, que foi guilhotinado pouco depois. Imediatamente detidos de novo pela Gestapo, os três búlgaros foram enfim expulsos para a União Soviética; Torgler sobreviveu à guerra e depois tornou-se social-democrata.[114]

A sentença do tribunal teve o cuidado de concluir que o Partido Comunista havia de fato planejado o incêndio a fim de começar uma revolução, e que o Decreto do Incêndio do Reichstag estava, portanto, justificado. Mas as evidências contra Dimitrov e os outros comunistas, concluiu a corte, eram insuficientes para justificar uma condenação.[115] A liderança nazista foi humilhada. O jornal diário nazista, o *Observador Racial*, condenou a sentença como um erro judiciário "que demonstra a necessidade de uma reforma total e completa de nossa vida legal, que sob muitos aspectos ainda se move pelos caminhos de um pensamento liberal antiquado que é alheio a nosso povo".[116]

Em poucos meses, Hitler havia removido os casos de traição da competência do Tribunal do Reich e os transferido para um Tribunal Popular especial, implantado em 24 de abril de 1934. Este tratava dos crimes políticos com rapidez e de acordo com os princípios nacional-socialistas, e os dois juízes profissionais encarregados dos casos eram assistidos por três juízes leigos oriundos do Partido Nazista, da SS, da SA e de outras organizações semelhantes. Após um período de presidência rotativa, a corte foi presidida a partir de junho de 1936 por Otto-Georg Thierack, nazista de longa data nascido em 1889, nomeado ministro da Justiça da Saxônia em 1933 e vice-presidente da Suprema Corte do Reich dois anos depois.[117] Thierack viria a se revelar uma figura da maior importância no solapamento do sistema judiciário durante a guerra. Ele introduziu um novo cunho fortemente ideológico nos trâmites já altamente politizados da corte.

Enquanto isso, estavam em andamento os preparativos para o julgamento do líder do Partido Comunista, Ernst Thälmann, que selaria a condenação dos comunistas por tentar começar um levante revolucionário em 1933. Foi compilado um dossiê de acusações alegando que Thälmann havia planejado uma campanha de terror, com bombas, envenenamento em massa e captura de reféns. Contudo, o julgamento teve que ser adiado por falta de evidências sólidas. A notoriedade de Thälmann como ex-líder de um dos principais partidos políticos da Alemanha assegurou que mais de mil jornalistas estrangeiros solicitassem acesso ao julgamento. Isso fez o regime hesitar. Havia uma nítida possibilidade de que Thälmann pudesse tentar tirar proveito do julgamento. Uma sentença de morte havia sido combinada de antemão. Contudo, a experiência do julgamento do incêndio do Reichstag deixou a liderança nazista, sobretudo Goebbels, cautelosa quanto a armar outro grande *show* no tribunal. Desse modo, no fim, a liderança nazista considerou mais seguro manter Thälmann sob "custódia preventiva", manietado e isolado, na obscuridade de uma cela na prisão estadual de Moabit, em Berlim, mais tarde em Hanover e depois ainda em Bautzen, sem um julgamento formal. O Partido Comunista tirou o máximo de proveito do encarceramento de Thälmann, mantendo-o indefinidamente no cargo formal de presidente. Uma tentativa de tirá-lo da prisão em 1934, por comunistas vestidos como homens da SS, foi frustrada no último minuto pela ação de um espião da Gestapo que havia se infiltrado no grupo de resgate. Sob observação cerrada, com a correspondência com a família censurada, Thälmann não tinha chance de escapar. Ele jamais foi levado ao tribunal, e nunca foi formalmente acusado de nenhum crime. Permaneceu na prisão, e diversas campanhas internacionais por sua liberação foram organizadas por comunistas e simpatizantes no mundo inteiro.[118]

Privado da chance de encenar um julgamento-espetáculo de Thälmann, o Tribunal Popular preferiu ao menos de início lidar com infratores menos famosos. A meta era julgar depressa e com o mínimo de regras, o que no caso significava um mínimo de garantias dos direitos dos réus. Em 1934, a corte sancionou quatro sentenças de morte; em 1935, o número subiu para nove; em 1936, para dez; todas essas sentenças, exceto uma, foram executadas. Entretanto, após Thierack assumir em 1936, o Tribunal Popular ficou muito mais severo em sua abordagem, condenando 37 acusados à morte em 1937, com 28 execuções, e dezessete em 1938, dos quais todos menos um foram executados.[119] De 1934 a 1939, cerca de 3,4 mil pessoas foram julgadas pelo Tribunal Popular; quase todas eram comunistas ou social-democratas, e aquelas que não foram executadas receberam penas de seis anos de prisão em média.[120]

O Tribunal Popular situava-se no vértice de todo um novo sistema de "tribunais especiais" estabelecidos para tratar de delitos políticos, com frequência de natureza positivamente trivial, como contar piadas sobre o Líder. Nisso, como em muitos outros setores, os nazistas não estavam sendo particularmente criativos, mas recorrendo a precedentes, notadamente os "tribunais populares" montados na Baviera durante o Terror Branco após a derrotada Revolução de 1919. Não havia apelação à sua jurisdição sumária.[121] Mas o Tribunal Popular e os tribunais especiais não tinham nada que se parecesse com um monopólio dos casos políticos. Quase 2 mil pessoas foram condenadas por traição entre 18 de março de 1933 e 2 de janeiro de 1934 pelos tribunais regulares; o dobro ainda estava detido sob custódia preventiva naquele momento, inclusive muitos comunistas e social--democratas proeminentes e outros nem tanto. Desse modo, os novos tribunais, todos com um *status* jurídico formal, atuavam em paralelo às cortes do sistema legal estabelecido, que também estavam envolvidas no manejo de infrações políticas de muitos tipos. De fato, seria um erro imaginar que os tribunais regulares continuaram mais ou menos inalterados com o advento da ditadura nazista. Não foi assim. Já no primeiro ano completo da chancelaria de Hitler, o total de 67 penas de morte havia sido sancionado contra infratores políticos por todos os diferentes tipos de tribunal. A pena capital, efetivamente abolida em 1928 e depois reintroduzida em 1930, embora apenas em pequena escala, agora era aplicada não apenas em assassinatos, mas sobretudo a delitos políticos de vários tipos. Houve 64 execuções em 1933, 79 em 1934, 94 em 1935, 68 em 1936, 106 em 1937 e 117 em 1938, a maioria delas amplamente divulgada em abomináveis e berrantes pôsteres que Goebbels mandava colocar na região onde ocorriam. Os acompanhamentos cerimoniais prévios das execuções, que ocorriam dentro das prisões estaduais, foram abolidos; em 1936, Hitler em pessoa decretou que o machado, tradicional na Prússia mas objeto de muitas críticas no meio jurídico, inclusive de juristas nazistas proeminentes, deveria ser substituído em todos os locais pela guilhotina.[122]

A pena de morte foi reservada sobretudo aos comunistas, aplicada tanto aos ativistas da Liga dos Combatentes da Frente Vermelha, que haviam atraído a hostilidade dos nazistas na violência de rua do começo da década de 1930, quanto aos comunistas que continuaram tentando combater os nazistas sob o Terceiro Reich, em geral não fazendo mais do que imprimir e distribuir panfletos críticos e realizar supostos encontros secretos para tramar a derrubada do regime. O primeiro lote de comunistas decapitados constituía-se de quatro rapazes detidos pela suposta participação nos eventos do "Domingo Sangrento" de Altona em junho de 1932, quando alguns camisas-pardas foram mortos a tiros – supostamente por comunistas, mas na verdade por unidades apavoradas da polícia prussiana – durante uma marcha por um bairro marcadamente comunista da cidade prussiana. Condenados por um tribunal especial de Altona por acusações fabricadas de planejar um levante armado, os quatro homens pediram clemência a Hermann Göring. O promotor local aconselhou-o a recusar o apelo: "Executar as sentenças trará vividamente a gravidade da situação aos olhos das pessoas de inclinação comunista; será um aviso duradouro para elas e terá um efeito coibitivo".[123] As sentenças foram mesmo cumpridas, e as execuções, amplamente divulgadas na imprensa.[124] Um espírito de pura vingança permeou a decisão de forçar quarenta comunistas sentenciados em outro julgamento em massa a testemunhar a degola por machado de quatro "companheiros vermelhos" no pátio de uma prisão de Hamburgo em 1934, em cerimônia também assistida por camisas-pardas, homens da SS e parentes masculinos dos ativistas nazistas que haviam morrido em um combate de rua em 1932. A reação desafiadora dos comunistas, que bradaram *slogans* políticos e resistiram fisicamente aos carrascos, garantiu que aquilo não se repetisse.[125]

II

A maioria de juízes e promotores expressava poucas dúvidas sobre tais atos, embora um dos burocratas conservadores no Ministério da Justiça do Reich ficasse preocupado o bastante para registrar, em uma anotação especial à margem de uma minuta das estatísticas sobre pena capital, que um homem decapitado em 28 de setembro de 1933 tinha apenas dezenove anos de idade, e a preocupação internacional foi manifestada em uma série de campanhas pedindo clemência para comunistas condenados, como o ex--deputado do Reichstag Albert Kayser, executado em 17 de dezembro de 1935. Agora as mulheres também eram colocadas sob o machado, o que não acontecia na República de Weimar, começando com a comunista Emma Thieme, executada em 26 de agosto de 1933. Ela e outros foram apanhados por todo um novo conjunto de crimes capitais, incluindo uma lei de 21 de março de 1933, que prescrevia a morte para qualquer um culpado de ameaça de destruição de propriedade com intenção de causar pânico, uma lei de 4 de abril de 1933, que aplicava a pena de morte para atos de sabotagem, uma lei de 13 de outubro de 1933, que tornava o assassinato planejado de qualquer oficial do Estado ou do Partido punível com morte, e outra lei, de 24 de abril de 1933, talvez a mais abrangente de todas, que estabelecia a decapitação como punição para qualquer um que planejasse alterar a Constituição ou separar qualquer parte da Alemanha do Reich por ameaça de força ou por conspiração; assim, qualquer um que distribuísse panfletos ("planejamento") criticando o sistema político ditatorial ("a Constituição") agora podia ser executado; do mesmo modo que, com base em uma lei de 20 de dezembro de 1934, sob circunstâncias específicas, alguém podia ser condenado por fazer declarações "odiosas", inclusive piadas, sobre figuras de liderança do Partido ou do Estado.[126]

Quem presidiu a retomada e a extensão da aplicação da pena capital foi o ministro da Justiça do Reich Franz Gürtner, não um nazista, mas um conservador que fora ministro da Justiça da Baviera na década de 1920 e já atuara como ministro da Justiça do Reich nos gabinetes de Papen e Schleicher. Como a maioria dos conservadores, Gürtner aplaudiu o arrocho sobre a desordem em 1933 e 1934. Após a "Noite das Facas Longas", ele ajeitou a legislação para sancionar os assassinatos retroativamente, e cortou pela raiz as tentativas de alguns promotores de abrir processo contra os assassinos. Gürtner acreditava no uso das leis e trâmites escritos, contanto que draconianos, e rapidamente nomeou um comitê para revisar o Código Criminal do Reich de 1871 de acordo com o novo espírito do Terceiro Reich. Segundo um dos membros do comitê, o criminologista Edmund Mezger, a meta era criar uma nova síntese do "princípio da responsabilidade do indivíduo para com seu povo, e do princípio da melhora racial do povo como um todo".[127] O comitê reuniu-se por horas e produziu esboços alentados, mas foi incapaz de acompanhar o ritmo com que novos delitos criminais eram criados, e o pedantismo legalista de suas recomendações foi completamente mal recebido pelos nazistas, que jamais as colocaram em prática.[128]

Enquanto isso, o sistema judiciário ficava sob crescente pressão das lideranças nazistas, que se queixavam, como Rudolf Hess, da "tendência absolutamente não nacionalista" de algumas decisões judiciais. Acima de tudo, como Reinhard Heydrich reclamou, os tribunais regulares continuavam a proferir sentenças contra os "inimigos do Estado" que eram "leves demais de acordo com a sensação popular normal". O objetivo da nova lei, aos olhos dos nazistas, não era aplicar princípios de imparcialidade e justiça há muito mantidos, mas extirpar os inimigos do Estado e expressar o verdadeiro sentimento racial do povo. Conforme um manifesto emitido em 1936 sob o nome de Hans Frank, então comissário de Justiça do Reich e chefe da Liga de Advogados Nazistas, declarou:

O juiz não se situa acima do cidadão como representante da autoridade do Estado, mas é membro da comunidade viva do povo alemão. Seu dever não é ajudar na aplicação de uma lei superior à comunidade nacional ou impor um sistema universal de valores. Seu papel é salvaguardar a ordem concreta da comunidade racial, eliminar elementos perigosos, processar todos os atos nocivos à comunidade e arbitrar em desentendimentos entre membros da comunidade. A ideologia nacional-socialista, em especial conforme expressa no programa do Partido e nos discursos de nosso líder, é a base para a interpretação das fontes legais.[129]

Por mais que sentenciassem comunistas e outros infratores políticos, de maneira severa, os tribunais regulares, juízes e promotores provavelmente jamais cumpririam esse ideal, que com efeito exigia a revogação de todas as regras da justiça e a tradução da violência de rua nazista do período pré--1933 para um princípio de Estado.

Longe de fazer objeção à polícia e à SS por retirar infratores do sistema judicário, ou de reclamar do hábito da Gestapo de deter prisioneiros ao serem liberados da custódia e colocá-los direto em campos de concentração, os administradores judiciários, legais e carcerários ficavam felizes em cooperar com todo esse processo de subversão da lei. Promotores públicos entregavam infratores ao confinamento nos campos quando careciam de evidências para processar ou quando estes não poderiam ser levados ao tribunal por algum outro motivo, tal como a pouca idade. Oficiais do Judiciário emitiam diretrizes ordenando os diretores de prisão a recomendar detentos perigosos (especialmente comunistas) para a "custódia preventiva" ao serem soltos, o que eles fizeram em milhares de casos. Em uma prisão em Luckau, por exemplo, 134 de 364 prisioneiros estudados em uma amostragem por um historiador foram entregues à Gestapo ao completar a sentença, com recomendação explícita da administração carcerária.[130] O modo como a prática funcionava foi mostrado pelo diretor da prisão de Untermassfeld, que escreveu para a Gestapo da Turíngia em 5 de maio de 1936 sobre Max K., um tipógrafo sentenciado a dois anos e três meses de prisão em junho de 1934 pelo envolvimento com a clandestinidade comunista. K. havia se comportado bem na prisão, mas o diretor e sua equipe haviam investigado sua família e conexões e não acreditavam que ele tivesse mudado de vida. O diretor disse à Gestapo:

> K. não atraiu nenhuma atenção especial na instituição. Mas, em vista de sua vida pregressa, não posso crer que tenha mudado de ideia e

acredito que ele, assim como a maioria dos líderes comunistas, apenas ficou longe de encrencas até agora por calculismo ardiloso. Na minha opinião, é absolutamente essencial que essa liderança comunista ativa seja levada em custódia preventiva após o fim de sua sentença.[131]

K., de fato, era apenas um soldado raso do movimento comunista, não um de seus líderes. Mas a carta, enviada doze semanas antes de ele ter direito a ser solto, fez efeito, e a Gestapo estava esperando por K. no portão do presídio quando ele saiu em 24 de julho de 1936: no dia seguinte, ele foi deixado em um campo de concentração. Alguns agentes carcerários às vezes tentavam ressaltar a boa conduta e o caráter transformado de tais detentos, mas isso tinha pouco efeito quando a polícia considerava que eles continuavam sendo uma ameaça. Não demorou muito e esse sistema de denúncias da prisão foi estendido também a outras categorias. Apenas em 1939 o Ministério da Justiça do Reich requereu o fim dos pedidos para que os prisioneiros fossem levados em custódia policial ao serem soltos, uma prática que parecia minar a própria base da independência do sistema judiciário. Não funcionou. Os agentes penitenciários continuaram a informar a polícia da data de soltura dos presidiários e, na verdade, a deixar celas e até mesmo alas inteiras das prisões estatais disponíveis para a polícia abrigar milhares de reclusos em "custódia preventiva" sem qualquer processo formal de acusação ou julgamento, e não apenas no período caótico das detenções em massa de março-junho de 1933.[132]

Os esforços do aparelho judiciário para preservar algum grau de autonomia raramente tiveram grande efeito sobre o resultado final no que dizia respeito aos infratores. Gürtner deu jeito de barrar os esforços da polícia e da SS para garantir a transferência de prisioneiros para campos de concentração antes do fim da pena, mas, em princípio, não fazia objeção à transferência ao final dela; ele se opunha apenas ao envolvimento formal das autoridades penitenciárias em tais transferências. A enxurrada constante de críticas da SS à leniência do Judiciário não levou à demissão ou à aposentadoria forçada de nem um único juiz. A inutilidade legalista da atitude de Gürtner e a vacuidade da resistência do aparato judiciário à interferência da SS foram nitidamente ilustradas pela campanha do Ministério da Justiça contra a brutalidade dos interrogatórios da polícia. Desde o começo do Terceiro Reich, as sessões de interrogatório da polícia e da Gestapo com frequência resultavam em prisioneiros voltando às celas espancados, contundidos e gravemente feridos, em um grau que não podia escapar à atenção dos advogados de defesa, parentes e amigos. O Ministério da Justiça considerava tais práticas censuráveis. Aquilo não ficava bem para a reputação do aparato de aplicação da lei na Alemanha. Depois de muita negociação, chegou-se a um acordo em uma reunião realizada a 4 de junho de 1937, quando oficiais da polícia e do Ministério da Justiça concordaram que os espancamentos arbitrários cessariam. Dali em diante, determinou a reunião, os interrogadores da polícia limitariam-se a administrar 25 vergastadas nos interrogados na presença de um médico, e teriam que usar uma "vara-padrão".[133]

III

Sob o Terceiro Reich, o sistema judiciário e penal regular também continuou a lidar com crimes comuns, não políticos – furto, assalto, assassinato e outros –, bem como a impor a nova repressão do Estado policial. Nisso também houve uma rápida expansão da pena capital, à medida que o novo sistema mexia-se para cumprir sentenças de morte pronunciadas contra criminosos capitais na extinta República de Weimar, mas não levadas a cabo devido à incerteza da situação política no começo da década de 1930. Os nazistas prometeram que não haveria mais longos adiamentos de execução enquanto as petições de clemência fossem consideradas. "Os dias de sentimentalismo falso e piegas acabaram", declarou com satisfação um jornal de extrema direita em maio de 1933. Em 1936, cerca de 90% das sentenças de morte proferidas pelos tribunais estavam sendo cumpridas. Promotores e tribunais agora eram encorajados a acusar todos os homicidas de assassinato doloso em vez do crime não capital de homicídio culposo, chegar ao veredito de culpado e proferir a sentença mais dura, resultando no aumento do número de sentenças de homicídio doloso para cada mil adultos da população de 36 em 1928 para 76 em 1933-37.[134] Criminosos eram em essência degenerados hereditários e deviam ser tratados como párias da raça, argumentavam os nazistas, recorrendo à obra de criminologistas ao longo das últimas décadas e deixando de lado as qualificações e sutilezas que cercavam as teses principais de tais estudos.[135]

As consequências de tais doutrinas sobre infratores comuns da lei criminal foram extremamente graves. Já na República de Weimar, criminologistas, especialistas penais e forças policiais haviam chegado a um amplo grau de consenso nas propostas para confinar "criminosos habituais" indefinidamente para a proteção da sociedade. Em 24 de novembro de 1933, seus desejos foram atendidos com a aprovação da Lei contra Criminosos Habituais Perigosos, que permitiu aos tribunais sentenciar qualquer infrator condenado por três ou mais atos criminosos a "confinamento de segurança" em uma prisão estatal após a pena formal ter sido cumprida.[136] Mais de 14 mil infratores haviam recebido tal sentença em outubro de 1942, incluindo os detentos recomendados à sentença retroativa pelos diretores de presídio – em algumas prisões, como na penitenciária de Brandenburgo, mais de um terço dos detentos foram indicados para tal tratamento. Não se tratava de criminosos importantes ou, no geral, violentos, mas de uma maioria de infratores insignificantes – ladrões de bicicleta, larápios, gatunos de lojas e coisas desse tipo. Na maior parte, eram pessoas pobres sem emprego fixo que haviam começado a furtar durante a inflação e voltado à prática durante a Depressão. Um caso típico, por exemplo, foi o de um carroceiro nascido em 1899 que cumpriu grande número de penas de prisão por pequenos furtos na década de 1920 e começo dos anos de 1930, inclusive 11 meses por roubar uma bicicleta e sete meses pelo furto de um casaco. A cada vez que era solto, ele voltava à sociedade com um punhado de marcos como pagamento pelo trabalho na prisão; com sua ficha, não conseguiu arranjar um emprego durante a Depressão, tampouco persuadir as autoridades da previdência a lhe conceder benefícios. Em junho de 1933, foi sentenciado por roubar um guiso, um pouco de cola e outras quinquilharias durante um acesso de bebedeira, e, após cumprir a pena, foi sentenciado a confinamento de segurança retroativo na penitenciária de Brandenburgo; jamais foi solto. Sua sina foi compartilhada por muitos outros.[137]

Dentro das prisões, as condições pioraram rapidamente sob o Terceiro Reich. Os nazistas costumavam acusar o serviço carcerário de Weimar de ser permissivo com os criminosos, mimando os detentos com comida e entretenimento provavelmente muito melhores do que eles experimentavam do lado de fora. Não era de surpreender, visto que tantos deles, de Hitler e Hess a Bormann e Rosenberg, haviam cumprido penas durante Weimar e sido tratados com evidente leniência devido a sua política nacionalista. As condições nas prisões de Weimar haviam de fato sido bastante rigorosas, e uma abordagem de vida militar dominava muitos presídios.[138] Entretanto, haviam sido feitas tentativas de introduzir um sistema mais flexível de administração em alguns locais, com ênfase em educação, reabilitação e recompensas por boa conduta. Tais práticas agora chegavam a um final abrupto, para o alívio da maioria dos agentes penitenciários e administradores, que haviam sido contra desde o começo. Diretores e altos funcionários reformistas foram para a rua sumariamente, e um novo regime mais ríspido foi introduzido. A rápida expansão dos números logo criou mais problemas de higiene, nutrição e bem-estar geral para os prisioneiros. As cotas de alimento diminuíram até os prisioneiros reclamarem de perda de peso e fome supliciante. Infestação por vermes e doenças de pele tornaram-se ainda mais comuns do que haviam sido nas condições longe de perfeitas de Weimar. O trabalho forçado de início não era uma grande prioridade, visto que se pensava que solaparia os projetos de criação de emprego do lado de fora, mas essa política em breve foi revertida, e em 1938 até 95% dos detentos estavam engajados no trabalho forçado em muitas prisões. Muitos prisioneiros eram mantidos em campos de trabalho especialmente construídos e dirigidos pelo serviço carcerário estatal, mais notoriamente na limpeza de charnecas e cultivo na região infecunda de Emsland, no norte alemão, onde quase 10 mil prisioneiros foram engajados em trabalho estafante, cavando e drenando o solo estéril. As condições eram ainda piores que nas prisões estatais regulares, com espancamentos constantes, açoitamento, ataques deliberados dos cães dos carcereiros e até mesmo assassinatos e fuzilamentos. Muitos dos guardas eram ex-camisas-pardas que haviam trabalhado no campo principal da charneca antes de o Ministério da Justiça assumi-lo em 1934. A atitude deles influenciou o pessoal regular da prisão estatal que lá se instalou gradativamente ao longo dos anos seguintes. Ali, diferentemente de outros campos, as condições brutais e arbitrárias dos primeiros campos de concentração de 1933 continuaram durante meados e final da década de 1930 com pouca interferência vinda de cima.[139]

Nas prisões e penitenciárias estatais regulares, novos regulamentos impostos em 14 de maio de 1934 codificaram mudanças locais e regionais, removeram privilégios e introduziram novas punições para detentos obstinados. Expiação, coibição e castigo eram agora as metas declaradas do aprisionamento. Os programas de educação foram retalhados e totalmente nazificados. Esportes e jogos foram substituídos por treinamento militar. As queixas dos prisioneiros eram tratadas com muito mais severidade. O criminoso de longa data com quem o prisioneiro político comunista Friedrich Schlotterbeck dividiu uma cela estava sem dúvida a par do grau em que as condições haviam deteriorado. Conforme o velho recluso contou a seu novo companheiro de cela:

> Antes de mais nada serraram os encostos dos bancos no refeitório. Achavam que era confortável demais. Que nos estragava. Mais adiante aboliram o refeitório por completo. Às vezes acontecia um concerto ou uma palestra com projetor aos domingos. Agora nunca mais. Montes de livros também foram retirados da biblioteca... A comida piorou. Foram introduzidas novas punições. Sete dias na solitária a pão e água, por exemplo. Quando você leva essa, não se sente muito bem no final. E tem ainda a solitária em que você fica acorrentado pelas mãos e pés. Mas o pior é quando você fica acorrentado com as mãos e pés às costas. Então só pode deitar de bruços. As regras não mudaram realmente. Só que estão mais rígidos no cumprimento delas.[140]

Durante seus poucos anos na prisão, Schlotterbeck observou que as punições tornaram-se gradualmente mais frequentes e mais severas, embora a maioria dos carcereiros fosse profissionais antigos e não nazistas recém-contratados.[141] Muitos agentes penitenciários não ficaram satisfeitos com a remoção das práticas reformistas de Weimar. Eles ainda queriam a volta dos velhos tempos do período imperial, quando a punição corporal era muito difundida nas prisões. Contudo, seu desejo pela reintegração do que julgavam a ordem apropriada das coisas nas prisões estatais era frustrada em muitas instituições pela superlotação maciça. As coisas não melhoraram com a contratação de mais de mil veteranos nazistas de combates de rua como assistentes de carceragem em 1938. Esses homens eram gratos pelo emprego, mas revelaram-se impossíveis de disciplinar. Desdenhavam da autoridade do Estado e tinham excessiva inclinação para o exercício de brutalidade fortuita contra detentos com armas até então não familiares ao sistema penitenciário estatal, como os cassetetes de borracha.[142]

Os "confinados por motivo de segurança" encararam uma fase particularmente dura. Foram sentenciados a nove horas diárias de trabalho forçado e submetidos a rígida disciplina militar. Visto que estavam permanentemente presos, essas condições pesavam com mais intensidade à medida que envelheciam. Em 1939, mais de um quarto dos detentos estava na faixa dos cinquenta anos ou acima. Os casos de automutilação e tentativa de suicídio aumentaram rapidamente. "Não vou cumprir mais três anos aqui", escreveu um detento para sua irmã em 1937: "eu roubei, mas prefiro acabar comigo, minha querida irmã, do que ser enterrado vivo aqui por causa disso".[143] As novas leis e os maiores poderes policiais aumentaram em até 50% o número de detentos de todos os tipos em um dia típico das prisões estatais em 1933, até chegar a um ápice de 122 mil em fevereiro de 1937, comparados a meros 69 mil dez anos antes.[144] A política nazista em relação ao crime não era orientada por nenhuma tentativa racional de reduzir delitos ordinários de furto e violência, embora fosse comum ouvir velhos alemães nos anos pós-guerra afirmar que, quaisquer que fossem as falhas de Hitler, ele ao menos havia deixado as ruas seguras para o cidadão honesto. De fato, foram declaradas anistias para infrações criminosas menores, não políticas, em agosto de 1934 e abril de 1936, arquivando nada menos que 720 mil processos que teriam acarretado penas curtas ou multas. Esse não era o tipo de infrator que os nazistas estavam interessados em perseguir. Entretanto, os chamados criminosos habituais não foram incluídos nessas anistias, em mais um indicativo da arbitrariedade da prática penal nazista.[145]

Enquanto isso, grandes quantidades de novas infrações eram criadas por uma série de novas leis e decretos, alguns deles com efeito retroativo.

Esses foram projetados em parte para servir aos interesses ideológicos e de propaganda do regime. Assim, em 1938, por exemplo, Hitler mandou fazer uma lei reatroativa tornando os assaltos em via expressa passíveis de morte após dois homens serem condenados por esse crime em 1938 e sentenciados a um período na prisão. Eles foram mandados para a guilhotina.[146] Delitos de todos os tipos receberam um viés político ou ideológico, de modo que até furtar ninharias ou bater carteira tornaram-se evidência de degeneração hereditária, e atividades vagamente definidas, como "resmungar" ou "preguiçar" tornaram-se base para aprisionamento indefinido. As punições não mais se ajustavam ao crime, mas eram projetadas para assegurar o suposto interesse coletivo da "comunidade racial" face ao desvio das normas fixadas pelos nazistas. Categorias inteiras de pessoas foram cada vez mais definidas pela polícia, promotores e tribunais como inerentemente criminosas e capturadas em milhares de processos de detenção arbitrária e confinamento sem julgamento.

Profissões desviantes e marginalizadas, mas até então mais ou menos toleradas, como a prostituição, também começaram a ser definidas como "antissociais" e submetidas às mesmas sanções. Leis e decretos vagos e de amplo alcance davam à polícia poderes quase ilimitados de detenção e custódia, praticamente à sua vontade, enquanto os tribunais não ficavam muito atrás em aplicar as políticas de repressão e controle, a despeito dos contínuos ataques do regime à sua suposta leniência. Tudo isso era incentivado, com apenas pequenas reservas – muitas vezes bastante técnicas – por um considerável número de criminologistas, especialistas penais, advogados, juízes e peritos profissionais de um tipo ou outro; homens como o criminologista professor Edmund Mezger, membro do comitê encarregado da preparação de um novo código criminal, que declarou em um livreto publicado em 1933 que a meta da política penal era "eliminar da comunidade racial os elementos que danificam o povo e a raça".[147] Como indicava a frase de Mezger, crime, comportamento degenerado e oposição política eram todos aspectos do mesmo fenômeno para os nazistas, o problema, como eles colocavam, dos "alienígenas da comunidade" (*Gemeinschaftsfremde*), pessoas que por algum motivo não eram "companheiros raciais" (*Volksgenossen*) e, portanto, tinham que ser removidas à força da sociedade, de um jeito ou de outro. Um destacado especialista da polícia na época, Paul Werner, resumiu isso em 1939 quando declarou que apenas aqueles que se integrassem por completo na "comunidade racial" poderiam receber os direitos plenos de um membro; qualquer um que fosse meramente "indiferente" a respeito estava agindo "com uma mentalidade criminosa ou antissocial" e era, pois, um "inimigo criminoso do Estado", a ser "combatido e abatido" pela polícia.[148]

Instrumentos do terror

I

A sistematização do mecanismo nazista de repressão e controle sob a égide da SS de Heinrich Himmler teve um efeito marcante nos campos de concentração.[149] Pelo menos setenta campos foram erguidos às pressas no curso da tomada do poder nos primeiros meses de 1933, junto com um número desconhecido, mas provavelmente ainda maior, de câmaras de tortura e pequenas prisões nas várias sucursais dos camisas-pardas. Cerca de 45 mil prisioneiros eram mantidos nessas instalações naquela época, surrados, torturados e ritualmente humilhados pelos guardas. Várias centenas morreram em resultado dos maus-tratos. A maioria era de comunistas, social-democratas e sindicalistas. Contudo, a maioria desses primeiros campos de concentração e centros de tortura não oficiais foi fechada na segunda metade de 1933 e nos dois ou três primeiros meses de 1934. Um dos mais notórios, o campo de concentração ilegal montado no estaleiro Vulkan em Stettin, foi fechado em fevereiro de 1934 por ordem do promotor público. Vários agentes da SA e da SS que haviam liderado a tortura de prisioneiros foram levados a julgamento e receberam longas sentenças. Bem antes disso, porém, uma série de anistias oficiais e não oficiais haviam levado à soltura de grande número de detentos castigados e intimidados. Somente em 31 de julho de 1933 um terço da população dos campos foi solta. Em maio de 1934, havia apenas um quarto do número de prisioneiros de um ano antes, e o regime começava a regularizar e sistematizar as condições de internamento dos que permaneciam.[150]

Algum tempo antes, em junho de 1933, o promotor público da Baviera havia acusado o comandante Wäckerle, de Dachau, junto com o médico e o administrador do campo, de serem cúmplices no assassinato de prisioneiros.[151] Himmler, que havia tomado parte na elaboração dos regulamentos postos em vigor no campo, ainda que sem muita consistência, por Wäckerle, foi obrigado a despedi-lo em 26 de junho de 1933 e nomear um novo comandante. Esse era Theodor Eicke, ex-policial com um passado nitidamente pontilhado por altos e baixos. Nascido em 1892, Eicke havia sido tesoureiro do Exército e guarda de segurança; ascendeu nas fileiras da SS para se tornar líder de batalhão, no comando de mais de mil homens, no final de 1931. No ano seguinte, porém, foi forçado a fugir para a Itália depois de condenado por preparar atentados a bomba. Após dirigir um campo de refugiados para o governo fascista, Eicke voltou à Alemanha em fevereiro de 1933 para tomar parte na tomada nazista do poder. Mas, pouco depois, Himmler colocou-o sob cuidados psiquiátricos, na sequência de uma discussão violenta entre o irascível Eicke e o o líder nazista do distrito do Palatino.[152] Um de seus subordinados em Dachau, Rudolf Höss, descreveu-o como "um nazista inflexível do tipo antigo", que considerava a maioria de prisioneiros comunistas dos primeiros campos de concentração "inimigos jurados do Estado, que deviam ser tratados com grande severidade e destruídos se mostrassem resistência".[153]

Em junho de 1933, Himmler lembrou que Eicke havia organizado um campo na Itália com certo sucesso, e o nomeou para dirigir Dachau. O novo comandante mais tarde reportou que havia encontrado corrupção entre os guardas, equipamento parco e moral em baixa na administração do campo. Não havia "cartuchos, que dirá metralhadoras. De todo o pessoal, apenas três homens sabiam manejar uma metralhadora. Meus homens estavam alojados em instalações onde ventava muito. Havia pobreza e miséria por toda parte" – isto é, por toda parte entre os guardas; ele não mencionou nenhuma possível pobreza e miséria entre os prisioneiros. Eicke despediu metade do efetivo total de 120 guardas e nomeou substitutos. Emitiu um conjunto abrangente de regulamentos em outubro de 1933, que, ao contrário dos anteriores, também esboçava um código de conduta para os guardas. Isso impôs a aparência de ordem e uniformidade onde previamente havia brutalidade e violência arbitrárias. As normas eram draconianas ao extremo. Prisioneiros que discutissem política com o objetivo de "incitação" ou espalhassem "propaganda de atrocidades" seriam enforcados; sabotagem, ataque a guardas ou qualquer tipo de motim ou insubordinação seriam passíveis de fuzilamento. Infrações menores deparavam com uma variedade de punições menores. Essas incluíam confinamento na solitária com uma dieta de pão e água por um período que variava conforme o delito; punição corporal (25 golpes de vara); treinamento punitivo; ficar amarrado em um poste ou árvore durante horas; trabalho forçado; ou retenção da correspondência. Punição adicional desse tipo também acarretava um prolongamento da pena do detento.[154]

O sistema de Eicke pretendia excluir as punições pessoais e individuais e proteger agentes e guardas de processos dos agentes locais da lei, estabelecendo um aparato burocrático para fornecer justificativa escrita para as punições infligidas. Poderia então afirmar-se que a regulação formal havia substituído a violência arbitrária. Os espancamentos, por exemplo, deveriam ser efetuados por vários homens da SS diante de todos os prisioneiros, e todas as punições tinham que ser registradas por escrito. Foram formuladas regras estritas para controlar o comportamento dos guardas da SS. Eles tinham que se portar à moda militar. Não deviam travar conversas particulares com os prisioneiros. Tinham que observar procedimentos minuciosamente detalhados para conduzir a chamada diária dos detentos, a supervisão dos prisioneiros na oficina do campo, a divulgação de ordens e a aplicação das punições. Os prisioneiros receberam uniformes regulares e deveres exatos prescritos para a manutenção de suas habitações em ordem. Fizeram-se arranjos para instalações sanitárias e médicas básicas, notadamente ausentes nos primeiros meses de 1933. Também foram introduzidos detalhes sobre a atividade fora do campo, que consistia basicamente de trabalho físico duro e ininterrupto. Eicke estabeleceu uma divisão sistemática e hierárquica do trabalho entre a equipe, e distribuiu insígnias especiais a serem usadas pelos guardas no colarinho: a cabeça de caveira pela qual a divisão de campos de concentração da SS, que recebeu uma identidade separada depois de 1934, em breve seria conhecida. Isso simbolizava a doutrina de severidade extrema de Eicke em relação aos prisioneiros. Conforme Rudolf Höss mais tarde recordou:

A intenção de Eicke era de que seus homens da SS, por meio de instrução contínua e ordens adequadas no que concernia à criminalidade perigosa dos detentos, ficassem basicamente de má vontade em relação aos prisioneiros. Deviam "tratá-los de modo rude" e extirpar de uma vez por todas qualquer simpatia que pudessem sentir por eles. Dessa maneira, ele conseguiu gerar em homens de índole simples um ódio e antipatia pelos prisioneiros que alguém de fora teria dificuldade para imaginar.[155]

Depois de se alistar na SS em setembro de 1933, Höss foi convidado por Himmler, que ele conhecia por meio da Liga Artamen do "sangue e solo", a se juntar à "formação da cabeça de caveira" dos guardas da SS do campo de concentração em Dachau. Lá sua disciplina e diligência habituais conquistaram-lhe rápida promoção. Ele recebeu patente de oficial em 1936 e ficou encarregado das provisões e das posses dos prisioneiros.

Höss, um ex-detento de prisão estatal, mais tarde escreveu que a maior parte dos reclusos considerava a incerteza quanto à duração da sentença o aspecto psicológico mais penoso de tolerar. Enquanto um infrator sentenciado a uma pena na prisão sabia quando iria sair, a soltura de um campo de concentração era determinada pelos caprichos de uma junta de inspeção trimestral e podia ser retardada pela intenção maldosa de qualquer guarda da SS. No mundo dos campos criados por Eicke, as regras davam poder irrestrito aos guardas. As regras detalhadas e minuciosas proporcionavam aos guardas múltiplas possibilidades de infligir grave violência aos detentos por infrações reais ou alegadas de todos os níveis. As regras foram planejadas também para proporcionar desculpas legalmente defensáveis para o terror despejado sobre os detentos. Höss afirmou que não suportava assistir a punições brutais, espancamentos e açoitamentos infligidos aos detentos. Escreveu de modo depreciativo sobre as "criaturas maldosas, mal--intencionadas, basicamente más, brutais, inferiores, medíocres" entre os guardas, que compensavam a sensação de inferioridade despejando sua raiva sobre os detentos. A atmosfera de ódio era total. Höss, como muitos outros guardas da SS, acreditava que ali havia dois mundos em luta, comunistas e social-democratas de um lado e a SS do outro. As regras de Eicke asseguravam que os últimos vencessem.¹⁵⁶ Não é de surpreender que a reorganização de Dachau por Eicke conquistasse a aprovação de Himmler, que o nomeou inspetor dos campos de concentração de todo Reich em 4 de julho de 1934. Em 11 de julho, Eicke recebeu a patente mais alta de líder de grupo da SS ao lado de Heydrich, o chefe do Serviço de Segurança.¹⁵⁷ A sistematização de Eicke do regime do campo de concentração tornou-se a base para todos os campos pela Alemanha. Em vista das intervenções contínuas dos promotores públicos nos casos de assassinatos cometidos pelos guardas do campo, Eicke ordenou confidencialmente que as regras invocando pena capital para infrações graves de disciplina não fossem aplicadas; elas deviam permanecer principalmente como meio de "intimidação" dos prisioneiros. O número de mortes arbitrárias começou a declinar agudamente, embora o principal motivo para isso fosse a queda contínua do número total de detentos. Depois de umas 24 mortes em Dachau em 1933, o número caiu para catorze em 1934 (sem contar os fuzilados como parte do expurgo de Röhm), treze em 1935 e dez em 1936.¹⁵⁸

Do mesmo modo que estava assumindo e centralizando as forças policiais da Alemanha, Himmler também tomou os campos de concentração para o controle da SS em 1934 e 1935, ajudado pelo aumento do poder e influência da SS após o expurgo de Röhm. A essa altura restavam apenas 3 mil detentos, sinal de que a ditadura havia se estabelecido em uma base mais ou menos estável. Junto com o processo de sistematização ocorreu um processo paralelo de centralização. Os campos de Oranienburg e Fuhlsbüttel foram fechados em 1935, Esterwegen em 1936 e Sachsenburg em 1937. Em agosto de 1937 havia apenas quatro campos de concentração na Alemanha: Dachau, Sachsenhausen (para onde Höss foi transferido no ano seguinte), Buchenwald e Lichtenburg, este último um campo para mulheres. Isso refletia em certo grau o crescente senso de segurança do regime e o bem-sucedido desmantelamento da oposição de esquerda. Sociais democratas e comunistas que pareciam ter aprendido a lição foram soltos no decorrer de 1933-6. Aqueles mantidos sob custódia ou eram proeminentes demais para serem soltos, como o ex-líder comunista Ernst Thälmann, ou eram considerados o cerne que continuaria resistindo ao Terceiro Reich se libertos. Os números relativamente pequenos também eram uma indicação de que o regime tivera êxito em dobrar os sistemas judiciário e penal do Estado à sua vontade, de modo que as prisões estatais oficiais, após o fechamento dos pequenos campos e centros de tortura montados pela SA em 1933, agora desempenhavam papel principal no encarceramento dos reais e supostos inimigos políticos do Terceiro Reich. No verão de 1937, por exemplo, o número total de prisioneiros políticos nos campos empalidecia em comparação com os 14 mil infratores políticos oficialmente mantidos nas prisões estatais. Após o período inicial de violência e repressão em 1933, foi o Estado, e não a SA e a SS, que desempenhou o papel principal em lidar com aqueles que infringiam as normas políticas do Terceiro Reich.[159] Ali também houve um declínio nos números, à medida que os infratores políticos eram liberados à comunidade. O esmagamento efetivo da resistência comunista em meados da década de 1930 refletiu-se em um declínio das condenações por alta traição de 5.255 em 1937 para 1.126 em 1939, e em uma queda correspondente no número de detentos em prisões estatais classificados como infratores políticos de 23 mil em junho de 1935 para 11.265 em dezembro de 1938.[160] Mas isso ainda era mais do que os números dos campos de concentração, e a polícia, os tribunais e o sistema penitenciário continuaram a desempenhar um papel mais importante na repressão política sob o Terceiro Reich do que a SS e os campos de concentração, pelo menos até a deflagração da guerra.

Em fevereiro de 1936, Hitler aprovou uma reorientação de todo o sistema, na qual a SS e a Gestapo de Himmler foram encarregadas não só de evitar o ressurgimento de alguma resistência de antigos comunistas e social-democratas, mas também – agora que a resistência dos trabalhadores havia sido efetivamente esmagada – de expurgar a raça alemã de elementos indesejáveis. Esses constituíam-se sobretudo de criminosos habituais, antissociais e, de modo mais geral, todos aqueles que se desviavam da ideia e da prática do membro saudável normal da comunidade racial alemã. Até então os judeus não formavam uma categoria separada: a meta era expurgar a raça *alemã*, como Hitler e Himmler a entendiam, de elementos indesejáveis e degenerados. Desse modo, a composição da população dos campos começou a mudar, e o número de detentos passou a aumentar novamente. Em julho de 1937, por exemplo, 330 dos 1.146 detentos de Dachau eram criminosos

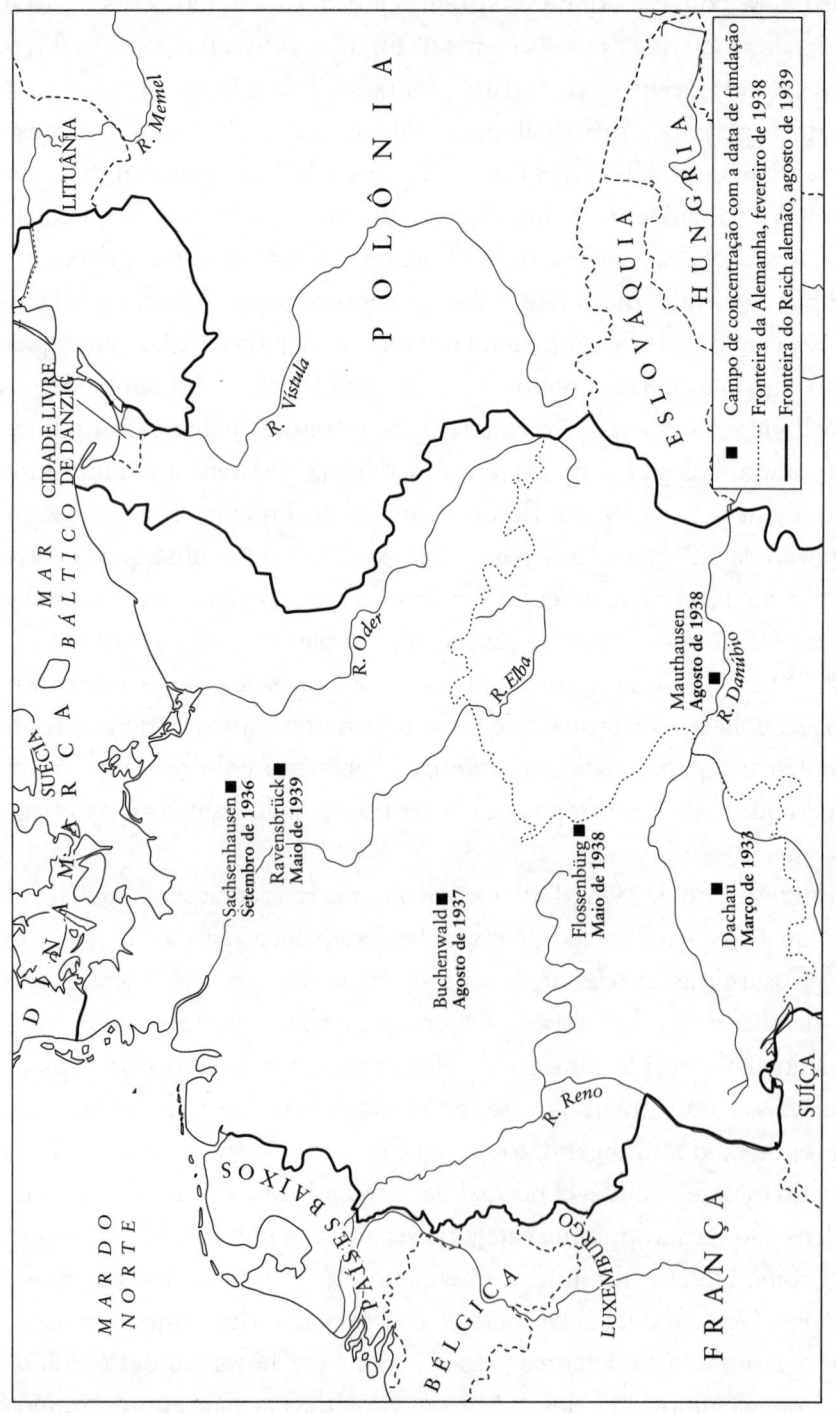

Mapa 2. Campos de concentração em agosto de 1939

profissionais, 230 haviam sido condenados, sob as normas do bem-estar, a trabalhos forçados, e 93 haviam sido detidos como parte da ação policial bávara contra andarilhos e mendigos. A essa altura, 57% dos prisioneiros não eram classificados em absoluto como políticos, em agudo contraste com a situação em 1933-34.[161] Uma mudança drástica na natureza e na função dos campos estava em curso. Antes parte de um esforço orquestrado envolvendo também o Tribunal Popular e os tribunais especiais para arrochar a oposição política e sobretudo a resistência de membros do Partido Comunista, os campos de concentração tornaram-se um instrumento de engenharia racial e social. Os campos de concentração eram agora depósitos de lixo dos racialmente degenerados.[162] E a mudança de função, combinada com o sucesso de Himmler em assegurar imunidade a guardas e oficiais dos campos para qualquer coisa que fizessem por trás do perímetro da cerca, logo levou a mais um aumento abrupto das mortes de detentos após o hiato relativo em meados da década de 1930.[163] Em 1937, houve 69 mortes no campo de Dachau, sete vezes mais que no ano anterior, em uma população que havia permanecido mais ou menos inalterada em torno de 2,2 mil. Em 1938, o número de mortes no campo deu um novo salto, para 370, em uma população bastante ampliada de pouco mais de 8 mil. Em Buchenwald, onde as condições eram bem piores, houve 48 mortes entre os 2,2 mil detentos em 1937, 771 entre 7.420 detentos em 1938, e nada menos que 1.235 mortes entre os 8.390 detentos em 1939, com as duas últimas cifras refletindo também os efeitos de uma epidemia avassaladora de tifo no campo no inverno de 1938-9.[164]

O aperto sobre os "alienígenas da comunidade" havia de fato começado imediatamente em 1933, quando várias centenas de "criminosos profissionais" foram detidos pela polícia na primeira de uma série de ações orquestradas, concentrando-se entre outras nas gangues do crime organizado de Berlim.[165] Em setembro de 1933, cerca de 100 mil andarilhos e mendigos foram detidos na "semana dos mendicantes do Reich", encenada para coincidir com o lançamento do primeiro programa de ajuda de inverno, no qual foram recolhidas contribuições voluntárias para os destituídos e os desempregados – uma bela ilustração da interdependência entre previdência social e coerção no novo Reich.[166] Nem todos os infratores desse tipo acabaram nos campos, mas, em 13 de novembro de 1933, criminosos, junto com os ofensores sexuais, tornaram-se objeto de custódia policial preventiva de campos de concentração da Prússia, e havia quase quinhentos deles encarcerados em 1935. Após a centralização da polícia e sua tomada pela SS, essa política tornou-se muito mais disseminada e sistemática. Em março de 1937, Himmler determinou a detenção de 2 mil dos chamados criminosos profissionais ou habituais, isto é, infratores com várias condenações, por mais insignificantes que fossem; diferentemente dos "confinados por medida de segurança", cuja sorte tinha que ser decidida pelos tribunais, esses foram colocados diretamente nos campos de concentração sem nenhum processo legal. Um decreto emitido em 14 de dezembro de 1937 permitiu a detenção e o confinamento em campos de concentração de todos aqueles que o regime e suas várias agências, agora trabalhando em maior cooperação com a polícia que antes, definiam como antissociais. Pouco depois, os ministros do Interior do Reich e da Prússia estenderam a definição de antissocial para englobar qualquer um cuja atitude não se ajustasse dentro da comunidade racial, incluindo ciganos, prostitutas, cafetões, vagabundos, andarilhos, mendigos e arruaceiros. Até mesmo infratores de trânsito podiam ser incluídos em certas circunstâncias, bem como os desempregados há muito tempo, cujos nomes eram obtidos pela polícia nas agências de emprego. A essa altura, o argumento era que não havia motivo para estar desempregado, de modo que esses deviam ser preguiçosos congênitos e, portanto, precisavam de um corretivo.[167]

Em abril de 1938, a Gestapo lançou uma série de batidas nacionais. As batidas também chegaram às pensões baratas do tipo em que Hitler certa vez encontrou abrigo nos tempos de pobreza e desemprego em Viena antes da Primeira Guerra Mundial. Em junho de 1938, havia cerca de 2 mil pessoas desse tipo apenas no campo de concentração de Buchenwald. Nesse momento, em 13 de junho, a Polícia Criminal, agindo sob ordens de Heydrich, lançou outra série de batidas, com alvo em pedintes, vagabundos e itinerantes. A polícia também deteve homens desempregados com locais fixos de residência. Em muitas regiões, a polícia foi muito além das instruções de Heydrich e levou todos os desempregados sob custódia. Heydrich havia determinado duzentas detenções em cada distrito policial, mas a polícia de Frankfurt deteve quatrocentos, e os colegas de Hamburgo, setecentos. O número total de detenções por todo o país ficou bem acima de 10 mil.[168] As considerações econômicas que desempenharam papel tão importante nessas ações podem ser lidas nos documentos que justificaram a detenção preventiva desses homens. Os relatórios sobre um homem de 54 anos de idade detido em Duisburg em junho de 1938 dentro dessa ação mais ampla contra pessoas classificadas como antissociais servem de exemplo:

> De acordo com informações do escritório de previdência daqui, C. pode ser classificado como uma pessoa preguiçosa. Não se importa com a esposa e os dois filhos, de modo que esses têm que ser sustentados pelos cofres públicos. Jamais assumiu o dever de trabalho a ele designado. Entregou-se à bebida. Esgotou todos os seus pagamentos de benefícios. Recebeu várias advertências do escritório da previdência e é descrito como exemplo clássico de uma pessoa antissocial, irresponsável e preguiçosa.[169]

Levado para o campo de concentração de Sachsenhausen, o homem durou menos de dezoito meses antes de morrer, conforme os registros do campo afirmaram, de fraqueza física generalizada.[170]

Pessoas classificadas como antissociais agora inchavam a esgotada população dos campos de concentração por toda a Alemanha, causando superlotação maciça. Mais de 6 mil foram admitidas em Sachsenhausen no verão de 1938, por exemplo; os efeitos em um campo onde o número total de reclusos não passava de 2,5 mil no começo do ano foram alarmantes. Em Buchenwald, 4,6 mil dos 8 mil reclusos em agosto de 1938 eram classificados como preguiçosos. O influxo de novos prisioneiros incitou a abertura de dois novos campos, em Flossenbürg e Mauthausen, para criminosos e "antissociais", dirigidos pela SS, mas ligados a uma organização subsidiária fundada em 29 de abril de 1938, a Companhia Alemã de Trabalhos em Terra e Pedra. Sob a égide dessa nova empresa, os prisioneiros eram forçados a trabalhar na explosão de pedreiras e na escavação de granito para os grandiosos planos de construção de Hitler e seu arquiteto Albert Speer.[171] Os antissociais eram a escória da vida no campo, assim como haviam sido a escória da sociedade lá fora. Eram maltratados pelos guardas e, quase por definição, eram incapazes de organizar medidas de ajuda mútua do tipo que mantinham os prisioneiros políticos. Os outros prisioneiros olhavam-nos com desprezo, e seu papel na vida do campo era pequeno. Os índices de morte e doença eram particularmente altos entre eles. Uma anistia por ocasião do aniversário de Hitler em 20 de abril de 1939 resultou na soltura de apenas poucos deles. O restante ficou lá indefinidamente. Embora seus números declinassem, ainda formavam uma grande parte da população do campo às vésperas da guerra. Em Buchenwald, por exemplo, 8.892 dos 12.921 detidos por medida de prevenção contados em 31 de dezembro de 1938 eram classificados como antissociais; um ano depois, os números eram 8.212 de 12.221. As batidas haviam mudado a natureza da população dos campos de modo fundamental.[172]

II

Às vésperas da guerra, os números dos campos de concentração haviam crescido de novo, de 7,5 mil para 21 mil, e agora possuíam uma população muito mais variada que nos primeiros anos do regime, quando a maioria dos reclusos fora mandada para lá por infrações políticas.[173] Essa população estava concentrada em uns poucos campos relativamente grandes – Buchenwald, Dachau, Flossenbürg, Ravensbrück (o campo feminino, que substituiu Lichtenburg em maio de 1939), Mauthausen e Sachsenhausen. Já naquela época, a busca de materiais de construção pela SS havia levado à abertura de um subcampo (*Aussenlager*) em Sachsenhausen, no subúrbio de Neuengamme, em Hamburgo, onde deveriam ser manufaturados os tijolos para a transformação do porto do Elba planejada por Hitler. Com o tempo, outros surgiram. O trabalho estava se tornando uma função cada vez mais importante dos campos.[174] Contudo, a mão de obra era sacrificável, e as condições nos novos campos eram mais duras que em seus predecessores em meados da década de 1930. A partir do inverno de 1935-36 algumas autoridades dos campos começaram a exigir que as diferentes categorias de detentos usassem designações apropriadas nos uniformes, e no inverno de 1937-38 isso foi padronizado por todo o sistema. Dali em diante, cada prisioneiro tinha que usar um triângulo invertido do lado esquerdo do peito no uniforme listrado do campo: preto para antissociais, verde para criminosos profissionais, azul para imigrantes judeus (uma categoria bastante pequena), vermelho para políticos, violeta para testemunhas de Jeová, rosa para homossexuais. Prisioneiros judeus eram designados para uma ou outra dessas categorias (em geral, eram classificados como políticos), mas tinham que usar um triângulo amarelo por baixo do distintivo de sua categoria, costurado com uma ponta para cima, de modo que todas as pontas apareciam, transformando o conjunto em uma estrela de Davi. Essas categorias com frequência eram aplicadas de modo muito tosco e inexato, ou até mesmo bastante arbitrário, mas isso não importava para as autoridades do campo. Ao conceder privilégios limitados a prisioneiros políticos, as autoridades conseguiam despertar ressentimento nos outros; ao colocar criminosos no comando de outros prisioneiros, conseguiam atiçar ainda mais as divisões entre os diferentes tipos de detentos.[175]

A brutalidade da vida nos campos no final da década de 1930 é bem transmitida nas memórias de alguns dos que conseguiram sobreviver à experiência. Um deles foi Walter Poller, nascido em 1900, editor de um jornal social-democrata na República de Weimar. Poller tornou-se ativo na resistência social-democrata após sua demissão em 1933. Foi detido no início de novembro de 1934 por alta traição, após a Gestapo identificá-lo como autor de folhetos de oposição – a terceira detenção desde o começo de 1933. Ao final de quatro anos na prisão, foi imediatamente detido de novo e levado para Buchenwald. Sua experiência atestou a extrema brutalidade que agora havia se tornado a norma nos campos. Tão logo chegaram, Poller e seus companheiros de prisão foram submetidos a uma surra violenta e sem motivo dos guardas da SS que os conduziram para o campo, golpeados com as soleiras dos rifles e cassetetes de borracha enquanto andavam. Ao chegarem sujos, machucados e ensanguentados, ouviram a leitura de uma versão das normas do campo por um oficial da SS, que lhes disse:

> Cá estão vocês, e não estão em uma casa de repouso! Vocês já devem ter notado. Qualquer um que não tenha entendido, logo vai entender. Podem ter certeza disso... Agora vocês não são reclusos em uma pri-

são, cumprindo uma pena imposta pelos tribunais, vocês são simples "prisioneiros" e, se não sabem o que isso significa, logo vão descobrir. Vocês são ignóbeis e indefesos! Vocês não têm direitos! Sua sina é a sina de um escravo! Que assim seja.[176]

Poller logo verificou que, embora os prisioneiros políticos recebessem uniformes do campo de qualidade superior e fossem alojados separados dos outros, o trabalho pesado para o qual ele estava designado em longas marchas diárias para fora do campo era demais para ele. Os reclusos social-democratas e comunistas do campo, que eram bem organizados e possuíam um elaborado sistema informal de ajuda mútua, conseguiram fazer com que ele fosse designado para o trabalho de secretário do médico do campo. Nesse cargo, Poller teve condições não só de sobreviver até a soltura final em maio de 1940, mas também de observar a rotina diária da vida no campo. Essa envolvia um grau necessário de autonomia dos prisioneiros, com reclusos mais antigos sendo responsáveis por cada alojamento e *Kapos* encarregados de reunir e apresentar os reclusos nas chamadas e outras ocasiões – uma tarefa que muitos executavam com uma brutalidade que rivalizava com a dos guardas. Mas todos os prisioneiros, qualquer que fosse sua posição, ficavam completamente à mercê da SS, que não hesitava em explorar a posição de poder absoluto sobre a vida e a morte sempre que lhe aprazia.[177]

Todos os dias, reportou Poller, os reclusos eram despertados às 4 ou 5 da manhã, de acordo com a estação do ano e, no estilo militar, tinham que se lavar, vestir-se e arrumar a cama, comer e sair para a praça de armas em passo acelerado para a chamada. Qualquer infração, como uma cama malfeita ou chegar atrasado para a chamada, suscitava uma torrente de imprecações e pancadas dos *Kapos* ou dos guardas, ou colocação em um destacamento de punição, onde as condições de trabalho eram especialmente severas. A chamada proporcionava outra oportunidade para surras e investidas. Em certa ocasião, em 1937, Poller viu dois prisioneiros políticos serem rudemente arrancados das fileiras, levados para fora dos portões do campo e fuzilados, por motivos que ninguém jamais descobriu. Os homens da SS não tinham problema em usar os regulamentos minuciosamente detalhados para condenar prisioneiros de quem não gostavam por infrações – incluindo delitos vagos como moleza no trabalho – e ordenar que fossem açoitados, procedimento que tinha que ser oficialmente registrado em um formulário amarelo de duas páginas. Os prisioneiros eram frequentemente forçados a assistir quando o infrator era amarrado pelos pés e mãos a um banco, de bruços, e espancado por um guarda da SS com uma vara. Poller reportou que nenhum espancamento jamais seguiu as regras estipuladas pelo formulário. Exigiam que os prisioneiros, sentenciados conforme o regulamento a cinco, dez ou 25 golpes, contassem em voz alta e, se esquecesse, o espancamento começava novamente. A vara prescrita com frequência era substituída por um chicote para cães, uma tira de couro ou mesmo um bastão de aço. Muitas vezes, os espancamentos continuavam até o infrator perder a consciência. Com frequência, as autoridades tentavam abafar os gritos dos prisioneiros que eram surrados mandando que a banda do campo, formada por prisioneiros com habilidades musicais comprovadas, tocasse uma marcha ou uma canção enquanto a surra era ministrada.[178]

Caso infringisse regras mais graves, os prisioneiros podiam ser colocados em "detenção", mantidos em uma cela minúscula, escura, sem aquecimento, por dias ou semanas a fio, vivendo somente de pão e água. No inverno, isso com frequência era o mesmo que uma sentença de morte. Mais comum era a punição de ser pendurado pelos pulsos em um poste por horas a fio, causando dor e danos musculares duradouros e às vezes, se isso se prolongasse bastante, perda de consciência e morte. Tentativas de fuga despertavam especial fúria nos guardas da SS, que percebiam que, em vista de seu pequeno número em relação aos reclusos, era mais que provável que uma tentativa resoluta de fuga em massa tivesse êxito. Os capturados eram selvagemente surrados, às vezes até a morte, na frente dos outros, ou publicamente enforcados na praça do campo enquanto o comandante emitia uma advertência a todo o campo de que aquela era a sina de todos que tentassem fugir. Certa ocasião em Sachsenhausen, um prisioneiro encontrado ao tentar escapar foi arrastado para a praça de armas do campo, duramente espancado, pregado a uma pequena caixa de madeira e deixado ali à vista de todos os reclusos até morrer.[179] Diante de tais ameaças, a maioria dos reclusos dos campos concentrava-se simplesmente em se manter viva. Durante o dia, trabalhavam no campo em pequenas oficinas se possuíam alguma habilidade manual específica; a maioria, porém, marchava para fora do campo em destacamentos de trabalho para realizar tarefas intensivas, como escavar pedras para as estradas do campo, extrair greda ou cascalho ou limpar o entulho. Ali também os guardas batiam naqueles que achavam que não estavam trabalhando duro ou rápido o bastante e atiravam sem avisar em qualquer um que se extraviasse para longe demais do grupo principal. No final da tarde, os prisioneiros marchavam de volta para o campo para mais uma longa chamada, em posição de sentido por horas a fio, molhados, sujos e exaustos. Às vezes, no inverno, os homens sofriam um colapso no frio, morrendo de hipotermia. Quando as luzes eram apagadas nos alojamentos, os guardas do campo advertiam que qualquer um que fosse visto caminhando do lado de fora levaria um tiro.[180]

A brutalidade arbitrária e às vezes sádica dos guardas refletia em parte a brutalidade e o sadismo de seu próprio treinamento na SS. No final da década de 1930, cerca de 6 mil homens da SS estavam estacionados em Dachau, e 3 mil em Buchenwald. Os grupamentos diários (muito menores) de guardas dos campos eram retirados dessas unidades, que consistiam na maioria de rapazes das classes mais baixas – filhos de fazendeiros de Dachau, por exemplo, além de alguns jovens da classe média baixa e das classes operárias em Buchenwald. Na maior parte com pouca instrução e já acostumados com privações físicas, eram ensinados a ser duros, cumulados de imprecações e abuso verbal aos berros pelos oficiais durante o treinamento, e recebiam punições humilhantes se deixassem de vencer os obstáculos. Um recruta da SS mais tarde recordou que qualquer um que deixasse um cartucho cair durante o treinamento com armas era obrigado a recolhê-lo do chão com os dentes. Um doutrinamento ideológico como o que eles recebiam enfatizava principalmente a necessidade de dureza diante dos inimigos da raça alemã como os que iriam encontrar nos campos. Ao chegar ao campo, eles viviam nos alojamentos bastante isolados do mundo exterior, com poucas distrações, poucas oportunidades de encontrar garotas ou tomar parte na vida cotidiana local, condenados ao tédio diário da vigilância. Sob tais circunstâncias não era de surpreender que fossem rudes com os prisioneiros, cometessem abusos obscenos sobre eles, reforçassem seus sentimentos pessoais de importância ao condená-los a duras punições sob o mais ínfimo pretexto, aliviassem seu tédio submetendo-os a todo tipo de estratagema brutal ou vingassem a humilhação e a privação físicas de seu próprio treinamento ao infligir o mesmo tratamento a eles; afinal de contas, era o único tipo de exercício e disciplina que conheciam. Aqueles que entraram para a SS até 1934 em geral sabiam, é claro, no que estavam se metendo, de modo que já chegavam com um alto grau de comprometimento ideológico; ainda assim, qualquer um que não quisesse tomar parte na inflição diária de dor e terror nos campos tinha toda condição de pedir baixa, e muitos de fato o fizeram, especialmente em 1937 e 1938, quando o regime dos campos tornou-se marcadamente mais severo. Em 1937, por exemplo, quase 8 mil homens foram dispensados da SS, incluindo 146 dos esquadrões da caveira, 81 destes a pedido deles mesmos. Em 1º de abril de 1937, Eicke ordenou: qualquer membro desses esquadrões "que seja incapaz de obediência e busque conciliação *tem que sair*". Um guarda que assumiu seu cargo perto da Páscoa de 1937 pediu baixa ao comandante após ver prisioneiros serem espancados e ouvir gritos vindos das celas. Ele disse que queria ser soldado, não um agente penitenciário. Foi forçado a fazer um treino de punição e até entrevistado por Eicke em pessoa para tentar fazê-lo mudar de ideia, mas ficou firme e teve o pedido atendido em 30 de julho de 1937. Pode-se, portanto, presumir com segurança que aqueles que permaneciam empenhavam-se no serviço sem escrúpulos ou remorsos a respeito dos sofrimentos a que os prisioneiros eram submetidos.[181]

Muitos milhares de reclusos foram soltos dos campos, especialmente em 1933-34. "Eu sei", disse um oficial graduado do campo a Walter Poller ao lhe entregar seus papéis de soltura, "que você viu coisas aqui que o público talvez ainda não entenda por completo. Você deve manter silêncio absoluto sobre elas. Você sabe disso, não sabe? E, se não fizer isso, em breve estará de volta, e sabe o que então lhe acontecerá".[182] A comunicação entre reclusos e seus parentes ou amigos era restrita, oficiais e guardas eram proibidos de conversar sobre seu trabalho com gente de fora. O que acontecia nos campos devia permanecer envolto em mistério. As tentativas da polícia regular e das autoridades da promotoria de investigar assassinatos ocorridos nos campos nos primeiros anos no geral foram sumariamente descartadas.[183]

Em 1936, os campos de concentração haviam se tornado instituições além da lei. Entretanto, por outro lado, o regime não fazia segredo algum do fato básico de sua existência. A abertura de Dachau em 1933 foi amplamente registrada na imprensa, e histórias adicionais contavam como funcionários comunistas, "marxistas" e do Reichsbanner que punham em risco a segurança do Estado eram mandados para lá; como o número de reclusos crescia depressa às centenas; como eles eram colocados a trabalhar; e como as horripilantes histórias de atrocidades sobre o que acontecia lá dentro eram incorretas. O fato de as pessoas serem publicamente advertidas pela imprensa a não tentar espiar os campos, e de que levariam bala se tentassem escalar os muros, servia apenas para aumentar o temor e a apreensão gerais que aquelas histórias devem ter disseminado.[184] O que acontecia nos campos era um horror inominável, ainda mais potente porque sua realidade só podia ser conjeturada a partir dos corpos e do estado de espírito despedaçados dos reclusos quando eram soltos. Poucos indícios poderiam ser mais assustadores sobre o que aconteceria às pessoas que se engajassem em oposição política, ou expressassem discordância política, ou, ali por 1938--39, se desviassem das normas de comportamento a que o cidadão do Terceiro Reich era obrigado a aderir.[185]

III

Em parte alguma o terror nazista foi mais visível que no poder emergente e na temível reputação da Gestapo. O papel da polícia de caçar e capturar infratores políticos e outros tornou-se mais central ao aparato repressor do regime quando a primeira onda de violência em massa dos camisas--pardas refluiu. A Gestapo em especial atingiu rapidamente um *status* quase mítico como um braço onividente e onisciente da segurança do Estado e da aplicação da lei. As pessoas logo começaram a suspeitar de que houvesse agentes em cada *pub* e clube, espiões em cada local de trabalho e fábrica, informantes esgueirando-se em cada ônibus e bonde e parados em cada esquina.[186] A realidade era bastante diferente. A Gestapo era uma organização muito pequena com um número minúsculo de agentes e informantes pagos.

Na cidade de construção naval de Stettin, havia apenas 41 funcionários da Gestapo em 1934, o mesmo número que em Frankfurt am Main; em 1935, havia apenas 44 funcionários da Gestapo em Bremen e 42 em Hanover. O escritório distrital do Baixo Reno, que cobria uma população de 4 milhões de pessoas, possuía apenas 281 agentes em sua sede em Düsseldorf e suas várias ramificações na região em março de 1937. Longe de serem os nazistas fanáticos da lenda, aqueles homens em geral eram policiais de carreira que haviam se integrado à força sob a República de Weimar ou até mais cedo em alguns casos. Muitos deles viam-se em primeiro lugar como profissionais treinados. Em Würzburg, por exemplo, apenas o chefe da Gestapo e seu sucessor haviam entrado para o Partido Nazista antes do final de janeiro de 1933; os outros haviam mantido distância do envolvimento político. No conjunto, dos cerca de 20 mil homens que serviam como funcionários da Gestapo por toda a Alemanha em 1939, apenas 3 mil também eram membros da SS, a despeito de a organização ser dirigida pelo chefe da SS, Heinrich Himmler, desde o começo no Terceiro Reich.[187]

Os policiais profissionais que atuavam na Gestapo incluíam seu chefe, Heinrich Müller, a respeito de quem um oficial do Partido Nazista escreveu em 1937: "Mal podemos imaginá-lo como membro do Partido". Um memorando interno do Partido do mesmo ano de fato registrava que não dava para entender como "um oponente tão odioso do movimento" podia tornar-se chefe da Gestapo, especialmente porque certa vez referiu-se a Hitler como "um imigrante, pintor de paredes e desempregado" e "um desertor do serviço militar austríaco". Entretanto, outros oficiais do Partido Nazista notaram que Müller era "inacreditavelmente ambicioso" e "se curvaria mediante o reconhecimento de seus superiores sob qualquer sistema". A chave de sua durabilidade sob o regime nazista foi o anticomunismo fanático, incutido quando ele foi designado para seu primeiro caso como policial aos dezenove anos de idade – o assassinato de reféns pelo "Exército Vermelho" na Munique revolucionária após o fim da Primeira Guerra Mundial. Ele havia dirigido o departamento anticomunista da polícia política de Munique durante a República de Weimar e colocava o esfacelamento do comunismo acima de tudo mais, inclusive daquilo a que o regime nazista referia-se como "sutilezas legais". Além disso, Müller, que havia sido voluntário na guerra aos dezessete anos de idade e na sequência condecorado várias vezes por bravura, era um defensor obstinado do dever e da disciplina e abordava suas tarefas como se fossem comandos militares. Um verdadeiro *workaholic,* que jamais tirava uma folga e praticamente nunca ficava doente, Müller estava decidido a servir ao Estado alemão, independentemente da forma política que este assumisse, e acreditava que era dever de todos, e muito mais dele, obedecer os ditames sem questionar. Impressionado por sua eficiência e dedicação exemplares, Heydrich manteve-o e de fato recrutou-o para o Serviço de Segurança com toda sua equipe.[188]

A maior parte dos oficiais da liderança da Gestapo era de funcionários de escritório e não agentes de campo. Passavam boa parte do tempo compilando e atualizando fichários sofisticados, processando toneladas de novas instruções e regulamentos, preenchendo montes de papéis e documentos, e disputando competência com outras agências e instituições. Baseando-se nas já muito detalhadas fichas sobre comunistas e seus simpatizantes minutadas pela polícia política sob a República de Weimar, a Gestapo almejava manter um registro abrangente dos "inimigos do Estado", fragmentados em uma miríade de diferentes categorias que estariam sujeitas a diferentes tipos de tratamento. Etiquetas nas fichas mostravam a categoria a que cada indivíduo pertencia – vermelho-escuro para um comunista, vermelho-claro para um social-democrata, violeta para um "resmungão" e assim por diante. O policiamento burocratizado tinha uma longa tradição na Alemanha. Foram em grande parte a coleta de informações e sistemas de processamento como esses, e os escriturários necessários para mantê-los, que responderam pelo aumento do orçamento da sede da Gestapo em Berlim: de 1 milhão de reichsmarks em 1933 para nada menos que 40 milhões em 1937.[189]

Menos de 10% dos casos com que a Gestapo lidava vinham de investigações que ela mesma havia iniciado. Algumas provinham de informantes e espiões pagos, a maioria deles amadores empregados de modo informal. Outras agências nas quais a identidade das pessoas podia ser checada, como cartórios e a polícia criminal local, ferrovias e correios, também contribuíam com uma parte. Às vezes, a Gestapo pedia a ativistas conhecidos do Partido Nazista que ajudassem a rastrear elementos da oposição. Uma recusa não parece ter resultado em desvantagem específica para a maioria dessas pessoas. Melita Maschmann, ativista da Liga das Moças Alemãs, foi contatada pela Gestapo e solicitada a espionar a família de uma ex-amiga cujos irmãos eram ativos em um grupo de resistência de jovens comunistas. Ela recusou, e mais tarde escreveu: "Fui assediada diariamente e por fim minhas convicções nacional-socialistas foram questionadas". Porém, nada aconteceu a ela além disso. Em todo caso, ela enfim cedeu. Uma integrante superior da Liga das Moças Alemãs convenceu-a de que o grupo de resistência estava "pondo em risco o futuro da Alemanha". Desse modo, ela aquiesceu, apenas para descobrir que era incapaz de convencer a família da amiga de sua boa-fé; assim, a casa estava vazia quando ela chegou lá no dia em que o grupo de resistência havia combinado de se reunir. "O oficial da Gestapo", ela recordou, "estava me esperando do lado de fora da casa e me dispensou com um xingamento". Ela achou que depois disso foi mantida na Liga das Moças Alemãs só porque era valorizada como propagandista.[190]

Com mais frequência, as informações sobre as atividades da resistência do movimento operário vinham de comunistas ou social-democratas cujo ânimo havia sido destruído pela tortura e, por consequência, haviam concordado em delatar seus ex-camaradas. Os agentes da Gestapo podiam passar a maior parte do tempo no escritório, mas seus deveres incluíam interrogatórios brutais, com o trabalho sujo sendo feito por capangas da SS contratados com esse propósito. Um vívido retrato dos interrogatórios da Gestapo foi fornecido pelo marinheiro comunista Richard Krebs, que permaneceu na Alemanha depois do incêndio do Reichstag como mensageiro secreto do Comintern. Krebs foi detido em Hamburgo em 1933 e submetido a semanas de impiedosos espancamentos e açoitamentos, completamente isolado do mundo exterior, sem permissão para ter um advogado ou qualquer comunicação com a família ou amigos. Entre os interrogatórios, era mantido acorrentado ao catre em uma cela diminuta, sem permissão para se lavar; o polegar, quebrado em uma das sessões com a Gestapo, ficou sem tratamento, exceto pela bandagem em que foi envolto. Um oficial da Gestapo disparava perguntas detalhadas, claramente baseadas em informações recebidas e em uma volumosa ficha policial sobre ele compilada do início da década de 1920 em diante. Mantido na prisão local de Fühlsbüttel na maior parte do tempo, Krebs continuou a ser levado ao quartel-general da Gestapo de Hamburgo em intervalos para ser interrogado por policiais que assistiam enquanto homens da SS batiam nele. Após várias semanas, as costas de Krebs eram uma massa sangrenta, os rins estavam gravemente avariados em função do espancamento com pontaria cuidadosa, e ele havia perdido a audição de um ouvido. Apesar de tal tratamento, ele recusou-se a revelar quaisquer detalhes da organização para a qual trabalhava.[191]

Transportado para o escritório central da Gestapo em Berlim, Krebs ficou impressionado com os métodos mais refinados e menos brutais ali empregados. Esses dependiam mais de esgotar os prisioneiros ao deixá-los de pé ou de joelhos em posições bizarras do que de brutalidade direta e violência física. Mas a atmosfera era a mesma que em Hamburgo:

> Corredores encardidos, escritórios mobiliados com simplicidade espartana, ameaças, vociferação, soldados escorraçando homens acorrentados pelas dependências do prédio para cima e para baixo, gritos, filas de moças e mulheres em pé com o nariz e os dedos dos pés contra a parede, cinzeiros transbordantes, retratos de Hitler e seus assessores, cheiro de café, moças bem-vestidas trabalhando em alta velocidade nas máquinas de escrever – garotas aparentemente indiferentes a toda imundície e agonia ao seu redor –, pilhas de publicações confiscadas, impressoras, livros e ilustrações, e agentes da Gestapo adormecidos sobre as mesas.[192]

Não demorou muito e as táticas da Gestapo com o marinheiro recalcitrante voltaram para a velha brutalidade. Mais tarde, Krebs afirmou que foi outra vez submetido a horas de espancamento contínuo com cassetetes de borracha, e acareado com uma série de ex-camaradas cuja força de vontade fora destroçada pelos mesmos meios. Entretanto, um impacto mais sério em seu moral ocorreu quando a Gestapo revelou que haviam detido sua esposa quando ela voltou à Alemanha vinda do exílio para procurar o filho deles, que havia sido tirado do casal e desaparecera na rede da assistência social. Desesperado para impedir a Gestapo de fazer qualquer coisa pior à esposa, Krebs aproximou-se dos companheiros comunistas na prisão e deu a entender que se oferecera para trabalhar para a Gestapo, enquanto de fato atuava como agente duplo para o Partido Comunista. Ocultando com sucesso o fato de que a esposa havia deixado o partido logo após ele ter sido preso, Krebs apresentou seu estratagema como o meio de resgatar um camarada dedicado das garras do regime. Eles concordaram, e a artimanha funcionou. Em março de 1934, ele cedeu à Gestapo, que, pelo menos inicialmente, aceitou a conversão fingida como genuína.[193] Então o jogo virou. Krebs foi rapidamente solto mediante uma anistia e retomou o contato com o Comintern. Boa parte das informações que ele deu à Gestapo parece ter sido falsa ou – até onde ele sabia – já conhecida por intermédio de outras fontes. Com suas suspeitas aguçadas, a Gestapo recusou-se a permitir a soltura de sua esposa, e ela morreu sob custódia em novembro de 1938. Convencendo a Gestapo de que ele seria mais útil na arena internacional, Krebs obteve permissão para partir rumo aos Estados Unidos. E não voltou.[194] Sua história ilustra a íntima cooperação que se desenvolveu rapidamente entre a Gestapo, a SS, os tribunais e os campos. Também mostra o zelo incansável com que o regime nazista sondou agentes comunistas em busca de informações sobre a resistência, e a impiedade com que perseguiu a meta de fazer com que estes deixassem a Internacional Comunista e passassem a trabalhar para o Terceiro Reich.[195]

IV

As informações fornecidas por comunistas e social-democratas sob tortura nas celas das prisões da Gestapo eram da maior importância para rastrear a oposição política organizada. No que dizia respeito a comentários casuais, piadas políticas e infrações individuais às várias leis nazistas, as denúncias enviadas pelos vários tipos de agentes do Partido Nazista e também por membros do público em geral eram mais importantes. Em Saarbrücken, por exemplo, nada menos que 87,5% dos casos de "calúnia maliciosa contra o regime" tratados pelo escritório distrital da Gestapo originaram-se de relatórios enviados por estalajadeiros ou frequentadores de bares, por colegas de trabalho dos acusados, por gente que ouviu comentários suspeitos na rua ou por membros da família dos acusados.[196] Eram enviadas tantas denúncias à Gestapo que mesmo lideranças nazistas fanáticas como Reinhard Heydrich reclamavam a respeito, e o escritório distrital da Gestapo em Saarbrücken registrou seu alarme com a "constante expansão de um sistema de denúncias estarrecedor". O que os consternava em especial era o fato de que muitas denúncias pareciam ser feitas por motivos pessoais em vez de ideológicos. Figuras da liderança do Partido podiam ter encorajado as pessoas a expor deslealdade, resmungos e discordância, mas queriam que essa prática fosse um sinal de lealdade ao regime, não um meio de descarregar ressentimentos pessoais e gratificar desejos particulares. Dos 213 casos posteriormente estudados por um historiador, 37% surgiram de conflitos privados, ao passo que outros 39% não tinham absolutamente nenhum motivo discernível; apenas 24% com certeza foram gerados por pessoas agindo em primeiro lugar por lealdade política ao regime. Vizinhos denunciavam gente barulhenta ou bagunceira que morava no mesmo prédio, funcionários de escritório denunciavam quem estava barrando sua promoção, pequenos empresários denunciavam competidores inconvenientes, amigos ou colegas que discutiam às vezes davam o passo final de enviar uma denúncia à Gestapo. Até estudantes de escolas ou universidades denunciavam seus professores em certas ocasiões. Qualquer que fosse o motivo, a Gestapo investigava tudo. Se a denúncia não tinha fundamento, simplesmente relegavam-na aos arquivos e não tomavam nenhuma atitude adicional. Mas, em muitos casos, a denúncia podia levar à detenção, tortura, aprisionamento e até morte do denunciado.[197]

Ao processar "mexericos maliciosos", a polícia, a Gestapo e os tribunais tendiam a ser bem mais lenientes no tocante a infratores de classe média e bem mais duros se o infrator fosse um operário, embora o maior grupo de infratores viesse da classe média baixa, refletindo entre outros o fato de as denúncias aparentemente terem sido mais comuns nesse grupo social. Baseando-se nessa lei, os tribunais especiais caíram de rijo sobre o tipo de dissensão casual que passaria despercebida em um sistema político democrático normal, sentenciando mais de 3,7 mil pessoas em 1933 e mandando a maioria para a prisão por seis meses em média. Dois terços dos réus julgados sob essa lei no Tribunal Especial de Frankfurt haviam sido denunciados por comentários em *pubs* e bares por seus companheiros de bebida. A maioria dos infratores era de homens da classe operária que, provavelmente porque os tribunais suspeitaram de que fossem próximos de comunistas ou social-democratas, receberam tratamento muito mais severo que membros do Partido Nazista ou membros das classes média e alta.[198] Entretanto, um estudo de vários milhares de casos de mexericos maliciosos levados ao tribunal especial de Munique mostrou que a proporção de casos em que o acusado agia a partir de motivação político-partidária caiu de 50% em 1933 para uma média de apenas 12% em 1936-39. O tribunal avançou da função de acabar com a vontade de resistir de comunistas e social-democratas em 1933-34 para a nova tarefa de evitar qualquer tipo de crítica aberta ao regime, e de fato houve aumento suave na proporção de ex-nazistas e conservadores e aumento substancial na proporção de católicos entre os acusados no final da década de 1930.[199]

Entre as declarações que colocaram infratores na cadeia sob a Lei do Mexerico Malicioso estavam as alegações de que os nazistas estavam suprimindo a liberdade do povo, os funcionários públicos ganhavam demais, o jornal antissemita sensacionalista *Der Stürmer*, de Julius Streicher, era uma vergonha para a cultura, os prisioneiros de Dachau eram espancados, Hitler era um desertor austríaco, os camisas-pardas eram todos ex-comunistas (essa era uma acusação favorita contra os conservadores católicos) e Hermann Göring e outras lideranças do Terceiro Reich eram corruptos. Os infratores nada tinham de críticos radicais, sérios ou sofisticados do regime, e suas declarações ofensivas com frequência não passavam de expressões desarticuladas e incultas de descontentamento, colocadas de modo pessoal.[200] Alguns oficiais sentiam-se constrangidos com o fato de que, conforme colocou um administrador regional em 1937, "as sentenças contra tagarelas somam uma proporção muito ampla das atividades dos tribunais especiais". Para ele, a maioria dos detidos e julgados sob a Lei do Mexerico Malicioso era apenas de resmungões que não se opunham de modo algum ao regime de forma séria. "Embora seja necessário ser duro contra a propaganda verbal traidora", ele prosseguiu, "também existe um risco considerável de que a punição excessivamente severa de tagarelice inofensiva leve à amargura e à incompreensão entre os amigos e parentes dos condenados nos tribunais". Mas isso era um equívoco. Por princípio, as piadas e os comentários grosseiros sobre os líderes nazistas jamais transformavam-se em oposição ou resistência; na maioria dos casos, eram pouco mais que um desabafo. Mas o regime não estava interessado apenas em suprimir a oposição ativa: buscava eliminar até mesmo os mais ínfimos sinais de descontentamento e sufocar qualquer coisa que pudesse sugerir que a população não estava maciça e entusiasticamente por trás de tudo que ele fazia. A partir desse ponto de vista, mexericos maliciosos e piadas políticas podiam ser tão censuráveis quanto oposição e crítica diretas.[201]

Os infratores às vezes aterrissavam nos tribunais como resultado de mero acaso. Um ator, por exemplo, sentou-se à mesa de um restaurante perto da estação de trem de Munique em um dia de primavera de 1938; a mesa já estava ocupada por um casal que ele não conhecia, e entabularam conversa. Ao começar a criticar a política externa do regime, ele notou pela reação do casal que tinha ido longe demais; levantou-se da mesa às pressas para pegar o trem, ou assim afirmou. O casal seguiu-o, mas não conseguiu encontrá-lo, de modo que deu a descrição para a polícia, que o deteve dois dias depois. Outros iam parar no tribunal como resultado de algum bate-boca que escapava ao controle, como aconteceu quando um funcionário bêbado dos correios começou a insultar Hitler na presença de dois membros do baixo escalão do Partido que ele conhecia. Quando tentaram fazê-lo calar-se, ele piorou as coisas insultando um dos dois homens pelo fato de ser oficial do Partido, de modo que este sentiu que só poderia restabelecer sua autoridade entre os frequentadores habituais do *pub* denunciando o empregado dos correios à polícia. Qualquer que fosse a forma da denúncia, obviamente era perigoso falar em público; jamais dava para saber ao certo quem estava escutando. O que importava era a imprevisibilidade da denúncia, e não a frequência. Isso levou as pessoas a acreditar que os agentes da Gestapo, pagos ou não pagos, estavam por toda parte, e que a polícia sabia tudo que se passava.[202]

As denúncias de pessoas comuns eram importantes. De longe, a maior parte delas provinha de homens; os locais em que os denunciantes ouviam declarações suspeitas por acaso, como *pubs* e bares, com frequência eram socialmente vetados às mulheres; e, mesmo quando uma mulher ouvia uma declaração, talvez nas escadas de um prédio de apartamentos ou algum ambiente doméstico semelhante, ela com frequência deixava que o marido ou o pai chamasse a atenção da polícia para o assunto. A proporção varia de um lugar para outro, mas em média quatro de cada cinco denunciantes eram homens. Verificava-se o mesmo domínio masculino entre os denunciados. No Terceiro Reich, a política, mesmo nesse nível muito básico, era um assunto predominantemente masculino.[203] As denúncias, entretanto, eram apenas um dos muitos diferentes meios de repressão e controle ao dispor da Gestapo, e é claro que a proporção de pessoas comuns que realmente encaminharam denúncias era muito pequena quando comparada com a população como um todo. Um estudo sobre o escritório da Gestapo de Düsseldorf mostrou que, das 825 investigações da agência no período de 1933 a 1944 que formaram a amostra aleatória do historiador, 26% começaram com informações enviadas por membros da população geral, 17% pela polícia criminal e outras agências da lei e de controle como a SS, 15% por funcionários ou informantes da própria Gestapo, 13% por pessoas sob interrogatório nas celas da Gestapo, 7% por autoridades locais e outras agências do Estado, e 6% por organizações variadas do Partido Nazista.[204] Algumas dessas também podem ter tido origem em membros da população, por meio de encaminhamento de denúncia a uma sucursal do Partido ou a um escritório do governo local, por exemplo. Mas as seções do Partido eram sem dúvida muito importantes em todo o processo de levar os discordantes aos tribunais especiais. No município bávaro de Augsburg, observou-se que as áreas com forte tradição de solidariedade do movimento operário e a presença de oposição organizada ao regime produziram menos denúncias que distritos com um grau elevado de apoio aos nazistas. Dos denunciantes, 42% pertenciam ao Partido Nazista ou a uma de suas organizações, e 30% desses haviam se filiado antes de 1933.[205]

O papel dos militantes nazistas em denunciar declarações críticas ou inconformistas foi particularmente destacado em 1933, 1934 e 1935. Não é de surpreender que 54% dos denunciados em Augsburg fossem ex-comunistas ou ex-social-democratas, embora nada menos que 22% fossem nazistas, mostrando que na época o regime não estava imune a críticas dentro de suas próprias fileiras. Assim como em outras partes da Alemanha, muitas declarações captadas pelos denunciantes foram feitas em *pubs* e bares do município, refletindo a longa tradição de discurso político que existia nessas instituições sociais. Mais impressionante, porém, é que, ao passo que três quartos de todos os comentários críticos processados pelos tribunais de Augsburg em 1933 foram entreouvidos em *pubs* e bares, a proporção minguou para dois terços em 1934 e pouco mais da metade em 1935. Poucos anos depois era de apenas um para cada dez. Sem dúvida, o medo de ser ouvido inibiu rapidamente a livre conversação nos *pubs*, destruindo mais um aspecto da vida social que até então existira livre do controle nazista.[206] O conhecimento do perigo sempre presente de denúncia em função de uma palavra ou expressão incauta proferida em público foi importante para disseminar medo e ansiedade geral entre a população. "Todo mundo encolhe-se de medo", escreveu o professor judeu Victor Klemperer em seu diário em 19 de agosto de 1933: "Agora, nenhuma carta, nenhuma conversa telefônica, nenhuma palavra na rua é segura. Todo mundo teme que a pessoa ao lado seja um informante".[207] O que importava não era se realmente havia ou não informantes por toda parte, mas o fato de as pessoas pensarem que havia. O desiludido escritor e jornalista Friedrich Reck-Malleczewen registrou o ódio de seus amigos e dele mesmo por Hitler na privacidade de seu diário, e indagou em 9 de setembro de 1937 se alguém fora da Alemanha fazia "qualquer ideia de como estamos completamente sem *status* legal, do que é ser ameaçado de denúncia a qualquer momento pelo primeiro histérico que apareça". Como, perguntou ele de forma retórica, poderiam os estrangeiros compreender a "solidão de morte" daqueles que não apoiavam os nazistas?[208]

É claro que as pessoas podiam tentar abrandar o medo fazendo piadas sobre a situação, de preferência em particular. "No futuro", dizia uma piada, "os dentes serão extraídos pelo nariz na Alemanha, visto que ninguém mais tem permissão para abrir a boca". Alguns começaram a falar do "relance alemão", um contraponto à "saudação alemã", quando dois amigos calhavam de se encontrar em público, o que significava olhar em volta para se certificar de que não havia ninguém ao alcance da voz. Ao encerrar uma conversa possivelmente subversiva, em vez de *"Heil* Hitler!", uma pessoa poderia dizer para a outra: "Você também falou algumas coisas!".²⁰⁹ O humor também podia ser anedótico, é claro:

> Na Suíça, um figurão nazista pergunta sobre a finalidade de um prédio público. "Aquele é nosso Ministério da Marinha", responde o suíço. O nazista ri e faz troça. "Vocês, com dois ou três navios, para que precisam de um Ministério da Marinha?" O suíço: "Sim... mas então para que vocês ainda precisam de um Ministério da Justiça na Alemanha?".²¹⁰

As piadas políticas podiam ser irresistíveis para liberar a tensão, mas todo mundo sabia que também podiam ser perigosas. "No inverno, dois homens estão de pé no bonde fazendo movimentos estranhos com as mãos embaixo dos casacos", começava uma outra. "'Olhe aqueles dois', diz um passageiro a seu amigo, 'do que se trata?' 'Ah, eu conheço os dois, são surdos-mudos, estão contando piadas políticas um para o outro!'"²¹¹ Claro que, na prática, as pessoas com frequência contavam piadas políticas em público, nos *pubs*, nos bondes, ou ao se encontrar na rua, conforme revelam os arquivos dos agentes da Gestapo que as detiveram. As próprias autoridades percebiam que o humor em geral era um modo que as pessoas encontravam de conviver com o regime; raramente indicava oposição real. Conforme um oficial de polícia local observou em 1937:

> Por algum tempo, a criação e a narração de piadas políticas aumentaram até se tornar um verdadeiro transtorno. Contanto que essas piadas sejam a expressão de um espírito sadio e de caráter inofensivo, não haverá motivo para objeção, conforme foi repetidamente sublinhado pelo mais alto escalão do governo. Mas, se forem de conteúdo calunioso, então, por motivo de segurança, não podemos e não vamos tolerar que sejam divulgadas.²¹²

O jornalista Jochen Klepper concordou com a avaliação: "Apesar de todas as piadas políticas e decepções privadas, as pessoas ainda vivem na ilusão do 'Terceiro Reich'", concluiu resignado no verão de 1934.²¹³ Os detidos por humor desrespeitoso com frequência eram soltos sem acusação se não tivessem condenações prévias. Apenas quando havia um registro de oposição o assunto era levado adiante, com frequência acabando em uma curta temporada na cadeia. No fim, o que importava era a identidade do piadista e não a natureza da piada, e não é de surpreender que a maioria dos detidos sob a lei pertinente (do "mexerico malicioso") fosse ex-comunista ou ex-social-democrata da classe operária.[214] Contudo, o que mais impressionava as pessoas eram a arbitrariedade da polícia e a situação indefesa dos que eram detidos. Como expôs uma outra piada: "Certo dia apareceu na fronteira belga uma enorme quantidade de coelhos que se declararam refugiados políticos. 'A Gestapo quer prender todas as girafas como inimigas do Estado!' – 'Mas vocês não são girafas!' – 'Nós sabemos, mas tente explicar isso para a Gestapo!'".[215]

O medo de ser denunciado, ouvido ao acaso ou detido estendia-se até mesmo a conversas, cartas e telefonemas privados. Já em março e abril de 1933, Victor Klemperer reclamava em seu diário: "Ninguém ousa dizer mais nada, está todo mundo com medo".[216] O Decreto do Incêndio do Reichstag de 28 de fevereiro de 1933 permitiu à Gestapo abrir as cartas e grampear os telefones das pessoas, de modo que, conforme registrou Klemperer, "as pessoas não ousam escrever cartas, não ousam telefonar umas para as outras, visitam-se e calculam seus riscos".[217] Em Berlim, a jornalista Charlotte Beradt ouviu em fevereiro de 1933 um amigo social-democrata confidenciar um sonho que tivera, no qual Goebbels visitava seu local de trabalho, mas o sonhador descobria ser quase impossível para ele erguer o braço na saudação nazista e, quando enfim conseguia, depois de quase meia hora, Goebbels dizia com frieza: "Não quero sua saudação". Alienação de si mesmo, perda de identidade, isolamento, medo, dúvida, todos os sentimentos ali manifestados eram tão impressionantes que Beradt decidiu fazer uma coleção de sonhos das pessoas. Quando ela enfim foi embora para a Inglaterra em 1939, as discretas indagações a amigos e conhecidos, em especial médicos, que tinham pouca probabilidade de suscitar suspeitas nos pacientes ao perguntar sobre seus sonhos, haviam acumulado uma coleção grande o bastante para encher um livro, mesmo depois de todos os sonhos sem significado político discernível terem sido eliminados.[218]

Muitos dos sonhos coletados por Beradt testemunhavam o medo que as pessoas tinham da vigilância. Um médico sonhou em 1934 que as paredes de seu consultório e de todas as casas e apartamentos da vizinhança sumiam de repente, enquanto um alto-falante retumbava o anúncio de que aquilo estava "em conformidade com o Decreto para a Abolição das Paredes, aprovado no dia 17 deste mês". Uma mulher sonhou que, enquanto estava na ópera assistindo a uma apresentação de *A flauta mágica*, de Mozart, uma tropa de policiais marchava para dentro de seu camarote logo após ser cantado o verso "Esse é com certeza o Demônio", pois haviam notado que ela havia pensado em Hitler em conexão com a palavra Demônio. Ao olhar em volta em busca de socorro, o cavalheiro idoso sentado no camarote ao lado cuspia nela. Uma moça relatou que em um sonho as duas figuras de anjos penduradas sobre sua cama baixaram os olhos de seu habitual olhar para os céus para poder mantê-la sob observação. Várias pessoas sonhavam estar presas por trás de arame farpado ou terem as conversas telefônicas interrompidas, como um homem que, após dizer ao irmão pelo telefone: "Não consigo me distrair com mais nada", na mesma noite sonhou que o telefone havia tocado e uma voz inexpressiva tinha se anunciado como sendo do "Gabinete de Vigilância das Conversas Telefônicas"; na mesma hora, o sonhador percebeu que ficar deprimido era crime no Terceiro Reich e pediu perdão, mas deparou apenas com silêncio. Alguns tinham sonhos nos quais executavam pequenos atos de resistência que sempre se revelavam em vão, como a mulher que sonhou que retirava a suástica da bandeira nazista toda noite, mas ela reaparecia igual de manhã.[219] Ao recontar e analisar todos esses sonhos, Charlotte Beradt recordou uma afirmação do líder da Frente Operária, Robert Ley: "A única pessoa na Alemanha que ainda tem uma vida privada é uma pessoa que esteja dormindo". Os sonhos compilados mostravam que nem isso era verdade, concluiu ela soturnamente.[220]

V

A Gestapo, o Partido Nazista e os camisas-pardas voltaram sua atenção não só para oponentes, dissidentes e descontentes, mas também para aqueles que fracassavam em mostrar entusiasmo suficiente pelo Terceiro Reich e suas políticas. Cada grupo de casas tinha um "supervisor do quarteirão", o nome popular para uma variedade de funcionários do degrau mais baixo da hierarquia nazista cuja tarefa era assegurar que todo mundo pendurasse bandeiras e flâmulas nazistas em ocasiões especiais e fosse aos comícios e paradas nazistas. Cada braço local do Partido Nazista tinha em média oito células, cada uma delas organizadas em uns cinquenta quarteirões contendo cerca de cinquenta domicílios cada. Os líderes políticos do Partido Nazista, como esses oficiais locais do baixo escalão em geral eram conhecidos, cuidavam de um quarteirão cada um e por sua vez designavam ajudantes para cobrir cada prédio de apartamentos ou pequenos grupos de casas. Já em 1935, havia talvez uns 200 mil desses líderes políticos; incluindo-se os ajudantes, eram quase 2 milhões de "supervisores do quarteirão" no começo da guerra. De acordo com estatísticas do Partido de 1935, mais de dois terços dos líderes políticos pertenciam à classe média, e eram especialmente odiados em distritos da classe operária com forte passado comunista ou social-democrata. Com frequência eram a primeira escala dos denunciantes e exerciam atenta vigilância sobre dissidentes conhecidos, judeus e aqueles que mantinham contatos com esses, e sobre gente "politicamente pouco confiável", em geral ex-oponentes dos nazistas. Conhecidos zombeteiramente como "faisões dourados" por causa dos uniformes marrom-dourados com dragonas vermelhas, exigia-se deles que delatassem para a organização distrital do Partido os "fomentadores de rumores" e qualquer um que deixasse de se adequar, e a organização passaria os nomes e a má conduta à Gestapo. Aqueles que se desentendessem com os supervisores de quarteirão também podiam ter os benefícios estatais e os pagamentos da previdência negados. Outros ramos do enorme aparato do Partido Nazista possuíam funcionários locais semelhantes, abrangendo do serviço de previdência à Frente Trabalhista e à organização de mulheres, e todos executavam funções semelhantes de vigilância e controle.[221] Em fábricas e locais de trabalho, funcionários da Frente Trabalhista, empregadores, chefes de seção e o Serviço de Segurança nazista assumiam as funções do supervisor de quarteirão. Os trabalhadores que não andassem na linha eram escolhidos para tratamento discriminador, recusa de promoção, transferência para tarefas menos agradáveis ou mesmo demissão.²²² "Você não podia dizer nada", recordou mais tarde um trabalhador da fábrica de máquinas Krupp. "O chefe de seção estava sempre parado atrás de você, ninguém podia se arriscar."²²³ A máquina do terror nazista alcançava até mesmo as menores unidades da vida cotidiana e do trabalho diário.

A intimidação ficava particularmente evidente durante os plebiscitos e eleições nacionais que Hitler realizava de tempos em tempos para proporcionar uma aparência de legitimidade a suas ações, em especial na política externa. O aperto do regime pode ser vislumbrado a partir da proporção crescente de votos que assegurou a esses eventos de propaganda, legitimados por uma lei de 14 de julho de 1933, aprovada ao mesmo tempo que a lei que transformou a Alemanha em um Estado de partido único. A nova lei permitia ao governo "consultar o povo" sobre políticas específicas por iniciativa própria, uma diferença marcante da situação sob a República de Weimar, quando o poder de dar início a plebiscitos cabia ao povo. Sob o Terceiro Reich, plebiscitos e eleições tornaram-se exercícios de propaganda, nos quais o regime mobilizava o eleitorado por todos os meios disponíveis para proporcionar a aparência de legitimidade popular a medidas controversas.²²⁴ A primeira oportunidade de se usar esses métodos veio com a eleição do Reichstag de 12 de novembro de 1933. O decreto que dissolveu o Reichstag também aboliu de modo permanente os parlamentos estaduais regionais, cuja assembleia coletiva, o Reichsrat, a câmara mais alta do Legislativo nacional, foi abolida no início de 1934. Na eleição do Reichstag, os votantes foram apresentados a uma lista partidária única na qual podiam registrar "sim" ou "não". Para aplacar os eleitores de classe média, a lista incluía alguns conservadores não nazistas, como Papen e Hugenberg, e até mesmo uns poucos ex-representantes do Partido de Centro e do Partido Popular. Uma campanha eleitoral maciça, incluindo uma transmissão por rádio de uma fala de Hindenburg, foi respaldada por instruções confidenciais do Ministério do Interior do Reich concedendo larga margem aos apuradores para interpretar cédulas anuladas como votos de "sim". Alguns espíritos críticos suspeitavam que isso aconteceria de qualquer modo. Victor Klemperer, por exemplo, anotou em seu diário em 23 de outubro que "ninguém ousará votar *não*, e ninguém responderá com um não no voto de confiança. Porque 1) ninguém acredita no segredo da votação; e 2) um não será tomado como um sim de qualquer maneira".[225] Pouca gente ousou reclamar publicamente da manipulação, mas aqueles que o fizeram revelaram procedimentos errôneos como a violação do segredo da urna por meio de numeração das cédulas, o preenchimento de cédulas em branco pelos apuradores, a remoção de oponentes do regime do cadastro eleitoral e muito mais. Aqueles que se recusaram abertamente a votar foram detidos; a presença de nazistas e camisas-pardas nas seções eleitorais pressionava as pessoas a votar publicamente em vez de na privacidade da cabine eleitoral. Com a ajuda de tais métodos, o regime obteve uma votação de "sim" de 88%, embora tenham sido computados quase 3,5 milhões de votos anulados. Quase 5% dos votantes marcaram uma cruz diante do "não" no plebiscito complementar.[226]

Os métodos usados para se obter tais resultados ficaram claros no plebiscito realizado em 19 de agosto de 1934 para colocar o selo de aprovação popular sobre a autonomeação de Hitler como chefe de Estado após a morte de Hindenburg. Relatórios clandestinos de agentes social-democratas para a sede do partido no exílio observaram que as cabines de votação foram cercadas pelos camisas-pardas, criando uma "atmosfera de terror que não deixou de ter efeito mesmo onde o terror não foi empregado de modo direto". Em muitos locais, as cabines de votação foram removidas, ou então o acesso a elas era barrado pelos camisas-pardas, ou tinham o rótulo de "apenas traidores entram aqui". Clubes e sociedades foram levados em massa por grupos de camisas-pardas até as seções eleitorais e forçados a depositar seus votos em público. Em algumas seções eleitorais, todas as cédulas já estavam assinaladas com "sim", enquanto em outras as cédulas anuladas foram contadas como votos de "sim". Tantos votos de "não" foram substituídos por um ou mais votos forjados de "sim" que o número de votos depositados de fato excedeu o número de eleitores em algumas ocasiões. O grau de terror variou de região para região, de modo que no Palatinato, onde os agentes social-democratas registraram níveis recordes de intimidação e falsificação, os votos de "sim" ficaram bem acima da média, somando 94,8% do eleitorado, enquanto em uns poucos distritos eleitorais menos pesadamente policiados da Renânia, por outro lado, até a metade dos votos foram registrados como "não" ou nulos. Em Hamburgo, apenas 73% do eleitorado votou "sim", em Berlim apenas 74%, e em alguns ex-baluartes comunistas, como Wilmersdorf e Charlottenburg, a votação ficou abaixo de 70%. É notável que, sob tais circunstâncias, o regime tenha conseguido garantir os votos de apenas 85% dos eleitores. Cinco milhões de votantes recusaram-se a endossar a lei, votando "não" ou anulando a cédula.[227] A despeito da pressão maciça para votar "sim", muitos alemães ainda acharam que o pleito havia sido livre: no dia da votação, Luise Solmitz definiu-o como "um plebiscito para o qual não se pode prever o resultado, pelo menos eu não posso".[228] Victor Klemperer foi menos cordial. "Um terço votou 'sim' por medo", escreveu ele, "um terço por excitação, um terço por medo e excitação."[229]

Quatro anos mais tarde, o regime havia aperfeiçoado suas técnicas de terror e manipulação eleitorais em tal extensão que obteve uma votação de mais de 99% de "sim" no plebiscito de abril de 1938 sobre a união com a Áustria, combinado com um voto pessoal de confiança em Hitler e suas ações até o momento. A simples combinação dos dois assuntos confundiu a situação, deixando claro que qualquer um que votasse contra a união também estaria votando contra Hitler e poderia, assim, cair dentro das cláusulas das leis de traição. Gangues de camisas-pardas percorriam cada rua a intervalos regulares, forçando as pessoas a sair de casa e transportando-as até as seções eleitorais. Os doentes e acamados tinham que depositar seu voto em seções eleitorais móveis que os visitavam em casa. Pessoas que se recusaram a votar ou ameaçavam votar "não" foram surradas, forçadas a desfilar pelas ruas com uma placa em torno do pescoço com frases como "sou um traidor do povo", arrastadas pelos *pubs* para serem xingadas e cuspidas, ou entregues sem cerimônia a manicômios. Em muitos locais, os opositores conhecidos do regime foram detidos de antemão e mantidos sob custódia até passar o dia do pleito. Em outros lugares, receberam cédulas especialmente marcadas com um número datilografado em máquina de escrever sem fita, sendo que o mesmo número foi colocado ao lado do nome na lista de eleitores. Em 7 de maio de 1938, a seção de Koblenz do Serviço de Segurança da SS registrou que, com isso, teve condições de "descobrir as pessoas que haviam votado 'não' ou anulado a cédula. Usamos leite desnatado", relatou em detalhes pedantes e sem graça, "para realçar os números". Em muitas cidades, a maioria dos eleitores foi forçada a depositar o

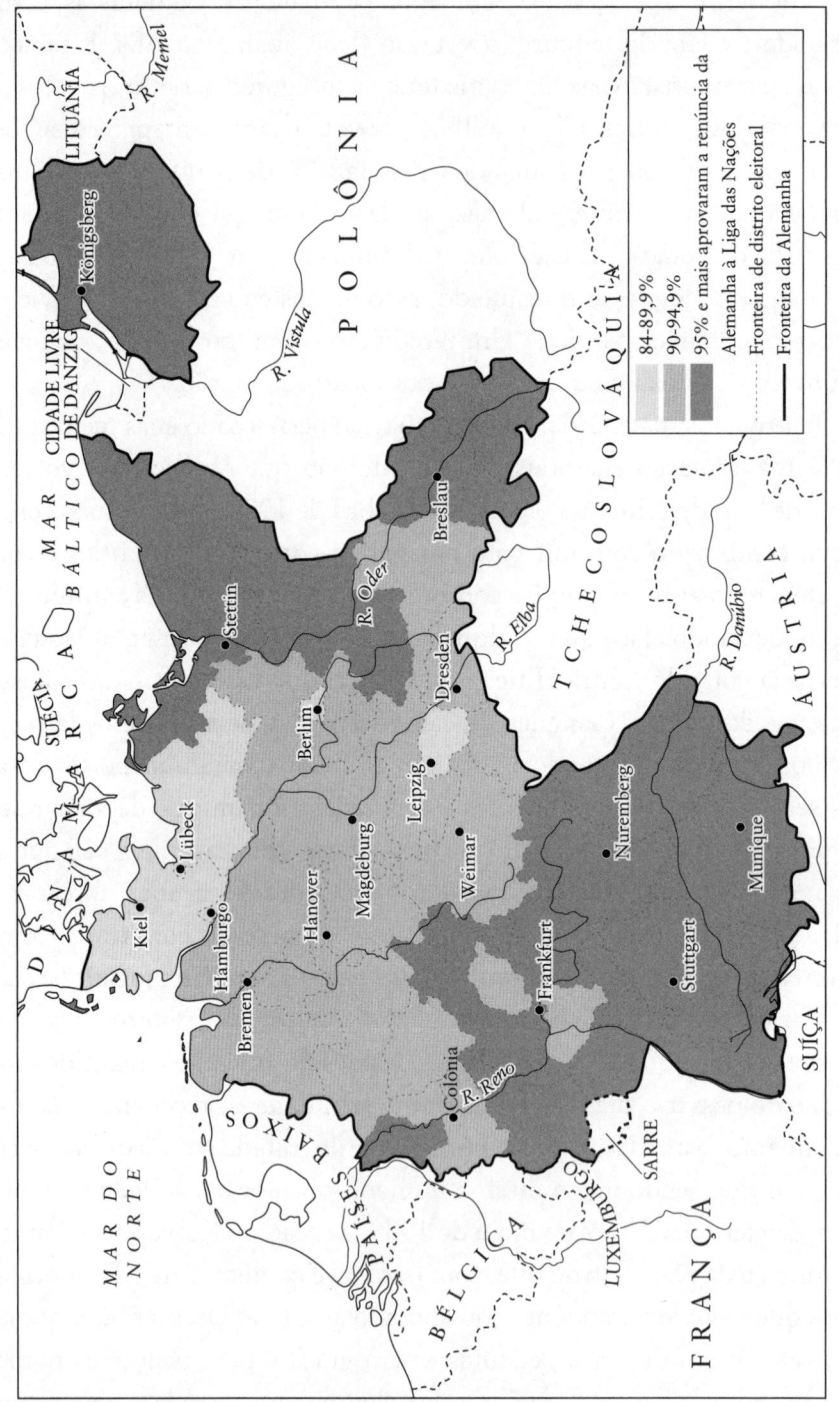

Mapa 3. O plebiscito de 12 de novembro de 1933

voto em público, em mesas compridas guarnecidas por grupos de camisas-
-pardas; em algumas localidades, simplesmente receberam cédulas já marcadas com "sim" pelos camisas-pardas. Mesmo onde foi mantida a aparência de uma votação secreta, deliberadamente circularam rumores antecipados de que as cédulas estariam marcadas, de modo que, se necessário, todos os eleitores poderiam ser identificados durante a contagem, e em alguns locais de fato eles foram. Nos lugares onde, a despeito de todas essas precauções, apareceu um número substancial de cédulas anuladas ou votos de "não" na apuração, eles simplesmente foram descontados. E, onde um eleitor deu o passo incomum de anunciar sua abstenção em público, como fez o bispo católico Johannes Sproll em protesto contra a inclusão de Alfred Hugenberg e Robert Ley na lista do Partido Nazista, a reação foi severa: a atitude do bispo Sproll suscitou manifestações estridentes de camisas-
-pardas diante de sua igreja e levou à sua expulsão da diocese, embora o regime o considerasse muito proeminente para ser detido.[230] A despeito de tais incidentes, muitos alemães que apoiavam os nazistas nesses plebiscitos ficavam radiantes de orgulho com os resultados. "99% a favor do Líder", anotou Luise Solmitz triunfante, "isso deve causar uma impressão tremenda nos países estrangeiros".[231]

VI

Até que ponto, então, o terror e a intimidação penetraram na sociedade alemã sob os nazistas? Intimidação e manipulação descaradas no período eleitoral podem ter tornado os resultados completamente inconfiáveis como indicadores das atitudes populares, mas sem dúvida encobrem uma boa dose de apoio ao regime, bem como crítica e oposição sufocadas, e pelo menos em alguns assuntos – como a remilitarização da Renânia e a anexação da Áustria, por exemplo – é mais do que provável que a maioria tivesse votado "sim" mesmo que a eleição fosse completamente livre. Além disso, para a maior parte dos alemães, o terror nazista, como vimos, evoluiu rapidamente de uma realidade – como era durante a violência quase geral da primeira metade de 1933 – para uma ameaça que raramente se traduzia em ação. Em 1933, um enorme aparato de vigilância e controle foi rapidamente criado para rastrear, deter e punir qualquer um que se opusesse ao regime nazista, inclusive uma considerável terça parte do eleitorado que havia votado nos partidos de esquerda nas últimas eleições livres alemãs. Ao final de 1935, a oposição organizada havia sido completamente esmagada. A "Noite das Facas Longas" também foi uma lição para os dissidentes dentro do Partido Nazista, sobretudo, é claro, para os milhões de homens que pertenciam ao turbulento movimento paramilitar camisa-parda. Políticos de muitos outros partidos, de democratas a nacionalistas, haviam sido detidos, ameaçados, até assassinados como um aviso para os outros entrarem na linha. Mas, de 1936 em diante, o terror aberto foi cada vez mais dirigido contra as relativamente pequenas minorias, como comunistas e social-democratas tenazes ou comprometidos, antissociais e preguiçosos, pequenos criminosos e, como veremos mais adiante neste livro, judeus e homossexuais. Para a maioria dos alemães, inclusive milhões de ex-comunistas e ex-social-democratas, contanto que se mantivessem longe de encrenca, a ameaça de detenção, aprisionamento e campo de concentração recuou para o segundo plano.[232]

Recentemente, contudo, alguns historiadores basearam-se nesses fatos para argumentar que os nazistas não governaram em absoluto por meio do terror. A violência e a intimidação raramente tocaram a vida da maioria dos alemães comuns. Depois de 1933 pelo menos, o terror era altamente seletivo, concentrando-se em grupos pequenos e marginais cuja perseguição não só contava com a aprovação da vasta maioria dos alemães, como de fato era executada com a cooperação e a participação muitas vezes voluntária da grande massa de cidadãos alemães comuns em nível local. A sociedade alemã sob os nazistas era, segundo essa visão, uma sociedade engajada na "autovigilância".[233] Isso ia além das denúncias por motivos pessoais e incluía uma boa dose de motivação ideológica, como fica claro, por exemplo, no caso de Augsburg. As estatísticas de denúncias que incluem, por exemplo, relatos à Gestapo feitos por clientes de estalagens e bares ou "colegas de trabalho" não mencionam quantos de fato eram membros leais do Partido Nazista ou integrantes de organizações como a Frente Trabalhista; é provável que boa parte fosse, dado o enorme número de pessoas que se filiaram ao

Partido Nazista na metade da década de 1930 ou que pertenciam a organizações subordinadas como os camisas-pardas, a Juventude Hitlerista e assim por diante. Se olharmos a composição da população de reclusos dos campos de concentração em qualquer período do Terceiro Reich, verificarmos a presença esmagadora de membros de minorias que em geral eram vistas com desconfiança por uma larga fatia da população alemã.

Contudo, falar em uma sociedade autopoliciada subestima o elemento de terror e intimidação de cima para baixo em operação no Terceiro Reich.[234] Os casos que chegavam às mesas da Gestapo constituíam apenas uma proporção ínfima de declarações criminalmente imputáveis em qualquer ano que se observe. A maioria jamais foi denunciada por ninguém. A denúncia era a exceção, não a regra no que diz respeito ao comportamento da maioria dos alemães. Em Lippe, por exemplo, um distrito com 176 mil habitantes, o número total de denúncias remetidas às agências do Partido de 1933 a 1945 foram meros 292; o máximo submetido em um único ano qualquer foi de apenas 51, o mínimo foram três denúncias.[235] Além disso, em 1937, apenas 17.168 casos de contravenção da Lei sobre Mexerico Malicioso foram reportados pela Gestapo em todo o Reich alemão. O número real de contravenções provavelmente era muitas centenas de vezes maior. Assim, fosse qual fosse o motivo, a maioria das testemunhas de tais contravenções declinou de se tornar denunciante. Em especial nos distritos da classe operária, o medo do ostracismo ou mesmo de contradenúncia, e até mesmo de ataques de vingança, deve ter sido considerável. Além do mais, não eram alemães comuns que se engajavam na vigilância, era a Gestapo; nada acontecia até a Gestapo receber a denúncia, e a busca ativa dos desviantes e dissidentes pela Gestapo era a única coisa que dava sentido às denúncias. Após despedaçar a resistência do movimento operário, a Gestapo voltou-se para a repressão de um leque bem mais amplo de formas de dissidência menos ideológicas, e as consequências para aqueles levados a interrogatório e processo podiam de fato ser sérias, começando com violência e tortura brutais impostas pelos próprios agentes da Gestapo ou sob supervisão deles no curso da investigação, e acabando em tribunais, prisões e campos.[236] Nesse processo, a Gestapo apelava para uma rede de funcionários locais do regime, do supervisor de quarteirão para cima, e a simples existência dessa rede, com a

Gestapo ao centro, era em si mesma um incentivo à denúncia. Os oficiais nazistas sabiam que o fracasso na perseguição de dissidentes podia facilmente metê-los em dificuldades; também sabiam que atrair a atenção da Gestapo podia garantir-lhes a aprovação como verdadeiros servos do Terceiro Reich. Em última análise, eram a Gestapo e as agências que ela empregava, explorava ou com as quais trabalhava que mantinham os alemães sob vigilância, não os próprios alemães.[237]

Na defesa do argumento de que a maioria dos alemães aprovava a política repressiva do regime, foi corretamente destacado que os nazistas, longe de ocultar a existência de instituições e práticas repressoras, anunciavam regularmente execuções, sentenças de prisão, vereditos dos tribunais contra dissidência, "mexericos maliciosos" e assim por diante nos jornais e outros órgãos de propaganda do regime. Portanto, prossegue o argumento, a maioria das pessoas comuns que lia jornais não fazia objeção a essas práticas. Mas tal publicidade agia em mais de um sentido, e uma função importante de propagandear o terror imposto pelo regime aos desviantes e dissidentes era coibir milhões de alemães comuns de seguir pelo mesmo caminho. A ameaça aberta de campo de concentração para gente que espalhasse rumores sobre o expurgo de Röhm apenas deixou explícito o que estava implícito em cada relato desse tipo. De modo semelhante, o fato de os oficiais do alto escalão da polícia e da SS, como Reinhard Heydrich e Werner Best, acharem que a Gestapo trabalhava em nome do povo alemão e com sua cooperação em uma espécie de purificação étnica e política, abrangendo a sociedade no todo, não deve ser tomado somente pela aparência: a ideologia nazista reiterava de modo constante a crença de que o regime em todos os seus aspectos desfrutava do apoio de todo o povo, mas a publicamente proclamada vastidão das ambições da Gestapo era mais um instrumento de terror em si, alimentando entre a grande massa de alemães a crença de que seus agentes estavam em toda parte e sabiam tudo o que se passava.[238]

Minorias desprezadas eram por certo colocadas em campos de concentração, mas enfocar apenas isso ignora o número muito mais amplo de políticos e outros transgressores condenados pelos tribunais e colocados em prisões e penitenciárias estatais. Quanto mais nos distanciamos da

Alemanha nazista no tempo, mais difícil torna-se para historiadores que vivem em sistemas políticos democráticos e em culturas que respeitam os direitos do indivíduo dar o salto de imaginação necessário para entender o comportamento das pessoas em um estado como a Alemanha nazista, onde aprisionamento, tortura ou mesmo morte podiam estar à espera de qualquer um que ousasse dar voz a críticas ao regime e seus líderes. Aqueles que aprovavam tal repressão eram com toda a probabilidade uma minoria, militantes ativos e funcionários do Partido, como os supervisores de quarteirão e um bom número de alemães conservadores das classes média e alta que pensavam que o melhor lugar para marxistas era mesmo a prisão. Mesmo eles, porém, sabiam muito bem que precisavam ter cuidado com o que diziam e faziam, e os perigos de não fazer isso ficaram profusamente claros tão logo a oposição começou a se espalhar também entre esses grupos. Os tiros que mataram Kurt von Schleicher, Herbert von Bose, Edgar Jung, Gustav von Kahr, Erich Klausener e Kurt von Bredow no início de julho de 1934 foram também um aviso para os conservadores das classes média e alta para manterem a crista baixa se não quisessem ser liquidados.[239]

Em seu alívio pelo fato de a ordem que desejavam com tanto ardor ter sido restaurada, cidadãos conservadores comuns como Luise Solmitz, que não nutriam pensamentos de ativismo político, podem ter deixado de lado a árida disposição do regime de assassinar seus oponentes, revelada de modo tão rematado no final de junho e começo de julho de 1934; para tais pessoas, os camisas-pardas de Röhm pareciam uma ameaça tão grande quanto o Reichsbanner ou a Liga dos Combatentes da Frente Vermelha dos anos de Weimar. Contudo, a portas fechadas, elas não podem ter ficado alheias à sina do grupo conservador em torno do vice-chanceler Papen. Não era apenas a terça parte da população comprometida com a esquerda marxista antes de 1933 que estava sujeita à intimidação maciça. De fato, mal a violência assassina da "Noite das Facas Longas" havia recuado quando uma minoria ainda maior que a dos marxistas – a dos católicos alemães – começou a ser processada e aprisionada ao tornar públicas as suas visões cada vez mais críticas do regime. Mais gerais ainda foram medidas como a Lei do Mexerico Malicioso, que caiu de rijo sobre as mais triviais expressões de discordância e colocou na prisão gente que contava piadas sobre Hitler e Göring. Esses eram principalmente membros da classe operária alemã, é verdade, mas, no fim das contas, a classe operária somava cerca de metade da população total, e infratores desse tipo das classes média e alta também foram levados aos tribunais especiais. Processos bem-sucedidos sob essa lei eram mais um instrumento de intimidação de massa, alimentando o clima geral de medo e ajudando a criar a espiral de silêncio em que o regime poderia cometer crimes ainda maiores sem medo de censura ou oposição públicas.[240]

A verdade é que, longe de se dirigir exclusivamente contra minorias pequenas e desprezadas, a ameaça de detenção, processo e encarceramento do terror nazista em condições cada vez mais brutais e violentas pairava sobre todos no Terceiro Reich, até mesmo, como vimos pelos casos levados aos tribunais especiais, sobre membros do Partido Nazista. O regime forçou os alemães à aquiescência, infligindo todo um leque de sanções àqueles que ousavam se opor, desorientando as pessoas de modo sistemático e privando-as de seus ambientes sociais e culturais tradicionais, como o *pub*, o clube e a associação de voluntários, sobretudo onde esses pudessem ser vistos como uma fonte potencial de resistência, como no caso do movimento operário. Desde o princípio, medo e terror foram partes integrantes do arsenal de armas políticas dos nazistas.[241] O Estado e o Partido puderam usá-los porque, poucos meses depois da nomeação de Hitler como chanceler do Reich, destituíram sistematicamente todos os alemães de quase todos os direitos civis e humanos básicos de que haviam desfrutado sob a República de Weimar. A lei não era uma proteção contra o Estado se este ou alguma de suas agências suspeitasse que um cidadão não estava inclinado a demonstrar aprovação a suas políticas e objetivos. Pelo contrário: uma vasta quantidade de novas leis, muitas vezes draconianas, foi decretada para dar à polícia, à Gestapo e à SS carta-branca virtual para lidar com qualquer suspeito de se desviar das normas de comportamento humano dispostas pelo Terceiro Reich para seus cidadãos. Nessa situação, não é de surpreender que gente comum e funcionários do baixo escalão do Partido Nazista começassem a reforçar a atmosfera de terror e intimidação difusos enviando à Gestapo suas denúncias não solicitadas contra transgressores.

Ao mesmo tempo, a Gestapo era apenas uma parte de uma rede de vigilância, terror e perseguição muito mais vasta lançada pelo regime nazista sobre a sociedade alemã na década de 1930, que incluía a SA e a SS, a Polícia Criminal, o serviço penitenciário, os serviços sociais e agências de emprego, a categoria médica, centros de saúde e hospitais, a Juventude Hitlerista, os supervisores de quarteirão e até organizações à primeira vista politicamente neutras, como as agências de impostos, a ferrovia e os correios. Todos forneciam informações sobre desviantes e dissidentes à Gestapo, aos tribunais e ao gabinete da promotoria, formando um sistema de controle polimorfo e não coordenado, mas difuso, no qual a Gestapo era apenas uma instituição em meio a muitas.[242] Tudo que acontecia no Terceiro Reich ocorria nessa atmosfera difusa de medo e terror que jamais afrouxou, e de fato tornou-se bem mais intensa perto do fim. "Você sabe o que é medo?", perguntou um trabalhador idoso a um entrevistador alguns anos depois de tudo acabado: "Não. O Terceiro Reich era medo".[243] Não obstante, o terrorismo era apenas uma das técnicas de domínio do Terceiro Reich. Pois os nazistas não almejavam apenas forçar a população a uma aquiescência passiva e taciturna. Queriam também incitá-la a um referendo positivo e entusiástico de seus ideais e políticas, mudar a mente e o espírito das pessoas e criar uma nova cultura alemã que refletisse somente seus valores. Isso significava propaganda, e aqui também, como veremos, eles fizeram esforços sem precedentes para atingir suas metas.

2

A mobilização do espírito

Esclarecendo o povo

I

"A revolução que fizemos", declarou Joseph Goebbels em 15 de novembro de 1933, "é total. Abrangeu cada um dos setores da vida pública e fundamentalmente reestruturou todos eles. Mudou e remodelou por completo a relação das pessoas entre si, com o Estado e com as questões da existência". Foi, prosseguiu ele, "uma revolução vinda de baixo", levada adiante pelo povo porque, disse ele, ocasionou a "transformação da nação alemã em um só povo". Tornar-se um só povo significava estabelecer uma unidade de espírito por toda a nação, pois, conforme Goebbels já havia anunciado em março: "Em 30 de janeiro, a era do individualismo enfim morreu... O indivíduo será substituído pela comunidade do povo". "Revoluções", acrescentou, "jamais se confinam puramente à esfera política. Dali estendem-se para cobrir todas as outras áreas da existência social humana. Economia e cultura, ciência, erudição e arte não ficam protegidas do impacto". Não poderia haver neutralidades nesse processo: ninguém poderia ficar à margem sob alegações falsas de objetividade, ou de arte pela arte. Pois, declarou ele: "A arte não é um conceito absoluto, apenas ganha vida a partir da vida das pessoas". Portanto: "Não existe arte sem viés político".[1]

A revolução de que Goebbels estava falando não era uma revolução social ou econômica ao estilo da Revolução Francesa de 1789 ou da Revolução Russa de 1917. Tampouco era uma revolução em erupção permanente, como Röhm e os camisas-pardas pareciam pretender antes de serem esmagados em 1934. Era uma revolução cultural. Pretendia aprofundar e fortalecer a conquista do poder político nazista por meio da conversão do conjunto do povo alemão ao seu modo de pensar. Não 37% do povo, como disse Goebbels em 25 de março de 1933, referindo-se ao maior índice de votação que os nazistas conseguiram conquistar em uma eleição alemã livre, mas 100% do povo devia respaldá-los.[2] Foi com esse propósito que Hitler criou o novo Ministério de Esclarecimento Popular e Propaganda em 13 de março de 1933 e colocou o próprio Goebbels na pasta, com um assento no gabinete.[3] Em 25 de março, Goebbels definiu a tarefa do ministério como a "mobilização espiritual" do povo alemão em uma recriação permanente do espírito de entusiasmo popular que havia, segundo afirmavam os nazistas, galvanizado o povo alemão na eclosão da guerra em 1914. A crença dos nazistas no poder positivo da propaganda também devia muito à experiência da Primeira Guerra Mundial, quando, pelo que sentiram, os britânicos tiveram sucesso em promover mitos danosos sobre a Alemanha. O ministério de Goebbels, provisionado com ideólogos nazistas jovens e comprometidos, buscava não só apresentar o regime e suas políticas por um ângulo positivo, mas também gerar a impressão de que a totalidade do povo alemão endossava entusiasticamente tudo que era feito. Entre todas as coisas que fizeram do Terceiro Reich uma ditadura moderna, uma das mais impressionantes foi a sua exigência incessante de legitimação popular. O regime colocou-se quase desde o início em um estado de permanente consulta plebiscitária das massas. Era uma dificuldade imensa assegurar que cada aspecto dessas consultas produzisse um endosso retumbante e praticamente unânime de suas ações, políticas e sobretudo de seu Líder. Mesmo que se soubesse, como deveria saber-se, que esse endosso na realidade estava longe de ser genuíno, a mera aparência de entusiasmo constantemente renovado das massas pelo Terceiro Reich e a maciça adulação histérica ao Líder com certeza tinham efeito em persuadir muitos outros alemães, antes neutros ou céticos, a embarcar na onda da opinião popular. Também intimidavam oponentes do regime ao silêncio e à inação, persuadindo-os de que a meta de obter o apoio dos concidadãos era irremediavelmente irrealista.[4]

Goebbels era bastante franco sobre o fato de a legitimação popular do Terceiro Reich ser manipulada pelo regime. Era tarefa do Ministério da Propaganda coordenar e comandar toda a apresentação pública do regime e de suas políticas. "Tudo que acontece nos bastidores", dizia ele, "é da alçada da direção de palco".[5] Isso incluía cerimônias e rituais como as paradas à luz de tochas realizadas para marcar a nomeação de Hitler como chanceler do Reich em 30 de janeiro de 1933, a abertura formal do Reichstag em Potsdam em 21 de março de 1933, o comício anual do Partido Nazista em Nuremberg em cada outono, o Dia Nacional do Trabalho em 1º de maio e muito mais. Novos feriados e festejos foram adicionados ao calendário tradicional, inclusive o aniversário de Hitler em 20 de abril e a comemoração do golpe de 1923 em 9 de novembro. Por toda a Alemanha, o nome das ruas foi trocado para remover lembranças subitamente indesejadas ou inconvenientes do passado democrático e celebrar Hitler ou outras lideranças nazistas, ou heróis sacrificados do movimento, como Horst Wessel, cujo nome foi dado ao distrito operário de Friedrichshain. Em Hamburgo, uma rua também foi renomeada em honra de Otto Blöcker, membro da Juventude Hitlerista abatido aos dezessete anos em uma investida armada dos comunistas à sede local do Partido Nazista em 26 de fevereiro de 1933.[6] Houve muitos outros casos semelhantes.

Mas, acima de tudo, quem era celebrado era Hitler. O culto a Hitler já havia atingido grandes proporções dentro do Partido no começo da década de 1930, mas agora era propagado pela nação com os plenos recursos do Estado e projetado não apenas em palavras e imagens, mas também em incontáveis pequenas formas simbólicas.[7] De março de 1933 em diante, as cidades apressaram-se em nomear Hitler cidadão honorário. Em quase toda cidade da Alemanha, a praça principal fora renomeada como Adolf-Hitler-Platz ao final de 1933. Já em 20 de abril de 1933, o 44º aniversário do Líder teve flâmulas e bandeiras em cada cidade alemã, guirlandas penduradas no exterior das casas nas aldeias de todo o país, vitrines de lojas ostentando decoração especial para marcar a ocasião e até mesmo transportes públicos ornados com bandeiras comemorativas. Desfiles e procissões à luz de tochas levaram as celebrações para as ruas, enquanto as igrejas realizavam cultos especiais para desejar felicidades ao Líder. A máquina de propaganda de Goebbels bombardeou retórica comparando Hitler a Bismarck, enquanto o ministro bávaro da Educação, Hans Schemm, foi ainda mais longe, descrevendo-o como "o artista e arquiteto que o Senhor Deus nos enviou", criando "o novo rosto da Alemanha", que deu ao povo seu "formato final" após "os eventos de 2 mil anos": "Na personalidade de Hitler, o anseio milenar do povo alemão tornou-

-se realidade".⁸ Pôsteres e ilustrações de revistas, cinejornais e filmes proclamaram Hitler o homem das trincheiras, com um toque comum, não apenas um gênio multitalentoso com senso de destino, mas também um ser humano humilde, até mesmo simples, que tinha poucas necessidades, rejeitava riqueza e ostentação, era bondoso com crianças e animais e tratava com compaixão os velhos companheiros que tombavam em tempos difíceis. Soldado, artista, trabalhador, governante, chefe de Estado, Hitler era retratado como um homem com o qual todos os setores da sociedade alemã podiam se identificar. Muitos alemães comuns foram subjugados pela escala e intensidade dessa propaganda. A emoção que se apoderou de Luise Solmitz quando ficou na rua à espera da chegada de Hitler em Hamburgo, sua cidade natal, foi típica: "Jamais esquecerei o momento em que ele passou por nós em seu uniforme marrom, fazendo a saudação de Hitler à sua própria maneira... O entusiasmo (da multidão) resplandeceu nos céus...". Ela foi para casa tentando digerir os "grandes momentos que acabei de vivenciar".⁹

A implantação do culto a Hitler na vida cotidiana ficou ainda mais óbvia na introdução da saudação alemã – "Salve, Hitler!" (*Heil* Hitler) –, a ser usada em toda correspondência oficial por funcionários estatais a partir de 13 de julho de 1933. Ela era reforçada pela continência de Hitler, com o braço direito estendido para o alto, às vezes acompanhado da mesma saudação alemã aos berros, que também era compulsória, nesse caso para todos os cidadãos, quando o hino nacional ou a Canção de Horst Wessel eram entoados. "Qualquer um que não deseje cair sob suspeita de se comportar de forma conscientemente negativa irá, portanto, executar a saudação alemã", proclamou o decreto.¹⁰ Tais rituais não só consolidaram a solidariedade formal dos defensores dos nazistas, como isolaram aqueles que não participavam do regime. E deram um impulso adicional para o prestígio de Hitler.¹¹ Após a morte de Hindenburg e o subsequente plebiscito sobre a chefia do Estado em 19 de agosto de 1934, acompanhado do *slogan* "Hitler pela Alemanha – toda Alemanha por Hitler", o culto ao Líder não teve mais limites. O rápido volteio da propaganda de Goebbels sobre a "Noite das Facas Longas" apenas conquistou mais apoio para o Líder, como o homem que salvou a Alemanha da desordem mais uma vez, esfacelou a ambição excessiva entre os "figurões" do Partido e restaurou a decência e a moralidade no movimento nazista.¹² Dali em diante, quaisquer críticas populares que houvesse ao regime provavelmente seriam dirigidas aos sátrapas de Hitler; o Líder em si estava amplamente imune.¹³

Contudo, o culto a Hitler atingiu sua mais grandiosa direção cênica no comício do Partido realizado em Nuremberg em 1934, o segundo promovido sob o novo regime. Quinhentos trens transportaram 250 mil pessoas até uma estação especialmente construída. Uma vasta cidade de tendas foi erguida para abrigar os participantes, e quantidades gigantescas de alimentos e água foram levadas para abastecê-los. No comício em si, teve início uma série de rituais sofisticados. Estendendo-se por uma semana inteira, o evento celebrou a unidade do movimento após os abalos e digressões do verão anterior. Fora da cidade, no imenso Campo do Zeppelin, as fileiras cerradas de centenas de milhares de camisas-pardas, homens da SS e ativistas do Partido Nazista uniformizados tomaram parte em diálogos rituais com seu líder. "Salve, meus homens", ele gritava, e centenas de milhares de vozes respondiam em uníssono: "Salve, meu Líder". Após o anoitecer, discursos, cantos e desfiles davam lugar a paradas à luz de tochas e cerimônias com coreografias dramáticas, com mais de uma centena de refletores resplandecendo nos céus, envolvendo os participantes e espectadores naquilo que o embaixador britânico descreveu como uma "catedral de gelo". Holofotes na arena destacavam 30 mil estandartes vermelhos, negros e brancos com suásticas, enquanto os que os carregavam deslocavam-se através das fileiras de camisas-pardas. No momento mais silencioso do ritual, o "pavilhão de sangue", a bandeira carregada no golpe da cervejaria de 1923, foi cerimonialmente reconsagrado e tocou as novas bandeiras para transmitir-lhes sua aura de luta violenta e sacrifício de sangue pela causa.¹⁴

O correspondente americano William L. Shirer, comparecendo a seu primeiro comício do Partido Nazista, ficou devidamente impressionado. "Creio que estou começando a compreender alguns dos motivos do sucesso espantoso de Hitler", ele confidenciou em seu diário em 5 de setembro de 1934:

> Tomando emprestado um capítulo da Igreja romana, ele está restaurando a pompa, o colorido e o misticismo na vida insípida dos alemães

do século XX. O encontro de abertura dessa manhã na Arena Luitpold, nos arredores de Nuremberg, foi mais que um show maravilhoso, também teve algo do misticismo e fervor religioso de uma missa de Páscoa ou de Natal em uma grande catedral gótica.

Quando Hitler entrou, seguido por sua comitiva, caminhando lentamente pelo corredor central, "30 mil mãos foram erguidas em saudação". De pé no pódio sob o "pavilhão de sangue", Hess leu o nome dos mortos no golpe de 1923, e se fez um minuto de silêncio. "Em tal atmosfera", escreveu Shirer, "não é de espantar então que cada palavra proferida por Hitler parecesse o Verbo inspirado, vindo das alturas". Shirer viu por si mesmo a emoção que a presença de Hitler conseguia causar entre seus defensores, enquanto o Líder rodava do aeródromo vizinho até Nuremberg na véspera do comício em um carro sem capota, saudando com a mão erguida as multidões aos brados alinhadas pelas ruas da velha cidade. Shirer prossegue:

> Fui apanhado por uma turba de 10 mil histéricos que se apinharam no fosso diante do hotel de Hitler gritando: "Queremos nosso líder". Fiquei um pouco chocado com os rostos, especialmente das mulheres, quando Hitler enfim apareceu no balcão por um instante. Lembrei-me das expressões enlouquecidas que vi certa vez no interior da Louisiana, no rosto de alguns pentecostais prestes a rolar pelo chão. Olhavam para ele como se fosse um messias, os rostos positivamente transformados em algo não humano. Se ele tivesse permanecido à vista por mais de alguns poucos instantes, acho que muitas mulheres teriam desmaiado de excitação.[15]

Uma "grande pompa" seguiu-se a outra, escreveu Shirer, culminando em uma batalha simulada por unidades do Exército no Campo do Zeppelin. O evento foi encerrado com uma marcha aparentemente interminável de unidades militares e paramilitares pelas ruas, dando a Shirer uma forte impressão de "pura força disciplinada" dos alemães sob o regime nazista. O objetivo primordial do comício era transmitir uma imagem coreografada da recém-descoberta unidade espiritual por meio de uma série de exibições gigantescas de imensas massas de homens movendo-se e marchando em uníssono, arranjados inflexivelmente em fila, ou parados pacientemente em enormes blocos geométricos no campo. E a intenção de Hitler e Goebbels era transmiti-la não só para a Alemanha, mas para o mundo.[16]

Foi tendo em vista essa meta que Hitler de fato fez arranjos para que todo o comício de 1934 fosse filmado, encarregando a jovem atriz e diretora de cinema Leni Riefenstahl da tarefa e emitindo ordens de que ela deveria ser munida de todos os recursos de que necessitasse. Com trinta câmeras à disposição, operadas por dezesseis cinegrafistas, cada um com um assistente, e quatro caminhões com equipamento de som, Riefenstahl fez um documentário como nenhum outro até então. Uma equipe de 120 pessoas dispôs de novas técnicas, como lentes telefoto e fotografia em grande angular, para obter um efeito que muitos consideraram hipnótico quando o filme foi lançado em 1935 com o título – escolhido pelo próprio Hitler – de *O triunfo da vontade*. A "vontade" em questão, conforme Riefenstahl explicou mais tarde, era não só a do povo alemão, mas também e sobretudo de Hitler, que as câmeras mostraram quase invariavelmente sozinho, passando em meio às nuvens em Nuremberg, de avião; de pé em carro aberto enquanto andava pela cidade para a aclamação das multidões alinhadas nas ruas; parando para aceitar um buquê de uma garotinha; falando aos seguidores contra um fundo de céu aberto; tocando ritualmente nas novas bandeiras do Partido estampadas com o "pavilhão de sangue"; e finalmente na Arena de Luitpold, excitando-se até um frenesi em um discurso que fez a multidão gritar repetidos brados de "Salve, Vitória" como adoradores em uma capela revivalista, e Rudolf Hess, com o rosto radiante em devoção fanática, gritando: "O Partido é Hitler! Mas Hitler é a Alemanha, assim como a Alemanha é Hitler! Hitler! Hitler! Salve, Vitória! (*Sieg, heil!*).[17]

O triunfo da vontade é impressionante pelo monumentalismo e pela apresentação de vastas massas disciplinadas movendo-se em perfeita coordenação como se fossem um só corpo, e não milhares. As transições são feitas com interlúdios de jovens camisas-pardas entregues a brincadeiras viris, embutidas na glorificação do corpo masculino, produto tanto das predileções de Riefenstahl quanto uma expressão da ideologia nazista, enquanto tiravam a roupa para se atirar em um lago das proximidades. Tudo isso ocultava uma realidade menos gloriosa de bebedeira, baderna, lesões corporais e assassinato que se desenrolou por trás das cenas.[18] Mas o filme de Riefenstahl alterou a realidade de maneiras mais sutis que essa, não apenas retratando os eventos do comício em uma ordem diferente da ocorrida, mas também, respaldada pela licença de Hitler para interferir nos procedimentos como desejasse, ensaiando e encenando alguns deles de modo premeditado para efeito cinematográfico. Algumas cenas, de fato, só faziam sentido quando vistas pelo olho da câmera. Um dos momentos mais emocionantes do filme, quando Hitler caminha lentamente pelo largo corredor vazio entre as filas imóveis e caladas de mais de 100 mil paramilitares uniformizados, seguido por Himmler e Lutze, o novo líder camisa-parda, para depositar uma coroa em memória dos mortos do movimento, não pode ter causado impacto visível em mais do que um punhado dos participantes. Nas cenas finais do filme, a tela é preenchida por colunas em marcha de camisas-pardas e homens da SS com camisas negras e capacetes de aço, não deixando margem de dúvida para a plateia sobre a coordenação disciplinada das massas alemãs, e também, de modo mais ominoso, sobre a primazia dos modelos militares em sua organização. Apresentado como documentário, era um filme de propaganda projetado para convencer a Alemanha e o mundo do poder, da fibra e da determinação do povo alemão sob a liderança de Hitler.[19] Foi o único filme sobre Hitler feito durante o Terceiro Reich; disse tudo o que havia a ser dito e não precisou ser seguido de outro. Foi lançado em março de 1935 para aclamação generalizada, não apenas em casa, mas também no exterior. Ganhou o Prêmio Nacional do Cinema, entregue a Riefenstahl por Goebbels, que o descreveu como "uma magnífica visão cinematográfica do Führer", e também foi agraciado com a Medalha de Ouro do Festival de Veneza em 1935 e o Grande Prêmio do Festival de Cinema de Paris em 1937. Continuou a ser exibido nos cinemas e, embora proibido na Alemanha após a guerra, permanece como um dos grandes clássicos do documentário de propaganda do século XX.[20]

Por ironia, *O triunfo da vontade* foi originalmente encomendado e filmado mediante oposição ferrenha do ministro de Propaganda do Reich em decorrência do fracasso de uma primeira tentativa de Riefenstahl no ano anterior, filmada sob o título de *O triunfo da fé*. Riefenstahl não era membro do Partido Nazista, de fato jamais se tornou, e Goebbels ressentia-se do fato de ela ter sido contratada diretamente por Hitler, passando ao largo do que ele considerava os canais apropriados para obras de propaganda.[21] Além disso, *O triunfo da vontade* ia contra todos os preceitos que Goebbels havia mandado a indústria do cinema observar. Dirigindo-se a representantes da indústria cinematográfica em 28 de março de 1933, Goebbels condenou os filmes de propaganda grosseiros que estavam "por fora do espírito da época": "O novo movimento não se esgota em marchas na praça de armas e toques de trombetas", disse ele. Louvando o filme *O encouraçado Potemkin*, do diretor soviético Sergei Eisenstein, ele declarou: "Não são apenas as convicções de um filme que o fazem ser bom, mas também a capacidade das pessoas que o fazem". Os filmes tinham que se adequar ao novo espírito da época, disse ele, mas também tinham que atender ao gosto popular.[22] A propaganda, disse Goebbels, era mais eficiente quando indireta:

> Esse é o segredo da propaganda: impregnar a pessoa das metas a serem captadas sem que ela perceba que está sendo impregnada. *Claro* que a propaganda tem um propósito, mas o propósito deve ser escondido com tamanha sagacidade e virtuosismo que a pessoa sobre quem esse propósito deve ser posto em prática não deve percebê-lo de modo algum.[23]

Na execução dessa política, Goebbels sancionou, e talvez até tenha escrito, uma crítica mordaz a um dos primeiros filmes nazistas, *Homem da SA*, com sua representação tosca, ficcional e obviamente propagandística de um estudante de dezesseis anos da classe operária que desafia o pai social-democrata e se alista nos camisas-pardas, é vitimado no trabalho por um conluio do sindicato dominado por judeus sendo, enfim, abatido por comunistas, virando mártir da causa nazista. Goebbels achou improvável que o filme conquistasse quaisquer novos adeptos para a causa nazista; ele era dirigido aos já convertidos. Em outubro, Goebbels criticou acidamente outro filme, que glorificava a vida e a morte do camisa-parda Horst Wessel, abatido por um comunista em 1930. O filme contava uma história semelhante a *Homem da SA*, mas com um conteúdo antissemita bem mais forte.

Retratava os comunistas que finalmente mataram o herói como instrumentos de criminosos e intelectuais judeus. Goebbels declarou que o filme não estava à altura da memória de Wessel. "Nós, nacional-socialistas", disse, "não vemos valor em nossa SA marchando no palco ou na tela; o lugar dela é nas ruas. Um *show* tão ostensivo da ideologia nacional-socialista não é substituto para a verdadeira arte".[24]

Na manhã da estreia do filme sobre Horst Wessel, que deveria ser vista por grande variedade de figuras destacadas da sociedade de Berlim, inclusive o príncipe herdeiro de Hohenzollern, filho mais velho do último Kaiser e defensor notório dos nazistas, Goebbels emitiu uma proibição formal de sua exibição. Essa ação arbitrária suscitou uma reação furiosa dos financiadores do filme. Entre esses incluía-se Putzi Hanfstaengl, um dos velhos amigos de Hitler, que havia composto a música para o filme e angariado pessoalmente uma boa parte do dinheiro necessário para produzi-lo. Reclamando em pessoa para Hitler e Goebbels, Hanfstaengl por fim conseguiu apoio suficiente dentro da hierarquia do Partido para ter a proibição revertida, embora apenas sob a condição de que o título do filme fosse trocado para *Hans Westmar: um de muitos*. Nesse formato, o filme conquistou ampla aprovação da imprensa e do público, que ficava de pé em muitos cinemas quando soava a Canção de Horst Wessel na cena final.[25] Mas Goebbels havia marcado sua posição. A rixa convenceu Hitler de que o Ministério da Propaganda deveria exercer controle mais efetivo sobre a indústria do cinema no futuro. E Goebbels usou isso para se assegurar de que filmes de propaganda direta desse tipo, que poderiam ser populares entre "velhos combatentes" comprometidos, mas que já não eram apropriados no período em que o Partido Nazista havia consolidado seu domínio, não fossem mais produzidos.[26]

II

A década de 1930 foi uma era de ouro para o cinema no mundo inteiro, com o advento do som e também da cor em alguns filmes. As plateias na Alemanha cresceram, com o número médio de idas ao cinema por pessoa quase dobrando de quatro para perto de oito entre 1932-33 e 1937-38, e a venda de ingressos no mesmo período aumentando de 240 milhões para quase 400 milhões por ano.[27] Muitas estrelas e diretores de cinema de destaque emigraram da Alemanha no início e meados da década de 1930; alguns, como Marlene Dietrich, seguindo o fascínio de Hollywood, outros, como Fritz Lang, indo embora por motivos políticos. Mas a maioria permaneceu. Um dos mais famosos era Emil Jannings, que em seus tempos de Hollywood, no final da década de 1920, ganhou o primeiro Oscar da história pelo desempenho em *O último comando*. De volta à Alemanha, Jannings logo viu-se estrelando filmes francamente políticos como *O governante*, uma celebração da liderança forte livremente adaptada de uma conhecida peça de Gerhart Hauptmann e ambientada em uma família endinheirada de industriais da classe média inspirada nos Krupp. A roteirista, Thea von Harbou, que havia trabalhado em filmes mudos como *Metrópolis* e *Dr. Mabuse*, de Fritz Lang, agora fazia uma nova carreira nos filmes falados da década de 1930. Novas estrelas, como a sueca de nascimento Zarah Leander, alcançavam tremenda popularidade entre o público do cinema, enquanto outros, como o ator alemão Theodor Loos, pareciam uma presença quase permanente nas telas. Uma nova geração de diretores, dos quais Veit Harlan talvez fosse o mais proeminente, surgiu para passar adiante a mensagem nazista no cinema.[28] Entretanto, nem todos os que desempenharam um papel na indústria do cinema no Terceiro Reich escaparam de fiscalização hostil. Em 1935 e 1936, o Partido encorajou os frequentadores de cinema a enviar indagações sobre a raça e a afiliação política de atores famosos. Houve repetidas inquirições sobre uma das estrelas mais amadas da Alemanha, o ator Hans Albers, que os boatos diziam ter uma esposa judia. O boato era verdadeiro, sua esposa, Hansi Burg, de fato era judia, mas Albers manteve-a a salvo na Suíça durante todo o Terceiro Reich. Goebbels, que sabia disso, viu-se incapaz de tomar qualquer atitude dada a extraordinária popularidade de Albers, e os funcionários do Ministério da Propaganda negaram resolutamente a existência de Hansi Burg.[29]

    Atores como Albers e Jannings fizeram sua parte para impulsionar a extraordinária popularidade do cinema alemão na década de 1930. Contudo, tais sucessos foram contrabalançados pelo rápido e crescente isolamento da indústria cinematográfica alemã. As vendas de filmes alemães para o exterior despencaram. Isso se deveu em parte ao crescente conteúdo político e à queda de qualidade, mas sobretudo à hostilidade dos distribuidores estrangeiros, em particular se fossem judeus ou fizessem objeções políticas aos controles que agora eram impostos a seus colegas na Alemanha. Do ponto de vista da indústria do cinema, mais grave ainda foi a virtual cessação das importações de filmes estrangeiros para a Alemanha. Os problemas enfrentados pelos filmes estrangeiros podem ser ilustrados pela figura improvável de Mickey Mouse, que alcançou enorme popularidade na Alemanha no início da década de 1930, gerando um tremendo conjunto de *merchandising*, de bonecos a revistas em quadrinhos. Em 1931, um jornal da Pomerânia declarou com estridência: "Micky Maus é o mais vil e miserável modelo jamais inventado". Mas isso foi uma rara exceção. Mickey era tão popular entre o público de cinema alemão que os censores de filmes nazistas foram mais ou menos forçados a aprovar todas as *Sinfonias tolas* de Disney para exibição. O desenho *Os três porquinhos* da Disney exerceu especial apelo entre os censores, visto que continha uma cena, mais tarde cortada pela Disney, na qual o lobo mau aparece na porta da casa de um dos porcos disfarçado de vendedor ambulante de escovas, com um caricato nariz falso que os nazistas não tiveram dificuldade em interpretar como judeu. *O doutor maluco*, no qual um cientista louco tenta cruzar o cachorro Pluto com uma galinha, foi uma exceção solitária, proibido possivelmente porque poderia ser tomado como uma sátira às ideias eugênicas nazistas, e mais provavelmente porque foi considerado assustador demais para as crianças.[30]

Todavia, os desenhos da Disney, por mais populares que fossem na Alemanha, em breve depararam igualmente com dificuldades. O motivo básico foi financeiro. Roy Disney, que tratava da parte financeira dos negócios do irmão, fechou um novo contrato com a UFA em 20 de dezembro de 1933 para distribuir os filmes de Walt na Alemanha, mas em 12 de novembro de 1934 o governo alemão quadruplicou as taxas de importação sobre filmes, forçando os distribuidores a pagar 20 mil reichsmarks de imposto para cada filme importado que compravam. O governo também impôs controle rigoroso sobre a remessa de divisas, tornando praticamente impossível às companhias americanas receber qualquer renda da Alemanha. Como resultado, a Universal e a Warner Brothers encerraram seus negócios na Alemanha, ao passo que a Disney jamais lucrou com seu tremendo sucesso alemão. A situação pouco melhorou com uma mudança nas regulamentações em 19 de fevereiro de 1935. A partir dali, os filmes importados tinham que ser pagos em permuta com a exportação de filmes alemães, mas os alemães não mais faziam filmes que os distribuidores estrangeiros quisessem exibir. Mesmo que não fosse assim, a hostilidade das distribuidoras americanas e do público americano ao antissemitismo nazista teria dificultado as exibições. No outono de 1937, o contrato da Disney com a UFA expirou e, para piorar a situação, os créditos acumulados da Disney na Alemanha foram anulados, em parte para cobrir a falência de uma grande distribuidora. Uma visita de Roy Disney a Berlim não alcançou uma solução, e em 1939 os desenhos da Disney praticamente não eram mais exibidos na Alemanha. Adolf Hitler, que ganhou dezoito filmes de Mickey Mouse como presente de Natal em 1937 de seu ministro da Propaganda Joseph Goebbels, era uma afortunada exceção à regra.[31]

Na segunda metade da década de 1930, o controle estatal sobre a indústria alemã de cinema ficou ainda mais rígido graças ao Banco de Crédito do Cinema, criado em junho de 1933 pelo regime para ajudar os produtores a levantar dinheiro nas condições restritas da Depressão. Em 1936, o banco custeava quase três quartos de todos os filmes alemães lançados e não hesitava em negar apoio a produtores cujos projetos não aprovasse. Enquanto isso, o controle do Ministério da Propaganda sobre a contratação e a demissão de pessoal em todos os setores da indústria cinematográfica havia se consolidado pelo estabelecimento da Câmara de Cinema do Reich, chefiada por um funcionário administrativo que se reportava diretamente a Goebbels. Qualquer pessoa empregada na indústria de filmes agora era obrigada a se tornar membro da Câmara de Cinema do Reich, que se organizou em dez departamentos cobrindo cada aspecto da indústria cinematográfica na Alemanha.[32] A criação da Câmara de Cinema do Reich em 1933 foi um passo importante rumo ao controle total. No ano seguinte, a participação de Goebbels foi ainda mais fortalecida pela crise nas finanças das duas maiores companhias de cinema, UFA e Tobis, que foram efetivamente nacionalizadas. Em 1939, as companhias com financiamento estatal produziam quase dois terços dos filmes alemães.[33] Uma Academia de Cinema Alemã, criada em 1938, agora fornecia treinamento técnico para a geração seguinte de diretores, atores, *designers*, roteiristas, câmeras e técnicos, certificando-se que trabalhassem no espírito do regime nazista. O controle financeiro era respaldado por poderes legais, sobretudo pela Lei de Cinema do Reich, aprovada em 16 de fevereiro de 1934. Esta tornou obrigatória a censura prévia dos roteiros. Também fundiu os escritórios existentes de censura de filmes, criados em 1920, em um único bureau dentro do Ministério da Propaganda. E, por uma emenda de 1935, deu a Goebbels o poder de proibir quaisquer filmes sem nenhuma menção a essas instituições. O encorajamento seria proporcionado – e as expectativas do público guiadas – pela concessão de certificados aos filmes, classificando-os como "artisticamente valiosos", "politicamente valiosos" e assim por diante.[34]

Conforme Goebbels pretendia, foram produzidos muitos filmes de entretenimento na Alemanha nazista. Tomando-se as categorias prescritas pelo Ministério da Propaganda, 55% dos filmes exibidos na Alemanha em 1934 foram comédias, 21% dramas, 24% filmes políticos. As proporções flutuavam de um ano para outro, e havia filmes que na prática enquadravam-se em mais de uma categoria. Em 1938, porém, apenas 10% foram classificados como políticos; 41% foram categorizados como dramas e 49% como comédias. Em outras palavras, a proporção de filmes políticos declinou enquanto a de dramas aumentou de forma pronunciada. Musicais, dramas de costumes, comédias românticas e outros gêneros proporcionavam escapismo e entorpeciam a sensibilidade do povo; mas também podiam ter uma mensagem.[35] Todos esses filmes, de um jeito ou de outro, tinham que se adequar aos princípios gerais dispostos pela Câmara de Cinema do Reich, e muitas produções glorificavam a liderança, proclamavam as virtudes camponesas de sangue e solo, denegriam as figuras odiadas pelos nazistas, como bolcheviques e judeus, ou então as retratavam como vilãs em dramas aparentemente apolíticos. Filmes pacifistas foram banidos, e o Ministério da Propaganda certificou-se de que a linha correta fosse adotada em filmes de todos os tipos de gênero. Assim, em setembro de 1933, por exemplo, a revista *Correio de Cinema* condenou a apresentação de "uma classe criminal destrutiva e subversiva, construída por meio de fantasias de metrópoles de gigantismo destrutivo" pelo cinema de Weimar – uma clara referência aos filmes de Fritz Lang, como *Metrópolis* e *M* – e assegurou a seus leitores que no futuro os filmes sobre crime se concentrariam não no criminoso, "mas nos heróis de uniforme ou em traje civil" que estavam servindo ao povo na luta contra a criminalidade.[36] Mesmo o entretenimento, portanto, podia ser político.[37]

A propaganda política ostensiva era fornecida pelos cinejornais, sobretudo a *Wochenschau* [*Revista Semanal*], que passou a ser exibida em cada sessão de cinema comercial de outubro de 1938 em diante, e dedicava em média metade de sua cobertura a temas políticos, junto com a cota usual de esportes, mexericos de sociedade e coisas do tipo. Estilizados, repletos de clichê, expressos em uma linguagem totalmente nazificada de combate e luta, narrados pelo locutor em um tom de agressividade implacável e muitas vezes apresentando eventos encenados especialmente com o propósito de serem filmados, os cinejornais tinham uma relação no máximo intermediária com a realidade. Em 1939, todos os cinejornais, originalmente propriedade de uma série de companhias, um deles americano (a *Revista Falada Semanal da Fox*), estavam falando uma só voz, coordenados por um gabinete especial do Ministério da Propaganda, respaldado por uma Lei do Cinejornal aprovada em 1936. Portanto, como muitas outras fontes visuais da história da Alemanha nazista, a produção de cinejornal deve ser usada pelos historiadores com um considerável grau de cautela.[38] No que diz respeito aos contemporâneos, a intenção da propaganda era óbvia para todos, até ao mais obtuso dos frequentadores de cinema.

III

Os cinejornais não eram o principal meio pelo qual os alemães ficavam sabendo o que estava acontecendo em seu país e no resto do mundo: bem mais importante era o rádio, que havia crescido rapidamente em popularidade sob a República de Weimar. Todos os envolvidos na indústria, de locutores a engenheiros e vendedores, tinham que pertencer à Câmara de

Rádio do Reich, estabelecida no outono de 1933. Isso deu ao Ministério da Propaganda poder total sobre a contratação e a demissão de pessoal. A radiodifusão alemã já havia sido colocada sob controle do governo naquele mesmo ano, e as estações regionais foram por fim incorporadas à Companhia de Rádio do Reich em 1º de abril de 1934 e subordinadas diretamente ao Ministério da Propaganda. Os nazistas estenderam suas garras também à produção de aparelhos receptores, pagando polpudos subsídios aos fabricantes para produzir e vender rádios baratos, conhecidos como receptores do povo (*Volksempfänger*), disponíveis por 76 reichsmarks ou em uma versão menor por apenas 35 reichsmarks. Era o equivalente à renda média semanal de um trabalhador manual, e podia ser pago em prestações, se necessário. Um milhão e meio desses aparelhos foram fabricados já em 1933. Em 1934, mais de 6 milhões de aparelhos de rádio estavam em uso na Alemanha, e na metade de 1939 mais de 70% dos lares alemães possuíam um receptor, o mais alto índice de todos os países do mundo, inclusive Estados Unidos. Dessa forma, muita gente do interior ficou pela primeira vez ao alcance da propaganda do governo de modo regular. A disseminação do rádio permitiu ao regime levar sua mensagem a regiões do país até então relativamente afastadas do mundo político. No total, foram fabricados mais de 7 milhões de receptores do povo; em 1943, um em cada três aparelhos de rádio nos lares da Alemanha era um receptor do povo. Uma característica específica do receptor do povo era possuir alcance apenas limitado, de modo que, exceto nas zonas de fronteira, os ouvintes eram incapazes de sintonizar estações de rádio estrangeiras. Em ocasiões especiais, os encarregados das rádios faziam arranjos para que um discurso de Hitler fosse transmitido por alto-falantes em locais públicos, nas instalações de fábricas, escritórios, escolas e restaurantes. Ao soar uma sirene, as pessoas deviam parar o que quer que estivessem fazendo e se reunir em torno do rádio ou dentro da área de alcance de um alto-falante para uma sessão de audição conjunta. Também tinham que escutar a "Hora da Nação", transmitida todas as noites por todas as estações das 7 às 8 horas. Foram inclusive traçados planos para uma rede nacional de 6 mil postes de alto-falantes para facilitar a audição pública; a implementação só foi interrompida pela eclosão da guerra em 1939.[39]

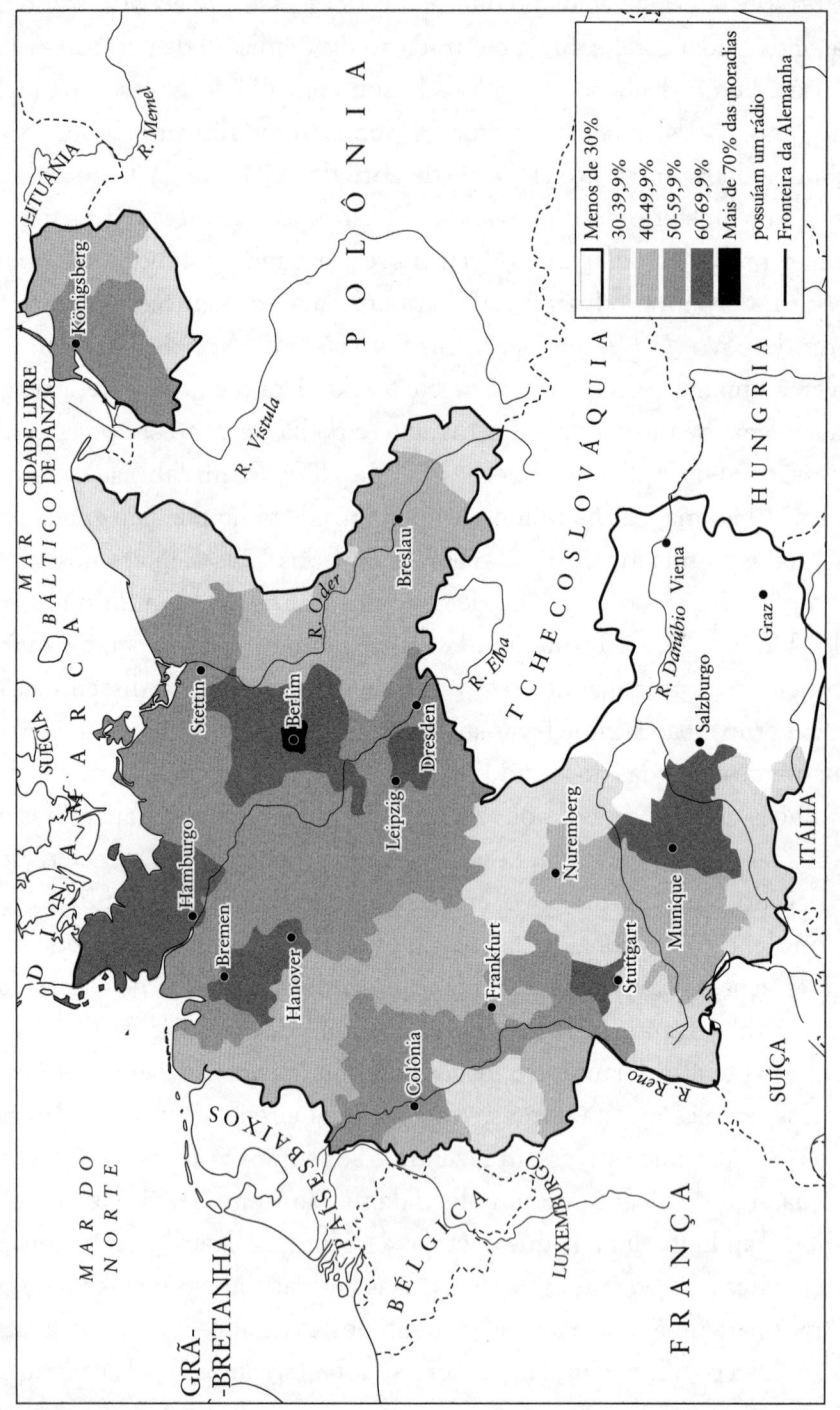

Mapa 4. Posse de rádios em julho de 1938

Já em 25 de março de 1933, Goebbels havia dito às empresas e aos gerentes de rádio: "O rádio será expurgado" de inconformistas e esquerdistas, e pediu a eles que assumissem a tarefa, do contrário ele a faria. No verão, as ondas de rádio de fato haviam sido expurgadas. Com frequência isso podia significar uma verdadeira agrura para os despedidos. Um dos muitos atingidos foi o romancista, poeta e jornalista Jochen Klepper. Nascido em 1903, ele não era judeu, mas sua esposa era, um fato que por si levantava suspeitas. E, embora fosse um protestante profundamente religioso, tinha um passado social-democrata. Uma denúncia anônima provocou sua demissão da rádio estatal em junho de 1933. Como muitas dessas pessoas, ele passou a temer por seu futuro econômico. A publicação de romances e poemas não era um substitutivo para o emprego na rádio, e em todo caso ele achava bastante provável que também fosse proibido de publicar. "Realmente não consigo acreditar que a Instituição Alemã de Publicações vá me apoiar", escreveu em desespero. "Como uma editora vai manter um autor em circulação hoje em dia se ele não representar de modo explícito a 'esperança da nação'?" No fim, foi salvo por uma indicação para trabalhar na equipe da revista sobre rádios da Editora Ullstein.[40] Muitos outros tiveram que emigrar ou entrar em uma aposentadoria precoce sem recursos. Mas Goebbels não se contentou com meras mudanças de pessoal. No mesmo pronunciamento aos executivos e produtores de rádio, ele prosseguiu declarando com notável sinceridade:

> Não existe absolutamente nada que não tenha viés político. A descoberta do princípio da objetividade absoluta é um privilégio dos professores universitários alemães – e eu não creio que os professores universitários façam história. Não fazemos mistério sobre o fato de que o rádio pertence a nós e a mais ninguém. E colocaremos o rádio a serviço de nossa ideologia, e nenhuma outra ideologia encontrará expressão aqui...[41]

Mas, assim como no cinema, Goebbels sabia que no rádio as pessoas também não tolerariam uma dieta de propaganda ininterrupta. Já em maio de 1933, ele começou a recusar solicitações de chefes do Partido Nazista ávidos por ouvir suas vozes no rádio e limitou as transmissões de discursos políticos a duas por mês.[42]

O rádio, afirmava o ministro da Propaganda, tinha que ser imaginativo, moderno, atual. "A primeira lei", disse ele aos gerentes de rádio em 25 de março de 1933: "Não se tornem chatos!". Não deveriam encher a programação de música marcial e discursos patrióticos. Tinham que usar a imaginação. O rádio poderia colocar o povo inteiro a favor do regime.⁴³ Apesar dessa advertência, a rede de rádio de início foi usada para a transmissão de grandes quantidades de propaganda política, com cinquenta discursos de Hitler transmitidos apenas em 1933. Em 1º de maio de 1934, as transmissões dos festejos do Dia do Trabalho, com discursos, canções, marchas e o restante, ocuparam nada menos que dezessete horas do tempo das rádios. Não é de espantar que houvesse relatórios de que os ouvintes estavam se entediando diante de tais excessos e ouvindo estações de rádio estrangeiras quando conseguiam. A muito repetida advertência de Goebbels só passou a ser levada em conta com o tempo. De 1932 a 1939, a proporção do tempo dedicado à música cresceu de modo constante. Em 1939, as horas totais de transmissão dedicada a "literatura" e "falas" havia sido reduzida para cerca de 7%; dois terços do período de transmissão agora eram ocupados por música, sendo sete-oitavos dela popular e não clássica. Particularmente bem-sucedidos eram os concertos regulares a pedidos, introduzidos em 1936 e contendo canções de sucesso e música de entretenimento cujo estilo no geral permaneceu inalterado em relação aos anos de Weimar. Mas alguns ainda reclamavam que até mesmo a música era chata, e sentiam falta dos programas de rádio muito populares da época República de Weimar.⁴⁴ Conforme reclamava o Serviço de Segurança da SS em 1938, a "insatisfação dos ouvintes de rádio" era demonstrada pelo fato de que "quase todos os tipos de ouvintes de rádio alemães... hoje em dia ouvem regularmente, como faziam antes, transmissões de estações estrangeiras em língua alemã".⁴⁵

IV

A campanha multifacetada de Goebbels para mobilizar o espírito do povo alemão a serviço do Terceiro Reich e de suas ideias não decorreu de forma inteiramente suave. Pois, de uma maneira característica em muitas áreas do regime, ele estava longe de desfrutar do monopólio sobre o território que reivindicava como seu. Já no curso das discussões que levaram à criação do Ministério da Propaganda, sua intenção original de incluir a educação sob sua égide foi frustrada por Hitler, que deixou a educação em um ministério separado, chefiado por Bernhard Rust. Entretanto, o mais grave foi que Goebbels teve que pelejar pela supremacia na esfera cultural contra o autoproclamado ideólogo do Partido, Alfred Rosenberg, que via como seu dever propagar a ideologia nazista – e em particular sua própria versão sofisticada dela – por toda a cultura alemã. No final da década de 1920, Rosenberg havia se tornado líder da Liga de Combate pela Cultura Alemã (Kampfbund für deutsche Kultur), uma das muitas organizações especializadas estabelecidas dentro do Partido na época. Em 1933, a Liga agiu depressa para tomar sob seu controle as instituições teatrais alemãs "coordenadas".[46] Rosenberg também estava ávido para impor pureza ideológica sobre muitos outros aspectos da cultura alemã, inclusive música e artes visuais, igrejas, universidades e vida intelectual, todas elas áreas que Goebbels originalmente tencionava que caíssem sob o controle do Ministério da Propaganda.[47] A Liga de Combate pela Cultura Alemã era pequena, mas muito ativa. Sua afiliação aumentou de 2,1 mil em janeiro de 1932 para 6 mil um ano depois, 10 mil em abril de 1933 e 38 mil no outubro seguinte. Muitas das investidas contra músicos judeus e esquerdistas que ocorreram na primavera e no começo do verão de 1933 foram organizadas ou inspiradas pela Liga de Combate pela Cultura Alemã, integrada por um número substancial de críticos de música e escritores de extrema direita. Além disso, Rosenberg tinha uma poderosa arma de propaganda à sua disposição na forma do *Observador Racial*, o jornal diário nazista, do qual ele era o editor-chefe. Para piorar a situação para Goebbels, as visões de Rosenberg sobre arte e música eram muito mais afinadas com as de Hitler que as dele, e em mais de uma ocasião o pendor de Goebbels por inovações culturais ameaçou dar a vantagem para Rosenberg.[48]

Goebbels não tinha tempo a perder com Rosenberg, cuja obra-prima, *O mito do século XX*, dizem que o ministro chamou de "arroto filosófico".[49] Enquanto o gabinete de Rosenberg era simplesmente uma instituição do Partido, Goebbels tinha a vantagem de combinar sua força no Partido como líder de propaganda do Reich com o poder de um Ministério de Estado plenamente habilitado que ao mesmo tempo era politicamente incontestável por ser provisionado por membros comprometidos do Partido. Hitler não tinha as habilidades políticas de Rosenberg em alta conta, talvez como resultado da trapalhada que este fez quando colocado no comando do Partido após o fracassado golpe da cervejaria de Munique em 1923. Desse modo, Hitler recusou-se a lhe dar um cargo no governo. Além disso, embora compartilhasse de muitos de seus preconceitos mais grosseiros, Hitler tinha uma opinião quase tão desfavorável quanto a de Goebbels sobre as pretensiosas e pseudofilosóficas teorias de Rosenberg. Hitler jamais admitiu Rosenberg em seu círculo mais íntimo de amigos e acompanhantes. Já no verão de 1933, os problemas causados pela Liga de Combate pela Cultura Alemã haviam começado a se tornar politicamente inconvenientes.[50] Em 22 de setembro de 1933, Goebbels conseguiu aprovar um decreto para estabelecer a Câmara de Cultura do Reich, tendo ele mesmo como presidente. O órgão continha sete subseções, também conhecidas como câmaras – de literatura, teatro, música, rádio, cinema, belas artes e imprensa –, correspondentes às divisões já estabelecidas em seu ministério. Algumas dessas câmaras especializadas já existiam, como a Câmara de Cinema do Reich, ou estavam em processo de formação; agora tornavam-se instituições de monopólio estatal. Dessa forma, Goebbels teve condições de recapturar o teatro de Rosenberg. A exigência legal de que qualquer pessoa que desejasse trabalhar em um desses setores tivesse que ser membro da câmara apropriada conferiu a Goebbels o poder de excluir qualquer um cujas ideias fossem inaceitáveis para o regime e efetivamente marginalizou Rosenberg na esfera cultural. Goebbels também usou a Câmara de Cultura do Reich para estabelecer melhores direitos de aposentadoria e para dar duro naqueles sem treinamento e qualificação, embora esta última política tenha sido abrandada de 1935 em diante. Ao mesmo tempo, ele tomou cuidado para apresentar a Câmara de Cultura do Reich e suas subcâmaras especializadas como uma forma de autogestão cultural. O Ministério da Propaganda as gerenciaria de longe, enquanto o verdadeiro poder supostamente ficaria com artistas, músicos e escritores importantes, que as presidiriam e comandariam no dia a dia. Dessa maneira, o Ministério da Propaganda conquistou o apoio da maioria dos alemães que dependiam da cultura de uma forma ou outra para seu sustento – e seus números eram consideráveis: 35 mil na Câmara de Artes Visuais do Reich em 1937, por exemplo, 95,6 mil na Câmara de Música do Reich, 41 mil na Câmara de Teatro do Reich no mesmo ano.[51]

A Câmara de Cultura do Reich foi inaugurada com uma cerimônia grandiosa presidida por Hitler em pessoa na sala da Filarmônica de Berlim em 15 de novembro de 1933, com música da prestigiosa orquestra residente do local, conduzida primeiro por Wilhelm Furtwängler e depois por Richard Strauss, seguida de um discurso de Goebbels e um coro ("Acorde! Em breve o sol vai raiar!") de *Os mestres cantores de Nuremberg*, de Wagner. Na sequência, Rosenberg foi agraciado com o título grandiloquente, mas em essência vazio, de "representante do Líder para o treinamento e a educação filosóficos e intelectuais globais do Partido Nacional-Socialista", concedido em 24 de janeiro de 1934. Sua Liga de Combate pela Cultura Alemã, renomeada em termos mais neutros de Comunidade Cultural Nacional-Socialista em 1934, seguiu na luta como uma espécie de contraparte cultural dos camisas-pardas, destituída de um papel agora que os oponentes dos nazistas haviam sido conquistados, até ser enfim dissolvida em 1937.[52] Rosenberg continuou a causar problemas para Goebbels de tempos em tempos, mas no fim não era eficiente e sério o bastante para atrapalhar o domínio do ministro da Propaganda sobre a cena cultural, uma vez que Goebbels abandonou a tolerância ao modernismo cultural diante da hostilidade emperdenida de Hitler a respeito.[53]

Rosenberg não foi a única figura de destaque com quem Goebbels teve que competir. Hitler, que certa vez ganhou a vida pintando cartões-postais, assumiu um intenso interesse pessoal pelas artes visuais. Era um entusiasta da música de Richard Wagner, desenvolveu uma obsessão por arquitetura e passava boa parte do tempo assistindo a filmes em seu cinema particular. E havia Hermann Göring, cuja posição como ministro-presidente prussiano colocava-o no controle de muitas instituições culturais importantes dirigidas e financiadas pelo Estado, embora ele não tentasse influenciar a política cultural em um sentido mais amplo. O ministro da Educação, Bernhard Rust, também estava fortemente envolvido com as políticas culturais, em especial quando afetavam os jovens. Ele implantou uma comissão de músicos eméritos, incluindo o maestro Wilhelm Furtwängler e o pianista Wilhelm Backhaus, entre outros, para controlar e de fato censurar os programas de todos os concertos e demais eventos musicais em Berlim. Ele supervisionava instituições como conservatórios de música e academias de arte. Sua maior preocupação parece ter sido evitar que o Ministério da Propaganda usurpasse sua esfera de influência, um perigo sempre presente, dada a reivindicação original de Goebbels de incluir a educação em sua alçada. Por fim, a Frente Trabalhista Nazista, liderada por Robert Ley, havia absorvido um grande número de artistas e músicos em suas organizações durante a tomada dos sindicatos em maio de 1933 e parecia determinada a defender essa posição conquistada na vida musical contra quaisquer oponentes. As disputas de território entre essas várias organizações e seus líderes tornaram-se tão violentas que o Ministério da Educação realmente tentou proibir a discussão de temas artísticos em 15 de julho de 1933, embora sem sucesso.[54]

Fossem quais fossem suas diferenças, e mesmo que variassem muito nos detalhes, todas as organizações culturais nazistas e seus líderes concordavam em que judeus e oponentes políticos do regime nazista tinham que ser removidos da vida cultural o mais rapidamente possível, e que o "bolchevismo cultural" tinha que ser destruído, embora com frequência discordassem sobre indivíduos e obras específicos aos quais o conceito podia ser aplicado. Ao longo de 1933 e dos anos seguintes, cerca de 2 mil artistas, escritores, músicos, atores e diretores de cinema, jornalistas, arquitetos e outros profissionais ativos na esfera cultural deixaram a Alemanha, alguns porque discordavam do nazismo, muitos porque eram judeus e por isso ficaram privados do trabalho com o qual ganhavam a vida. Remover os judeus da Câmara de Cultura do Reich levou um certo tempo, em parte devido às objeções do Ministério da Economia, que achava que isso seria economicamente prejudicial. Mesmo assim, na metade de 1935 estava feito.[55] Expurgados de dissidentes e inconformistas, e daqueles que o regime considerava racialmente indesejáveis, a cultura alemã e os meios de comunicação de massa alemães encaravam agora um futuro de arregimentação e controle crescentes. As muitas contendas entre lideranças rivais nazistas pela supremacia nessas áreas em pouco ou nada retardaram o processo.

Escrevendo para a Alemanha

I

Na década de 1920 e início dos anos 1930, não havia dúvida sobre qual jornal alemão possuía a mais ampla reputação nacional e internacional. A *Gazeta de Frankfurt (Frankfurter Zeitung)* era conhecida no mundo inteiro por suas reportagens abrangentes e objetivas, suas colunas de opinião isentas e seu elevado padrão intelectual. Se havia um jornal alemão ao qual recorriam os estrangeiros que desejavam saber o que estava acontecendo no país, era esse. Embora seu público leitor não fosse grande, era altamente educado e incluía muitos formadores de opinião. Politicamente liberal, a publicação há muito permanecia independente dos grandes impérios de imprensa que haviam crescido em torno de figuras como Alfred Hugenberg ou das famílias Mosse e Ullstein. Sua política editorial e de pessoal era determinada não por um chefe executivo, mas pela decisão coletiva de uma junta editorial. Entretanto, sob a República de Weimar, o jornal enfrentou dificuldades financeiras e teve que ceder o controle para a gigante química I. G. Farben, que logo começou a comprometer sua independência editorial, sobretudo em questões de política econômica. Em 1932, seus editoriais argumentavam que estava na hora de levar Hitler e os nazistas para uma coalizão de governo e resgatar a Alemanha da crise por meio da reforma da Constituição de Weimar em uma direção autoritária.[56]

A equipe do jornal dobrou-se ao sabor do vento nos primeiros meses de 1933, colocando-se a favor da supressão do Partido Comunista após o incêndio do Reichstag e abandonando as críticas prévias aos nazistas. Mas sua reputação liberal incitou a invasão da redação por um esquadrão armado de camisas-pardas em 11 de março de 1933 e a ameaça de que o jornal seria banido se não andasse na linha em todos os sentidos. Em breve, a equipe editorial começou a se demitir, e a diretoria cedeu à pressão do Ministério da Propaganda para despedir judeus; no final de 1936 não restava nenhum no emprego, embora sobrassem dois meio-judeus e dois maridos de judias. Ao ver o rumo que as coisas estavam tomando, a família judaica do fundador do jornal, Leopold Sonnemann, vendeu suas ações em 1º de junho de 1934 para a I. G. Farben, que passou a deter 98% da participação na empresa. Àquela altura, o regime nazista não podia se dar ao luxo de ofender o cartel químico gigante, cujo auxílio era necessário para os programas de rearmamento e criação de emprego. De início, a I. G. Farben tinha entrado no jornal para gerar mais publicidade favorável para si mesma em casa e no exterior entre aqueles cuja opinião importava, mas suas lideranças, como Carl Bosch, também eram conservadores políticos e culturais que não queriam ver as características centrais da publicação desaparecer. À parte, Hitler e Goebbels também valorizavam a reputação do jornal no exterior e não queriam alarmar a opinião estrangeira forçando-o a mudar de forma radical demais. Tudo isso fez com que o jornal tivesse bem mais liberdade de ação sob o Terceiro Reich que o restante da imprensa.[57]

Assim, os correspondentes estrangeiros do jornal continuaram a enviar histórias sobre críticas internacionais aos nazistas até meados da década de 1930. E não era incomum que os editores, em especial nas páginas culturais da seção de variedades do jornal, deixassem de publicar histórias oriundas do Ministério da Propaganda, mesmo quando recebiam ordens de Goebbels. Eles tentavam, às vezes com sucesso, colocar artigos enfatizando os valores humanos que julgavam pisoteados pelos nazistas. Muitos dos quarenta novos membros da equipe editorial nomeados entre 1933 e 1939 vinham de setores da imprensa que se deram mal sob os nazistas, inclusive social-democratas, nacionalistas e católicos. Muitos, como Walter Dirks ou Paul Sethe, tornaram-se jornalistas alemães-ocidentais famosos nos anos pós-guerra. Dois outros escritores bem conhecidos, Dolf Sternberger e Otto Suhr, que tinham esposas judias, também conseguiram permanecer nos cargos.[58] Os redatores publicavam ostensivamente artigos históricos sobre Genghis Khan ou Robespierre cujos paralelos com Hitler eram óbvios para o leitor de inteligência mediana. Tornaram-se adeptos de divulgar fatos e reportagens inaceitáveis pelo regime com a fórmula "não é verdade o rumor de que" e manchetes que denunciavam como mentirosas histórias que eram então expostas em detalhes consideráveis. O jornal em breve adquiriu a reputação de ser praticamente o único órgão em que se podia encontrar fatos assim, e sua circulação começou a aumentar outra vez.⁵⁹

A Gestapo estava bastante ciente de que a *Gazeta de Frankfurt* em particular continha artigos que "devem ser descritos como agitação maliciosa" e achava que "hoje, como antes, a *Gazeta de Frankfurt* dedica-se a representar os interesses judeus".⁶⁰ De fato, até 1938, o jornal continuou a ostentar o nome de Leopold Sonnemann em seu cabeçalho, retirando-o apenas quando recebeu uma ordem direta do governo.⁶¹ "O virtuosismo com que tenta alterar os princípios e linhas de pensamento nacional-socialistas e mudar seu significado", reclamou a Gestapo em outra ocasião, "às vezes é estarrecedor".⁶² Porém, com o tempo, e sobretudo depois de 1936, o regime levou o jornal cada vez mais para a defensiva. Inúmeras concessões às instruções do Ministério da Propaganda eram inevitáveis. A resistência direta era praticamente impossível. Já em agosto de 1933, o jornalista inglês Henry Wickham Steed observou que o outrora orgulhoso jornal liberal havia se tornado uma "ferramenta da falta de liberdade" sob o novo regime.⁶³ A imprensa estrangeira logo parou de citar histórias publicadas no jornal, assumindo a ideia de que ele agora havia se tornado basicamente indistinguível da torrente de informação falsa e propaganda bombardeadas todos os dias pelo ministério de Goebbels.⁶⁴ Em 1938, ao perceber que não havia mais necessidade de influenciar a opinião pública, visto que efetivamente não restava opinião pública na Alemanha, a I. G. Farben vendeu a empresa em segredo para uma subsidiária da Editora Eher, do Partido Nazista, sem se dar sequer ao trabalho de informar os editores ou a equipe do jornal. Em 20 de abril de 1939, o manda-chuva editorial do Partido Nazista, Max Amann, apresentou formalmente o jornal para Hitler como presente de aniversário. Sua função como veículo para comentários livres, ainda que disfarçados, estava acabada; seu público leitor caiu mais e ele enfim fechou de vez em 1943.⁶⁵

É notável que o jornal tenha conseguido manter um vestígio de independência por tanto tempo. Assim como em outras áreas da propaganda e da cultura, o controle central sobre o pessoal dos jornais foi implantado no outono de 1933, com a criação da Câmara de Imprensa do Reich sob Max Amann. Trabalhar no mercado editorial era impossível para quem não fosse membro da Câmara. Amann conseguiu assumir o controle de um número crescente de jornais como chefe da Editora Eher, explorando a frágil situação financeira da imprensa na Depressão e privando os jornais rivais de receita ao desviar os contratos de publicidade do governo para a imprensa nazista. Leitores preocupados em não ser estigmatizados por assinar uma publicação liberal deixaram de fazê-lo. No começo de 1934, a circulação da liberal *Folha Diária de Berlim* (*Berliner Tageblatt*) havia caído de 130 mil para menos de 75 mil, e a do venerável *Jornal de Voss* (*Vossische Zeitung*), de 80 mil para pouco menos de 50 mil. Os nazistas expandiram seu império de imprensa, com uma circulação conjunta de 782.121 exemplares de 86 jornais no começo de 1936 para uma circulação total de mais de 3 milhões no final do ano. Em 1934, compraram a grande companhia editora judaica Ullstein, responsável por alguns dos diários mais respeitados da Alemanha. Fortalecido por novas regulamentações da Câmara de Imprensa do Reich emitidas em abril de 1935, proibindo edições confessionais ou de "interesse especial de grupo", vetando a posse de jornais por corporações empresariais, fundações, sociedades e outras organizações, e permitindo-lhe fechar publicações em má condição financeira ou de propriedade de não arianos, Amann teve condições de liquidar ou comprar entre quinhentos e seiscentos outros jornais em 1935-36. Em 1939, a Editora Eher possuía ou controlava mais de dois terços dos jornais e revistas alemães.[66]

Enquanto Amann estava ocupado comprando a imprensa alemã, Goebbels e seu aliado Otto Dietrich, chefe do *bureau* de imprensa nazista, estendiam seu controle sobre o conteúdo. Dietrich garantiu a promulgação em 4 de outubro de 1933 de uma nova Lei dos Editores, que tornava os editores pessoalmente responsáveis pelo conteúdo de suas publicações, removia os poderes de demissão dos proprietários e delineava normas regendo o conteúdo dos jornais, que não deviam publicar nada "que fosse calculado para enfraquecer o poder do Reich alemão no exterior ou em casa, a vontade comum do povo alemão, a defesa, a cultura ou a economia alemãs, ou ferir as sensibilidades religiosas de outros". A afiliação à Associação de Imprensa

Alemã do Reich agora era compulsória por lei e sujeita à revogação se o jornalista infringisse um código de conduta aplicado por tribunais profissionais. Como resultado, dois anos depois da nomeação de Hitler como chanceler, 1,3 mil jornalistas judeus, social-democratas e de esquerda liberal estavam impedidos de trabalhar. Dessa maneira, Goebbels garantiu o controle por meio de editores e jornalistas, enquanto Amann o implantou por meio da Câmara de Imprensa e dos proprietários.[67] Entretanto, em níveis regional e local, à medida que nazistas de médio escalão tomavam a iniciativa de assumir o controle da imprensa, ambos os meios eram com frequência usados de uma só vez, em especial quando era estabelecida uma editora de jornal. Forçar de um jeito ou de outro o fechamento de publicações rivais não apenas eliminava alternativas ideológicas aos jornais nazistas locais, como também os transformava de pequenas empresas às voltas com dificuldades em empreendimentos bem-sucedidos e lucrativos.[68]

Elevando-se sobre todos os outros jornais na era nazista havia o diário do Partido, o *Observador Racial*. Único entre os diários alemães, era um jornal nacional, publicado em Munique e Berlim ao mesmo tempo. Porta-voz da liderança do Partido, tornou-se leitura essencial para os fiéis e de fato para qualquer um que quisesse saber o que pensar e em que acreditar. Os professores em especial o assinavam, de modo que podiam usá-lo em aula e de vez em quando checar se os ensaios dos alunos eram retirados de suas páginas, antes de ousar criticá-los tanto por estilo quanto conteúdo. A circulação do diário disparou de 116 mil em 1932 para 1.192.500 em 1941, o primeiro jornal alemão a vender mais de 1 milhão de exemplares por dia. Seu editor, Wilhelm Weiss, injetou um conteúdo factual mais forte nas páginas depois de 1933 –, mas também encorajava os redatores a empregar um tom fanfarrão, ameaçador e triunfal nos artigos, anunciando diariamente a arrogância do poder nazista e a determinação do Partido em destruir qualquer um que pudesse ser considerado uma ameaça. Entretanto, não conseguiu persuadir o Partido a custear uma equipe permanente de correspondentes estrangeiros em período integral, e em vez disso tinha que contar largamente com reportagens das agências de notícias para assuntos internacionais. O *Observador Racial* foi seguido por todo um conjunto de jornais e revistas, em especial o sensacionalista *Der Stürmer*, de Julius Streicher, que alcançou circulação de uns 500 mil em 1937, contra os 65 mil de três anos antes, em grande parte graças aos enormes pedidos de organizações nazistas dos mais variados tipos. Era bastante vendido nas ruas, com a capa à vista de todos nas bancas. Muitas de suas histórias de assassinato ritual e atrocidades semelhantes supostamente cometidas por judeus eram tão obviamente falsas, e tão nitidamente pornográficas eram suas reportagens regulares sobre escândalos sexuais envolvendo homens judeus e moças não judias, que muita gente se recusava a ter exemplares dentro de casa; em algumas ocasiões, a liderança do Partido foi forçada até mesmo a retirá-lo de circulação. Por outro lado, numerosos leitores escreviam ao jornal para denunciar em suas páginas vizinhos e conhecidos que não faziam a saudação de Hitler, ou andavam com judeus, ou proferiam declarações de crítica ao regime, e uma característica marcante do diário era a organização de petições públicas pelo fechamento de empresas judaicas e ações antissemitas semelhantes. Pedidos em massa também eram responsáveis pela elevada circulação de revistas menos sensacionalistas do Partido, como *O Homem da SA*, que vendia 750 mil cópias por semana para o movimento camisa-parda na metade da década de 1930. As assinaturas individuais, por sua vez, tendiam a se direcionar para revistas ilustradas semanais, que se concentravam em artigos e imagens menos francamente políticos.[69]

Goebbels deixou claro que o controle da imprensa significava que todos os jornais e revistas deviam seguir a mesma linha. Para ajudar a dirigir o conteúdo a partir do centro, o Ministério da Propaganda assumiu as duas principais agências de notícias – a União de Jornais de Hugenberg e a rival Agência de Jornais Wolff, em dezembro de 1933 –, e fundiu-as no Gabinete de Notícias Alemão. Este fornecia não só boa parte do conteúdo noticioso nacional e internacional para todos os jornais, mas também comentários e instruções sobre como as notícias deviam ser interpretadas. Os editores foram proibidos de tirar as notícias de qualquer outra fonte exceto seus próprios correspondentes. As instruções de Goebbels aos editores, emitidas em coletivas de imprensa regulares e transmitidas por telégrafo para as agências de notícias regionais em proveito da imprensa local, incluíam proibições frequentes, bem como ordens sobre o que publicar. "Imagens que mostrem Ludendorff junto com o Líder ou simultâneas não devem ser publicadas em nenhuma circunstância", determinou uma dessas instruções, emitida em 6 de abril de 1935. "O embaixador von Ribbentrop sofreu um acidente de carro ontem. Sua filha mais velha ficou gravemente ferida. O embaixador saiu ileso. Esse incidente não deve ser reportado na imprensa alemã", divulgou outra, expedida em 14 de abril de 1936. "No futuro, o nome de lideranças oficiais e políticas soviéticas serão citados apenas com o prefixo 'judeu' e o nome judaico, na medida em que sejam judaicos" – foi a notificação recebida pela imprensa alemã em 24 de abril de 1936. "A visita de líderes do grupo central da SA ao Museu da Maçonaria durante sua estada em Berlim não deve ser reportada", os editores foram instruídos em 25 de abril de 1936. "Reportagens sobre Greta Garbo devem ser positivas", ficaram sabendo, talvez para seu alívio, em 20 de novembro de 1937.[70] Os detalhes eram espantosos, e a intenção era deixar pouco espaço para a iniciativa dos editores.[71]

Os resultados dessas medidas não foram um sucesso completo. Conforme mostrou o exemplo da *Gazeta de Frankfurt,* um editor ou correspondente determinado e inteligente ainda conseguia transmitir notícias que o regime não queria que o povo lesse, ou empenhar-se em crítica velada às ações do regime disfarçada na redação de temas como ditaduras da Grécia ou Roma antigas. Em 20 de abril de 1935, um jornal local, *A Folha de Schweinitz (Schweinitzer Kreisblatt),* publicou uma grande foto de Hitler na capa de tal forma que a cabeça cobria as letras *"itzer"* do título, deixando as letras *"Schwein",* "porco" em alemão, para promover o que a Gestapo, que prontamente proibiu o jornal por três dias, considerou uma descrição insultante do Líder. É improvável que a diagramação ofensiva tenha sido acidental.[72] Apesar do que os jornalistas da *Gazeta de Frankfurt* conseguiam realizar, a maioria dos editores e jornalistas carecia de capacidade ou inclinação para variar com qualquer toque de independência ou originalidade a propaganda que eram obrigados a servir a seus leitores. O número de jornais caiu de 4,7 mil para 977 entre 1932 e 1944, e o número de revistas e periódicos de todos os tipos, de 10 mil para 5 mil entre 1933 e 1938. E o conteúdo dos que restaram tornou-se cada vez mais homogêneo. Além disso, o rápido avanço da importância do rádio como fornecedor de notícias instantâneas, em cima da hora, confrontou os jornais com um problema que eles enfrentam até hoje, ou seja, como conservar os leitores quando as notícias que publicam não são mais novidade.⁷³ O resultado foi o aumento da insatisfação entre o público leitor de jornais, registrado pelos relatórios regulares de vigilância da Gestapo. "A uniformidade da imprensa", anotou o escritório da Gestapo em Kassel no relatório mensal de março de 1935, "é considerada insuportável pelo povo e em particular também por aqueles de visão nacional-socialista". Além disso, prosseguiu o relatório, as pessoas não entendiam por que não podiam ler nenhuma reportagem na imprensa sobre coisas que eram de conhecimento geral e cotidiano, mas evidentemente consideradas sensíveis demais pelas autoridades para que fossem publicadas. A Gestapo julgava que essa atitude permitia que os boatos vingassem ou, o que era igualmente ruim, impelia as pessoas a obter informações na imprensa estrangeira, em especial em jornais em alemão publicados na Suíça, que passaram a vender cada vez mais exemplares até em pequenas comunidades bem afastadas das grandes cidades.⁷⁴

Mas o regime havia tomado medidas para lidar com esse problema também, e não apenas exercendo o poder de confiscar as importações da imprensa estrangeira. A Câmara de Imprensa do Reich controlava a Associação Alemã de Livreiros das Estações de Trem, e esse organismo estipulou: "A primeira obrigação dos livreiros das estações deve ser difundir ideias alemãs. Os arrendatários das bancas das estações devem ser instruídos a se abster de tudo que possa promover a distribuição de publicações estrangeiras". E o que se aplicava a quiosques de estações de trem também se aplicava aos estabelecimentos centrais.⁷⁵ Com tais restrições em vigor, não é de surpreender que o público ficasse ainda mais desconfiado do que lia nos jornais, conforme indicaram os relatórios da Gestapo em 1934-35. Assim, os leitores voltaram-se para outras fontes. Somente ao longo de 1934, a circulação da imprensa do Partido caiu mais de 1 milhão no total, e teria baixado ainda mais nesse e nos anos subsequentes não fossem as grandes encomendas das organizações do Partido Nazista. Em Colônia, a circulação do jornal nazista local decresceu de 203 mil em janeiro de 1934 para 186 mil em janeiro de 1935, ao passo que a da publicação católica local subiu de 81 mil para 88 mil no mesmo período. Acontecimentos semelhantes puderam ser observados também em outras regiões da Alemanha. Portanto, não é de surpreender que em 24 de abril de 1934 se tenha visto a introdução das "regulamentações de Amann", que permitiam a revogação da licença de qualquer publicação que se julgasse estar desempenhando "concorrência injusta" ou causando "dano moral" aos leitores. A imprensa do Partido saiu-se um pouco melhor depois disso; mas só porque a concorrência estava sendo eliminada e as pessoas eram forçadas por ameaças e intimidação a assinar os jornais do Partido.[76]

Assim, o controle sobre a imprensa aumentou gradativamente apertado à medida que o regime descobria uma série de maneiras de esmagar a dissenção. Jornalistas, editores e outros profissionais tinham que tomar decisões difíceis o tempo todo sobre até onde podiam seguir os ditames do regime sem abandonar por completo a integridade profissional. Contudo, com o passar do tempo, praticamente não tiveram escolha a não ser ceder quase por inteiro, e todos os que não fizeram isso foram enxotados de suas funções. A despeito de sua ordem enfática aos radialistas e homens de imprensa – proclamada em tom espalhafatoso – para que não fossem maçantes, Goebbels acabou, portanto, impondo uma camisa de força ao rádio e à imprensa que levou a queixas populares generalizadas sobre a conformidade monótona dos dois meios de comunicação de massa essenciais para a formação de opinião e à subserviência obtusa dos que trabalhavam neles. Já em 1934, ele dizia ao pessoal dos jornais o quanto estava satisfeito, agora que a imprensa reagia aos eventos em curso de forma correta, sem necessariamente ter que ser instruída.[77] Mas, com o cinismo costumeiro, concluiu alguns anos depois que "qualquer homem que ainda possua um resquício de honra tomará muito cuidado para não se tornar jornalista".[78]

II

Quando escreveu *E agora, Zé-Ninguém?*, publicado em junho de 1932, Hans Fallada criou o último *best-seller* de romance sério da República de Weimar. Vendeu mais de 40 mil cópias nos primeiros dez meses, foi serializado em nada menos que dez jornais diários, virou filme e salvou o editor Ernst Rowohlt da falência quase certa. O título em si parecia resumir o aperto de muitos alemães nos desesperados meses finais de 1932, quando parecia não haver saída para a depressão econômica e o impasse político. Muitos leitores podiam identificar-se com o protagonista do romance, o humilde guarda-livros Johannes Pinneberg, que sofre uma humilhação atrás da outra. Ele tem que enfrentar o fato de que a namorada está grávida. Tem que casar com ela a despeito da hostilidade do sogro. Tem que passar por inúmeras provações a fim de achar um apartamento para o casal morar. E depois tem que se ajustar à vida em família quando chega o bebê. Após muitos momentos de ansiedade, Pinneberg não consegue evitar a perda do emprego e se junta à categoria cada vez mais volumosa dos desempregados. Mas, ao contrário de outros personagens do livro, ele não parte para o crime para garantir seu sustento. Permanece correto e honesto diante da adversidade. Consegue fazer isso sobretudo por causa da esposa, que, após superar a inexperiência inicial, consegue criar um ambiente doméstico que se torna um refúgio das crueldades e provações do mundo exterior. No fim, de fato é a esposa, a "Cordeirinha", que se torna o personagem central do romance e cuja descrição é em geral considerada o elemento-chave para a popularidade do romance.[79]

"Hans Fallada", pseudônimo de Rudolf Ditzen, nascido em Greifswald em 1893, não era um grande escritor nem uma figura literária de destaque. Seus romances e contos alcançaram popularidade sobretudo devido ao realismo contundente e à atenção minuciosa aos detalhes triviais da vida cotidiana. Era um tipo muito alemão, que teria encontrado dificuldade em ganhar a vida com suas obras em qualquer outro país. Emigração, portanto, não chegava a ser uma opção, e de todo modo, sendo um escritor basicamente apolítico e não judeu, Rudolf Ditzen não via por que ir embora.[80] Sem pertencer a um partido político, e sendo um autor popular o bastante para ser eleito para organismos respeitáveis, como a Academia Prussiana de Artes, não era considerado particularmente questionável pelo regime. Seus livros não estavam entre aqueles queimados nas piras da liberdade literária nas cidades universitárias da Alemanha em 10 de maio de 1933. Mas ele não tinha outro meio de ganhar a vida a não ser escrevendo, e sustentava um dispendioso hábito de beber. Durante a República de Weimar, colapsos nervosos e surtos de vício em drogas, problemas com alcoolismo e delinquência fizeram-no passar consideráveis períodos em prisões e asilos. Isso proporcionou a base para um novo romance, *Quem come da tigela dos animais*, concluído em novembro de 1933.[81]

Para ter o livro publicado, Ditzen sentiu que era necessário escrever um prefácio afirmando que o estarrecedor sistema de justiça descrito no livro era coisa do passado, uma asserção que ele devia saber que era o oposto da verdade. Até mesmo o editor, Ernst Rowohlt, considerou aquilo "por demais adulatório". Mas o próprio Rowohlt foi obrigado a fazer suas concessões. Metade dos livros que ele havia publicado anteriormente agora estava proibida e, para manter a firma funcionando, Rowohlt substituiu-os por títulos mais aceitáveis e contratou figuras conhecidas da direita, ainda que não nazistas notórios como Ernst von Salomon, autor nacionalista envolvido no assassinato de Walther Rathenau, o ministro judeu de Relações Exteriores dos primeiros anos da República de Weimar. Nos bastidores, Rowohlt também trabalhou para conseguir vistos americanos para seus autores judeus emigrarem, embora, como empregador privado, não fosse obrigado a demitir os judeus de sua equipe até 1936, e mantivesse figuras-chave como o editor judeu de Ditzen, Paul Mayer. O faturamento com a venda de direitos para o exterior caiu bruscamente como resultado do corte forçado na lista de Rowohlt. Ele tornou-se membro do Partido Nazista para tentar facilitar sua situação, enquanto contratava tipógrafos e revisores de provas judeus e ilustradores ex-comunistas como *freelancers* às escondidas. Entretanto, nada disso salvou-o; sua empresa foi tomada pela gigante Editora Ullstein, agora parte da Editora Eher dos nazistas, e em julho de 1938 ele foi expulso da Câmara Literária do Reich e banido do mercado editorial. Sua firma foi repassada para a Instituição Editorial Alemã, que por fim liquidou-a. Ele partiu para o Brasil, retornando de modo um tanto surpreendente em 1940, pensando que o regime de Hitler estava nas últimas.[82]

Tudo isso deixou a vida cada vez mais difícil para Ditzen, que contava em muito com o sólido apoio pessoal de seu editor. Retirando-se para sua modesta e remota casa de campo em Mecklenburg, Ditzen esperava continuar ganhando a vida escrevendo contos de fadas e livros infantis. Nos romances sociais sérios, almejava fazer concessões suficientes ao regime para mantê-lo feliz, ao mesmo tempo preservando a essência de sua obra intacta e evitando ser cooptado para o antissemitismo violento do regime. Isso não era fácil para alguém cujos romances eram todos sobre a vida alemã contemporânea. Em 1934, Ditzen tentou chegar a um equilíbrio removendo todas as referências aos camisas-pardas de uma nova edição de *E agora, Zé-Ninguém?* Ele transformou um homem violento da SA em um goleiro de tendências agressivas, ao passo que manteve a descrição positiva dos personagens judeus do romance. Recusou-se a modificar a descrição da bondade comunista da heroína "Cordeirinha". Mas seu romance mais recente, *Quem come da tigela dos animais*, foi ferozmente atacado na imprensa nazista pela suposta atitude solidária para com "degenerados" criminosos. Ditzen retrucou com um novo romance ambientado no mundo rural do norte da Alemanha, *Certa vez tivemos um filho* (1934), que esperou pudesse agradar às ideias nazistas de "sangue e solo". Na prática, o livro carecia da maior parte das características básicas, como personagens maternais, racismo, anti-intelectualismo e sobretudo a visão do contato com a terra como uma fonte de renovação nacional (o personagem principal de fato é um fracasso na vida e assim permanece até o fim).[83]

Sob pressão crescente do regime, o ato de balanceamento de Ditzen começou a vacilar de modo cada vez mais violento. Seu romance seguinte, *Um velho coração sai em jornada,* que não está entre os seus melhores, incorreu em problema porque retratou o cristianismo em vez do nazismo como a base para a união do povo. Isso levou-o a ser classificado pela Câmara Literária do Reich como um "autor indesejado". Embora a classificação fosse em breve revogada, Ditzen começou a sofrer de acessos prolongados de depressão graves o bastante a ponto de exigir hospitalização. Entretanto, um outro romance, *Lobo entre lobos,* ambientado na inflação de 1923, deparou com reação mais favorável dos nazistas ("um livro fantástico", escreveu Goebbels em seu diário a 31 de janeiro de 1938). Eles aprovaram o retrato acentuadamente crítico da República de Weimar, e o livro vendeu bem no lançamento em 1937. O sucesso levou a *Gustav, O Inflexível,* uma saga familiar centrada em torno de um cocheiro conservador que se recusa a ceder ao veículo motorizado. Planejado desde o início para ser filmado, com Emil Jannings no papel principal, atraiu a atenção do próprio Goebbels, que insistiu contra as intenções originais do autor e fez Ditzen levar a história até 1933, quando teve que mostrar como o herói tornou-se nazista e o vilão um comunista. Embora Ditzen concordasse com essa concessão humilhante, o filme jamais foi feito porque Alfred Rosenberg levantou graves objeções a qualquer filmagem de um romance de "Hans Fallada", e o livro foi rapidamente recolhido das livrarias após ser criticado como destrutivo e subversivo. *Gustav, O Inflexível*, transformou-se de fato no último romance sério de Ditzen publicado sob o Terceiro Reich. O seguinte, *O beberrão*, o vívido retrato da derrocada de um homem no alcoolismo, escrito em primeira pessoa, ia de encontro a tudo que o Terceiro Reich achava que devesse ser abordado em obras de literatura. Entremeado com páginas de manuscrito, escritas de cabeça para baixo, entre as linhas e através da folha, de modo a tornar o conjunto extremamente difícil de decifrar, era um alentado relato da vida de Ditzen sob os nazistas, salpicado de crítica ácida ao regime e permeado de culpa pelas concessões que havia feito. Jamais veio a público a não ser após a morte de Ditzen em 1947. Na época em que redigiu o manuscrito, estava encarcerado em uma prisão para criminosos insanos. "Sei que sou fraco", ele escreveu para a mãe pouco depois da guerra, "mas não mau, nunca mau".[84]

III

As atribulações de Rudolf Ditzen mostram o quanto eram limitadas as possibilidades para os autores que permaneceram na Alemanha. Quase todos os escritores de fama internacional do país estavam no exílio, inclusive Thomas e Heinrich Mann, Lion Feuchtwanger, Bertolt Brecht, Arnold Zweig, Erich Maria Remarque e muitos outros. Os exilados não tardaram a organizar empreendimentos editoriais, refundar revistas proibidas, montar turnês de palestras e leituras, e tentar prevenir o resto do mundo sobre a ameaça do nazismo. Muitos dos relatos ficcionais, hoje clássicos, sobre a ascensão nazista ao poder e os primeiros anos do Terceiro Reich saíram desse ambiente de exílio da metade para o final da década de 1930, de *Os Oppermanns*, de Feuchtwanger, a *O machado de Wandsbek*, de Zweig.

Alguns, como *A resistível ascensão de Arturo Ui*, de Brecht, perguntavam por que ninguém deteve a chegada de Hitler ao poder; outros, como *Mefisto*, de Klaus Mann, exploraram as motivações pessoais e morais daqueles que ficaram para trabalhar com o regime. Nem é preciso dizer que nenhum deles foi distribuído dentro da Alemanha. Qualquer escritor associado ao movimento antifascista na República de Weimar que tivesse permanecido na Alemanha estava sob vigilância constante ou já fora preso.[85]

Provavelmente o mais importante desses era o jornalista e ensaísta pacifista Carl von Ossietzky, editor do famoso periódico esquerdista *O Cenário Mundial (Die Weltbüne)*, que não economizou em ridicularizar Hitler antes de 30 de janeiro de 1933. Aprisionado em campos de concentração desde o início do Terceiro Reich e muito maltratado pelos guardas, Ossietzky tornou-se o foco de uma campanha internacional para receber o Prêmio Nobel da Paz, entre outras coisas, pela atuação em expor o rearmamento clandestino alemão no final da década de 1920. A campanha teve êxito em atrair a atenção para o frágil estado de saúde de Ossietzky e persuadir a Cruz Vermelha Internacional a fazer pressão sobre o regime em favor de sua soltura. A contínua publicidade negativa na imprensa estrangeira sobre as surras e os insultos que Ossietzky tinha que suportar alcançaram o efeito desejado, e o jornalista foi transferido para um hospital de Berlim em maio de 1936 a fim de, conforme declarou o Ministério da Propaganda, "não dar à imprensa estrangeira a oportunidade de acusar o governo alemão de provocar a morte de Ossietzky na prisão". A despeito de todos os esforços do governo alemão para impedir, Ossietzky foi agraciado com o Prêmio Nobel da Paz em novembro de 1936. O escritor foi impedido de ir a Oslo para recebê-lo. Seu representante na cerimônia apropriou-se do prêmio em dinheiro, e Ossietzky jamais recebeu um tostão. Pouco depois, Hitler proibiu cidadãos alemães de receberem qualquer Prêmio Nobel e criou um Prêmio Nacional Alemão para Artes e Ciências. A saúde de Ossietzky nunca se recuperou dos maus-tratos sofridos nos campos, e ele morreu em 4 de maio de 1938, após dois anos hospitalizado. Apenas a viúva e o médico tiveram permissão para assistir à cremação, e o regime cuidou para que as cinzas fossem enterradas em uma sepultura sem identificação.[86]

Ossietzky tornou-se um símbolo da oposição sem publicar uma única palavra desde o fim da República de Weimar. Criticar publicamente o regime e permanecer na Alemanha logo ficou impossível; a oposição literária mais ativa vinha de escritores comunistas exilados, como Bertolt Brecht, Jan Petersen ou Willi Bredel, cujas obras eram contrabandeadas para dentro da Alemanha em panfletos e periódicos clandestinos. Tais atividades cessaram quando a Gestapo esmagou a resistência comunista clandestina, ou seja, de 1935 em diante.[87] Escritores menos ativos em termos políticos que permaneceram na Alemanha encararam os tipos de escolha que tanto perturbaram Rudolf Ditzen. Muitos optaram pela "emigração interna", recuando de temas humanos para escrever sobre a natureza, substituindo a descrição de eventos externos pela introspecção, ou se distanciando da realidade do presente para escrever sobre tempos remotos ou sobre temas sem ligação com qualquer período específico. Sob essa roupagem às vezes podiam empenhar-se em crítica velada ao regime, ou pelo menos escrever romances que podiam ser vistos como tal. *O grande tirano e o tribunal*, de Werner Bergengruen, por exemplo, publicado em 1935, foi louvado pelos críticos nazistas como "o romance do Líder da era renascentista" e seu autor obteve permissão especial da Câmara Literária do Reich para continuar publicando, a despeito de sua esposa ser classificada como três quartos judia. Contudo, foi lido por muitos devido à sua descrição crítica de tirania, terror, abuso de poder e remorso do tirano culpado. Quando foi serializado, os censores do Ministério da Propaganda trocaram o título para *A tentação*, cortaram paralelos óbvios com Hitler, tais como o amor do tirano por arquitetura, e extirparam todas as alusões à vida política. O autor teve o cuidado de desmentir qualquer intenção crítica ou satírica, e de fato havia começado o livro antes de 1933, pretendendo fazer uma ampla meditação sobre o problema do poder e não um ataque direto à ditadura nazista. Não obstante, lançado como um volume único, na íntegra, com os cortes feitos pelos censores na versão em série restaurados e outra vez sob o título original, tornou-se um grande *best-seller*. As circunstâncias políticas do Terceiro Reich concederam a sua mensagem uma ácida posição crítica que o autor parece nunca ter pretendido.[88]

Críticas como a de Bergengruen vinham da extremidade conservadora do espectro político, e talvez fossem mais fáceis de passar de forma dissimulada por serem escritas por autores que jamais haviam levantado suspeitas como as que homens de esquerda teriam despertado. O desiludido jornalista e crítico de teatro Friedrich Reck-Malleczewen conseguiu publicar um estudo histórico do reinado XVI de terror deflagrado na cidade de Münster no século XVI por anabatistas liderados por Jan Bockelson com o título de *Bockelson: História de uma histeria em massa* (Berlim, 1937), no qual os paralelos com Hitler e o entusiasmo de massa que ele parecia gerar eram óbvios. Reck-Malleczewen era um autor mais ou menos desconhecido, cujo desprezo pseudoaristocrático pela ralé granjeou-lhe poucos amigos; Ernst Jünger, um dos mais proeminentes escritores de direita, era um caso totalmente diferente. Já um autor de *best-seller* por sua vívida e heroica descrição da experiência de soldado na Primeira Guerra Mundial, estivera próximo dos nazistas durante a década de 1920, mas ficou constrangido sob o Terceiro Reich. No romance *Nos penhascos de mármore*, Jünger retrata um mundo vago e simbólico, às vezes situado no passado, às vezes no presente, centrado em um tirano que chegou ao poder solapando uma democracia decadente e agora governa pela força e pelo terror. Jünger sempre negou, mesmo depois de 1945, quaisquer intenções políticas ao escrever o livro, e o impreciso cenário pré-industrial da história com certeza ostenta poucas semelhanças com a Alemanha nazista. O livro, publicado em 1939, vendeu 12 mil exemplares em um ano e foi reimpresso várias vezes. Muitos leitores viram-no como um poderoso ataque ao regime nazista, um ato inequívoco de resistência literária. Nas circunstâncias do Terceiro Reich, o contexto podia condicionar a recepção de um livro bem mais que as intenções do autor.[89]

Jünger ficou protegido de interferência talvez por ser um herói de guerra muito admirado por Hitler e Goebbels. Outros jamais tiveram qualquer necessidade de proteção. Havia grande quantidade de escritores assalariados preparados para produzir romances de "sangue e solo" ambientados em um mundo idílico e mítico de camponeses alemães, celebrar heróis do panteão nazista, como o camisa-parda assassinado Horst Wessel, ou redigir poemas líricos bajulando a grandeza do Líder da Alemanha.[90] Ao falar à Câmara de Cultura do Reich em 15 de novembro de 1933, Goebbels – ele mesmo autor de um romance – recomendou aos escritores que retratassem o redespertar da Alemanha sob uma luz positiva. Defendeu um "romantismo inflexível" como a abordagem básica a ser adotada.⁹¹ Versejadores celebraram valores nazistas e o novo despertar do espírito alemão: "A Alemanha não jaz nos parlamentos e nos palácios de governo", escreveu Kurt Eggers em 1934, e sim:

> Onde o solo marrom produz seus frutos,
> Onde a mão do senhor segura as rédeas, ali está a Alemanha.
> Onde colunas marcham e soam gritos de guerra, ali está a Alemanha.
> Onde pobreza e autossacrifício constroem memoriais para si mesmos
> E onde olhos desafiadores dardejam contra o inimigo,
> Onde corações odeiam e punhos estão erguidos:
> Ali germina, ali cresce nova vida para a Alemanha!⁹²

Sob a República de Weimar, canções e versos nazistas haviam se concentrado em elevar o espírito dos membros do Partido na luta contra tudo que odiavam – a República, os judeus, a "reação", o parlamentarismo. De 1933 em diante, porém, tais sentimentos deram lugar a um apelo mais amplo a toda a nação alemã para se mobilizar contra os inimigos internos e externos do país. O ódio violento ainda estava presente, mas agora era revestido de fartos elogios à nova Alemanha, ao novo Reich e sobretudo ao novo Líder. Falando em sua imaginação pelo povo alemão, o poeta lírico Fritz Sotke dirigiu-se a Hitler em 1934:

> Guie-nos para casa.
> Seja seu caminho irregular
> E conduzindo pelo abismo,
> Por desertos de rocha e ferro,
> Nós o seguiremos.
>
> Se você pedir tudo o que possuímos,
> Nós lhe daremos porque acreditamos em você.
>
> Juramos obediência a você,
> Ninguém pode quebrar esse voto –

– Nem mesmo você – só a morte pode quebrá-lo!
E essa é a realização de nossa existência.⁹³

A morte com frequência estava rente à superfície nesses versos, generalizando o mito nazista de sacrifício e martírio como um princípio geral para todo o povo alemão.⁹⁴

Os autores desse tipo de versos raramente eram figuras literárias conhecidas. Um dos principais movimentos literários e artísticos alemães da década de 1920 e início dos anos 1930 foi o expressionismo, cujos expoentes eram na maioria de esquerda, embora uns poucos, como o dramaturgo Hanns Johst, emprestassem seus serviços aos nazistas de 1933 em diante; Johst de fato tornou-se chefe da Câmara Literária do Reich e exerceu um poder considerável sob o novo regime.⁹⁵ Os valores do expressionismo realmente ostentavam semelhança superficial com os dos nacional-socialistas, enfatizando a autoexpressão emocional, as virtudes da juventude, os males do mundo industrial, as banalidades da burguesia e a reconstituição do espírito humano em revolta contra o intelecto. Por outro lado, o expressionismo obteve muito de sua originalidade a partir da rejeição muito não nazista do naturalismo em favor da comunicação direta da emoção vinda da alma, com frequência evitando a retratação realista das aparências externas. O estilo radical, muitas vezes inconvencional dos expressionistas tornou-os no geral inaceitáveis para o aparato cultural nazista. A mais célebre conversão literária do expressionismo para o nacional-socialismo, o escritor Gottfried Benn, é um caso ilustrativo. Já reconhecido como poeta na década de 1920, Benn tinha outra vida como médico, o que o atraiu para a órbita dos higienistas raciais. Ele viu a chegada dos nazistas ao poder como uma oportunidade para a classe médica enfim colocar em prática os princípios da eugenia. Antes apolítico, proclamou então sua lealdade ao novo Reich. Lançou-se com energia ao expurgo de escritores dissidentes da Academia. Quando foi censurado por isso por Klaus Mann, filho exilado do romancista Thomas Mann e ele mesmo um escritor importante, Benn replicou que apenas aqueles que ficaram na Alemanha podiam entender a liberação de energia criativa que a chegada do Terceiro Reich havia provocado.⁹⁶

Embora sua poesia fosse pura, elevada e muito afastada das lutas do cotidiano, Benn não obstante louvava a revivificação da fé na natureza e na vida rural alemã pelo regime. Considerava Hitler o grande restaurador da dignidade e honra alemãs. Mas, após os expurgos iniciais da Academia, Benn caiu rapidamente em desfavor perante o regime. À medida que o sistema cultural nazista voltava suas armas contra o expressionismo na música, arte e literatura, Benn piorou a questão para si mesmo ao tentar defendê-lo. O fato de fazer isso em termos que pensou que teriam apelo entre os nazistas, como de que se tratava de algo antiliberal, primordial, ariano, nascido do espírito de 1914, não impressionou aqueles que o denunciaram como impatriota, excessivamente intelectual, perverso e imoral. "Se alguém deve ser nomeado de espírito motor do deleite bolchevique com o repugnante, que celebra suas orgias em arte degenerada", um crítico disse a ele, "então *você* tem o direito de ser o primeiro a ser colocado no pelourinho". Poemas com títulos como "Carne", "Cruzada das meretrizes", "Quadrilha da sífilis" e "pornopoesia" assemelhada serviam de prova, disse ele.[97] Benn foi expulso da Câmara de Literatura do Reich em março de 1938. Proibido de publicar qualquer outro verso, ele já havia assumido um cargo no Ministério da Guerra em julho de 1937. Em janeiro de 1934, havia escrito: "No que tange ao futuro, parece-me natural que não deva se permitir que apareça na Alemanha nenhum livro que contenha desprezo pelo novo Estado". Quando seus próprios livros foram colocados nessa categoria porque o espírito estético foi considerado alienígena à cultura do novo Estado, ele não teve resposta.[98]

Como mostram os problemas enfrentados por Rudolf Ditzen e Gottfried Benn, o regime dispunha de múltiplas maneiras de controlar a produção literária dos cidadãos. A filiação à Câmara de Literatura do Reich era compulsória não só para todos os escritores, poetas, roteiristas de cinema, dramaturgos, críticos e tradutores, mas também para editoras, livrarias de livros novos e usados, bibliotecas que emprestavam livros e qualquer coisa ligada ao comércio de livros, incluindo publicações científicas, acadêmicas e técnicas. Os judeus foram excluídos, assim como quaisquer dissidentes ou pessoas com um passado político suspeito. Respaldando tudo isso, havia uma pletora de diferentes instituições de censura, cujas atividades basevam-se em um decreto emitido quase imediatamente após a nomeação de Hitler como chanceler do Reich, em 4 de fevereiro de 1933, permitindo a apreensão pela polícia de quaisquer livros que "tendessem a pôr em perigo a segurança e a ordem públicas". Armados com esse mecanismo, os censores nem precisaram dos poderes adicionais conferidos pelo Decreto do Incêndio do Reichstag de 28 de fevereiro de 1933. Somado a isso, o Código Criminal há muito continha dispositivos para a apreensão e a supressão de livros supostamente perigosos, e havia uma longa e legalmente legítima tradição de confiscar e proibir "literatura suja e ordinária (*Schundd-Und Schmutzliteratur*)".[99]

Em breve bibliotecas e livrarias sofriam batidas, com frequência em rápida sucessão, de agentes da Polícia Criminal, da Gestapo, do Ministério do Interior, dos tribunais, de autoridades locais e da Censura Suprema para Literatura Suja e Ordinária, baseada em Leipzig. A Juventude Hitlerista, os camisas-pardas e as organizações de estudantes nazistas eram igualmente vigilantes na erradicação de livros de judeus, pacifistas, marxistas e outros autores proscritos. A Liga de Combate pela Cultura Alemã de Rosenberg também fez seu papel, assim como a Comissão Oficial de Censura do Partido, que examinava publicações produzidas pelo próprio Partido. Em dezembro de 1933, mais de mil títulos haviam sido proibidos por essas várias instituições. Depois da queima de livros nas cidades universitárias em 10 de maio de 1933, o jornal do mercado livreiro emitiu uma lista negra com trezentos títulos de 139 autores no campo da literatura, seguida de 68 autores e 120 obras no campo da política e listas adicionais cobrindo outros setores. Não foram afetados apenas os livros alemães. As obras estrangeiras banidas iam de *Oliver Twist,* de Charles Dickens, a *Ivanhoé,* de Sir Walter Scott, e praticamente qualquer outra coisa escrita por um autor judeu, tratando de tema judaico ou apresentando um personagem judeu. Os livros estrangeiros não foram proibidos no todo, e autores não alemães populares no Terceiro Reich iam do romancista sangue e solo Knut Hamsun ao crítico social John Steinbeck e ao escritor de histórias de aventura C. S. Forester, criador do capitão naval fictício Horatio Hornblower. A confusão e a sobreposição de diferentes organismos de censura poderia ser um incômodo para as mentes metódicas, mas efetivou a remoção de literatura questionável múltiplas vezes.[100] O total de 4,1 mil obras impressas foram proibidas por um conjunto de quarenta diferentes órgãos de censura apenas em 1934.[101] Nos primeiros dois a três anos do Terceiro Reich, a literatura de escritores judeus desapareceu das estantes públicas, e poetas judeus como Heinrich Heine foram condenados como imitações superficiais da verdadeira escrita alemã. As obras de escritores clássicos não judeus como Goethe e Schiller foram reinterpretadas de maneira adequada à ideologia do regime. Peças filossemitas como *Natan, O Sábio*, de Lessing, foram retiradas do repertório dos teatros.[102]

O controle sobre o teatro era de certa forma mais fácil que o controle sobre os livros, visto que todas as apresentações eram basicamente eventos públicos. Esse controle foi entregue aos cuidados do Ministério da Propaganda por uma Lei do Teatro aprovada em 15 de maio de 1934, que permitiu a Goebbels autorizar todos os teatros e apresentações, inclusive sociedades dramáticas amadoras, e limitou as prerrogativas de outras instituições, como a polícia, a esse respeito. De sua parte, a Câmara de Teatro do Reich autorizava atores, diretores e equipe de palco e teatro, excluindo judeus e os politicamente inconfiáveis da forma habitual. O presidente da Câmara e diretor do Teatro Literário e Artístico do Reich, Rainer Schlösser, determinou que deveria haver uma cota de quatro peças alemãs para uma peça estrangeira na programação de cada teatro e censurava novas peças antecipadamente. De forma mais controversa, a Câmara de Teatro cerceou e em alguns casos fechou companhias de teatro amador no interesse econômico das profissionais, que ainda eram afligidas pela baixa atividade como resultado da Depressão. As queixas iradas de sociedades dramáticas locais inundaram o Ministério da Propaganda, que anulou a decisão da Câmara em março de 1935.[103] Como em outras áreas, Goebbels teve o cuidado de não levar sua revolução cultural ao ponto de a demanda popular de entretenimento ser sufocada pela correção ideológica. Os teatros da Alemanha continuaram a oferecer encenações de alta qualidade dos clássicos, e as pessoas que se sentiam alheias ao regime podiam refugiar-se no pensamento de que ali, pelo menos, a cultura alemã ainda estava viva e florescente. Um grande ator como Gustav Gründgens afirmou depois de 1945 que seu teatro, como outros, havia permanecido como uma ilha de excelência cultural em meio às barbaridades circundantes sob o Terceiro Reich. Entretanto, ele morava em uma *villa* que havia sido "arianizada" de seu antigo proprietário judeu e cultivava relações próximas com Goebbels e sua esposa. Instituições como o Teatro de Câmara de Munique não se tornaram instrumentos puros de propaganda nazista, e o número de membros do Partido em seu pessoal manteve-se extremamente baixo.[104] Nem todos os teatros tiveram condições de resistir à pressão para se adequar. Enquanto menos de 5% das peças encenadas pelo Teatro de Câmara de Munique sob o Terceiro Reich – quanto muito 8% – poderiam ser descritas como franca ou implicitamente nazistas, a proporção no Teatro de Düsseldorf, de 29%, era bem mais alta. Um estudo de quatro teatros em Berlim, Lübeck e Bochum mostrou que apenas 8% das 309 peças que montaram entre 1933 e 1945 continham ideologia nazista em qualquer tipo de formato reconhecível. Contudo, nem mesmo os teatros menos conformistas podiam montar peças novas, críticas ou radicais, ou peças banidas pelo regime. Tinham que seguir os ditames do regime pelo menos na aparência externa, na linguagem e na apresentação de seus programas por exemplo, ou no relacionamento com os líderes do Partido em Munique. A opção pelos clássicos era uma forma de escapismo à qual Goebbels, sempre alerta às vantagens políticas de permitir que as pessoas se afastassem temporariamente das demandas incessantes da mobilização e propaganda políticas, jamais esteve propenso a fazer objeção.[105]

Goebbels tolerou a apresentação de clássicos pelo teatro tradicional mesmo quando, como no caso de algumas peças de Shakespeare, lidavam com temas como tirania e rebelião (embora *O mercador de Veneza* contasse uma história muito mais adequada para os árbitros nazistas). Mas ele não tardou a dar duro em outra área, ou seja, no movimento radical para a criação de uma forma de teatro verdadeiramente nazista, o pretenso *Thingspiel*, ou "peça de reunião" (no caso, *thing* é um termo do nórdico antigo para "reunião"), que vicejou brevemente nos primeiros anos do Terceiro Reich. Encenando dramas políticos e pseudonórdicos especialmente escritos em teatros ao ar livre construídos com esse objetivo, essas apresentações colocavam o culto nazista ao herói e a celebração dos mortos gloriosos em um formato dramático. Mas também envolviam a participação da plateia, recitações em coro e outros elementos do movimento teatral operário de inspiração comunista dos tempos de Weimar. E algumas técnicas tinham uma afinidade íntima demais com aspectos revolucionários do drama expressionista que deixavam até mesmo Goebbels desconfortável. E, não obstante a construção de mais de quarenta teatros de *Thing* e a montagem de várias centenas de peças, elas tampouco eram particularmente populares ou bem-sucedidas em termos financeiros. Goebbels proibiu o uso da palavra *Thing* ligada ao Partido em outubro de 1935 e proscreveu o uso de recitações em coro em maio do ano seguinte. Isso efetivamente liquidou o movimento, que rapidamente caiu em um declínio do qual jamais se recuperou.[106]

Goebbels pensava que dramaturgos, romancistas e outros escritores deveriam ter por meta capturar o espírito dos novos tempos, não suas manifestações exteriores.[107] Isso pelo menos deixava alguma margem de manobra. Sob tais circunstâncias, aqueles que tinham o cuidado de não ofender podiam deparar com um grau de sucesso considerável entre um público consumidor e leitor de livros que permanecia ávido por novidades. Não obstante, é inegável que muitos dos livros mais vendidos na Alemanha durante a década de 1930 com frequência tratavam de temas caros ao coração nazista. O romance *Barb*, de Kuni Tremel-Eggert, publicado em 1933, vendeu 750 mil cópias em dez anos; não fez muito mais do que transmitir de forma ficcional os dogmas nazistas sobre o lugar das mulheres na sociedade. O autor talvez mais bem-sucedido da época, Paul Coelestin Ettighofer, vendeu 330 mil cópias de *Verdun, o grande julgamento,* entre 1936 e 1940. Os romances de Ettighofer eram respostas acanhadas à visão realista e implacável de Remarque sobre a Primeira Guerra Mundial em *Nada de novo no front,* glorificavam o combate e eram repletos de descrições ideologicamente motivadas de heroísmo e autossacrifício na frente de batalha. Ainda mais explicitamente nazista foi o romance *O Jovem Hitlerista Quex,* de Karl Aloys Schenzinger, publicado em 1932, que vendeu 244 mil cópias em 1940, provavelmente auxiliado pelo fato de a história ter sido filmada e exibida nos cinemas da Alemanha. Entre os romances de "sangue e solo", *A aldeia esquecida,* de Theodor Kröger, vendeu 325 mil cópias entre 1934 e 1939, e *A aldeia na fronteira,* de Gottfried Rothacker, 200 mil de 1936 a 1940. Alguns livros extremamente populares, como *Comando da consciência,* de Hans Zöberlein, que vendeu 480 mil cópias a partir de 1936, ano de sua publicação, até 1943, continham um espírito de antissemitismo pouco menos virulento que o de Hitler, com referências frequentes ao "verme" judeu e outros termos biológicos semelhantes, convidando o leitor implicitamente a considerar o extermínio o único jeito de lidar com os judeus. Com autores antes populares muitas vezes banidos, esse tipo de literatura tinha menos competição do que teria de outro modo.[108] Além disso, assim como no caso de jornais e periódicos, os romances e histórias francamente políticos também se beneficiavam de encomendas em massa de organizações do Partido Nazista. Dado o esforço de propaganda maciço que se fazia para impulsionar a venda de tais obras, não era de surpreender que vendessem tão bem. O que os nazistas queriam dos livros era demonstrado em eventos de propaganda como a Semana do Livro Alemão, organizada anualmente de 1934 em diante. "Sessenta milhões de pessoas serão estimuladas no final de outubro pelo estrondo da promoção de livros", declarou um dos principais organizadores do evento de 1935. Esses "dias de mobilização" iriam "implementar a prontidão militar a partir do ângulo espiritual para a causa do desenvolvimento de nosso povo".[109] Falando sob um enorme cartaz anunciando "Livro: uma espada do espírito", o vice-presidente da Câmara de Literatura do Reich declarou em uma dessas ocasiões: "Os livros são armas. Armas pertencem às mãos dos combatentes. Ser um combatente pela Alemanha significa ser nacional-socialista".[110]

Contudo, assim como em outras áreas da cultura, Goebbels percebeu que o entretenimento era importante para manter o povo contente e retirar suas mentes dos problemas atuais. Ele deu jeito de rechaçar a tentativa de Rosenberg de priorizar a literatura francamente ideológica e, de 1936 em diante, as listas dos mais vendidos foram dominadas pela literatura popular com relevância política apenas indireta. Os romances cômicos de Heinrich Spoerl, tais como *Rum flambado e ponche de vinho tinto*, que vendeu 565 mil cópias de 1933 a 1944, eram extremamente populares; satirizavam o "homenzinho" dos anos de Weimar, incapaz de se reajustar ao novo clima do Terceiro Reich.

Ainda mais amplamente lidos eram os romances científicos de Schenzinger, que contrabalançavam a nostalgia proporcionada pela literatura de "sangue e solo" com a celebração das invenções modernas, das descobertas científicas e do crescimento industrial: sua obra *Anilina* foi o mais popular de todos os romances publicados no Terceiro Reich, vendendo

920 mil cópias de 1937 a 1944, e depois desse ele fez *Metal,* que vendeu 540 mil cópias entre 1939 e 1943. Escritores estrangeiros continuaram a ser publicados na Alemanha nazista caso não ofendessem abertamente as suscetibilidades ideológicas dos nazistas; os romances de Trygve Gulbranssen, com títulos como *E os bosques cantam para sempre* e *O legado de Björndal,* publicados em alemão em 1934 e 1936 respectivamente, venderam juntos mais de meio milhão de cópias até o fim do Terceiro Reich, e outro *best-seller* mundial, *...E o vento levou,* de Margaret Mitchell, alcançou 300 mil compradores em quatro anos desde a publicação em alemão em 1937 e foi apenas o mais popular de uma ampla variedade de ofertas culturais americanas importadas pela Alemanha na década de 1930.[111] Muito do que havia sido publicado antes de 1914 e ainda era considerado mais ou menos aceitável pelo regime continuou a vender às centenas de milhares. Essas obras ofereciam aos interessados o retorno na imaginação a um mundo são e estável. Igualmente populares eram os prazeres confiáveis de um autor famoso como Karl May, cujas histórias sobre o Oeste Selvagem da virada do século haviam sido vistas por alguns como o prenúncio dos valores nazistas à frente de seu tempo; com certeza, eram apreciadas por muitos nazistas comprometidos, inclusive o próprio Hitler.[112] Os alemães comuns não engoliram a literatura nazista no todo; pelo contrário, escolhiam por si o que queriam ler e, de meados da década de 1930 em diante, muito disso não era francamente nazista de modo algum. O sucesso da ambição nazista de criar um novo ser humano imbuído dos valores nazistas foi tão limitado aqui quanto em outras áreas da cultura alemã.[113]

Problemas de perspectiva

I

Junto com a "nova objetividade" (*Neue Sachlichkeit*), o expressionismo era de muitas maneiras o movimento dominante não só na literatura alemã, mas também na arte alemã durante a República de Weimar.[114] Sua face mais amplamente aceita era representada pelo escultor Ernst Barlach, cuja obra foi fortemente influenciada pela arte camponesa primitiva com que ele se deparou em uma visita à Rússia antes da Primeira Guerra Mundial. Barlach produziu esculturas sólidas, atarracadas, acanhadamente comuns de figuras humanas, primeiro entalhadas em madeira e depois em outros suportes, como estuque e bronze. As figuras em geral eram dotadas de qualidade monumental, imóvel, por serem retratadas envoltas em túnicas ou mantos estilizados. Elas eram populares, e depois de 1918 Barlach recebeu numerosas encomendas para memoriais de guerra em muitas partes da Alemanha. Eleito para a Academia Prussiana de Artes em 1919, tornou-se um nome estabelecido em meados da década de 1920, conhecido pela hostilidade à abstração, distância crítica do resto do movimento expressionista e recusa inabalável em se engajar em política partidária. Poderia se esperar que sua arte tivesse apelo entre os nazistas; de fato, Joseph Goebbels registrou admiração por uma das esculturas de Barlach em uma anotação no seu diário em meados da década de 1920, e dizem que mais tarde ele exibiu duas figuras pequenas do artista em sua casa.[115] O ministro da Propaganda convidou Barlach, junto com alguns outros artistas expressionistas, incluindo Karl Schmidt-Rottluff, para a cerimônia de inauguração da Câmara de Cultura do Reich, e sua inclinação a apoiá-los foi respaldada por uma campanha lançada por membros da Liga de Estudantes Nazistas de Berlim em favor de um novo tipo de modernismo nórdico, baseado em um expressionismo expurgado de artistas judeus e imagens abstratas.[116]

Mas esses esforços foram a pique; de um lado, com a hostilidade de Alfred Rosenberg e, de outro, com a recusa do próprio Barlach de se comprometer com o regime. Rosenberg denunciou Barlach e os expressionistas nas páginas do *Observador Racial* e tachou os estudantes de Berlim de revolucionários obsoletos ao estilo do desonrado esquerdista nazista Otto Strasser. De sua parte, Barlach recusou o convite para a inauguração da Câmara de Cultura do Reich. Ele passou a sentir a hostilidade do regime em nível local, e encomendas para memoriais de guerra, planos de exposições e publicações de seus textos começaram a ser cancelados logo após a nomeação de Hitler como chanceler do Reich em janeiro de 1933. No início da década de 1930 seus monumentos para os mortos da guerra já haviam incorrido em críticas de associações de veteranos de direita, como os Capacetes de Aço, pela recusa em retratar os soldados alemães da Primeira Guerra Mundial como figuras heroicas morrendo por uma causa nobre. Racistas alemães acusaram Barlach de mostrar os soldados alemães com feições de sub-humanos eslavos. Residente na província de Mecklenburg, fortemente nacional-socialista, Barlach começou a ser alvo de cartas anônimas e insultos deixados na porta de sua casa. Sob tal pressão, viu-se obrigado a voltar atrás na aceitação da encomenda de um novo memorial de guerra em Stralsund.[117] Barlach ficou na Alemanha em parte por esperar que o Terceiro Reich respeitasse a liberdade criativa dos artistas, e em parte porque, dado o tipo de obra que fazia, não seria fácil ganhar a vida em outro lugar.[118] No início de maio de 1933 ele já estava desiludido. "A covardia bajuladora dessa era magnificente", escreveu ele com amargura para o irmão, "faz a pessoa ficar vermelha até as orelhas e mais além só de pensar que é alemã".[119]

A não aceitação de Barlach pelo regime ficou ainda mais clara em 1933-34. O mais controverso de seus memoriais de guerra é uma grande escultura em madeira instalada na Catedral de Magdeburg. Mostra três figuras – um esqueleto de capacete, uma mulher de véu apertando os dedos em agonia e um homem de cabeça descoberta com uma máscara de gás entre os braços, de olhos fechados e apertando a cabeça em desespero – erguendo-se da base defronte às formas estilizadas de três soldados envoltos em capas, em pé lado a lado. O soldado do meio tem um curativo na cabeça e apoia as mãos em uma grande cruz com as datas da guerra, formando a parte central do conjunto. Logo após a nomeação de Hitler como chanceler, a imprensa começou a publicar petições para a remoção, encorajadas por Alfred Rosenberg, que descreveu as imagens como "pequenas variações bastardas semi-idiotas, de aparência taciturna, de espécimes humanos indefiníveis com capacetes soviéticos" no *Observador Racial* em julho de 1933.[120] Enquanto arrastavam-se as negociações entre o Ministério da Propaganda, a Igreja e o Partido sobre a remoção, a campanha da imprensa contra Barlach aumentou. As alegações de que era judeu o incitaram a responder que não desejava emitir uma refutação pública visto que não se sentia insultado pela afirmação. Os amigos pesquisaram seus ancestrais e publicaram provas de que ele não era judeu. Ele escreveu que seu coração enchia-se de tristeza ao pensar que uma coisa dessas fosse necessária.[121] O memorial enfim foi retirado no final de 1934 e colocado em um depósito.[122] Barlach defendeu-se dos ataques generalizados à sua arte como "não alemã" ressaltando o fato de que ela tinha raízes no campesinato do norte da Alemanha onde ele vivia. Já na metade da casa dos sessenta anos, Barlach teve dificuldade para entender como suas esculturas podiam suscitar uma hostilidade tão virulenta. Em uma tentativa de desviar-se da repressão, ele assinou uma declaração de apoio à posse de Hitler como chefe de Estado após a morte de Hindenburg em agosto de 1934. Mas de nada adiantou para aplacar a liderança do Partido Nazista em Mecklenburg, e o governo regional começou a remover suas obras do museu estadual.

Muitos dos admiradores de Barlach, inclusive defensores entusiásticos do movimento nazista, acharam tal tratamento difícil de aceitar. Melita Maschmann, por exemplo, integrante da organização das moças nazistas, admirava a obra de Barlach e não conseguia entender por que ele havia sido tachado de "degenerado" pelos nazistas.[123] No fim, porém, Barlach colidiu com o regime porque sua obra ia de encontro à glorificação nazista da guerra, porque se recusou a comprometer sua arte, porque respondeu de forma assertiva às críticas e porque não fazia segredo de sua aversão às políticas culturais da Alemanha nazista. Em 1936, a polícia da Baviera apreendeu todas as cópias de um novo livro de seus desenhos no depósito de uma editora em Munique, agindo sob ordens de Goebbels. "Proibi um livro maluco de Barlach", ele escreveu no diário. "Aquilo não é arte. É uma besteira destrutiva, incompetente. Repulsiva! O veneno não deve entrar em nosso povo."[124] A Gestapo acrescentou insulto ao estrago, descrevendo os desenhos como "expressões de arte bolchevique de um conceito de arte destrutivo não apropriado à nossa época". O livro foi colocado no índex de literatura proibida. A despeito de seus protestos contínuos contra as injustiças a que estava sendo submetido, Barlach ficou cada vez mais isolado. Em 1937, foi forçado a renunciar à Academia de Artes prussiana. "Quando se tem que esperar, dia após dia, o golpe mortal iminente, o trabalho para por si mesmo", ele escreveu. "Pareço uma pessoa encurralada, com a matilha nos calcanhares."[125] Sua saúde entrou em grave declínio, e ele morreu de um ataque cardíaco em um hospital em 24 de outubro de 1938.[126]

O tipo de escultor por quem os nazistas conseguiam sentir um entusiasmo genuíno era Arno Breker. Nascido em 1900, Breker pertencia a uma geração mais jovem que Barlach. Nos tempos de estudante, produziu uma série de esculturas que mostravam nitidamente a influência do artista mais velho. Uma longa estada em Paris, de 1927 a 1932, colocou-o decisivamente sob a égide de Aristide Maillol, cujo estilo figurativo passou a moldar o dele. Durante uma temporada em Roma no começo de 1933, quando trabalhou na restauração de uma escultura danificada de Michelangelo, conheceu Goebbels, que reconheceu seu talento e o encorajou a voltar à Alemanha. Após encerrar seus negócios em Paris, Breker acedeu. Outrora apolítico, na verdade um expatriado não muito bem informado sobre a política alemã, ele caiu rapidamente sob o encanto dos nazistas. O estilo de Breker foi forjado basicamente por influências não alemãs – escultura clássica grega, Michelangelo, Maillol. Alguns de seus bustos, como o do pintor impressionista Max Liebermann, concluído em 1934, eram penetrantes, sutis e repletos de detalhes informativos. Mas em breve ele estava aparando as arestas de sua obra, tornando-a mais impessoal e conferindo-lhe uma qualidade mais monumental, menos íntima, projetando dureza, resistência e agressão em suas imagens, em vez das qualidades humanas mais suaves de que as dotava na década de 1920. Em meados dos anos 1930,

Breker estava produzindo enormes nus masculinos, hipertrofiados e superdimensionados, super-homens arianos em pedra.[127]

Isso logo rendeu dividendos. A participação vitoriosa em uma competição organizada em 1936 sobre o tema de feitos esportivos garantiu-lhe um número crescente de encomendas oficiais. Em 1937, filiou-se ao Partido Nazista para facilitar o caminho para um patrocínio oficial mais amplo. Breker tornou-se conhecido pessoal de Hitler, que colocou seu busto de Wagner nos aposentos privados em Berchtesgaden. Foi nomeado "escultor oficial do Estado" no aniversário de Hitler em 1937 e recebeu um estúdio enorme com 43 empregados para ajudá-lo no trabalho. Tornou-se uma figura influente, celebrada por Göring e outras lideranças nazistas e por elas protegida de quaisquer críticas. Em 1937, sua obra recebeu lugar de destaque no pavilhão alemão da Exposição Mundial de Paris. Em 1938, projetou dois imensos nus masculinos para serem colocados na entrada da recém-construída Chancelaria do Reich – o *Carregador da tocha* e o *Carregador da espada*. Seguiram-se outros, particularmente *Prontidão*, em 1939, uma musculosa figura masculina franzindo o cenho em ódio a um inimigo não avistado, a mão direita prestes a desembainhar a espada para começar a luta. Breker ficou rico, desfrutando de uma enorme variedade de favores e condecorações, inclusive diversas casas, subsídios polpudos e, é claro, grandes honorários pelas obras públicas. Sem vida, desumanas, em poses de ameaça incontida e personificando a asserção vazia e retórica de uma vontade coletiva imaginada, as esculturas de Breker tornaram-se a marca do gosto artístico público do Terceiro Reich. A qualidade quase mecânica situam-nas inequivocamente no século XX; elas antecipavam a nova espécie de ser humano cuja criação era uma das metas primárias da política cultural nazista, impulsivamente físico, agressivo, pronto para a guerra.[128]

II

Na época em que Breker chegou à notoriedade pública, os administradores culturais do Terceiro Reich haviam efetivamente dado cabo da arte abstrata modernista que estavam habituados a descrever como "degenerada". Quanto a isso os gostos pessoais de Hitler talvez tenham desempenhado um papel maior do que em qualquer outra área da política cultural com exceção da arquitetura. Ele mesmo havia, em certa ocasião, tentado fazer carreira como artista, mas desde o início havia rejeitado o modernismo em todas as suas variantess.[129] Uma vez no poder, transformou seus preconceitos em política. Em 1º de setembro de 1933, Hitler anunciou no comício do Partido em Nuremberg que estava na hora de uma nova arte alemã. A chegada do Terceiro Reich, disse ele, "conduz inevitavelmente a uma nova orientação em quase todos os setores da vida das pessoas". Os efeitos "dessa revolução espiritual" deveriam ser sentidos também na arte. A arte devia refletir a alma racial do povo. A ideia de que a arte era internacional deveria ser rejeitada como decadente e judaica. Ele condenou o que via como expressão "no culto ao primitivismo cubista-dadaísta" e no bolchevismo cultural e anunciou "uma nova Renascença artística do ser humano ariano". E advertiu que artistas modernistas não seriam perdoados por seus pecados pregressos:

> Também na esfera cultural, o movimento nacional-socialista e os líderes de Estado não devem tolerar charlatões ou incompetentes virando a casaca de repente e, assim, como se nada tivesse acontecido, ocupando um lugar no novo Estado de modo a poder gargantear sobre arte e política cultural... Ou as criações monstruosas de sua produção na época refletiam uma experiência interior genuína – e nesse caso eles são um perigo para a percepção saudável de nosso povo e precisam de cuidados médicos –, ou faziam por dinheiro – e nesse caso são culpados de fraude e devem ficar aos cuidados de outra instituição apropriada. Não queremos de jeito nenhum que a expressão cultural de nosso Reich seja distorcida por tais elementos; pois esse não é o Estado deles, mas o nosso.[130]

Assim, 1933 viu um expurgo maciço de artistas judeus, abstratos, semiabstratos, de esquerda e na verdade de quase todos os artistas da Alemanha que possuíam qualquer tipo de reputação internacional na época. Declarações de apoio ao novo regime e até mesmo filiação ao Partido Nazista desde seus primórdios, como no caso do pintor primitivista Emil Nolde, fracassaram em salvar aqueles cujas obras pregressas Hitler desaprovava. Os poucos artistas de destaque que permaneceram na esperança de que dias melhores viriam, como Ernst Barlach, desiludiram-se rapidamente.[131]

Em 1933, diretores de museu judeus, social-democratas, liberais e de esquerda foram sumariamente removidos de seus cargos e substituídos por gente considerada mais confiável pelos nazistas. O Museu Folkwang, em Essen, foi até colocado nas mãos de um oficial da SS, o conde Klaus von Baudissin, que mandou cobrir de tinta os famosos murais do museu feitos por Oskar Schlemmer, artista intimamente associado à Bauhaus. Contudo, os diretores de museus de arte continuaram a mostrar obras que a ala mais à direita do Partido Nazista desaprovava. Mesmo Baudissin, um historiador de arte instruído, manteve obras de Oskar Kokoschka, Franz Marc e Emil Nolde em exibição até 1935. O diretor das Coleções de Pintura do Estado Bávaro, Ernst Buchner, membro do Partido Nazista desde 1º de maio de 1933, lutou pelo direito de exibir a obra do artista impressionista judeu-alemão Max Liebermann, e em 1935 resistiu com êxito às tentativas do ministro de Educação e Religião do Reich, Bernhard Rust, de forçá-lo a vender obras de Van Gogh e de impressionistas franceses, a quem os nazistas faziam objeção entre outros motivos por não serem alemães. Quando Hitler em pessoa removeu o diretor pró-modernista de longa data da Galeria Nacional, Ludwig Justi, de seu cargo em 1933, o sucessor, Alois Schardt, organizou uma espetacular mostra inédita de arte alemã que incluía obras de Nolde e vários expressionistas. Ao visitar a galeria de antemão, o ministro Bernhard Rust, da Educação, ficou ultrajado. Demitiu o novo diretor na mesma hora e mandou desmontar a exposição; Schardt emigrou para os Estados Unidos após presidir, em uma pequena galeria de Berlim, uma exposição da obra de Franz Marc que foi fechada pela Gestapo no dia da estreia em maio de 1936. O sucessor de Schardt, Eberhard Hanfstaengl, antes diretor de uma galeria em Munique, não se saiu melhor; ele desentendeu-se com Hitler quando o Líder fez uma visita de surpresa e viu algumas obras expressionistas nas paredes. Em 30 de outubro de 1936, a nova ala da Galeria Nacional foi fechada após abrigar uma exposição que incluía pinturas de Paul Klee.[132] Fechamentos semelhantes seguiram-se então por toda parte. Ao longo do período a partir de meados de 1933, diretores de galerias e museus, inclusive aqueles indicados pelos próprios nazistas, haviam travado uma guerrilha cultural contra as exigências dos chefes nazistas locais para retirar de exposição pinturas de um tipo ou outro. Uns poucos, como Hanfstaengl, continuaram a comprar arte moderna, embora as deixasse discretamente de fora do catálogo publicado do museu. Mas a época para tais concessões e subterfúgios agora chegava ao fim.[133]

Desde o início, alguns dos nazistas mais fanáticos que eram diretores de galerias e museus de arte organizaram mostras de obras modernistas que retiraram de exibição sob títulos como "Câmara de Horrores da Arte", "Imagens do Bolchevismo Cultural", "Espelhos da Decadência na Arte" ou "O Espírito de Novembro: Arte a Serviço da Decadência". Entre os artistas expostos estavam Max Beckmann, Otto Dix e George Grosz, Ernst Ludwig Kirchner, Franz Marc, August Macke, Karl Schmidt-Rottluff e Emil Nolde. Artistas estrangeiros radicados na Alemanha como Alexei Jawlensky e Vassily Kandinsky também eram incluídos, junto com os inevitáveis cubistas e artistas de vanguarda de outros países.[134] A inclusão de Macke e Marc causou especial controvérsia porque ambos haviam sido mortos no *front* da Primeira Guerra Mundial, e as associações de veteranos fizeram objeção ao insulto que a proscrição lançava à sua memória.[135] Algumas dessas primeiras exposições, realizadas já em 1933, haviam suscitado fortes protestos de frequentadores amantes da arte, levando em alguns casos à prisão destes. Mas dentro de um curto tempo tal oposição ficou impossível. Em meados da década de 1930, exposições desse tipo haviam sido montadas em 16 cidades diferentes. Hitler visitou a mais importante delas, em Dresden, em agosto de 1935. A inspeção detalhada das obras ofensivas incitou-o a proferir outra alentada diatribe contra elas no comício do Partido em Nuremberg pouco depois, sendo a terceira vez que usou esse evento para dar um sermão sobre o assunto a seus seguidores. Era claro que Goebbels precisava entrar na linha se quisesse impedir Rosenberg, Rust e os outros antimodernistas de assumir a liderança na política cultural. Assim, em junho de 1936, ele agiu. "Exemplos horríveis de bolchevismo na arte", escreveu no diário, "foram trazidos à minha atenção", como se não os tivesse visto antes. "Quero organizar uma exposição de arte em Berlim sobre o período de degeneração. Assim o povo pode ver e aprender a reconhecê-la." No final do mês, obteve permissão de Hitler para requisitar "arte degenerada alemã desde 1910" (data da primeira pintura abstrata, do artista russo radicado em Munique Vassily Kandinsky) de coleções públicas para a mostra. Muita gente do Ministério da Propaganda relutou em levar o projeto adiante. O oportunismo político era cínico até para os padrões de Goebbels. Ele sabia que o ódio de Hitler pelo modernismo artístico era implacável, e assim decidiu obter favores cedendo a ele, muito embora não compartilhasse da ideia.[136]

A organização da mostra foi confiada a Adolf Ziegler, presidente da Câmara para Artes Visuais do Reich e pintor de nus clássicos cujo realismo pedante granjeou-lhe o apelido popular de "mestre dos pelos púbicos do Reich".[137] Armado com autorizações de Goebbels e Hitler, Ziegler e sua comitiva percorreram galerias e museus alemães e selecionaram obras a serem levadas para a nova exposição. Diretores de museu, inclusive Buchner e Hanfstaengl, ficaram furiosos, recusaram-se a cooperar e apelaram a Hitler para obter compensações se as obras confiscadas fossem vendidas para o exterior. Tal resistência não foi tolerada, e como resultado Hanfstaengl perdeu o emprego na Galeria Nacional de Berlim. Foram apreendidas 108 obras das coleções de Munique, e números semelhantes de museus de outras localidades.[138] Quando a mostra de "Arte Degenerada" foi inaugurada em Munique, há muito reconhecida como a capital da arte da Alemanha, em 19 de julho de 1937, os visitantes verificaram que as cerca de 650 obras haviam sido deliberadamente mal posicionadas, penduradas em ângulos esquisitos, mal iluminadas e apinhadas nas paredes de forma desordenada, sob títulos genéricos como "Fazendeiros na visão de judeus", "Insulto à feminilidade alemã" e "Escarnecendo de Deus".[139] Ironicamente, as linhas diagonais e os *slogans* em estilo *graffiti* nas paredes deviam algo às técnicas de *design* do movimento dada, um dos alvos primários da exposição. Ali, contudo, a intenção era expressar a congruência entre a arte produzida por reclusos de manicômios, um importante tópico de discussão entre psiquiatras liberais sob a República de Weimar, e as perspectivas distorcidas adotadas pelos cubistas e seus congêneres, ponto explicitado em boa parte da propaganda que cercou a investida contra a arte degenerada como produto de seres humanos degenerados.[140]

Hitler percorreu a exposição antes de ela abrir ao público e dedicou uma parte importante do discurso na véspera da inauguração a uma denúncia feroz das obras mostradas:

> A raça humana nunca esteve tão perto da Antiguidade quanto hoje em termos de aparência e temperamento. Jogos esportivos, competitivos e combativos estão robustecendo milhões de corpos jovens, e esses cada vez mais assumem uma forma e constituição que não se viu talvez por uns mil anos, com a qual de fato nem se sonhava... Essa espécie de ser humano, cavalheiros artistas de meia-tigela, é o espécime da nova era. E o que vocês retratam? Aleijados e cretinos deformados, mulheres que só conseguem causar repulsa. Homens que estão mais perto de animais que de humanos, crianças que, se vivas, teriam sido consideradas maldições de Deus![141]

Ele até instruiu o Ministério do Interior do Reich a investigar defeitos da faculdade visual que pensou que pudessem em parte levar a tal distorção. Na opinião dele, seria algo hereditário. Cubistas e outros que não se ativessem a representações servis e acuradas de seus temas humanos deveriam ser esterilizados.[142]

De fato, os critérios mais importantes para a seleção de obras a serem exibidas na exposição não foram estéticos, mas raciais e políticos. Das nove seções em que ela foi dividida, apenas a primeira e a última baseavam-se em critérios estéticos. As outras dedicavam-se a escarnecer dos temas e não da forma como haviam sido retratados. A primeira seção cobria "barbarismos da representação", "borrões de tinta de cores berrantes" e "desprezo deliberado por todas as habilidades básicas das artes visuais". A segunda mostrava obras julgadas blasfemas, e a terceira, arte política a favor do anarquismo e da luta de classes. A quarta seção exibia pinturas mostrando soldados como assassinos ou, por outro lado, mutilados de guerra. De acordo com o catálogo, nessas pinturas "o respeito profundamente arraigado por todas as virtudes militares, pela coragem, bravura e prontidão para a ação deve ter sido varrido da consciência das pessoas". A quinta seção era dedicada à arte imoral e pornográfica (quase repugnante demais para ser exibida, conforme afirmavam). A sexta parte da exposição mostrava a "destruição dos últimos vestígios de consciência racial" em pinturas que supostamente retratavam negros, prostitutas e assemelhados como ideais raciais. De modo semelhante, a sétima seção era dedicada a pinturas e obras gráficas nas quais "idiotas, cretinos e paraplégicos" eram retratados de um ângulo positivo. A oitava seção estava entregue à obra de artistas judeus. A última e maior seção cobria os "'ismos' que Flechtheim, Wollheim e seus colegas haviam maquinado, empurrado e vendido a preços arrasadores ao longo dos anos", do dadaísmo ao cubismo e outros. Tudo isso, declarava o catálogo, mostraria ao público que a arte moderna não era apenas um modismo: judeus e bolcheviques culturais estavam armando um "ataque planejado à existência e à continuidade da arte no todo". Cinco das dez páginas ilustradas do livreto continham mensagens antissemitas só para sublinhar a questão.[143] A arte moderna, conforme muitos polemistas nazistas da época afirmavam, era sobretudo produto de influências estrangeiras. A arte tinha que retornar à alma alemã. Quanto ao modernismo, um escritor concluiu com um desejo fervoroso: "Possam os degenerados sufocar em sua própria imundície, sem ninguém para se solidarizar com sua sina".[144]

A exposição foi imensamente popular e atraiu mais de 2 milhões de visitantes até o fim de novembro de 1937. A entrada era gratuita, e a publicidade maciça da imprensa atraiu a atenção das pessoas para os horrores ali contidos.[145] As peças expostas eram, proclamavam os jornais, "produtos inferiores de uma era melancólica", "fantasmas do passado", da época em que "o bolchevismo e o diletantismo celebravam seus triunfos". Descrições e ilustrações horripilantes mostravam aos leitores o que podiam esperar quando fossem à exposição.[146] Nas primeiras semanas, pelo menos, a mostra foi visitada basicamente por pessoas da classe média baixa de Munique, muitas das quais jamais haviam ido a uma exposição de arte antes, e pelos fiéis do Partido, ansiosos para imbuírem-se de uma nova forma de ódio antissemita. A cláusula de que crianças e jovens não podiam entrar acrescentava um elemento palpitante para instigar o público ávido. A despeito disso, alguns jovens tiveram acesso, como Peter Guenther, de dezessete anos, que foi em julho. Filho de um jornalista liberal de arte que havia sido expulso da Câmara de Literatura do Reich em 1935, Guenther sabia muita coisa sobre pintura. Achou a atmosfera da exposição assustadora e intimidante. Os visitantes, ele relatou mais tarde, comentavam em voz alta o quanto as obras exibidas haviam sido malfeitas, e como tinha havido uma conspiração dos críticos de arte, negociantes e diretores de museu para lograr o público, sentimento encorajado pelo fato de que uma série das obras tinha etiquetas de preço anexadas indicando o quanto haviam custado ("comprado com os tostões pagos em impostos pelo povo alemão trabalhador"). Uma pintura de Erich Heckel tinha uma etiqueta de preço de 1 milhão de marcos; os expositores não disseram que isso havia sido pago em 1923, perto do auge da hiperinflação, e que na verdade valia muito pouco em termos reais. Alguns grupos do Partido que visitaram a exposição enviaram telegramas ao Ministério da Propaganda com mensagens como: "Os artistas deviam ser amarrados ao lado de suas obras para que cada alemão pudesse cuspir na cara deles". Carola Roth, amiga do artista Max Beckmann, notou que, enquanto os visitantes mais idosos percorriam a exposição sacudindo a cabeça, os militantes mais jovens do Partido e os camisas-pardas riam e zombavam das peças mostradas. A atmosfera de ódio e ridicularização em altos brados não permitia discordância; de fato, era uma parte essencial da exposição, transformando-se em mais um exercício de propaganda de massa para o regime. Mais adiante, porém, quando o jovem Peter Guenther fez uma segunda visita, a atmosfera era, relatou ele, muito mais silenciosa, com alguns visitantes demorando-se diante de obras de arte das quais eles sem dúvida gostavam e que tinham ido ver por suspeitar que pudesse ser a última vez. Contudo, no geral, a exposição foi com certeza um sucesso. Como muita coisa na cultura nazista, ela conferiu aos cidadãos conservadores comuns a oportunidade de bradar preconceitos que nutriam há tempo, mas antes hesitavam em revelar.[147]

Muitos artistas cujas obras estavam expostas ou eram estrangeiros, como Pablo Picasso, Henri Matisse e Oskar Kokoschka, ou haviam emigrado, como Paul Klee ou Vassily Kandinsky. Mas alguns artistas que participavam da mostra haviam permanecido na Alemanha, na esperança de que a maré virasse e eles fossem reabilitados. Max Beckmann, cuja última mostra individual havia acontecido recentemente, em 1936, em Hamburgo, partiu para o exílio em Amsterdã no dia seguinte à abertura da Exposição de Arte

Degenerada. Apesar de longe de estar bem de vida, Beckmann ainda pintava. Foi amparado por comerciantes solidários e admiradores estrangeiros nos anos difíceis que se seguiram.[148] Outros não foram tão afortunados.[149] O artista expressionista Ernst Ludwig Kirchner, como Beckmann, estava na faixa dos cinquenta anos, já vivera a maior parte do tempo na Suíça desde a década de 1920, mas dependia bem mais que Beckmann do mercado de arte alemão para seu sustento. Até 1937 ele não perdeu a esperança. Mas em julho de 1937, foi enfim expulso da Academia Prussiana de Artes, e muitas de suas obras foram confiscadas das coleções alemãs pela comissão de Ziegler, que exibiu nada menos que 32 delas na mostra de Arte Degenerada. Kirchner já estava doente, e por alguns anos havia perdido o rumo como artista, sem jamais recapturar realmente a grandeza de seu período na Berlim de 1910 até meados da década de 1920. Para ele, foi a gota d'água. "Sempre esperei que Hitler fosse para todos os alemães", escreveu amargurado, "e ele agora difamou tantos bons artistas, realmente sérios, de sangue alemão. Isso é muito triste para os afetados, porque todos – aqueles sérios entre eles – desejavam trabalhar, e assim o fizeram, para a fama e honra da Alemanha". Uma nova série de confiscos de sua obra apenas aprofundou seu desespero. Em 15 de junho de 1938, ele destruiu muitas das obras que mantinha em seu retiro rural na Suíça, saiu de casa e deu um tiro no coração.[150]

III

Enquanto isso, o regime, com uma forma de tomada de decisões característica também em outras áreas, aproveitou a oportunidade da exposição para aprovar uma legislação generalizando a política que esta representava. No dia anterior à abertura da mostra, Hitler declarou que o tempo de tolerância havia acabado:

> De agora em diante, haveremos de travar uma guerra sem remorso contra os últimos elementos de subversão de nossa cultura... Mas agora – garanto a vocês aqui – todas as turminhas de falastrões, diletantes e fraudes artísticas que adulam umas às outras e com isso se-

guem em frente serão apanhadas e removidas. No que nos diz respeito, esses seres da idade da pedra cultural, pré-históricos e antediluvianos e artistas de meia-tigela podem voltar a suas cavernas ancestrais para ali continuar com suas garatujas internacionais.[151]

Os "falastrões", na verdade, já haviam sido calados por uma ordem emitida por Goebbels, em 27 de novembro de 1936, banindo a crítica de arte, que, segundo ele, havia sido "elevada a tribunal de julgamento de arte na era de domínio estrangeiro e judeu da arte". Em seu lugar surgiu a "reportagem de arte", que deveria se limitar à simples descrição. Em um mundo de arte em que tudo que era exibido em museus e galerias públicos estava ali com a aprovação do Ministério da Propaganda e da Câmara de Artes Plásticas do Reich, a crítica de arte poderia assemelhar-se por demais à crítica ao regime.[152] Para garantir que obras modernistas não fossem mais colocadas em exibição pública, Ziegler declarou em seu discurso de abertura que as galerias do país em breve seriam despojadas de tais excrescências de uma vez por todas.[153] Pouco depois disso, Goebbels disse à Câmara de Cultura do Reich que as "imagens assustadoras e horrendas da 'Exposição de Arte Degenerada' de Munique" mostravam "obras de arte atamancadas", "criações monstruosas, degeneradas" de homens do "passado", "representantes senis... de um período que superamos intelectual e politicamente". Em 31 de maio de 1938, foi promulgada uma Lei para o Confisco de Produtos de Arte Degenerada, legalizando retroativamente a apreensão de obras de arte degenerada não apenas de galerias e museus, mas também de coleções particulares, sem compensação, exceto em casos excepcionais "para evitar penúria".[154] O programa de confisco foi centralizado nas mãos de uma comissão chefiada por Adolf Ziegler que incluía o comerciante de arte Karl Haberstock e o fotógrafo de Hitler, Heinrich Hoffmann.[155]

A comissão aumentou o número de obras de arte apreendidas para cerca de 5 mil pinturas e 12 mil peças gráficas, desenhos, xilogravuras e aquarelas do total de 101 galerias de arte e museus por toda a Alemanha.[156] Algumas obras não alemãs foram entregues a instituições e indivíduos que as haviam emprestado para museus alemães, cerca de quarenta foram por fim devolvidas e outras foram trocadas. Além disso, Hermann Göring reservou catorze das peças mais valiosas para si: quatro pinturas de Vincent van Gogh, quatro de Edvard Munch, três de Franz Marc, uma de Paul Cézanne, uma de Paul Gauguin e uma de Paul Signac. Vendeu-as para angariar dinheiro para a compra de tapeçarias para Carinhall, a cabana de caça palaciana que construiu em memória da primeira esposa; um exemplo de enriquecimento ilícito que sugeria de modo contundente como ele se comportaria quando a arte de outros países europeus estivesse à sua disposição.[157] Ademais, os artistas no exílio e seus defensores no exterior organizaram rapidamente contraexposições de "Arte Alemã do Século XXI", mais notadamente em Londres, Paris e Boston, o que chamou a atenção para a reputação desfrutada no exterior por muitos artistas banidos. Em sua busca pelo dinheiro em espécie de que tanto necessitava, o regime nazista simplesmente não podia ignorar a demanda por arte modernista alemã em outros países. Goebbels deu início a negociações com Wildenstein e outros comerciantes fora da Alemanha e remodelou a comissão de Ziegler, tornando-a um organismo sob seu controle mais direto. Estabelecida dentro do Ministério da Propaganda em maio de 1938, a comissão incluiu três negociantes de arte e foi encarregada do manejo das obras confiscadas. Ao longo dos anos seguintes, até 1942, mais de 1 milhão de reichsmarks da venda de mais de 3 mil obras de arte confiscadas foram depositados em uma conta especial no Reichsbank. A transação mais pública foi a venda de 125 obras de Ernst Barlach, Marc Chagall, Otto Dix, Paul Gauguin, Vincent van Gogh, George Grosz, Ernst Ludwig Kirchner, Paul Klee, Max Liebermann, Henri Matisse, Amadeo Modigliani, Pablo Picasso, Maurice Vlaminck e outros na Galeria Fischer em Lucerna, em 30 de junho de 1939. Com exceção de 31 peças, todas as demais encontraram um comprador. Parte da renda foi para os museus e galerias de onde as obras haviam sido retiradas, mas a maior parte foi colocada em uma conta em Londres para permitir a Hitler comprar pinturas para sua coleção pessoal. Dessa forma, uma boa quantidade de obras de arte confiscadas sobreviveu.[158]

A maioria, porém, não teve tal sorte. A soma total do leilão em Lucerna, pouco mais de meio milhão de francos suíços, foi decepcionante até para os padrões da época. O conhecimento de que o regime estava confiscando e descarregando grandes quantidades de arte moderna fez os preços despencarem também nas vendas às escondidas. Uma pintura de Max Beckmann, *Costa Sul*, saiu por apenas vinte dólares. Parecia que afinal não haveria grandes lucros. Um milhão de reichsmarks no fim das contas era pouco. Embora mais dois leilões estivessem planejados, uma outra pequena venda foi realizada em Zurique em agosto de 1939, e transações privadas ocorreram o tempo todo até 1942; a crescente ameaça de guerra tornou o transporte de grandes quantidades de obras de arte para o exterior cada vez mais desaconselhável.[159] Seu manejo era dificultado pelo fato de Hitler haver inspecionado pessoalmente a coleção das 12.167 peças restantes em um armazém de Berlim e ter proibido a devolução para as coleções de onde haviam sido retiradas. Parecia não haver muitas alternativas além de destruir o que não fora vendido. Afinal, aos olhos de Ziegler e sua comissão, aquilo de qualquer modo não valia nada em termos artísticos. Assim, em 20 de março de 1939, 1.004 pinturas a óleo e 3.825 aquarelas, desenhos e peças gráficas foram amontoados no pátio da estação central dos bombeiros de Berlim e queimadas. A fogueira não foi assistida pelo público, tampouco acompanhada de qualquer cerimônia formal ou anúncio público. Todavia, trouxe uma vívida lembrança das queimas anteriores de livros em 10 de maio de 1933, que consumiram obras de escritores judeus, esquerdistas e modernistas nas praças públicas das cidades universitárias da Alemanha.[160]

A arte modernista, enfim, fora destruída na Alemanha da maneira mais física possível. As obras modernistas agora haviam sido retiradas das coleções alemãs e lançadas em uma fogueira. As únicas que seriam vistas estavam na Exposição de Arte Degenerada, que então saiu em turnê em formato reduzido e atraiu números substanciais de visitantes em outras cidades, como Berlim, Düsseldorf e Frankfurt, nos dois anos seguintes.[161] Os artistas modernistas haviam sido forçados ao exílio ou impedidos de vender ou exibir seu trabalho em público. Contudo, não haviam desaparecido por completo. Pelo contrário, pois, conforme o Serviço de Segurança da SS reportou em 1938, obras de "bolcheviques culturais" e "expressionistas" ainda eram expostas em galerias e mostras particulares, especialmente em Berlim. Em um concurso realizado em Berlim em 1938, "a exibição de jovens artistas ofereceu na maior parte uma imagem de degeneração e incom-

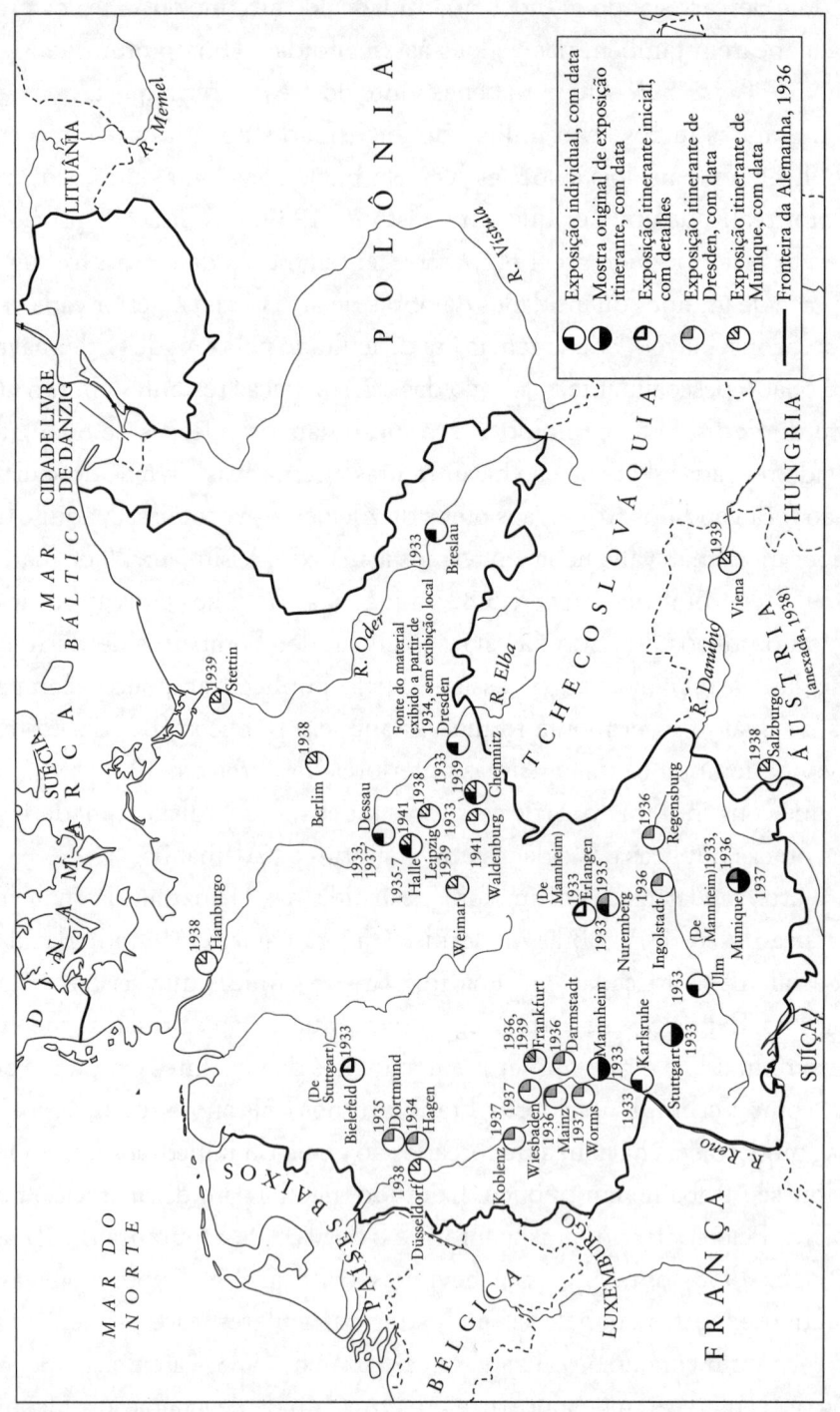

Mapa 5. Exposição de Arte Degenerada

petência, de modo que essa fatia da geração artística mais jovem opõe-se à concepção nacional-socialista de arte", reclamou a SS.[162] Parecia então que as visões nazistas de arte no fim não haviam triunfado, exceto pela brutal supressão física de alternativas. E isso não era tudo. A SS também reclamava em 1938 de que a "oposição à visão nacional-socialista de arte estava presente entre largas camadas da própria comunidade artística alemã... na medida em que esta não pode ser considerada de inclinação marcadamente nacional-socialista". Particularmente impopular era a Câmara de Artes Visuais do Reich, que, de acordo com o relatório da SS, quase todos os artistas alemães detestavam.[163] Essa Câmara exercia extensos poderes sobre seus 42 mil membros, que incluíam arquitetos, paisagistas, decoradores de interiores, copistas, negociantes de antiguidades, oleiros e de fato quase qualquer um que tivesse qualquer conexão com artes visuais. Para se habilitar como associado era necessário preencher um questionário detalhado, listando as afiliações políticas prévias e fornecendo os antecedentes raciais dos membros da família.[164] Quem não se qualificasse, não podia atuar. Impossibilitado de ganhar a vida vendendo seu trabalho, alguns recorreram a alternativas subalternas humilhantes. Em 1939, por exemplo, Oskar Schlemmer pintava camuflagens em prédios militares.[165]

Nesse ínterim, artistas "alemães" como Arno Breker prosperaram como nunca. Foram encorajados pelo Ministério da Propaganda, que instituiu uma série de prêmios, distinções e títulos para artistas cuja obra estivesse de acordo com o ideal nazista.[166] Exposições de arte por toda a Alemanha agora ostentavam nomes como "Sangue e Solo" ou "Forças Básicas da Formação da Vontade Alemã" e se dedicavam a temas como retratos de líderes nacional-socialistas, sobretudo de Hitler, é claro.[167] Além disso, a Exposição de Arte Degenerada não foi montada de modo isolado; de fato, era o complemento de uma "Grande Exposição de Arte Alemã" inaugurada em Munique na véspera.[168] A enorme mostra, precedida de um tremendo cortejo cívico de cultura alemã pelas ruas de Munique e que dali em diante seria renovada anualmente, continha paisagens, naturezas--mortas, retratos e estátuas alegóricas, entre muitas outras obras. Os temas incluíam animais e natureza, maternidade, indústria, esporte, vida e atividades rurais, mas, talvez surpreendentemente, nada de soldados ou guerra.

Nus imponentes e impessoais forneciam imagens proeminentes, intocáveis e sobre-humanas de permanência e atemporalidade para contrastar com a dimensão humana da arte agora rotulada como degenerada.[169] O próprio Hitler inspecionou as peças de antemão e rejeitou uma em cada dez obras da lista selecionada para exibição. Insatisfeito com a falta de rigor demonstrada pela comissão de Ziegler, indicou seu fotógrafo Heinrich Hoffmann para fazer a seleção final.[170] É provável que o comparecimento relativamente baixo à exposição – pouco mais de 400 mil pessoas, contra os quase 3 milhões que compareceram à Exposição de Arte Degenerada em Munique e na turnê – tenha sido causado principalmente pelo fato de que os visitantes tivessem que pagar.[171] Mas também foi um sucesso. De acordo com Peter Guenther, os visitantes louvavam a habilidade e a qualidade realista, natural das estátuas e pinturas (mesmo daquelas projetadas como alegorias), e no geral ficavam impressionados com as peças exibidas. Mais uma vez, muitos visitantes, na opinião do jovem Guenther, jamais haviam ido a uma exposição de arte antes.[172] A política nazista para a arte era sobretudo para pessoas desse tipo.[173]

IV

A Grande Exposição de Arte Alemã foi abrigada em um museu construído com essa finalidade, projetado no estilo de um templo antigo pelo arquiteto Paul Ludwig Troost. Suas colunas pesadas e angulosas avançando diante do sólido bloco retangular do prédio estavam muito distantes da delicada e sutil arquitetura neoclássica que Troost almejava imitar. Como outros prédios nazistas, era antes de mais nada uma afirmação de poder.[174] A Casa da Arte Alemã foi apenas um do grande número de projetos prestigiosos aos quais Hitler deu início tão logo assumiu o poder em 1933. Na verdade, ele pensava a respeito desde o começo da década de 1920. Hitler imaginava-se um arquiteto mais ainda do que um pintor, e dava mais atenção à arquitetura do que a qualquer outra arte. "Toda grande era encontra a expressão conclusiva de seus valores em seus prédios", ele declarou em 1938: "Quando os povos vivenciam grandes momentos interiores, também concedem expressão externa a esses tempos. Sua palavra então é mais convincente do que quando falada: é a palavra em pedra!".[175]

Os novos prédios públicos do Terceiro Reich foram todos concebidos no estilo pseudoclássico maciço e monumental. A exemplo dos prédios que Hitler havia observado e desenhado na Ringstrasse de Viena em sua juventude, esses pretendiam projetar permanência e durabilidade. Todos foram influenciados pelos planos arquitetônicos e projetos pessoais de Hitler. Ele passava horas trabalhando com arquitetos no aprimoramento de ideias, estudando modelos em minúcia e discutindo os pontos mais sutis do estilo e da decoração. Já em 1931-32 Hitler havia colaborado com Troost no replanejamento da Königsplatz em Munique e, quando chegou ao poder, aqueles planos foram postos em prática. A velha sede do Partido na Casa Parda foi substituída por um gigantesco Edifício do Líder e um enorme Edifício da Administração, abrigando vastos salões de recepção e decorados com suásticas e águias na fachada. Em cada um havia um balcão de onde Hitler podia falar às multidões que se esperava reunir. A despeito da aparência, os novos prédios incorporavam tecnologia avançada na construção e na equipagem, inclusive ar-condicionado. Em anexo havia duas expressões típicas do culto nazista aos mortos: templos de honra dedicados aos nazistas mortos no golpe da cervejaria de 1923. Uma atmosfera de sacralidade reverente predominava em ambos, com os corpos recentemente exumados dos mártires exibidos em sarcófagos montados sobre um tablado, expostos aos elementos e flanqueados por 20 pilares de calcário iluminados por braseiros flamejantes. A enorme arena de grama da Königsplatz foi pavimentada com 2,2 mil metros quadrados de lajes de granito. "Algo novo foi criado aqui", notou um comentarista, "sendo que o significado mais profundo é político". As massas organizadas e disciplinadas se reuniriam no local para jurar lealdade à nova ordem. O conjunto era, concluiu ele, "ideologia transformada em pedra".[176]

Como em outros setores, os gerentes culturais nazistas levaram algum tempo para impor suas ideias. A Câmara de Arquitetos do Reich sem demora expulsou praticantes judeus da profissão, mas, a despeito da hostilidade nazista à arquitetura ultramoderna, foi mais lenta para agir contra os modernistas, alguns dos quais, como Mies van der Rohe, permaneceram na

Alemanha por algum tempo, ainda que encontrando cada vez mais dificuldade para trabalhar. Entretanto, em 1935, os tipos mais experimentais de modernismo haviam sido efetivamente desbaratados; Mies logo emigrou para Nova York.¹⁷⁷ Em meados da década de 1930, construções da era de Weimar, como edifícios modernistas de apartamentos, não estavam mais na moda. Em seu lugar, o ideal nazista de arquitetura doméstica favoreceu um estilo vernacular, pseudocamponês, como o praticado pelo principal proponente de teorias raciais sobre arte moderna, Paul Schultze-Naumburg. Essas eram vitrinas apenas para os subúrbios; a necessidade obrigava que os apartamentos ainda fossem construídos dentro das cidades; porém, agora preferiam-se os telhados pontudos aos planos, porque acreditava-se que fossem mais alemães.¹⁷⁸ Mas foi nos prédios públicos que Hitler colocou sua verdadeira paixão. Em Munique, foram lançadas as fundações para uma nova e gigantesca estação de trem planejada para ser a maior estrutura em aço do mundo, com um domo mais alto que as torres gêmeas da Frauenkirche, a marca registrada de Munique. Não apenas Munique, mas outras cidades também deveriam ser transformadas em imponentes declarações em pedra do poder e da permanência do Terceiro Reich. Hamburgo seria agraciada com um novo arranha-céu para a sede regional do Partido Nazista, mais alto que o Empire State Building de Nova York, coroado por uma suástica enorme de neon que funcionaria como farol para os navios que chegassem. Descendo o rio, o subúrbio de Othmarschen seria demolido para abrir caminho para as rampas e vigas de uma gigantesca ponte suspensa sobre o Elba. Seria a ponte mais extensa do mundo, muito mais extensa que a Golden Gate de São Francisco, na qual se baseava.¹⁷⁹

Em Berlim, um novo e imenso terminal aéreo foi construído no Tempelhof, com mais de 2 mil salas. O novo e grandioso Ministério da Aviação incorporou uma profusão de salões com piso de mármore, suásticas e memoriais para aviadores alemães famosos. Um imenso Estádio Olímpico, com custo de 77 milhões de reichsmarks, tinha capacidade para 100 mil espectadores que assistiam não apenas a eventos esportivos, mas também aos principais comícios nazistas. Ali também, em torres anexas, havia memoriais para os mortos, no caso soldados alemães da Primeira Guerra Mundial. Em 1938, Hitler havia encomendado também uma nova Chancelaria do

Reich, visto que agora ele considerava a atual modesta demais. Aquela era ainda maior e mais imponente que os prédios de Munique. A galeria principal tinha quase 150 metros de extensão; duas vezes mais longa, conforme observou Hitler, que o Salão dos Espelhos de Versalhes.[180] Inaugurada em 1939, a nova Chancelaria do Reich, registrou um comentarista, anunciava "a eminência e a riqueza de um Reich que havia se tornado uma superpotência".[181] De fato, o gigantismo de todos esses projetos, com conclusão planejada para o início da década de 1950 – um tempo notavelmente curto – pretendia significar a chegada da Alemanha naquela época não só à condição de superpotência, mas de potência dominante no mundo.[182]

A nova Chancelaria do Reich não foi planejada pelo arquiteto favorito de Hitler, Paul Troost, que faleceu em janeiro de 1934, mas por um recém-chegado que viria a desempenhar papel central nos anos subsequentes do Terceiro Reich: Albert Speer, o jovem colaborador de Paul Troost. Nascido em Mannheim em 1905, Speer pertencia a uma geração de profissionais cujas ambições foram modeladas pelas experiências amargas e caóticas da Primeira Guerra Mundial, da Revolução e da hiperinflação. Filho de um arquiteto, e portanto membro da classe média alta educada da Alemanha, Speer estudou com o arquiteto Heinrich Tessenow em Berlim e fez sólidas amizades com outros pupilos de Tessenow. O professor imbuiu-os de uma abordagem livre da arquitetura, sem desposar o modernismo nem tampouco sua antítese, mas enfatizando a simplicidade da forma e a importância de enraizar o estilo na experiência do povo alemão. Como em toda universidade em meados e fim da década de 1920, a atmosfera entre os estudantes era fortemente de direita e, a despeito de sua base liberal, Speer sucumbiu. Em 1931, Hitler discursou para os estudantes de Berlim durante uma reunião de cervejaria. Speer estava na plateia e, confessou mais tarde, foi "levado pela onda de entusiasmo que, como dava para se sentir quase fisicamente, transportava o orador de uma frase para outra. Deixei de lado qualquer ceticismo, quaisquer reservas".[183]

Conquistado, Speer aderiu ao Partido Nazista e lançou-se a trabalhar para ele, alistando-se como voluntário na Unidade Nacional-Socialista de Motoristas e sondando, mas não levando a cabo, a possibilidade de entrar para a SS. Em 1932, praticava a arquitetura de modo independente e começou a usar seus contatos no Partido para obter trabalhos. Goebbels pediu seu auxílio para a reforma e a redecoração do Ministério da Propaganda, um prédio do grande arquiteto do século XIX Friedrich von Schinkel, que Goebbels havia vandalizado com a ajuda uma gangue de camisas-pardas ao ocupá-lo. Não é de surpreender que Goebbels desdenhasse da tentativa de Speer de preservar o que restava dos interiores clássicos de Schinkel e mandasse o trabalho ser refeito em estilo mais grandioso poucos meses depois de Speer ter completado a obra. Todavia, o projeto seguinte do jovem arquiteto foi mais bem-sucedido. Ao ver os planos desenvolvidos pelo Ministério da Propaganda para a celebração do Dia Nacional do Trabalho no Campo de Tempelhof, em Berlim, em 1º de maio de 1933, Speer reclamou da falta de imaginação, e foi encarregado de melhorá-los. Suas bem-sucedidas inovações, incluindo enormes estandartes, suásticas e holofotes, levaram Goebbels a incumbi-lo de planejar os arredores para o comício de Nuremberg mais adiante naquele ano. Foi Speer que, em 1934, criou o efeito de "catedral de luz" produzido por holofotes voltados para o alto e que tanto impressionou os visitantes estrangeiros. Em breve ele estava redecorando os escritórios do Partido Nazista e reformando os interiores da nova casa de Goebbels em Wannsee, nas imediações de Berlim. Speer sentiu-se energizado pela atmosfera resoluta que cercava os líderes nazistas. Trabalhou com enorme afinco e aprontou as encomendas com rapidez. Em pouquíssimo tempo, ainda na casa dos vinte anos, ele havia feito nome entre a liderança nazista.[184]

A morte de Troost, a quem Hitler reverenciava, catapultou Speer para o séquito pessoal do Líder, na medida em que Hitler cooptou o jovem como conselheiro pessoal em arquitetura, alguém com quem ele podia falar sobre seu passatempo favorito sem a deferência que sentia dever a Troost. Speer foi cumulado de atenção, e mudou-se com a família para perto do retiro de Hitler na Baviera, ao Norte de Berchtesgaden. Convidado frequente para a casa de Hitler na montanha, Speer deixou-se levar pelo desejo do Líder de construir prédios monumentais em um estilo derivado em última análise da Antiguidade clássica. Em breve eram-lhe confiados esquemas cada vez mais ambiciosos, muitos deles baseados em esboços que o próprio Hitler havia feito da metade para o fim da década de 1920. Speer foi encarregado de reedificar e ampliar a área do comício do Partido em Nuremberg com uma série de novos prédios construídos mediante alto custo a partir do final da década de 1930, incluindo um estádio com capacidade para 405 mil pessoas, um Salão do Congresso com 60 mil lugares e duas imensas praças de armas, o Campo Zeppelin e o Campo de Marte, ladeadas por fileiras de colunas e com capacidade para 250 mil e 500 mil pessoas, respectivamente.[185] Enquanto isso, projetou e construiu o pavilhão alemão na Exposição Mundial de Paris, outra estrutura imensa e bombástica, a maior de toda a feira. Era dominada por uma possante torre pseudoclássica de dez pilastras estriadas, unidas no topo por uma cornija, assomando acima de todas as outras estruturas adjacentes, inclusive o pavilhão soviético, e superada apenas pela Torre Eiffel, situada ao fim da avenida onde se localizavam os pavilhões. Suásticas vermelhas cintilavam à noite nos espaços entre as pilastras. Próximo à torre, o salão principal, comprido, retangular e sem janelas, projetava um senso de unidade monolítica para o mundo exterior. Em uma imagem profética e macabra, seu interior foi comparado por Paul Westheim, um crítico de arte alemão exilado, a um crematório, com a torre assumindo o lugar da chaminé.[186]

O sucesso de Speer como arquiteto de construções de propaganda desse tipo levou-o a ser nomeado por Hitler como inspetor-geral de obras da capital nacional em 30 de janeiro de 1938, encarregado de colocar em prática os planos megalomaníacos do Líder para a transformação de Berlim em uma capital mundial, Germânia, em 1950. Um enorme eixo de amplos bulevares projetados para desfiles militares seria cortado através de Berlim. No meio haveria um arco triunfal de 130 metros de altura, com mais que o dobro do tamanho do Arco do Triunfo de Paris. A avenida principal levaria a um Grande Salão, cujo domo deveria ter 250 metros de diâmetro, o maior do mundo. Ao final de cada um dos bulevares haveria um aeroporto. O próprio Hitler havia traçado os planos muitos anos antes e os discutido com Speer muitas vezes desde que se conheceram. Ele decidiu que agora estava na hora de colocá-los em prática.[187] As construções durariam pela eternidade, seriam um monumento ao Terceiro Reich muito depois que Hitler houvesse saído de cena. Despejos e demolição de casas e prédios de apartamentos limparam o terreno para os novos bulevares, e uma parte do projeto enfim foi aberta ao trânsito. Enquanto isso, eram acrescidos novos prédios, inclusive a nova Chancelaria do Reich, e em breve Speer construiu uma maquete na qual Hitler despendeu muitas horas nos anos seguintes, estudando-a detidamente em sua companhia, fazendo ajustes e lamentando o fato de nunca ter se tornado arquiteto.[188]

Em meados da década de 1930, Speer chefiava uma grande firma de arquitetos e obtinha a experiência de gerenciamento que o deixaria em boa situação quando fosse subitamente catapultado para um papel muito maior e mais importante durante a guerra. Muitos de seus projetos mais impressionantes não foram só dele, mas elaborados com uma equipe cujos membros, especialmente Hans Peter Klinke, colega durante os estudos com Tessenow, desempenharam um papel no mínimo tão criativo quanto o dele. Além disso, os projetos da firma estavam longe de ser originais ou até mesmo particularmente nazistas quanto ao estilo: a arquitetura cívica da época recorreu a modelos clássicos também em outros países, e a ideia de remodelar cidades segundo linhas geométricas, com amplos bulevares e grandes prédios públicos, tampouco era nova; de muitas formas, por exemplo, os planos de Speer para Berlim ostentavam uma impressionante semelhança com o centro da capital federal dos Estados Unidos, em Washington, D. C., com sua vasta alameda central cercada por volumosas estruturas neoclássicas com colunatas, todas em pedra branca cintilante. O que distinguia a arquitetura cívica alemã e o planejamento da cidade não era a derivação clássica de seu estilo, mas o gigantismo maníaco de sua escala. A coisa toda poderia não ser muito diferente das estruturas cívicas de outros locais, mas com certeza seria imensamente maior do que qualquer coisa que o mundo já vira até então. Isso já ficava aparente nos modelos de Berlim que Speer passava tanto tempo inspecionando com seu senhor. Em certa ocasião, Speer mostrou-os em uma sessão privada para o pai, um arquiteto aposentado de 75 anos de idade. "Vocês ficaram completamente loucos", disse o ancião.[189]

Da discórdia à harmonia

I

Quando o ministro da Propaganda Joseph Goebbels estabeleceu a Câmara de Música do Reich em novembro de 1933, deu uma espécie de golpe ao persuadir Richard Strauss a atuar como presidente da Câmara. Bem antes de sua nomeação, Strauss havia conquistado os aplausos do regime por assumir, em cima da hora, um compromisso de regência originalmente atribuído ao maestro judeu Bruno Walter. Strauss não gostava de Walter e foi persuadido de que, se não entrasse em cena, a orquestra – a Filarmônica de Berlim – perderia rendimentos vitais porque o público não compareceria. O regime, como era previsível, explorou o evento para seus objetivos próprios.[190] Não muito depois, Strauss entrou em cena de novo para substituir outro regente banido, Fritz Busch, e o maestro italiano antifascista Arturo Toscanini, que, por motivos políticos, recusou-se a reger no Festival de Bayreuth.[191] De sua lealdade ao novo regime, portanto, não podia haver muita dúvida. A essa altura, Strauss já estava com quase setenta anos de idade. Ao longo das décadas anteriores, havia estabelecido reputação internacional como principal compositor alemão, sobrepujando de longe todos os outros em eminência e popularidade. Ele era muito ciente de sua preeminência e papel histórico. Compondo em exuberante estilo romântico tardio, não era admirador da música modernista e atonal; quando lhe perguntaram certa vez o que pensava da música atonal do compositor serialista Arnold Schönberg, Strauss disse que ele faria melhor se fosse cavar neve.[192]

A despeito de sua imensa reputação, Strauss tinha aguda consciência de que, em última análise, havia fracassado em alcançar a posição de seus grandes predecessores, como Bach, Beethoven, Brahms ou Wagner ("posso não ser um compositor de primeira classe", dizem que ele certa vez comentou com autodepreciação resignada, "mas sou um compositor de segunda classe de primeira categoria"). Seu pai, filho ilegítimo de um funcionário da corte bávara, ascendeu por meio do talento musical e se tornou um famoso clarinetista, mas o conhecimento de suas origens conferiu a Strauss um senso de insegurança social do qual jamais conseguiu se livrar. Nascido em 1864, o compositor alcançou notório sucesso social e financeiro no Reich guilhermino e, durante a República de Weimar, como não era de surpreender, era muitíssimo conservador em termos de política. O conde e esteta Harry Kessler registrou que, em um almoço privado em 1928, Strauss condenou a República de Weimar e pediu o estabelecimento de uma ditadura, embora Kessler, de forma um tanto caridosa, pensasse que o comentário pudesse ter sido irônico.[193] Strauss agarrou a oportunidade de se tornar o líder da classe musical na Alemanha. Aceitou a presidência da Câmara de Música do Reich como um direito inato. Por muitos anos ele havia feito campanhas e movimentos em nome dos músicos a respeito de questões como direito autoral, que haviam se tornado mais cruciais que nunca na era do rádio e do gramofone. Frustrado pela aparente incapacidade da República de Weimar de defender a posição da tradição musical alemã contra a enxurrada de música popular, operetas, musicais e *jazz* de um lado, e do surgimento da música atonal e modernista de outro, Strauss pensou que o Terceiro Reich transpassaria os atrasos e confusões do processo legislativo e concederia, a ele e a sua classe, o que desejavam.[194]

Strauss era, portanto, um político cultural experiente e esperava de Goebbels algo em troca de sua lealdade. O ministro da Propaganda realmente acedeu, criando uma agência central estatal para a proteção do direito autoral da música em 1934 e aderindo à Convenção do Direito Autoral de Berna, que estendeu a proteção sobre composições musicais de trinta para cinquenta anos após a morte do compositor. Mas Goebbels ficou menos encantado com as tentativas de Strauss de usar a Câmara de Música do Reich para impor sua aversão pessoal a operetas baratas, *jazz* e música ligeira de entretenimento, e os indicados de Strauss para a Câmara não eram páreo para os homens de Goebbels nas artes sujas da luta burocrática interna e da intriga política. Logo os representantes do Ministério estavam reclamando que a Câmara não era dirigida de forma adequada. Strauss não tinha condições de se defender porque com frequência estava afastado, compondo. Ele não se dava com seu vice-presidente, o eminente maestro Wilhelm Furtwängler. E, de modo crítico, ambos em breve estavam em desavença com o regime a respeito da contratação de músicos judeus. Quando era mais jovem, Strauss fizera muitos comentários depreciativos sobre judeus, e Furtwängler também concordava com os batidos princípios de direita sobre "bolchevismo judaico" e a "falta de raízes" judaica. Mas, assim como muitos antissemitas ocasionais e não fanáticos, isso não impedia nenhum dos dois de trabalhar com judeus se isso lhes conviesse.[195]

No caso de Strauss, isso signifivava os libretistas Hugo von Hofmannsthal, que morreu em 1929, e Stefan Zweig, um autor de *best-sellers* com quem ele alegremente colaborou em uma nova ópera, *A mulher silenciosa (Die schweigsame Frau)* em 1933-34. Alfred Rosenberg viu essa ocasião como uma oportunidade de minar o controle de Goebbels sobre a instituição musical e ressaltou que o libretista de *A mulher silenciosa* não só era judeu, como o diretor da casa de ópera onde haveria a estreia tinha uma esposa judia. Quando Strauss insistiu que o nome de Zweig fosse incluído no programa, o diretor, considerado responsável, foi forçado a se exonerar. De sua parte, Zweig, que vivia na Áustria, já havia assinado um protesto contra as políticas do regime junto com o romancista Thomas Mann, um dos críticos mais ferrenhos do Terceiro Reich. Ele então declarou-se relutante em continuar a colaboração com Strauss sob o argumento de que não podia aprovar sua obra ser produzida em uma Alemanha que submetia seus companheiros judeus a tamanha perseguição. Na tentativa de dissuadi-lo, Strauss escreveu para Zweig em 17 de junho de 1935 afirmando que não havia se tornado presidente da Câmara de Música do Reich por apoiar o regime, mas "simplesmente por senso de dever" e "a fim de evitar infortúnios maiores". A essa altura, a Gestapo mantinha Zweig sob observação e abria sua correspondência. A carta foi interceptada, copiada e enviada à Chancelaria do Reich. Strauss já estava sob ataque de vários setores do regime não só pela colaboração com Zweig, mas também por usar a loja de música de um judeu para imprimir seus trabalhos e incumbir um músico judeu de fazer a redução para piano da ópera. Sob pressão crescente e desapontado pelo gerenciamento ineficiente do compositor da Câmara de Música do Reich, Goebbels enfim decidiu que Strauss tinha que sair. O compositor foi persuadido a apresentar sua renúncia como presidente da Câmara de Música do Reich em 6 de julho de 1935 "devido à deterioração da saúde". Enquanto isso, *A mulher silenciosa* era retirada de cartaz após a segunda apresentação e banida durante todo o Terceiro Reich.[196]

Tentando salvar alguma coisa da derrocada de *A mulher silenciosa*, Strauss escreveu uma carta pessoal a Hitler em 13 de julho de 1935 solicitando uma audiência. A carta interceptada que havia levado à sua demissão, ele protestou, havia sido "mal interpretada... como se eu tivesse... pouca compreensão sobre antissemitismo ou sobre o conceito da comunidade popular". Hitler nem se deu ao trabalho de responder. Tentativas de obter uma entrevista com Goebbels também foram rejeitadas de maneira brusca. Em particular, Strauss anotou: "Mas é triste o dia em que um artista do meu porte tem que perguntar a um rapazola ministro o que pode compor e apresentar. Eu também pertenço à nação de 'servos e garçons' e quase invejo meu companheiro racialmente perseguido Stefan Zweig".[197] Isso não o impediu de tentar fazer uma reentrada. Strauss compôs o hino oficial para as Olimpíadas de Berlim de 1936, mas foi contratado pelo Comitê Olímpico, não pelo governo alemão. A contratação e o sucesso do hino fizeram Goebbels perceber que o prestígio internacional de Strauss poderia ser útil ao regime, e ele teve permissão para viajar ao exterior como embaixador cultural da Alemanha e receber mais uma vez os aplausos do público internacional de amantes da música. Goebbels arranjou para que ele regesse sua obra no Festival de Música do Reich de 1938 em Düsseldorf, e com sua bênção Strauss participou de júris de concursos, recebeu prêmios e felicitações do regime por seu aniversário. O compositor continuou a lançar novas óperas, inclusive *O dia da paz* (*Der Friedenstag*, 1938), projetadas para serem aceitáveis pelo regime, com libretos escritos pelo seguramente ariano Joseph Gregor, que Strauss considerava imensamente inferior aos colaboradores anteriores. Mas essas foram compensações parcas para sua remoção do centro do poder, onde outros compositores, mais atuais, agora estavam caindo nas graças do regime.[198]

II

Quem eram esses compositores, porém, não estava claro de modo algum em 1933. A mera adesão política ao Partido Nazista era uma questão de importância apenas secundária. O que realmente contava, antes de tudo, era a filiação racial de um determinado compositor, vivo ou morto. Judeus, de acordo com o preceito nazista, eram superficiais, imitativos, incapazes de criatividade genuína; e pior ainda: eram subversivos, degenerados, destruidores da verdadeira música da tradição alemã. Alegava-se que o compositor Felix Mendelssohn, por exemplo, era um imitador bem-sucedido da música alemã genuína; Gustav Mahler era o compositor da degeneração e decadência; a música atonal de Arnold Schönberg, com sua dissonância, rompia a ideia de uma comunidade racial alemã harmoniosa. O Ministério da Propaganda encorajava a publicação de qualquer coisa que ajudasse a minar a reputação desses compositores entre o público frequentador de concertos, desde volumes pseudoeruditos como o *Música e raça* de Richard Eichenauer, publicado em 1932, a dicionários como o *A-B-C musical dos judeus,* que apareceu em 1935. Artigos regulares na imprensa especializada em música e nas seções de cultura dos jornais reforçavam a mensagem transmitida por tais publicações.[199] E os musicólogos nazistas não se contentaram apenas com palavras.

Em maio de 1938, inspirado pela exposição de "arte degenerada" de Munique, Hans Severus Ziegler, gerente do teatro nacional em Weimar, organizou uma exposição de "música degenerada" em Düsseldorf como parte do primeiro Encontro de Música do Reich. Assessorado pelo pessoal do gabinete de Rosenberg, Ziegler reuniu às pressas uma equipe de cartunistas, técnicos, *designers* e outros e montou uma grande exposição, com seções sobre compositores e regentes, críticos e professores de música judeus, música modernista e atonal e muito mais. "O que foi reunido na Exposição de Música Degenerada", ele bradou na cerimônia de abertura, "constitui o retrato de um verdadeiro sabá de bruxas e do bolchevismo cultural, espiritual e artístico mais frívolo, e um retrato do triunfo da sub-humanidade, da insolência arrogante judaica e da total demência senil espiritual". A exposição tratou do problema de mostrar às pessoas como aquela música realmente era instalando seis cabines de áudio, nas quais os visitantes podiam ouvir gravações de gramofone especialmente editadas com trechos da música de Arnold Schönberg, Ernst Křenek e outros. Uma delas, apresentando trechos da *Ópera dos três vinténs*, de Kurt Weill, foi especialmente procurada. Longas filas formaram-se diante dela, testemunhando a popularidade duradoura da música entre um público privado da oportunidade de ouvi-la há meia década. Contudo, não faltam motivos para se acreditar que muitas das outras peças exibidas confirmaram os preconceitos de um público musical conservador que de qualquer modo nunca havia gostado muito dos modernistas.[200] Essa ação e a intenção radical por trás dela não eram inteiramente do agrado de Goebbels, que preferia, em vez disso, usar a Câmara de Música do Reich como um meio de regulamentar as apresentações. "A exposição de 'música degenerada' do dr. Ziegler", ele anotou no diário, "está recebendo muitas críticas. Fiz com que retirassem as partes questionáveis".[201] A exposição foi encerrada depois de apenas três semanas.[202]

Enquanto isso, um Escritório de Censura da Música do Reich havia sido instalado dentro da Câmara e emitira listas de compositores e obras proibidos, inclusive Irving Berlin, que era judeu. Não apenas apresentações, mas também gravações e transmissões de qualquer assunto ou qualquer um da lista foram proibidas. Mendelssohn gerou um problema específico porque muitas de suas obras eram muito populares. Alguns regentes continuaram a apresentar sua obra ocasionalmente – Furtwängler, por exemplo, conduziu a Filarmônica de Berlim em três movimentos do *Sonho de uma noite de verão* de Mendelssohn em fevereiro de 1934 para celebrar o 125º aniversário do compositor – mas, quando isso acontecia, os jornais simplesmente não mencionavam, de modo que o impacto ficava restrito àqueles que assistiam ao concerto. Em novembro de 1936, quando o regente britânico Sir Thomas Beecham chegou com a Orquestra Filarmônica de Londres para uma apresentação como convidado na Gewandhaus de Leipzig, obteve permissão do prefeito conservador da cidade, Carl Goerdeler, para depositar uma coroa no memorial de Mendelssohn, que muito havia contribuído para as relações musicais anglo-alemãs no século XIX. Mas, quando foram ao memorial na manhã seguinte ao concerto, a coroa não estava mais lá; o chefe local do Partido, aproveitando as férias de Goerdeler, retirou-a durante a noite e a despedaçou. Furioso, Goerdeler renunciou como prefeito pouco depois de voltar e tornou-se cada vez mais hostil ao regime nazista. No que dizia respeito a Mendelssohn, aquele também foi um momento decisivo. Se a música do compositor ainda fosse tocada, de agora em diante seria sem crédito. Em 1938, o nome de Mendelssohn enfim havia sido removido dos catálogos das companhias editoras e gravadoras de música, e apresentações públicas de sua obra haviam praticamente cessado. Entre 1933 e 1944, foram feitas nada menos que 44 diferentes tentativas por uma grande variedade de compositores de proporcionar uma alternativa à música incidental de Mendelssohn para *Sonho de uma noite de verão*; todas eram inferiores, como os críticos que avaliavam essas performances com frequência foram forçados a confessar.[203]

Obras famosas de compositores não judeus também eram objeto de desaprovação quando envolviam letras de escritores judeus como Heinrich Heine, cujo poema *A Lorelei* era tão amplamente conhecido que o regime decidiu tentar convencer o público em geral de que se tratava de uma canção folclórica, e não de um poema escrito por um judeu. Problemas de um tipo diferente foram apresentados pelas óperas de Wolfgang Amadeus Mozart. Três das mais amadas, *Così fan tutte*, *As bodas de Fígaro* e *Don Giovanni*, não apenas utilizavam libretos de seu colaborador judeu Lorenzo da Ponte, como em geral eram apresentadas em traduções para o alemão do regente judeu Hermann Levi. Ao encomendar novas traduções de um autor não judeu, Siegfried Anheisser, que logo estavam em uso por toda a Alemanha, o escritório de Rosenberg conseguiu desviar a atenção do fato inescapável de que a versão original havia sido escrita por um judeu. O encorajamento de Rosenberg para a "arianização" dos oratórios de Handel, que incluíam uma boa dose de material do Velho Testamento, incitou a hostilidade na Câmara de Música do Reich de Goebbels, que proibiu mudanças nos textos em 19 de setembro de 1934. Contudo, isso não impediu que as apresentações de *Judas Macabeus*, de Handel, prosseguissem com os nomes judaicos e as referências bíblicas removidas, e todo o oratório aparecesse sob o título *O comandante*.[204]

Compositores não judeus estavam sujeitos a incorrer na ira do escritório de Rosenberg se fossem de algum modo modernistas ou atonais, ou se tivessem suscitado alguma forma de controvérsia. No que dizia respeito à Câmara de Música do Reich, se os compositores não fossem alemães, o fato de sua música ser ou não ser apresentada era uma questão de importância secundária. Portanto os ataques à música de Igor Stravinsky, um dos maiores alvos de ridículo na Exposição de Música Degenerada, não surtiram efeito em impedir que fosse executada ao longo de toda a década de 1930. As apresentações na Alemanha eram encorajadas pelo próprio compositor, cuja lendária perspicácia empresarial estendeu-se a ponto de obter permissão especial para o envio de *royalties* para Paris, onde ele vivia desde antes da Primeira Guerra Mundial. As considerações diplomáticas nunca saíam da mente do Ministério da Propaganda ao lidar com compositores estrangeiros, de modo que as composições modernistas de Béla Bartók não foram banidas porque ele era húngaro, e a Hungria era aliada da Alemanha. O próprio Bártok, um ardente antifascista, mudou de editores alemães quando os seus foram arianizados, declarou solidariedade aos compositores banidos e protestou junto ao Ministério da Propaganda quando descobriu que não havia sido incluído na Exposição de Música Degenerada, mas foi tudo em vão: sua música continuou a ser apresentada na Alemanha, assim como a de Stravinsky.[205]

Quando o compositor em questão era alemão, ou mesmo austríaco (o que dava na mesma aos olhos dos nazistas), o caso era bem diferente. Os alunos de Arnold Schönberg foram destacados pelo regime pela adesão à atonalidade de doze notas. A música de Anton von Webern foi proibida desde o início, ao passo que a apresentação de uma suíte orquestral da ópera inacabada *Lulu*, de Alban Berg, sob regência de Erich Kleiber em Berlim, em novembro de 1934, causou um enorme alvoroço, com gritos de "Salve, Mozart!" dos ultrajados membros da plateia. O importante crítico Hans-Heinz Stuckenschmidt, que havia feito uma avaliação positiva da obra em um jornal de Berlim, foi expulso da Associação dos Críticos de Música do Reich (parte da Câmara de Literatura do Reich) e em consequência foi-lhe negado emprego posterior. O crítico já havia feito inimigos devido à obstinada insistência sobre as virtudes de compositores como Stravinsky. Esses tiveram êxito em barrar as tentativas de Stuckenschmidt de encontrar emprego na Alemanha, e ele foi forçado a ir embora para Praga. O regente

Erich Kleiber, estarrecido com a hostilidade suscitada pela apresentação, emigrou para a Argentina dois meses depois. A música de Berg não foi executada em público outra vez durante o Terceiro Reich.[206] Sem dúvida, o caráter apelativo de *Lulu*, que incluía descrições de prostituição e apresentava Jack, o Estripador, como personagem, também teve algo a ver com o escândalo. Outro aluno não judeu de Schönberg, Winfried Zillig, continuou a usar técnicas de doze notas, ainda que de modo relativamente tonal, mas escapou da censura e continuou a conseguir trabalho como regente e compositor. Suas obras incluíam cenas da vida camponesa, a descrição do heroísmo autossacrificante e temas semelhantes ligados à ideologia nazista. Aqui, como na obra de mais um ou dois compositores, a mensagem triunfou sobre o veículo.[207]

Em um caso notório, entretanto, nem o veículo, tampouco a mensagem mostraram-se aceitáveis para as autoridades, não obstante ambos parecerem superficialmente conciliáveis com a estética nazista. Paul Hindemith, talvez o principal compositor modernista da Alemanha na República de Weimar, obteve reputação na década de 1920 como um *enfant terrible*, mas mudou seu estilo para um neoclassicismo mais acessível por volta de 1930. Essa transição foi reconhecida por algumas figuras influentes da cena cultural nazista em 1933, inclusive Goebbels, que ansiava para manter Hindemith na Alemanha, visto que era amplamente reconhecido como o segundo compositor mais importante do país depois de Strauss. No início do Terceiro Reich, Hindemith estava ocupado escrevendo o libreto para sua ópera *Matias, o pintor*, centrada no artista medieval alemão Matthias Grünewald, figura muito amada pelos historiadores de arte nazistas. A ópera abordava a luta rebelde do pintor para se estabelecer como artista alemão, culminando com a concessão de patrocínio de um estado que enfim reconheceu seu talento. Um novo elemento de romantismo na partitura atestava o esforço contínuo do compositor para tornar seu estilo um tanto acadêmico mais acessível ao grande público. Embora não fizesse segredo de sua oposição ao fascismo antes da tomada de poder nazista, Hindemith evidentemente decidiu ficar e se arriscar. E foi indicado para o conselho diretor da Seção de Compositores da Câmara de Música do Reich em novembro de 1933. Uma sinfonia em três movimentos retirada da música de *Matias, o pintor* foi estreada por Furtwängler e a Filarmônica de Berlim em 12 de março de 1934 e mais apresentações estavam agendadas, junto com uma gravação em gramofone. Tudo parecia arranjado para a aceitação de Hindemith como o compositor moderno de destaque do Terceiro Reich.[208]

Mas Goebbels não contava com as maquinações contínuas de seu rival na cena cultural-política, Alfred Rosenberg. Largamente inspirada por Rosenberg, uma série de ataques mordazes ao estilo musical passado e às prévias afiliações políticas de Hindemith apareceu na imprensa musical ao longo de 1934, e as estações de rádio e agências de concerto foram pressionadas a banir apresentações de sua obra. Em resposta a essa campanha, o regente Wilhelm Furtwängler escreveu uma sólida defesa do compositor em um jornal diário em 25 de novembro. Infelizmente, ao fazer isso, o maestro preferiu generalizar seu ataque às denúncias da obra de Hindemith na imprensa musical nazista. "O que seria de nós", perguntou em tom de retórica, "se denúncias políticas no sentido mais amplo fossem aplicadas à arte?" O caso cresceu quando a aparição de Furtwängler no pódio em uma apresentação de *Tristão e Isolda*, de Wagner, no dia da publicação de seu artigo foi saudada com ruidosas demonstrações de apoio da plateia, que sentiu claramente que o regente estava defendendo a liberdade artística contra a interferência do regime. Mas Goebbels e Göring estavam presentes ao teatro para testemunhar a manifestação. Isso colocou o caso em um novo patamar. Goebbels cerrou fileiras com Rosenberg diante dessa franca oposição às políticas culturais do regime. Em 4 de dezembro, Goebbels forçou Furtwängler a renunciar a todos os cargos na Ópera Estatal de Berlim, na Filarmônica de Berlim e na Câmara de Música do Reich. Dali em diante, ele teria que ganhar a vida como *freelance*. Em um discurso aos representantes das artes criativas no Palácio dos Esportes a 6 de dezembro, o ministro da Propaganda observou que Furtwängler havia declarado que os dias de Hindemith como agente provocador musical estavam acabados. Mas "deslizes ideológicos não podem ser desculpados como se fossem simples coisas da juventude". Que Hindemith fosse "de origem alemã pura" apenas mostrava "quão profundamente a infecção intelectual judaica já havia consumido nosso organismo racial".[209]

Chocado pela subitaneidade de sua queda, Furtwängler encontrou-se com Goebbels em 28 de fevereiro de 1935 e disse estar arrependido pelas implicações políticas que alguns haviam deduzido de seu artigo original. Ele garantiu ao ministro que não havia pretendido de forma alguma criticar as políticas artísticas do regime.²¹⁰ Em 27 de julho de 1936, Goebbels registrou uma "longa conversa com Furtwängler no jardim de Wahnfried. Ele me conta todas suas preocupações", anotou o ministro da Propaganda, "de forma sensata e clara. Ele aprendeu muito e está completamente do nosso lado".²¹¹ Já em abril de 1935, Furtwängler estava regendo em seu novo cargo como maestro convidado da Filarmônica de Berlim. Em sua ausência, os últimos músicos judeus que restavam, que ele havia insistido em manter enquanto ainda era o regente principal, haviam sido despedidos. Furtwängler deu-se muito bem na nova posição. Em 1939, ganhou bem acima de 200 mil reichsmarks desse trabalho e de outras fontes, umas cem vezes mais que a renda anual média de um trabalhador manual. Ainda pensava em deixar a Alemanha, e no início de 1936 foi-lhe oferecido o cargo de maestro principal da Filarmônica de Nova York. Mas Göring deixou claro que, se ele aceitasse, não teria permissão para voltar. E a capitulação de Furtwängler diante de Goebbels no ano anterior havia incitado forte crítica nos Estados Unidos. Desde então ele havia regido *Os mestres cantores de Nuremberg*, de Wagner, no comício do Partido em Nuremberg em 1935, quando haviam sido promulgadas severas leis discriminatórias contra a comunidade judaica da Alemanha. Não apenas os judeus que apoiavan da Filarmônica de Nova York, mas muitos outros também, exprimiram sua preocupação e ameaçaram boicotar a orquestra se ele fosse nomeado. Se Furtwängler alguma vez desejou deixar a Alemanha por um emprego de primeira nos Estados Unidos, simplesmente deixou para fazer isso tarde demais. Assim, ele ficou, para a aclamação do regime.²¹²

Hindemith continuou de licença por tempo indeterminado do cargo docente em Berlim, mas permaneceu na Alemanha mais um pouco, tentando reverter a situação ao se afastar da música atonal e jurar um voto de lealdade a Hitler. Seus esforços em favor da educação musical também devem tê-lo recomendado junto ao regime. Sua obra continuou a ser tocada em pequenos concertos à margem da vida musical nacional, e ele recebeu a encomenda de uma nova música para a força aérea de Göring. Mas os ataques a ele pela imprensa continuaram, e diretores de ópera e organizadores de concerto em geral estavam tensos demais após o desastre de *Matias, o pintor* para incluir suas obras no repertório. O mais decisivo de tudo foi que o próprio Hitler jamais esqueceu a notoriedade alcançada por Hindemith com a ópera *Notícias do dia* na década de 1920. Em 1936, Hitler usou um discurso no comício anual em Nuremberg para instigar o Partido a redobrar os esforços para purificar as artes. O Ministério da Propaganda prontamente baniu quaisquer outras apresentações da música de Hindemith. O tratado do compositor sobre harmonia foi exibido na Exposição de Música Degenerada em 1938, e Hindemith emigrou para a Suíça, onde a primeira apresentação da ópera *Matias, o pintor* ocorreu em maio. Dali ele por fim partiu para os Estados Unidos. No fim, o que contou mais não foi sua tentativa de se integrar artisticamente ao regime, mas o fato da controvérsia incitada por suas composições radicais da década de 1920 ainda ser lembrada por lideranças nazistas uma década depois. O fato de sua esposa ser semijudia também não ajudou. Além disso, uma antiga colaboração com Bertolt Brecht foi apresentada contra ele, bem como o trabalho com vários artistas judeus ao longo dos anos. Tudo isso facilitou para que Rosenberg e seus partidários usassem Hindemith como um meio de tentar afrouxar as garras de Goebbels sobre a música e as artes. Eles tiveram êxito nesse caso, mas obtiveram pouco sucesso na frente mais ampla da política cultural. Em 1939, Rosenberg havia praticamente abandonado o interesse pela cena cultural, e em vez disso voltara-se para a política externa.[213]

III

Se não foi nada fácil para os nazistas decidirem de que tipos de música não gostavam e quais tipos de regentes e compositores não queriam, mais difícil ainda foi chegar a algum tipo de política consistente sobre o tipo de música que desejavam encorajar. Durante o Terceiro Reich não apareceu nenhuma espécie de música genuinamente nazista, a despeito de toda teorização de musicólogos do regime.[214] Os compositores que prosperaram fizeram-no em parte porque não eram judeus, em parte porque tornaram seu estilo mais acessível do que poderia ser sob outras circunstâncias e em parte porque voltaram-se para temas e tópicos aceitáveis para o regime, como a vida camponesa e os heróis nacionais. Mas é impossível colocar a música que de fato compuseram sob qualquer denominador comum óbvio. Além disso, poucos, se é que algum deles, conseguiram permanecer completamente imunes à influência do estilo modernista que os nazistas tanto abominavam. Werner Egk, por exemplo, compôs nitidamente ao estilo de Stravinsky, colocando com frequência as canções folclóricas bávaras que ele empregava dentro de um contexto de aguda dissonância. Todavia, a ópera *O violino mágico,* de Egk, estreada em 1935, conquistou os aplausos do regime pela descrição do encanto e da tranquilidade da vida camponesa. A trama centrava-se nas malignas maquinações do vilão Guldensack (Ricaço), que no contexto do Terceiro Reich muito obviamente era um judeu. Os resmungos de uns poucos críticos do campo de Rosenberg foram rapidamente abafados, e Egk consolidou seu triunfo declarando que nenhuma peça de música alemã podia ser tão complicada que não pudesse ser tocada em um comício do Partido Nazista. A ópera seguinte de Egk, *Peer Gynt,* também apresentou um vilão quase judeu, ou melhor dizendo vilões, na forma de duendes deformados e degenerados, uma interpretação um tanto livre da peça original de Ibsen; o próprio Hitler, ao assistir a uma apresentação, que incluía não só as usuais dissonâncias de Egk à Stravinsky, mas também tango e até um toque de *jazz,* ficou tão enlevado com a performance que na sequência saudou Egk como um digno sucessor de Richard Wagner.[215]

A influência de Stravinsky também se faria presente na música de Carl Orff, que detestava a dissonância e havia atacado selvagemente compositores modernistas como Hindemith durante a República de Weimar. De início, Orff conquistou o apoio do regime ao conceber um projeto de educação musical de larga escala nos colégios e defendê-lo com sucesso das críticas obscurantistas de alguns defensores de Rosenberg que não gostavam de seu uso de instrumentos musicais não convencionais. Embora o projeto se baseasse pesadamente na música folclórica, era complexo demais e ambicioso demais para ter muita influência nas instituições às quais se destinava, como a Juventude Hitlerista. Orff disparou para a verdadeira notoriedade com a primeira apresentação de sua cantata *Carmina Burana* em junho de 1937. Baseada em poemas seculares medievais, a cantata apresentava ritmos fortes e simples e canto monódico em cima de um acompanhamento percussivo forte. O primitivismo, o uso frequente de versos vulgares e a preferência em muitos trechos pelo latim em vez do alemão levantou suspeitas dos críticos conservadores do curral de Rosenberg; mas Orff havia adquirido defensores influentes por meio das atividades educacionais, e a influência de Rosenberg estava em declínio. Poderosa e original, e todavia simples e fácil de entender, *Carmina Burana* foi um sucesso imediato, sendo apresentada por toda a Alemanha. Suas composições seguintes nunca mais se igualaram a essa, mas a renda e a reputação de Orff agora estavam asseguradas. Se alguma obra musical de destaque composta sob o Terceiro Reich ajustava-se à ideia nazista de cultura, *Carmina Burana* com certeza era essa obra: a tonalidade crua, os ritmos brutais e repetitivos, os textos medievais e as melodias populares, a pulsação entorpecente e insistente, a ausência de qualquer interferência para ocupar a mente pareciam varrer todas as excrescências da modernidade e do intelectualismo que o nazismo tanto detestava e levar a cultura de volta para a suposta simplicidade primitiva do passado camponês distante.[216]

No fim das contas, porém, composições como *Carmina Burana*, a despeito de toda a popularidade, ficaram em segundo lugar no panteão musical, atrás dos grandes compositores de épocas passadas mais admirados por Hitler. O primeiro entre esses era Richard Wagner. Hitler era um adorador de suas óperas desde a juventude em Linz e Viena antes da Primeira Guerra Mundial. Elas encheram sua cabeça com retratos míticos de um passado alemão heroico. Wagner foi também o autor de um notório panfleto atacando o *Judaísmo na música*. Contudo, a influência do compositor sobre Hitler com frequência tem sido exagerada. Hitler jamais referiu-se a Wagner como fonte de seu antissemitismo, e não há evidência de que tenha lido qualquer um dos textos de Wagner. Ele admirava a coragem resoluta do compositor na adversidade, mas não reconheceu nenhuma dívida a suas ideias. Se Wagner teve influência sobre os nazistas, foi menos direta, por meio de doutrinas antissemitas do círculo que sua viúva Cosima reuniu após a morte dele, e do mundo mítico retratado em suas óperas. Ao menos nessa área eles habitavam o mesmo espaço cultural, repleto de nacionalismo mítico alemão. A devoção de Hitler a Wagner e a sua música era óbvia. Já na década de 1920 ele havia se tornado amigo da nora inglesa de Wagner, Winifred, e de seu marido Siegfried Wagner, guardiães do templo do compositor na grande casa de ópera que ele construiu em Bayreuth. Eram partidários resolutos da extrema direita. No Terceiro Reich, tornaram-se algo muito parecido a uma nobreza cultural.[217]

De 1933 em diante, Hitler assistiu ao festival dos dramas musicais de Wagner em Bayreuth por um período de dez dias por ano. Injetou dinheiro na casa de ópera, que subordinou diretamente a si em vez de ao Ministério da Propaganda. Inaugurou monumentos e memoriais a Wagner, e tentou garantir casas lotadas nas apresentações de Wagner, instruindo seus lacaios a fazer reservas em bloco para seus homens. Propôs até mesmo reconstruir a casa de ópera em um estilo mais grandioso, e só foi dissuadido pela insistência de Winifred Wagner em que a acústica singular do prédio, projetado especificamente pelo compositor para apresentações de sua própria obra, não poderia ser reproduzida em um espaço maior. A interferência de Hitler nas produções era frequente, mas também errática. O patrocínio pessoal de Hitler significava que nem Goebbels, nem Rosenberg, nem nenhum dos outros políticos culturais do Terceiro Reich podia ter Bayreuth sob sua égide. Paradoxalmente, portanto, Winifred Wagner e os administradores do festival gozavam de um grau incomum de autonomia cultural. Não eram sequer membros da Câmara de Teatro do Reich. Todavia, usavam sua liberdade de forma totalmente de acordo com o espírito do Terceiro Reich. O festival anual de Bayreuth tornou-se um festival de Hitler, com Hitler saudando a plateia de um balcão, seu retrato no frontispício do programa, propaganda nazista em todos os quartos de hotel, e as ruas e os passeios adjacentes ao teatro ornados com bandeiras da suástica.[218]

Goebbels e outras lideranças nazistas resmungavam sobre a paixão de Hitler por Wagner, que achavam deveras excêntrica. Por insistência do Führer, o comício do Partido em Nuremberg abria todo ano com uma sessão de gala de *Os mestres cantores de Nuremberg*, de Wagner. Em 1933, Hitler expediu mil ingressos gratuitos para os funcionários do Partido, mas, quando entrou em seu camarote, encontrou o teatro quase vazio; os homens do Partido tinham optado por sair para beber noite afora nas numerosas cervejarias e cafés da cidade, em vez de passar cinco horas ouvindo música clássica. Furioso, Hitler mandou patrulhas arrastá-los para fora de seus antros de bebida, mas nem isso conseguiu encher o teatro. No ano seguinte não foi melhor. Sob ordens estritas para comparecer, muitos oficiais cascas-grossas do Partido podiam ser vistos cochilando durante a interminável apresentação, acordando apenas no final, para aplaudir sem entusiasmo uma ópera que não haviam nem apreciado, nem entendido. Depois dessa, Hitler desistiu, e os lugares passaram a ser vendidos ao público.[219] A despeito da falta de interesse por parte de quase todos na liderança do Partido, exceto o próprio Hitler, a influência da música de Wagner estava por toda parte na cena cultural. Compositores assalariados produziam sob encomenda vastas quantidades de porcaria subwagneriana em qualquer ocasião desejada. Cinema, rádio e cinejornais ficaram saturados desse tipo de música. A superexposição pode ter sido um motivo pelo qual Wagner, na verdade, tornou-se menos popular entre as casas de ópera e o público durante o Terceiro Reich. As apresentações de sua obra declinaram de 1.837 na temporada de ópera de 1932-33 para 1.327 em 1938-39, ao passo que as de Verdi cresceram de 1.265 para 1.405 em 1937-38, e as de Puccini de 762 para 1.013 no ano seguinte. E, enquanto a lista das quinze óperas mais populares de 1932-33, liderada por *Carmen*, de Bizet, continha quatro obras de Wagner no terceiro, quarto, quinto e sexto lugares, a mesma lista em 1937-38, liderada dessa vez por *I Pagliacci*, de Leoncavallo, incluía apenas uma em 12º lugar.[220] No repertório orquestral, após 1933, a música convencional em estilo romântico tardio do tosco, conservador e profundamente antissemita Hans Pfitzner substituiu a obra do segundo compositor do século XX tocado com mais frequência depois de Richard Strauss, o agora banido Gustav Mahler. Ao mesmo tempo, apresentações de compositores estrangeiros como Sibelius, Debussy e Respighi continuaram, junto a números crescentes de hoje esquecidos luminares do panteão musical nazista, como Paul Graener e Max Trapp. Em tudo isso, havia uma série de compromissos entre os imperativos políticos e raciais do regime, o inalterado gosto basicamente conservador do público musical e os requisitos comerciais para se manter salas de concerto e casas de ópera livres de dívidas.[221]

    O controle sobre concertos clássicos e óperas era relativamente fácil. Mas o que se passava na casa das pessoas era mais difícil de monitorar. A cultura musical era profundamente arraigada na Alemanha, e havia uma longa tradição de tocar e cantar em família ou grupos de amigos. Sem dúvida, onde não havia vizinhos de ouvidos aguçados ou supervisores de quarteirão escutando, as pessoas continuaram a tocar as amadas *Canções sem palavras* de Mendelssohn no piano de casa, a despeito da condenação na imprensa nazista como "ruído balbuciante".[222] Clubes musicais, coros, grupos amadores de música de câmara e todas as outras instituições locais de pequeno porte da rica tradição musical da Alemanha haviam sido nazificadas em 1933, mas mesmo assim pequenos grupos de pessoas podiam reunir-se em particular e escutar qualquer tipo de música de câmara que quisessem, contanto que tomassem suficiente cuidado a respeito de quem convidassem. Afinal, a pré-censura de folhas de música pela Câmara de Música do Reich só cobria obras novas. Tocar Mendelssohn em casa dificilmente seria um ato de resistência ao regime, e em todo caso não constituía uma ofensa à lei.[223] Todavia, até em público havia ao menos alguma margem. A lista de músicas proibidas do Escritório de Censura da Música do Reich cobria basicamente *jazz* e mesmo em sua segunda edição, publicada em 1º de setembro de 1939, continha apenas 54 itens.[224]

A música é a mais abstrata das artes e, portanto, a mais difícil de monitorar e controlar sob uma ditadura. Os juízes culturais do Terceiro Reich pensavam que sabiam o que queriam: conformidade ideológica nas óperas e canções, simplicidade tonal e ausência de dissonância na música em que não havia palavras que traíssem as inclinações ideológicas do compositor. De acordo com sua ideologia cultural, o espírito de tonalidade e simplicidade era ariano, o da atonalidade e complexidade era judeu. Contudo, despedir e banir músicos e compositores judeus não teve efeito na vida musical a não ser privá-la de muitos de seus nomes mais distintos e excitantes. Por que, no fim, o que era música tonal, o que era dissonância? Definições técnicas não chegavam a lugar nenhum, visto que todos os compositores desde os tempos de Bach e Mozart haviam feito uso liberal da dissonância no sentido técnico. Claro que os extremos da atonalidade, sobretudo o método de doze notas desenvolvido por Arnold Schönberg e seus pupilos, era anátema; e era improvável que o romantismo tonal, do tipo produzido por Hans Pfitzner ou Richard Strauss, levantasse quaisquer objeções. Mas a maioria dos compositores atuava em uma área entre os dois extremos. Tinham que trilhar uma linha tênue entre aceitação e rejeição, com frequência dependendo do patrocínio de figuras poderosas do Partido, tanto em nível nacional quanto local, para evitar críticas de outros. Nesse sentido, figuras como Paul Hindemith e Werner Egk tornaram-se em certa medida peões nos jogos de poder de Goebbels, Rosenberg e outros sátrapas nazistas. E, quando um compositor ou músico ultrapassasse o limite e entrasse no reino da política, nem mesmo a simpatia de Goebbels pela modernidade poderia salvá-lo.[225]

Como em outras áreas da cultura alemã, Goebbels em particular estava ciente de que a música também podia proporcionar às pessoas um refúgio do turbilhão da vida diária. Assim como encorajava filmes de entretenimento e música ligeira no rádio, ele percebeu que as apresentações da amada música clássica também podiam tranquilizar e distrair, e ajudar as pessoas a se harmonizar com a vida no Terceiro Reich. De sua parte, as plateias podem, como muita gente afirmou, ter encontrado nos concertos de Furtwängler uma fonte de valores alternativos àqueles propagados pelos nazistas, mas, se esse de fato era o caso, esses valores então permaneceram trancados no íntimo de suas almas, e na verdade era difícil, dada a abstração da música do mundo real, que fosse diferente. Em todo caso, na visão de Goebbels, a música, como as outras artes, tinha que ser uma esfera de autonomia relativa para o artista criativo. Podia ser expurgada e censurada, e foi, mas também tinha que ser encorajada e apoiada, e o principal era que os músicos tinham que gerir seu próprio *show*; o Estado com certeza não era competente para fazer isso por eles. O Ministério da Propaganda tinha grande interesse em sustentar os músicos por meio de concursos, subsídios e melhoria do sistema de *royalties*. Em março de 1938, uma reorganização total dos salários e pensões ajudou a trazer novos músicos para uma profissão que havia sofrido em termos financeiros durante a depressão econômica. Tantos músicos haviam deixado o país, ou sido expurgados, ou abandonado a profissão, que agora havia ameaça de escassez, exacerbada pela expansão de organizações como o Exército, a SS e a Frente Trabalhista, com seu emprego crescente de bandas e orquestras militares. Tudo isso continuou a garantir a vitalidade da vida musical na Alemanha, e grandes orquestras continuaram a tocar música de excelência sob a batuta de grandes maestros, embora o leque de músicas tocadas e o número de regentes proeminentes a dirigi-las fossem menores que antes de 1933. Todavia, muitos consideravam que não havia grandes compositores novos. O próprio Strauss tinha essa visão. Quem sabe isso até aumentasse o seu já inabalável senso de importância como herdeiro da grande tradição de compositores alemães. "Sou a última montanha de uma longa cordilheira", disse ele. "Depois de mim vem a baixada."[226]

IV

O declínio da influência de Alfred Rosenberg na esfera cultural em meados da década de 1930 não conseguiu salvar a forma de música mais atacada e mais difamada sob o Terceiro Reich, o *jazz*. Considerados degenerados pelos nazistas, estranhos à identidade musical alemã, associados a todo tipo de decadência e produzidos pelos racialmente inferiores afro-americanos e judeus, o *jazz*, o *swing* e outras formas de música popular foram reprimidos tão logo os nazistas chegaram ao poder. Músicos de *jazz* estrangeiros partiram ou foram expulsos, e em 1935 os músicos populares alemães foram proibidos de usar os pseudônimos estrangeiros muito em moda na República de Weimar. Clubes de *jazz*, tolerados em certo grau no primeiro ano do regime, começaram a sofrer batidas mais frequentes e por maior número de agentes da Gestapo e da Câmara de Música do Reich, que intimidavam os músicos exigindo ver os papéis que certificavam a associação à Câmara, e confiscando as partituras se estivessem tocando música da lista negra de compositores judeus, como Irving Berlin. O controle rígido sobre as transmissões de rádio assegurava que a música ligeira não tivesse muito *swing*, e os jornais anunciaram com uma fanfarra de publicidade que a "música dos negros" havia sido banida de vez da ondas sonoras. Camisas-pardas patrulhavam praias frequentadas por jovens com gramofones portáteis e chutavam seus frágeis discos de *jazz*, reduzindo-os a cacos. Compositores clássicos cuja música fazia uso de ritmos de *jazz*, como o jovem Karl Amadeus Hartmann, viram sua obra totalmente proscrita. Incapaz de ganhar a vida na Alemanha, mas sem vontade de ir embora, Hartmann dependia inteiramente dos ganhos com concertos e gravações no exterior, onde sua identificação com os críticos do Terceiro Reich colocavam-no em uma situação de risco potencial considerável. Seus amigos e parentes ricos e influentes, a maioria alheia ao regime, mantiveram-no financeiramente a salvo. Sua música não fazia concessões às exigências de simplicidade e retidão do Terceiro Reich, e ele desviou-se ainda mais ao ter aulas de composição com o mais extremo dos alunos modernistas de Schönberg, Anton von Webern. Hartmann tomava grande cuidado para evitar publicidade, e sua conformidade exterior com o regime em coisas como a saudação de Hitler afastavam suspeitas. Quando dedicou um poema sinfônico a seus amigos, mortos e vivos, que haviam sido aprisionados no campo de concentração de Dachau, ele certificou-se de que a dedicatória só fosse visível na partitura original, vista apenas pelo maestro, um amigo pessoal, em sua primeira apresentação em Praga em 1935; isso nunca chegou ao conhecimento dos nazistas.[227]

    Ritmos de *jazz* na música clássica podiam ser facilmente assinalados e reprovados como impróprios. Porém, muita, se não a maior, parte da música popular não era nem clássica, nem *jazz*, mas existia em algum lugar intermediário, quer na forma de operetas – muito apreciadas por Hitler – ou na música dos *crooners* de café, orquestras de hotéis ou bandas de baile. O tipo de música popular que era tocado nos salões de dança, clubes noturnos, bares de hotel e locais semelhantes, sobretudo em Berlim, era muito mais difícil de controlar, quanto mais não fosse pela extrema dificuldade de traçar uma linha clara entre o que era *jazz* ou *swing* e o que não era. O pessoal jovem, com frequência rico e da classe alta, que prestigiava muitos locais desse tipo, em geral tinha condições de rechaçar a atenção hostil dos agentes da Gestapo ou da Câmara de Música do Reich. Discos de *jazz* importados sempre podiam ser comprados com discrição em lojas fora do centro comercial, ao passo que até Goebbels estava ciente o bastante da popularidade do *jazz* e do *swing* para permitir que alguma coisa chegasse às ondas sonoras em transmissões tarde da noite. E, se não podia ser ouvido em estações de rádio alemãs, o *jazz* sempre podia ser encontrado na Rádio Luxemburgo, onde, temia Goebbels, os ouvintes também poderiam se deparar com transmissões com texto de tipo politicamente indesejável. O próprio Goebbels era frequentador de longa data de uma variedade de *shows* do Scala de Berlim, onde uma plateia de 3 mil pessoas não só fitava o famoso corpo de dançarinas, mas também ouvia música de compositores proscritos, como o judeu-americano George Gershwin. Goebbels ficou perplexo quando apareceram críticas a esse programa no *Der Stürmer*, de Julius Streicher, em maio de 1937, e com razão. Os gerentes alteravam a programação sempre que o pessoal de Goebbels telefonava de antemão para dizer que ele estaria na plateia, de modo que não houvesse nada que pudesse ofender o gosto nazista após ele chegar. Goebbels agiu e expurgou a gerência, impondo-lhe uma programação que seu auxiliar em breve descreveria como "inofensiva".[228]

O *jazz* e o *swing* eram suspeitos para o regime entre outros motivos porque se pensava que encorajavam a licenciosidade sexual entre os jovens. Também havia a pressão dos instrutores profissionais de dança de salão, que queriam frustrar a ameaça da dança de *swing*, uma nova onda que havia entrado na moda no verão de 1937. A Juventude Hitlerista também torcia o nariz para o *swing*, preferindo patrocinar a dança folclórica alemã. As autoridades locais em breve começaram a impor proibições sobre a nova moda. Destilando menosprezo sobre tal rigidez conservadora, a juventude dourada da rica elite mercantil e profissional de Hamburgo logo começou a ostentar seu desdém em público, vestindo-se na última e mais elegante moda britânica, exibindo bandeiras do Reino Unido, carregando exemplares do *The Times* debaixo do braço e saudando-se em inglês com frases como: "Hallo, Old Swing Boy!".* Em clubes, bares e em festas particulares, dançavam ao som do *swing* e tocavam discos de *jazz* banidos pelo regime. Não pretendiam armar um protesto político. Mas, no Terceiro Reich, tudo era político. Os jovens *swingers* cruzaram uma linha significativa quando, em 1937, decidiram desafiar a ordem do líder da Juventude Hitlerista, Baldur von Schirach, de 1º de dezembro de 1936, proclamando que todos os jovens alemães deveriam entrar para a organização. E o mais grave: a mistura social livre e desimpedida de judeus, meio judeus e não judeus na cena social dos *swingers* estava em crasso desacordo com os ditames da política racial do regime. O que havia começado como um ato de voluntariedade cultural adolescente estava tornando-se rapidamente uma manifestação de protesto político. Isso assumiria dimensões mais graves durante a guerra.[229]

---

* "Olá, garotão do *swing*!" (N.T.)

A confusão e a irracionalidade da política nazista em relação à música, em que as definições com frequência eram arbitrárias e a aceitação ou a rejeição muitas vezes era uma questão de capricho, podem ser bem ilustradas pela história da humilde gaita de boca, um instrumento cuja produção mundial a Alemanha dominava de forma absoluta na década de 1920. De meados para o final dos anos 1920, as exportações alemãs de gaitas de boca, ou harmônicas, respondiam por 88% do comércio total de exportação mundial do instrumento. Dentro desse segmento, a companhia Hohner, da cidadezinha de Trossingen, na Suábia, detinha a "parte do leão" (*lion's share*), produzindo entre 20 e 22 milhões desses instrumentos por ano no período, mais da metade do total. Quase todas elas iam para os Estados Unidos. Naquela época, muitos mercados estavam praticamente saturados, e a crise econômica mundial estava reduzindo a demanda. Assim, a empresa teve que tratar de impulsionar as vendas dentro da Alemanha como um substitutivo. Infelizmente, o sistema conservador da música clássica adotou uma visão muito obtusa sobre o instrumento, considerando-o vulgar e tosco. Seus representantes tiveram sucesso em conseguir banir a harmônica das escolas prussianas em 1931. A família Hohner retrucou com uma campanha de anúncios em estilo americano, com imagens do boxeador peso-pesado alemão Max Schmeling tocando sua harmônica, combinadas com um contra-ataque para tentar persuadir o mundo musical de que o instrumento não era subversivo. Após a tomada nazista do poder, Ernst Hohner, apesar de não ser de modo algum um nacional-socialista convicto, filiou-se ao Partido e tentou obter influência, e fez campanha em favor da harmônica com base em que se tratava de uma parte importante da música folclórica, tocada por gente comum e simples, e ideal para os grupos de camisas-pardas e da Juventude Hitlerista tocar em meio às conversas de reminiscências patrióticas ao redor da fogueira dos acampamentos.[230]

Mas a tática não foi bem-sucedida. Primeiro, porque a música folclórica ocupava apenas 2,5% do tempo das transmissões de rádio. Depois, a Câmara de Música do Reich, ainda dominada de muitas maneiras pelos tradicionalistas, adotou o parecer de que a harmônica era um instrumento moderno e de maneira nenhuma tradicional alemão e ressaltou seu uso por alguns grupos de *jazz*, com certeza uma evidência condenatória de sua inadequação. A Juventude Hitlerista proibiu grupos de harmônica, embora ainda permitisse que o instrumento fosse tocado individualmente. Uma proibição total em longo prazo parecia mais do que provável. Mas, no fim, ninguém pareceu saber exatamente como classificar o instrumento, ou talvez nem mesmo tenha se interessado muito pelo assunto. Hohner e sua empresa tiveram condições de continuar a existir, administrando até mesmo uma escola para gaitistas de boca na cidade natal de Trossingen, com a última vã esperança de que a harmônica enfim obtivesse o *status* de outros instrumentos musicais mais convencionais. Nisso também, portanto, a regulamentação, controle e luta interna no mundo da música acabaram produzindo um impasse. No fim, até a humilde gaita de boca provocou uma classificação fácil dentro do mundo da ideologia nazista.[231]

V

De todos os regimes modernos, o do Terceiro Reich definiu-se mais claramente por sua arte e cultura de massa. Hitler dedicou mais espaço a esses temas em seus discursos do que qualquer outro ditador do século XX.[232] Claro que os nazistas tomaram emprestada uma grande quantidade dos rituais e símbolos da Itália fascista; e a disciplina de corpos humanos individuais em uma massa monolítica única era uma característica da Rússia de Stálin tanto quanto da Espanha de Franco. Todos esses regimes reduziram as artes a instrumentos de propaganda e eliminaram qualquer sinal de dissidência criativa, ou pelo menos tentaram. Pegaram pesado nos aspectos complexos e elitistas das produções culturais modernistas e tentaram impor a artistas, escritores e músicos um estilo simples que pudesse comunicar-se facilmente com as massas. O realismo socialista da União Soviética era sob muitos aspectos um paralelo do que se poderia chamar de realismo racista e nacionalista do Terceiro Reich. A exemplo do que as campanhas de propaganda do início da década de 1930 haviam mostrado bem antes de Hitler chegar ao poder, o apelo às emoções em som e imagem era uma arma política potente, e todos os grupamentos políticos, mesmo os sóbrios social--democratas, haviam buscado explorá-lo, acreditando que, na era das massas, o apelo racional, verbal e intelectual das eras passadas já não bastava. Sob o Terceiro Reich, a arma da propaganda cultural foi transformada em um instrumento de poder do Estado, assim como na Rússia de Stálin. Artistas e escritores são individualistas por natureza, e tanto a União Soviética quanto a Alemanha nazista travaram uma guerra incansável contra o individualismo, proclamando a expressão da alma das massas como a única função aceitável da arte. A música mostrou-se a arte mais difícil de controlar em ambos os regimes, com compositores como Prokofiev e Shostakovich continuando a produzir obras em um idioma muito pessoal, a despeito de tentativas ocasionais de discipliná-los e gestos periódicos de concessão da parte deles aos ditames culturais de seus senhores políticos. Na arquitetura, o estilo favorecido por Troost, Speer e seus pares pouco fez além de repetir as características comuns do modelo de prédio público da época na Europa e nos Estados Unidos, apenas em escala maior. A hostilidade de Hitler ao modernismo cultural era extrema e contrastava com a atitude mais relaxada dos fascistas italianos, dos quais uma das fontes ideológicas principais havia sido a política artística dos futuristas. Uma exposição futurista italiana realizada em Berlim em 1934 suscitou a desaprovação dos comentaristas de arte nazistas, que tiveram a audácia de dizer que não queriam ver aquele "bolchevismo artístico" de novo, apesar de os artistas terem se declarado a favor do fascismo. Mas, olhando em retrospecto os prédios de Speer, as esculturas de Breker, a música de Egk ou os filmes de Riefenstahl, é claro que a cultura nazista é reconhecidamente parte da cultura de seu tempo. Pertence inequivocamente à década de 1930; não foi um retrocesso a alguma era anterior.[233] Em relação a tudo isso, a abordagem da cultura e das artes pelo Terceiro Reich estava longe de ser singular.[234]

Contudo, houve algo de especial nela. Claro que não é de surpreender que, em vista de sua vida e ambições pregressas, Hitler manifestasse interesse pessoal pelas artes visuais. Suas constantes e repetidas diatribes contra o modernismo certamente foram o fator-chave para afastar a política do ponto de vista relativamente relaxado de Goebbels rumo à eliminação efetiva do modernismo em todas as suas variedades de 1937 em diante. Mas seria ilegítimo concluir a partir disso que Hitler também ditou pessoalmente a política cultural em todas as outras áreas.[235] Tirando a paixão por Wagner, ele tinha pouco interesse real ou entendimento em música, cuja abstração essencial de qualquer modo impedia uma classificação fácil em aceitável ou inaceitável a partir do ponto de vista nazista; mesmo o entusiasmo que ele desenvolveu por volta do final da década de 1930 pela música de Anton Bruckner era no fim das contas inconsistente. A despeito da queda por assistir filmes antigos tarde da noite e de ter encarregado Leni Riefenstahl de filmar *O triunfo da vontade*, Hitler não interveio muito na indústria do cinema, que foi deixada para Goebbels, assim como o rádio e a literatura. Em todas essas áreas, Goebbels teve que lutar com muitos rivais, mais notadamente Alfred Rosenberg, é claro, mas, a despeito de toda a luta interna, Goebbels garantiu o controle efetivo para seu Ministério da Propaganda bem no começo do regime, no mais tardar nos primeiros meses de 1935. Seria fácil enfatizar as complexidades e contradições da vida cultural sob o Terceiro Reich, e de fato sempre havia casos marginais com os quais os nazistas achavam difícil de lidar, e outros casos nos quais a decisão pareceu quase inteiramente arbitrária e que, em retrospecto, poderia ter ido para qualquer lado. Artistas, escritores, músicos e outros adotaram uma variedade de estratégias para lidar com a ditadura cultural nazista, abrangendo desde anuência total, passando pelo que consideravam como concessões necessárias mínimas no interesse de sua arte, até a emigração interna e mesmo o silêncio completo, que nem sempre foi forçado pelo regime. A vida cultural normal, a despeito dos temores de muitos, não foi totalmente extinta no Terceiro Reich. As pessoas ainda podiam ouvir sinfonias de Beethoven, admirar as pinturas dos velhos mestres em galerias de arte custeadas pelo Estado, ler a literatura dos clássicos, e em algumas localidades até mesmo frequentar clubes de *jazz* e salões de dança onde eram tocados os mais recentes números de *swing*. De sua parte, Goebbels era um político sagaz o bastante para perceber que as pessoas precisavam escapar de seus problemas diários pela distração, e lhes dava espaço para tal.[236]

A despeito de tudo, porém, a situação das artes no Terceiro Reich foi determinada por uma ditadura cultural imposta de cima. Conforme mostrou a Exposição de Arte Degenerada, considerações estéticas e estilísticas eram um fator determinante relativamente menor na política cultural nazista. Mais importantes eram os imperativos políticos e ideológicos.

Independentemente do que as artes do passado tivessem feito, os nazistas queriam garantir que o que fosse produzido no presente não se opusesse a seus valores fundamentais e, sempre que possível, trabalhasse para apoiá-los. O antissemitismo, a remoção dos judeus da vida cultural, a promoção do militarismo e a aniquilação do pacifismo e da crítica social eram as doutrinas básicas da política cultural nazista. Da mesma forma o eram a melhora da raça ariana e a eliminação dos incapazes e dos fracos, a recriação de um mundo mítico da vida camponesa "sangue e solo", a destruição da criatividade pessoal e independente e a promoção de uma produção cultural impessoal que servisse às necessidades da nação e da raça. Acima de tudo, talvez, a cultura nazista glorificava o poder, mais obviamente na arquitetura. A discriminação racial e a política implementada desde o começo resultou na emigração da Alemanha dos melhores e internacionalmente mais aclamados escritores, pintores e músicos. Aqueles que ficaram foram silenciados, reduzidos à irrelevância, forçados a fazer concessões ou alistados a serviço do avassalador objetivo nazista: deixar a nação e o país aptos e prontos para a guerra.[237] Com essa finalidade, os nazistas fizeram um esforço sem precedente para levar o que entendiam como cultura às massas, distribuindo rádios baratos, realizando concertos em fábricas, levando filmes para aldeias remotas em cinemas móveis, incitando as pessoas a ver os horrores da Exposição de Arte Degenerada e muito mais. No Terceiro Reich, a cultura não era mais o privilégio de uma elite; a intenção era que penetrasse em cada segmento da sociedade e da vida alemãs.[238]

Em última análise, a política cultural nazista era consistente com a política nazista em outras áreas e compartilhava de suas contradições. A apreciação e o entendimento das artes do próprio Hitler eram fundamentalmente políticos. No fim das contas, a arte seria reduzida a pouco mais que uma celebração de poder e um instrumento de propaganda. Sempre alerta a possíveis acusações desse tipo, Goebbels declarou em 17 de junho de 1935:

> O movimento nacional-socialista... esposa a visão de que a política na verdade é a maior e a mais nobre das artes. Pois, assim como o escultor cinzela da pedra morta uma forma que exala vida, e assim como o pintor transforma pigmento em vida, e assim como o compositor traduz

notas mortas em melodias que hão de encantar o Paraíso, do mesmo modo o político e o chefe de Estado não têm outra tarefa que não converter uma massa amorfa em um povo vivo. Desse modo, arte e política são unas.[239]

O nazismo estetizou a política, mas também politizou as artes.[240] "Com frequência somos acusados", disse Goebbels, "de arrastar e rebaixar a arte alemã para o nível de uma mera questão de propaganda. Como pode isso? Propaganda é algo para onde alguém pode arrastar e rebaixar outra coisa? A propaganda como *nós* a entendemos não é também uma espécie de arte?" Arte e propaganda eram uma coisa só, prosseguiu ele, e seu objetivo era ocasionar uma mobilização espiritual de todo o povo alemão:

> O nacional-socialismo não é apenas uma doutrina *política,* é uma perspectiva geral, *total* e *todo-abrangente,* sobre todas as questões públicas. Portanto, por uma questão de suposição natural, toda nossa vida tem que se basear nela. Esperamos que chegue o dia em que ninguém precise mais *falar* sobre nacional-socialismo, visto que terá se tornado o ar que respiramos! Assim, o nacional-socialismo não pode se contentar com mera devoção da boca para fora, ele deve atuar sobre a mão e o coração. As pessoas devem se acostumar *internamente* com essa forma de se comportar, devem convertê-la em seu conjunto *próprio* de atitudes; só então se reconhecerá que uma nova vontade cultural surgiu do nacional-socialismo e que essa vontade cultural determina toda nossa existência nacional de forma orgânica. Um dia, o despertar espiritual de nossa época emergirá dessa vontade cultural.[241]

Emblemas, signos, palavras e conceitos nazistas permeavam a vida cotidiana como parte dessa campanha. Não só cinema, rádio, jornais, revistas, escultura, pintura, literatura, poesia, arquitetura, música e alta cultura eram cada vez mais informados por ideais nazistas ou confinados dentro das fronteiras que eles estabeleciam, mas também a cultura cotidiana. Entre os dias de mobilização ideológica, com flâmulas tremulantes e suásticas por todo lado, como o aniversário de Hitler ou a comemoração de sua nomeação como chanceler do Reich, a vida rotineira também era permeada pelos princípios e preceitos do nazismo. A partir de 1935, conforme notou Victor Klemperer, o regime encorajou as pessoas a usar novos nomes pseudoalemães para os meses. Sempre entusiástica, Luise Solmitz começou a usá-los imediatamente em seu diário, em vez dos tradicionais latinos: *Julmond Brechmond* e assim por diante.[242]

A publicidade e o *design* começaram a incorporar símbolos nazistas e a adotar o estilo nazista aprovado.[243] Agências de publicidade estrangeiras foram banidas, e os mecanismos usuais foram implantados para garantir que pôsteres e anúncios fossem "alemães" na origem e no estilo. Bens de consumo agora eram anunciados de uma maneira que combinassem com os requerimentos do regime da mesma forma que a arte de alto nível.[244] Objetos do cotidiano logo adquiriram um verniz político. Já em março de 1933, o olhar aguçado de Victor Klemperer notou que o tubo de pasta de dente que ele comprou na farmácia estava rotulado com uma suástica.[245] Não demorou muito, e as pessoas podiam comprar taças para ovos quentes, grampos de cabelo, lápis ou serviços de chá com suásticas, ou dar às crianças presentes como bonecos camisas-pardas, caixas de música que tocavam a Canção de Horst Wessel ou um jogo que pedia para "juntar as letras corretamente para compor o nome de um grande líder: L-I-T-R-E-H".[246] A mobília de aço tubular tão amada pela Bauhaus na década de 1920 usava metal valioso muitíssimo necessário para armamentos; assim, em um conveniente casamento de ideologia e economia, deu lugar para a madeira laqueada e um estilo pseudonatural – pseudo porque cada vez mais era fabricado pela produção industrial em massa, a despeito da aparência de feito à mão.[247] Mesmo um setor aparentemente neutro como paisagismo e jardinagem não ficou imune ao processo: formalidade e plantas estrangeiras saíram, e entrou um aspecto natural baseado em espécies nativas alemãs.[248] Aqueles que gostavam de colecionar as cartas distribuídas com carteiras de cigarro agora podiam colá-las em um álbum retratando "a luta pelo Terceiro Reich". Entre as cartas disponíveis aos fumantes havia imagens de Hitler conversando com uma criança loira ("Os olhos do Líder – Os olhos de um pai"), Hitler e Tecnologia, Hitler e Hindenburg e, é claro, Hitler e os Trabalhadores.[249] Conforme uma importante revista de arte nazista comentou em 1937: "São as coisas do cotidiano, não as grandes obras individuais, que conferem a uma era a sua atmosfera cultural".[250]

A estetização da política criou uma ilusão de que os problemas sociais, econômicos e nacionais estavam sendo resolvidos de imediato por atos de vontade. Afastou a atenção do povo das duras realidades da vida em uma Alemanha que ainda sofria de severa depressão econômica no início e meados da década de 1930, e a dirigiu para mundos de fantasia e mitos, entusiasmo ensaiado pelo governo e suas políticas, uma sensação de viver em um mundo novo do qual boa parte era, de fato, ilusão. Em uma cultura industrial avançada como a da Alemanha na década de 1930, essas ilusões dependiam em certo grau da ressurreição de certezas pseudoarcaicas como o "sangue e solo", modelos artísticos clássicos, música tonal tradicional e prédios públicos de solidez imponente; mas os meios usados eram os mais modernos à disposição, do rádio e do cinema a novidades em técnicas de impressão e os mais recentes métodos de construção. Muito disso deve ter parecido assustadoramente novo para uma pessoa comum da zona rural ou dos pequenos povoados da Alemanha. Acima de tudo, a cultura nazista, impulsionada pelo Ministério da Propaganda, almejava esmagar o pensamento e o sentimento individuais e moldar os alemães em uma massa única, obediente e disciplinada, da forma exibida na tela em *O triunfo da vontade* de Riefenstahl.[251] O ministério implementou essa meta apenas gradativamente, em parte devido à incerteza inicial sobre a direção da política cultural, em parte devido às rivalidades intrapartidárias; mas, na notável radicalização ocorrida em 1937-38, os contornos da política cultural nazista finalmente ficaram claros para todos. A essa altura, praticamente todos os órgãos de formação de opinião da sociedade alemã haviam sido assumidos por Goebbels e seu Ministério da Propaganda, coordenados, expurgados de dissidentes reais e potenciais, arianizados e colocados sob controle ideológico, financeiro e administrativo. A "opinião pública" havia deixado de existir como tal; as opiniões que eram divulgadas na tela do cinema, transmitidas pelo rádio, ou impressas em jornais, revistas e livros eram, com poucas e parciais exceções, as opiniões do regime. Relatórios regulares da Gestapo e dos administradores locais e regionais mantinham Goebbels, Himmler e outros líderes nazistas informados sobre o estado da opinião do povo e permitiam ao Ministério da Propaganda dirigir campanhas de propaganda com alvo específico a fim de corrigi-la se necessário. A propaganda nazista era o acompanhamento essencial do terror e da intimidação nazistas para eliminar a dissidência aberta e criar apoio de massa ao regime. Em relação a este aspecto, o Ministério da Propaganda foi um dos mais óbvios sucessos do regime.[252]

Tão profunda foi a penetração da propaganda nazista, tão abrangente a sua difusão pelos meios de comunicação de massa alemães, que afetou a própria linguagem em que os alemães escreviam e falavam. Em sua casa em Dresden, Victor Klemperer começou a compilar um dossiê de linguagem nazista – *LTI, Lingua Tertii Imperii,* a linguagem do Terceiro Reich. Palavras que em uma sociedade civilizada normal tinham uma conotação negativa adquiriram sentido oposto sob o nazismo, ele notou; de modo que "fanático", "brutal", "implacável", "intransigente", "duro" tornaram-se palavras de louvor em vez de desaprovação. A linguagem alemã tornou-se uma linguagem de superlativos, de modo que tudo que o regime fazia tornou-se o melhor e o maior, suas realizações eram inauditas, singulares, históricas e incomparáveis. As estatísticas do governo suportavam uma inflação que as levavam muito além dos limites do plausível. As decisões eram sempre finais, as mudanças eram sempre feitas para durar para sempre. A linguagem usada a respeito de Hitler, notou Klemperer, era totalmente matizada por metáforas religiosas; o povo "acreditava nele", ele era o redentor, o salvador, o instrumento da Providência, seu espírito vivia na e através da nação alemã, o Terceiro Reich era o Reino eterno e duradouro do povo alemão, e aqueles que haviam morrido por sua causa eram mártires. As instituições nazistas naturalizaram-se na linguagem alemã por meio de abreviações e acrônimos, até que falar sobre elas tornou-se uma parte automática da vida cotidiana. Acima de tudo, talvez, o nazismo impregnou a linguagem alemã de metáforas de batalha: a batalha por empregos, a luta pela existência, a disputa pela cultura. Nas mãos do aparato de propaganda nazista, a linguagem alemã tornou-se estridente, agressiva e militarista. Assuntos banais eram descritos em termos mais adequados ao campo de batalha. A linguagem em si começou a ser mobilizada para a guerra.[253]

Se a linguagem estrutura a sensibilidade, e as palavras disponíveis a uma sociedade estabelecem os limites do que é pensável, então o Terceiro

Reich estava bem encaminhado para eliminar até mesmo a possibilidade de se pensar em dissidência e resistência, que dirá agir na realidade. Todavia, é claro que a mente da maioria dos alemães havia se formado bem antes de Hitler chegar ao poder, e tradições culturais poderosas como as compartilhadas por milhões de católicos, social-democratas e comunistas não podiam ser varridas da Alemanha da noite para o dia. Mesmo entre os milhões que votaram em Hitler em 1932 e 1933 havia muitos, provavelmente a maioria, que não votaram pelo pacote completo da ideologia nazista. Muitos eleitores de classe média apoiaram o Partido Nazista nas urnas entre outras coisas porque nas campanhas eleitorais do começo da década de 1930 os nazistas foram deliberadamente vagos a respeito do que se propunham a fazer quando alcançassem o poder. A votação nazista em 1932 foi acima de tudo um voto de protesto, mais negativo que positivo. Ainda que fosse poderosa, sofisticada e penetrante, a máquina de propaganda de Goebbels não podia, portanto, persuadir o povo de que todos os seus mais caros valores e crenças tinham que ser abandonados no admirável mundo novo do Terceiro Reich de Hitler. Além disso, muita gente logo achou enfadonhas as incansáveis demandas do regime de aclamação popular constante de suas políticas e líderes. "A imensa hiperatividade no campo da política cultural", reportou a Gestapo no distrito de Potsdam já em agosto de 1934, "é sentida em parte como uma compulsão incômoda, sendo por isso rejeitada ou sabotada". A iniciativa cultural local havia sido sufocada pela criação de imensas organizações de massa no processo de "coordenação". A introdução do princípio de liderança por toda parte apenas piorou as coisas. "Isso é esquematizado, e desse modo nada produz sucesso, que é sempre individual."[254]

A aclamação de massa que o regime exigia em ocasiões como o aniversário de Hitler, plebiscitos e eleições, Dia do Trabalho e outras festividades, era concedida tanto por medo quanto por entusiasmo, e as pessoas estavam cansando de ter que ir constantemente a encontros e manifestações, reportou o escritório da Gestapo no distrito de Potsdam dois meses depois, em outubro de 1934.[255] No rádio, no cinema, na literatura e nas artes, como vimos, tudo que os esforços de Goebbels para tornar a propaganda interessante fizeram foi entediar as pessoas, pois a iniciativa criativa individual foi sufocada, a variedade da vida cultural foi drasticamente reduzida pela censura, e a monotonia das ofertas culturais do nazismo logo tornou-as maçantes. Até mesmo os comícios de Nuremberg cedo perderam muito do poder de inspirar, apesar de aqueles que participavam serem os mais fanáticos e os mais entusiásticos defensores de Hitler. Conforme agentes social-democratas na Alemanha reportaram à sede exilada do partido em Praga em 1937, com apenas um toque de otimismo exagerado:

> Nos primeiros dois ou três anos, viu-se o moral dos nazistas em alta, e a população ainda prestava atenção nos anúncios do Líder, que em geral proporcionavam surpresas. Quando as colunas de ativistas do Partido marchavam para as estações ferroviárias, não era incomum ver-se grupos de homens e mulheres nas ruas, e em especial de jovens, que saudavam os soldados do Partido com entusiasmo. Tudo isso se foi. No longo prazo, até mesmo a maior demonstração de poder torna-se enfadonha. Os discursos repetitivos tornaram-se familiares ao ponto do excesso. Os ex-eleitores de Hitler não mais veem no Partido uma força redentora, e sim o aparato de poder totalmente opressivo de uma organização implacável capaz de qualquer coisa. O povo deixa as divisões do Partido enviadas para Nuremberg passar marchando em silêncio. Aqui e ali ouve-se um grito de "salve!" de um admirador persistente, mas esse desaparece timidamente porque ninguém o ecoa. No que diz respeito à população, essa atividade de propaganda é como todo o resto: apenas um jeito de tirar dinheiro dela, nada mais. Sempre a mesma imagem: militares, colunas em marcha e grupos carregando bandeiras. Às vezes menos, às vezes mais. As pessoas lançam um olhar para eles e seguem seu rumo.[256]

Ao que parecia, portanto, Goebbels havia falhado redondamente na meta de provocar uma genuína mobilização espiritual de longo prazo no povo alemão. No fundo, o que ele alcançou, exceto em um grupo relativamente pequeno de ativistas nazistas fanáticos, foi o tipo de conformidade apática que havia julgado muito insatisfatória em 1933.[257]

A propaganda nazista foi mais eficiente nos pontos em que atingiu a área de sobreposição entre a ideologia nazista e outras ideologias. Nas classes altas conservadoras e nacionalistas, a sobreposição foi tão considerável que homens como o vice-chanceler Franz von Papen, o ministro da Defesa Werner von Blomberg, o ministro da Justiça Franz Gürtner ou o ministro das Finanças Lutz Schwerin von Krosigk entraram de bom grado em uma coalizão com os nazistas em 1933 e ali ficaram, fossem quais fossem suas reservas, ao longo dos anos seguintes. Alguns deles, como Papen, perceberam gradualmente que as diferenças entre suas crenças e as dos nazistas eram maiores do que pensavam de início; outros, como Gürtner, cederam gradualmente a um maior grau de conformidade sob o impacto da propaganda e da pressão dos acontecimentos. Entre os alemães da classe média, a ofensiva de propaganda do regime contra o "marxismo" e o comunismo deparou com apoio disseminado, auxiliada pela repulsa à retórica revolucionária violenta dos defensores de uma "Alemanha Soviética" e pela contínua lealdade ideológica prestada pelos social-democratas às teorias marxistas de derrubada socialista das instituições existentes da sociedade capitalista. Bem mais disseminados eram o ressentimento nacionalista com o Acordo de Paz de 1919, a crença na necessidade de unir a Alemanha em um renascimento do espírito de 1914 após as profundas e danosas divisões dos anos de Weimar –, e o anseio por um líder forte na tradição de Bismarck. De modo semelhante, o antissemitismo havia se disseminado pela cultura alemã durante a República de Weimar, embora jamais tenha tido muita influência sobre a classe trabalhadora organizada –, a crença no atraso dos eslavos era compartilhada por quase todo mundo à direita dos comunistas, e a convicção sobre a inferioridade racial dos negros africanos era praticamente universal.

Em todas essas áreas, a propaganda nazista foi capaz de se embasar em crenças e valores existentes e criar um novo consenso que pode muito bem ter englobado a maioria do povo alemão, embora dificilmente tenha, em algum momento, alcançado a aceitação universal em qualquer dos setores tocados. Além disso, a interpretação nazista de eventos específicos em geral conseguia convencer as pessoas se apelasse para os medos e preconceitos existentes. Diante disso, por exemplo, a explicação do regime para o incêndio do Reichstag em 1933 não foi particularmente plausível, e de fato foi publicamente refutada no julgamento subsequente. Contudo, as pessoas já impregnadas de medo dos comunistas puderam ser facilmente persuadidas de que van der Lubbe estivera agindo como instrumento de uma conspiração revolucionária quando queimou o prédio do Legislativo da nação. De modo semelhante, os crimes cometidos por ordem de Hitler e Göring na "Noite das Facas Longas" estavam flagrantemente fora da lei; não obstante, a tradição alemã de tratar a lei como uma criação do Estado e o medo generalizado de mais violência revolucionária do tipo que os camisas-pardas pareciam estar preparando combinaram-se para convencer a maioria das pessoas da legitimidade das ações de Hitler. De fato, dentro de um período notavelmente curto, o regime teve êxito em elevar Hitler a um *status* de inexpugnibilidade quase mítica, desviando as críticas e o descontentamento para os subordinados e projetando nele todos os tipos de esperanças e desejos não realistas. Hitler tornou-se o Líder que estava acima de partidos, quase acima da política. Para a maioria dos alemães, inclusive milhões de católicos e comunidades da classe operária recalcitrantes em outras circunstâncias, Hitler era o Líder que não podia errar.[258]

Entretanto, quando a propaganda nazista ia de encontro a atitudes profundamente arraigadas, verificava-se que era bem menos fácil causar impacto. De modo análogo, tinha mais sucesso com pessoas cujas opiniões não estavam firmemente formadas, o que significava sobretudo os jovens. Além disso, o que quer que os propagandistas pudessem afirmar, as pessoas tinham uma ideia clara da situação econômica e social do país. Não era difícil para elas descrer das afirmações grandiosas do Ministério da Propaganda. As proclamações sobre a abolição das diferenças de classe, a criação de uma comunidade nacional unificada ou a recuperação milagrosa da economia pouco significavam para elas se sua própria situação continuava a mostrar poucas melhorias em relação ao aperto medonho do início da década de 1930. Em outras palavras, para ter efeito, a propaganda dependia em parte da extensão em que possuísse ao menos alguma relação com a verdade quando tratava de temas específicos, como a economia ou a posição da Alemanha no mundo. Sucesso gerava apoio ao regime e crença em seus propósitos; fracasso criava ceticismo sobre suas afirmações e dúvidas quanto a suas políticas.[259] Todavia, os nazistas afirmavam que o tempo estava a seu favor. A impregnação do pensamento e das ações de todos os alemães não dependia simplesmente do poder e da sofisticação da propaganda no presente. Em longo prazo, a remodelação do sistema educacional criaria uma nova geração de jovens alemães que não conheceria nenhuma fonte de valores alternativos ao nazismo. Contudo, é claro que havia um setor no qual tais valores persistiriam muito depois que o marxismo, o socialismo e todos os outros credos políticos e sociais tivessem sido varridos. Era na religião. Por motivos de conveniência e cautela políticas, o Terceiro Reich suspendeu subitamente o ataque às igrejas e às suas instituições seculares dependentes em 1933. Entretanto, à medida que ficava mais autoconfiante, começou a voltar a atenção também para a cristandade e a procurar meios de convertê-la a um formato mais adequado à nova Alemanha ou, se isso não funcionasse, de aniquilar com ela de vez.

3
Convertendo a alma

Questões de fé

I

Os nazistas abominavam a divisão confessional da Alemanha e, em um paralelo óbvio com a política de coordenação nas áreas seculares da política, da cultura e da sociedade, muitos desejavam uma religião nacional única com uma igreja nacional única. A divisão, acreditavam os nazistas, havia se aprofundado na República de Weimar durante conflitos acrimoniosos sobre questões como educação, assistência social, casamentos mistos e procissões religiosas locais, minando a vontade nacional.[1] Para os nazistas, a Igreja Evangélica alemã parecia oferecer um veículo quase ideal para a unificação religiosa do povo alemão. Unindo os credos luteranos e calvinistas desde o começo do século XIX, a Igreja Evangélica, diferentemente da Igreja Católica, não devia lealdade real a nenhum grupo ou instituição mundial, como o papado, fora da Alemanha. Nos tempos do Reich bismarckiano, havia sido efetivamente um braço do Estado; o rei da Prússia, que também atuava como imperador alemão, era o chefe da Igreja Evangélica na Prússia e não fazia segredo de que esperava que esta mostrasse lealdade às instituições estabelecidas. Os nacionalistas alemães viam o Reich alemão como um Estado protestante, uma crença manifestada de várias maneiras ao longo das décadas, desde a perseguição dos católicos por Bismarck na década de 1870 até a hostilidade difundida e às vezes assassina exibida contra os padres católicos pelas tropas alemãs durante a invasão da França e da Bélgica em 1914. O clero protestante alemão havia apresentado a Primeira Guerra Mundial como uma cruzada religiosa contra os franceses e belgas católicos e os russos ortodoxos, e para muitos ficou claro que nacionalismo e protestantismo haviam se tornado duas faces da mesma moeda ideológica.[2]

Um exemplo pessoal característico da fusão de patriotismo, militarismo e religiosidade na tradição dominante do protestantismo alemão foi proporcionado por Martin Niemöller, pastor de Berlim nascido em 1892 e filho de um pastor luterano, embora batizado como calvinista. Niemöller tornou-se cadete-oficial da Marinha alemã e então serviu a bordo de submarinos na Primeira Guerra Mundial, assumindo o comando de um em junho de 1918. Suas reminiscências da guerra não são nenhuma obra-prima da literatura, mas exsudam um espírito empolgado comparável a *Tempestade de aço,* de Ernst Jünger, celebrando com gosto o afundamento de navios mercantes inimigos. Ao atracar em Kiel no final de novembro de 1918 após ouvir pelo rádio as notícias sobre o encerramento da guerra e o colapso da monarquia, ele viu-se, conforme escreveu mais tarde, como "um estranho em meu próprio país". Não havia "um ponto de agrupamento para homens de mentalidade nacionalista" que se opunham "aos manipuladores dessa 'Revolução'".[3] Um período de trabalho em uma fazenda convenceu-o de que devia se encarregar de resgatar sua nação da catástrofe espiritual que julgava ter se abatido sobre ela, e começou a formação de pastor na Westfália. Ativo na liga de estudantes dos nacionalistas alemães, apoiou o golpe abortado de Kapp que tentou derrubar a República em março de 1920. Ajudou a fundar uma unidade das Brigadas Livres de 750 estudantes para lutar contra o Exército Vermelho formado por grupos de esquerda na região. Mais adiante, envolveu-se em outro grupo paramilitar de extrema direita, a Organização Escherich. Em 1923, Niemöller e seus irmãos carregaram o esquife do sabotador nacionalista Albert Leo Schlageter, abatido por tropas francesas em Düsseldorf durante a ocupação do Ruhr.[4]

Da oposição de Niemöller à República de Weimar, assim como sua rejeição ao Acordo de Paz de 1919, não pode haver dúvida. Todavia, sua receita para a renovação nacional era muito mais espiritual que política. Depois de pegar um emprego temporário de emergência patrocinado pelo governo como capataz de ferrovia para sustentar a família durante a grande inflação de 1923, juntou-se à divisão de assistência social da Igreja Protestante, a Missão Interna, aprendendo muito sobre os problemas sociais da Alemanha, adquirindo valiosa experiência administrativa e construindo uma rede de contatos na comunidade protestante por toda a Alemanha. Em 1931, tornou-se o terceiro pastor do luxuoso subúrbio de *villas* de Dahlem em Berlim. Como era de seu feitio, deu tanta atenção aos serviçais e trabalhadores estatais que formavam a classe mais baixa do distrito quanto às famílias ricas e cultas que habitavam as *villas* amplas e elegantes. Pastores de direita comprometidos, mas populistas como Niemöller, ficaram particularmente suscetíveis ao apelo dos nazistas, e Niemöller votou em Hitler em março de 1933. Em 1931, ele já havia discursado em um programa de rádio invocando o surgimento de um novo líder nacional, e em 1933 pensou que este enfim havia chegado na forma de Adolf Hitler. Seus sermões desse período adotaram a conclamação nazista por uma cristandade unida e positiva que superasse as divisões religiosas que assolavam a Alemanha há tantos anos. E ecoaram a alegação nazista de que os judeus haviam sido excessivamente influentes na República de Weimar. Em 1935, fez sermões sobre a influência venenosa dos judeus na história do mundo, resultado, pensava Niemöller, da maldição que pairava sobre eles desde a Crucificação.[5]

Para protestantes nacionalistas como Niemöller, o inimigo era o marxismo, em suas variações tanto comunista quanto social-democrata. Suas doutrinas ateístas vinham descristianizando a classe operária desde bem antes do final do século XIX.[6] Muitos protestantes, inclusive figuras ilustres como o bispo luterano Theophil Wurm, viram o advento do Terceiro Reich como uma oportunidade para enfim reverter esse curso, especialmente porque o ponto 24 do programa nazista apresentava o movimento em termos de "cristandade positiva" e anunciava sua luta contra o "materialismo judaico". E, de fato, nos primeiros meses do Terceiro Reich, pastores protestantes entusiasmados encenaram uma série de espetaculares batismos em massa de crianças que haviam permanecido não batizadas durante os anos de Weimar, e até casamentos em massa de camisas-pardas e suas noivas, que haviam casado apenas no civil sob o velho regime.[7] A população protestante, somando cerca de 40 milhões, quase dois terços da população total do Reich, também havia proporcionado a mais ampla e mais profunda reserva de apoio ao Partido Nazista em todos os grupos sociais durante seus triunfos eleitorais no início da década de 1930. Um número substancial de eleitores nazistas eram ex-defensores do partido protestante quintessencial, o Nacionalista. Os nazistas capitalizaram isso. Em 1933, organizaram celebrações imponentes pelo 450º aniversário de Martim Lutero, retrabalhando sua memória para convertê-lo em um precursor deles mesmos.⁸ Eventos pseudorrestauradores, como o Dia de Potsdam em março de 1933, realizado de forma deliberada na igreja da praça-forte para sublinhar a simbiose da religião protestante e da tradição prussiana, exerceram forte apelo junto a muitos protestantes.⁹

Diante de tudo isso, e em particular da longa história de controle estatal, não é de surpreender que houvesse gestos sérios para nazificar a Igreja Evangélica em 1933. Hitler parece ter tido a ambição de convertê-la em um novo tipo de igreja nacional, para transmitir as novas doutrinas raciais e nacionalistas do regime e por fim conquistar também a massa de católicos para a causa nazista.¹⁰ O papel-chave seria desempenhado pelos Cristãos Alemães, um grupo de pressão organizado por defensores do nazismo entre o clero em maio de 1932. Não se tratava de forma alguma de uma minoria desprezível. Na metade da década de 1930, existiam cerca de 600 mil membros da Igreja Evangélica. Já em novembro de 1932, haviam conquistado um terço dos assentos nas eleições da igreja prussiana. Isso os colocou em uma posição forte para assumir a Igreja inteira, intenção que anunciaram num encontro de massa em Berlim no começo de abril de 1933. Assim como o governo estava centralizando a estrutura federal da Alemanha por meio da "coordenação" dos estados federados, os Cristãos Alemães pressionavam agora pela abolição da estrutura federativa da Igreja Evangélica, com suas 28 igrejas regionais autônomas, e a substituição por uma "Igreja do Reich" centralizada sob controle nazista. Com o apoio público de Hitler, essa igreja foi realmente criada, o candidato da maioria para o cargo de bispo do Reich, Fritz von Bodelschwingh, foi derrubado depois de apenas poucas semanas no posto, e Ludwig Müller, uma indicação nazista, foi nomeado para o novo cargo. Respaldados por um jorro maciço de propaganda do ministério de Goebbels e da imprensa, os Cristãos Alemães conquistaram uma vitória avassaladora nas eleições da Igreja em 23 de julho de 1933.¹¹

Esses movimentos alavancaram protestantes cuja meta declarada bem antes da tomada nazista do poder era opor-se à "missão judaica na

Alemanha", rejeitar "o espírito de cosmopolitanismo cristão" e combater a "mistura racial" como parte da missão de estabelecer uma "crença em Cristo apropriada à nossa raça".[12] Tais ideias tinham amplo apoio entre clérigos e teólogos protestantes. Já em abril de 1933, a Igreja Protestante da Baviera determinou que fossem penduradas bandeiras em todos os seus prédios no aniversário de Hitler. No verão, as congregações estavam se acostumando a ver pastores cristãos alemães pregando em uniformes da SA ou até da SS em vez de sobrepeliz, e realizando serviços especiais para consagrar bandeiras e outros emblemas das tropas de assalto, cuja presença uniformizada nos cultos agora acrescentava um claro elemento de intimidação às deliberações da Igreja Evangélica em todos os níveis. Todavia, os Cristãos Alemães não eram de maneira alguma oportunistas guiados pelo medo; pelo contrário, representavam a culminação, em uma forma extrema, de uma identificação de longa data do protestantismo alemão com o nacionalismo alemão. Eles procederam com entusiasmo ao pendurar bandeiras da suástica em suas igrejas, gravar o símbolo nazista em novos sinos de igreja e montar rituais e cerimônias para celebrar a simbiose da fé protestante com o Terceiro Reich.[13]

A coordenação da Igreja Protestante foi levada em frente, entre outros fatores, pela nomeação do advogado August Jäger como comissário de Estado para as igrejas evangélicas na Prússia. Jäger declarou que Hitler estava completando o que Lutero havia iniciado. Eles estavam "trabalhando juntos para a salvação da raça alemã". Jesus representava "o flamejar da espécie nórdica em meio a um mundo torturado por sintomas de degeneração".[14] Em conformidade com o "princípio de liderança", Jäger dissolveu todos os organismos eleitos da igreja prussiana e substituiu muitos funcionários por cristãos alemães. Enquanto isso, o bispo do Reich, Ludwig Müller, havia assumido a sede administrativa da Igreja Evangélica com o auxílio de um bando de camisas-pardas. Em setembro, cresceu a pressão dentro da Igreja do Reich para a demissão de todos os judeus de seus empregos na instituição.[15] Muito dessa pressão veio de pastores comuns. Importantes nisso foram os jovens pastores da classe média baixa e de famílias não acadêmicas, homens para os quais o serviço militar na guerra com frequência havia sido uma experiência de vida decisiva, e pastores racialmente conscientes de regiões próximas às fronteiras orientais da Alemanha, para quem o protestantismo representava a cultura alemã contra o catolicismo dos poloneses ou o credo ortodoxo dos russos. Tais homens desejavam uma igreja militante baseada na propagação agressiva do Evangelho, uma igreja de cruzada cujos membros fossem soldados de Jesus e da pátria, valentões, durões e intransigentes. Esse tipo de cristandade viril apelava em particular a jovens que desprezavam a efeminação da religião por meio do envolvimento com caridade, assistência social e atos de compaixão. A tradicional ênfase pietista no pecado e no arrependimento, que lidava com imagens do sofrimento e da transfiguração de Cristo, era anátema para tais homens. Em vez disso, exigiam uma imagem de Cristo que desse um exemplo heroico para os homens alemães do mundo atual. Para eles, Hitler vestiu o manto de um redentor nacional que provocaria a recristianização da sociedade junto com seu redespertar nacional.[16]

II

Em 13 de novembro de 1933, para marcar seu triunfo dentro da Igreja Protestante, 20 mil cristãos alemães reuniram-se no Palácio dos Esportes em Berlim e exigiram a demissão de todos os pastores que ainda não houvessem se declarado a favor do novo regime. No mesmo encontro, o administrador regional da Igreja Reinhold Krause conclamou a remoção do Velho Testamento "judeu" da Bíblia cristã e o expurgo do Novo Testamento da "teologia da inferioridade do rabino Paulo". Ele declarou que o espírito de Cristo estava intimamente relacionado ao espírito nórdico. A cruz também, acrescentou ele, era um símbolo judaico, inaceitável no novo Reich.[17] Mas o discurso não passou sem contestação. Por mais politicamente conservador que fosse, um número substancial de membros do clero protestante acreditava que a religião, não a raça, deveria ser a pedra de toque da afiliação à Igreja. Esse grupo estava cada vez mais preocupado com a rápida nazificação da Igreja e sua consequente perda de autonomia. Dietrich Bonhoeffer, teólogo de 27 anos de Berlim, manifestou-se em abril de 1933 em defesa da igualdade de *status* para judeus convertidos. Ele participou da organização da oposição fracassada aos Cristãos Alemães nas eleições da Igreja. Pastores da oposição logo começaram a se organizar em grupos e, a seguir, em sínodos regionais. Entre eles estava Martin Niemöller, que, não obstante toda a simpatia pelo regime, agora considerava a politização racista da Igreja uma ameaça à sua concepção tradicionalista da cristandade protestante. Em setembro de 1933, ele montou a Liga de Emergência dos Pastores. Liderada por Bonhoeffer e Niemöller, a liga conquistou a adesão de quase 6 mil pastores até o final de 1933. Organizações diocesanas autônomas também começaram a se restabelecer na esteira desse processo, revertendo sua coordenação prévia em um organismo nacional centralizado.[18]

O movimento rebelde foi propagado sobretudo por pastores de formação acadêmica. Um quarto do grupo de padres paroquianos de Berlim que se juntou aos rebeldes e permaneceu com eles vinha de famílias de teólogos ou pastores; para eles, o serviço militar na guerra em geral não havia sido uma experiência transformadora, e, por mais nacionalistas que fossem, a religião vinha primeiro. Apenas 5% deles eram membros do Partido Nazista, contra 40% dos pastores cristãos alemães de Berlim. Muitos dos rebeldes vinham de províncias da Prússia central, distantes das controversas fronteiras étnicas da Alemanha. Eles rejeitavam as inovações teológicas dos cristãos alemães às Escrituras e embasaram seu movimento sobretudo em grupos de estudo da Bíblia, onde as mulheres estavam em franca maioria, em contraste com o movimento de domínio masculino dos cristãos alemães. As crenças básicas dos rebeldes eram formadas por uma piedade que se voltava cada vez mais para o fundamentalismo bíblico, um fator que afastava os poucos pastores que haviam sido liberais ou social-democratas e que por isso mantiveram-se bem longe do movimento.[19]

O bispo do Reich, Ludwig Müller, tentou controlar os rebeldes proibindo qualquer menção da disputa nos sermões, disciplinando alguns dissidentes e fundindo as organizações de jovens protestantes, com mais de 1 milhão de membros, à Juventude Hitlerista. Ao mesmo tempo, ele renunciou ostensivamente ao movimento cristão alemão, em uma tentativa de mostrar imparcialidade. Mas não adiantou nada. Os pastores de oposição desafiaram as regras e, em seus púlpitos, falaram contra a "cristandade nazificada". E então rejeitaram de vez a Igreja do Reich e fundaram um órgão rival, a Igreja Confessante, que adotou uma declaração de princípios inspirada pelo teólogo Karl Barth, em seu encontro em Barmen, em maio de 1934, repudiando o "Parágrafo Ariano" e expressando sua fé na Bíblia. Barth, que era suíço, mas radicado em Bonn, pouco depois foi forçado a deixar a Alemanha e voltar para o país natal, de onde suas obras – que conclamavam os protestantes a resistir às intromissões do regime e voltar à religião pura baseada na Bíblia – continuaram a exercer influência considerável sobre seus seguidores.[20]

Como resultado desses eventos, o bispo do Reich viu-se obrigado a despedir Krause pouco depois do encontro no Palácio dos Esportes e abandonar as medidas disciplinares que havia lançado para conter os rebeldes, mergulhando o movimento cristão alemão em desordem e inaugurando um período de disputas internas que durou mais de um ano. Em breve a posição de Müller como bispo do Reich ficou mais ou menos sem sentido devido à criação pela Igreja Confessante de um "Gerenciamento Provisório da Igreja Evangélica Alemã", central e coordenante, em 22 de novembro de 1934.[21] Um pregador que se juntou à Igreja Confessante então proclamou: "Os homens que governam hoje em dia falam apenas de seus próprios feitos e de seu próprio ego; jamais existe conversa alguma sobre o temor a Deus, e por esse motivo o Terceiro Reich não terá condições de se manter por muito tempo". Há registro de um pastor franconiano dizendo em seu sermão dominical que "um cristão digno não pode ser nacional-socialista ao mesmo tempo, e um nacional-socialista digno também não pode ser cristão ao mesmo tempo". Martin Niemöller em particular proferiu uma série de sermões de inequívoca hostilidade ao regime. Para congregações apinhadas em sua paróquia de Dahlem, somando 1,5 mil pessoas pelo menos em uma ocasião, Niemöller citou Goebbels, Rosenberg e Gürtner publicamente como os homens responsáveis pelo aprisionamento de pastores refratários; leu listas de nomes de pastores que haviam sido detidos ou impedidos de falar; em 30 de janeiro de 1937, no quarto aniversário da nomeação de Hitler como chanceler do Reich, pregou sobre um texto descrevendo o aprisionamento do apóstolo Paulo; e conduziu preces para não arianos que haviam perdido o emprego. A Gestapo notou preocupada que 242 igrejas do distrito de Potsdam haviam deixado de hastear bandeiras da suástica em 9 de novembro de 1935, aniversário do golpe nazista da cervejaria em 1923.[22] Regimes políticos vinham e iam, proclamou outro pregador; apenas Deus permanecia eterno. A Gestapo notou que a congregação em tais sermões com frequência consistia de todos os tipos de inimigos do nacional-socialismo, não apenas "velhos oficiais que não conseguem se adaptar", grandes proprietários de terra e coisas assim, mas também maçons "e até mesmo uns poucos ex-comunistas que de repente descobriram que no fundo eram pessoas religiosas".[23] Uma canção estava circulando em Marburg, registrou outro relatório da Gestapo:

> Antes éramos comunistas
> Capacetes de Aço e SPD
> Hoje somos cristãos confessantes
> Combatentes contra o NSDAP.[24]

Os elementos de oposição estavam assim começando a gravitar na direção da Igreja Confessante. A ameaça ao regime nazista pareceu muito real para alguns.[25]

Todavia, a Igreja Confessante jamais se tornou um centro geral de oposição da forma como a Igreja Protestante viria a ser na República Democrática Alemã no final dos anos 1980. Hitler e as lideranças nazistas ainda consideravam a religião uma área sensível demais para respaldar as políticas de Müller com força verdadeira. As tentativas de Jäger de demitir os bispos luteranos Wurm e Meiser de seus cargos, por exemplo, haviam levado a manifestações públicas de massa nas quais os membros do Partido apareceram em destaque, e estavam sem dúvida alienando muitos dos defensores nazistas entre a população agrícola de Württemberg e da Francônia. Os bispos foram reintegrados.[26] Os líderes nazistas foram, portanto, obrigados a aceitar o fracasso da tentativa dos cristãos alemães de coordenar a Igreja Evangélica por dentro. Todavia, muitas figuras de destaque da Igreja Confessante protestaram lealdade ao Terceiro Reich e negaram que estivessem fazendo qualquer coisa política. Mesmo em 1934, no auge do conflito, Dietrich Bonhoeffer, um dos pensadores mais radicais da Igreja Confessante, era uma exceção ao adotar a linha crítica de que "os sonhadores e ingênuos como Niemöller ainda acreditam ser verdadeiros nacional-socialistas". Ele achava que poucos membros da Igreja expandiriam seu comprometimento a uma resistência mais ampla ao nazismo que eventualmente pudesse fazer-se necessária.[27] Em todo caso, em 1937, a Igreja Protestante ou estava profundamente dividida entre os cristãos alemães e a Igreja Confessante – como em Berlim, Westfália ou Renânia – ou ainda dominada pelos cristãos alemães – como na maioria das outras regiões do norte da Alemanha. Muitos protestantes comuns encheram-se das acrimoniosas lutas internas e simplesmente abandonaram de vez o envolvimento com a Igreja; para essa maioria silenciosa, o fundamentalismo bíblico e a cristandade nazificada eram igualmente repulsivos.[28]

Além disso, o motivo mais importante da altercação, a exigência dos cristãos alemães de expulsar da Igreja aqueles definidos como racialmente não arianos, decorria não de uma rejeição de antissemitismo por princípio dos pastores confessantes, mas meramente de uma versão diferente de antissemitismo. Eles acreditavam que judeus batizados deixavam de ser judeus, e não se interessavam pelos não batizados. O próprio Niemöller declarou publicamente em 1935 que os judeus haviam sido amaldiçoados pela eternidade por terem causado a crucificação de Cristo. Contudo, ele seguiu adiante usando esse argumento para exortar o fim da perseguição no Terceiro Reich: se Deus havia julgado os judeus, não era para os humanos intervirem com seu ódio, e, de todo modo, Jesus não havia mandado os cristãos amarem seus inimigos? Dessa maneira, Niemöller tentava voltar os argumentos dos nazistas contra eles mesmos. Os judeus, declarou, haviam sido orgulhosos demais de sua identidade racial como "semente de Abraão" para dar atenção ao evangelho de Jesus; agora o orgulho racial estava fazendo os alemães trilharem o mesmo caminho, abrindo assim a possibilidade de também serem amaldiçoados por toda a eternidade. Tais argumentos podem parecer antissemitas em retrospecto, mas no contexto da época tiveram consequências práticas de um tipo muito diferente.[29] Pastores que batizavam crianças judias ou pregavam sobre as virtudes do Velho Testamento eram difamados pelos cristãos alemães como "pastores judeus" e tinham que suportar denúncias e insultos constantes de seus oponentes. A diferença entre os cristãos alemães e a Igreja Confessante era bem real na década de 1930.[30]

Como uma instituição de Estado, a Igreja Evangélica foi obrigada a adotar o "Parágrafo Ariano" em 1933 e a demitir os dezoito pastores aos quais ele se aplicava (outros onze foram isentos porque haviam lutado na Primeira Guerra Mundial). Por muitas décadas ela havia dedicado certa atenção à conversão de judeus para a cristandade, mas esses esforços agora deparavam com desaprovação crescente na Igreja. A Igreja Confessante havia nascido em parte em torno de um protesto contra essa medida, que despertou forte hostilidade entre alguns pastores locais. Muitos leigos protestantes também ficaram perturbados com o franco antissemitismo racial dos cristãos alemães. O romancista, poeta e radialista Jochen Klepper, cuja esposa era judia, já reclamava do antissemitismo do regime em março de 1933. A "revolução nacional" estava criando nada menos que uma "atmosfera de *pogrom*", ele anotou no diário. Para Klepper, um devoto protestante, o antissemitismo, longe de ser um complemento natural da cristandade, era uma negação da herança bíblica da cristandade: "Não sou antissemita", escreveu, "porque nenhum crente pode sê-lo. Não sou filossemita, porque nenhum crente pode sê-lo. Mas acredito no Mistério de Deus, que ele manifestou por meio dos judeus, e por esse motivo nada posso fazer além de sofrer pelo fato de a Igreja tolerar o que está acontecendo no presente".[31]

Todavia, considerações políticas entre aqueles que estavam assumindo a responsabilidade de resistir aos cristãos alemães em nível institucional impunham cautela. Até mesmo Niemöller exigiu "comedimento" quanto aos pastores não arianos.[32] Refletindo a tendência comum de culpar qualquer um menos Hitler, outro pastor da Igreja Confessante combinou sua crítica ao princípio de liderança na Igreja com um lembrete de que Deus havia lhes enviado o Líder; não era Hitler, mas o bispo do Reich, o responsável pelos problemas.[33] Além disso, se algumas congregações rurais foram para a Igreja Confessante em massa, isso em geral ocorreu porque, conforme notou um relatório da Gestapo no distrito de Potsdam, "os agricultores parecem querer celebrar suas festas da Igreja da forma tradicional; no que tange a eles, essas festas fazem parte de um costume rural e acabar com elas seria impensável". O que se aplicava aos distritos rurais podia igualmente aplicar-se às minguadas congregações de aldeias e cidades, já há muito abandonadas pela classe operária, mas ainda populares nos círculos artesãos conservadores, burgueses e aristocráticos. O relatório da Gestapo acrescentou que o regime não havia feito o bastante para superar esse tradicionalismo inato.³⁴ Mas na realidade era difícil ver o que mais poderia ser feito. A tentativa dos cristãos alemães de criar uma síntese entre protestantismo alemão e racismo nazista havia efetivamente entrado em colapso.³⁵

III

Nesse ínterim, figuras de destaque da Igreja Confessante, como Niemöller, foram colocadas sob vigilância, e atos de molestamento oficial contra pastores confessantes começaram a se multiplicar, ampliados por tentativas às vezes violentas dos cristãos alemães, que continuaram detentores da lealdade de muitos protestantes por todo o período até 1945, de arrebatar de volta o controle de igrejas específicas.³⁶ O fracasso do regime em subjugar a Igreja não seria aceito alegremente. Hitler abandonou relutante a ambição de convertê-la na Igreja oficial estatal do Terceiro Reich. Em vez disso, ordenou a criação de um novo Ministério para Assuntos da Igreja, estabelecido em julho de 1935 sob a chefia de Hanns Kerrl, de 48 anos, membro do Partido desde 1925 e ministro prussiano da Justiça de 1933 até a dissolução do ministério no ano seguinte. O novo ministério recebeu poderes de ampla abrangência, que Kerrl não hesitou em empregar a fim de subjugar pastores refratários.³⁷ Ele lançou medidas repressivas sérias contra a Igreja Confessante, e em particular contra sua seção de Berlim-Brandenburgo, onde os dissidentes eram mais fortes. Pastores foram proibidos de pregar, ou tiveram o pagamento suspenso. Foram proibidos de ensinar em escolas. Todos os estudantes de teologia receberam ordem de se filiar a organizações nazistas. Uma importante editora protestante foi confiscada, e uma igreja protestante em Munique foi demolida. Niemöller foi detido, e no final de 1937 mais de setecentos pastores protestantes do país haviam sido aprisionados. O delito deles foi ter desobedecido ordens governamentais de restrição nos comentários em seus sermões, proibições do governo de angariar fundos para a Igreja Confessante ou outros decretos e regulamentações oficiais. No distrito de Potsdam, 102 pastores foram detidos em 1935 por ler declarações do sínodo da Igreja Confessante, embora todos tenham sido soltos subsequentemente. Em alguns locais foram saudados na volta para casa com manifestações triunfantes de membros dos Capacetes de Aço, que se libertaram momentaneamente da incorporação aos camisas-pardas. O relatório da Gestapo foi forçado a confessar: "Todas as medidas tomadas contra a Igreja Confessante mostraram-se até aqui inadequadas, e apenas deixam os pastores ainda mais insubordinados".[38]

O julgamento de Niemöller foi um fiasco, e ele foi inocentado de todas as acusações sérias. Apareceu uma série de testemunhas para atestar seu patriotismo, e o próprio Niemöller disse que estava longe de ser um oponente político dos nazistas. Ele foi imediatamente solto. Entretanto, quando libertado em 2 de março de 1938, encontrou a Gestapo à sua espera nos portões da prisão. Hitler havia ordenado pessoalmente que ele fosse detido de novo. Niemöller foi colocado em confinamento solitário no campo de concentração de Sachsenhausen. Na eclosão da guerra em setembro de 1939, ele ofereceu-se para se alistar na marinha de novo, mas a oferta foi rejeitada. Ainda insistia que sua rebelião era apenas religiosa. Não obstante, sua detenção e encarceramento incitaram condenação generalizada. Ele era lembrado diariamente em orações não só na Igreja Confessante, mas em congregações protestantes de muitos outros países, onde era considerado um mártir dos princípios cristãos. A manutenção de seu aprisionamento após ter sido inocentado por um tribunal de Justiça causou constragimento internacional para o regime. A fim de aparar as arestas da crítica mundial, Hitler concedeu-lhe uma liberação temporária para ver o pai moribundo. O fato de Niemöller ser um prisioneiro pessoal do Líder também conferiu-lhe um número limitado de privilégios especiais em certas ocasiões – isso foi feito para aplacar a opinião mundial. Foram-lhe permitidas visitas ocasionais da esposa, e quando as notícias de seu estado de saúde debilitado tornaram-se públicas após um desses encontros, os protestos resultantes levaram a uma melhora de suas cotas de alimentação. Não obstante, quando a esposa de Niemöller pediu diretamente a Hitler que o soltasse em 1939, o Líder nazista replicou que, se fosse posto em liberdade, ele apenas reuniria em torno de si um grupo de oposição que colocaria o Estado em perigo.[39]

Niemöller não ficou de forma alguma imune às humilhações e às brutalidades cotidianas com que os guardas de campo da SS castigavam os reclusos. Em vista de seu sofrimento paciente diante dos maus-tratos e sua fé constante e reiterada em Deus, ele adquiriu um grau considerável de autoridade moral sobre os outros reclusos, aos quais tratava, indistintamente, como vítimas de um regime perverso. Foi nessa época, ao ver o sofrimento dos detentos judeus do campo, que ele veio a repudiar suas ideias antissemitas de outrora. Os judeus, Niemöller disse a um companheiro de reclusão, deveriam ser tratados exatamente como os outros alemães: sua antiga defesa de restrições aos direitos civis deles havia sido um erro. Embora Niemöller recebesse tarefas de trabalho relativamente leves, como cortar lenha, com frequência era surrado pelos mais ínfimos pretextos. Em certa ocasião no final da década de 1930, quando lhe mandaram dizer o nome, respondeu que era o pastor Niemöller. Violentamente espancado pelos guardas do campo, teve então que dizer: "Sou o porco Niemöller". Em inúmeras ocasiões, os guardas, de acordo com as memórias de um companheiro de reclusão, escritas logo após os eventos,

> faziam-no pular num pé só entre eles, às vezes agachar-se e pular. Ao mesmo tempo, batiam nele para que fosse mais ágil. Um dia ele evidentemente usou o nome de Deus (embora eu não tenha conseguido escutar), pois ouvi um dos guardas gritar: "O *Schweinehund* (patife) está chamando seu *Drescksgott* (deus imundo). Gostaria de ver se ele virá ajudá-lo aqui". Às vezes o comandante ou outros oficiais paravam para assistir à brincadeira. Então os guardas superavam-se ao receber risos de aprovação.[40]

Em 1941, quando por um tempo pareceu possível que Niemöller se convertesse ao catolicismo, Hitler transferiu-o com três padres católicos para Dachau, onde foi mantido em condições consideravelmente melhores quase até o final da guerra. Mas nunca houve nenhuma perspectiva de que Niemöller pudesse ser libertado, especialmente quando decidiu que não se converteria ao catolicismo.[41] Nesse meio-tempo, em sua paróquia no luxuoso subúrbio de Dahlem, em Berlim, os cristãos alemães haviam conquistado o domínio novamente, uma vez que seu rival, o veterano pastor Eberhard Röhricht, antes eclipsado pelo carisma de Niemöller, tomou a iniciativa e expulsou o núcleo do grupo de defensores da Igreja Confessante da paróquia de uma só vez.[42]

Rememorando sua detenção e aprisionamento mais tarde, Niemöller veio a se arrepender das concessões que fez ao regime, e se culpou por ocupar-se de interesses religiosos estreitos. Na declaração que mais do que qualquer outra coisa manteve sua memória viva pelo mundo, ele disse:

> Primeiro pegaram os comunistas, mas eu não era comunista, por isso não disse nada. Então pegaram os social-democratas, mas eu não era social-democrata, por isso não fiz nada. Depois foi a vez dos sindicalistas, mas eu não era sindicalista. E a seguir pegaram os judeus, mas eu não era judeu, por isso não fiz nada. Então, quando vieram me pegar, não havia sobrado ninguém que pudesse ter me defendido.[43]

Apesar de todo seu poder para projetar o remorso retrospectivo de Niemöller, essa famosa declaração também ilustra a manutenção da estreiteza de seu ponto de vista confessional, e a profunda continuidade da divisão confessional na Alemanha, pois há um grupo sobre o qual ele não disse absolutamente nada: os católicos.[44]

Católicos e pagãos

I

Hitler tanto admirava como temia a Igreja Católica, que na época de sua nomeação como chanceler do Reich afirmava ter a lealdade de cerca de 20 milhões de alemães, ou um terço da população, a maior parte no sul e no oeste. Como Bismarck antes dele, Hitler considerava os católicos menos do que totalmente comprometidos com a causa nacional porque sua Igreja devia submissão institucional não ao Estado alemão, mas a Roma. Outras lideranças nazistas que provinham de ambiente católico, como Joseph Goebbels, também reverenciavam a poderosa e elaborada organização da Igreja e a sua capacidade de convencer seus membros da retidão de seu credo. Hitler admirava o comprometimento que o celibato conferia aos padres, e a proximidade de seus vínculos com as pessoas comuns.[45] O assistente de Himmler, Reinhard Heydrich, reagiu contra a severa educação católica com um ódio pela Igreja que só pode ser chamado de fanático. Em 1936, Heydrich classificou os judeus e a Igreja Católica, atuando sobretudo por meio de instituições políticas como o Partido de Centro, como os dois principais inimigos do nazismo. Argumentou que, como um organismo internacional, a Igreja Católica era necessariamente subversiva da integridade racial e espiritual do povo alemão.[46] Além disso, os católicos, ao contrário dos protestantes, haviam sido amplamente representados por um único partido político, o de Centro, cujos eleitores, mais uma vez ao contrário da maioria dos outros partidos, haviam permanecido leais em sua maioria e resistido ao apelo do nazismo durante as eleições do início da década de 1930. Do ponto de vista dos nazistas, muito da culpa por isso podia ser creditada ao clero, que pregou com veemência contra o Partido Nazista, em muitos casos determinou que católicos não podiam filiar-se e exortou com firmeza que suas congregações continuassem a votar no Centro ou em seu equivalente bávaro, o Partido Popular da Baviera.[47] Para muitos, se não a maior parte dos líderes nazistas, portanto, era de importância vital reduzir a Igreja Católica na Alemanha tão rapidamente quanto possível à subserviência total ao regime.

Em 1933, a comunidade católica já havia concordado em abandonar o Partido de Centro, que se dissolveu junto com outras poucas organizações obviamente políticas como os sindicatos católicos, mas esperava que a maioria das demais organizações leigas dentro da fé católica tivesse permissão para manter a independência. Essa expectativa parecia bastante razoável para muitos católicos em vista da concordata formal concluída entre o regime nazista e o papado em julho de 1933, que prometeu proteger as instituições católicas leigas em troca do compromisso de a Igreja de se abster de qualquer envolvimento em política.[48] Entretanto, as cláusulas da Concordata sobre esse ponto eram extremamente vagas, e no verão de 1933 o regime começou a se apoderar das propriedades de organizações católicas leigas e a forçá-las a fechar se não o fizessem de modo voluntário. Em 20 de julho, os jornais foram proibidos de se chamar de "católicos" (todos os jornais tinham que ser "alemães"), e, em 19 de setembro de 1933, a polícia política bávara, sob o comando de Heinrich Himmler, proibiu "todas as atividades por parte de organizações católicas", exceto grupos de jovens, encontros de coros de igreja para ensaiar e organizações de caridade que atendiam a solicitações de amparo. Alarmado, o cardeal Bertram, de Breslau, falou ao papa Pio XI em 4 de outubro sobre os problemas que antevia devido à ambição nazista de exercer controle total sobre a sociedade, a proibição dos periódicos católicos, a interferência do Estado nas caridades da Igreja e o banimento ou a "coordenação" de associações católicas de voluntários. Outra figura de destaque da Igreja, o cardeal Michael Faulhaber, fez objeção pública aos ataques a católicos não arianos, embora não criticasse as atitudes do regime contra não católicos judeus. No Vaticano, o cardeal Pacelli, ex-núncio papal da Alemanha e agora secretário de Estado sob o papa Pio XI, reclamou ao ministro alemão de Relações Exteriores e ameaçou emitir uma carta aberta de protesto. Mas na prática nada foi feito. A hierarquia católica na Alemanha considerou mais eficiente emitir declarações gerais de apoio ao regime na esperança de que isso detivesse a onda de ações anticatólicas. Assim, o arcebispo Gröber, de Freiburg, declarou publicamente em 10 de outubro de 1933: "Coloco-me inteiramente a favor do novo governo e do novo Reich", e depois usou essa franca lealdade ao regime para tentar persuadir as autoridades nazistas em Baden a cessar os ataques à Igreja. Contudo, a hierarquia não podia protestar com muita força contra medidas das quais não gostava porque isso era entrar no campo da política, do qual havia se excluído de maneira explícita ao anuir com a Concordata.[49]

Na prática, as lideranças nazistas estavam cientes dos perigos que envolviam atacar instituições e tradições profundamente enraizadas na comunidade católica. Desse modo, procederam lentamente. Até mesmo Himmler insistiu a respeito, com uma ordem emitida em 2 de novembro de 1933, de que nenhuma medida anticatólica deveria ser tomada sem suas instruções. A Gestapo deu início à vigilância das atividades católicas, inclusive a eventos nas igrejas, e prestou especial atenção nos leigos antes proeminentes no Partido de Centro e no Partido Popular da Baviera, esboçando longas listas de católicos que pensavam que ainda fizessem oposição ao regime.[50] As lideranças nazistas ficaram particularmente preocupadas com a recusa persistente das organizações católicas de jovens de se dissolver, o que significava que a Juventude Hitlerista era incapaz de fazer grandes progressos em áreas fortemente católicas. O controle sobre a geração mais jovem era vital para a construção do futuro. Em 15 de março de 1934, o líder da Juventude Hitlerista, Baldur von Schirach, condenou a influência divisora dos grupos católicos de jovens e exortou os pais a inscrever os filhos em seu movimento. Também passou a encorajar unidades da Juventude Hitlerista a provocar brigas com grupos rivais de jovens católicos, começando assim a aplicar o tipo de coerção de rua que havia se mostrado muito efetiva em uma escala mais ampla na primeira metade de 1933.[51] A hierarquia recebeu um aviso contundente quando a SS abateu a tiros Erich Klausener, secretário-geral da Ação Católica, um importante órgão leigo, em seu escritório em Berlim, na "Noite das Facas Longas", junto com Adalbert Probst, diretor nacional da Associação Esportiva da Juventude Católica. Em Munique, as

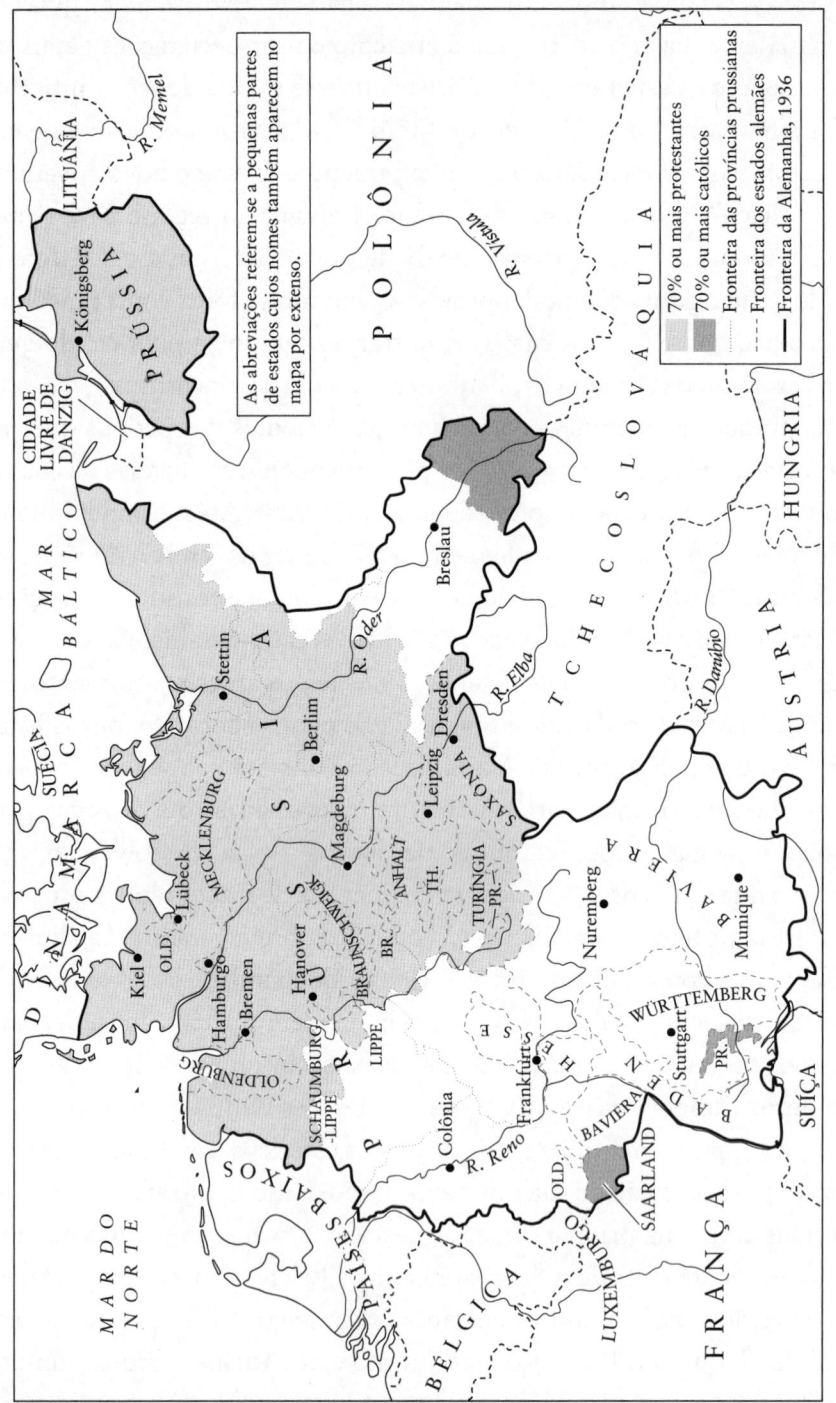

Mapa 6. Afiliação religiosa em 1936

baixas incluíram Fritz Gerlich, editor do semanário católico *O Caminho Reto (Der Gerade Weg)* e célebre crítico do regime. Também houve fortes rumores de que o ex-líder do Partido de Centro e ex-chanceler do Reich Heinrich Brüning estava na lista dos marcados para a morte, mas por acaso estava em Londres e com isso escapou. A implicação desses eventos, ocorridos em meio a negociações pessoais entre Hitler e a hierarquia católica sobre o futuro das organizações católicas leigas, não poderia ter sido mais clara. Contudo, a mesma hierarquia não protestou pelos assassinatos. Em vez disso, juntou-se à Igreja Evangélica no compartilhamento de uma sensação de alívio pela derrota de radicais camisas-pardas supostamente imorais como Röhm e aparentou satisfação externa com a explicação de que os homens assassinados haviam cometido suicídio ou sido abatidos ao tentar fugir.[52]

II

Logo depois desses acontecimentos morreu Hindenburg, fortemente identificado como um representante da fé cristã protestante conservadora, e chegou ao fim o projeto nazista de criar uma Igreja nacional unida em torno da ideia cristã alemã. Tudo isso abriu caminho para uma escalada abrupta das políticas anticatólicas. Foi nessa época que teve início um feroz debate sobre os escritos anticristãos do ideólogo nazista Alfred Rosenberg, que rejeitou publicamente doutrinas centrais como a imortalidade da alma e a redenção do pecado original da humanidade por Cristo. Em seu livro *O mito do século XX*, Rosenberg achincalhou o catolicismo como uma criação do clericalismo judaico e elaborou essas ideias em mais detalhes em uma série de livros publicados na metade da década de 1930.[53] Até mesmo os cristãos alemães ficaram aterrados. Pediram a Hitler para repudiar tais ideias, mas sem sucesso. As publicações de Rosenberg foram imediatamente colocadas no Índex de Livros Proibidos da Igreja Católica e evocaram uma reação furiosa do clero católico alemão. Uma variedade de panfletos, livros, encontros e sermões condenaram os ensinamentos de Rosenberg e anatemizaram seus defensores dentro do Partido Nazista. Porém, as obras de Rosenberg foram oficialmente tratadas pelo regime como nada além de expressões de sua visão pessoal. Não havia necessidade de repudiá-las. Mas ao mesmo tempo o regime reconheceu que a controvérsia estava construindo a resistência da comunidade católica à posterior penetração da ideologia e das instituições nazistas. Conforme notou um relatório da Gestapo em maio de 1935: "Inúmeros clérigos agora estão adotando uma posição muito crítica do púlpito em relação ao *Mito* de Rosenberg e sua nova obra, *Aos obscurantistas de nossos tempos*. Amaldiçoam o espírito da nova era, os ateus e os pagãos, com o que se referem ao nacional-socialismo".[54]

A controvérsia a respeito das ideias de Rosenberg logo começou a assumir o que a liderança nazista considerou uma forma mais perigosa, uma vez que os bispos alemães emitiram censuras públicas ao ideólogo nazista e conclamaram os fiéis a rejeitar suas ideias.[55] Em sua mensagem de Páscoa, redigida em 19 de março de 1935, Clemens von Galen, o bispo de Münster, lançou um ataque feroz ao livro de Rosenberg. "Existem pagãos na Alemanha outra vez", ele notou com alarme, e criticou a ideia de alma racial de Rosenberg. "A chamada alma racial eterna", declarou Galen, "é na verdade uma nulidade". No começo de julho de 1935, Rosenberg aproveitou a oportunidade para criticar Galen em um comício em Münster, e, como reação, os fiéis católicos de Münster apareceram em quantidade sem precedente na procissão anual de julho realizada para comemorar a sobrevivência da Igreja local à perseguição de Bismarck meio século antes e – nessa ocasião – o 400º aniversário da derrota dos anabatistas que haviam instituído um reino de terror na cidade durante a Reforma. Dezenove mil católicos, o dobro do número usual, saíram às ruas para saudar seu bispo, que emitiu uma declaração proclamando que jamais cederia aos inimigos da Igreja. Em resposta, o Partido local produziu notícias negando qualquer intenção de renovar a tentativa bismarckiana de suprimir a independência da Igreja, enquanto funcionários locais relataram a Berlim que Galen estava incitando o descontentamento e o acusaram de estar se metendo em política.[56] Galen escreveu pessoalmente a Hitler reclamando dos ataques ao clero por lideranças nazistas como Baldur von Schirach.[57] Ficou claro que um acordo não estava em pauta. Apertando a coação sobre a Igreja, Himmler e a Gestapo começaram então a introduzir medidas mais duras contra organizações e instituições católicas leigas, limitando encontros públicos, censurando os jornais e revistas católicos que restavam e proibindo temas específicos e colocando nazistas tarimbados em cargos editoriais na imprensa católica. Tanto Hermann Göring quanto Wilhelm Frick, ministro do Interior do Reich, falaram contra o "catolicismo politizante", declarando que a existência de organizações católicas leigas era incompatível com o espírito da era.[58] Perto do final de 1935, Goebbels e o Ministério da Propaganda entraram na controvérsia, lançando uma enxurrada de acusações contra organizações católicas por corrupção financeira, assim como haviam feito em 1933 com os sindicatos.[59]

Essas novas táticas fracassaram por completo no efeito desejado de afastar a comunidade católica de sua fé. A Gestapo relatou que os padres, por meio da confissão e de todo um programa de visitas domiciliares, obtiveram tanto sucesso em combater as alegações que a comunidade leiga, especialmente nas zonas rurais, "considera o que está escrito nos jornais uma falsidade, ou pelo menos um grande exagero".[60] O ímpeto de recrutar jovens para a Juventude Hitlerista e seu equivalente feminino, a Liga das Moças Alemãs, foi de encontro à dura oposição dos padres católicos, e em algumas regiões houve relatos de que estes recusavam-se a conceder absolvição a garotas que se filiavam à Liga em vez de a uma organização católica de moças.[61] Os incidentes começaram a se multiplicar. Congregações católicas reagiram com fúria indisfarçável às tentativas dos chefes locais do Partido de remover estatuária religiosa de prédios públicos, como capelas mortuárias, e hastearam ostensivamente bandeiras da Igreja em vez de flâmulas da suástica para receber dignitários católicos em visita. Os camisas-pardas encenaram manifestações públicas, como uma em Rosenheim, em que exigiram a demissão de um professor que andava castigando os alunos por deixarem de frequentar a Igreja ("Para Dachau com ele!", era o brado).[62] A Igreja, reclamou o governo regional da Baviera Superior em julho de 1937, estava se tornando um "Estado dentro do Estado", e os nazistas locais estavam irados porque "a Igreja está propagando uma oposição ininterrupta da forma mais pública a partir de seus púlpitos".[63] A política do regime teve repercussões até mesmo perto do centro do governo: quando Hitler realizou uma cerimônia para colocar o distintivo partidário dourado nos remanescentes não nazistas do gabinete em 30 de janeiro de 1937, o ministro dos Correios e Transportes, Peter von Eltz-Rübenach, um católico ferrenho, recusou-se a aceitá-lo e disse na cara de Hitler que parasse de reprimir a Igreja. Furioso com o constrangimento, Hitler saiu intempestivamente da sala sem dizer uma palavra, enquanto o sagaz Goebbels garantia a renúncia do ministro refratário ali mesmo.⁶⁴

Em outra região, o conflito irrompeu em franco protesto. Aldeões de uma zona rural profundamente católica do sul de Oldenburg já estavam aborrecidos com a redução da educação religiosa nas escolas e a defesa das diatribes anticatólicas de Rosenberg pelo ministro da Educação regional. Em 4 de novembro, o ministro piorou muito mais a situação ao proibir a consagração religiosa de novos prédios escolares e ordenar a remoção de símbolos religiosos como crucifixos (e, por conseguinte, retratos de Lutero) de todos os prédios estatais, municipais e paroquiais, inclusive escolas. O clero católico local protestou do púlpito. Em 10 de novembro, 3 mil veteranos de guerra reunidos para celebrar o Dia da Recordação ouviram um padre jurar que jamais toleraria a remoção dos crucifixos das escolas. Ele disse à multidão que combateria o decreto e, se necessário, morreria pela causa, assim como os veteranos haviam feito na Primeira Guerra Mundial. Os sinos da paróquia badalaram por toda parte de manhã e à noite em mais um sinal de protesto. Petições em massa foram entregues solenemente ao Ministério da Educação regional. As cruzes nas residências e nas escolas foram decoradas, e grandes cruzes foram afixadas nas torres das igrejas e iluminadas à noite por lâmpadas elétricas. Os paroquianos começaram a se desligar do Partido Nazista, e uma seção dos camisas-pardas dissolveu-se em protesto. Em uma reunião assistida por 7 mil cidadãos comuns, o líder regional do Partido foi forçado a anunciar a retirada do decreto. Seguiram-se um novo badalar dos sinos de igreja por todo o distrito, missas de ação de graças e a publicação em toda a diocese, muito além das localidades próximas, de uma carta pastoral do bispo von Galen recontando o caso, celebrando a vitória e prometendo não dar conversa aos inimigos de Cristo. O episódio causou dano duradouro ao Partido Nazista no sul de Oldenburg, onde, a despeito da manipulação e intimidação maciças, o Partido obteve uma votação impressionantemente baixa na eleição do Reichstag em 1938: 92%, contra 99% no mesmo distrito na eleição de março de 1936.⁶⁵

Desde antes mesmo de a Concordata ser ratificada, o cardeal Pacelli, secretário de Estado do Vaticano em Roma, já vinha enviando um fluxo constante de extensas queixas minuciosamente detalhadas ao governo alemão sobre tais violações, listando centenas de casos nos quais os camisas-pardas haviam fechado organizações católicas leigas, confiscado dinheiro e equipamento, engajado-se em propaganda anticristã, proibido publicações católicas e muito mais. Em resposta, o governo alemão disse repetidas vezes ao Vaticano que sua luta contra o marxismo e o comunismo demandava a unidade do povo alemão com o fim das divisões confessionais. Os padres católicos estavam atrapalhando esse esforço, brandindo a suástica em público como a "cruz do Demônio", recusando-se a usar a saudação de Hitler, expulsando camisas-pardas dos cultos nas igrejas e continuando a violar a Concordata ao incluir ataques políticos ao regime em seus sermões. O regime continuou, portanto, a guerra contra a infraestrutura cultural da comunidade católica em muitas frentes. Organizações católicas de jovens, que em maio de 1934 somavam 1,5 milhão de membros e abrangiam desde o equivalente católico dos escoteiros até clubes esportivos católicos de muitos tipos, eram um alvo óbvio, especialmente porque havia confrontos frequentes com a Juventude Hitlerista, embora na maior parte ficassem restritos à troca de insultos aos gritos. Aos olhos do regime, as organizações católicas de jovens eram "antinacionalistas e antinacional-socialistas" e tinham que ser suprimidas. Os membros dessas organizações ficaram sobre crescente pressão para se desligar e entrar para a Juventude Hitlerista.[66] De 1935 em diante, a Câmara de Teatro do Reich começou a proibir eventos musicais e também teatrais patrocinados pela Igreja, argumentando que estavam competindo financeira e ideologicamente com concertos e peças de patrocínio nazista. Em 1937, estava proibindo peças natalinas, argumentando que eram uma forma de propaganda política católica e por isso contrárias às cláusulas da Concordata.[67]

Nessas, como em muitas outras áreas, Pacelli continuou a se queixar ao governo alemão em um fluxo de memorandos longos, detalhados e de palavras fortes. Depois do começo da campanha de Goebbels contra a suposta corrupção financeira na Igreja, o tom do diálogo entre Berlim e Roma ficou muito mais áspero. As relações pareciam mergulhar em franca hostilidade.⁶⁸ O Vaticano reclamava que as missas e os sermões nas igrejas da Alemanha agora estavam sujeitos à vigilância constante das autoridades: "O fenômeno repulsivo dos informantes paira sobre cada passo, cada palavra, cado ato oficial".⁶⁹ Em muitas partes do país, os padres católicos estavam se engajando em uma guerra de palavras em grande parte espontânea com líderes e funcionários locais do Partido a respeito das tentativas persistentes do Partido de coordenar escolas confessionais e organizações católicas de jovens. Os funcionários estatais regionais registraram que essas lutas eram de fato o único motivo de dissenção política aberta dentro da Alemanha em meados da década de 1930.⁷⁰ Os problemas chegaram ao auge quando, alarmada com a escalada do conflito, uma delegação de bispos e cardeais alemães eminentes, inclusive Bertram, Faulhaber e Galen, foi a Roma em janeiro de 1937 para denunciar os nazistas pela violação da Concordata. Obtendo uma resposta favorável do papa, Faulhaber esboçou uma encíclica papal que foi consideravelmente ampliada por Pacelli, recorrendo à sua alentada correspondência com o governo alemão e recapitulando as queixas que o Vaticano fazia há vários anos. O documento foi aprovado pelo papa, contrabandeado para dentro da Alemanha, impresso em segredo em doze localidades diferentes, distribuído a párocos por meninos de bicicleta ou a pé, e lido quase que em cada púlpito católico do país em 21 de março de 1937.

Escrito em alemão e intitulado *Mit brennender Sorge* [Com ardente preocupação], condenou o "ódio" e a "calúnia" despejados sobre a Igreja pelos nazistas.⁷¹ Embora boa parte do documento fosse apresentada em linguagem teológica, nada fácil de ser compreendida por leigos, pelo menos alguma coisa ficou bem clara. No que se tratava das políticas do regime em relação à Igreja, o papa Pio XI, usando a linguagem fornecida pelo cardeal Pacelli, com certeza não usou de rodeios. "Qualquer um que", bradou ele,

> exalte a raça, ou o povo, ou a forma adotada pelo Estado, as vigas mestras do poder de Estado ou outros valores básicos da construção social humana – que possuem um lugar significativo e honroso dentro da ordem mundana das coisas –, que faça dessa escala temporal de valores a norma mais elevada de todas, incluindo valores religiosos, e as divi-

nize com um culto idólatra, subverte e adultera a ordem das coisas criadas e comandadas por Deus.[72]

Para os fiéis, os valores eternos da religião tinham que ser supremos. Entretanto, a fim de solapá-los, prosseguia a encíclica, o governo alemão estava conduzindo uma "luta aniquiladora" contra a Igreja:

> Com medidas de coerção tanto visíveis quanto ocultas, com intimidação, com ameaças de perdas econômicas, profissionais, cívicas e outras, a fidelidade doutrinária dos católicos e em particular de certas classes de funcionários civis católicos está sendo colocada sob uma pressão tanto ilegal quanto desumana.[73]

Enraivecido pela condenação e alarmado diante da evidência da capacidade da Igreja Católica de organizar um protesto nacional sem despertar a mais leve suspeita de antemão nem mesmo da Gestapo, Hitler determinou a apreensão de todas as cópias da encíclica, a detenção de qualquer que fosse encontrado de posse do texto, a proibição de novas publicações e o fechamento das empresas que o haviam imprimido.[74]

Armado desde 1936 com novos poderes como chefe da polícia alemã, Himmler entrou em cena na campanha contra a Igreja. Junto com seu assistente Reinhard Heydrich, colocou agentes secretos nas organizações da Igreja e aumentou o assédio policial aos clérigos. Houve um arrocho maior sobre a imprensa diocesana, foram implementadas restrições a peregrinações e processões, até mesmo aulas de orientação católica sobre casamento e paternidade foram proibidas porque não transmitiam a visão nacional-socialista desses assuntos. Em 1938, a maioria dos grupos jovens católicos havia sido fechada sob o argumento de que estava auxiliando na disseminação de "publicações hostis ao Estado". A Ação Católica, cujos líderes na Alemanha supostamente mantinham comunicação com o prelado Kaas, ex-líder do Partido de Centro, também foi banida em janeiro de 1938.[75] Na Baviera e na Saxônia, os subsídios estatais à Igreja foram cortados, mosteiros foram dissolvidos e suas posses confiscadas. Batidas domiciliares e detenção de padres "políticos" sofreram um aumento abrupto, com um fluxo constante de casos bastante divulgados de "abuso do púlpito" levados ao tribunal. A detenção e o julgamento de um padre jesuíta, Rupert Mayer, provocou iradas manifestações públicas de seus defensores no tribunal, e orações especiais para ele foram rezadas desafiadoramente na Igreja de São Miguel em Munique. Alguns padres continuaram se recusando a ceder, e houve relatórios de sacerdotes negando-se a fazer a saudação nazista e instruindo as crianças a dizer "Louvado seja Jesus Cristo" em vez de *"Heil Hitler"*.[76] No decurso dessa luta, mais de um terço dos padres católicos da Alemanha foi submetido a alguma forma de castigo pela polícia e pelas autoridades de Estado, inclusive aprisionamento, ao longo de todo o Terceiro Reich.[77] A encíclica evidentemente fracassou em ter qualquer efeito imediato, a não ser piorar ainda mais as relações entre a Igreja e o regime.

A campanha não se restringiu à polícia e ao Judiciário. Goebbels, o ministro da Propaganda, também desempenhou seu papel. Depois da encíclica, ele intensificou a campanha de publicidade contra supostos escândalos sexuais envolvendo padres católicos que já havia começado na metade de 1935. Quinze monges foram levados ao tribunal em novembro de 1935 por infrações à lei relativa à homossexualidade em um asilo para doentes mentais no oeste da Alemanha, revelando, conforme apresentou a imprensa, um estado de coisas "pior que Sodoma e Gomorra".[78] Eles receberam severas penas de prisão e a atenção da imprensa em uma cobertura infindável. Em breve, outros padres eram julgados por supostos delitos sexuais contra menores em orfanatos da Igreja e instituições similares. Em maio de 1936, a imprensa fazia reportagens sobre o julgamento de mais de duzentos franciscanos por crimes semelhantes em Koblenz.[79] Essas histórias fundiam-se com a reprovação nazista da homossexualidade. Com frequência ocupavam toda a capa de jornais nacionais. Dava-se menos publicidade a incidentes de padres e monges católicos detidos por crimes sexuais contra meninas. Enfocando as alegações de pederastia, a imprensa sustentava que os mosteiros eram "terreno de procriação de uma epidemia repulsiva" que precisava ser aniquilada. Em abril de 1937, foi divulgado que mais de mil padres, monges e frades – sendo que o grau de veracidade é incerto – aguardavam julgamento com base nesse tipo de acusação.[80] Os tabloides não hesitaram em esquentar essas histórias, com manchetes como "Casas de Deus degradadas em bordéis e antros de depravação", e em exigir da Igreja Católica: "Tire a máscara!", mais que insinuando que homossexualidade e pedofilia eram endêmicas na Igreja como um todo, e não meramente casos isolados.[81] Os julgamentos foram articulados sobretudo pelo Ministério da Propaganda, que forneceu relatórios detalhados ao Ministério de Justiça do Reich e pressionou para que os supostos culpados fossem levados à corte de modo que permitisse extrair-se o máximo de publicidade.

Particularmente ofensivo, declarou a imprensa, era o fato de a Igreja ficar ao lado dos acusados e tratá-los como mártires.[82] À medida que mais julgamentos tinham vez, o Ministério da Propaganda construiu uma campanha regular de retratar a Igreja como sexualmente corrupta e indigna de ser encarregada da educação dos jovens. Reportagens sobre outros crimes sexuais foram abafadas a fim de dar a impressão de que essas coisas só ocorriam na Igreja, onde, sugeria-se, eram um efeito colateral inevitável do celibato exigido ao sacerdócio. A Igreja Católica era uma "chaga no corpo racial saudável" que devia ser removida, declarou um artigo na imprensa nazista.[83] A campanha culminou com um discurso furioso do próprio ministro da Propaganda do Reich, proferido a uma plateia de 20 mil fiéis do Partido e transmitida em cadeia nacional de rádio em 28 de maio de 1937, denunciando católicos "corruptores e envenenadores da alma do povo" e prometendo: "Essa praga deve ser exterminada pela raiz".[84] Ele disse à audiência que aqueles não eram julgamentos espetaculosos baseados em acusações fabricadas, mas um "ajuste de contas" necessário, conforme colocava a imprensa, com os "doentes hereditários vestidos com hábitos de monge nos mosteiros e irmandades" em nome da retidão moral inata ao verdadeiro alemão. O Estado estava confrontando um assalto sistemático à moralidade do povo alemão. E, se os bispos continuassem a contestar os fatos, também seriam levados à corte. "Não é a lei do Vaticano que rege aqui entre nós", ele advertiu a Igreja, "mas a lei do povo alemão".[85]

A campanha foi um produto típico do Ministério da Propaganda – recorrendo ao que pode ter sido um elemento de verdade em algumas alegações e, então, inflando-o além de qualquer proporção a serviço de uma meta política que pouco ou nada tinha a ver com os casos em questão. A intenção de Goebbels era convencer os católicos comuns de que a Igreja era corrupta e imoral como instituição. Mais especificamente, porém, os julgamentos proporcionaram um pano de fundo constante de propaganda – respaldado pelo assédio e intimidação da polícia – sobre o qual os nazistas então lançaram uma campanha ininterrupta para fechar escolas confessionais e substituí-las por "escolas comunitárias" não religiosas, sustentada por votações de pais que seguiram o padrão costumeiro das eleições organizadas pelos nazistas. Os pais foram forçados a assinar declarações previamente preparadas afirmando: "Não quero que a educação de meu filho na escola seja usada de forma imprópria para incitar agitação religiosa" e amparada pelo lema: "Um Líder, Um Povo, Uma Escola". Já no início de 1936, o cardeal Bertram havia reclamado diretamente a Hitler do "terror inaudito" em prática "na Baviera, Württemberg e outros locais. Aqueles que votam a favor da escola confessional são rotulados de inimigos do Estado". Seu apelo foi ignorado. A campanha, apoiada por maciça propaganda local, continuou.[86] O principal jornal diário nazista reportou em 25 de maio de 1937 que as crianças diziam: "Não queremos mais que o capelão nos ensine!", sob a manchete: "Toda a turma escolar defende-se do agressor sexual com roupa de padre".[87]

A campanha não tardou a dar resultados. Em 1934, 84% das crianças ainda estavam matriculadas em escolas confessionais em Munique; mas no final de 1937 a proporção havia despencado para meros 5%, resultado obtido, conforme queixou-se a Administração Diocesana de Munique, "por meios inteiramente injustos e ilegais", envolvendo "terrorismo indescritível que contraria qualquer princípio de lei e justiça", inclusive a retirada do benefício previdenciário daqueles que se recusassem a votar pela abolição das escolas. No verão de 1939, todas as escolas confessionais da Alemanha haviam sido transformadas em escolas comunitárias, e todas as escolas particulares administradas pela Igreja tinham sido fechadas ou nacionalizadas, e os monges e padres que trabalhavam nelas, demitidos. Números crescentes de pastores e padres foram impedidos de lecionar em escolas primárias. Ao mesmo tempo, a quantidade de aulas de instrução religiosa foi reduzida. Mais tarde, naquele mesmo ano, a organização de professores nazistas disse a seus membros para não assumirem as aulas de educação religiosa do clero agora banido, embora nem todos tenham obedecido. Em 1939, a educação religiosa em escolas vocacionais havia sido reduzida a meia hora por semana e, em muitas regiões, tinha que seguir as diretrizes que descreviam Jesus como não judeu. Pais que se opunham a essas atitudes – e havia muitos deles, tanto protestantes como católicos – eram obrigados pelas autoridades locais a retirar suas objeções, convocados a reuniões especiais na escola, nas quais eram pressionados a matricular os filhos em instrução ideológica em vez de educação religiosa, ou até ameaçados de demissão do emprego se recusassem. Em uma linha semelhante, o Ministério da Educação traçou planos para fundir ou fechar muitas das faculdades teológicas nas universidades, ao passo que a partir de 1939 os cargos de teologia em escolas de magistério que ficaram vagos não foram mais preenchidos por ordem do Ministério da Educação em Berlim. Em algumas poucas regiões, como Württemberg, onde Mergenthaler, o ministro da Educação, era intensamente anticristão, houve tentativas de abolir a educação religiosa e substituí-la por aulas sobre a visão de mundo nazista. O regime não teve êxito em abolir a educação religiosa por completo em 1939, mas suas intenções a longo prazo haviam se tornado bem claras nessa época.[88]

O poder e a influência da Igreja Católica na Alemanha, assim como o da Igreja Protestante, foram severamente minguados em 1939. A Igreja foi intimidada e cerceada até começar a reduzir a escala de suas críticas ao regime por medo de que coisa ainda pior se sucedesse. Ameaças disseminadas de prisão, reportou um funcionário de governo local no final de 1937, haviam produzido uma "contenção cautelosa por parte do clero".[89] Em algumas regiões, a Gestapo assumiu a campanha anti-Igreja e logo teve êxito em tirar a Igreja Católica da vida pública.[90] Em outros locais, houve relatos de uma "pacificação geral na área dos assuntos da Igreja" em meados de 1938.[91] De Roma, o cardeal Pacelli continuou a enviar infindáveis cartas de queixas ao governo alemão acusando-o de repetidas violações da Concordata.[92] Embora tenha pensado em fazê-lo em setembro de 1937, no fim Hitler absteve-se de repudiar abertamente a Concordata. Não valia a pena o risco de atiçar a hostilidade do Vaticano e os protestos dos Estados católicos, em especial a Áustria, na situação cada vez mais delicada das relações internacionais no final da década de 1930. Em segredo, porém, o Ministério de Relações Exteriores não hesitava em dizer que considerava a Concordata "desatualizada" porque muitas de suas cláusulas, em especial no que tangia à educação, eram "fundamentalmente opostas aos princípios básicos do nacional-socialismo".[93] Era mais fácil proceder aos poucos e na calada e evitar qualquer menção à Concordata. Em público, Hitler continuou a clamar pela lealdade da Igreja e a destacar que ela ainda recebia um apoio substancial do Estado. Com o decorrer do tempo, porém, ele deixou claro, em privado, que a Igreja seria completamente separada do Estado, destituída de renda dos impostos estatais e se tornaria um organismo puramente voluntário, junto com sua equivalente protestante. Os católicos em geral não tinham conhecimento dessas intenções. Apesar de toda a virulência do conflito, ele não resultou em um afastamento geral da comunidade católica do Terceiro Reich. Muitos católicos eram altamente críticos a respeito do Partido Nazista, e em especial em relação a fanáticos como Rosenberg, mas a posição de Hitler mesmo ali foi afetada apenas de leve. O desejo profundamente arraigado da comunidade católica desde Bismarck de ser aceita como uma parte plena da nação alemã aparava as arestas de sua hostilidade às políticas anticristãs do regime, que muitos imaginavam ser promovidas por radicais sem o conhecimento ou aprovação de Hitler. Isso era uma ilusão. Conforme declarou Rosenberg em setembro de 1938, com o correr do tempo, uma vez que os jovens agora estavam quase completamente sob controle da Juventude Hitlerista e do sistema de educação nazificado, o domínio da Igreja sobre sua congregação seria rompido, e as igrejas Católica e Confessante em suas formas atuais desapareceriam da vida do povo. Era um sentimento do qual Hitler não divergia.[94]

III

Por mais dramática que a escalada desse conflito possa ter parecido, de fato não era algo novo no gênero, tampouco exclusivo da Alemanha. Assim como a geração mais antiga de social-democratas na década de 1930, padres católicos mais velhos da mesma época haviam passado por perseguições antes. Na década de 1870, Bismarck havia lançado um ataque resoluto à Igreja Católica na Alemanha que resultou na detenção e no aprisionamento de centenas de padres católicos e na imposição de um amplo leque de restrições e controles seculares sobre o clero. Políticas semelhantes foram implantadas por volta da mesma época por governos secularizantes na Itália e na França, onde os Estados recém-criados – a monarquia italiana unificada e a Terceira República francesa – arrebataram a educação do clero e a colocaram nas mãos de professores nomeados pelo Estado em escolas custeadas pelo tesouro público. Tais políticas também foram justificadas por maciça propaganda secularista contra a suposta imoralidade sexual do sacerdócio católico, sobretudo no uso do confessionário para discutir os segredos íntimos de mocinhas católicas. O papa Pio IX havia em parte inflamado e alimentado esses conflitos ao divulgar sua denúncia do secularismo e modernidade no *Syllabus errorum* (1864) e por reivindicar a submissão primária de seu rebanho por meio da Declaração da Infalibidade Papal (1871). No século XX, a perseguição secularista à Igreja Católica atingiu novo patamar no México e na Rússia, no rastro das respectivas revoluções nos dois países. Esmagar uma organização internacional como a Igreja, que segundo essa visão inferiorizava o Estado, podia fazer parte do processo de construir uma nova nação ou um novo sistema político. Em nível local, professores escolares e padres de aldeia estavam engajados em uma batalha pela supremacia sobre a mente dos jovens por toda a Europa ocidental no final do século XIX e início do século XX. Brigas acrimoniosas entre Igreja-Estado não tinham nada de novo, portanto, na década de 1930. A novidade talvez fosse a rejeição nazista do secularismo racionalista. Em todos os outros casos, a perseguição à Igreja não estava ligada à promoção de uma religião alternativa. Por mais poderosa que fosse a pretensão da ideologia do Estado, era a pretensão de uma ideologia secular, terrena. No caso do Terceiro Reich, a questão não era tão clara.[95]

O que substituiria as igrejas na Alemanha quando elas finalmente desaparecessem? As lideranças nazistas adotavam uma variedade de posições sobre o assunto. As crenças religiosas de Hitler e Goebbels conservavam um elemento residual de cristianismo, ainda que excêntrico e que ficou notadamente mais tênue após o fracasso do projeto cristão alemão em 1934-35. Até mesmo Rosenberg abrandou sua postura anticristã com o apoio aos cristãos alemães, isso até o fracasso destes em assumir o controle da Igreja Evangélica ficar claro. De qualquer modo, de início ele admirava Lutero, adaptou doutrinas do místico medieval Meister Eckhart e pensava que uma cristandade racialmente aprimorada poderia fundir-se em uma nova religião alemã, que prescindiria do serviço dos padres e se dedicaria aos interesses da raça ariana. Ainda assim, ao defender publicamente essa nova religião em meados da década de 1930, Rosenberg tornou-se o porta-voz mais importante da tendência anticristã dentro do Partido Nazista.[96] *O mito do século XX* vendeu mais de 1 milhão de cópias,[97] embora Hitler posteriormente rejeitasse qualquer ideia de que se tratasse de uma declaração oficial da doutrina do Partido. "Assim como muitos líderes regionais", ele comentou, "eu mesmo li apenas um trechinho". Segundo Hitler, o livro "foi escrito em um estilo difícil demais de entender" e começou a vender quando foi publicamente condenado pelo cardeal Faulhaber e colocado no Índex de Livros Proibidos da Igreja.[98] Entretanto, apesar do fracasso em desbravar todo o *Mito*, as lideranças nazistas não eram avessas a usar as ideias da obra no apoio a suas políticas, como fez Baldur von Schirach em 1934, quando, ao exortar os jovens a abandonar as organizações católicas de jovens e entrar para a Juventude Hitlerista, declarou que "o caminho de Rosenberg é o caminho da juventude alemã".[99] Em julho de 1935, no ápice da controvérsia sobre os ataques de Rosenberg às igrejas, um orador falou em um encontro da Liga de Estudantes Nazistas em Bernau: "Ou a pessoa é nazista, ou é um cristão comprometido". A cristandade, ele disse, "promove a dissolução de vínculos raciais e da comunidade racial nacional... Devemos repudiar o Velho e o Novo testamentos, visto que para nós a ideia nazista por si só é decisiva. Para nós existe um único exemplo, Adolf Hitler, e ninguém mais".[100]

Ideias anticristãs desse tipo disseminaram-se pela Juventude Hitlerista e formaram uma parte cada vez mais importante do programa do Partido para o doutrinamento dos jovens. Crianças que recebiam almoço da organização de assistência social nacional-socialista em Colônia, por exemplo, eram obrigadas a recitar uma oração antes e depois da refeição que substituía o nome de Deus pelo do Líder quando se davam graças.[101] Em um campo de treinamento de crianças de escola em Freusberg, diziam aos internos que o papa era "um meio-judeu" e que eles tinham que odiar o "ensinamento judeu oriental, racialmente estrangeiro, do cristianismo", que era incompatível com o nacional-socialismo. A mãe de um participante da Juventude Hitlerista de doze anos de idade encontrou o seguinte texto no bolso dele ao chegar em casa certa noite; os versos foram cantados em público pela Juventude Hitlerista no comício do Partido em Nuremberg em 1934:

> Somos a alegre Juventude Hitlerista,
> Não precisamos de nenhuma verdade cristã
> Pois nosso Líder Adolf Hitler, nosso Líder
> É sempre nosso intercessor.
>
> Não importa o que os padres papistas tentem,
> Somos crianças de Hitler até a morte;
> Não seguimos Cristo, mas Horst Wessel.
> Fora com o incenso e o vaso de água benta!
>
> Como filhos de nossos ancestrais de eras há muito passadas
> Marchamos enquanto cantamos com bandeiras erguidas
> Não sou cristão, nem católico,
> Sigo com a SA haja o que houver.

Não a cruz, eles cantavam, mas "a suástica é a redenção na terra".[102]

Tal propaganda emergiu, pelo menos em parte, do ímpeto para a abolição das organizações católicas de jovens e o alistamento de seus membros na Juventude Hitlerista. Contudo, propagou também uma feroz ética anticristã cuja virulência e potência não devem ser subestimadas. Ao assistir à entrada de um jovem membro da Juventude Hitlerista na sala de aula em Munique em agosto de 1936, Friedrich Reck-Malleczewen

> observou como seu olhar quedou-se no crucifixo pendurado atrás da mesa do professor, como em um instante o rosto jovem e ainda meigo contorceu-se em fúria, como arrebatou da parede esse símbolo, ao qual as catedrais da Alemanha e a vibrante sucessão de acordes da *Paixão de São Mateus* são consagradas, e o jogou janela afora para a rua... Com o grito: "Fique aí, seu judeu sujo!".[103]

Havia outras figuras francamente anticristãs na liderança nazista além de Schirach. O paganismo ostensivo dentro do Partido, defendido por Erich Ludendorff em meados da década de 1920, não desapareceu com a fundação da Liga Tannenberg por Ludendorff em 1925 e sua expulsão do Partido dois anos depois. Robert Ley, líder da Frente Trabalhista, foi ainda mais longe que Rosenberg no desdém pela cristandade e na rejeição da divindade de Cristo, embora não o seguisse pela trilha de criar uma nova religião.[104] Uma figura paganista mais consistente na elite nazista era o especialista agrícola do Partido, Walther Darré, cuja ideologia de "sangue e solo" causou impressão muito poderosa em Heinrich Himmler. Darré acreditava que os teutões medievais haviam se enfraquecido com a conversão ao cristianismo, que afirmava ter sido impingido a eles pelos latinos degenerados do sul da Europa.[105] De sua parte, Himmler abandonou a fé cristã sob influência de Darré. Nos planos de Himmler para a SS depois de 1933, a elite racial de camisas-negras viria a se tornar uma ordem quase religiosa, baseada em certa medida nos jesuítas. As ideias que deveriam aglutiná-la foram retiradas de supostos rituais pagãos alemães e crenças da Idade Média. Conforme um plano da SS explicou em 1937: "Vivemos na era do confronto final com o cristianismo. Faz parte da missão da SS dar ao povo alemão ao longo dos próximos cinquenta anos os fundamentos ideológicos não cristãos para um estilo de vida adequado a seu caráter". Esses fundamentos seriam uma mistura de fragmentos de religião pagã viking ou teutônica com símbolos wagnerianos e pura invenção. A SS concebeu uma modalidade própria de casamento, com runas, uma tigela com fogo, música wagneriana tocando ao fundo e símbolos do Sol presidindo toda a bizarra cerimônia. As famílias dos homens da SS recebiam ordem de Himmler para não celebrar o Natal, mas em vez disso observar o solstício de verão. O cristianismo, Himmler viria a declarar em 9 de junho de 1942, era "a maior das pragas"; a verdadeira moralidade consistia não em exaltar o espírito do indivíduo, mas em se abnegar a serviço da raça. Os valores morais só podiam derivar da consciência da pessoa sobre seu lugar e seu dever na cadeia da hereditariedade "valiosa".[106]

Ao ficar claro que não existia uma possibilidade real de se consumar a ambição nazista inicial de criação de uma Igreja estatal unificada para todo o Terceiro Reich seguindo a linha cristã alemã, as lideranças nazistas começaram a encorajar os membros do Partido a fazer uma renúncia formal à associação à Igreja. Rosenberg, como era de se esperar, já havia deixado a Igreja em 1933; Himmler e Heydrich renunciaram em 1936, e um número crescente de líderes regionais então seguiu o exemplo. O Ministério do Interior determinou que as pessoas que deixassem sua igreja podiam declarar-se "deístas" (*gottgläubig*), e o Partido declarou que detentores de cargos não podiam manter simultaneamente nenhum posto na Igreja Católica ou Protestante. Em 1936, os camisas-pardas foram proibidos de vestir uniforme nos serviços de igreja, e no começo de 1939 a proibição estendeu-se a todos os membros do Partido. Em 1939, mais de 10% da população de Berlim, 7,5% de Hamburgo e em torno de 5% e 6% de algumas outras grandes cidades foram registrados como deístas, termo que podia englobar uma variedade de crenças religiosas, inclusive o paganismo. É provável que a maioria fosse de membros do Partido; a proporção de deístas na SS atingiu 25% em 1938, por exemplo. Esse processo foi acelerado por uma série progressiva de medidas promovidas por Martin Bormann – o cérebro enérgico e vigorosamente anticristão do gabinete de Rudolf Hess – proibindo padres e pastores de desempenhar qualquer papel nos assuntos do Partido ou até mesmo, depois de maio de 1939, de pertencer a ele. Contudo, havia um longo caminho a percorrer antes de a população como um todo tomar parte nesse movimento. "Não vamos nos deixar transformar em pagãos", um agente da Gestapo ouviu uma mulher dizer em Hesse.[107] O Movimento da Fé Alemã, que propagou uma nova religião racial baseada em uma mistura de ritos nórdicos e hindus, símbolos e textos, jamais conquistou mais de 40 mil adeptos, e outros grupos neopagãos, como a esotérica Liga Tannenberg, de Ludendorff, eram ainda menores.[108] Não obstante a impopularidade geral do movimento, permaneceu a questão de que o Partido Nazista estava em vias de cortar todos os laços com a cristandade organizada no final da década de 1930.[109]

Se esse processo rumaria para um tipo de "cristandade alemã" muito diferente ou de rematado paganismo era o tema de uma luta contínua entre Rosenberg, cujo gabinete tentava repetidamente dar um aperto nas publicações simpáticas à velha ideia de uma Igreja do Reich baseada na síntese de nazismo e cristianismo, e Goebbels, que, como em muitas outras ocasiões, adotava uma visão mais branda. Goebbels associou-se com o chefe da Chancelaria do Líder, Philipp Bouhler, que dirigia a Comissão de Exame Oficial do Partido para a Proteção da Literatura Nacional-Socialista. Sua tarefa, endossada por Goebbels, era verificar a precisão ideológica das publicações do Partido Nazista. O Escritório para a Informação Ideológica de Rosenberg tentou repetidas vezes assumir o controle da comissão de Bouhler, que considerava ideologicamente frouxa, mas sem sucesso, a despeito da ocasional vitória tática em fazer Hitler intervir contra publicações específicas.[110] Outro participante bem menos competente desses jogos complicados, o ministro da Igreja Hanns Kerrl, tentou propagar a reconciliação de nazismo e protestantismo, mas essa ideia já tivera seus dias na época de sua nomeação em 1935, e a recusa obstinada da Igreja Confessante de concordar com os planos dele fez o ministro parecer fraco e o deixou vulnerável aos ataques de figuras mais radicais como Himmler e Rosenberg. A tentativa do Ministério da Igreja de obter a anulação da Concordata com a Igreja Católica deparou com fracasso semelhante, visto que Hitler considerou-a diplomaticamente desaconselhável. Em 1939, a influência de Kerrl estava em declínio. Ele havia se mostrado completamente incapaz de assegurar o monopólio da política para as igrejas que seu ministério havia sido ostensivamente implantado para exercitar.[111]

IV

A política nazista em relação às igrejas estava, portanto, em um estado de certa confusão e desarranjo às vésperas da guerra. A corrente ideológica estava claramente afastada da cristandade, embora houvesse um longo caminho a ser trilhado antes de a alternativa neopagã encontrar aceitação geral até mesmo dentro do Partido. A despeito de toda a luta ideológica interna, um objetivo permaneceu claro desde o princípio: o regime estava determinado a reduzir e, se possível, eliminar as igrejas como centros de ideologias alternativas reais ou potenciais às suas próprias.[112] A primazia desse objetivo ficou extremamente clara no tratamento dispensado pelo regime a uma seita pequena, mas muito unida, os Pesquisadores Sérios da Bíblia, ou

Testemunhas de Jeová. Visto que os membros da seita juravam obedecer apenas a Jeová, recusaram-se de modo absoluto a prestar um voto de lealdade a Hitler. Não faziam a "saudação alemã", não iam a manifestações políticas, não participavam das eleições, nem concordavam em se alistar às Forças Armadas. Embora seu ambiente humilde nas classes média baixa e operária os deixasse em contato com ex-comunistas e ex-social-democratas, as alegações da Gestapo de que eram apenas uma frente dos grupos de resistência do movimento trabalhista não tinha base em fatos de espécie alguma. Na verdade, o movimento das Testemunhas tinha algumas semelhanças com outras pequenas seitas políticas antiliberais dos primeiros anos pós-guerra das quais o próprio nazismo havia brotado. Igualmente importante para a polícia era o fato de que a organização das Testemunhas de Jeová era dirigida de fora da Alemanha, a partir dos Estados Unidos; a sede do movimento no Brooklyn foi um dos primeiros pontos de crítica ao fascismo europeu e apoiou a facção republicana na Guerra Civil Espanhola. Como era de se esperar, as organizações do Partido Nazista e os funcionários da Gestapo usaram intimidação e provocação brutas para colocar as Testemunhas de Jeová na linha. Mas isso apenas deixou-os mais obstinados. Fortalecidos por uma resolução aprovada em sua conferência internacional em Lucerna em 1936 criticando fortemente o governo alemão, começaram a distribuir o que o regime considerou folhetos sediciosos. A polícia reagiu com detenções e processos, e em 1937 as Testemunhas de Jeová respondiam por bem mais da metade de todos os casos levados ao Tribunal Especial de Freiberg, na Saxônia, bem como por uma proporção substancial em outras áreas.[113]

Dentro das prisões, as Testemunhas recusaram-se resolutamente a abandonar sua fé e fazer concessões ao Estado secular. Enquanto alguns diretores e funcionários de prisão consideravam-nos nada mais que tolos inofensivos, outros, como o diretor da prisão de Eisenach, na Turíngia, fizeram esforços vigorosos de lavagem cerebral, submetendo-os a sessões regulares de doutrinamento. Entretanto, depois de um ano, seu experimento, iniciado em 1938, não havia obtido nenhum progresso real e foi abandonado. Para as Testemunhas, punição e perseguição eram simplesmente testes de fé impostos a eles por Deus. Muitos recusavam-se a trabalhar na prisão, apesar das repetidas punições. Outros iam mais longe. Otto Grashof,

Testemunha de Jeová condenado a quatro anos no presídio de Wolfenbüttel por se recusar a servir no Exército e tentar convencer outro rapaz a fazer o mesmo, entrou em greve de fome quando sua família foi despejada e seus filhos colocados em um orfanato. Uma brutal alimentação forçada não surtiu grande efeito, e ele morreu no começo de 1940, pesando menos de quarenta quilos.[114]

A repressão legal, portanto, não funcionou com as Testemunhas de Jeová. Eles fortaleciam-se, entre outras coisas, com os estreitos laços familiares e comunitários que mantinham muitos deles unidos. Frustradas com a recusa dos membros da seita em se submeter, a polícia e a SS começaram a levá-los diretamente para campos de concentração quando eram soltos da prisão. Até mesmo um oficial eminente do Ministério da Justiça criticou o Judiciário pelo fracasso em tratar a ameaça representada pelas Testemunhas de Jeová com a devida seriedade. Ele alegou que havia quase 2 milhões deles na Alemanha – um exagero grosseiro, visto que na realidade eram pouco mais de 30 mil – e que estavam agindo como uma frente comunista, uma asserção para a qual, nem é preciso dizer, não havia um fiapo de evidência. Não obstante, a Gestapo deslanchou uma nova onda de detenções. Ao final do Terceiro Reich, cerca de 10 mil Testemunhas de Jeová haviam sido aprisionadas, 2 mil nos campos, onde cerca de 950 morreram.[115] Entretanto, ali também seus sofrimentos apenas estimulavam-nas a novos atos de autossacrifício e martírio devotos. Sob certos aspectos, as Testemunhas de Jeová eram prisioneiros-modelo, limpos, ordeiros e zelosos. Contudo, o SS Rudolf Höss, oficial graduado no campo de Sachsenhausen no final da década de 1930, mais tarde reportou que se recusavam a ficar em posição de sentido, participar de marchas de treinamento, retirar os bonés ou mostrar qualquer sinal de respeito aos guardas, visto que diziam dever respeito apenas a Jeová. O açoitamento fazia apenas com que pedissem mais, como um sinal de devoção. Forçados a assistir à execução de companheiros de religião que se recusaram a executar trabalho militar ou se alistar nas Forças Armadas, apenas suplicaram para ser também martirizados. Höss relatou que Himmler ficou tão impressionado com o fanatismo deles que com frequência apresentava-os como exemplo para seus homens da SS.[116]

Em sua hostilidade inflexível ao Estado nazista, as Testemunhas de Jeová eram, portanto, algo único entre os grupos religiosos. A despeito de toda a coragem de muitas figuras de liderança das religiões principais e de muitos membros comuns de suas congregações, nenhuma delas opôs-se ao Terceiro Reich em mais do que uma estreita frente religiosa. A Gestapo podia alegar que padres católicos e pastores confessantes ocultavam uma rematada oposição ao nacional-socialismo sob o manto da retórica devota, mas a verdade era que, em um amplo leque de assuntos, as igrejas permaneceram caladas. As igrejas tanto Evangélica quanto Católica eram politicamente conservadoras, e o haviam sido por um longo tempo antes de os nazistas chegarem ao poder. Seu medo do bolchevismo e da revolução, forças que mostraram suas garras mais uma vez em relatos do massacre disseminado de padres por republicanos no começo da Guerra Civil Espanhola, reforçou sua ideia de que, se o nazismo se fosse, alguma coisa ainda pior poderia tomar seu lugar. A profunda e com frequência acrimoniosa divisão confessional na Alemanha fez com que ficasse fora de questão a união de católicos e protestantes contra o regime. Os católicos estavam ansiosos para provar sua lealdade ao Estado alemão desde os tempos em que esta havia sido posta em dúvida por Bismarck na década de 1870. Os protestantes haviam sido um braço ideológico do Estado sob o império bismarckiano e identificaram-se fortemente com o nacionalismo alemão por muitos anos. Ambos saudaram amplamente a supressão dos partidos políticos marxistas, comunista e liberais, o combate da "imoralidade" na arte, na literatura e no cinema e em muitos outros aspectos das políticas do regime. A longa tradição de antissemitismo tanto entre católicos quanto protestantes garantiu que não houvesse protestos formais das igrejas contra os atos antissemitas do regime. O máximo que elas estavam preparadas para fazer era tentar proteger os judeus convertidos em suas hostes e mesmo nisso sua atitude às vezes foi extremamente ambígua.

Contudo, os nazistas consideravam as igrejas a mais forte e mais firme reserva de oposição ideológica aos princípios em que acreditavam. Se conseguissem vencer a batalha ideológica contra elas, então seria fácil moldar o povo alemão em uma massa nazista unânime. Apesar dos muitos reveses com que se depararam no confronto com as igrejas, os nazistas de fato pareceram estar vencendo a batalha em 1939. Muitos oficiais do baixo escalão do regime concluíram que o único jeito de combater as igrejas era desenvolver uma alternativa atraente ao ritual cristão. "É necessário produzir algum tipo de misticismo", um relatório da Gestapo exortava já no começo de 1935, "que exerça um efeito ainda mais forte sobre as massas que aquele que a Igreja Católica construiu por meio de objetos de uma tradição – sem graça –, cercando-o com uma atmosfera de magia exótica e cobrindo-o com a pátina da antiguidade".[117] Contudo, a despeito da predominância de tais ideias entre os nazistas mais comprometidos – como Heinrich Himmler –, Hitler e Göring permaneceram profundamente céticos quanto a essas tentativas de reviver aquilo a que Göring referiu-se como "a coisa ridícula" de "Wotan e Thor" e do "casamento alemão". O ministro nazista da Educação, Bernhard Rust, lançou palavras injuriosas às tentativas de propagar o "Valhala como substituto para o paraíso cristão".[118] E, em 6 de setembro de 1938, o próprio Hitler manifestou-se em um discurso atacando as tentativas de transformar o nazismo em uma religião:

> O nacional-socialismo é uma doutrina fria, embasada na realidade, baseada no mais aguçado conhecimento científico e em sua expressão mental. Ao abrirmos o coração do povo para essa doutrina e ao continuarmos a fazê-lo no presente, não temos o desejo de instilar no povo um misticismo que paire fora do propósito e das metas de nossa doutrina... Pois o movimento nacional-socialista não é um movimento de culto, mas sim uma filosofia racial e política nascida de considerações exclusivamente racistas. Seu significado não é de culto místico, mas sim do cultivo e do domínio do povo determinado pelo sangue. Portanto, não temos espaços para cultos, mas unicamente espaços para o povo. Tampouco temos locais para adoração, mas unicamente locais para assembleia e praças para marchas. Não temos lugares de culto, mas arenas de esportes e áreas de jogos... No movimento nacional-socialista, a subversão de pesquisadores do oculto em busca do Além não deve ser tolerada.

O nazismo, ele concluiu, baseava-se no respeito às leis da natureza dadas por Deus; em seu centro estava a criatura que Deus criou para governar a Terra, isto é, o ser humano, e era servindo aos interesses da humanidade que o nazismo servia a Deus. "O único culto que conhecemos é o cultivo do natural e, portanto, daquilo que era a vontade de Deus."[119]

Ao longo dos anos, muitos observadores viram no nazismo uma espécie de religião política.[120] O uso de linguagem, ritual e simbolismo religiosos, o dogma inquestionável e inalterável, a veneração de Hitler como um messias que veio redimir o povo alemão da fraqueza, da degeneração e da corrupção, a demonização do judeu como inimigo universal, a promessa de que o indivíduo, atormentado pela dúvida e desespero no rastro da derrota da Alemanha em 1918, renasceria em uma nova e resplandecente coletividade de fiéis – tudo isso tinha forte semelhança com uma religião despojada de elementos sobrenaturais e aplicada ao mundo em que as pessoas realmente viviam. Os nazistas não hesitaram em adaptar os Dez Mandamentos e o credo cristão aos propósitos do catecismo nacionalista da crença na Alemanha ou em seu Líder, tampouco furtaram-se de usar linguagem que retratava a reunião dos primeiros defensores de Hitler, como Goebbels e Göring, nos mesmos termos em que a Bíblia retratou Jesus reunindo seus primeiros discípulos.[121] "Certa vez vocês ouviram a voz de um homem", Hitler disse a seus seguidores em 11 de setembro de 1936 no comício do Partido em Nuremberg, "e aquela voz tocou seu coração, despertou vocês, e vocês seguiram a voz".[122] É evidente que boa parte disso foi calculada para levar pessoas desorientadas a buscar uma solução para os problemas terríveis que confrontavam nos tempos caóticos em que viviam. Igualmente evidente é que, quanto mais o Terceiro Reich deslocou-se da tentativa de coordenar as igrejas rumo ao ímpeto para destruí-las, mais o regime passou a assumir qualidades quase religiosas.[123] Mas é preciso ser cuidadoso quanto a levar a metáfora religiosa longe demais. Seria igualmente fácil interpretar o nazismo utilizando uma imagem militar: a promessa de transformar a derrota em vitória real, a imagem de uma nação marchando no passo certo, aniquilando os inimigos e fundindo o indivíduo indeciso na massa militar motivada, a estrutura hierárquica de comando dominada pelo grande líder militar e por aí vai; e, embora religião e militarismo tenham estado conectados muitas vezes, em essência foram frequentemente duas forças bastante diferentes e mutuamente hostis.[124]

O nazismo como ideologia não era uma religião, não apenas porque Hitler disse que não era, ou porque não tinha nada a dizer sobre o além-mundo, ou a eternidade, ou a alma imortal, como fazem todas as religiões, mas, o que é mais importante, também porque era incoerente demais para sê-lo. As lideranças nazistas não perdiam tempo debatendo os temas mais refinados de sua ideologia, como escolásticos medievais ou filósofos marxistas-leninistas, os seus equivalentes modernos. Não havia um livro sagrado do nazismo do qual as pessoas tirassem textos para o seu dia, como os burocratas da Rússia de Stálin faziam com as obras de Marx, Engels e Lênin; embora todo mundo tivesse que ter na estante *Minha luta*, de Hitler, o livro era prolixo demais, desconexo demais, autobiográfico demais para se prestar a esse tipo de uso. E, no fim das contas, o nazismo tampouco prometia qualquer tipo de vitória final a ser seguida de um equilíbrio paradisíaco; em vez disso, era uma doutrina de luta perpétua, de conflito sem fim. Não havia nada de universal em seu apelo, como há nas grandes religiões mundiais ou nas principais ideologias políticas, como o socialismo e o comunismo; o nazismo dirigia-se apenas a um pequeno segmento da humanidade, os alemães, e classificava todos os outros como inelegíveis para seus benefícios. Filósofos conservadores da metade de século XX geralmente argumentaram que o nazismo como religião política preencheu a necessidade de fé religiosa sentida por milhões de alemães despojados pelo secularismo da modernidade. Mas seu apelo não pode ser reduzido dessa maneira. Milhões de católicos opuseram-se ou permaneceram relativamente imunes. Milhões de protestantes, inclusive muitos dos mais comprometidos, como os cristãos alemães, não. Outros milhões de pessoas resistiram a seus agrados ideológicos a despeito de terem crescido em tradições políticas ateístas e anticlericais do movimento operário alemão.[125]

Religião não implica necessariamente a rejeição da democracia, da racionalidade ou da tolerância; alguns historiadores destacaram que o movimento operário também tinha suas bandeiras, seus rituais, seus dogmas e sua escatologia, embora nada disso tenha impedido os social-democratas de abraçar a democracia, a racionalidade e a tolerância. E, por fim, dogmatismo, fé em um grande líder, intolerância ou crença na redenção futura dos males do presente não se restringem a estilos religiosos de pensamento e comportamento. O uso de símbolos e rituais quase religiosos pelo nazismo foi bem real, mas na maior parte tratava-se de uma questão de estilo e não de substância. "A usurpação estudada de funções religiosas por Hitler", conforme escreveu um historiador, "foi talvez o ódio deslocado da tradição cristã, o ódio de um apóstata".[126] O verdadeiro cerne das crenças nazistas jaz na fé que Hitler proclamou em seu discurso de setembro de 1938 sobre ciência – uma visão nazista da ciência – como base para a ação. A ciência exigia o fomento dos interesses não de Deus, mas da raça humana, e sobretudo da raça alemã e seu futuro em um mundo governado pelas leis inevitáveis da competição darwiniana entre raças e entre indivíduos. Esse era o critério único da moralidade, anulando os princípios de amor e compaixão que sempre formaram um importante elemento nas crenças das grandes religiões do mundo.[127] Uma conceitualização do nazismo como religião política, enfim, além de ser puramente descritiva, é vasta demais para ser de muita ajuda; diz muito pouco sobre como o nazismo funcionava, ou qual a natureza de seu apelo para diferentes grupos da sociedade alemã. O fracasso do Terceiro Reich em encontrar um substituto para o cristianismo, na verdade a debilidade das tentativas feitas, não ficou mais aparente em lugar nenhum do que na política em relação aos jovens do país, o futuro da Alemanha.

Conquistando a juventude

I

Um quadro de Adolf Hitler está pendurado na parede de quase todas as salas de aula. Perto da placa comemorativa no poço da escada, um retrato particularmente valioso do Líder, adquirido com recursos da Fundação Nölting, ocupa um lugar de honra. Professores e alunos se cumprimentavam no começo e ao final de cada aula com a saudação alemã. Os alunos ouvem os principais discursos políticos pelo rádio no salão da escola.

Esse foi o relatório do diretor de uma escola pública secundária em Wismar no final do ano letivo de 1933-34, um ano, conforme ele anotou, de "crescimento no mundo das ideias do novo Estado nacional-socialista".[128] O processo de ajuste havia sido facilitado, ele notou, pela associação da equipe docente à Liga dos Professores Nacional-socialistas e dos alunos à Juventude Hitlerista. Também foi impulsionado por um fluxo de novos regulamentos e diretivas do governo em Berlim e das autoridades estaduais em outras partes da Alemanha. Já em 30 de julho de 1933, um decreto central dispôs as "Diretrizes para Livros Didáticos de História", segundo as quais as aulas de história dali em diante deveriam ser montadas em torno do "conceito de heroísmo em sua forma alemã, ligado à ideia de liderança". Em breve os estudantes estavam às voltas com redações sobre tópicos como "Hitler: o realizador da unidade alemã", "a revolução nacionalista como o começo de uma nova era", "o filme *O jovem hitlerista Quex* como obra de arte" e "sou alemão (uma palavra de orgulho e dever)". A imaginação de um aluno excedeu-se em uma composição sobre "Adolf Hitler quando garoto", redigida em 1934:

> O garoto Adolf Hitler não era de ficar em casa. Gostava de correria e desordem com outros garotos ao ar livre. Por que ele estava demorando tanto na rua hoje? Sua mãe, inquieta, foi do fogão para a mesa, sacudiu a cabeça, olhou o relógio e começou a pensar o pior sobre o que Adolf estaria aprontando de novo. Algumas horas antes ela tinha visto pela janela ele partir com uma dúzia de outros garotos que eram quase uma cabeça mais altos que o franzino Adolf e que poderiam dar-lhe uma verdadeira sova se a coisa enveredasse por esse rumo.
>
> Então a porta escancarou-se, e Adolf entrou agitado, com galos na cabeça e arranhões no rosto, mas também com olhos brilhantes, e gritou: "Mãe, os garotos fizeram-me general deles hoje".[129]

Outra criança, um aluno da escola primária, ao receber a pergunta "Nossos antepassados germânicos eram bárbaros?", soube imediatamente como traçar um paralelo com o passado recente: "A alegação de que nossos antepassados germânicos eram bárbaros", escreveu ele, "é mentira, igual, por exemplo, à mentira de que a Alemanha é a única culpada pela guerra mundial. Está provado que as tribos germânicas mantinham um alto nível cultural mesmo na Idade da Pedra".[130] O culto nazista da morte achou um caminho também para as lições em que as crianças eram solicitadas a escrever sobre Horst Wessel e outros mártires da causa nazista. "Também não devemos nos esquecer daqueles que tombaram pelo movimento", escreveu um aluno de catorze anos em 1938, acrescentando, "ao pensar sobre tudo que devemos pensar sobre nossa própria morte".[131]

Inúmeras questões de redação também exigiam que alunos de todas as idades regurgitassem a bílis antissemita que o regime vertia sobre eles. Erna, uma aluna da escola primária, enviou sua redação para publicação em *Der Stürmer*, de Streicher, do qual prontamente confessou ser leitora. Sobre o tópico "Os judeus são nosso infortúnio", ela escreveu: "Infelizmente muita gente ainda diz hoje em dia: 'Os judeus também são criaturas de Deus. Assim, devemos respeitá-los também'. Mas nós dizemos: 'Vermes também são animais, mas apesar disso os exterminamos'". Às vezes, especialmente em distritos da classe operária, as crianças adotavam uma visão diferente. Em 1935, por exemplo:

> Em uma aula dedicada àqueles que sucumbiram por seu país na guerra, o professor disse que muitos judeus também haviam tombado. Na mesma hora um jovem nazista exclamou: "Eles morreram de medo! Os judeus não têm uma pátria alemã!". Nisso, outro aluno disse: "Se a Alemanha não é a pátria deles, e eles morreram por ela mesmo assim, isso vai além do heroísmo".[132]

Entretanto, a redação de um estudante redigida em 1938 registrou os efeitos de anos de doutrinamento sobre as opiniões dos jovens. "Judeus", afirmou, "não constituem uma raça em si, mas são um ramo da raça asiática e oriental com uma mistura negroide". Os judeus, prosseguia o texto, haviam somado mais de 60% do alto escalão do funcionalismo público na República de Weimar (uma estimativa várias vezes superior ao número verdadeiro) e "o teatro também estava completamente judeificado", uma superestimação igualmente drástica e comum. Apesar disso, "jamais se verá um judeu trabalhando, porque eles só querem surrupiar dos não judeus o dinheiro que ganham a duras penas". Os judeus, concluiu, "levaram o povo alemão para o abismo. Esse tempo agora chegou ao fim".[133]

Essas redações de estudantes refletem uma mudança aguda na direção do ensino, por ordem vinda de cima. Uma diretiva emitida em 9 de maio de 1933 pelo ministro do Interior do Reich, Wilhelm Frick, determinava que a história tinha que assumir uma posição de domínio nas escolas. A ideia de que a história devia ser objetiva, acrescentou o *Jornal dos Professores Alemães* (*Allgemeine Deutsche Lehrerzeitung*) em 9 de agosto de 1933, era uma falácia do liberalismo. O objetivo da história era ensinar às pessoas que a vida sempre era dominada pela luta, que raça e sangue eram centrais em todos os acontecimentos do passado, do presente e do futuro, e que a liderança determinava o destino dos povos. Incluíam-se nos temas centrais do novo ensinamento a coragem na batalha, o sacrifício por uma causa maior, admiração ilimitada pelo Líder e ódio aos inimigos da Alemanha, os judeus.[134] Tais temas também entraram no ensino de muitas outras matérias. A biologia foi transformada para incluir "as leis da hereditariedade, ensinamento racial, higiene racial, ensinamento sobre a família e política populacional" do final de 1933 em diante.[135] Cartilhas do beabá básico ganharam uma foto de Hitler, muitas vezes na companhia de crianças, na capa ou como frontispício, ou às vezes ambos. Criancinhas aprendiam a recitar versos como o seguinte:

Meu Líder!
Conheço-o bem e o amo como à minha mãe e ao meu pai.
Sempre lhe obedecerei, como faço com meu pai e minha mãe.
E, quando crescer, vou ajudá-lo como faço com meu pai e minha mãe,
E você ficará satisfeito comigo.[136]

Obras de leitura como o *Livro de leitura alemã*, lançado em 1936, eram repletas de histórias sobre crianças ajudando o Líder, sobre as virtudes saudáveis da vida camponesa, ou sobre a felicidade de famílias arianas com montes de filhos. Uma das favoritas era a história do chefe de imprensa de Hitler, Otto Dietrich, contando sobre a bravura de Hitler ao voar de aeroplano em meio a uma tremenda tempestade durante a campanha para a eleição presidencial em abril de 1932. A serenidade do Líder foi transmitida a Dietrich e aos outros nazistas no avião e abrandou o terror que eles sentiram enquanto os ventos arremessavam a aeronave pelo céu.[137] Em meados da década de 1930, praticamente não havia uma cartilha de leitura que não mencionasse uma ou outra instituição nazista de forma positiva.[138] Livros de ilustrações para os pequeninos retratavam judeus como figuras diabólicas esgueirando-se em lugares escuros, prontas para saltar em cima da despreocupada criança alemã de cabelo loiro.[139]

Alguns livros didáticos da era de Weimar permaneceram bastante usados por algum tempo, embora fossem censurados com frequência cada vez maior em nível local ou escolar, e já em 1933 os comitês estaduais que examinavam os livros didáticos fossem expurgados e provisionados com nazistas comprometidos. Um fluxo constante de diretrizes jorrou das autoridades educacionais regionais, enquanto material de ensino adicional também foi publicado por organizações de professores nazistas em diferentes partes do país. Com isso, poucos meses depois da tomada nazista do poder, os professores sabiam as linhas básicas do que tinham que ensinar. Uma diretiva emitida em janeiro de 1934 tornou compulsório as escolas educarem seus alunos "no espírito do nacional-socialismo".[140] A fim de ajudar no cumprimento dessa meta, o capítulo regional da Liga dos Professores Nazistas de Breslau, por exemplo, lançou mais de cem panfletos extras no início de 1936 sobre matérias como "Cinco mil anos da suástica" e "O judeu e a pessoa alemã". Eles eram vendidos aos alunos por 11 pfennigs cada. Em algumas escolas, os professores acrescentaram à educação dos alunos em tais matérias a leitura em voz alta de artigos de *Der Stürmer,* de Julius Streicher.[141] Tudo amparado por uma bateria de exigências do governo central, abrangendo desde a presença forçada no salão de cada escola do país para se ouvir os discursos de Hitler quando transmitidos por rádio, até o requisito compulsório de assistir a filmes lançados pela divisão de cinema escolar de propaganda do Ministério da Propaganda de Goebbels a partir de 1934, incluindo filmes que se julgava ter apelo junto à juventude, como *O jovem hitlerista Quex* e *Hans Westmar.* Em toda escola, as bibliotecas foram vasculhadas em busca de literatura não nazista e abastecidas com livros nazistas. As aulas cada vez mais eram interrompidas para que professores e alunos celebrassem um conjunto variado de festividades nazistas, do aniversário de Hitler à comemoração dos mártires do movimento. Os quadros de aviso das escolas eram cobertos de pôsteres de propaganda nazista, que se somavam à atmosfera geral de doutrinamento desde o princípio do Terceiro Reich.[142]

De 1935 em diante, as iniciativas regionais foram ampliadas por diretivas centrais cobrindo o ensino de toda uma variedade de assuntos em séries diferentes. Em 1938, essas diretivas cobriam cada série escolar e a maioria das matérias, mesmo aquelas sem qualquer conteúdo ideológico direto.[143] O ensino da língua alemã tinha que enfocar os padrões de fala como um produto do ambiente racial, as palavras alemãs como instrumentos da consciência nacional alemã, e os tipos de fala como expressões do caráter.[144] Até o ensino da física foi reorientado para tópicos militares como balística, aerodinâmica e radiocomunicação, embora uma boa parte do ensino dos princípios básicos não tivesse necessariamente um ponto claro de referência política.[145] A biologia foi redirecionada para o estudo de raças.[146] Os livros didáticos de aritmética básica compilados sob a orientação do Ministério da Educação também começaram a aparecer a partir de 1935. Uma característica central desses livros foi a inclusão da "aritmética social", envolvendo cálculos elaborados para efetuar um doutrinamento subliminar em áreas--chave, como contas pedindo às crianças para calcular quanto custaria ao Estado para manter um doente mental vivo em um asilo.¹⁴⁷ "Estima-se que a proporção de sangue nórdico no povo alemão seja de 4/5 da população", dizia uma dessas questões: "Um terço dessa população pode ser considerada loira. De acordo com essas estimativas, quantas pessoas loiras deve haver na população alemã de 66 milhões?".¹⁴⁸ A geografia foi remodelada pela ideologia nazista para sublinhar "os conceitos de lar, raça, heroísmo e organicismo", conforme explicavam os cabeçalhos dos capítulos de um manual para professores. O clima foi ligado à raça, e os professores foram avisados de que o estudo do Oriente era uma boa entrada para a "questão judaica".¹⁴⁹ Inúmeros livros didáticos de geografia propagaram conceitos como espaço vital e sangue e solo, e difundiram o mito da superioridade racial alemã.¹⁵⁰ Os mapas mundiais e os novos livros didáticos enfatizaram a importância da geopolítica, corroboraram implicitamente o conceito de "um povo, um Reich", ou traçaram a expansão das tribos germânicas pela Europa do leste e central na Idade Média.¹⁵¹

II

A despeito de todos esses acontecimentos, em algumas situações os professores mantiveram uma pequena margem de manobra. Muitas escolas de aldeia eram minúsculas, e a maioria de todas as escolas de ensino fundamental ainda possuía apenas uma ou duas turmas em 1939. Ali os professores podiam exercer algum grau de liberdade para interpretar os materiais com que eram abastecidos pelo regime. Além disso, alguns autores de livros didáticos parecem ter se aliado implicitamente com funcionários do Ministério da Educação para incluir uma boa dose de material ideologicamente neutro em suas publicações, permitindo aos professores, cujas prioridades eram educacionais em vez de ideológicas, exercer um certo grau de escolha.[152] Um manual para professores do primário, lançado pela Liga dos Professores Nacional-socialistas em 1938, insistiu na permanência da leitura, escrita e aritmética no núcleo do currículo. O autor declarou que as crianças serviriam melhor à nação se dominassem as habilidades básicas em alfabetização e matemática antes de avançar para tarefas secundárias.[153] Os alunos mais inteligentes, como o artista Joseph Beuys, que frequentou a escola em uma região católica do oeste da Alemanha durante esse período, mais tarde recordou como se conseguia descobrir quais professores eram "contrários ao regime por baixo da superfície"; às vezes estes se distanciavam por gestos que podiam ser facilmente negados, como adotar uma postura ou atitude não ortodoxa ao fazer a saudação de Hitler.[154] O professor de uma escola em Colônia recebia sua turma ironicamente toda manhã com a saudação: "*Hiel*, seus antigos membros da tribo germânica!". Muitos deixavam claro que estavam louvando a ideologia nazista apenas da boca para fora.[155] Contudo, tais ambiguidades podiam ter efeito prejudicial no ensino. Conforme relatou uma garota que deixou a Alemanha aos dezesseis anos de idade em 1939, as crianças estavam bastante cientes de que muitos professores

> tinham que fingir que eram nazistas para continuar no cargo, e a maioria dos professores homens tinha família que dependia deles. Se alguém quisesse ser promovido, tinha que mostrar que era um ótimo nazista, quer realmente acreditasse no que estava dizendo ou não. Nos últimos dois anos, foi muito difícil para mim aceitar qualquer ensinamento, pois eu nunca sabia o quanto o professor acreditava naquilo ou não.[156]

A dissidência realmente aberta nas escolas tornou-se praticamente impossível muito antes da véspera da guerra.[157]

Como funcionários públicos, os professores enquadraram-se nas cláusulas da Lei do Reich para o Restabelecimento de um Serviço Público Profissional, aprovada em 7 de abril de 1933, e pedagogos politicamente pouco confiáveis em breve foram identificados por uma rede de comitês de investigação estabelecidos pelo ministro prussiano da Educação, Bernhard Rust, ele mesmo um professor e líder regional nazista. Atulhados de nazistas ativos e controlados pelos líderes regionais e funcionários nazistas locais, esses comitês provocaram a dispensa de 157 dos 1.065 diretores homens de escolas secundárias na Prússia, 37 de 515 professores homens com bacharelado e 280 dos 11.348 com licenciatura. Nada menos que 23 de 68, ou 32%, das mulheres diretoras de escolas secundárias na Prússia foram despedidas.[158] Em algumas regiões, a proporção foi mais alta. No baluarte social-democrata e comunista de Berlim, por exemplo, 83 dos 622 diretores foram demitidos, e instituições progressistas como a Escola Karl Marx no distrito operário de Neukölln foram reorganizadas sob auspícios nazistas, nesse caso com a dispensa de 43 dos 74 professores.[159] Os professores judeus que não foram demitidos em abril de 1933 entraram em aposentadoria compulsória em 1935; dois anos depois, judeus e "meio-judeus" foram formalmente banidos do ensino em escolas não judaicas.[160] Todavia, a proporção de demissões no geral foi relativamente baixa. O fato de tão poucos professores não judeus terem sido expurgados é um forte indício de que a maioria dos docentes não era avessa ao regime nazista. Na verdade, eles haviam sido um dos grupos profissionais mais bem representados no Partido e em seus escalões mais altos antes de 1933, refletindo entre outras coisas o descontentamento generalizado com os cortes salariais, as demissões e a perda de empregos à medida que a República de Weimar reduzia os gastos estatais durante a Depressão.[161]

A Liga dos Professores Nacional-socialistas, fundada em abril de 1927 por outro docente que se tornou líder regional, Hans Schemm, teve um rápido aumento de filiações, de 12 mil no final de janeiro de 1933 para 220 mil no fim do ano, à medida que os professores alvoroçavam-se para garantir seus cargos por meio dessa manifestação óbvia de lealdade ao novo regime. Em 1936, nada menos que 97% de todos os professores, cerca de 300 mil no total, eram membros, e no ano seguinte a Liga tardiamente teve êxito em fundir-se com todas as associações profissionais restantes. Algumas, como a Liga dos Professores Católicos, foram fechadas à força, nesse caso em 1937. Outras, como grupos especializados de professores de matérias específicas, continuaram a existir como entidades separadas ou subgrupos da Liga dos Professores Nacional-Socialistas. De início, a Liga teve que disputar com uma organização rival, a Comunidade dos Educadores Alemães, respaldada por um chefe nazista rival, o ministro do Interior, Wilhelm Frick; mas saiu-se vitoriosa. A partir de 6 de maio de 1936, a Liga foi formalmente responsável pelo doutrinamento político dos professores, executado por meio de cursos de educação política, em geral com duração de uma a duas semanas, em campos específicos. Em 1939, 215 mil professores empregados em escolas alemãs tinham passado por esse treinamento, que, como o cardápio oferecido em outros campos nazistas, também incluía uma farta dose de treinamento militar, exercícios físicos, marchas, canções e coisas do tipo, e exigia que todos os internos usassem um uniforme de estilo militar durante a estada.[162]

A pressão sobre os professores para que seguissem a linha nazista não era exercida apenas de cima. Uma palavra incauta em aula podia resultar na detenção do professor. Em certa ocasião, uma professora de 38 anos de idade no distrito do Ruhr contou uma piada à sua turma de alunos de doze anos de idade e na mesma hora percebeu que podia ter uma interpretação crítica do regime. A despeito de suas súplicas para que as crianças não a passassem adiante, uma delas, que tinha implicância com a professora, contou para os pais, que prontamente informaram a Gestapo. Não só a professora, que negou qualquer intenção de insultar o Estado, mas também cinco crianças foram interrogadas. Uma delas disse que a turma gostava mais da professora anterior, acrescentando que não era a primeira vez que a mulher detida tinha contado uma piada política em aula. Em 20 de janeiro de 1938, ela apresentou-se ao Tribunal Especial em Düsseldorf, foi julgada culpada e obrigada a pagar uma multa; sua prisão preventiva de três semanas foi levada em conta. Várias semanas antes, no começo do caso, ela já havia sido demitida. Nas situações cotidianas em sala de aula, repletas de obrigações políticas de um tipo ou outro, o medo de denúncias deve ter se difundido. É provável que professores sob suspeita recebessem visitas frequentes dos inspetores, e, conforme foi registrado, todo professor que tentasse reduzir o impacto do ensinamento cada vez mais nazificado que era obrigado a ministrar, "tinha que considerar cada palavra antes de falar, visto que os filhos dos velhos 'companheiros de Partido' estão observando constantemente, de modo a poder apresentar uma denúncia".[163]

A pressão para se adequar funcionava nos dois sentidos; as crianças que deixassem de fazer a saudação exigida de *"Heil* Hitler", por exemplo, podiam ser castigadas; em um caso no qual alunas católicas foram descobertas saudando-se com a fórmula "H.u.S.n.w.K.", que uma menina pró-nazista ficou sabendo, sob a promessa de manter segredo total, que significava *"Heil and Sieg, nie wieder Krieg"* (Salve e vitória, guerra nunca mais), deslanchou-se uma investigação policial completa. A nova ênfase do regime em educação física e disciplina militar favoreceu os disciplinadores e os militares da linha dura, bem como os nazistas recém-amadurecidos do corpo docente. Punição corporal e sovas tornaram-se mais comuns nas escolas à medida que o espírito militar começou a permear o sistema educacional. "Nas aulas dele", escreveu um diretor com admiração por um de seus professores, "sopra um vento prussiano cortante que não agrada alunos relapsos e indolentes". Da mesma forma, crianças que não exibissem a postura empertigada exigida, que não ficassem em rígida posição de sentido ao ser abordadas ou mostrassem qualquer tipo de "moleza ou indolência" ficavam em maus lençóis com os nazistas e autoritários da equipe.[164]

Os professores, todavia, tinham que aguentar uma avalanche de críticas de ativistas nazistas adultos de todos os níveis, a começar pelo próprio Hitler, seguido pelo que um grupo de docentes classificou como "um tom de desprezo pelo magistério" nos discursos do líder da Juventude Hitlerista, Baldur von Schirach. O resultado desse franco desprezo, eles acrescentaram, "é que ninguém mais quer dedicar-se à profissão do ensino, visto que é tratada desse jeito pelos altos oficiais e não é mais respeitada".[165] Essa observação não era uma queixa infundada. A pressão contínua do governo para manter o salário baixo a fim de deixar verba disponível para outros setores do gasto estatal, como armamentos, somava-se ao efeito dissuasivo. Nas escolas das aldeias pequenas, os professores tinham cada vez mais dificuldades para equilibrar o orçamento na medida em que eram privados de suas fontes tradicionais de renda adicional como escrivãos da aldeia e que muitos verificavam ser impossível atuar na igreja como organista e mestre de coro assalariado em uma época de conflito crescente entre a Igreja e o Partido.[166] Um número crescente de professores optou pela aposentadoria antecipada ou deixou a profissão por outro emprego. Em 1936, havia 1.335 vagas abertas nas escolas elementares; em 1938, o número havia subido para quase 3 mil, enquanto o número anual de formados em faculdades de magistério, 2.500, não chegava nem perto de servir à necessidade anual do sistema escolar, calculada em mais 8 mil professores.[167] O resultado foi que, em 1938, a média do tamanho das turmas em todas as escolas havia aumentado para 43 alunos por professor contra 37 em 1927, ao passo que menos de 1/14 dos professores escolares agora tinha menos de quarenta anos de idade.[168]

Os professores que permaneceram na profissão em breve perderam muito do entusiasmo com que tantos deles haviam saudado a chegada do Terceiro Reich. A militarização da vida educacional causou desilusão crescente. Foi relatado em 1934 que os professores diziam: "Não passamos de um departamento do Ministério do Exército".[169] Os campos de treinamento nos quais se exigia a presença deles eram particularmente impopulares.[170] Era preciso passar cada vez mais tempo fora em cursos de treinamento e exercícios militares.[171] A vida dos diretores e administradores de escola tornou-se um inferno por causa dos infindáveis regulamentos e decretos despejados por uma variedade de agências, e muitas vezes um contradizia o outro. No final de 1934, um observador social-democrata descreveu a situação de maneira dramática:

> A essência de tudo que foi construído pelo magistério em mais de um século de trabalho não existe mais. Resta apenas a casca: os prédios das escolas, os professores e os alunos ainda estão lá, mas o espírito e a organização interna se foram. Foram destruídos de propósito a partir do topo. Não se pensa mais em métodos de trabalho adequados na escola, ou em liberdade de ensino. Em vez disso, temos escolas apinhadas e com castigos físicos, métodos de ensino prescritos e material de ensino apreensivamente limitado. Em vez de liberdade de ensino, temos a mais tacanha supervisão e espionagem escolar sobre professores e alunos. Não é permitido nenhum discurso livre a professores e alunos, nenhuma empatia interior, pessoal. A coisa toda foi tomada pelo espírito e pelo treinamento militares.[172]

Em cada escola provavelmente havia dois ou três nazistas fanáticos entre os professores, dispostos a fazer relatórios a qualquer instante sobre os colegas se estes expressassem visões não ortodoxas. Os mais atenciosos até advertiam francamente os colegas de que seriam obrigados a denunciá-los se dissessem qualquer coisa fora da linha. A sala dos professores tornou-se um local a ser evitado, em vez de lugar para animados debates intelectuais. Quando um diretor, conforme foi reportado em Bremen, "criticou em termos ríspidos a quebra de sigilo das decisões e a redação de cartas anônimas que são enviadas até para a polícia política", e exigiu o fim "desse ataque à nossa honra e dessas denúncias repreensíveis", ele pintou um quadro soturno da alteração do ambiente nas salas de professores das escolas da nação; foi também uma rara exceção à regra.[173] Os comitês de gerenciamento das escolas e as associações de pais, outrora instituições democráticas, viraram agências de controle; a partir de 1936, os diretores não mais podiam ser indicados dentre a equipe da escola, mas tinham que vir de fora.[174] Isso reforçou mais ainda o princípio de liderança já introduzido em 1934; o diretor agora era o "líder" da escola, e os professores seu "séquito", que não possuía mais qualquer participação no gerenciamento do estabelecimento, mas simplesmente tinha que aceitar ordens vindas de cima.[175] Em muitas escolas, os professores também tiveram que aguentar a presença dos camisas-pardas, para os quais se acharam serviços de vigia ou mesmo cargos de autoridade superior ao dos mestres.[176] Dois ou três "assistentes escolares" foram nomeados para auxiliar os professores em cada escola; sua presença contínua na sala de aula melindrava muitos professores, que, acertadamente, viam-nos como espiões políticos. A maioria não tinha qualificação e muitos não eram sequer bem instruídos. Suas intervenções ideológicas tornaram-se notórias. "Os assistentes escolares", brincavam os professores entre si, "são como o apêndice: inúteis e inflamam-se com facilidade!"[177]

III

Com o passar do tempo, o Partido Nazista, impaciente com a inércia inerente ao sistema educacional público, começou a ignorá-lo por completo na busca de novos meios de doutrinar os jovens. O principal foi a Juventude Hitlerista, um braço relativamente não muito bem-sucedido do movimento nazista antes de 1933 se comparado, por exemplo, à Liga dos Estudantes

Nacional-socialistas Alemães. Na época, a Juventude Hitlerista não podia competir com os volumosos números de moços reunidos em organizações de jovens protestantes ou católicos, as alas jovens de outros partidos políticos e, sobretudo, o movimento jovem independente que levava adiante a tradição do *Wandervogel* e grupos semelhantes, vagamente organizados desde antes da Primeira Guerra Mundial. Organizações não nazistas de jovens simplesmente suplantavam em muito a Juventude Hitlerista, uma força de meros 18 mil em 1930 e somando não mais de 20 mil dois anos depois. No verão de 1933, porém, assim como em outras áreas da vida social, os nazistas dissolveram quase todas as organizações rivais, com exceção das organizações católicas de jovens, que, como vimos, demoraram bem mais para serem fechadas. Meninos e meninas ficaram sob tremenda pressão para se associar à Juventude Hitlerista e suas organizações afiliadas. Os professores foram obrigados a apresentar redações a determinados alunos com títulos como "Por que não estou na Juventude Hitlerista?", e estudantes que não se associavam tinham que aguentar a repressão contínua dos professores na sala de aula e dos colegas no pátio; em último caso, podia lhes ser negado o certificado de conclusão do curso quando se formavam, se não tivessem se tornado membros até a ocasião. Os empregadores reservavam cada vez mais vagas de estágio aos membros da Juventude Hitlerista, gerando assim uma pressão material especialmente poderosa sobre os alunos próximos da graduação.[178]

A partir de 1936, a Juventude Hitlerista passou a deter o monopólio oficial do fornecimento de instalações e atividades esportivas para todas as crianças com menos de catorze anos de idade; não tardou para jovens de catorze a dezoito anos estarem submetidos ao mesmo monopólio; com efeito, as instalações esportivas não estavam mais disponíveis para não membros. Os integrantes da organização recebiam folgas especiais na escola para suas atividades. Os resultados dessa pressão logo ficaram visíveis. No final de 1933, havia 2,3 milhões de meninos e meninas entre dez e dezoito anos de idade na Juventude Hitlerista. Ao final de 1935, esse número aproximava-se dos 4 milhões, e no começo de 1939 havia atingido 8,7 milhões. Com uma população total de 8,87 milhões de alemães entre dez e dezoito anos de idade na época, isso conferiu à Juventude Hitlerista e a seus grupos a adesão quase total da geração mais jovem, especialmente ao se levar em conta que crianças judias eram impedidas de se filiar. A partir de 1º de dezembro de 1936, a Juventude Hitlerista recebeu o *status* de instituição educativa oficial, saindo da subordinação prévia ao Ministério do Interior do Reich. Dali em diante, virou uma organização autônoma que respondia somente ao Líder por intermédio de seu chefe, Baldur von Schirach. Depois de 25 de março de 1939, a filiação tornou-se legalmente obrigatória, e os pais podiam ser multados se deixassem de inscrever os filhos, ou mesmo presos se tentassem ativamente impedi-los de se filiar.[179]

Foi sobretudo por meio da Juventude Hitlerista e suas afiliadas que os nazistas trataram de formar os alemães do futuro. Em *Minha luta*, Hitler já dedicara um espaço considerável para esboçar suas ideias sobre a natureza e o propósito da educação no Estado racial que pretendia construir na Alemanha.[180] "O Estado do povo", ele proclamou, "não deve ajustar todo seu trabalho educacional para a inoculação de mero conhecimento em primeiro lugar, mas sim para o treino de corpos absolutamente saudáveis. O treinamento de capacidades mentais é apenas secundário." A construção do caráter vinha a seguir, depois a promoção da força de vontade, e então o treinamento da alegria com responsabilidade. "Um povo de eruditos, se fisicamente degenerado, de vontade débil e covardemente pacífico, não avançará às alturas." A educação acadêmica era inútil. "O cérebro jovem em geral não deveria ser sobrecarregado com coisas das quais ele não pode usar 95%." Os temas acadêmicos deveriam ser ensinados apenas por meio de "um resumo do material", e deveriam encaixar-se nos interesses da raça: o ensino de história, por exemplo, deveria cortar os detalhes inúteis e se concentrar no encorajamento do patriotismo. A educação física e a formação do caráter culminariam no serviço militar, o último estágio da educação. O propósito esmagador da escola seria "gravar o senso e o sentimento raciais no instinto e no intelecto, no coração e na mente dos jovens a ela confiados".[181]

Esses planos mirabolantes foram aplicados às escolas alemãs, como já vimos, após a chegada dos nazistas ao poder, respaldados pelas doutrinas pedagógicas de teóricos educacionais nazistas como Ernst Krieck, agora um ingrediente padrão nas instituições do magistério.[182] Mas, mesmo centralizado e tomado por completo sob o controle estatal, o sistema tradicional de educação primária e secundária ainda assim foi de uso apenas limitado para a efetivação dessas metas. Como Hitler proclamou no comício do Partido em Nuremberg em 1935:

> Aos nossos olhos, o garoto alemão do futuro deve ser esbelto e flexível, veloz como os galgos, rijo como couro e duro como o aço Krupp. Devemos criar um novo tipo de ser humano, homens e moças disciplinados e saudáveis até o âmago. Encarregamo-nos de dar ao povo alemão uma educação que começa já na juventude e jamais chegará ao fim. Começa com a criança e acaba no "velho combatente". Ninguém será capaz de dizer que teve um tempo em que foi deixado inteiramente sozinho e por conta própria.[183]

Foi exigido dos membros da Juventude Hitlerista que decorassem esse discurso e o proclamassem quando a bandeira da suástica fosse hasteada.[184]

O doutrinamento que os jovens alemães recebiam pela Juventude Hitlerista era incessante. Embora tomasse emprestado o estilo das organizações de jovens existentes, com caminhadas, acampamentos, canções, rituais, cerimônias, esportes e jogos, era uma organização enfaticamente controlada de cima, dirigida não pelos próprios jovens, como o antigo movimento jovem havia sido, mas pela liderança da juventude do Reich, subordinada a Schirach. A organização emitiu diretrizes rígidas sobre as atividades a ser executadas. Todos os que se filiavam tinham que jurar um voto de lealdade pessoal a Hitler. O treinamento era compulsório e obrigatório por lei. Cada grupo etário da Juventude Hitlerista tinha um roteiro determinado a estudar a cada ano, cobrindo tópicos como "Deuses e heróis germânicos", "Vinte anos de combate pela Alemanha", "Adolf Hitler e seus companheiros de luta" ou "O povo e sua herança de sangue". As canções que cantavam eram nazistas, os livros que liam eram nazistas. Pacotes de informação especialmente preparada diziam aos líderes o que falar para as crianças e jovens reunidos e fornecia material adicional para o doutrinamento.[185] Com o passar do tempo, o treinamento militar assumiu cada vez mais o primeiro plano. Candidatos à admissão até mesmo nos níveis mais infantis tinham que passar por um teste médico e de aptidão e só então podiam tornar-se membros plenos. Em 20 de fevereiro de 1938, a lista de Hitler sobre suas divisões-chave citou:

> A Juventude Naval Hitlerista compreende 45 mil meninos. A Juventude Motorizada Hitlerista engloba 60 mil meninos; 55 mil membros da Juventude Hitlerista estão servindo em treinamento aéreo, aprendendo voo planado; 74 mil jovens Hitleristas estão organizados nas Unidades de Voo da Juventude Hitlerista. Apenas em 1937, 15 mil meninos passaram no teste de voo planado. Hoje, 1,2 milhão de jovens Hitleristas estão recebendo instrução regular de tiro com baixo calibre, orientados por 7 mil instrutores de tiro.[186]

Nessa época, as sessões de treino concentravam-se em marcha na praça de armas, aprendizado de Código Morse, leitura de mapas e atividades similares para garotos, enquanto as meninas focavam-se em enfermaria militar e proteção contra ataque aéreo.[187]

O resultado foi que, conforme notaram os agentes do Partido Social-Democrata que faziam relatórios em segredo para a liderança exilada em Praga, ainda que os garotos mais velhos conservassem alguma coisa das crenças que seus pais social-democratas, comunistas ou católicos houvessem lhes transmitido, os mais jovens eram "desde o começo alimentados apenas com o espírito nacional-socialista".[188] A possibilidade de viagens de férias com a Juventude Hitlerista, as instalações esportivas e muito mais podiam tornar a organização atraente para crianças de famílias pobres da classe operária que antes não tinham oportunidade de desfrutar destes eventos. Algumas podiam encontrar estímulo e um senso de valor pessoal na Juventude Hitlerista.[189] Sem dúvida, o idealismo desempenhou um papel no engajamento de muitos jovens na causa, em desafio aos desejos de seus pais. Melita Maschmann entrou para a Liga das Moças Alemãs em 1º de março de 1933, em segredo, porque sabia que os pais conservadores desaprovariam. Suas tentativas de dar conta da leitura de volumes ideológicos como *Minha luta*, de Hitler, ou as *Fundações do século XIX*, de Chamberlain, deram em nada.[190] Mais tarde, alegou que, como muitas de suas amigas de classe média alta, ela desprezou a violência e o antissemitismo dos nacional-socialistas como excessos passageiros que logo desapareceriam. A Liga das Moças Alemãs ofereceu a ela um senso de propósito e de grupo, e Maschmann devotou-se à organização noite e dia, desleixando-se nos estudos e afligindo os pais. Contudo, ela escreveu depois que estava "interessada em política apenas de modo secundário, e com frequência apenas sob coação".[191] Para os meninos, a ênfase constante em competição e luta, heroísmo e liderança, nos esportes assim como em outras atividades, surtiu seu efeito. Deve ter havido muitos incidentes como este, reportado por um agente social-democrata no outono de 1934:

> O filho de um companheiro do meu prédio tem treze anos de idade e está na Juventude Hitlerista. Recentemente, chegou de um treinamento noturno e perguntou ao pai: "Por que então vocês não se defenderam? Desprezo vocês porque não possuem um fiapo de heroísmo. Essa social-democracia de vocês não merece nada além de ser esfacelada porque vocês não têm um único herói!". O pai disse a ele: "Você não entende nada disso". Mas o garoto riu e acreditou no que seu líder havia lhe dito.[192]

Os velhos social-democratas ficaram desesperados. Como disse um deles, uma geração inteira estava crescendo "sem ter nenhuma noção sobre o movimento operário, sem ouvir falar de nada a não ser de 'heróis e heroísmo, o tempo inteiro. Essa geração de jovens não quer mais saber de nós".[193]

A despeito desse formidável programa de treinamento militar e doutrinação ideológica, o efeito da Juventude Hitlerista sobre a geração mais jovem foi misto. Quanto mais evoluiu de um movimento de mobilização própria em luta por uma causa para uma instituição compulsória a serviço dos interesses do Estado, menos atraente ficou para a geração mais jovem. O doutrinamento ideológico com frequência era superficial, visto que os líderes de grupo da organização eram mais comumente homens da tradição brutal e anti-intelectual dos camisas-pardas em vez de pensadores educados ao estilo dos líderes do antigo movimento jovem.[194] Assim, a maioria de seus pupilos não tinha uma compreensão muito firme da "ideia de nacional-

-socialismo". Um dos líderes de jovens mais ponderado cogitou que, se houvesse uma mudança no regime, devido a uma derrota na guerra por exemplo, a maioria deles então "se ajustaria à nova situação sem maiores complicações internas".[195] A ênfase nas atividades esportivas – um grande atrativo para muitos aderirem à Juventude Hitlerista – também impedia um doutrinamento pleno, visto que o interesse de muitos meninos e meninas não ia além de usar as instalações para participar de jogos. O exercício físico não era do agrado de todas as crianças. E particularmente impopular era a obrigação de circular com uma caixa para a coleta de donativos, visto que essa também era, cada vez mais, uma característica da vida escolar. Com caminhadas que às vezes tinham início às 7h30 da manhã de domingo e se prolongavam por todo o dia (não por acaso obrigando os participantes que fossem religiosos a faltar à igreja), ou ginástica compulsória às oito da noite de quarta-feira, não é de surpreender que alguns jovens começassem a ansiar por um tempo para tratar de seus interesses pessoais. Todavia, caminhadas não organizadas e atividades espontâneas organizadas pelos próprios jovens, características marcantes do movimento jovem pré-1933, foram expressamente proibidas.[196]

Em setembro de 1934, a liderança da Juventude Hitlerista em um bairro da classe operária de Hamburgo mandou um longo memorando para os membros da organização, com cópia para os pais, reclamando:

> Vocês não estão aparecendo para cumprir seu dever e nem sequer oferecem quaisquer desculpas pela ausência. Em vez disso, estão tratando de prazeres pessoais. O "eu marxista liberal" impõe-se entre vocês outra vez; vocês estão negando o "nós" nacional-socialista. Estão pecando contra os interesses da nação. Estão eximindo-se do serviço porque querem ir à festa de casamento de algum conhecido, estão eximindo-se porque estão sobrecarregados com temas da escola e querem sair para dar uma volta de bicicleta. Quando chegam à escola, usam o serviço na Juventude Hitlerista como desculpa para não ter concluído a lição de casa.[197]

O mais odiado de tudo era a disciplina militar, que se tornou mais pronunciada com o passar do tempo.[198] Schirach anunciou que "o princípio da autoliderança" seria aplicado, como havia sido no antigo movimento jovem,[199] mas na prática a organização era efetivamente dirigida por adultos. Os integrantes da Juventude Hitlerista eram treinados por camisas-pardas adultos, jogados em água gélida para se fortalecer, forçados a praticar exercícios cansativos no inverno sem vestimenta adequada, para desenvolver resistência física, e submetidos a punições cada vez mais brutais caso desobedecessem ordens. Houve relatórios sobre meninos castigados em corredor polonês por pequenas contravenções, ou até mesmo surrados com ganchos de mola. Os médicos reclamavam que longas horas de treinamento, marchas noturnas com mochilas cheias e exercícios militares sem nutrição adequada estavam arruinando a saúde física e mental dos jovens.[200]

Os agentes social-democratas reportaram que os jovens ausentavam-se dos treinamentos noturnos ou deixavam de pagar as taxas, para assim ser excluídos da organização, retornando apenas quando precisavam mostrar o cartão de membro para conseguir um serviço ou entrar na universidade. Um agente na Saxônia reportou em 1938: "Os meninos são mestres em contar as últimas piadas sobre instituições nazistas. Eles matam as horas de serviço sempre que podem. No tempo livre, quando se encontram para brincar na casa de um amigo de escola, falam com desprezo do 'plano de serviço'".[201] As crianças logo se encheram das longas noites sentadas ao redor da fogueira do acampamento cantando canções patrióticas: "A maioria", relatou um agente social-democrata, "já quer ir para casa depois da primeira canção".[202] As paradas semanais, estendendo-se das 7h30 às 9h30 da noite, eram notórias pela presença fraca. A organização podia fazer pouca coisa para punir os que se mantinham distantes. Contanto que pagassem as taxas, não podiam ser expulsos, e muitos dos jovens, como notou uma integrante da Liga de Moças Alemãs, eram "mais ou menos apenas membros pagantes", visto que alguém com quinze anos de idade "tem todo o tipo de outros interesses". Os adolescentes que já estavam trabalhando achavam as horas de treinamento particularmente cansativas.[203] Acampar, outrora uma das atividades favoritas do movimento jovem, tornou-se cada vez mais impopular à medida que ficava mais militarizada. Conforme queixou-se um rapaz ao voltar de um acampamento:

> Praticamente não tivemos nenhum tempo livre. Tudo foi feito de um jeito totalmente militar, desde o toque da alvorada, a primeira marcha, o hasteamento da bandeira, o esporte matinal e as abluções, passando pelo café da manhã e os "jogos de exploração", almoço e assim por diante, até a noite. Muitos participantes deixaram o acampamento por achar toda essa trabalheira estúpida demais para eles. Não houve nenhum tipo de sentimento de companheirismo entre os colegas de acampamento. A camaradagem foi muito fraca, e tudo foi feito em termos de comando e obediência... O líder do acampamento era um funcionário mais velho da Juventude Hitlerista, do tipo sargento de treino. Todo seu esforço educativo consistiu em latir ordens, realizar exercícios de reconhecimento e trabalheira em geral... O acampamento foi mais uma atividade excessiva e um culto exagerado dos músculos do que uma experiência espiritual ou mesmo um tempo de lazer de formato cooperativo.[204]

Um outro, ao recordar seu tempo na organização alguns anos depois, confessou que era um "entusiasta" quando entrou, aos dez anos de idade – "pois que garoto não fica entusiasmado quando ideais, ideais elevados como camaradagem, lealdade e honra, são colocados diante dele?" –, mas logo achou a "coerção e a obediência incondicional... exageradas".[205] O "treinamento interminável na praça de armas" era maçante, e as punições para as mais ínfimas infrações podiam gerar rancor, lembrou um outro, mas ninguém reclamava, visto que provar que se era durão era o único jeito de se dar bem, e isso também teve efeitos: "Dureza e obediência cega eram inculcadas em nós a partir do instante em que aprendíamos a andar".[206]

Até mesmo os jovens nazistas ficaram "decepcionados e descontentes". Sob a superfície, a velha tradição do movimento jovem seguiu viva, na medida em que meninos rebeldes aprendiam velhas canções de caminhadas, agora proibidas, e sussurravam as melodias uns para os outros nos acampamentos da Juventude Hitlerista como um sinal de identificação; eles juntavam-se no acampamento e organizavam suas próprias atividades quando podiam.²⁰⁷ Mas um bom número de outros observadores social-democratas refreou o desejo de ver a luz no fim do túnel e reportou soturnamente que a geração mais jovem estava perdendo o contato com os valores de seus antepassados e se tornando vítimas da ideologia nazista sob o impacto da Juventude Hitlerista e da doutrinação nas escolas. Apesar de todas as deficiências, a Juventude Hitlerista e o sistema escolar cada vez mais nazificado estavam afastando os pais, que ainda conservavam alguma lealdade às crenças e aos padrões em que haviam sido criados, de seus filhos, que eram doutrinados em cada estágio de vida. Como um agente observou com pesar:

> É extremamente difícil para pais que se opõem ao nazismo exercer alguma influência sobre os filhos. Eles podem pedir aos filhos que não conversem na escola sobre o que é dito em casa, e então as crianças ficam com a sensação de: ah, os pais têm que esconder o que pensam. O professor diz tudo em voz alta; portanto, ele deve estar certo. Ou então os pais expressam sua opinião sem avisar os filhos. E aí não demora muito para serem detidos ou no mínimo chamados diante do professor, que grita com eles e ameaça denunciá-los. "Mande seu pai vir à escola!" Essa é a resposta normal para dúvidas e perguntas suspeitas por parte das crianças. Se o pai se cala depois dessa visita, dá ao filho a impressão de que foi convencido por aquilo que o professor disse, e o efeito é bem pior do que se nada jamais tivesse sido dito.²⁰⁸

Houve relatórios ainda mais perturbadores de crianças que, ao terem sua associação à Juventude Hitlerista reprovada pelos pais, ameaçaram denunciá-los às autoridades se tentassem impedi-las de ir aos encontros. Para os adolescentes, simplesmente era muito fácil irritar os pais ex-social-democratas saudando-os em casa com "*Heil* Hitler!", em vez de "bom dia". "Desse modo, a guerra é levada para dentro de cada família", observou a esposa de um antigo ativista do movimento operário. "O pior", acrescentou ela, apreensiva, "é que você tem que se policiar na frente dos próprios filhos".²⁰⁹

Dessa forma, o Estado e o Partido estavam minando as funções de socialização e educação da família. Baldur von Schirach estava ciente dessa crítica e tentou neutralizá-la com a alegação de que muitas crianças pobres e da classe operária de qualquer maneira não tinham uma família adequada. Os pais de classe média, que eram os que mais vociferavam ao reclamar do tempo que os filhos eram forçados a passar fora de casa em atividades organizadas pela Juventude Hitlerista ou pela Liga das Moças Alemãs, deveriam lembrar, disse Schirach, que a organização "havia convocado suas crianças para a comunidade da juventude nacional-socialista de modo que pudessem oferecer aos filhos e filhas mais pobres de nosso povo algo semelhante a uma família pela primeira vez".[210] Mas tais argumentos só serviram para aumentar o ressentimento entre os pais da classe operária. Criar os filhos, muitos reclamavam, não era mais um prazer. Os custos para providenciar uniformes e equipamento para os filhos na Juventude Hitlerista eram consideráveis, e eles não recebiam nada em troca. "Hoje em dia, casais sem filhos são com frequência cumprimentados por aqueles que são pais. Os pais de hoje não têm nada além do dever de vestir e alimentar seus filhos; educá-los é antes de tudo a tarefa da Juventude Hitlerista."[211] Um "velho soldado" foi ouvido a reclamar amargamente do filho, ativista da organização: "O garoto já se alheou completamente de nós. Como um velho soldado do *front*, sou contra qualquer guerra, e esse rapaz é doido por guerra e nada mais. É medonho, às vezes sinto como se meu garoto fosse um espião dentro da família".[212]

O efeito global da associação à Juventude Hitlerista, alguns observadores social-democratas reclamaram, foi um "embrutecimento" dos jovens. A supressão de qualquer discussão ou debate, a disciplina militar, a ênfase na habilidade física e na competição fez os garotos ficarem violentos e agressivos, especialmente em relação a jovens que não houvessem aderido à organização por qualquer motivo.[213] Grupos da Juventude Hitlerista em viagens de trem divertiam-se insultando e ameaçando os guardas que não diziam "*Heil* Hitler!" toda vez que pediam o bilhete para um passageiro. Os acampamentos realizados nas zonas rurais eram propensos a dar origem a uma enxurrada de queixas dos fazendeiros locais por roubo de frutas de seus pomares. O treinamento a que as crianças eram submetidas era tão duro que lesões de um tipo ou outro eram uma ocorrência frequente. No treino de "boxe", fazia-se questão de dispensar regras ou precauções: "Quanto mais sangue os rapazes veem jorrar nessas ocasiões, mais entusiasmados ficam". Um agente social-democrata notou que na Juventude Hitlerista, assim como na SA, no Exército e na Frente de Trabalho, estava se estabelecendo um processo de brutalização. "O tipo de líder que eles têm e o modo como tratam todas as pessoas rebaixam os seres humanos a animais, transformam tudo que é sexual em obscenidade. Muitos contraem doenças venéreas." "Em muitas divisões da Juventude Hitlerista, uma vez por mês são realizadas 'festas de sexo' do tipo que todos nós lembramos da guerra."[214] A organização negava-se a fornecer educação sexual, proclamando-a problema dos pais. Casos de comportamento homossexual dos líderes nos acampamentos eram abafados; não se cogitava levá-los à imprensa, como aconteceu na campanha contra padres católicos que trabalhavam em instituições assistenciais. Em um caso particularmente sério em 1935, justo quando Goebbels estava dando início à exposição de escândalos sexuais dentro da Igreja, um garoto foi sexualmente atacado por vários outros em um acampamento da Juventude Hitlerista e depois esfaqueado até a morte para se evitar que falasse. Quando a mãe descobriu o que havia acontecido e fez a denúncia ao comissário do Reich Mutschmann, ele a deteve e aprisionou na mesma hora para evitar que o escândalo viesse a público. Pais que reclamassem de qualquer aspecto do tratamento dos filhos nos acampamentos ou que retirassem os filhos da organização para o seu próprio bem eram passíveis da acusação de estar minando a Juventude Hitlerista e em certas ocasiões podiam ser calados pela ameaça de que, caso fossem adiante, os filhos seriam colocados em orfanatos.[215] Uma tentativa de ninguém menos que Heinrich Himmler, em colaboração com Schirach, de impor disciplina na organização por meio de uma força policial interna, estabelecida em julho de 1934, foi eficaz principalmente para propiciar um sistema de recrutamento para a SS.[216]

A indisciplina da Juventude Hitlerista teve efeito particularmente disruptivo nas escolas. Os ativistas adolescentes, cumulados pelo regime de garantias sobre sua importância central para o futuro da nação e acostumados a comandar grupos de crianças menores consideravelmente mais numerosos que as turmas em que seus professores lecionavam, comportavam-se com arrogância crescente em relação aos mais velhos na escola. "Ao estimular continuamente sua autoconfiança", admitiu um líder da entidade, "a liderança encoraja em muitos garotos uma espécie de megalomania que se recusa a reconhecer qualquer outra autoridade".[217] Na luta entre a Juventude Hitlerista e as escolas, a primeira foi gradualmente obtendo vantagem.[218] Seus membros podiam usar seus uniformes próprios na escola, de modo que os professores cada vez mais encaravam turmas em trajes que anunciavam sua submissão primária a uma instituição externa. Um regulamento de janeiro de 1934 concedendo à Juventude Hitlerista *status* igual às escolas como instituição educativa impulsionou ainda mais a autoconfiança de seus membros.[219] A rebeldia adolescente estava sendo canalizada contra instituições socializadoras como a escola, bem como contra os pais, a família e as igrejas. Ex-membros da Juventude Hitlerista recordaram em entrevistas depois da guerra como haviam adquirido mais poder na escola por meio da associação.[220] Até mesmo o Serviço de Segurança da SS expressou preocupação em 1939 com a deterioração do relacionamento entre professores e a Juventude Hitlerista.[221] Em 1934, um agente social-democrata reportou que um "líder escolar" da Juventude Hitlerista disse a um professor de 62 anos de idade que colocou seu chapéu no frio de rachar do treino coletivo semanal na manhã de segunda-feira, enquanto toda a escola cantava o hino nacional e saudava o hasteamento da bandeira nazista com a cabeça descoberta, que ele seria denunciado se fizesse aquilo de novo.[222] Apenas raramente havia professores engenhosos o bastante para encontrar uma maneira de reafirmar seu controle sem correr o risco de denúncia, como no caso de um docente de matemática em uma escola secundária de Colônia, que destinou duas questões de aritmética particularmente complicadas para dois líderes da organização que apareceram na aula de uniforme, com as palavras: "Como líderes da Juventude Hitlerista, vocês com certeza devem dar um bom exemplo; por certo conseguem resolver essa questão!".[223]

IV

O sistema escolar do Terceiro Reich estava formalmente sob a égide de Bernhard Rust, nomeado ministro prussiano da Educação e Religião (*Kultusminister*) em 1933. Rust, um professor, aderiu ao Partido Nazista no início e se tornou líder distrital do sul de Hanover e Brunswick em 1925. Tinha cinquenta anos de idade quando Hitler foi nomeado chanceler, um tanto mais velho que as outras lideranças nazistas, que na maioria estavam na faixa dos trinta ou começo dos quarenta anos. Em 1º de maio de 1934, Rust garantiu sua nomeação para o novo Ministério da Ciência e Educação do Reich, que assumiu o ministério prussiano e, de fato, os ministérios regionais no começo de 1935, enquanto a responsabilidade pela religião e pelas igrejas passava para o novo Ministério da Igreja do Reich, liderado, como já vimos neste capítulo, por Hans Kerrl. Em 20 de agosto de 1937, o Ministério da Educação do Reich assumiu o controle central da nomeação de todos os professores, e em 1939 implantou um Gabinete de Exame do Reich para supervisionar todos os exames educacionais. Enquanto isso, também havia agido em 20 de março de 1937 para racionalizar o sistema escolar secundário, uma exigência de longa data dos professores, já planejada sob a República de Weimar, em três tipos básicos de escola, concentrando-se em idiomas modernos e humanidades, em ciência e tecnologia, ou em um currículo baseado nos clássicos.[224] E em 6 de julho de 1938 o regime emitiu outra lei, estendendo a estrutura escolar prussiana estabelecida em 1927 para toda a Alemanha e determinando a exigência mínima de oito anos de escola para todas as crianças – um avanço para a Baviera, que até então exigia apenas sete, mas um retrocesso para Schleswig-Holstein, onde o mínimo havia sido tradicionalmente nove. Essa lei estabeleceu também um currículo central determinado, incluindo "educação racial" para todos.[225]

No aniversário de Hitler, em 20 de abril de 1933, Rust fundou três instituições político-educacionais nacionais, ou "Napolas", internatos montados nos prédios das antigas escolas de cadetes da Prússia (extintas pelo Tratado de Versalhes) e planejados para treinar uma nova elite para governar o futuro Terceiro Reich.[226] A necessidade de agradar o presidente Hindenburg, que havia sido estudante em uma daquelas escolas de cadetes, também pode ter desempenhado um papel. Em 1939, havia dezesseis Napolas em funcionamento.[227] A intenção era de que propiciassem treinamento militar, sendo equipadas com estábulos de equitação, motocicletas, iates e coisas assim, sinais de que os esportes em que os estudantes eram treinados tinham um matiz nitidamente aristocrático que reforçava sua autoimagem de elite. Ao se formar, os alunos em geral iam para as Forças Armadas, SS ou polícia como oficiais.[228] Os estudantes eram selecionados antes de tudo conforme critérios raciais, verificados por exame físico executado por um médico qualificado, e depois por traços de caráter, exibidos durante um teste de admissão que consistia sobretudo de esportes competitivos nos quais se exigia que os candidatos demonstrassem coragem e agressividade.[229]

Ao mesmo tempo, porém, por insistência dos funcionários do ministério de Rust, as Napolas continuaram a ensinar o currículo escolar regular estatal com suas matérias acadêmicas, como convinha às instituições educativas do Estado. No congresso do Partido em 1934, e de novo em 1935, Hitler insistiu que a educação política era um assunto para o Partido e não para instituições dirigidas pelo Estado ou para professores nomeados por este. De acordo com essa visão, as Napolas eram geridas por oficiais da SS e da SA sem experiência prévia em educação. A administração nomeou uma equipe paralela de "educadores" com os mesmos antecedentes para trabalhar ao lado dos professores que davam aulas escolares normais. Toda a equipe tinha que fazer treinamentos especiais habituais, e os estudantes também tinham que passar várias semanas do ano trabalhando em uma fazenda ou fábrica para manter contato com o povo. Sob tais circunstâncias, não é de surpreender que logo se tenha revelado difícil encontrar um número suficiente de professores qualificados. Aqueles que serviam em muitos casos era porque tinham experiência prévia nas escolas de cadetes prussianas, e certos diretores reviveram deliberadamente algumas tradições da velha escola de cadetes da Prússia. Portanto, para algumas lideranças nazistas ficou claro em 1934 que as Napolas estavam mais para retrocessos reacionários à velha tradição prussiana do que para instituições modernas dedicadas à criação de uma nova elite para o Terceiro Reich. E pareciam mais interessadas em abastecer o Exército de oficiais do que o Estado de líderes.[230] O homem encarregado do gerenciamento cotidiano das escolas era Joachim Haupt, um educador profissional que publicara uma série de obras durante a República de Weimar defendendo a fundação de um novo sistema educacional dedicado ao treinamento racial e político. Mas, no rastro da "Noite das Facas Longas", Haupt ficou sob ataque da SS, que mais que insinuou que ele era homossexual e afirmou que Rust queria livrar-se dele por

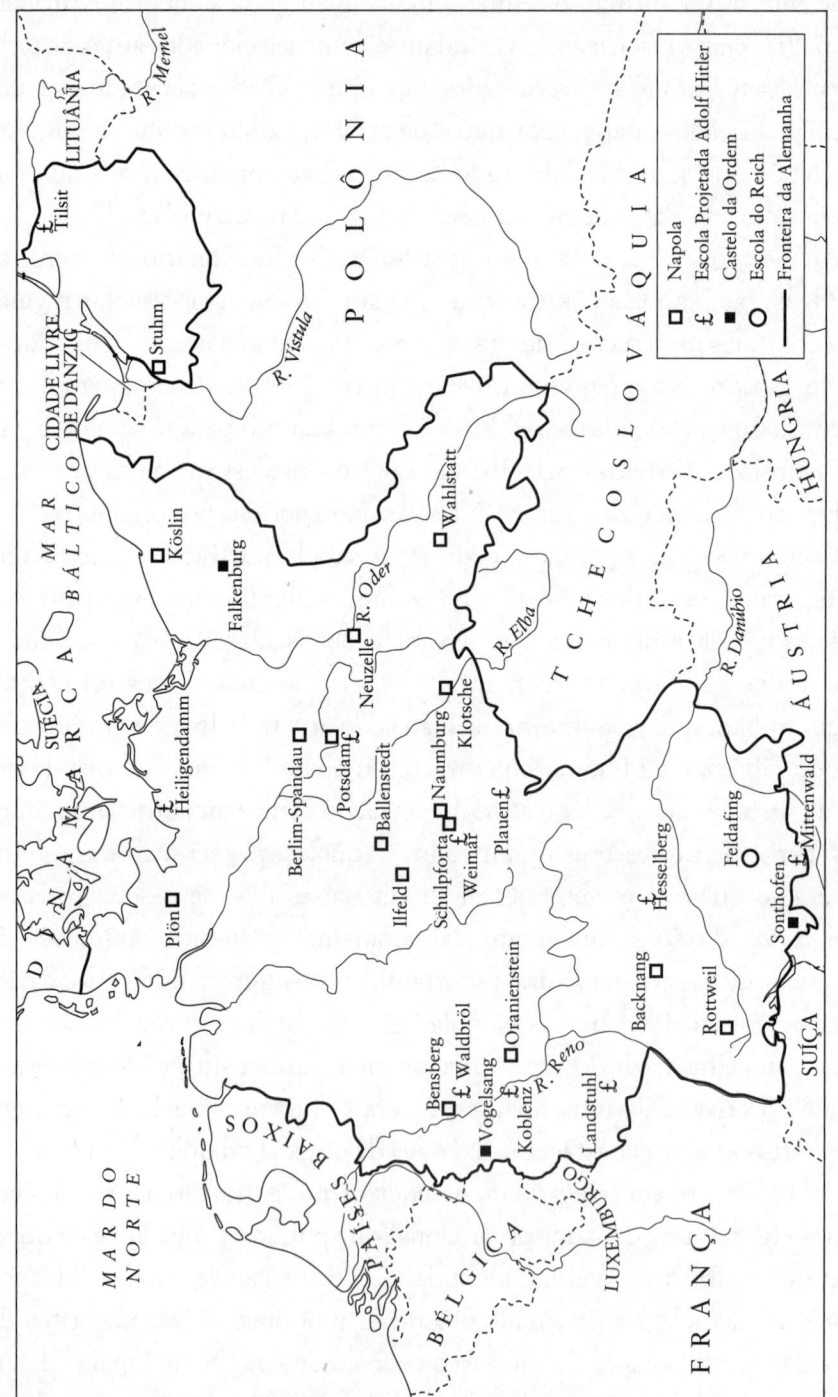

Mapa 7. Escolas de elite nazistas

Legenda:
- ☐ Napola
- £ Escola Projetada Adolf Hitler
- ■ Castelo da Ordem
- ○ Escola do Reich
- — Fronteira da Alemanha

ser reacionário demais. Em consequência, Haupt foi despedido em 1935, e o gerenciamento geral e a inspeção das Napolas foram transferidos para um oficial sênior da SS, August Heissmeyer; por fim, a administração das Napolas passou de vez para a SS. Elas não fizeram grande sucesso como um novo tipo de instituição de ensino estatal. Tampouco seus padrões eram elevados o bastante para abastecer o regime com um novo quadro de elite de líderes para o futuro.[231]

Como ilustram esses eventos, Rust ficava devendo em eficiência quando se tratava de lidar com os figurões da estrutura de poder nazista. Ele era propenso a surtos de depressão, alternados com períodos de otimismo e agressividade maníacos, o que dificultava que pusesse em prática uma linha política consistente; seus funcionários públicos não confiavam nele e com frequência obstruíam suas ordens, e muitas vezes ele não estava em condições de encarar a agressão predatória dos rivais nos altos escalões do Partido. Rust também sofria de uma paralisia progressiva dos músculos do rosto, que provocou dor crescente com o passar do tempo, o que limitou ainda mais sua capacidade de fazer frente à oposição.[232] Suas Napolas logo foram passadas para trás por duas instituições bem mais ideológicas, dirigidas não pelo Estado, mas controladas desde o princípio por órgãos do Partido. Em 15 de janeiro de 1937, o líder da Juventude do Reich, Baldur von Schirach, e o líder da Frente de Trabalho Alemã, Robert Ley, emitiram um anúncio conjunto informando que Hitler, por solicitação deles, havia dado ordem para a fundação das "Escolas Adolf Hitler", colégios secundários dirigidos pela Juventude Hitlerista, que determinaria o currículo, com supervisão dos líderes regionais do Partido Nazista.[233] Superando as furiosas objeções de Rust, os dois líderes implantaram a primeira Escola Adolf Hitler em 20 de abril de 1937. A intenção era, conforme declarou Ley, que no futuro ninguém pudesse assumir uma posição de liderança no Partido sem passar primeiro pela educação nessas instituições. Dois terços dos alunos das Escolas Adolf Hitler eram internos. A Juventude Hitlerista determinou o currículo, que enfocava a educação física e militar ainda mais intensamente que as Napolas. Como as Napolas, as Escolas Adolf Hitler não proporcionavam nenhuma instrução religiosa. Não havia exames; em vez disso, uma "Semana de Realizações", na qual os estudantes tinham que competir uns contra os outros em todas as áreas.²³⁴ Utilizando-se da Juventude Hitlerista por toda a Alemanha, essas escolas, que proporcionavam educação a partir dos doze anos de idade sem encargos, tornaram-se uma espécie de veículo de ascensão social, com 20% de seus alunos vindos de um meio que poderia ser genericamente definido como classe operária.²³⁵ De início aplicaram-se apenas critérios físicos para a seleção de estudantes, mas em 1938 havia ficado claro que o descaso com as capacidades intelectuais estava causando graves problemas, visto que uma ampla proporção dos alunos não conseguia compreender sequer as ideias políticas básicas que os professores tentavam transmitir. A partir dessa época, portanto, os critérios acadêmicos somaram-se aos outros elementos no processo de admissão. Os professores nomeados nos dois primeiros anos, todos eles da Juventude Hitlerista, tampouco eram muito competentes, e de 1939 em diante foi exigido que passassem por um treinamento adequado em magistério em uma universidade antes de assumir o cargo. A ideia de Ley era que houvesse uma dessas escolas em cada região do Partido Nazista, sob a gerência geral do líder regional; mas a direção do Partido contrapôs com sucesso que os custos seriam altos demais para serem arcados pela legenda, e a implantação total das escolas jamais foi atingida. Em 1938, havia apenas seiscentos alunos em todo o país, muito menos que o previsto pelo plano original. Os prédios em construção para abrigar as escolas jamais foram concluídos, e até 1941 elas dependiam enormemente das instalações alugadas do Castelo da Ordem em Sonthofen.²³⁶

Os Castelos da Ordem (*Ordensburgen*) eram o estágio seguinte do sistema de educação baseada no Partido sonhado por Schirach e Ley. Foram planejados para ensinar exclusivamente graduados das Escolas Adolf Hitler, mas, antes de serem admitidos, os estudantes tinham que passar por treinamento vocacional ou educação universitária e provar sua integridade pessoal e ideológica. Não só os estudantes não pagavam taxas, como até recebiam um pequeno recurso monetário das escolas. Havia três Castelos da Ordem, localizados bem no interior de distritos rurais remotos. Eles foram projetados por arquitetos em estilo extravagante. A construção teve início em março de 1934 e os prédios foram inaugurados dois anos depois. O plano era que formassem um sistema interconectado de educação e treinamento. Os estudantes passariam o primeiro ano em Falkenburg, no lago Crössin, na Pomerânia, sendo educados em biologia racial e empreendendo várias atividades esportivas; no segundo ano deveriam mudar-se para o Castelo Vogelsang, nos montes Eifel, acima do Reno, concentrando-se mais exclusivamente nos esportes; e no terceiro deveriam transferir-se para o Castelo Sonthofen, no distrito montanhoso de Allgäu, na Baviera, onde passariam por mais treinamento ideológico e se envolveriam em esportes perigosos como montanhismo. O regime pretendia construir um quarto Castelo da Ordem em Marienburg para enfocar a instrução sobre a Europa do leste, e por fim uma "faculdade" no lago Chiem, na Baviera, para a execução de pesquisas e treinamento de professores para os Castelos da Ordem e Escolas Adolf Hitler. Nesse ínterim, contudo, os alunos de elite dos Castelos da Ordem tinham que passar três meses, divididos em períodos mensais, trabalhando em organizações do Partido nas regiões para obter uma experiência prática em política; os Castelos da Ordem, por sua vez, funcionavam como centros de treinamento para numerosos funcionários do Partido Nazista com cursos curtos, bem como centros de treinamento de professores para as Escolas Adolf Hitler.[237] Como o nome sugeria, a meta dos Castelos da Ordem era criar uma versão moderna das ordens medievais de cavaleiros e monges, disciplinadas, unidas e dedicadas a uma causa; para sublinhar essa intenção, os estudantes eram conhecidos como "junkers". Junto com as Escolas Adolf Hitler, eram os meios pelos quais o Partido planejava garantir sua liderança futura a longo prazo.[238]

Medido por padrões acadêmicos normais, o nível da educação proporcionada pelos Castelos da Ordem não era elevado. A ênfase esmagadora no treinamento físico e o currículo movido à ideologia tornavam os castelos substitutos insatisfatórios para uma educação superior convencional, e os critérios pelos quais os estudantes eram selecionados deixavam a capacidade intelectual mais ou menos fora de consideração. Em julho de 1939, o Castelo Vogelsang foi objeto de crítica arrasadora em um relatório interno do Partido Nazista que achincalhou o baixo nível intelectual dos graduados e expressou sérias dúvidas sobre sua capacidade de produzir um relato coerente sobre a ideologia nazista, acrescentando: "Apenas em um número mínimo de casos o auge de saúde e vigor também evidencia uma capacidade intelectual pronunciada". Já em 1937, o ensaio *O ataque,* de Goebbels, havia levantado dúvidas sobre a eficiência da instituição após um repórter ter ouvido um dos primeiros formados "dar uma palestra com muito colorido ideológico, mas sem dizer nada relevante. Será que as pessoas certas foram realmente escolhidas?", perguntou o ensaio de Goebbels oportunamente. Dois anos depois, a situação no Castelo Vogelsang afundou no caos quando se descobriu que seu comandante, Richard Manderbach, cujo maior motivo de distinção era ter fundado o primeiro grupo de camisas-pardas no distrito de Siegerland em 1924, havia batizado o filho mais novo em uma igreja católica em segredo. Embora Manderbach negasse qualquer conhecimento, os *junkers* saudavam-no no refeitório e na sala de aula com frases em coro, canções e gritos rudes exigindo saber por que ele andara se associando com "papa e padre". A ordem só foi restaurada com sua demissão em 10 de junho de 1939.[239] Conforme observou mais tarde o futuro ator de Hollywood Hardy Kriger, um dos alunos da Escola Adolf Hitler instalada no Castelo da Ordem em Sonthofen, os estudantes ouviam constantemente que seriam os líderes da Alemanha nazista no futuro, de modo que não era de surpreender que não tolerassem deserção ideológica. Em uma atmosfera que encorajava a rudeza física e a impiedade, ele acrescentou, a intimidação e o abuso físico dos meninos mais novos pelos mais velhos estava inevitavelmente disseminada, e o espírito geral era brutal e grosseiro.[240]

As mesmas ideias que inspiraram as Escolas Adolf Hitler, os Castelos da Ordem e em grau mais limitado as Napolas também ficaram evidentes em mais uma escola de elite fundada sob a égide de Ernst Röhm e da SA: a Escola Secundária Nacional-Socialista no lago Starnberger. Escola particular de propriedade da organização camisa-parda, inaugurada em janeiro de 1934, existia há poucos meses quando Röhm foi abatido por ordem de Hitler. Em desespero, o diretor da escola tentou preservá-la colocando-a sob a proteção primeiro de Franz Xaver Schwarz, tesoureiro do Partido, então do gabinete do Rudolf Hess, onde Martin Bormann era o funcionário-chave. Em 8 de agosto de 1939, Hess renomeou-a Escola do Reich do NSDAP de Feldafing, e a essa altura ela já havia se tornado a mais bem-sucedida das escolas de elite nazistas. Alojada em quarenta vilas, algumas delas confiscadas de proprietários judeus, a escola ficava sob o controle acadêmico da Liga dos Professores Nazistas, e todos os alunos e professores eram automaticamente membros da SA. Com patronos poderosos no topo da hierarquia do Partido, a escola não teve muita dificuldade para obter fundos pródigos e equipamento de primeira classe, e, com suas conexões com o magistério, proporcionava uma educação acadêmica muito melhor que as outras escolas de elite, embora compartilhasse com elas a ênfase em esportes, treinamento físico e formação do caráter. Todavia, os críticos sustentavam que os alunos, com frequência jovens descendentes de oficiais do alto escalão do Partido, aprendiam apenas a ser *playboys*.[241] No conjunto, nenhuma das escolas de elite conseguiu equiparar-se aos padrões dos liceus de longa tradição da Alemanha. Ecléticas e muitas vezes contraditórias na abordagem, careciam de qualquer conceito coerente de educação que pudesse servir de base para o treinamento de uma nova elite funcional para governar uma nação moderna e tecnológica como a Alemanha do futuro. Às vésperas da guerra, com o total de meros 6 mil alunos e 173 alunas, as 16 Napolas, as dez Escolas Adolf Hitler e a Escola do Reich constituíam apenas uma pequena parte do sistema de internatos; na mesma época, setembro de 1939, outras escolas residenciais estavam educando 36.746 alunos de ambos os sexos, total seis vezes maior.[242]

Todavia, os baixos padrões acadêmicos evidentes nas Napolas, nas Escolas Adolf Hitler e nos Castelos da Ordem também começaram a aparecer no sistema escolar público às vésperas da Segunda Guerra Mundial. Em todos os níveis, o ensino formal teve sua ênfase reduzida à medida que as horas dedicadas à educação física e ao esporte nas escolas públicas aumentaram para três em 1936, depois cinco em 1938, e poucas aulas eram dedicadas a matérias acadêmicas para dar espaço ao doutrinamento e à preparação para a guerra.[243] As crianças ainda aprendiam a ler, escrever e calcular, e aprendiam muito mais que isso nos liceus e outros setores do sistema educacional secundário, mas não resta dúvida de que a qualidade da educação estava caindo em ritmo constante. Em 1939, os empregadores reclamaram que a média de conhecimentos em linguagem e aritmética dos alunos formados era baixa e que "o nível do conhecimento escolar dos examinandos vinha afundando há algum tempo".[244] Entretanto, isso não causou nenhuma preocupação ao regime. Como Hans Schemm, o líder da Liga de

Professores Nazistas até 1935, declarou: "A meta de nossa educação é a formação do caráter", e reclamou que conhecimentos em excesso eram socados nas crianças em detrimento da construção do caráter. "Vamos ter", disse ele, "...cinco quilos de conhecimento a menos e dez calorias a mais de caráter!"[245] A desmoralização progressiva do magistério, o corte crescente nas equipes e o consequente aumento do tamanho das turmas em aula também tiveram seus efeitos. Como vimos, a Juventude Hitlerista mostrou-se uma influência totalmente disruptiva na educação formal. "A escola", observou um relatório social-democrata já em 1934, "é constantemente perturbada pelos eventos da Juventude Hitlerista". Os professores tinham que dar folgas aos alunos para tais eventos quase todas as semanas.[246] A abolição em 1936 das cerimônias compulsórias ligadas ao Dia da Juventude do Estado, que segundo um cálculo somava mais de 120 horas de preparativos fora da escola por ano, fez pouca diferença real nesse aspecto.[247] A despeito da disciplina de estilo militar nas escolas, houve numerosos relatórios sobre indisciplina e desordem, incidentes violentos entre alunos e insubordinação em relação aos professores.[248] "Não se pode mais dizer que o professor tem autoridade", observou um agente social-democrata em 1937: "Os fedelhos metidos da Juventude Hitlerista decidem o que acontece na escola, eles estão no comando".[249]

No mesmo ano, os professores de um distrito da Francônia reclamaram no relatório semestral da Liga de Professores Nacional-Socialistas que a atitude dos alunos em relação à educação estava dando

> repetidos motivos para queixas justificadas e preocupação quanto ao futuro. Existe uma falta de zelo generalizada pelo trabalho e pelo sentimento de dever. Muitos alunos acreditam que podem passar altivamente pelos exames finais sentando-se empertigados durante oito anos, mesmo que estejam bem abaixo do padrão intelectual exigido. Nas unidades da Juventude Hitlerista e da Juventude Júnior Hitlerista não existe nenhum tipo de apoio à escola; pelo contrário, são exatamente esses alunos que atuam em cargos de liderança que se destacam pelo comportamento desobediente e pela preguiça na escola. É necessário informar que a disciplina escolar está em queda notória e em um grau preocupante.[250]

Os níveis educacionais haviam caído de modo marcante em 1939. Em junho de 1937, um observador social-democrata registrou com pesar o que realmente importava: "Quer se observem jovens brincando ou trabalhando, quer se leia o que eles escrevem ou se visitem seus lares, quer se analise a agenda de atividades escolares ou até se acompanhe o que acontece em um acampamento, existe apenas uma disposição que governa toda a máquina cuidadosamente planejada e cada vez mais eficiente: a disposição para a guerra".[251]

"Luta contra o intelecto"

I

Embora tenham concentrado uma grande dose de empenho para manobrar o sistema escolar de acordo com seus propósitos depois de 1933, os nazistas foram um tanto menos vigorosos para impor suas ideias às universidades da Alemanha. Apenas em 1934, com a fundação do Ministério da Educação do Reich, o regime começou realmente a apertar a educação superior. Mesmo assim, o aperto foi frouxo. O ministro da Educação Bernhard Rust não só era fraco e indeciso, como também basicamente desinteressado pelas universidades. Sua tendência incurável para a vacilação logo tornou-se alvo de humor escarninho entre professores universitários, que faziam piada sobre a nova unidade mínima de medida que o governo havia introduzido: "um Rust", o tempo que se passava entre a promulgação de um decreto e seu cancelamento. Tampouco os outros líderes nazistas estavam preocupados com a educação superior. Quando Hitler discursou para uma plateia de alunos no décimo aniversário de fundação da Liga de Estudantes Nazistas em janeiro de 1936, mal mencionou os assuntos estudantis; e ele jamais se dirigiu a uma plateia estudantil outra vez. Em um estilo muitíssimo típico do Terceiro Reich, o ensino superior tornou-se foco de rivalidades intrapartidárias, na medida em que o Gabinete do Assessor do Líder, nominalmente sob Rudolf Hess, mas na realidade tocado por seu ambicioso chefe de equipe, Martin Bormann, começou a ter interesse nas nomeações acadêmicas. Os fundos de pesquisa ficavam sob a égide do Ministério do Interior. Os líderes regionais também interferiam nos assuntos universitários. A SA tentava matricular estudantes. E a Liga dos Estudantes Nazistas assumiu a liderança na nazificação da universidade. O Ministério da Educação adotou o ponto de vista de que a principal função da Liga de Estudantes deveria ser estimular a doutrinação política dos bacharelandos e mestrandos; mas dirigir a faculdade era trabalho do reitor, que as diretrizes emitidas pelo Ministério da Educação a 1º de abril de 1935 definiram como o líder da instituição; o dever do restante da equipe e dos estudantes era segui-lo e obedecer suas ordens.[252]

Na prática, porém, a fraqueza do Ministério da Educação impossibilitou a aplicação desse princípio com alguma consistência. As nomeações acadêmicas tornaram-se objeto de lutas entre o ministério, o reitor, a Liga dos Estudantes Nazistas, professores e chefes locais do Partido Nazista, sendo que todos continuaram a reivindicar o direito ao controle político dentro das universidades. Assim como a Juventude Hitlerista nas escolas, a Liga dos Estudantes Nazistas e seus membros não se furtaram a apontar e a humilhar professores universitários que julgavam não estar andando na linha nazista. Em 1937, um professor de Hamburgo reclamou que nos últimos anos não ocorrera uma única reunião estudantil "na qual o professorado não fosse menosprezado em termos desdenhosos como uma sociedade 'enferrujada' inadequada para educar ou guiar os jovens nas universidades".[253] A partir de 1936, a Liga dos Estudantes teve um novo líder, Gustav Adolf Scheel. Antes de 1933, como estudante, ele havia conduzido uma bem-sucedida campanha de perseguição e intimidação contra o professor pacifista Emil Julius Gumbel na Universidade de Heidelberg. Ele fortaleceu a posição da Liga com a incorporação de todas as uniões estudantis e o reconhecimento formal do direito de indicar seus líderes e dirigir seus assuntos. Scheel cultivou excelentes relações com o gabinete de Hess e com isso teve condições de rechaçar todas as tentativas do Ministério da Educação de conter sua crescente influência. Com uma cadeira no conselho deliberativo de cada universidade, a organização estudantil agora tinha condições de obter acesso à informação confidencial sobre possíveis nomeações. E não hesitava em tornar seus desejos e objeções conhecidos. Como ficou claro que, caso os estudantes não gostassem de um novo reitor, eles podiam – e iriam – tornar a vida dele muito difícil, de 1937 em diante o Ministério da Educação sentiu-se obrigado a consultar os representantes estudantis de antemão, dando a Scheel e a sua organização voz ainda mais ativa na direção das universidades.[254]

Todavia, no fim das contas, a influência da Liga dos Estudantes Nazistas era limitada. Embora tivesse obtido vitória acaçapante nas eleições das uniões estudantis por toda a Alemanha bem antes de 1933, na verdade era uma organização pequena em termos comparativos, com um quadro de associados que não chegava a 9 mil às vésperas da nomeação de Hitler como chanceler do Reich. Visto que muitos desses integrantes pertenciam à afiliada feminina da Liga ou estudavam em instituições não universitárias de ensino superior, e outros localizavam-se em universidades de língua alemã fora do Reich, o número de estudantes do sexo masculino das universidades alemães que eram membros de fato ficava abaixo de 5 mil, ou menos que 5% do total de estudantes universitários alemães.[255] Durante e após a tomada do poder, esse número cresceu depressa, auxiliado pela mistura de terror e oportunismo característica do processo de coordenação social e institucional de 1933. Além disso, o corpo estudantil, cuja maioria era nacionalista, foi levado de roldão pelo entusiasmo com o espírito de 1914 desencadeado pelo novo regime no período inicial de seu domínio. Contudo, a Liga dos Estudantes Nazistas não estava livre de competição nessa época. Muitos estudantes aderiram às tropas de assalto na primavera de 1933, e, seguindo a instrução de Hitler em setembro de 1933 de que a tarefa de politizar o corpo estudantil deveria ser empreendida pela SA, os camisas-pardas implantaram centros próprios nas universidades e pressionaram os estudantes a aderir. No fim do ano, mais da metade dos estudantes da Universidade de Heidelberg, por exemplo, havia se alistado como camisas-pardas. No início de 1934, o Ministério do Interior tornou o treinamento militar organizado pelos camisas-pardas obrigatório para os estudantes do sexo masculino. Em breve, eles passariam longas horas treinando com a SA. Isso teve um grave efeito nos estudos. As autoridades universitárias começaram a notar uma queda drástica nos níveis acadêmicos à medida que os estudantes passavam dias ou mesmo semanas longe dos estudos, ou apareciam nas aulas em estado de exaustão após treinar a noite inteira. E isso não era tudo. Conforme o reitor da Universidade de Kiel reclamou ao Ministério da Educação em 15 de junho de 1934:

Existe hoje o perigo de que, sob o título de "luta contra o intelecto", uma luta contra a classe dos intelectuais esteja sendo travada pelo Gabinete Universitário da SA. Existe, além disso, o perigo de que, sob o lema "tom rude marcial", estudantes dos três primeiros semestres adotem um tom que com frequência deve ser rotulado não mais como rude, mas positivamente estúpido.

Alguns líderes camisas-pardas chegavam a dizer aos membros estudantis que seu primeiro dever era com as tropas de assalto; os estudos acadêmicos eram uma ocupação de lazer, a ser realizada no tempo livre. Tais afirmativas depararam com rápida e crescente resistência entre a maioria dos estudantes. Em junho de 1934, o líder estudantil nacional Wolfgang Donat deparou com "vaias, bater de pés e assovios" ao tentar discursar em um encontro da Universidade de Munique, ao passo que alguns professores universitários que ousaram incluir uma pitada de crítica ao regime em suas preleções foram recepcionados com explosões de aplausos incontidos. Eclodiram brigas públicas entre ativistas nazistas e outros estudantes.[256]

Não por coincidência, esses eventos coincidiram com a primeira grande crise do regime em junho de 1934. A decapitação da liderança da SA na "Noite das Facas Longas" no fim do mês abriu caminho para uma reforma total da presença nazista no grupo estudantil. O Gabinete do Assessor do Líder, Rudolf Hess, assumiu o comando da Liga dos Estudantes Nazistas e remodelou sua liderança, ao passo que no final de outubro a SA foi efetivamente removida das universidades, e o treinamento com os camisas-pardas foi substituído por uma educação esportiva menos exigente. A associação à Liga dos Estudantes Nazistas começou a subir abruptamente, atingindo 51% dos estudantes do sexo masculino em 1939 e 71% dos de sexo feminino.[257] A essa altura, a Liga havia dado jeito de superar a resistência obstinada das fraternidades estudantis tradicionais, que em 1933 abrangiam mais da metade de todo o grupo estudantil masculino. Como outras instituições conservadoras, as fraternidades haviam feito oposição veemente à República de Weimar e apoiado a tomada nazista do poder; a maioria de seus membros provavelmente havia se filiado ao Partido até o verão de 1933. Ao mesmo tempo, porém, as fraternidades haviam sido obrigadas a introduzir o princípio de liderança em seu gerenciamento outrora coletivo, a indicar nazistas para os postos mais altos e expulsar quaisquer membros até mesmo remotamente judeus e "antigos cavalheiros" judeus, ex-membros cuja influência financeira conferia-lhes voz ativa na administração das fraternidades. Ainda assim, o tom aristocrático e a tradicional independência das fraternidades não eram do agrado dos líderes nazistas, e, quando membros de uma das fraternidades de duelo mais exclusivas de Heildelberg foram vistos interrompendo uma das transmissões de rádio de Hitler em estado de bebedeira e, poucos dias depois, especulando em altos brados, durante uma tumultuosa refeição regada a bebida em uma estalagem, se o Líder comia aspargo "com faca, garfo ou com a pata", Baldur von Schirach, líder da Juventude Hitlerista, desfechou uma campanha de imprensa maciça contra eles e determinou que no futuro nenhum membro da Juventude Hitlerista se associaria a uma organização tão lamentavelmente reacionária quanto aquela. Visto que isso ia de encontro às opiniões conhecidas do chefe do funcionalismo público da Chancelaria do Reich, Hans-Heinrich Lammers, ele mesmo um proeminente e influente "antigo cavalheiro", o assunto foi parar em Hitler. Em um monólogo de duas horas diante de dignitários nazistas reunidos em 15 de junho de 1935, o Líder deixou claro que esperava que as fraternidades desaparecessem da Alemanha nazista como resquícios de uma era aristocrática do passado. Em maio de 1936, Hitler e Hess condenaram publicamente as fraternidades e impediram membros do Partido de pertencer a elas. Vendo o que estava a caminho, Lammers já havia abandonado a defesa das fraternidades, e no final do ano acadêmico estas haviam se dissolvido ou se fundido à Liga dos Estudantes Nazistas.[258]

II

Desse modo, a Liga dos Estudantes Nazistas obteve a supremacia entre o grupo estudantil em meados da década de 1930, tirando efetivamente do caminho outras instituições representativas dos estudantes. Mas fez isso no contexto de uma queda abrupta no número total de membros. Um dos muitos fatores que havia nutrido a insatisfação estudantil com a

República de Weimar havia sido a drástica superlotação vivenciada pelas universidades em decorrência da entrada no sistema de ensino superior dos grandes contingentes de nascidos nos anos pré-1914. Sob o Terceiro Reich, porém, o número de estudantes nas universidades despencou, de um pico de quase 104 mil em 1931 para pouco menos de 41 mil em 1939. Nas universidades técnicas, os números passaram por uma queda semelhante, ainda que um pouco menos abrupta, de mais de 22 mil em 1931 para pouco mais de 12 mil oito anos depois.[259] Dentro dessa queda geral, alguns cursos saíram-se pior que os outros. O direito foi particularmente afetado. Os estudantes de direito, que somavam 19% do grupo estudantil total em 1932, constituíam apenas 11% em 1939. Uma redução semelhante ocorreu nas humanidades, em que 19% dos estudantes estavam matriculados em 1932, mas apenas 11% sete anos depois. As ciências naturais também sofreram retração, embora de proporções menos dramáticas, de 12% para 8% do grupo estudantil ao longo do mesmo período. A teologia, de modo talvez surpreendente, manteve seus índices proporcionais em torno de 8% a 10%, e a economia até experimentou um aumento modesto, de 6% para 8%. Mas a verdadeira campeã foi a medicina, que já computava um terço da população estudantil em 1932 e atingiu quase a metade, 49%, em 1939. As reais dimensões dessas mudanças ficam evidentes ao se recordar que os números totais dos estudantes universitários caíram em mais da metade ao longo desses anos, de modo que é razoável falar em uma verdadeira crise, sobretudo nas humanidades e no direito às vésperas da Segunda Guerra Mundial. Houve uma série de motivos para isso. Tanto as humanidades quanto o direito eram objetos de crítica contínua do regime, reduzindo sua atratividade para os candidatos. De modo semelhante, o serviço público, um destino tradicional dos bacharéis em direito, ficou sob fogo cerrado de 1933 em diante, e sua influência e o prestígio caíram abruptamente à medida que a influência e prestígio do Partido cresciam. O ensino, a principal fonte de emprego para os formados em humanidades, registrou queda similar em sua atratividade em meados da década de 1930, como vimos. Por outro lado, a posição social e política da classe médica disparou durante esses anos, à medida que o regime colocava a higiene racial no centro de sua política doméstica, e a

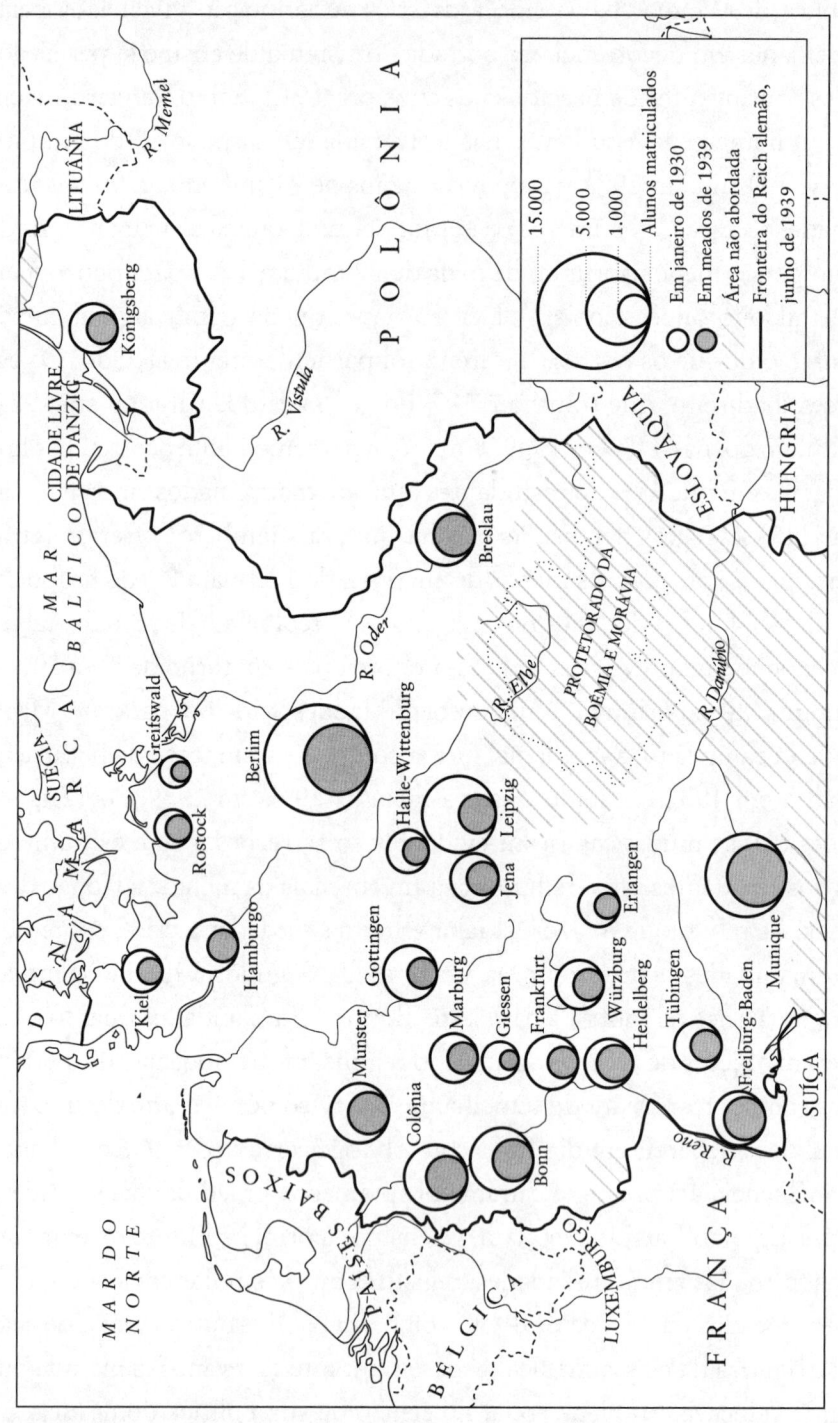

Mapa 8. O declínio das universidades alemãs, 1930-39

remoção dos médicos judeus da profissão criava um grande número de vagas para os bacharéis arianos.[260]

A queda das humanidades, de longe a escolha mais popular dos estudantes do sexo feminino, foi em parte consequência das restrições colocadas pelo regime à entrada das mulheres nas universidades nesses anos. Hitler era da opinião de que o principal propósito de educar garotas seria treiná-las para ser mães. Em 12 de janeiro de 1934, o Ministério do Interior de Wilhelm Frick, com base na Lei contra a Superlotação das Instituições e Escolas Alemãs de Ensino Superior (de 25 de abril de 1933), determinou que a proporção de moças formadas no ginásio e liberadas para seguir para a universidade não poderia ser maior que 10% dos rapazes. Na Páscoa do mesmo ano, cerca de 10 mil alunas do ginásio passaram no exame de admissão para a universidade; como resultado da diretiva, apenas 1,5 mil tiveram permissão para entrar na universidade, e em 1936 o número de mulheres universitárias foi cortado pela metade como consequência. As instituições nazistas de ensino de elite – as Escolas Adolf Hitler e os Castelos da Ordem – não admitiam moças, embora um pequeno número das escolas de elite pública – as Napolas – o fizesse. Além disso, a reorganização das escolas secundárias alemãs determinada em 1937 aboliu de vez o ginásio para as meninas. As meninas foram proibidas de aprender latim, um requisito para entrar na universidade, e o Ministério da Educação fez de tudo para guiá-las para a educação doméstica, para a qual existia um conjunto de escolas de moças; a única educação secundária disponível às meninas era uma escola de moças baseada no ensino de letras, na qual a ciência doméstica agora também era compulsória. A partir de abril de 1938, todas as garotas que ainda conseguiam aprovação para o exame de admissão para a universidade apesar de todos esses obstáculos eram obrigadas a cumprir um "ano doméstico"; só depois receberiam o certificado de conclusão da escola e a permissão para entrar na universidade, desde que a cota não estivesse excedida.[261] O número de mulheres estudantes no ensino superior caiu de mais de 17 mil em 1932--33 para bem abaixo de 6 mil em 1939, mais rapidamente que o número de homens; a proporção de mulheres caiu de pouco menos de 16% para pouco mais de 11% nesse período. As tentativas de reverter esse curso a fim de atender à crescente demanda por profissionais de sexo feminino capacitadas e qualificadas à medida que o rearmamento tomava conta da economia não teve efeito perceptível, visto que foram de encontro a todas as outras medidas tomadas para expulsar as mulheres das universidades desde 1933.[262]

De início, a Lei contra a Superlotação das Instituições e Escolas Alemãs de Ensino Superior de 25 de abril de 1933 afetou apenas estudantes judeus, mas, em dezembro de 1933, o Ministério do Interior do Reich anunciou que apenas 15 mil dos 40 mil alunos secundaristas que se esperava que passassem no exame de graduação escolar em 1934 encontrariam vagas nas universidades da Alemanha. O desemprego ainda estava em níveis gravemente altos, e seria errado os alunos irem para as universidades se no fim não tivessem perspectiva de trabalho. Entretanto, essa medida durou apenas dois semestres, visto que o Ministério do Interior do Reich perdeu a competência sobre as universidades quando o Ministério da Educação foi fundado em maio de 1934, e a nova pasta abandonou rapidamente as restrições, permitindo até àqueles cuja entrada havia sido negada naquele ano que se candidatassem novamente, desde que estivessem desempregados e fossem considerados politicamente confiáveis.[263] Mais influente que tais medidas talvez fosse o desprezo muitas vezes manifestado pelas lideranças nazistas em relação às universidades e àqueles que lecionavam e estudavam. Em novembro de 1938, Hitler desferiu um ataque furioso aos intelectuais, entre os quais, sem dúvida, estavam os professores universitários. Ele declarou que os intelectuais eram basicamente pouco confiáveis, inúteis e até mesmo perigosos, e contrastou o individualismo irredutível e a constante reprovação crítica desses com a solidariedade instintiva e incondicional das massas. "Quando dou uma olhada nas classes intelectuais que temos... infelizmente elas são necessárias, suponho; do contrário um dia se poderia, não sei, exterminá-las ou coisa assim... mas infelizmente elas são necessárias."[264] Por quanto tempo, ele não disse. Qualquer um que tivesse lido *Minha luta* estaria ciente de seu desprezo pelos intelectuais, a quem culpou em larga medida pelo desastre de 1918. Isso inevitavelmente teve o efeito de produzir desilusão entre os acadêmicos e relutância em se matricular entre os estudantes potenciais. Na Alemanha anterior a 1933, um diploma universitário havia sido o caminho para o prestígio social e o sucesso profissional. Agora, para muitos, não era mais. Sob o Terceiro Reich, não havia dúvida de que as universidades da Alemanha estavam em declínio. O número de estudantes estava caindo, cientistas e eruditos importantes haviam sido demitidos e em muitos casos substituídos por outros de segunda categoria. Cátedras e cargos de ensino permaneceram não preenchidos.[265]

O declínio já havia começado antes de Hitler chegar ao poder, na medida em que o desemprego em massa impedia os jovens e em especial as moças de entrar na universidade quando as perspectivas de se obter um serviço depois eram mínimas. Somado a isso, em 1934, o pequeníssimo grupo de nascidos nos anos da Primeira Guerra Mundial, quando a taxa de natalidade despencou pela metade do nível pré-guerra, começou a atingir a idade em que a entrada na universidade era uma opção. Longe de agir para neutralizar os efeitos da queda demográfica sobre o número de estudantes, o regime fez de tudo para magnificá-los. Por fim, a enorme expansão do Exército profissional, com a introdução do recrutamento em 1935, abriu um número muito grande de cargos bem pagos e prestigiosos no corpo de oficiais, de modo que, enquanto menos de 2% dos rapazes formados no secundário entraram para o Exército em 1933, nada menos que 20% fizeram-no em 1935 e 28% em 1937. Além disso, nessa época, os prováveis estudantes estavam tendo que esperar dois anos ou mais depois de terminar o ensino secundário para poder entrar na universidade, visto que boa parte do tempo intermediário agora era consumido com o serviço militar obrigatório. Na metade da casa dos vinte anos, muitos rapazes não tinham ânimo para passar mais tempo sem emprego. Calcula-se que o banimento dos judeus das universidades tenha reduzido o número de estudantes em mais 3% a 4%, ao passo que, como vimos, as medidas nazistas contra as mulheres estudantes também ocasionaram redução nos números globais.[266]

A atratividade do estudo universitário foi adicionalmente minada pela decisão da Liga dos Estudantes Nazistas de que todos os formados no secundário teriam que cumprir um período de serviço para o Reich antes de ter permissão para começar os estudos na universidade. A partir da Páscoa de 1934, o serviço de seis meses tornou-se obrigatório para todos os candidatos aprovados para a universidade, ao passo que estudantes do primeiro e do segundo ano já na universidade foram forçados a servir pelo período de dez semanas em um campo de trabalho. O objetivo era infundir nos estudantes universitários o tipo de formação de caráter que também estava se tornando tão importante nas escolas. Conforme Bernhard Rust disse a estudantes de Berlim em junho de 1933: "Quem fracassa no campo de trabalho perde o direito de tentar dirigir a Alemanha como um bacharel universitário". Os estudantes foram os primeiros a serem submetidos a essas medidas no Terceiro Reich. A ideia era não somente dar expressão prática ao comprometimento com a construção da nova Alemanha, como também ajudar a superar o esnobismo de classe e a arrogância intelectual dos muito cultos; a fim de ocasionar isso, os organizadores do serviço compulsório certificavam-se de que os estudantes não somassem mais de 20% da população de internos em qualquer campo de trabalho para onde fossem destacados.[267]

Todavia, a política fracassou notoriamente em atingir a meta de ajudar a construir uma nova comunidade racial sem classes. A maioria dos estudantes que serviu nos campos odiou a forma como, conforme um memorando da organização estudantil reclamou em novembro de 1933, "os vociferantes oficiais subalternos" do velho Exército, que dirigiam os campos, "sempre dando-se ares de grande importância", descarregavam seu ressentimento social sobre os jovens internos. Disciplina militar estrita, abuso verbal e intimidação eram táticas comuns empregadas pelos líderes incultos dos campos para humilhar os estudantes. Um interno mais tarde lembrou que esses homens

> entediavam-se, enchiam a cara como idiotas toda noite e então divertiam-se à nossa custa... Éramos arrancados da cama quatro horas depois do toque de recolher e tínhamos que marchar nos trajes de dormir, depois correr ao redor da caserna e, de volta aos alojamentos, rastejar por baixo das camas e escalar os armários e cantar versinhos que pareciam apropriados às nossas ações.[268]

Longas horas de trabalho físico não especializado, construindo estradas ou drenando pântanos, executados com alimentação parca, esgotavam muitos dos estudantes, em grande parte de classe média. Eles também eram alvo de piadas, truques e abuso verbal contínuos da maioria dos internos do campo, oriundos principalmente de um ambiente rural ou operário e muito mais acostumados com trabalho braçal árduo e não qualificado. Para os estudantes, aquele era um mundo de pernas para o ar, que não criava solidariedade com as outras classes sociais, mas ódio, amargura e ressentimento em relação a elas.[269]

O serviço compulsório pré-universitário tampouco era o fim de tais atividades para os estudantes. Uma vez que ingressassem na universidade, ficavam sob pressão crescente para passar várias semanas a cada ano, nas férias, trabalhando de graça em uma fábrica ou fazenda. Isso não era popular entre os universitários, e as taxas de participação permaneceram baixas – apenas 5% da população estudantil em 1936. Himmler também ordenou que 25 mil estudantes deveriam ajudar na colheita em 1939 porque a tensa situação internacional da época inviabilizava a contratação dos trabalhadores temporários poloneses que desempenhavam a função. A medida causou inquietação generalizada e protestos públicos em diversas universidades. A Gestapo foi acionada e vários estudantes foram detidos. Mesmo assim, apenas 12 mil estudantes apareceram na colheita; os outros acharam um jeito ou outro de evitá-la. Outras tentativas de levar o espírito do campo de trabalho para dentro das universidades foram igualmente infrutíferas. As uniões estudantis nazificadas quiseram estabelecer "casas de companheiros" nas quais os estudantes viveriam coletivamente em vez de se alojar em acomodações privadas como haviam feito até 1933. Isso foi planejado, entre outras coisas, como uma estratégia para retirar o controle das fraternidades de duelo e das demais, cujas instalações seriam usadas para as casas de companheiros. As fraternidades usaram sua influência nos ministérios, nos quais muitos dos altos funcionários públicos eram antigos membros, para barrar a iniciativa, e a Liga dos Estudantes Nazistas também se opôs ao movimento. Por fim, o próprio Hitler também interveio, declarando em novembro de 1934 que as casas de companheiros encorajariam a homossexualidade.[270] Entretanto, o colapso das fraternidades em 1936 proporcionou uma segunda chance à ideia, dessa vez sob a égide da Liga dos Estudantes Nazistas, e em 1939 havia nada menos que 232 casas de companheiros, que se tornaram mais atraentes aos estudantes por abandonar a antiga insistência em acordar os residentes às 6h15 da manhã para uma vigorosa sessão de ginástica. Porém, a igualmente impopular instituição de três noites por semana despendidas em doutrinação política não foi abolida. Muitos estudantes foram pressionados a entrar em uma casa de companheiros de um jeito ou de outro, e as viam basicamente como instituições sociais. Depois de passar por anos de doutrinação incessantemente repetida e intelectualmente enfadonha na escola e na Juventude Hitlerista, a última coisa que queriam quando entravam na universidade era mais do mesmo. Os responsáveis pelas casas de companheiros em Hamburgo, por exemplo, reclamaram em 1937 da "estafa com todo tipo de educação política", enquanto um entusiástico estudante nazista de Marburg declarou sua decepção em 1939 "porque nas casas de companheiros da Liga dos Estudantes Nacional-Socialistas Alemã continua a se cultivar basicamente apenas o estilo de vida das antigas fraternidades estudantis". "Hoje em dia", concluiu o líder estudantil nazista de Würzburg em 1938, "existem pouquíssimas pessoas politicamente fanáticas na universidade. Elas estão calejadas ou fartas".[271]

III.

A Liga dos Estudantes Nazistas não se contentou em tentar mudar a experiência estudantil por meio da instituição de campos de trabalho compulsórios, serviço obrigatório e casas de companheiros. Tentou também influenciar o que era ensinado nas universidades. A Liga deixou claro em 1936

> que nós... interviremos onde a visão nacional-socialista do mundo não for convertida na base e no ponto de partida da pesquisa científica e erudita, e o professor não orientar por iniciativa própria os estudantes nesses pontos de partida ideológicos dentro de sua matéria científica ou erudita.[272]

Os chefes do Partido Nazista jamais cansavam de repetir essa ideia com graus variados de ênfase – brutalmente franca em discursos de um criminoso como Hans Frank, aparentemente moderada e flexível nas falas de um caráter vacilante como Bernhard Rust. Estava claro que as universidades tinham que perseguir as mesmas metas que as escolas e colocar a ideologia nazista no centro de seu ensino e pesquisa. Novas cátedras e institutos foram fundados em várias universidades sobre estudos raciais e higiene racial, história militar e pré-história, ao passo que cadeiras adicionais sobre folclore alemão foram fundadas na metade das universidades alemãs entre 1933 e 1945. A maior parte dos novos cargos foram o resultado de iniciativas dos reitores das universidades e não do Ministério da Educação. Em 1939, existiam institutos de estudos raciais em doze das 23 universidades da Alemanha (em suas fronteiras de 1937). As novas fundações envolveram um considerável investimento financeiro e de prestígio em assuntos que não estavam bem representados no alto escalão das universidades alemãs antes de 1933.[273]

Essas novas áreas de ensino e pesquisa foram respaldadas em muitas universidades por cursos especiais de palestras sobre tais assuntos e sobre as ideias políticas do nacional-socialismo, que em algumas universidades tornaram-se compulsórios para todos os estudantes antes de prestar os exames. Em Heidelberg, o professor e líder nazista Ernst Krieck, que se tornou reitor em 1937, fazia preleções sobre a visão de mundo nacional-socialista. Palestras desse tipo eram realizadas em outros locais. Porém, após o primeiro ímpeto de entusiasmo, a maior parte dos cursos especiais sobre ideologia nazista foram retirados do ensino universitário, e em meados da década de 1930 menos de 5% das conferências nas universidades alemãs eram francamente nazistas no título e no conteúdo. A maior parte dos professores e conferencistas que não foi expurgada em 1933 – a maioria – continuou a ensinar suas matérias como antes, com concessões apenas periféricas à ideologia nazista, ocasionando queixas repetidas dos estudantes nazistas. Estas foram ecoadas em muitas ocasiões por oficiais do Partido Nazista: a acusação, disparada em 1936 por Walter Gross, diretor do Escritório de Política Racial do Partido Nazista, aos "esforços muitas vezes extremamente embaraçosos de cientistas e eruditos notáveis para tomar parte apenas pela metade no nacional-socialismo", estava longe de ser atípica. Depois de 1945, muitos ex-estudantes desse período recordaram que seus professores haviam sido na maioria mestres da velha escola, que se adaptaram à ideologia nazista de modo apenas superficial.[274] A Liga dos

Estudantes Nazistas tentou forçar mudanças por meio da criação de um roteiro de ensino alternativo ao existente, na forma de grupos sobre temas específicos dirigidos por alunos (*Fachschaften*) que proporcionariam uma educação nazista completa fora das aulas e palestras acadêmicas regulares. Mas os cursos não foram populares entre os estudantes, sobretudo porque não podiam realmente dar-se ao luxo de perder aulas regulares e assim teriam que estudar dobrado se prosseguissem. Os cursos suscitaram o antagonismo dos conferencistas e foram largamente neutralizados pela necessidade de incorporar a equipe docente ao trabalho, visto que a maioria dos estudantes carecia do conhecimento necessário.[275] Além disso, em muitas aulas regulares ainda era possível uma discussão relativamente aberta, e os conferencistas tinham condições de evitar a ideologia nazista com bastante facilidade quando tratavam de assuntos altamente técnicos, mesmo em temas como filosofia, quando a discussão sobre Aristóteles e Platão permitia que questões básicas sobre moralidade e existência fossem debatidas sem se recorrer aos conceitos e terminologia do nacional-socialismo.[276]

O sucesso dos nazistas em adequar as universidades a seus propósitos ideológicos foi, portanto, surpreendentemente limitado.[277] O ensino continuou com mudanças apenas relativas e superficiais na maior parte dos setores. Estudos sobre as teses de doutorado concluídas durante a era nazista mostraram que não mais de 15% delas poderiam ser classificadas de nazistas na linguagem e na abordagem.[278] Professores esnobes e elitistas do tipo tradicional desprezavam abertamente os aventureiros políticos trazidos para dentro das universidades pelo regime, ao passo que a maioria destes ficava tão enfronhada na administração universitária que tinha pouco tempo para propagar suas ideias aos estudantes. Por outro lado, o anti-intelectualismo do movimento nazista assegurou que muitas figuras importantes do Partido, de Hitler para baixo, ridicularizassem muitas daquelas ideias e as julgassem obscuras demais para ter qualquer relevância política real. Nem Bernhard Rust nem Alfred Rosenberg, as duas lideranças nazistas eminentes no campo da educação e da ideologia, eram politicamente hábeis ou determinados o bastante para driblar professores astutos cujas aptidões para intriga e dissimulação haviam sido aguçadas em décadas de luta interna nos comitês universitários. A fundação de um novo instituto dedicado ao estudo de alguma obsessão nazista favorita podia ser saudada pelos professores conservadores como uma forma de se livrar de um colega impopular por meio de um desvio acadêmico, como aconteceu quando o rabugento historiador de extrema direita Martin Spahn ganhou o seu próprio Instituto de Política Espacial na Universidade de Colônia em 1934. Isso matou dois coelhos com uma única cajadada, visto que removeu Spahn do Departamento de História, onde ele era profundamente impopular, para um setor em que não tinha que entrar em contato com os colegas, e ao mesmo tempo demonstrou o comprometimento da universidade com as ideias geopolíticas do novo regime.[279]

No geral, entretanto, a ideologia nazista em si era pobre demais, tosca demais, incoerente demais e no fim irracional demais para ter qualquer impacto real sobre o ensino e a pesquisa no nível sofisticado em que estes eram tratados na educação superior. A tentativa de encurralar a equipe de ensino universitário em uma Associação de Conferencistas Nacional-Socialistas Alemães em dezembro de 1934 – muito tardia, comparada a organizações similares em outras profissões – falhou, entre outros motivos, pela inépcia de seu líder, Walter "Bubi" Schultze, que havia conquistado a gratidão de Hitler por consertar o ombro deslocado do Líder durante o golpe fracassado de 1923. Schultze fez inimigos por toda a parte graças a intrigas malfeitas. Indispôs o Ministério da Educação com sua falta de tato. Sua organização também era considerada pelos professores uma interferência injustificada em seu poder sobre a classe em geral. Um órgão aparentado da Associação, a Comissão de Ensino Superior do Partido Nazista, fundada em julho de 1934, não se saiu melhor, visto que era liderada por homens sem posição na comunidade acadêmica. Não se cogitou exigir que os professores universitários alemães frequentassem cursos de doutrinação ou campos de trabalho, como seus colegas que lecionavam em escolas. Seguros dentro de sua comarca, os professores não levaram fé no anti-intelectualismo dos nazistas. O entusiasmo inicial de acadêmicos nacionalistas como o filósofo Martin Heidegger pela revolução cultural nazista logo se desvaneceu, à medida que ficava claro que o novo regime não tinha interesse na renovação da ciência e da cultura alemãs como um fim em si mesmo. Em 1939, até mesmo um acadêmico nazista convicto e determinado como Ernst Krieck perguntava:

"O professor mudou? Não! O espírito de 1933 abandonou-o mais uma vez, ou pelo menos deixou de estar presente em seu saber erudito, mesmo que ele por outro lado seja ao menos parcialmente favorável".[280]

Uma generalização impetuosa como essa precisa ser qualificada, é claro; em algumas universidades, o nazismo fez avanços maiores entre o professorado do que em outras. Jena, Kiel ou Königsberg, por exemplo, figuravam como centros relativamente fortes de ensino e pesquisa nazistas, ao passo que universidades em regiões católicas permaneceram menos intensamente afetadas; a Universidade de Bonn, na verdade, tornou-se uma espécie de lixão de professores indesejados e realocados compulsoriamente de outros centros de ensino superior, enquanto a população estudantil local permaneceu dominada por grupos católicos e conservadores até sua dissolução pelos nazistas em meados da década de 1930. Em Bonn, apenas uma minoria dos cargos – cerca de 5% – chegou a ser a ocupada por nazistas fanáticos, e uns outros 10% por defensores engajados do Partido. O resto ficou com simpatizantes superficiais, ou indiferentes, ou acadêmicos que se opunham ao regime; o fato de que quase um quarto dos 380 professores de Bonn fossem hostis ao nazismo era incomum, mas a predominância de critérios eruditos e científicos na maioria das nomeações para as faculdades mesmo depois de 1933 não era; isso tampouco era incomum na maioria das outras universidades alemãs.[281] Ao inspecionar o terreno em 1938, o Serviço de Segurança da SS chegou a conclusões compreensivelmente sombrias. "Em quase todas as universidades", reclamou, "existem queixas sobre a passividade dos professores conferencistas, que rejeitam qualquer trabalho político ou ideológico que rompa as fronteiras estreitas de suas especialidades".[282]

IV

As dificuldades vivenciadas pelos nazistas para transformar os temas acadêmicos tradicionais em expressões de sua ideologia política não ficaram mais claras em nenhum outro setor que na física. Houve uma tentativa consciente de nazificar a disciplina, liderada pelo físico Philipp Lenard, um idoso líder da ciência alemã que havia se aposentado da cátedra em

Heidelberg em 1931. Nascido em 1862, filho de um comerciante de vinhos, Lenard estudou com Heinrich Hertz, o descobridor das ondas de rádio, e em 1905 ganhou o Prêmio Nobel por experimentos precursores com raios catódicos. A despeito do Nobel, Lenard encheu-se de amargura e ressentimento ao ser derrotado por seu aluno Wilhelm Röntgen na descoberta dos raios X, e acusou o físico britânico J. J. Thomson, que estabeleceu a natureza dos raios catódicos, de roubar e ocultar seu trabalho anterior sobre o assunto. Conferencista carismático e popular que alcançou grande fama na Alemanha por seu trabalho, Lenard enfatizava o experimento cuidadoso e preciso e não tinha tempo para teoria. Seu ódio a Thomson intensificou-se em uma aversão geral pelos britânicos, enquanto o nacionalismo alemão absorvido por ele na terra natal, na Bratislava, na monarquia multinacional de Habsburgo, transbordou como chauvinismo em 1914 e como antissemitismo no fim da Primeira Guerra Mundial. Tudo isso levou-o a agir com fúria indisfarçada quando a teoria geral da relatividade foi empiricamente validada em maio de 1919, trazendo fama mundial a Albert Einstein.[283]

Pacifista, judeu, teórico e partidário da República de Weimar, Einstein representava tudo que Lenard mais odiava. Além disso, os cientistas que tinham validado sua teoria eram britânicos. No debate que se seguiu sobre a relatividade, Lenard assumiu a liderança da rejeição à teoria de Einstein como uma "fraude judaica" e da mobilização da comunidade da física contra ela. Lenard foi parar nos braços dos nazistas quando sua recusa em aderir ao luto oficial pelo assassinato do ministro de Relações Exteriores Rathenau – cujo extermínio ele havia defendido publicamente não muito tempo antes – desencadeou uma manifestação sindical contra ele em 1922, e Lenard teve que ser levado em custódia policial para sua própria proteção. Proibido de retornar ao trabalho por sua universidade, Lenard foi reintegrado em consequência da pressão dos estudantes de extrema direita, em cuja órbita ele então gravitava. Em 1924, louvou em público o golpe da cervejaria de Hitler no ano anterior e, embora não entrasse formalmente para o Partido Nazista até 1937, já era para todos os fins e efeitos um seguidor do movimento e participou ativamente do trabalho de grupos como a Liga de Combate pela Cultura Alemã de Rosenberg. Saudou a chegada do Terceiro Reich com entusiasmo desenfreado, celebrou a remoção de professores judeus das universidades e publicou um texto em quatro volumes sobre *Física alemã* em 1936-37 que ele com certeza esperava que proporcionasse os fundamentos para uma nova "física ariana" de base racial que eliminaria de uma vez por todas a doutrina da relatividade da ciência alemã.[284]

Porém, a idade relativamente avançada de Lenard nessa época impediu-o de assumir a frente na luta por uma física ariana. O papel coube a seu amigo e colaborador chegado Johannes Stark, outro experimentalista talentoso, mas extremamente brigão, cujas descobertas incluem a separação de linhas espectrais em um campo elétrico, fenômeno que ficou conhecido como efeito de Stark. Como Lenard, era um nacionalista alemão e foi impelido para a oposição a Einstein em 1914-18 entre outras coisas pelo pacifismo e internacionalismo deste. Sua crescente hostilidade à física moderna, e em especial à predominância alcançada pelos físicos teóricos na esteira de Einstein, foi um empecilho ao avanço de sua carreira na década de 1920; o fracasso em encontrar um serviço levou-o a culpar a República de Weimar por seus infortúnios e a formar laços íntimos com ideólogos nazistas de destaque como Hans Schemm e Alfred Rosenberg. Como resultado, o ministro do Interior, Wilhelm Frick, nomeou Stark presidente do Instituto Imperial de Física e Tecnologia em 1º de maio de 1933, e um ano depois ele recebeu o cargo de presidente da Associação de Emergência da Ciência Alemã (depois Comunidade de Pesquisa Alemã), encarregado de desembolsar grandes quantias do dinheiro governamental para a pesquisa. A partir desses postos de poder, Stark lançou uma campanha orquestrada para colocar os defensores da física ariana em cargos acadêmicos e para remodelar o custeio e o gerenciamento do setor, de modo a cortar o apoio aos proponentes de teorias modernas como relatividade e mecânica quântica.[285]

Mas Stark era eficiente demais em fazer inimigos, e isso não o ajudava. Não demorou para atiçar a hostilidade de funcionários públicos importantes dentro do Ministério da Educação, da SS (cuja pesquisa racial e genealógica ele menosprezou rispidamente como não científica) e do líder regional do Partido na Baviera, Adolf Wagner. Além disso, os próprios "físicos alemães" estavam divididos, com Lenard defendendo a pesquisa pura, enquanto Stark era a favor da aplicação da física à tecnologia. Acima de tudo, entretanto, tiradas as polêmicas políticas e as diatribes antissemitas, não sobrava nada de muito útil na física ariana, cujas ideias eram atrapalhadas, confusas e contraditórias. A mecânica quântica e a relatividade eram úteis demais para serem ignoradas, e os outros físicos driblaram as críticas de Lenard argumentando que tais teorias simbolizavam conceitos nórdicos essenciais e constituíam uma rejeição ao materialismo judaico. A maioria dos físicos, portanto, repudiou as ideias de Lenard e Stark, e o progresso dos físicos arianos foi lento. Em 1939, eles haviam conseguido preencher apenas seis das 81 cadeiras de física na Alemanha, e basicamente com seus alunos. Não obstante, sua influência não desapareceu. Um triunfo característico foi a campanha que armaram contra Werner Heisenberg, que ganhou um Prêmio Nobel por seu pioneirismo em mecânica quântica em 1932. Nascido em 1901, Heisenberg havia estudado com luminares da física moderna como Niels Bohr e Max Born, e fora nomeado professor de física teórica na Universidade de Leipzig em 1927. Nacionalista conservador, embora não ativo na política, Heisenberg, como muitos colegas, convenceu-se de que o estrago causado à ciência alemã pela demissão de pesquisadores judeus só poderia ser reparado se homens como ele permanecessem na Alemanha.[286]

Mas os físicos arianos tinham outras ideias. Mobilizaram uma vigorosa campanha contra a nomeação de Heisenberg para a prestigiosa cátedra de física teórica em Munique em 1937. O ataque público de Stark a Heisenberg na imprensa nazista como um seguidor do detestado Einstein era pura polêmica: na verdade, Einstein havia rejeitado cabalmente a mecânica quântica. O ataque, porém, ameaçava claramente a física dominante como um todo. Isso suscitou uma resposta pública redigida por Heisenberg e assinada por 75 físicos de destaque, uma intervenção pública quase sem precedente sob as circunstâncias do Terceiro Reich. Os físicos reafirmaram o princípio de que nenhum progresso era possível na experimentação sem a elucidação teórica das leis da natureza. As ações dos físicos arianos, declararam, estavam causando dano à ciência e afastando os estudantes. Já havia pouquíssimos físicos na geração mais jovem da Alemanha. Depois disso, os ataques públicos cessaram, mas nos bastidores os físicos arianos recrutaram o apoio do Serviço de Segurança da SS de Reinhard Heydrich e da seção de Munique da Liga de Professores Universitários Nacional-Socialistas Alemães para barrar a nomeação de Heisenberg. Para combater isso, Heisenberg lançou mão das relações de sua família com a família de Heinrich Himmler, cujo pai havia sido professor escolar em Munique na mesma época que o dele. O físico mandou sua mãe interceder junto à mãe de Himmler, com o resultado gratificante de que o chefe da SS limpou seu nome em julho de 1938. Contudo, o resultado final ainda foi uma vitória para Stark e seus defensores. Com efeito, a partir de 1º de dezembro de 1939, a cadeira de Munique não foi ocupada por Heisenberg, mas por Wilhelm Müller, que não era sequer físico, mas um especialista em aerodinâmica cuja principal recomendação era ter publicado um livreto intitulado *Judeus e ciência* em 1936, atacando a relatividade como uma falcatrua judaica. Depois disso, o ensino de física teórica na Universidade de Munique cessou por completo, um resultado inteiramente do agrado dos físicos arianos, representando seu maior triunfo até então.[287]

Tirando a física, nenhuma outra disciplina científica tradicional foi tão agitada por uma tentativa de alguns de seus praticantes mais eminentes de torná-la uma forma de conhecimento especificamente nazista, com a possível exceção da biologia. Houve uma tentativa deveras tênue de criar uma "matemática alemã", enfatizando a geometria em vez da álgebra por supostamente estar mais intimamente relacionada ao ideal da forma humana conforme expresso pelo tipo racial ariano, mas foi ignorada pela maioria dos matemáticos como obscura e irrelevante, e não deu em nada.[288] De modo semelhante, a tentativa de criar uma "química alemã", que, como nas outras disciplinas, foi lançada pelos próprios cientistas em vez de emanar do regime ou das autoridades nazistas, foi vaga e difusa demais para ter qualquer impacto real. Menos antissemita que a física ariana, preferia dirigir seus ataques contra o racionalismo "ocidental" e basear suas teorias na recuperação dos conceitos orgânicos da natureza, preferidos pelos românticos alemães; mas os resultados foram ainda menos importantes, até porque os químicos arianos não podiam gabar-se de ninguém em suas fileiras do porte de Lenard ou Stark.[289] O que uniu todas essas tentativas de nazificar a ciência foi uma suspeita típica do nacional-socialismo em relação à abstração e ao formalismo, comparáveis à demonstrada de forma tão vívida nas diatribes oficiais contra a "arte degenerada". Mas a "ciência degenerada" era menos fácil de identificar e menos obviamente conectada a correntes liberais e esquerdistas da política cultural.²⁹⁰ No fim, ela sobreviveu, mas não saiu ilesa. O Terceiro Reich viu um declínio marcante no nível do ensino e da pesquisa científica nas universidades alemãs entre 1933 e 1939. Não foi só por causa da emigração forçada de tantos destacados cientistas judeus, mas também porque a ciência alemã ficou gradualmente isolada de conferências internacionais, professores visitantes, intercâmbios de pesquisa e outros contatos com a comunidade científica mundial que sempre desempenharam papel vital no estímulo a novos avanços. O número de cientistas de países líderes da comunidade internacional de pesquisa que visitou a Alemanha caiu abruptamente depois de 1933. Já em 1936, Heisenberg reclamava ao colega norueguês Niels Bohr de seu isolamento crescente. Acadêmicos e instituições estrangeiros começaram a reduzir o contato com colegas alemães em protesto contra a demissão de cientistas judeus, as viagens para o exterior eram cada vez mais restritas ou voltadas para propósitos políticos, e as assinaturas de periódicos internacionais importantes das bibliotecas universitárias eram canceladas se – como a publicação britânica *Nature*, por exemplo – contivessem qualquer indício de crítica ao Terceiro Reich.²⁹¹

A despeito desses acontecimentos, a pesquisa científica não se atrofiou nem veio abaixo por completo na Alemanha nazista. Embora os níveis universitários possam ter caído, as universidades jamais haviam desfrutado do monopólio da pesquisa na Alemanha. Desde o século XIX, companhias grandes e modernas em áreas como eletricidade, engenharia e indústria química dependiam pesadamente de sua própria pesquisa e seus setores de desenvolvimento, com equipes de cientistas altamente qualificados e bem pagos, para as inovações tecnológicas com que contavam para se manter na dianteira dos mercados mundiais. Talvez ainda mais importante fosse que o Estado havia estabelecido investimentos maciços em institutos de pesquisa científica não apenas dentro, mas fora das universidades por meio de uma variedade de organismos, notadamente a Comunidade de Pesquisa Alemã e a Sociedade Kaiser Guilherme. Como era de se esperar, o Terceiro Reich direcionou os fundos pesadamente para investimento em tecnologia militar ou de relevância bélica, desde novas armas a combustíveis sintéticos. A medicina e a biologia beneficiaram-se do encorajamento nazista em áreas como aumento da produtividade das lavouras, fertilizantes químicos e fibras sintéticas. À medida que o ímpeto para o rearmamento e a preparação para a guerra tornavam-se mais urgentes, também os setores da comunidade científica envolvidos tinham condições de direcionar somas crescentes de fundos para si mesmos. Um dos efeitos desse desenrolar dos acontecimentos foi que Heisenberg e seus colegas tiveram condições não apenas de garantir a aceitação do argumento de que a física teórica era necessária para o desenvolvimento de tecnologia militar sofisticada, mas também assegurar a remoção de Johannes Stark da presidência da Comunidade de Pesquisa Alemã em 1936 porque sua hostilidade empedernida em relação à física teórica estava estorvando o custeio de pesquisas de relevância bélica.[292]

O governo aumentou acentuadamente os fundos da Comunidade de Pesquisa Alemã e da Sociedade Kaiser Guilherme, condicionando as dotações à capacidade dos agraciados de demonstrar a relevância de seu trabalho na preparação da Alemanha para a guerra. É claro que outros governos em outros países e em outras épocas direcionaram seu apoio à pesquisa para o que consideravam útil ao Estado, uma tendência que poucas vezes foi de muita ajuda para as artes e humanidades. Mas a escala, a intensidade e a unidirecionalidade do Terceiro Reich a esse respeito superam de longe a maioria dos paralelos em outros locais. A comunidade de pesquisa científica da Alemanha era tremendamente forte; mensurada pela população total do país, era talvez a mais forte do mundo em 1933. E, sob o Terceiro Reich, continuou pioneira em muitas inovações científicas e tecnológicas, em especial nos institutos de pesquisa financiados pelo governo e nos departamentos de pesquisa e desenvolvimento das empresas. Os avanços incluíram a descoberta da fissão nuclear por Otto Hahn e Lise Meitner em 1938, a criação de drogas importantes como a metadona, o demerol e o gás asfixiante sarin, desenvolvimentos tecnológicos como o mecanismo de propulsão a jato, o microscópio eletrônico e o computador eletrônico, e grandes invenções como a calibragem de aço a frio, fotografia aérea com infravermelho, disjuntores de circuitos de força, gravadores, tubos de raios X, revelação de filme colorido, motores a diesel e mísseis balísticos intercontinentais. Chegou a se afirmar até que a primeira transmissão de televisão forte o bastante para ir além do planeta Terra foi um discurso de Hitler, proferido na abertura dos Jogos Olímpicos de 1936. Desse modo, embora tendesse a priorizar o treinamento militar nas escolas e universidades em detrimento de outros tipos de conhecimento, o Terceiro Reich amparava plenamente as pesquisas científicas e tecnológicas mais modernas e mais avançadas em outros setores, caso pudesse ser demonstrado que teriam a mais remota possibilidade de uso na guerra que o regime se preparava para lançar sobre a Europa a médio prazo.[293]

V

As abordagens tradicionais dos temas acadêmicos sobreviveram nas universidades alemãs sobretudo porque sua complexidade e sofisticação desafiavam uma assimilação fácil dentro das categorias toscas da ideologia nazista.[294] Na história, por exemplo, os professores permanentes resistiram obstinadamente às tentativas dos nazistas nos primeiros anos do regime de introduzir uma nova abordagem racial de "sangue e solo" ao passado. Nas universidades, como nas escolas dos níveis iniciais, ideólogos como Alfred Rosenberg exigiam que a história se tornasse uma forma de propaganda política e doutrinação, abandonando ideias tradicionais de objetividade baseadas em pesquisa acadêmica. Desde a metade do século XIX, os historiadores acadêmicos alemães estavam acostumados a tentar ver o passado em seus próprios termos e considerar o Estado como a força motriz da história. Agora diziam-lhes que Carlos Magno, por exemplo, era alemão num período em que muitos historiadores acreditavam ser um anacronismo pensar que os alemães sequer existissem, e mandavam-lhes afirmar que a raça era a fundação da mudança e do desenvolvimento históricos. Alguns acompanharam de bom grado a ideia da nacionalidade alemã de Carlos Magno. No caso do especialista em Leste Europeu Albert Brackmann, isso incluiu a tentativa de minimizar o grau em que Carlos Magno havia sido motivado pela crença cristã. Mas tradicionalistas como Hermann Oncken insistiram que a história era em primeiro lugar uma busca pela verdade, independentemente de suas implicações ideológicas. Outro historiador, Johannes Haller, que havia apoiado publicamente os nazistas nas eleições de julho de 1932, declarou em novembro de 1934 que os historiadores que adotavam uma "visão mítica do passado" estavam cometendo *harakiri*, "pois", ele proclamou, "onde o mito tem a palavra, a história não tem mais nada a dizer". Dessa forma, muitos historiadores universitários resistiram à tentativa do regime de revolucionar sua disciplina por meios de novas fundações como o Instituto do Reich para a História da Nova Alemanha, chefiado pelo nazista Walter Frank. O novo instituto não foi um sucesso. Fracassou redondamente em produzir qualquer pesquisa, exceto na seção para a questão judaica, chefiada por Karl Alexander von Müller, cuja associação com Hitler remontava aos tempos de Munique após a Primeira Guerra Mundial.[295]

Müller assumiu a edição do principal periódico da categoria, a *Revista Histórica (Historische Zeitschrift)*, do liberal Friedrich Meinecke em 1935. Mas, com exceção de alguns artigos e relatórios breves sobre a "questão judaica", a história de alemães no exterior e um ou dois tópicos políticos, a revista continuou a publicar artigos especializados sobre temas acadêmicos baseados em detalhada pesquisa de arquivo.[296] O princípio da liderança foi introduzido nas organizações históricas e institutos de pesquisa, mas isso na realidade fez pouca diferença; a categoria já era extremamente hierarquizada, com enorme poder depositado nas mãos dos decanos. A Organização Nacional de Historiadores primeiro incorporou uma dupla de nazistas proeminentes a seu comitê executivo em 1933, depois ficou sob controle do Ministério da Educação em 1936. Isso levou a uma seleção mais politicamente motivada de delegados alemães para conferências internacionais de história, e ao domínio dos congressos anuais da organização por historiadores nazistas do Instituto do Reich de Walter Frank. A principal consequência, porém, foi que os historiadores das universidades não se deram mais ao trabalho de comparecer, e o desinteresse da maioria era tamanho que o congresso nacional de 1937 revelou-se o último.[297] Conforme notou o Serviço de Segurança da SS no ano seguinte, os historiadores em geral contentavam-se em "seguir compilando velhas enciclopédias acadêmicas e produzir novas contribuições eruditas para o esclarecimento sobre épocas específicas". Não havia muitos indícios de qualquer avanço nos conceitos e métodos nacional-socialistas.[298] Parece, portanto, que a profissão de historiador ficou relativamente imune ao regime nazista e preservou com sucesso a custódia do legado dos grandes historiadores alemães do passado contra a investida do novo anti-intelectualismo.

Contudo, quando os historiadores, em especial da geração mais velha, protestavam que a história era um assunto apolítico, queriam dizer, como muitos conservadores haviam feito sob a República de Weimar, que não deveria estar ligada a partidos políticos, e não que fosse destituída de qualquer conteúdo político. A partir desse ponto de vista, o patriotismo era apolítico, a crença na retidão e na inevitabilidade históricas da unificação bismarckiana da Alemanha em 1871 era apolítica, a asserção de que a Alemanha não havia sido responsável pela deflagração da guerra em 1914 era apolítica. Uma abordagem acadêmica e objetiva do passado combinava-se miraculosamente com os preconceitos e ideias preconcebidas nacionalistas da burguesia culta alemã do presente. Para quase todos, por exemplo, era um axioma que a migração germânica para o leste na Idade Média havia levado a civilização aos eslavos. Nesse sentido, o direito alemão de conquistar nações eslavas como Polônia e Tchecoslováquia no presente brotava da visão da realidade a partir dos fatos objetivos da missão histórica da Alemanha de civilizar essa parte da Europa. Não ocorreu a ninguém que pudessem estar lendo a história para trás em vez de para a frente.[299] Assim, embora nenhum professor pleno de história tenha sido membro do Partido Nazista antes de 1933, é improvável que algum tenha se demitido da cátedra com base na crença política ou na consciência quando os nazistas assumiram as universidades porque é improvável que algum tenha visto necessidade de fazê-lo.[300]

O tradicional conceito rankeano de objetividade não era compartilhado por todos os historiadores, em especial entre a geração mais nova. Um deles, Hans Rothfels, rejeitou abertamente o que chamou de "tendenciosa concepção errônea de objetividade sem um ponto de vista" em favor de uma "unificação consciente de erudição e vida" no presente.[301] Até mesmo eruditos mais jovens que rejeitavam a noção de objetividade com base nesses termos, porém, ainda insistiam na necessidade da manutenção de padrões acadêmicos de pesquisa e resistência à franca conversão da história em propaganda. Assim, ideólogos da linha dura como Rosenberg e Himmler viram-se diante de oposição considerável quando tentaram impingir interpretações raciais da história, "sangue e solo", visões paganistas anticristãs e coisas do tipo aos historiadores. O próprio Hitler preferiu louvar a intrepidez militar alemã e os grandes heróis nacionais do passado. Esse ponto de vista era bem mais do agrado dos professores. A despeito do interesse de alguns historiadores mais jovens em uma história de orientação populista sobre as pessoas comuns, sob os auspícios nazistas ou quase nazistas, as histórias diplomática e militar ainda eram dominantes na Alemanha, assim como em muitos outros países europeus na época, e escrever biografias de grandes homens era amplamente considerado algo central às atividades do historiador.[302]

A esse respeito, um exemplo nada incomum de historiador acadêmico era o professor Gerhard Ritter, de Freiburg, que na década de 1930 tornou-se um dos representantes mais proeminentes da categoria. Nascido em 1888 em uma família culta de classe média, Ritter ficou marcado para sempre pela experiência como oficial do Exército na batalha do Somme em 1916. Sob tais circunstâncias, seu patriotismo adquiriu uma forte dose de realismo sóbrio e, embora jamais deixasse de argumentar em favor da revisão do Tratado de Versalhes e contra a tese da culpa alemã pela guerra de 1914, também fez repetidas advertências a respeito do incentivo irresponsável à guerra e da retórica patriótica vazia. De modo talvez incomum, Ritter jamais quis saber de antissemitismo e desconfiou do populismo dos nazistas, preferindo uma concepção elitista de política que excluísse as massas irresponsáveis e incultas da plena participação política. Depois de Hitler chegar ao poder, a atitude de Ritter em relação ao regime flutuou de forma ambivalente entre apoio condicional e oposição limitada. Combativo e corajoso, não hesitou em apoiar alunos e colegas judeus dispensados ou perseguidos pelo regime. Por outro lado, apoiou firmemente toda uma série de políticas domésticas e externas de Hitler, ao mesmo tempo em que esperava continuamente a reforma do regime em uma direção menos radical. Conforme escreveu em sua biografia sobre Frederico, o Grande, em 1936, os alemães haviam aprendido corretamente "a fazer sacrifícios de liberdade política" em troca "da vantagem de pertencer a uma nação-Estado dominante". Em particular, era crítico a respeito de muitos aspectos do regime nazista, mas em público seus livros e artigos cumpriam propósitos educativos em termos amplos enfatizando os temas habituais dos historiadores sobre a nação alemã e a vida de grandes alemães do passado, mesmo que os pontos de vista que assumissem não fossem inteiramente compartilhados pela liderança nazista.[303]

De modo semelhante, outras disciplinas também tiveram pouca dificuldade para se ajustar às exigências mais genéricas do regime enquanto preservavam pelo menos algo da autonomia acadêmica ou científica. Na Universidade de Heidelberg, por exemplo, a Faculdade de Ciências Econômicas e Sociais focou a pesquisa em população, economia agrícola e naquilo denominado vagamente de "pesquisa espacial", que de fato enfocava a acumulação de conhecimento relevante para a futura expansão pretendida pelo Reich na busca de "espaço vital". Os sociólogos depositavam sua fé no trabalho empírico e trataram com frieza os raivosos ideólogos nazistas que tentaram usar seu fanatismo para se promover. Um desdobramento semelhante pôde ser observado também em outras universidades.[304] No ensino e na pesquisa em nível universitário sobre língua e literatura alemãs, professores e conferencistas do período nazista enfocaram história literária e linguística como um campo no qual o espírito alemão e as expressões da identidade racial alemã podiam ser acompanhados ao longo de eras passadas. Contrastaram essa tradição com a ameaça apresentada por influências estrangeiras como a literatura romântica e a cultura popular americana. Parecia uma visão nazista, mas era sustentada pela maioria dos estudiosos da área desde antes da Primeira Guerra Mundial.[305]

As faculdades de teologia, divididas institucionalmente entre protestantes e católicas, ficaram em posição mais difícil. As faculdades de teologia protestante tornaram-se locais de acrimoniosas altercações entre defensores dos Cristãos Alemães e da Igreja Confessante. Na Universidade de Bonn, por exemplo, onde Karl Barth, o teólogo chefe da Igreja Confessante, era o espírito orientador, um novo reitor, o cristão alemão Emil Pfennigsdorf, foi eleito em abril de 1933. Em três anos ele havia despedido ou transferido dez dos catorze membros da faculdade e os substituído por seus defensores, e assim em breve a faculdade ficou praticamente sem alunos. A hostilidade do Partido Nazista à Igreja Católica teve expressão na recusa das autoridades estatais em sancionar o preenchimento de cargos que ficaram vagos por motivo de aposentadoria na Faculdade de Teologia Católica de Bonn. Oito das doze cadeiras da faculdade estavam desocupadas em 1939; apenas a transferência à força de dois professores da faculdade de Munique, que os nazistas fecharam de vez, permitiu a continuidade do ensino. Distúrbios semelhantes ocorreram também em outras universidades.[306]

O contraste com a medicina, que rapidamente se tornou a mais importante de todas as faculdades sob o nazismo, não poderia ter sido mais forte. Os professores de medicina somavam cerca de um terço de todos os membros das faculdades em 1935, e a posição de domínio absoluto da medicina nas universidades refletiu-se no fato de que, de 1933 a 1945, 59% dos reitores foram oriundos da categoria médica. O forte interesse do regime pelo ensino da medicina foi sinalizado já em 1933, quando Hitler nomeou Fritz Lenz para a primeira cátedra plena de higiene racial das universidades alemãs, em Berlim; ela foi seguida sem demora por cátedras do assunto em outras universidades ou, onde isso não aconteceu, por cursos regulares de conferência sobre o tema. Infelizmente, não só a matéria em si era desenvolvida de maneira pobre em termos intelectuais, como aqueles que se apressaram a ensiná-la com frequência eram mais notórios pelo fanatismo ideológico do que pela competência científica. Os estudantes mais capacitados zombavam de tais professores pelas costas, mas mesmo eles muitas vezes eram incapazes de passar nos testes mais simples da matéria, identificando como arianos, por exemplo, indivíduos de aparência nórdica que na verdade eram judeus. O absurdo de tais testes não impediu os professores nazistas de investir uma boa dose de tempo e energia em estudos raciais. Na Universidade de Giessen, por exemplo, um Instituto de Saúde Hereditária e Preservação da Raça, parcialmente patrocinado pelo Partido Nazista em 1933, tornou-se um departamento universitário pleno em 1938 sob a direção de seu fundador, o "velho combatente" Heinrich Wilhelm Kranz, que, quando estudava medicina, havia tomado parte no fuzilamento a sangue-frio de quinze operários por uma unidade das Brigadas Livres na Turíngia, na esteira do golpe de Kapp em 1920. Kranz na realidade era oftalmologista, sem absolutamente nenhuma perícia científica em antropologia física, mas isso não impediu que usasse suas conexões no Partido para fomentar a construção de um império pessoal no campo da pesquisa racial.[307]

Se a qualidade dos professores era com frequência pobre e o conteúdo do que ensinavam cientificamente dúbio, a higiene racial era no mínimo aceita em princípio pela maioria das faculdades de medicina na década de 1930. Mas não foi só isso que os nazistas tentaram impingir nas universidades nesse setor. O chefe da Liga dos Médicos Nazistas desde antes de 1933 e, a partir de 1936, líder da Câmara de Médicos do Reich era Gerhard Wagner, colaborador próximo de Rudolf Hess e entusiasta da medicina alternativa.[308] Wagner respaldou os radicais nazistas que defendiam uma abordagem holística baseada em ervas e outros remédios naturais, conhecida como a Nova Cura Alemã. Não escondia o desdém pela abordagem mecanicista científica da medicina universitária convencional, e rejeitava sua dependência da farmacologia sintética. Wagner montou um hospital--escola em Dresden em junho de 1934 com a meta de difundir as ideias naturopatas da Nova Cura Alemã. Deu sequência a isso com uma variedade de cursos especiais de treinamento. A higiene racial era uma parte importante do ensino da nova academia para funcionários públicos estatais da saúde que Wagner estabeleceu em Munique em 1933. Em breve a "saúde do povo" também era um elemento do ensino nas escolas universitárias de medicina. Wagner garantiu sustentação para isso com solicitações persistentes e muitas vezes bem-sucedidas dirigidas ao Ministério da Educação nas nomeações para cátedras de medicina, muitas das quais tinham ficado vazias em consequência da demissão de ocupantes judeus em 1933-34. Na Universidade de Bonn, por exemplo, doze de dezessete cátedras de medicina ficaram vagas de 1933 em diante; dez dos catorze novos professores nomeados até 1945 eram nazistas ativos, que então formavam o grupo dominante dentro da faculdade. Com frequência os novos ocupantes não estavam à altura dos predecessores nem como pesquisadores, nem como praticantes. Mesmo assim, em 1938 havia tamanha escassez de candidatos qualificados para cátedras de medicina que o Ministério da Educação começou a solicitar a ocupantes em via de se aposentar que permanecessem no cargo. Em Berlim, por exemplo, Walter Stoeckel, ginecologista eminente de 67 anos de idade, recebeu mais dois anos no cargo porque não se conseguiu achar um substituto. O fato era que para médicos e cirurgiões competentes já havia maiores gratificações e mais liberdade de pesquisa na indústria ou nas Forças Armadas. E o fardo da quantidade de estudantes em áreas como higiene racial agora era tão grande que não especialistas de outros setores foram recrutados para lecionar.[309]

Portanto, o Terceiro Reich teve um impacto definitivamente desastroso por todo o sistema educacional. "Erudição já não é mais necessária", notou Victor Klemperer em seu diário em outubro de 1933, ao registrar o cancelamento de conferências em duas tardes da semana em sua universidade para dar tempo para esportes militares.[310] Em um regime construído em cima do desprezo pelo intelecto, isso nem podia ser motivo de surpresa. Os nazistas viam o sistema educacional em primeiro lugar como uma forma de incutir sua visão de mundo nos jovens, e ainda mais como um meio de treiná-los e prepará-los para a guerra. Qualquer coisa que ficasse no caminho, inclusive valores educacionais tradicionais, como liberdade de indagação, inteligência crítica ou o ideal da pesquisa pura, seria deixada de lado ou abolida. À medida que os preparativos para a guerra ficaram mais intensivos, a demanda das Forças Armadas por médicos ficou mais urgente; e em 1939 o curso de medicina foi encurtado. A qualidade do ensino já havia sido enfraquecida pela redução do tempo investido em treinamento médico padrão para dar espaço a novas matérias como higiene racial, sem falar das múltiplas obrigações dos estudantes para com o Partido, do comparecimento aos campos de trabalho à participação nas atividades dos camisas-pardas. Já em 1935, o cirurgião Ferdinand Sauerbruch reclamava da baixa qualidade da nova leva de estudantes de medicina, muitos dos quais, afirmou, foram selecionados porque eles ou os pais eram membros do Partido. Houve até certos indícios de que o nível dos exames estava sendo rebaixado para dar condições a esse pessoal de passar. Quando uma dissertação sobre higiene racial podia servir de qualificação final para a prática da medicina, não é de surpreender que tradicionalistas como Sauerbruch ficassem preocupados com o futuro da classe médica na Alemanha.[311]

Não obstante, na medicina, assim como em outras áreas, professores contratados continuaram em grande parte ensinando e pesquisando como faziam antes. A despeito de todas as diatribes contra a medicina acadêmica, Wagner percebeu que os médicos eram essenciais para a implantação de muitos dos planos eugênicos nazistas. Ele frustrou a ideia promovida pelos proponentes da Nova Cura Alemã de abolir de vez as faculdades de medicina. Além disso, os feitos da pesquisa médica alemã ao longo das décadas anteriores haviam conquistado reconhecimento mundial, e houve poderosos argumentos nacionalistas para que se tentasse manter a orgulhosa tradição. A pesquisa médica séria em uma variedade de campos era de relevância óbvia para proteger as tropas alemãs de doenças infecciosas e melhorar a saúde da população alemã em geral. De modo que ela teve prosseguimento durante o Terceiro Reich. O patologista Gerhard Domagk inclusive ganhou o Prêmio Nobel em 1939 pelo desenvolvimento de drogas com sulfa para combater infecção bacteriana (ele não obteve permissão do regime para recebê-lo). Ao tentar melhorar a saúde e a fertilidade da parte racialmente aceitável da população alemã, os nazistas garantiram forte apoio à medicina preventiva e à pesquisa sobre os maiores causadores de morte. Foi um epidemiologista alemão quem primeiro estabeleceu a ligação entre fumo e câncer de pulmão, implantando uma agência do governo para combater o consumo de tabaco em junho de 1939. Agências do Partido e do regime trataram ativamente da proibição de substâncias carcinogênicas como asbesto, pesticidas perigosos e corantes de alimentos. Já em 1938, a Força Aérea baniu o fumo de suas instalações, seguindo-se outras proibições de fumar no local de trabalho impostas pelos correios e escritórios do Partido Nazista em abril de 1939. Livros, panfletos e pôsteres advertiam sobre os perigos de fumar e assinalavam repetidamente que Hitler jamais levou um cachimbo, charuto ou cigarro à boca. Ele tampouco bebia álcool, e os nazistas foram igualmente ativos no combate ao consumo excessivo de cerveja, vinhos e destilados. O fato de fabricantes de tabaco, donos de cervejarias e destilarias e comerciantes de vinho muito provavelmente serem membros do Partido e darem substancial apoio financeiro teve pouco efeito quanto a isso: o imperativo maior era melhorar a saúde da raça ariana.[312]

Tais políticas ajudaram a cegar a mente dos pesquisadores médicos para o lado negativo da política nazista de saúde. Melhorar a raça incluía não apenas pesquisa e prevenção desse tipo, mas também, como veremos, eliminar supostas influências negativas sobre a raça e seu futuro por meio da esterilização à força e finalmente assassinato, revestidos da retórica de aspecto neutro da medicina preventiva.[313] A intromissão da higiene racial e da eugenia na educação médica sob o Terceiro Reich teve ainda influência sobre a ética médica, à medida que pesquisadores médicos de outras áreas também sucumbiram à ideia de que pessoas racialmente inferiores ou sub-humanas podiam ser usadas de maneira legítima como objetos de experimentação médica.[314] O imenso poder e prestígio da medicina e matérias associadas no Terceiro Reich concedeu a alguns pesquisadores médicos a crença de que qualquer coisa era justificável em nome do avanço da ciência, não só se pudesse estar diretamente ligada aos destinos da nação na luta por poder, mas até mesmo em campos remotos da pesquisa pura. O desprezo do regime pela moralidade convencional encorajou essa crença. As crenças cristãs profundamente arraigadas que sustentavam a ética médica e eram nutridas de modo mais amplo por milhões de alemães, no fim das contas pareceram aos nazistas mais um obstáculo à mobilização do espírito racial ariano. Não houve em lugar algum uma evidência clara de que os nazistas tiveram êxito na ambição de varrer fontes alternativas de identidade moral e cultural da grande massa de alemães e substituí-las por entusiasmo irrestrito por sua própria visão de mundo. Todavia, a adesão a um sistema político, mesmo um tão extremo quanto o Terceiro Reich, jamais depende por completo de identificação ideológica. Pelo menos na política convencional, os fatores materiais são ainda mais importantes. Os nazistas chegaram ao poder em meio à – e em larga medida também como consequência da – mais calamitosa depressão econômica dos tempos modernos. Se conseguissem arrancar a Alemanha do atoleiro de desemprego em massa e desespero econômico no qual ela havia tombado no final da década de 1920, só isso bastaria para garantir a anuência do povo ao Terceiro Reich, mesmo que as pessoas permanecessem indiferentes aos objetivos religiosos, culturais e educacionais mais amplos dos nazistas.

4

Prosperidade e pilhagem

"A batalha pelo trabalho"

I

Em 27 de junho de 1933, o governo de Hitler emitiu uma lei autorizando a construção de um novo tipo de estrada, a autoestrada (*Autobahn*). As vias de pista dupla ligariam as principais cidades da Alemanha umas às outras, estabelecendo uma rede de comunicação que permitiria o transporte de cidadãos e cargas por todo o país com rapidez e de forma direta em níveis sem precedentes. A ideia original veio da Itália, onde um protótipo havia sido construído em 1924. Um projeto de iniciativa privada já fora proposto para ligar Hamburgo, Frankfurt e Basileia e planejado com algum detalhamento a partir de 1926, mas não havia dado em nada devido às circunstâncias da Depressão. Mal foi nomeado chanceler do Reich, Hitler retomou o projeto. Ao falar na Feira Internacional do Automóvel de Berlim em 11 de fevereiro de 1933, Hitler declarou que no futuro as rodovias de uma nação seriam o instrumento para medir sua prosperidade. Adepto entusiasta do automóvel, Hitler tinha viajado de carro por toda parte durante as campanhas eleitorais dos anos anteriores, e considerava dirigir – ou pelo menos andar de carro – uma experiência estética bem superior à proporcionada por voar ou andar de trem. Desse modo, as novas autoestradas seriam construídas ao longo de rotas panorâmicas, com acostamentos nos quais os viajantes poderiam sair dos veículos, esticar as pernas e admirar a zona rural alemã. Para Fritz Todt, o homem que Hitler nomeou para inspecionar a construção das autoestradas em 30 de junho de 1933, elas preenchiam até mesmo um objetivo racial, ligando a alma motorizada alemã a bosques, montanhas e campos autênticos da terra nativa e expressando o deleite nórdico com velocidade, aventura e excitação proporcionados pela tecnologia moderna.[1]

Todt foi o grande responsável por persuadir Hitler a adotar a ideia. Engenheiro civil de formação e prática, havia trabalhado em estradas de breu e asfalto para a empresa Sager e Woerner de Munique e era membro do Partido Nazista desde o começo de 1923. Nascido na cidade de Pforzheim, na Suábia, em 1891, recebeu educação técnica e serviu na Força Aérea durante a Primeira Guerra Mundial. Seu compromisso com o Partido era em primeiro lugar um produto da admiração pessoal por Hitler. Após o fracasso do golpe de Munique, Todt evitou o engajamento político ativo e, em vez disso, concentrou-se em sua carreira, mas em 1932 tornou-se reservista dos camisas-pardas e assumiu a liderança da divisão de engenheiros da Liga de Combate dos Arquitetos e Engenheiros Alemães do Partido, fundada no ano anterior. Como outros homens com qualificação profissional do Partido, ele via o NSDAP como um movimento resoluto, enérgico e moderno que liquidaria com a agitação de Weimar e impulsionaria a Alemanha a um novo futuro baseado na aplicação centralizada da ciência e da tecnologia à sociedade, à cultura e à economia, conforme os interesses da raça alemã. Dentro do Partido, tentou combater a hostilidade de pensadores econômicos como Gottfried Feder à mecanização e à racionalização, que eles julgavam destruir os empregos, e propôs novos planos ambiciosos de construção, como o das autoestradas, sobre o qual apresentou um relatório à liderança do Partido em dezembro de 1932. A essa altura, Todt havia obtido um importante amparo a suas ideias por meio de sua nomeação como principal conselheiro tecnológico do gabinete do assessor de Hitler, Rudolf Hess. Quando Hitler anunciou o início do programa de construção das autoestradas, foi em grande parte as ideias de Todt que ele propôs colocar em prática.[2]

Em 23 de setembro de 1933, Hitler lançou a pedra fundamental da há muito planejada autoestrada Hamburgo-Basileia; em maio de 1935, o primeiro trecho, de Frankfurt a Darmstadt, foi inaugurado; 3,5 mil quilômetros estavam concluídos no verão de 1938. As autoestradas foram talvez os mais duradouros exercícios de propaganda montados pelo Terceiro Reich; sobrevivem até hoje. Hitler assumiu um interesse pessoal detalhista pelas rotas que as autoestradas percorreriam, intervindo para redirecioná-las nas

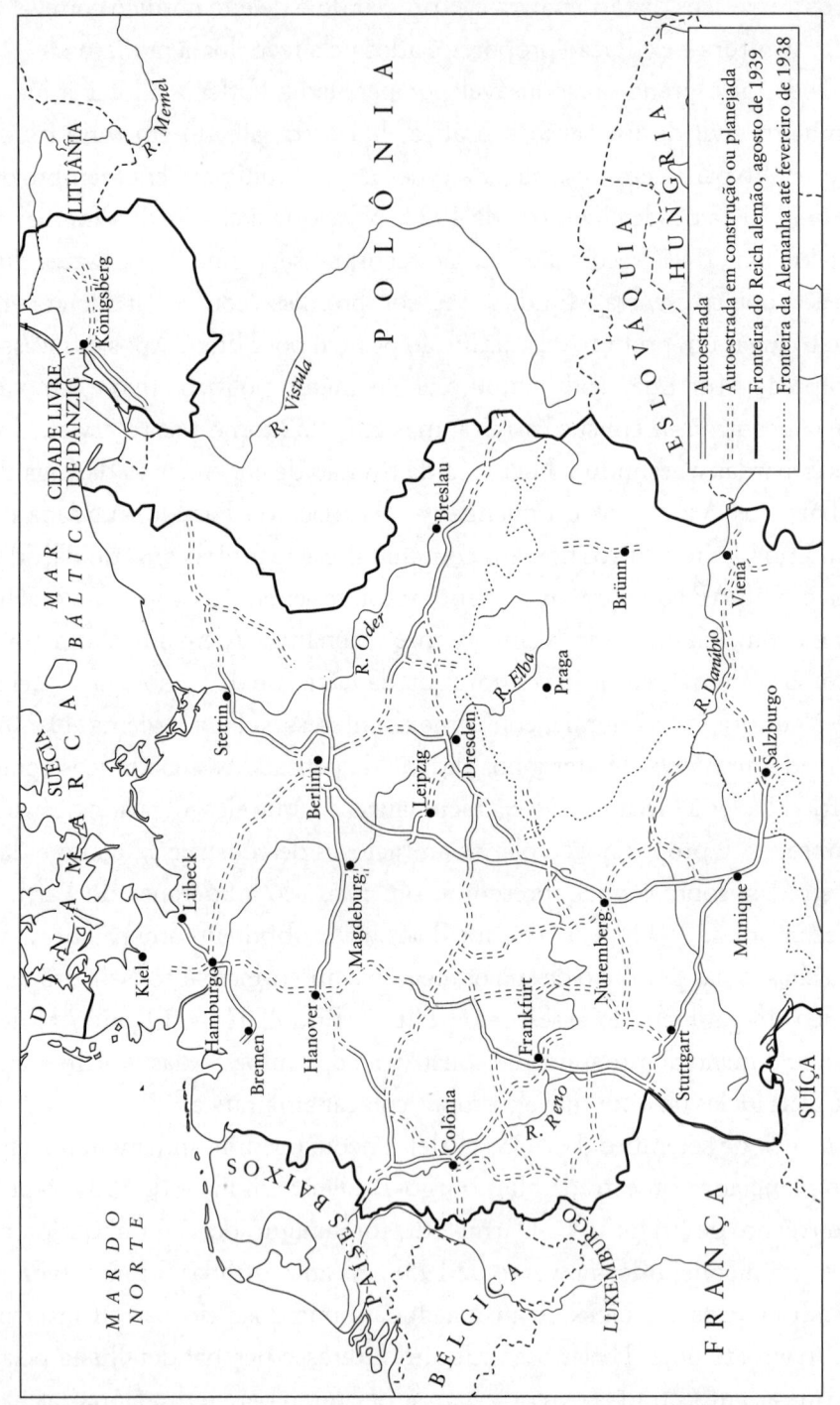

Mapa 9. A rede de autoestradas

ocasiões em que achava que não estavam seguindo pelo trajeto mais pitoresco. Também insistiu em aprovar pessoalmente os projetos das pontes e dos postos de abastecimento. Muitos destes foram exemplos arrojados de modernismo, e Hitler deu a tarefa de projetá-los a arquitetos em vez de engenheiros; o ex-chefe da Bauhaus, Mies van der Rohe, até submeteu planos para dois postos de abastecimento. A modernidade das autoestradas, as pontes amplas e simples transpondo rios e desfiladeiros, as elegantes pistas duplas cortando morros e deslizando pelas planícies, colocam-nas entre as mais impressionantes criações do Terceiro Reich. Todt instruiu os planejadores a fundir os aterros e cortes com a paisagem, a usar variedades de plantas nativas nas margens e a construir as rodovias de modo que a paisagem ficasse bem visível para todos os motoristas e passageiros.[3] Porém, elas na verdade significaram não somente a fusão da alma alemã com a paisagem, mas a supremacia da tecnologia sobre ela, uma impressão reforçada na propaganda que as celebrou como o equivalente moderno das pirâmides do Antigo Egito, superando as catedrais góticas da Idade Média ou a Grande Muralha da China na grandiosidade da concepção. "Corte a floresta", declarava o *slogan* arrojado na ilustração de Carl Theodor Protzen de uma ponte na autoestrada, "– arrebente a rocha – cruze o vale – transponha a distância – percorra um caminho pelo solo alemão".[4]

Houve outros aspectos nos quais os planos de Todt não saíram como ele previra. Apenas quinhentos quilômetros adicionais aos 3,5 mil concluídos em 1938 estavam prontos em 1945, visto que os recursos da construção logo foram desviados para programas de obras mais diretamente relacionadas à guerra; o Ministério de Defesa do Reich até vetou rotas sem importância estratégica e insistiu em que se desse prioridade a estradas militares em áreas sensíveis, como o leste da Prússia. Como resultado dessas intervenções e dos atrasos posteriores do pós-guerra, a autoestrada ligando Hamburgo à Basileia não foi concluída até 1962.[5] Além disso, pouca gente teve meios de desfrutá-la antes de 1939, visto que a Alemanha era uma das sociedades menos motorizadas da Europa. Em 1935, apenas 1,6% da população da Alemanha possuía veículos automotores, comparado a 4,9% na França, 4,5% na Grã-Bretanha e 4,2% na Dinamarca. Até a Irlanda tinha uma proporção mais alta de proprietários de veículos, de 1,8%. Todos esses números empalideciam diante do índice de propriedade de veículos nos Estados Unidos, que ficava em 20,5%, ou um quinto da população.[6]

Em seu discurso na feira de automóveis de Berlim, Hitler anunciou não só a inauguração do programa de construção das autoestradas, mas também a promoção dos esportes motores e a redução da carga tributária sobre a compra de automóveis.[7] O resultado foi o aumento de 40% no número de trabalhadores na indústria automobilística apenas de março a junho de 1933. A produção de carros duplicou de 1932 para 1933 e de novo em 1935. Agora eram produzidos bem mais que 250 mil carros por ano, e os preços eram muito mais baixos do que no final da década de 1920. A venda de carros importados na Alemanha caiu de 40% do total das vendas em 1928 para menos de 10% seis anos depois.[8] O número de carros de passageiros nas estradas aumentou de pouco mais de meio milhão em 1932 para quase 1 milhão em 1936.[9] Até Victor Klemperer comprou um carro no começo de 1936, a despeito de suas crescentes preocupações financeiras, embora logo tenha chegado quase a se arrepender da decisão. "O carro", escreveu ele em 12 de abril de 1936, "consome meu coração, nervos, tempo, dinheiro. Não tanto por minha direção deplorável e a agitação ocasional que isso causa", ele acrescentou, "nem pela dificuldade para ir e vir, é que o veículo nunca está em ordem, sempre tem alguma coisa errada".[10]

Mesmo ele, entretanto, teve que admitir que as novas autoestradas eram "magníficas". Ao andar por uma em 4 de outubro de 1936, Klemperer registrou com entusiasmo que ele e a esposa desfrutaram de uma "paisagem gloriosa" e chegou a "ousar uma velocidade de oitenta quilômetros por hora algumas vezes".[11] A despeito da disseminação dos automóveis, a motorização da sociedade alemã ainda não tinha ido muito longe em 1939, e descrevê-la como a fonte por trás da recuperação econômica da Alemanha naqueles anos é um exagero considerável.[12] Por certo que em 1938 a produção de veículos na Alemanha estava crescendo mais rapidamente que em qualquer outro país europeu, mas ainda havia apenas um carro para cada 44 habitantes, comparado a um para cada dezenove na Grã-Bretanha e na França.[13] A maioria das viagens pessoais e do transporte de carga ainda cabia ao sistema de ferrovias alemãs, maior empregador da Alemanha na época, gerido por administração centralizada e dotado dos fundos adicionais suficientes para produzir um aumento de 50% na quantidade (muito pequena) de locomotivas elétricas e quadruplicar o número de locomotivas pequenas de manobras entre 1932 e 1938.[14] Entretanto, de modo geral as ferrovias sofreram de investimento insuficiente crônico nesse período. A administração ferroviária, ciosa da posição de liderança no tráfego de mercadorias, conseguiu retardar a retirada dos impostos sobre as vendas de veículos comerciais até janeiro de 1935, embora tão logo isso tenha ocorrido a produção de veículos comerciais tenha aumentado muito mais rapidamente que a de automóveis de passageiros – 263% em 1934-35, contra 74% dos carros.[15]

O carro simbolizava uma parte importante da visão tecnológica de Hitler quanto ao futuro da Alemanha, que incluía a posse de veículos em escala quase universal. Já na década de 1920 ele havia deparado com um artigo sobre a "motorização da Alemanha" enquanto matava o tempo na prisão de Landsberg, e no começo dos anos 1930 fez toscos esboços de um veículo familiar pequeno que seria vendido por menos de mil reichsmarks e estaria assim ao alcance da maioria da população. Confrontado pelo ceticismo da grande indústria automobilística, Hitler garantiu a colaboração do engenheiro de carros de corrida Ferdinand Porsche, cujo protótipo ficou pronto no final de 1937. Por insistência pessoal de Hitler, a produção do carro foi custeada pela Frente de Trabalho Alemã, a sucessora do Partido Nazista para os sindicatos, que construiu uma fábrica enorme para tanto. Dessa forma, o domínio das americanas Opel e Ford sobre o mercado de carros pequenos na Alemanha finalmente seria rompido. Apelidando o veículo de "Carro do Povo" ou "Carro da Força pela Alegria", Hitler imaginou 1 milhão de modelos saindo das linhas de montagem a cada ano, e foi lançada uma tremenda campanha de propaganda para persuadir os trabalhadores a reservar uma parte de seus salários e economizar para comprar um, com o *slogan* de "um carro para todo mundo".[16]

A campanha obteve bastante sucesso. Em abril de 1939, um agente social-democrata na Renânia-Westfália reportou:

> Para um grande número de alemães, o anúncio do Carro do Povo é uma grande e feliz surpresa. Desencadeou-se uma verdadeira psicose do carro Força pela Alegria. O carro foi o principal tema das conversas

em todos os setores da população da Alemanha por um longo período. Todos os outros problemas prementes, fossem da política doméstica ou externa, ficaram em segundo plano por um tempo. O cinzento cotidiano alemão submergiu sob o impacto dessa música do futuro. Onde quer que os modelos de teste do novo Força pela Alegria sejam vistos na Alemanha, as multidões reúnem-se ao redor. O político que promete um carro para todo mundo é o homem das massas se as massas acreditam nas promessas dele. E, no que tange ao carro Força pela Alegria, o povo alemão acredita nas promessas de Hitler.[17]

Hitler em pessoa orgulhosamente apresentou um dos primeiros modelos na Exposição Internacional de Automóveis de Berlim em 17 de fevereiro de 1939, e deu outro para sua companheira Eva Braun em seu aniversário. Embora nenhum modelo tenha saído das linhas de montagem durante o Terceiro Reich, o carro resistiu ao teste do tempo: renomeado *Volkswagen*, ou Carro do Povo, depois da guerra, e popularmente conhecido como "besouro" devido ao formato arredondado conferido por Hitler em seu projeto original, tornou-se um dos veículos de passageiros mais populares da segunda metade do século XX.[18]

II

A criação de uma sociedade motorizada não era apenas uma visão tecnológica grandiosa para o futuro. Também pretendia produzir benefícios mais imediatos. Fritz Todt calculou que a construção de autoestradas proporcionaria emprego para 600 mil homens, não apenas nas rodovias em si, mas também em todas as indústrias que forneciam os materiais básicos para sua construção. Em junho de 1935, havia cerca de 125 mil homens trabalhando apenas na construção da autoestrada, de modo que o programa de fato criou empregos, embora menos do que se supunha.[19] Os nazistas obtiveram seus estrondosos sucessos eleitorais no início da década de 1930 em parte pela força da promessa de içar a Alemanha da catastrófica depressão econômica em que havia caído. Seis milhões de pessoas estavam registradas como desempregadas em janeiro de 1933, e outros 3 milhões haviam desaparecido por completo das estatísticas de emprego, muitas delas mulheres. Em meados de 1929, havia 20 milhões de alemães no trabalho; em janeiro de 1933, o número havia caído para 11,5 milhões. Muitos outros estavam em trabalho reduzido, ou haviam sido forçados a aceitar cortes em suas horas, vencimentos ou salários. O desemprego em massa privou o movimento operário de sua principal alavanca de barganha, a greve, e facilitou as coisas para o novo regime destruí-lo nos primeiros meses de 1933. Não obstante, fazer a Alemanha voltar ao trabalho foi a prioridade mais imediata anunciada pelo governo de coalizão que assumiu sob a Chancelaria de Hitler em 30 de janeiro de 1933.[20] Já em 1º de fevereiro de 1933, Hitler anunciou em sua primeira transmissão de rádio que a "salvação do trabalhador alemão em um ataque enorme e abrangente ao desemprego" era uma meta-chave do novo governo. "Dentro de quatro anos", ele declarou, "o desemprego deve finalmente estar superado".[21]

O governo de Hitler conseguiu usar esquemas de criação de emprego já colocados em prática por seus predecessores. A saída efetiva da Alemanha do padrão-ouro no verão de 1931 havia permitido ao Estado injetar dinheiro na economia e tentar reanimá-la. Sob pressão dos sindicatos, o curto governo do general Kurt von Schleicher em especial havia dado início significativo a esse processo no final de 1932, concretizando planos já esboçados pelos predecessores Franz von Papen e Heinrich Brüning. Enquanto Papen disponibilizou 300 milhões de reichsmarks em dedução de impostos para a construção de estradas, investimento agrícola e construção de casas, Schleicher aplicou 500 milhões diretamente na economia para esses propósitos; o montante foi aumentado para 600 milhões pelos nazistas no verão de 1933. O programa só começou a vigorar em 28 de janeiro de 1933, permitindo aos nazistas receber o crédito por ele. Os planos eram em grande parte uma criação de Günter Gereke, um economista que se tornou comissário do Reich para a criação de empregos em 15 de dezembro de 1932 e seguiu no cargo em 1933. Em 27 de abril de 1933, o ministro do Trabalho, Franz Seldte, pôde anunciar que o número de desempregados havia diminuído em mais de meio milhão. Parte sem dúvida era resultado de fatores sazonais, como a retomada do emprego após a queda do inverno. Os primórdios de recuperação econômica que haviam se tornado perceptíveis nos últimos meses de 1932 também desempenharam um papel. O governo de Hitler teve sorte nesse aspecto.[22]

Apesar disso, o Partido Nazista não era inteiramente desprovido de ideias próprias nesse setor. O programa do Partido de 1920 havia apresentado propostas de aparência esquerdista para a reforma econômica, incluindo uma tomada abrangente de empresas privadas pelo Estado, de modo que, quando a obtenção do poder começou a parecer uma possibilidade real dez anos depois, Hitler e a liderança foram forçados a dar duro para convencer industriais e financistas de que haviam amadurecido bastante naquele ínterim. Em 1930, Gregor Strasser, o principal administrador do Partido, havia implantado uma divisão de política econômica que cultivou contatos próximos com as empresas e se dedicou a elaborar esquemas de criação de empregos para o futuro. Em julho de 1932, os nazistas tiveram um grande desempenho na campanha eleitoral com uma proposta de usar créditos estatais para obras públicas como forma de reduzir o desemprego, por meio de esquemas como drenagem de pântanos, construção de canais, transformação de terras inférteis em área cultivada e iniciativas assim. Eles declararam que a Alemanha tinha que se safar da Depressão por suas próprias pernas, não podendo mais se dar ao luxo de esperar pelo comércio internacional para se recuperar.[23]

Seldte apresentou propostas adicionais mais ambiciosas, baseadas em uma nova emissão de bônus do Tesouro para projetos de obras públicas de trabalho intensivo. Essas propostas foram aceitas pelo gabinete e, em 1º de junho de 1933, o governo promulgou a primeira Lei para a Redução do Desemprego, que disponibilizou mais 1 bilhão de reichsmarks para obras públicas no "Primeiro Programa Reinhardt", assim chamado por causa do secretário estatal do Ministério das Finanças do Reich, Fritz Reinhardt. Uma segunda Lei para a Redução do Desemprego, conhecida como "Segundo Programa Reinhardt", emitida em 21 de setembro de 1933, disponibilizou outros 500 milhões de reichsmarks em créditos para empresas privadas, particularmente na indústria da construção, para assumir novos projetos e contratar novos empregados.[24] Juntando todos esses esquemas e acrescentando outras intervenções menores, calcula-se que o governo colocou mais de 5 bilhões de reichsmarks à disposição de projetos para a criação de empregos até o final de 1933, dos quais cerca de 3,5 bilhões foram gastos até o começo de 1936. Dessa forma, as modestas dimensões do programa herdado do governo de Schleicher no começo do ano foram imensamente expandidas.[25] Somado a isso, o governo desenvolveu um plano para o subsídio da compra de casas, conversões e consertos de imóveis iniciado pelo governo de Papen em setembro de 1932 para estimular a indústria da construção. Por fim, destinou fundos substanciais para regiões mais desassistidas, sobretudo províncias basicamente agrárias; havia também o pensamento secundário de que, quando estourasse a guerra, quanto mais indústrias tivessem se mudado para fora das grandes cidades, menor seria o dano causado à produção industrial pelo bombardeio inimigo.[26]

O novo regime também agiu depressa para tirar gente do mercado do trabalho, reduzindo assim o número de pessoas economicamente ativas, pelo qual era medida a taxa de desempregados. O esquema mais notável nesse setor foi a emissão de empréstimos para casamento, iniciados como parte da Lei para a Redução do Desemprego promulgada em 1º de junho de 1933, e amparados por regulamentações subsequentes. Casais jovens que pretendiam casar podiam candidatar-se de antemão a um empréstimo sem juros de até mil reichsmarks, desde que a futura esposa tivesse estado empregada por pelo menos seis meses durante os dois anos até a promulgação da lei. O crucial é que ela tinha que abrir mão do emprego na época do casamento e se comprometer a não entrar no mercado de trabalho novamente até o empréstimo estar quitado, a menos que o marido perdesse o emprego nesse ínterim. O indicativo de que não se tratava de uma medida de curto prazo eram os termos do pagamento, que chegavam a 1% do capital por mês, de modo que o período máximo do empréstimo podia ser de oito anos e meio. Na prática, poucos empréstimos eram feitos pelo valor máximo – a média era de seiscentos reichsmarks, correspondendo a cerca de um terço dos rendimentos anuais de um operário da indústria. Entretanto, os empréstimos ficaram mais atraentes e receberam um apelo adicional por um decreto suplementar emitido em 20 de junho de 1933 abatendo um quarto do montante a ser pago para cada criança nascida do casal em questão. Com quatro filhos, portanto, os casais não teriam que pagar nada. Claro que os empréstimos só eram feitos para casais reconhecidos como arianos, de modo que, como muitas outras coisas no Terceiro Reich, tornaram-se um instrumento de política racial além das funções primárias. Todos os candidatos não só tinham que passar por um exame médico para provar sua aptidão, conforme estipulado por um decreto suplementar de 26 de julho de 1933, como era provável que fossem recusados se tivessem quaisquer doenças hereditárias, ou fossem antissociais, ou vadios, ou alcoólatras, ou estivessem conectados a movimentos de oposição, como o Partido Comunista. Além disso, para estimular a produção e garantir que o dinheiro fosse bem empregado, os empréstimos eram emitidos não em dinheiro, mas na forma de vales para mobília e equipamentos domésticos.[27]

A ideia de reduzir o desemprego entre os homens tirando as mulheres do mercado de trabalho não era novidade em 1933. De fato, como parte das medidas de corte de gastos na estabilização de 1924 e na crise de 1930-32, os chamados recebedores duplos, isto é, mulheres casadas que aumentavam a renda do marido engajando-se em trabalho remunerado ou assalariado, foram despedidas do serviço público e também ficaram sob pressão no setor privado.[28] Todos os partidos políticos da República de Weimar, a despeito do advento do sufrágio feminino, concordavam que o lugar da mulher era primeiramente com a família, em casa.[29] Os nazistas estavam apenas dizendo o que os outros diziam, mas mais ruidosa, mais insistente e mais brutalmente. Nisso, como em tantos outros setores, Hitler deu a deixa. A ideia da emancipação da mulher, disse ele em um encontro de mulheres nacional-socialistas em 8 de setembro de 1934, era invenção de "intelectuais judeus" e por essência não alemã. Na Alemanha, ele proclamou, o mundo do homem era o Estado, e o da mulher "seu marido, sua família, seus filhos e sua casa". E prosseguiu:

> Não consideramos correto a mulher interferir no mundo do homem, em sua esfera de domínio. Consideramos natural que esses dois mundos permaneçam distintos. A um deles cabe a força do sentimento, a força da alma. Ao outro cabe a força da visão, da obstinação, da decisão e da disposição para agir.[30]

Goebbels já havia colocado essa visão em termos mais rudes em 1929: "A missão da mulher é ser bela e trazer crianças ao mundo... A ave-fêmea se embeleza para seu parceiro e choca os ovos para ele. Em troca, o macho trata de buscar comida, montar guarda e afastar o inimigo".[31] Isso demonstrou, entre outras questões, a extrema ignorância de Goebbels sobre ornitologia: existem muitas espécies, como pavões ou aves-do-paraíso, nas quais o macho é que é vistoso, e outras, como o pinguim imperador, nas quais é o macho que cuida dos ovos. Também era característico de Goebbels depositar certa ênfase no dever das mulheres de serem belas, coisa que jamais pareceu ter sido de muito interesse para Hitler. Entretanto, o ponto ficou claro, e a analogia com o mundo natural foi eficaz. "A ressurreição alemã", conforme colocou uma cartilha da ideologia nazista em 1933, "é um evento masculino". Lugar de mulher era em casa.[32]

Assim, o esquema de empréstimos para casamento e a declaração de guerra ao trabalho feminino fora de casa eram centrais na ideologia nazista, bem como úteis para a redução dos números do desemprego. E, tão logo o plano foi lançado, os propagandistas nazistas saudaram-no como um sucesso estrondoso. Ao se completar um ano do plano, em 1934, quase meio milhão de empréstimos haviam sido concedidos. O número caiu para pouco mais de 150 mil em 1935, mas subiu para mais de 170 mil em 1936, sendo que nessa época cerca de um terço de todos os casamentos recém-contraídos eram auxiliados por um empréstimo estatal.[33] Eram números impressionantes. Contudo, os efeitos da medida sobre o desemprego foram menores do que os nazistas afirmaram. Isso porque, no geral, as mulheres não competiam com os homens pelos mesmos empregos, de modo que tirar uma mulher do mercado de trabalho na prática raramente significava liberar um posto para um homem. O equilíbrio entre os sexos na economia estava mudando durante as décadas de 1920 e 1930. Ainda assim, o mesmo padrão básico de diferença entre os sexos permaneceu igual ao do final do século XIX. Menos de um quarto dos classificados como trabalhadores eram mulheres. Dentro dessa categoria, elas concentravam-se sobretudo nas indústrias têxtil, de vestuário, alimentação e bebida. A maior parte dos serviçais domésticos também eram mulheres, bem como a maior proporção de "assistentes domésticas". Em contraste, havia pouquíssimas mulheres nos setores industriais de maior emprego. Portanto, a principal diferença que os empréstimos para casamento fizeram foi nas estatísticas globais de emprego; eles realmente não criaram espaço para homens desempregados voltarem ao trabalho, pois era improvável que algum metalúrgico ou operário da construção desempregado fosse para o setor de limpeza doméstica ou tecelagem, independentemente do quão desesperada fosse sua situação. Além do mais, a tomada de empréstimos para casamento tem que ser vista no contexto da recuperação econômica que começou a se esboçar na segunda metade de 1932 e depois adquiriu ritmo. Durante a Depressão, mulheres antes não registradas haviam entrado para o mercado de trabalho quando os pais ou parceiros perderam o emprego e, à medida que os homens começaram a encontrar trabalho outra vez, sobretudo no setor de indústria pesada, tão crucial para o rearmamento, essas mulheres largaram seus serviços, contentes por se livrar da carga dobrada de cuidar da casa e dos filhos, por um lado, e trabalhar fora de casa, por outro. Muitas retardaram o casamento e a gravidez devido à crise econômica. A elevadíssima tomada de empréstimos no primeiro ano sugere que uma grande proporção das que os receberam pertenciam a essa categoria. Portanto, sua decisão foi tomada em grande parte de forma independente dos incentivos do governo.[34]

Não obstante, os nazistas logo começaram a proclamar espalhafatosamente que, com medidas como essas, reduziram de maneira drástica os níveis catastróficos de desemprego que haviam devastado a economia e a sociedade alemãs desde o final da década de 1920. Em 1934, as estatísticas oficiais mostraram que o desemprego havia caído para menos da metade dos níveis de dois anos antes; em 1935, ficou em não mais de 2,2 milhões, e em 1937 caíra para abaixo da marca do milhão. A bazófia de Hitler de que resolveria o problema do desemprego dentro de quatro anos após assumir o cargo pareceu ter sido justificada de modo triunfal. A incessante propaganda nazista alardeando que a "batalha pelo emprego" estava sendo vencida obteve amplo crédito. Isso ajudou na conquista de muitos incertos e céticos para o lado do governo de maio de 1933 em diante, e injetou nova euforia nos defensores do Terceiro Reich. A crença de que Hitler realmente estava reconstruindo a economia alemã foi um fator importante para sustentar a aceitação popular do regime nos primeiros meses.[35] Teria sido esse então o "milagre econômico de Hitler", como alguns sugeriram, envolvendo a derrota do desemprego, uma retomada keynesiana da economia por uma política arrojada de gasto deficitário, um enorme aumento de investimento e uma recuperação geral da prosperidade e do padrão de vida das profundezas em que haviam afundado na Depressão? Teria isso lançado as sementes das quais, após a destruição da guerra, brotou o milagre econômico alemão ocidental da década de 1950?[36]

É claro que a recuperação econômica mundial em certa extensão já estava em andamento, ainda que lentamente; na Alemanha ela foi auxiliada pelo rápido crescimento da confiança empresarial como resultado da estabilidade política que o Terceiro Reich parecia garantir em contraste com seus predecessores imediatos e em consequência da supressão do movimento trabalhista, que deu aos empregadores a sensação de que tinham uma margem de manobra muito maior que antes. Além disso, enquanto o problema do desemprego nos anos da Depressão de 1929 a 1931 fora agravado pelo fato de grandes contingentes de nascidos nos anos imediatamente anteriores à Primeira Guerra Mundial terem inundado o mercado de trabalho após deixar a escola, a situação inverteu-se de 1932 em diante, à medida que os pequenos contingentes de nascidos nos anos da guerra atingiram a idade adulta. De fato, mais de 2 milhões de nascimentos esperados de acordo com as tendências estatísticas observadas não ocorreram em 1914-18, ao passo que a taxa de mortalidade entre crianças nos anos da guerra, fortemente afetada pela escassez de alimentos durante o período, ficou 40% acima do normal. Assim, o mercado de trabalho beneficiou-se também da consequente queda na demanda geral por empregos.[37]

A impressão de que os nazistas foram extremamente afortunados por chegar ao poder quando a economia já estava começando a se recuperar é reforçada ao se perceber que algumas de suas tão alardeadas medidas pouco fizeram além de restaurar o *statu quo* dos anos pré-Depressão. Na habitação, por exemplo, o número de 310.490 moradias construídas ou reformadas em 1936 parecia impressionante, mas ainda estava abaixo da cifra de 317.682 alcançada pela desprezada República de Weimar em 1929. O governo, de fato, cortou os subsídios públicos para a habitação de 1 bilhão de reichsmarks em 1928 para quase nada em 1934 e concentrou os recursos no subsídio para reparos. Além disso, também, os números de trabalhadores adicionais na indústria da construção eram na maioria provenientes do emprego, muito dele compulsório, em enormes projetos de escavação que não tinham absolutamente nenhuma conexão com habitação.[38] O regime, realmente, era muito propenso a maquiar a contabilidade. Não só os homens recrutados para o trabalho compulsório, mas também as famílias e demais ajudantes de lavradores efetivamente não pagos e antes não registrados, na maioria mulheres, agora contavam como empregados. Nenhuma dessas pessoas podia ser considerada um participante ativo do mercado de trabalho; nenhuma recebia um ordenado com o qual pudesse se sustentar, que dirá sustentar uma família. Nesse cálculo havia pelo menos 1,5 milhão de "desempregados invisíveis" na Alemanha na época, e o número total de desempregados, que os estatísticos nazistas colocavam como pouco mais de 2 milhões, de fato estava muito mais perto de 4 milhões.[39] Ainda em janeiro de 1935, um observador contemporâneo calculou que ainda havia mais de 4 milhões de pessoas desempregadas na Alemanha.[40] Também havia métodos mais sutis de manipulação das estatísticas. Trabalhadores temporários agora eram contados como empregados permanentes. Entre janeiro de 1933 e dezembro de 1934, o número de desempregados de longa data dependentes da previdência ficou em pouco mais de 60% em cidades com mais de 500 mil habitantes, um feito impressionante, pelo menos no papel. Contudo, isso ocorreu em parte porque o número de "desempregados da previdência" agora era obtido com base nos registrados nas agências de emprego em busca de um serviço, em vez de, como antes, com base nos inscritos nas agências da previdência para receber benefícios. Em Hamburgo, por exemplo, a agência de emprego somava 54 mil desempregados da previdência no final de março de 1934, em contraste com o número próximo de 60 mil do escritório da previdência.[41]

Além disso, introduziram-se novas regulamentações cortando horas de trabalho em alguns setores do comércio e da indústria, fazendo-se necessário empregar mais trabalhadores, mas cortando de modo bastante substancial os vencimentos dos já contratados. As agências de emprego em geral somente tinham condições de providenciar serviços de curto prazo; ainda havia escassez de empregos permanentes. Rapazes e moças também ficavam sob uma tremenda pressão para se inscrever no chamado Serviço Voluntário ou se alistar no trabalho agrícola, no qual os camponeses com frequência ressentiam-se de sua falta de experiência e os consideravam simplesmente como mais bocas para alimentar. Corte dos pagamentos da previdência, trabalho forçado ou até mesmo aprisionamento ameaçavam aqueles que resistiam. Em algumas regiões, todos os rapazes desempregados entre dezoito e 25 anos de idade eram arrebanhados e tinham que escolher entre trabalhar na terra ou perder todos os benefícios imediatamente. Todavia, o pagamento desse trabalho era tão parco que em muitos casos ficava abaixo dos níveis dos benefícios da previdência, e, se os trabalhadores tinham que morar longe de casa nesses programas, ainda necessitavam dos benefícios para arcar com a despesa extra que isso envolvia.[42] Mesmo nos prestigiosos projetos das autoestradas, as condições de trabalho eram tão precárias, a ração era tão minguada e tantas as horas que havia protestos frequentes, chegando inclusive à queima dos alojamentos. Muitos dos recrutados para os projetos, como barbeiros, escriturários ou caixeiros-viajantes, eram totalmente inaptos para o trabalho físico pesado. Os acidentes eram frequentes e repetidos; os atos de protesto em um campo de obras levaram à detenção de 32 dos setecentos trabalhadores em poucos meses; os queixosos mais esbravejantes eram mandados para Dachau para "reeducação" e para intimidar os outros à anuência calada.[43] Essas medidas também ajudaram, junto com controles trabalhistas estritos e a abolição dos sindicatos, a manter os vencimentos líquidos reais em baixa.[44]

O chamado Serviço Voluntário não foi uma criação dos nazistas; existia antes da tomada do poder, com 285 mil homens inscritos já em 1932. Em 1935, o número havia aumentado para 422 mil, mas muitos eram habitantes da cidade empregados como operários agrícolas por curto período para serviços como colheita, que do contrário seriam executados pelos trabalhadores rurais de qualquer modo. Assim, embora esses esquemas tenham levado à redução do número de desempregados que figurava nas estatísticas oficiais, não provocaram aumento geral no poder de compra da população. Observadores bem informados ressaltaram que a recuperação não havia afetado os bens de consumo, cuja produção em maio de 1935 ainda estava 15% abaixo do nível de sete anos antes. O comércio varejista na verdade caiu em quantidade entre 1933 e 1934, à medida que os vencimentos continuaram em baixa, enquanto os preços de alimentos e roupas subiam. A teoria keynesiana clássica de criação de emprego, adotada pelo menos na teoria pelo governo Papen, visava à retomada da economia à medida que empréstimos estatais e programas de criação de emprego colocassem dinheiro no bolso dos trabalhadores e alimentassem a demanda pelo consumo, com isso estimulando a produção, levando a mais emprego e assim por diante, até o processo de recuperação tornar-se autossustentável. Dois anos e meio depois de Hitler ter chegado ao poder, ainda havia poucos sinais de que isso estivesse acontecendo.[45]

III

Na verdade, o programa nazista de criação de emprego tinha a ver com algo bem diferente do começo de uma recuperação econômica geral. Suas verdadeiras metas foram explicadas por Hitler aos ministros em 8 de fevereiro de 1933:

> Os próximos cinco anos na Alemanha devem ser devotados ao rearmamento do povo alemão. Todo esquema de criação de emprego com apoio público deve ser julgado pelo critério da necessidade do ponto de vista do rearmamento do povo alemão. Esse princípio deve estar em primeiro plano sempre e por toda parte... A posição da Alemanha no mundo será condicionada de modo decisivo pela posição das Forças Armadas da Alemanha. Disso depende também a posição da economia da Alemanha no mundo.[46]

As autoestradas, ele acrescentou, também seriam construídas "segundo princípios estratégicos".[47] Quando Hitler apresentou o plano de construção das autoestradas a industriais em 29 de maio de 1933, ele até sugeriu que as rodovias deveriam ter um teto de concreto reforçado para protegê-las de ataques aéreos inimigos enquanto tanques e blindados para transporte de tropas se deslocassem por baixo dessa cobertura a caminho do *front*. No fim, as rotas seguidas eram distantes demais de quaisquer possíveis linhas de frente em uma guerra, e a superfície da rodovia era fina demais para transportar tanques e equipamento militar pesado. Suas superfícies brancas e cintilantes proporcionariam à aviação inimiga um meio de orientação tão facilitada que tiveram que ser cobertas com pintura camuflada durante a guerra. Todavia, a despeito da importância conferida a suas funções ideológicas, estéticas e de propaganda, a intenção por trás das autoestradas, não só na mente de Hitler, mas também na de seu arquiteto, Fritz Todt, era primeiramente estratégica.[48] Hitler chamou a atenção para o que ele acreditava ser a importância vital, ainda que indireta, da indústria automobilística para o futuro militar da Alemanha. "Automóveis e aviões têm uma base comum na indústria automobilística", ele declarou. "Sem o desenvolvimento, por exemplo, do mecanismo a diesel para o tráfego motorizado, teria sido praticamente impossível dispor da base necessária para o uso na aviação."[49] A escalada da produção de automóveis permitiria que as fábricas fossem convertidas para a produção militar em pouco tempo, ao passo que os lucros da fabricação de motores podiam ser usados para financiar o desenvolvimento de motores aéreos pelas mesmas companhias.[50]

A "motorização da Alemanha" revelou-se outra falsa visão nazista, visto que o desvio de recursos para a produção militar a partir de meados da década de 1930 pôs um freio na fabricação de automóveis, que começou a se estabilizar e em 1938 não acompanhava de forma alguma o ritmo da demanda. O esquema pelo qual os trabalhadores, sob influência de campanha publicitária maciça, separavam uma parte de seus vencimentos toda semana para destiná-la à compra do "carro Força pela Alegria" revelou-se nada mais que um meio de colocá-los a fazer mais hora extra, de modo que pudessem contribuir para financiar o rearmamento. Ao final de 1939, 270 mil pessoas haviam cedido 110 milhões de reichsmarks ao Estado dessa forma. No fim, nada menos que 340 mil pessoas investiram seu dinheiro no esquema. Nenhuma delas jamais obteve um Volkswagen em troca. A fábrica foi convertida para a produção de guerra em setembro de 1939.[51] O Exército considerava a expansão da fabricação de veículos motorizados uma pré-condição essencial para a rápida motorização posterior das Forças Armadas. De modo mais geral, indústrias de base como siderurgia, manufatura e engenharia deveriam ter prioridade sobre indústrias de bens de consumo porque proporcionariam a infraestrutura básica para o rearmamento. E colocar os alemães, especialmente os homens alemães, de volta ao trabalho ia endurecê-los e transformá-los de desempregados molengas em combatentes potenciais; portanto, era mais importante discipliná-los do que pagar bem. Do ponto de vista de Hitler, os campos e alojamentos nos quais os rapazes labutavam por vencimentos abaixo dos níveis dos benefícios da previdência em serviços voluntários, que na realidade não tinham nada de voluntário, eram importantes em parte porque os treinavam para as privações de uma futura guerra.[52]

De modo mais imediato, Hitler também queria ter a produção de armas em andamento de novo, após os muitos anos de proibição pelas limitações impostas às Forças Armadas alemãs pelo Acordo de Paz de 1919. Dirigindo-se a lideranças das Forças Armadas, da SA e da SS em 28 de fevereiro de 1934, Hitler disse que seria necessário criar "espaço vital para a população excedente" no leste em cerca de oito anos, pois a recuperação econômica até lá teria perdido o embalo. Visto que "as potências ocidentais não nos permitiriam fazer isso... golpes curtos e decisivos a oeste e depois a leste podiam ser necessários". O rearmamento tinha, portanto, que estar concluído em 1942.[53] Havia um longo caminho a percorrer. Em 1933, a Alemanha estava mais ou menos sem Força Aérea, sem encouraçados, sem tanques, sem os itens mais básicos do equipamento militar, e restrita a um Exército de não mais que 100 mil homens. Já em fevereiro de 1933, Hitler colocou em marcha um programa de rearmamento, disfarçado tanto quanto possível de criação de emprego (o programa Schleicher reformado, disse ele em 9 de fevereiro, "facilita em primeiro lugar o acobertamento do trabalho de melhoria da defesa nacional. Deve-se colocar ênfase especial nessa ocultação no futuro imediato").[54] O Exército pediu 50 milhões de reichsmarks do programa Schleicher para custear a fase inicial de expansão nas linhas que já havia traçado em 1932, ao passo que o comissário para aviação solicitou pouco mais de 43 milhões. Essas quantias eram modestas demais para Hitler, que pensava que o rearmamento exigiria "bilhões" de marcos e tinha que ser feito o mais rapidamente possível, a fim de ultrapassar o período difícil de quando os inimigos da Alemanha começassem a perceber o que estava acontecendo, antes que se chegasse a um estágio em que qualquer resistência alemã a, digamos, uma invasão polonesa fosse possível. Os militares enfim convenceram Hitler de que não era possível fazer mais no estágio inicial do rearmamento. Ele ordenou que se desse prioridade à alocação de recursos do programa de recuperação econômica aos militares, e em abril de 1933 deu às Forças Armadas o controle de seu orçamento para o rearmamento.[55]

O Exército produziu um cadastro de 2,8 mil empresas para as quais podiam ser remetidas encomendas de armas; em 1934, elas respondiam por mais da metade de toda a produção de ferro e aço, máquinas e veículos motores. Os efeitos da Depressão incluíram uma tremenda subutilização da capacidade produtiva, de modo que as encomendas iniciais de armas em muitos casos apenas preencheram lacunas e não exigiram maiores investimentos novos. O investimento na indústria alemã em 1932 havia sido inferior a 17% do nível de 1928, mas agora começava a crescer, atingindo pouco mais de 21% em 1933, 40% em 1934 e 63% em 1935. Quase de imediato teve início o trabalho preparatório para a criação de uma Força Aérea alemã. Em março de 1934, foi traçado um calendário de produção com meta de 17 mil aeronaves até 1939; muitas eram disfarçadas de aviões de passageiros, mas planejadas para a conversão em bombadeiros quando chegasse a hora. De modo um tanto implausível, 58% foram listadas como "simuladores de voo". Em 1935, havia 72 mil trabalhadores empregados na construção de aeronaves, contra menos de quatro mil no começo de 1933. De modo semelhante, a Krupp deu início à produção em larga escala do que foi descrito esquivamente como "tratores agrícolas" em julho de 1933; na verdade eram tanques. Em 1934, a companhia Auto Union lançou outro departamento de produção de veículos militares, disfarçado em seus relatórios sob o nome vago de "escritório central". Em novembro de 1933, a Marinha encomendou o equivalente a mais de 41 milhões de reichsmarks em equipamento militar e outros 70 milhões de reichsmarks em navios. Grandes firmas como a Borsig, de Berlim, e a Associação Bochumer, de Hanover, começaram a produção de rifles e pistolas. Tudo isso teve efeito imediato sobre o emprego. Já em janeiro de 1933, a fábrica de rifles Mauser aumentou sua força de trabalho de oitocentos para 1,3 mil; nos primeiros meses de 1933, a Companhia Metalúrgica do Reno, que fabricava morteiros e metralhadoras, também contratou quinhentos novos operários. Acontecimentos semelhantes podiam ser observados em centenas de companhias por toda a Alemanha. Toda essa atividade febril inevitavelmente teve um efeito anima-

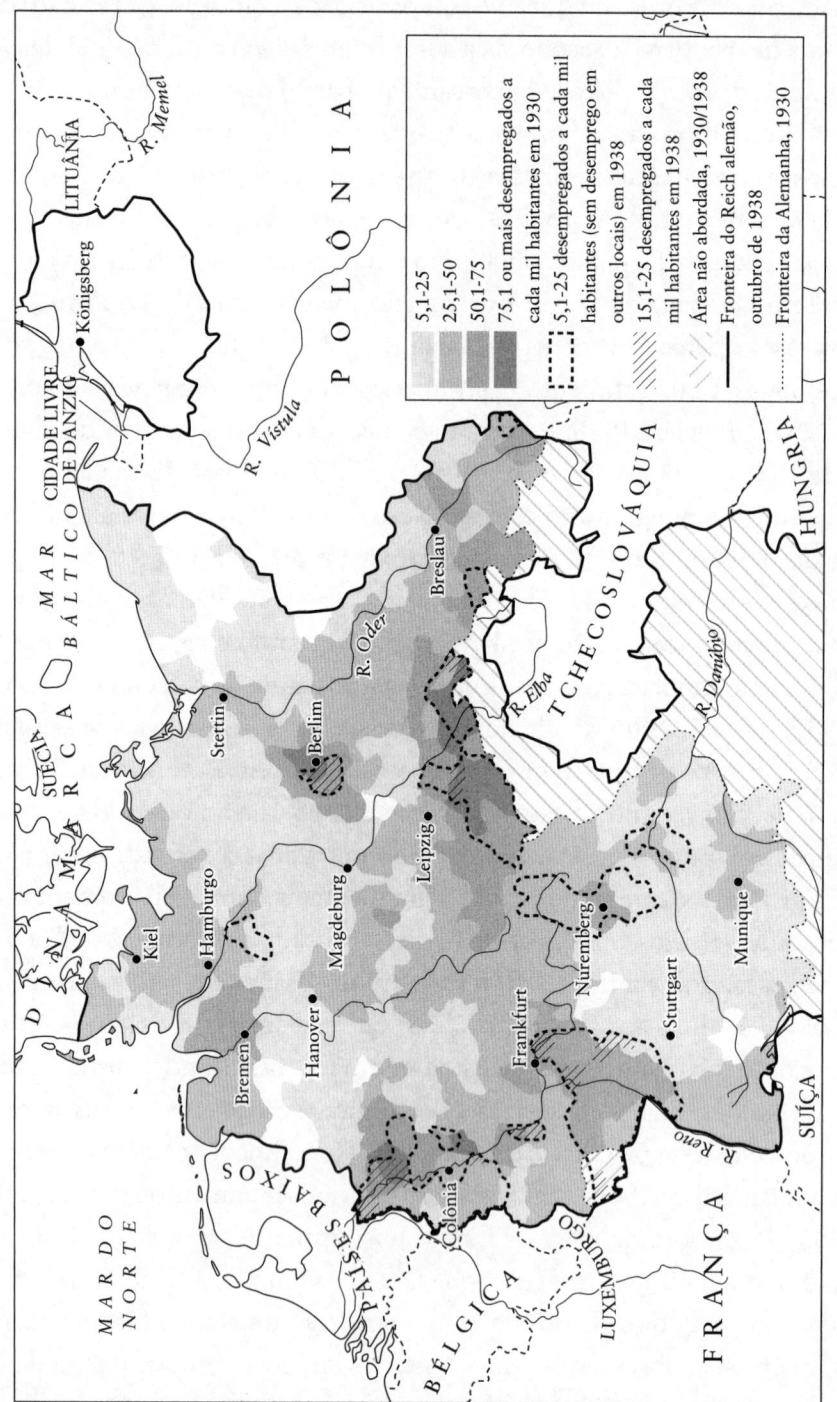

Mapa 10. A queda no desemprego, 1930-38

dor sobre a indústria em termos mais amplos, visto que siderúrgicas, fabricantes de máquinas e companhias de carvão e mineração intensificaram a produção e contrataram mão de obra adicional para fazer frente à nova e rapidamente crescente demanda do setor de armas e relacionados. No final de 1934, o governo, notando a redução dos números do desemprego para menos da metade do nível em que estavam quando assumiu o poder, suspendeu os programas específicos de criação de emprego. Dali em diante, não precisou contar com essas medidas para reabsorver os desempregados alemães que restavam.[56]

O último passo na redução dos números do desemprego foi dado com a introdução do serviço militar obrigatório em maio de 1935. Já em outubro de 1933, Hitler havia perguntado ao embaixador britânico se seu governo concordaria com a triplicação do tamanho do Exército alemão para 300 mil; e o próprio Exército tirou vantagem de um acordo internacional assinado em 11 de dezembro de 1932 que propôs a substituição das cláusulas de desarmamento do Tratado de Versalhes por uma convenção que deu à Alemanha direitos iguais dentro de um novo sistema de segurança internacional. Ofensivas maciças de recrutamento ao longo de 1934, inicialmente lançadas para substituir o deslocamento de milhares de tropas para a recém--formada Força Aérea alemã, resultaram no aumento do contingente do Exército para 240 mil em 1º de outubro. Mas não era o bastante. Hitler já havia prometido ao Exército em 3 de fevereiro de 1933 que reintroduziria o serviço obrigatório. Usando como pretexto um aumento proposto para a duração do serviço militar francês, Hitler fez o anúncio formal para o Conselho de Defesa do Reich em 15 de março, tomando de surpresa muitos dos oficiais presentes. Dali em diante, todos os homens não judeus alemães fisicamente aptos teriam que servir por um ano nas Forças Armadas – estendidos para dois em agosto de 1936 – uma vez que chegassem aos dezoito anos de idade e servissem os seis meses exigidos no Serviço de Trabalho do Reich. Em 12 de junho de 1936, o Estado-Maior Geral estimava que o efetivo total do Exército situava-se pouco acima de 793 mil homens, incluindo reservistas e não combatentes; às vésperas da guerra, havia quase 750 mil homens na ativa no Exército e mais de 1 milhão na reserva. Na primavera de 1935, o governo alemão também anunciou formalmente a existência de uma Força Aérea (Luftwaffe), que àquela altura possuía 28 mil oficiais e homens servindo; em agosto de 1939, o número havia crescido para 383 mil.[57] O rearmamento naval começou mais devagar, baseado de início em planos traçados em novembro de 1932, mas ali também a expansão por fim atingiu um ritmo impetuoso. Havia 17 mil oficiais navais e marinheiros em serviço em 1933, um aumento de apenas 2 mil em relação ao ano anterior, mas em 1939, no começo da guerra, o número havia subido para quase 79 mil.[58] Somados, esses aumentos absorveram qualquer desemprego restante entre os jovens. Depois de 1936, Hitler e as lideranças nazistas não se deram ao trabalho de mencionar a "batalha pelo trabalho" novamente; o fato de que ela fora vencida havia sido aceito há muito tempo pela maioria do povo alemão.[59]

IV

O governo da Alemanha estava em uma situação financeira lamentável quando Hitler tornou-se chanceler do Reich em janeiro de 1933. Mais de três anos da mais catastrófica depressão econômica da história alemã haviam forçado seus predecessores a cortar abruptamente os gastos estatais. Quebra de bancos, falência de empresas e desemprego em massa levaram a uma enorme baixa no produto interno bruto e uma queda vertiginosa na receita tributária. A situação não mudou da noite para o dia. Em 1938, por exemplo, o gasto estatal consumiu 35% da renda nacional. Os 17,7 bilhões de reichsmarks que entraram nos cofres públicos vindos dos impostos foram suficientes para cobrir apenas metade do dinheiro que o Estado gastava – 30 bilhões de reichsmarks no total. Como o regime deu jeito de pagar o imponente programa de rearmamento e criação de empregos? Só conseguiu pagar com o que foi chamado de "produção criativa de crédito". Tal política era anátema para administradores econômicos tradicionais em vista do perigo de inflação que ameaçava ocasionar. Ninguém queria uma repetição da hiperinflação incontrolável de 1923. O presidente do Reichsbank, Hans Luther, não simpatizava com a meta do regime de rearmamento financiado pelo déficit. Sumo sacerdote do monetarismo ortodoxo, Luther também possuía um passado político como ex-chanceler do Reich. Sua preocupação em manter a neutralidade do internacionalmente confiável Reichsbank levou-o a protestar ao próprio Hitler quando camisas-pardas hastearam a suástica no prédio do banco em 30 de janeiro de 1933. Tudo isso fez dele um companheiro incômodo para os nazistas. Assim, Hitler substituiu-o em meados de março de 1933 por Hjalmar Schacht, mago das finanças e grande responsável por colocar a inflação sob controle no final de 1923.[60]

Schacht foi uma figura anômala na liderança do Terceiro Reich. Em ocasiões oficiais, enquanto os outros ministros apareciam com botas de montar e uniforme, Schacht destacava-se em seu traje civil cinza, colarinho alto branco, camisa e gravata, sobretudo escuro e chapéu-coco. Sua franzina presença física um tanto despretensiosa e os óculos sem aro conferiam-lhe um ar ligeiramente retraído e acadêmico, que também destoava da energia tosca de outras lideranças do regime. Tampouco sua formação era semelhante às delas em qualquer sentido. Nascido em janeiro de 1877 em uma família de posses modestas, foi batizado Horace Greeley Hjalmar Schacht; seu pai passou sete anos nos Estados Unidos e admirava tanto o fundador do *New York Herald Tribune* e autor da frase: "Vá para o oeste, rapaz" que escolheu o nome do filho em homenagem a ele. "Hjalmar", nome pelo qual era mais conhecido na Alemanha, era um nome tradicional na família de Hamburgo e Schleswig-Holstein de que sua mãe descendia. Educado no famoso liceu de Hamburgo, estudou economia política com Lujo Brentano na Universidade de Munique; então, após adquirir experiência prática como jornalista, aprendeu francês em Paris e escreveu uma tese de doutorado sobre economia britânica. Assim, a formação de Schacht era tão variada quanto cosmopolita, e ele seguiu em frente trabalhando com grandes economistas e comentaristas do período guilhermino, como Hans Delbrück e Gustav Schmoller. Ele gravitou naturalmente para o Partido Nacional Liberal, e escreveu para a Associação do Tratado Comercial, o que o colocou em contato com Georg von Siemens, fundador do Deutsche Bank. Por meio dessa conexão, entrou no mundo real das finanças e ascendeu rapidamente por suas categorias. Schacht teve um papel no gerenciamento econômico do esforço de guerra alemão em 1914-18, mas não era de forma alguma um nacionalista de direita e, na verdade, teria se separado da primeira esposa em 1938 em razão das ideias radicais pró-nazistas dela. Por outro lado, a lealdade de Schacht durante os anos de Weimar pertencia aos democratas.[61]

Schacht foi catapultado para a fama perto do final de 1923 pelo papel como comissário para a moeda nacional, cargo a que foi indicado por Hans Luther, na época ministro das Finanças. Ele provavelmente deveu a nomeação às extensas conexões que havia construído nos círculos financeiros, ao longo dos anos anteriores, como diretor de uma sucessão de grandes bancos. Seu papel para acabar com a hiperinflação levou-o à indicação para presidente do Reichsbank após a morte súbita do prévio detentor do cargo em 20 de novembro de 1923. Ali ele consolidou a reputação de mago financeiro ao manter com sucesso a estabilidade do rentenmark e depois – com um coro de desaprovação da extrema direita – desempenhar um papel-chave na renegociação das reparações sob o Plano Young. No começo de 1930, quando o governo renegociou partes do Plano que Schacht considerava que deveriam ter sido mantidas, ele exonerou-se e entrou em aposentadoria temporária. Isso sugeriu que então havia se deslocado para a extrema direita nacionalista em termos políticos; de fato, na época ele deixou o Partido Democrata, embora sem transferir sua lealdade para nenhum outro. Apresentado a Hitler em um jantar oferecido por Hermann Göring no começo de 1931, ficou favoravelmente impressionado com o líder nazista. Como muitas outras figuras do sistema, Schacht achou que o radicalismo de Hitler poderia ser domado com a associação do nazista a outras figuras mais conservadoras e mais experientes, como ele mesmo.[62]

Do ponto de vista de Hitler, Schacht era simplesmente o melhor gerente financeiro das redondezas. Hitler precisava que ele providenciasse o dinheiro para o programa de rearmamento e garantisse que o rápido crescimento no gasto estatal não criasse nenhum problema. Schacht não teve sequer que se tornar membro do Partido Nazista. Mais tarde ele afirmou, como muitos outros, que aceitou um cargo no regime para evitar que algo ainda pior acontecesse. Entretanto, a essa altura, as visões políticas de Schacht haviam se deslocado para bem mais perto das ideias de Hitler. Ele pode não ter sido um agitador das massas e apóstolo da violência, mas com certeza tornou-se um nacionalista radical o bastante para aprovar entusiasticamente a meta primária do regime de rearmar a Alemanha em velocidade máxima. No final de maio de 1933, ele apresentou um esquema engenhoso para financiamento do déficit. Um Instituto de Pesquisa Metalúrgica (Metallurgisches Forschungsinstitut), montado por quatro grandes companhias com capital de 1 milhão de reichsmarks, foi autorizado a emitir as chamadas "letras Mefo", garantidas pelo Estado e descontadas pelo Reichsbank. O banco, por sua vez, fez frente às letras apresentadas simplesmente imprimindo papel-moeda. Entre 1934 e 1936, 50% das compras de armas pelas forças militares foram feitas com essas letras. Visto que o Reichsbank cobriu as letras imprimindo dinheiro, as notas em circulação aumentaram em 6 bilhões até o final de março de 1938, quando haviam sido gastos cerca de 12 bilhões em letras Mefo. Schacht já estava preocupado com o efeito inflacionário das medidas e cessou a emissão de letras Mefo em 1937; depois, em vez delas foram usados vales tributários e notas do Tesouro isentas de juros. Nesse meio-tempo, a dívida bruta do Reich havia entrado em uma espiral quase fora de controle. Mas nem Hitler nem seus gestores econômicos consideravam isso muito importante, pois para eles o financiamento do déficit era apenas uma medida de curto prazo; as dívidas seriam pagas com a expansão territorial em um futuro bastante próximo. Além do rápido rearmamento, Hitler ocupava-se em dar outros passos para garantir que isso não apenas fosse possível como também, na sua opinião, acarretasse o máximo de benefício econômico.[63]

Desde o início, Hitler quis que a Alemanha fosse economicamente autossuficiente. Na preparação para a guerra vindoura, a economia alemã tinha que se livrar da dependência das importações. Hitler tinha visto por si os efeitos do embargo à Alemanha pelos aliados após a Primeira Guerra Mundial: uma população desnutrida e descontente, a produção de armas inepta pela falta de matéria-prima básica. Ele não queria que acontecesse de novo. "Autarcia", o termo nazista para autossuficiência, foi um preceito básico da economia nazista do começo da década de 1920 em diante. Abrangeu grande parte da discussão econômica, por assim dizer, do tratado político-autobiográfico de Hitler, *Minha luta*. E estava intimamente conectado com outra ideia básica da política nazista, a conquista de "espaço vital" no leste da Europa, que Hitler acreditava que garantiria o abastecimento de gêneros alimentícios para a população urbana da Alemanha. Portanto, desde o começo, a política nazista enfocou a retirada do comércio dos mercados internacionais e o redirecionamento para países que um dia fariam parte do império nazista, como os do sudeste da Europa, por exemplo. Dado o estado deprimido da economia mundial na ocasião, no começo de fevereiro de 1933, Hitler disse aos militares que era inútil tentar fomentar as exportações; o único caminho para assegurar a recuperação da economia alemã a longo prazo era a conquista de "espaço vital" a leste, e os preparativos tinham agora que dispor de prioridade sobre todo o restante.[64]

Em casa, o Terceiro Reich perseguiu a meta de autonomia no abastecimento de alimentos por meio do Comitê da Alimentos do Reich, promulgado em 13 de setembro de 1933. Chefiado por Richard Walther Darré, ideólogo do "sangue e solo", agora ornamentado com o título de líder dos fazendeiros do Reich, o comitê era uma típica organização nazista, estruturado de modo hierárquico com base no princípio da liderança, com líderes dos fazendeiros nomeados em todos os níveis de distritos e localidades. A ideia, há muito defendida por lobistas da agricultura, era unir produtores, atacadistas, varejistas e consumidores em uma cadeia única que eliminasse a exploração de uns pelos outros e garantisse uma partilha justa para todos. Desse modo, na indústria da pesca, por exemplo, pescadores, processadores, atacadistas, distribuidores e peixeiros foram organizados em uma associação única comandada a partir de Berlim, e o mesmo foi feito em outros ramos da agricultura, de plantadores de frutas a produtores de grãos. Essas estruturas elaboradas eram respaldadas por agências de importação para proteger os produtores domésticos de itens específicos, e amparadas por sanções que incluíam multas pesadas e até prisão para contravenções das regulamentações. Dessa maneira, toda a produção e o abastecimento nacionais de gêneros alimentícios podia ser controlada, os preços podiam ser fixados e as quantidades e cotas determinadas conforme os interesses dos produtores. Em certos aspectos, o Comitê de Alimentos do Reich, projetado para funcionar como uma corporação independente, era visto por Darré como o veículo pelo qual os camponeses fortaleceriam seus interesses econômicos e reivindicariam seu lugar de direito na nova Alemanha. Também era uma imitação das instituições do Estado corporativo da Itália fascista, ligando todos de uma área específica da sociedade e da economia em uma estrutura que, pelo menos na teoria, substituiria o antagonismo mútuo pela cooperação mútua e geraria um senso de comunidade pela remoção de fontes reais e potenciais de conflito.[65]

Mas o Comitê de Alimentos do Reich revelou-se uma instituição problemática.[66] Logo, logo, a visão ideológica de Darré de uma Alemanha do futuro baseada em uma comunidade saudável e estável de camponeses começou a ser deixada de lado por imperativos mais imediatos da autarcia e do rearmamento. Em conformidade com a política econômica geral, o Comitê de Alimentos do Reich tinha que manter os preços baixos, restringir importações (inclusive de forragem animal) e racionar o consumo. Os controles de preço espremiam os lucros dos fazendeiros e faziam com que não pudessem competir com as grandes firmas industriais no nível de ordenados pagos aos trabalhadores. A escassez de ferro e aço e a priorização da indústria de armamentos na alocação desses recursos significaram severas restrições na fabricação de maquinário agrícola que poderia ter sido um substituto aceitável para a força de trabalho que desaparecia, supondo-se que os fazendeiros pudessem pagar por ele. Já em setembro de 1934, Schacht lançou uma "batalha pela produção" destinada a tornar a Alemanha autossuficiente em gêneros alimentícios, uma meta na qual o Comitê de Alimentos do Reich tinha sua parte a cumprir. Todavia, o sucesso mostrou-se fugidio. Os subsídios para a construção de depósitos de grãos, silos e assemelhados tiveram algum efeito. Mas esse foi mais do que neutralizado pela requisição de grandes fatias de terra agricultável para autoestradas, campos de aviação, alojamentos e campos, áreas de treinamento do Exército e pelo recrutamento de trabalhadores agrícolas para as indústrias do setor bélico nas aldeias e cidades. Entre 1933 e 1938, 140 aldeias foram dissolvidas e 225 comunidades rurais foram despedaçadas ou deslocadas pelas compras de terra compulsórias pelo Exército, enquanto nos dois últimos anos de paz a construção de fortificações defensivas conhecidas como "muralha do leste" provocaram o abandono de 5,6 mil fazendas com 130 mil hectares de terra. A produção de grãos não conseguiu sequer atingir os níveis de 1913, enquanto havia uma deficiência na produção doméstica de carne de porco e frutas entre 10% e

30% em relação à demanda, 30% em aves e ovos, cerca de 50% em gorduras, manteiga e margarina, até 60% em legumes e mais de 90% em óleos vegetais.[67] Nessa, como em outras áreas, o desvio da produção para armamentos e indústrias associadas e o aperto nas importações não militares gerou escassez de bens de consumo no outono de 1936, à medida que a demanda começou a superar a oferta. Com isso, os preços começaram a subir. Um comissário de preços – o político conservador Carl Goerdeler, prefeito de Leipzig – já havia sido nomeado no final de 1934, mas sua defesa de uma desaceleração do rearmamento como remédio foi rejeitada de forma brusca, e seu gabinete era pouco mais que um *show* de propaganda. Para evitar um ressurgimento da temida inflação do início da década de 1920, o governo impôs um congelamento compulsório nos preços em 26 de outubro de 1936. Em 1º de janeiro de 1937, introduziu o racionamento de manteiga, margarina e gordura. Com isso, os consumidores começaram a sentir o aperto da mesma forma que os produtores.[68]

Como Darré, também era ministro da Agricultura, teve que concordar com as medidas. Cada vez que os interesses do Estado colidiam com os do Comitê de Alimentos do Reich, era este que tinha que ceder. Além disso, em 1936 ficou claro que a meta da autossuficiência em alimentos estava tão distante quanto sempre estivera. O Comitê de Alimentos do Reich ficou entalado entre o Partido e o Estado. Instituição que em termos formais não pertencia a nenhum dos dois, o comitê perdeu suas funções à medida que Partido e Estado faziam valer seus interesses próprios. A estrela de Darré agora empalidecia rapidamente. Seu adjunto, Herbert Backe, persuadiu Göring e Himmler de que Darré era um ideólogo que vivia em um mundo de sonhos e que a meta prática de atingir a autossuficiência em alimentos só podia ser alcançada por um especialista como ele mesmo. Somado a isso, uma série de atritos com Robert Ley a respeito dos interesses dos trabalhadores agrícolas levou a mais invasões à posição do Comitê de Alimentos do Reich na sociedade rural. Ley também conseguiu usar seu papel de líder da organização do Reich do Partido para remover uma série de funções, na educação e no treinamento por exemplo, da organização de Darré, em um prelúdio para incorporá-la à Frente de Trabalho. Na tentativa de sustentar seu poder em declínio, Darré de fato já havia cedido às exigências da autarcia, patrocinando, por exemplo, uma lei de 26 de junho de 1936 que permitiu aos estados fundir fazendas de forma compulsória para criar unidades maiores e mais eficientes. Além disso, também foi impelido a transferir a responsabilidade pelas assistências social e cultural de seus membros para o Partido e organizações subordinadas. A impopularidade de seus planos entre os camponeses selou seu destino.[69]

Göring e Backe devotaram energia considerável ao fomento da oferta de alimentos produzidos dentro do país; as medidas adotadas incluíram empréstimos a juros baixos aos fazendeiros para a compra de maquinário, cortes de preço nos fertilizantes, incentivos nos preços para a produção de grãos, ovos e outros, e em certos casos a exigência do cultivo de lavouras que fornecessem matéria-prima para fibras têxteis, como linho, ou óleos e gorduras vegetais. Também tentaram remediar a escassez crescente de mão de obra na terra. Desde o início do Terceiro Reich, centenas de milhares de jovens eram recrutados para o campo para tentar compensar uma carência de longo prazo de braços na agricultura, embora muitos deles fosse jovens demais, desprovidos de força física ou ignorantes demais sobre o mundo rural e seus costumes para ser de muita utilidade. Até mesmo os reclusos dos campos de concentração eram aliciados para a limpeza de terras incultas para o cultivo. Isso não era o que Darré havia imaginado quando implantou as Fazendas Hereditárias do Reich e o Comitê de Alimentos do Reich. Às vésperas da guerra, sua ideia original havia quase desaparecido.[70]

A Alemanha de fato tornou-se autossuficiente em alguns gêneros alimentícios básicos, como pão, batata, açúcar e carne em 1939, mas ainda havia muitos produtos, notadamente gorduras, legumes (exceto lentilhas) e até ovos, dos quais as importações ainda eram necessárias em uma escala considerável para suprir a demanda. O número de trabalhadores rurais caiu em torno de 1,4 milhão entre 1933 e 1939, em parte pela remoção dos estrangeiros, em parte pelo desvio contínuo para empregos mais bem pagos nas cidades.[71] A terra convertida em área cultivável não era suficiente para fazer uma diferença significativa. Trinta e oito por cento da forragem para cavalos, ainda um componente vital do sistema de transportes do Exército em 1938, tinha que ser importada. A produção das lavouras de cereais em 1939 não foi muito melhor do que em 1913. Às vésperas da guerra, cerca de 15% dos gêneros alimentícios da Alemanha ainda vinham do exterior.[72] Na mente das lideranças nazistas, tudo apontava mais uma vez para a necessidade de "espaço vital" a leste a fim de compensar o déficit. Por outro lado, o fato de os acordos comerciais negociados por Schacht terem trazido produtos agrícolas do sudeste da Europa a preços baixos permitiu a Hitler e Göring evitar a tomada de medidas ainda mais draconianas para subordinar por completo os fazendeiros camponeses aos ditames da autarcia, o que os teria afastado ainda mais. Os camponeses não seriam militarizados ou coagidos a um novo tipo de servidão para satisfazer as exigências do Estado. Assim, algumas das medidas introduzidas antes por Darré permaneceram, e em 1939 a comunidade agrícola podia ver melhora em sua situação ao longo dos seis anos anteriores, nos quais a produção total da agricultura havia crescido 71% em relação a 1933, bem menos que a indústria, mas ainda assim, às vésperas da guerra, melhor que a situação do final da década de 1920.[73]

Os consumidores alemães não se deram tão bem. Mais e mais produtos alimentícios eram submetidos a racionamento oficial à medida que o governo estocava mantimentos nos preparativos para a guerra e requisitava trabalhadores agrícolas e artesãos para as indústrias bélicas. Manteiga e gordura estavam racionados há tempo; frutas e café também foram racionados a partir do início da primavera de 1939. As maçãs não foram colhidas porque os trabalhadores haviam sido convocados para as cidades. As pessoas eram incitadas a plantar suas frutas e fazer compotas para consumir nos meses de inverno. O abastecimento de comida não foi ajudado pelas colheitas parcas em meados da década de 1930 causadas pelo tempo ruim, por uma onda de frio na primavera de 1938 que congelou e matou muitas flores de árvores frutíferas e um surto grave de febre aftosa entre o rebanho da nação no mesmo ano. As importações de café caíram à medida que a escassez de dinheiro em moeda na Alemanha começou a dificultar a capacidade de pagamento dos importadores. A escassez de trigo e centeio implicou um controle oficial sobre os padeiros, que foram instruídos a assar apenas "pão homogeneizado", produzido a partir de uma mistura de farinhas inferiores. Pão branco só podia ser comprado mediante apresentação de uma receita médica. Para impedir que as pessoas fugissem do controle sobre a compra de leite indo diretamente ao produtor, a partir de 1º de janeiro de 1939, os produtores leiteiros foram obrigados a entregar todo o seu suprimento a depósitos centrais de leite. Mais adiante no mesmo ano, foi registrado que não houve ovos em Munique durante toda a semana de Páscoa, ao passo que em Elberfeld as pessoas não puderam assar bolos de Páscoa pela falta de gordura. Foram montados cursos de treinamento para mostrar às donas de casa da Saxônia como cozinhar um *"gulash* húngaro de peixe", visto que era muito difícil achar carne para a receita original. Em 28 de março de 1939, o balcão de carne da loja de departamentos Hertie da Dönhoffplatz em Berlim abriu para vender apenas a cota semanal de gordura aos clientes registrados; não havia absolutamente nenhuma carne fresca ou congelada disponível. A escassez levou inevitavelmente a um próspero mercado negro dos gêneros em falta. Às sete da manhã, os mercados de Berlim já estavam limpos de frutas, antes que os comissários dos preços chegassem para verificar se os donos das bancas estavam aderindo aos limites máximos oficiais. Frutas importadas, como banana e laranja, eram especialmente difíceis de encontrar. Apenas os madrugadores abastados podiam se dar ao luxo de driblar as regulamentações dessa forma, embora a um preço bem acima do máximo oficial. No Ruhr, muitos trabalhadores só conseguiam comer carne uma vez por semana. "As pessoas", relatou um agente social-democrata em maio de 1939, "estão sofrendo um bocado com a escassez de todos os tipos de gêneros alimentícios e vestuário decente e sóbrio. Todavia", ele acrescentou, "isso não levou a nenhum tipo de inquietação, exceto a ficar em fila defronte às lojas, o que se tornou um acontecimento cotidiano".[74]

Negócios, política e guerra

I

A despeito de instituições intervencionistas, como o Comitê de Alimentos do Reich, Hitler e a liderança nazista em geral tentaram administrar a economia por meio de um controle rígido do mercado econômico em vez de nacionalização ou tomadas de controle estatais diretas.[75] Assim, para dar um exemplo, o regime pressionou o conglomerado gigante da química I. G. Farben a desenvolver e produzir combustível sintético para veículos e aviões por meio da hidrogenação de carvão, de modo a reduzir a dependência da Alemanha das importações de petróleo; em 14 de dezembro de 1933, foi assinado um acordo pelo qual o conglomerado comprometeu-se a produzir cerca de 300 mil toneladas por ano em troca de uma garantia de compra do Estado por dez anos.[76] Porém, quando uma companhia recusava-se a seguir exigências desse tipo, o regime entrava em cena para forçá-la a obedecer, como no caso do fabricante de aviões Hugo Junkers, que foi forçado a vender para o Reich a participação majoritária em suas duas empresas no final de 1933 após tentar resistir às intimações do governo para converter o objetivo das companhias de civil para militar. Por ocasião de sua morte em abril de 1935, ambas foram de fato nacionalizadas, embora apenas brevemente.[77] Além disso, o Ministério da Economia insistiu ativamente na criação de cartéis em áreas-chave, de modo a facilitar ao Estado a direção e o monitoramento de aumentos na produção relacionada à guerra.[78] A despeito desse aumento da intervenção estatal, conforme os porta-vozes nazistas insistiam repetidamente, a Alemanha permaneceria uma economia de livre mercado, na qual o Estado proporcionava liderança e estabelecia as metas primárias.

Com esse propósito, pelo menos no começo, quando a "batalha pelo trabalho" e o redirecionamento da economia para o rearmamento eram os objetivos principais, Hitler precisava da cooperação voluntária das empresas.

Não foi surpreendente, portanto, que ele escolhesse um representante de destaque da comunidade empresarial como ministro da Economia do Reich após a saída forçada do intratável nacionalista alemão Alfred Hugenberg.[79] O escolhido foi Kurt Schmitt, diretor-geral da seguradora Allianz. Nascido em 1886 na modesta família burguesa de um médico, Schmitt foi um entusiasmado membro das fraternidades de duelo na universidade, onde estudou direito comercial, e a seguir trabalhou por curto período no serviço público bávaro sob Gustav Ritter von Kahr, que mais tarde ficaria famoso na extrema direita da Baviera. Pouco depois da eclosão da guerra, Schmitt entrou na filial de Munique da Allianz. Embora trabalhasse muitíssimo, não tinha nada de burocrata insensível. Ele desenvolveu uma abordagem humana para o seguro, fazendo pessoalmente a mediação entre reclamantes e segurados, reduzindo com isso de modo substancial o número de dispendiosas ações judiciais com que a companhia tinha que lidar. Como era de se prever, isso levou à sua rápida ascenção pelos escalões administrativos, uma ascensão que não foi seriamente interrompida pela guerra, da qual ele teve baixa por invalidez no começo, com um ferimento pequeno que infeccionou repetidas vezes e o impediu de voltar ao *front*. Tornou-se diretor-geral aos 34 anos de idade. Em breve, encorajado pelos subordinados, Schmitt vestia dispendiosos trajes sob medida e convivia com os maiorais nos clubes de cavalheiros de Berlim. Sob a liderança de Schmitt, a Allianz expandiu-se rapidamente com fusões e tomadas de controle que caracterizaram também outros setores do mundo empresarial na década de 1920. A exemplo de outros empresários, Schmitt estava insatisfeito com as condições sob as quais a iniciativa privada tinha que operar na era de Weimar e fez *lobby* por uma reforma na lei referente aos seguros por meio da Associação do Seguro Privado do Reich. Isso colocou-o em contato com políticos importantes, dos quais muitos ficaram impressionados com sua competência, determinação e evidente sagacidade financeira. No começo da década de 1930, Schmitt havia se tornado uma figura pública de certo renome. Ele incrementou sua reputação com o desempenho no Conselho

Consultivo Econômico implantado por Brüning. Tanto Brüning como Papen ofereceram-lhe o cargo de ministro das Finanças. Ele recusou as ofertas na crença de que a situação econômica reinante não lhe permitiria fazer o trabalho com qualquer grau de sucesso.[80]

Nessa época, Schmitt havia iniciado os contatos com o Partido Nazista. Em novembro de 1930, como Schacht um pouco depois, conheceu Göring em um jantar e ficou extremamente impressionado com seu ativismo político. Em breve Schmitt saciava o impressionante apetite de Göring por comida e vinho em encontros regulares para almoço em um restaurante de Berlim, custeados por sua companhia. Não demorou muito para também conhecer Hitler. A promessa nazista de derrotar a ameaça comunista e acabar com a altercação político-partidária dos anos de Weimar conquistou-o para a causa. Homem empreendedor, que subiu na vida por seus próprios esforços, Schmitt era menos apegado à política conservadora tradicional que seus colegas de empresas estabelecidas há tempos ou provenientes do ambiente do funcionalismo público. Quando os nazistas tomaram o poder na Alemanha, Schmitt abandonou a antiga discrição e se filiou ao Partido na primavera de 1933, liderando as celebrações da empresa no aniversário de Hitler em 20 de abril. Schmitt compartilhava do preconceito comum das elites, que consideravam que os judeus eram proeminentes demais na vida pública e intelectual, nos bancos, nas finanças e no direito; o adjetivo mais comum que ele usava ao se referir a judeus era "desagradável". Concordou com a proposta de Göring, feita em um de seus encontros privados, de impedir os judeus de votar e proibir que tivessem posições de autoridade sobre os alemães. No verão, os contatos com Göring produziram frutos espetaculares. Tratando de substituir Hugenberg como ministro da Economia, Hitler foi persuadido por Göring de que seria político ter um representante de destaque da comunidade empresarial no cargo. Hitler ofereceu-o a Schmitt, que prestou juramento em 30 de junho de 1933, acreditando que tivesse um papel a desempenhar, agora que a situação política havia se estabilizado.[81]

A despeito das tentativas de fortalecer sua posição, tornando-se membro da SS por exemplo, Schmitt revelou não ser páreo para as grandes feras na selva do poder nazista como Goebbels, Ley ou até mesmo Darré, que dentro de poucos meses removeram áreas substanciais da economia da esfera de atuação de seu ministério. Lacaios como o teórico econômico nazista

Gottfried Feder, que havia inscrito a abolição da "escravidão dos juros" no programa do Partido em 1920, eram uma fonte contínua de encrencas. Os anúncios e instruções de Schmitt aos funcionários estatais e regionais para não colocar em risco a recuperação econômica por meio da aprovação de ações contra empresas judaicas eram omitidos pelas reportagens da imprensa e no geral desconsiderados pelos "velhos combatentes". O mais grave de tudo é que Schmitt opôs-se ao que considerou gasto improdutivo em rearmamento e em ideias espetaculares mas, conforme ele argumentava, inúteis, como as autoestradas. Nisso também ele foi ignorado. Schmitt desaprovava as afirmações extravagantes da propaganda nazista sobre a recuperação econômica, o fim do desemprego e coisas do tipo. Considerava-se cada vez mais um fracasso. Sob pressão crescente vinda de todos os lados, sofreu um grave ataque cardíaco em 28 de junho de 1934 e por fim renunciou em 30 de janeiro do ano seguinte. Não demorou para voltar ao negócio de seguros. Schmitt percebeu sua incompetência como político e recusou todos os convites subsequentes para deixar a atividade que conhecia tão bem.[82]

Em 3 de agosto de 1934, Hjalmar Schacht substituiu Schmitt como ministro provisório da Economia, assumindo em caráter permanente a partir de 30 de janeiro de 1935. Em particular, Schacht já havia deixado claro a Hitler que, ao contrário do predecessor, ele consideraria o rearmamento uma prioridade máxima, independentemente da situação econômica. Schacht recebeu poderes ditatoriais para o gerenciamento econômico. Começou demitindo Feder prontamente de seu cargo no ministério e expurgou outras figuras do Partido que, segundo reclamações do Exército, estavam tentando impor suas ideias de gerenciamento da economia. Nos quatro meses seguintes, Schacht estabeleceu uma nova estrutura sob a égide de seu ministério, ao qual todas as firmas foram arroladas de modo compulsório em um ou outro dos sete Grupos do Reich (indústria, comércio, bancos etc.), mais adiante subdivididos em grupos especializados e regionais. Isso permitiu ao ministério assumir uma liderança mais forte na implementação da política de rearmamento com base na iniciativa privada existente do que as ideias de tipo anticapitalista preferidas por Feder.[83]

Porém, já nessa época, a expansão nascente dos armamentos começava a ter alguns efeitos indesejáveis. Ao fomentar a produção industrial doméstica,

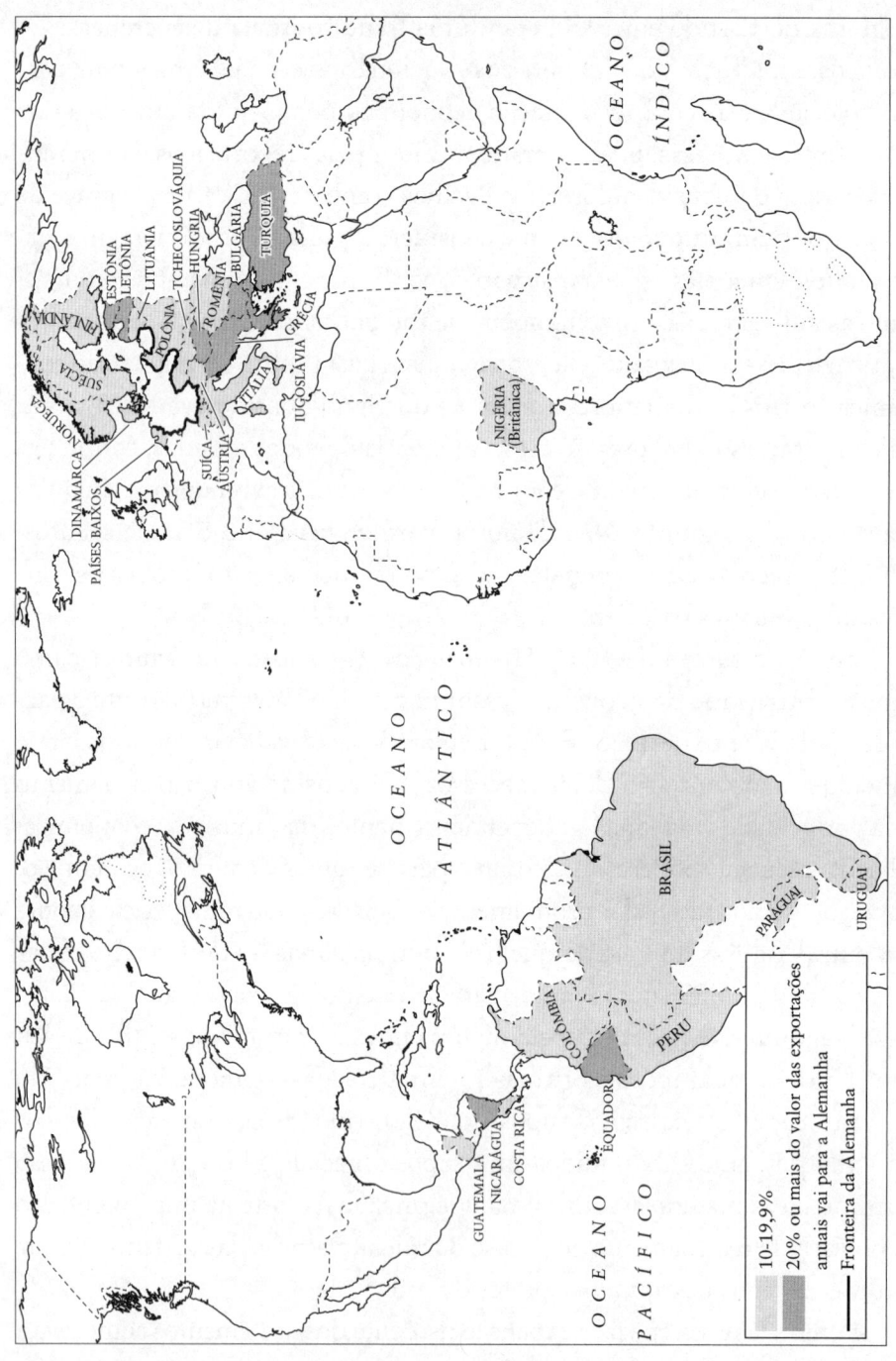

Mapa 11. Principais exportadores para o Terceiro Reich

Estado e Exército fizeram a indústria afastar-se de produtos direcionados à exportação, em especial bens de consumo. Somado à derrocada constante no comércio mundial e à imposição de sanções comerciais pela Grã-Bretanha e Estados Unidos em protesto à perseguição dos judeus pelo regime, isso causou uma queda nas exportações de 1,26 bilhão de reichsmarks no último trimestre de 1933 para 990 milhões no segundo trimestre de 1934. Ao mesmo tempo, as importações cresceram rapidamente em volume, à medida que a demanda de produtos como borracha, óleo e algodão aumentou na Alemanha. As importações de matéria-prima subiram 32% da metade de 1932 para o começo de 1934, enquanto os preços obtidos pelas exportações alemãs caíram 15%. A situação foi piorada pelo fato de Grã-Bretanha e Estados Unidos terem permitido a desvalorização de suas moedas, enquanto o governo nazista, como seus predecessores, relutava em desvalorizar o reichsmark com medo de que isso encorajasse a inflação. Desse modo, as mercadorias alemãs ficaram mais caras no mercado mundial, encorajando as economias que as compravam a se voltar para outras fontes, enquanto as importações ficaram mais baratas para a Alemanha, estimulando empresas alemãs a adquirir mais produtos estrangeiros. Em 1934, a balança de pagamentos da Alemanha entrou em déficit.[84] A dívida externa alemã cresceu, enquanto as reservas em ouro e moeda estrangeira caíram em mais da metade entre janeiro e setembro.[85] Cotas escalonadas de moeda estrangeira e restrições falharam em produzir qualquer efeito real na situação em rápida deterioração.[86] Em 14 de junho de 1934, o Reichsbank impôs uma moratória de seis meses no pagamento de todas as dívidas externas de longo e médio prazos.[87]

Em 19 de setembro de 1934, para tentar conter os problemas que se avolumavam, Hjalmar Schacht, o recém-ungido "ditador econômico" da Alemanha, anunciou um "Novo Plano" pelo qual o comércio dali em diante seria em base bilateral, uma espécie de permuta entre a Alemanha e outros países, na qual só seriam permitidas importações de países para os quais a Alemanha exportasse quantidades substanciais de mercadorias. "A implementação do programa de rearmamento", ele declarou em 3 de maio de 1935, era "*a tarefa da política alemã*". A fim de pagá-la, as importações tinham que ser restritas tanto quanto possível a matérias-primas ligadas ao armamento e a gêneros alimentícios que não podiam ser cultivados na

Alemanha.⁸⁸ O sudeste da Europa parecia uma região particularmente favorável para arranjos de comércio bilateral. O foco nos Bálcãs também poderia abrir a perspectiva de uma futura zona de comércio da Grande Alemanha na Europa do leste e central, o há muito sonhado projeto da *Mitteleuropa* (Europa central). Em caso de guerra, isso seria mais seguro que os elos comerciais existentes a norte e oeste. Além disso, uma retração no comércio ultramarino diminuiria a dependência da Alemanha em relação à Marinha mercante britânica, que se mostraria gravemente danosa no caso de uma futura guerra entre as duas nações.

Uma quantidade excessiva de matérias-primas vinha de vastas partes do planeta, e o Novo Plano buscou reduzir a dependência da Alemanha de tais fontes. Aplicado por 25 escritórios de vigilância, o novo plano ajudou a cortar as importações alemãs do resto da Europa de 7,24 bilhões de reichsmarks em 1928 para 2,97 bilhões dez anos depois; nessa data, as importações do sudeste da Europa, que somavam 7,5% do total em 1928, haviam subido para 22% do total.⁸⁹ Todavia, em breve o Exército reclamaria que, embora Schacht estivesse dando jeito de achar dinheiro para pagar os estágios iniciais do rearmamento, não tivera êxito em preparar a economia para a guerra. Em particular, as restrições de importação haviam depauperado perigosamente as reservas domésticas de matéria-prima, minérios e metais da Alemanha, enquanto as tentativas de se encontrar substitutos – têxteis plantados no país, borracha e combustível sintéticos, poços de petróleo locais e assim por diante – até então haviam causado apenas um impacto muito limitado. Na visão de Hitler, estava na hora de uma intervenção mais radical na economia – uma que Schacht, que não fazia segredo do fato de que achava que a economia alemã havia chegado ao limite de sua capacidade de sustentar o rearmamento e a mobilização de guerra em 1936, já não podia mais ficar encarregado de administrar.⁹⁰

II

Em 4 de setembro de 1936, Hermann Göring leu para o gabinete um longo memorando que Hitler havia redigido diante da evidência da falência galopante do Novo Plano. Em seu estilo típico, espraiou-se amplamente sobre história e política antes de chegar ao ponto em questão: preparar a economia para a guerra. A política, declarou Hitler, era "uma luta das nações pela vida". Nessa luta, a União Soviética agora estava se tornando uma ameaça. "A essência e a meta do bolchevismo são a eliminação daqueles estratos da humanidade que até aqui proporcionaram a liderança e sua substituição pela judiaria mundial." A Alemanha tinha que assumir a frente na luta contra isso, visto que a vitória do bolchevismo significaria "a aniquilação do povo alemão". Preparar-se para a batalha vindoura, declarou Hitler, era a prioridade absoluta. Todos os outros assuntos eram de importância secundária. "As Forças Armadas alemãs devem estar operantes dentro de quatros anos", acrescentou. Hitler discorreu sua conhecida litania de crenças econômicas: a Alemanha estava superpovoada e não podia se alimentar com recursos próprios; a solução estava em estender o espaço vital para obter novas matérias-primas e gêneros alimentícios. As matérias-primas não podiam ser estocadas para uma guerra, visto que a quantidade necessária era simplesmente grande demais. A produção de combustível, borracha sintética, gorduras artificiais, ferro, substitutos para o metal e outros tinha que ser alavancada para um nível que sustentasse a guerra. Era preciso economizar nos gêneros alimentícios; as batatas, por exemplo, não deveriam mais ser usadas para fazer aguardente. O povo tinha que fazer sacrifícios. Um plano econômico tinha que ser traçado. Os interesses dos negócios individuais tinham que ser subordinados aos da nação. Empresários que mantinham fundos no exterior tinham que ser punidos com a morte.[91]

Ao apresentar o memorando ao gabinete, Göring desferiu um ataque feroz à visão, propagada por Schacht e seu aliado, o comissário de preços Goerdeler, de que a solução para o bloqueio econômico de 1936 estava em reduzir a escala do programa de rearmamento. Pelo contrário: visto que "o confronto com a Rússia é inevitável", o programa tinha que ser acelerado. Eram necessários controles muito mais rígidos sobre a economia e a exportação de moeda. Göring revelou que havia sido incumbido pelo Líder da execução do Plano de Quatro Anos que Hitler alongou para proclamar no comício do Partido em 9 de setembro. Schacht havia começado a perder a utilidade. Em 18 de outubro de 1936, um decreto fez de Göring o oficial supremo. Ele usou-o para estabelecer toda uma nova organização dedicada a preparar a economia para a guerra, com seis departamentos tratando de produção e distribuição de matérias-primas, coordenação da força de trabalho, controle de preços, câmbio estrangeiro e agricultura. Göring nomeou os altos funcionários civis dos ministérios do Trabalho e da Agricultura para dirigir os dois departamentos relevantes na organização do Plano de Quatro Anos. Desse modo, começou a trazer os dois ministérios para a égide do Plano, ignorando Walther Darré e Franz Seldte, os dois ministros responsáveis. A operação de Göring também anulou Schacht, colocado em licença compulsória no dia em que o Plano foi revelado ao gabinete. Schacht em breve verificou que a operação do Plano de Quatro Anos estava tomando decisões políticas sem considerar seu Ministério da Economia. Seus protestos não tiveram efeito. Cada vez mais frustrado com a perda de poder, e cada vez mais preocupado com a rápida expansão da produção militar e de matéria-prima sobre o que ele julgava uma base financeira inadequada, Schacht escreveu a Hitler em 8 de outubro de 1937 reafirmando a ideia de que só podia haver um chefe nos assuntos econômicos do Terceiro Reich, e deixando claro que pensava que essa pessoa devia ser ele. A ameaça de renúncia estava implícita de forma clara.[92]

Nesse estágio, porém, Hitler havia perdido toda a confiança em Schacht, cujo realismo econômico agora era para o líder motivo de grave irritação. Em 25 de outubro de 1937, o chefe da Marinha, o almirante Erich Raeder, havia pedido formalmente ao ministro da Guerra do Reich, o general Werner von Blomberg, que trouxesse Hitler em pessoa para arbitrar entre os diferentes interesses – do Exército, da Marinha e da Aeronáutica – que estavam competindo pelos suprimentos inadequados de ferro, aço, combustível e outras matérias-primas. Hitler respondeu fazendo Blomberg convocar uma reunião na Chancelaria do Reich em 5 de novembro de 1937, na qual o Líder nazista esboçou sua estratégia geral para um pequeno grupo formado por Raeder; Blomberg; o comandante em chefe do Exército, general Werner von Fritsch; o chefe da Força Aérea, Hermann Göring; e o ministro de Relações Exteriores, Konstantin von Neurath. Foram feitas anotações pelo ajudante militar de Hitler, o coronel Friedrich Hossbach, que foram subsequentemente usadas como evidência de que Hitler já estava planejando uma guerra no futuro não muito distante. Na verdade, não havia um plano concreto, embora com certeza houvesse intenções. Hitler estava interessado principalmente em infundir nos interlocutores a necessidade da urgência no rearmamento e a iminência do conflito armado, em particular na Europa do leste e central. Muito do que ele disse já era familiar aos ouvintes em função de declarações anteriores daquele tipo. "A meta da política externa alemã", começou Hitler, de acordo com o memorando de Hossbach sobre o encontro, "era garantir e preservar a linhagem racial (*Volksmasse*) e ampliá-la. Era, portanto, uma questão de espaço". Com isso ele queria dizer, como sempre, a conquista da Europa centro-oriental e do oriente, o que resolveria a necessidade de expansão da raça alemã "apenas por um período previsível de cerca de uma a três gerações" antes de uma expansão adicional, provavelmente além-mar, tornar-se necessária e, com o provável colapso do império britânico, possível. Após um detalhado levantamento das carências em matérias-primas e gêneros alimentícios, Hitler concluiu que "a autarcia, tanto a respeito dos alimentos quanto da economia como um todo, não podia ser mantida". A solução, especialmente em relação ao abastecimento de alimentos, seria encontrada na "obtenção de espaço de uso agrícola" na Europa pela conquista e, de modo implícito, pela remoção ou redução das pessoas que ali vivessem. "O problema da Alemanha", ele declarou, "só pode ser resolvido pelo uso da força".[93]

Hitler prosseguiu advertindo que outras nações estavam adiantando-se na questão de armamentos e que a crise doméstica de alimentos logo atingiria o ponto crítico. Hossbach anotou que o discurso de Hitler fez soar uma nova nota de ansiedade a respeito de sua própria saúde: "Se o Líder ainda estiver vivo, sua determinação inabalável será resolver o problema de espaço da Alemanha no mais tardar por volta de 1943-45". De fato, ele começaria a ação militar antes se a França fosse enfraquecida por uma crise doméstica grave ou se envolvesse em uma guerra com outro país. Em qualquer caso, se viesse a guerra, a prioridade da Alemanha seria derrubar a Áustria e a Tchecoslováquia para reduzir a ameaça no flanco sudeste. A remoção forçada de 2 milhões de pessoas da Tchecoslováquia e de 1 milhão da Áustria liberaria suprimentos adicionais de alimento para os alemães. Era improvável que britânicos e franceses interviessem, ele acrescentou, ao passo que os poloneses permaneceriam neutros, contanto que a Alemanha fosse vitoriosa.[94] Assim, a reação de Hitler ao gargalo do abastecimento não foi reduzir o ritmo do rearmamento, mas acelerar o ritmo da conquista de "espaço vital" proposta. A despeito das dúvidas de alguns dos presentes à reunião, Hitler forçou o rearmamento em um passo ainda mais frenético. A cautela de Schacht e seus aliados – que incluíam alguns dos presentes ao encontro – foi deixada de lado. A solução dos problemas econômicos da Alemanha ficou adiada até a criação de "espaço vital" a leste. Com Hitler nesse estado de ânimo, a posição de Schacht tornou-se totalmente insustentável. Em 26 de novembro de 1937, Hitler aceitou sua renúncia ao cargo de ministro da Economia. O gerenciamento da economia passou então de forma efetiva para Hermann Göring. A discussão anterior naquele mês tinha deixado claro que a tarefa de Göring era assegurar a retirada dos freios do rearmamento, quaisquer que fossem os problemas econômicos que isso pudesse causar.[95]

Os resultados dessas mudanças logo puderam ser percebidos. O ritmo do rearmamento foi apressado ainda mais. Como Schacht havia previsto, em 1938 os gastos nos preparativos para a guerra estavam claramente em uma espiral fora de controle: foram gastos 9,137 bilhões de reichsmarks no Exército, contra 478 milhões em 1933; 1,632 bilhão na Marinha, contra 192 milhões cinco anos antes; e 6,026 bilhões na Força Aérea, contra 76 milhões em 1933. Incluindo os gastos com administração e o resgate das notas Mefo, os custos do rearmamento haviam subido de 1,5% da renda nacional em 1933 para 7,8% em 1934, 15,7% em 1936 e 21% dois anos depois, enquanto a renda nacional em si havia quase duplicado no mesmo período. As finanças do Reich, que haviam registrado um modesto superávit em 1932, apresentaram um déficit de 796 milhões de reichsmarks em 1933, subindo para quase 9,5 bilhões em 1938. Atuando agora no cargo de presidente do Reichsbank, Schacht escreveu uma carta pessoal para Hitler em 7 de janeiro de 1939, assinada por todos os outros diretores do banco, na qual advertiam que a "ampliação exagerada do gasto público" estava conduzindo rapidamente ao "perigo da inflação que se avizinha". "A expansão sem limites do gasto estatal", disseram a Hitler, "está destruindo todas as tentativas de colocar o orçamento em ordem. A despeito de um enorme aperto no mecanismo da taxação, isso está levando as finanças do Estado à beira da ruína e, nessa situação, destroçando o banco e sua moeda". A reação de Hitler foi despedir todo o conselho de diretores poucos dias depois, em 20 de janeiro de 1939. Hitler disse a Schacht que ele não se ajustava mais ao esquema geral das expectativas do nacional-socialismo.[96]

Schacht partiu em uma longa viagem de férias pela Índia e retirou-se da vida pública na volta. Após a morte da primeira esposa, casou-se com uma integrante da equipe da Casa de Arte Alemã de Munique, uma mulher trinta anos mais jovem que ele, e, depois de uma lua de mel na Suíça em 1941, viveram em sossego no interior, embora Schacht mantivesse uma variedade de títulos mais ou menos inexpressivos, inclusive o de ministro sem pasta. Seu sucessor foi o ex-secretário de Estado do Ministério da Propaganda Walther Funk, que Göring havia colocado no cargo de ministro da Economia do Reich em 15 de fevereiro de 1938. Funk então assumiu também a gerência do Reichsbank, com isso subordinando ambas as instituições ao Plano de Quatro Anos. Como era previsível, o que Schacht e seus colegas de diretoria, alguns dos quais readmitidos na sequência, haviam chamado de "hábitos incontidos de gasto das finanças públicas" seguiu firme, em um ritmo ainda mais frenético que antes. Em 15 de junho de 1939, uma nova lei removeu todos os limites para a impressão de dinheiro, realizando assim os piores temores de Schacht. Mas Hitler e a liderança nazista não se importavam. Contavam com a invasão e a conquista do leste da Europa para cobrir os custos. Em fevereiro de 1934, Hitler havia afirmado que o rearmamento tinha que estar concluído em 1942. Por ocasião do Plano de Quatro Anos, a data foi adiantada para 1940. Os problemas econômicos da Alemanha, como Hitler sempre disse, só podiam ser definitivamente resolvidos pela guerra.[97]

III

A guinada do Novo Plano para o Plano de Quatro Anos atestou o crescente senso de urgência com que Hitler agora buscava essa meta. Mas nenhum deles podia ser chamado de plano no sentido normal da palavra. Como maioral econômico nos primeiros anos do Terceiro Reich, Schacht pelo menos havia mantido uma firme compreensão conceitual da economia e das finanças do Estado como um todo. Mas Göring, a despeito de toda indiscutível energia, ambição e compreensão intuitiva sobre o funcionamento do poder, não possuía essa visão panorâmica. Entendia muito pouco de economia ou finanças. Não estabeleceu prioridades claras, nem poderia, visto que Hitler ficava mudando de ideia sobre qual das forças – Exército, Marinha, Aeronáutica – devia vir no topo da lista de alocação. Novos planos continuavam a ser produzidos e depois desbancados por outros mais ambiciosos. O caos da sobreposição e da rivalidade de competências no gerenciamento da economia foi subsequentemente caracterizado por um alto funcionário como a "selva organizacional do Plano de Quatro Anos". Havia uma contradição fundamental entre o afã pela autarcia em antecipação a uma guerra longa e o rearmamento imprudente na preparação para um conflito iminente, contradição que jamais foi resolvida. Tampouco se dispunha da informação estatística necessária para a preparação de um sistema de planejamento racional. A despeito da estrutura complexa, incluindo um conselho geral que supostamente deveria coordenar as operações e harmonizar as atividades dos vários ministérios de governo envolvidos, o Plano de Quatro Anos na realidade consistiu de pouco mais que uma série de iniciativas fragmentadas. Todavia obteve certo sucesso. A produção de carvão, por exemplo, aumentou 18% de 1936 para 1938, a de linhita 23%, e a de coque 22%. Em 1938, a Alemanha produzia 70% mais alumínio que dois anos antes e havia superado os Estados Unidos como maior produtor mundial. Em 1932, a Alemanha só havia conseguido atender a 5,2% da demanda de têxteis, essenciais entre outras coisas para os uniformes militares. A produção ampliada de *rayon* e outras fibras artificiais elevou o índice para 31% em 1936 e 43% em 1939. A meta de abolir a dependência da Alemanha em combustível importado aproximou-se da concretização, com a produção de petróleo subindo para 63% e a de combustível sintético para 69% entre 1937 e 1939. Em 1937, Hitler anunciou a implantação de duas "fábricas gigantescas de buna (borracha sintética)" que em breve deveriam produzir o bastante para suprir toda a necessidade da Alemanha.[98]

Contudo, esses números impressionantes mascaravam o fracasso do Plano de Quatro Anos em produzir o resultado desejado de tornar a

Alemanha inteiramente autossuficiente em 1940. Para começar, o plano falhou em resolver o problema crônico do balanço de pagamentos da Alemanha. Embora as exportações tivessem aumentado em 1937, caíram de novo em 1938, à medida que os fabricantes alemães depositavam sua fé em contratos domésticos seguros e lucrativos, em vez de arriscar seus produtos no mercado mundial. E nos dois anos seguintes as exportações foram superadas em valor pelas importações, reduzindo ainda mais a já seriamente depauperada reserva de moeda estrangeira da Alemanha. Talvez tenha sido essa a questão, mais que qualquer outra, que ocasionou a crescente alienação de Schacht do regime ao qual havia servido tão fielmente desde o início.[99] As importações continuaram vitais em diversos campos após Schacht sair de cena. A despeito do aumento maciço em sua produção, as fábricas de alumínio da Alemanha, por exemplo, baseavam-se quase por completo em matérias-primas importadas. O aço de alta qualidade também dependia de metais não encontrados na Alemanha. A produção de buna não chegou a mais que 5% do consumo doméstico de borracha na Alemanha em 1938; foram produzidas apenas 5 mil toneladas, contra a meta planejada de 29 mil. A Alemanha ainda dependia de importações para a metade de seu petróleo em 1939. A expansão para o leste poderia deixar novas fontes de petróleo ao alcance da Alemanha, mas com certeza não adiantaria de nada para aliviar a carência de borracha. Além do mais, esses aumentos na produção doméstica tinham que ser justapostos ao aumento maciço na demanda, sobretudo das Forças Armadas. De início, estas haviam concebido o rearmamento como um meio de fortalecer as defesas da Alemanha; mas a meta a longo prazo sempre foi montar uma guerra ofensiva contra o leste, e já em 30 de dezembro de 1935, o general Ludwig Beck, chefe do Estado-Maior Geral, baseou-se na experiência de manobras bem-sucedidas com blindados no verão anterior para exigir a criação de um Exército mais móvel, aumentando o número de brigadas de tanque e unidades de infantaria motorizada. Em meados de 1936, o Exército planejava incluir três divisões de blindados e quatro divisões motorizadas em sua força de paz de 36 divisões. Tudo isso exigiria imensas quantidades de aço para a fabricação e um tremendo volume de combustível para funcionar.[100]

Construir a força naval era menos urgente, visto que a meta principal de Hitler a curto e médio prazos era a conquista da Europa, sobretudo do leste da Europa. Mas a longo prazo, conforme indicou em seu segundo livro não publicado, ele divisava um embate titânico transcontinental com os Estados Unidos, e para isso seria necessária uma enorme armada. Na primavera de 1937, ele aumentou de quatro para seis o número de encouraçados a serem construídos e concluídos até 1944. Além disso, haveria quatro couraçados de bolso (modificados em 1939 para três cruzadores pesados), e o ritmo da construção aumentou abruptamente à medida que a ameaça de guerra com a Grã-Bretanha avizinhava-se cada vez mais. O gasto com a Marinha subiu de 187 milhões de reichsmarks em 1932 para 497 milhões dois anos depois, 1,61 bilhão em 1936 e 2,39 bilhões em 1939. Em 1936, a construção de navios era responsável por quase metade de todo o gasto naval, embora tenha minguado para menos de um quarto às vésperas da guerra, à medida que eram recrutados homens para tripular a nova frota e se fabricava a munição para as novas armas. Mesmo em 1938 pensava-se que a frota planejada exigiria 6 milhões de toneladas de óleo combustível por ano e 2 milhões de óleo diesel, numa situação em que o consumo alemão total de petróleo ficaria em 6 milhões, dos quais menos da metade era produzida em casa. Os planos de expansão da Força Aérea eram ainda mais ambiciosos e foram rapidamente de encontro a restrições muito semelhantes. Ignorando as objeções do Exército e da Marinha, que viam os aviões como pouco mais que forças de apoio, Hitler criou o Ministério da Aviação do Reich em 10 de maio de 1933, deixando-o sob o comando de Hermann Göring, um ex--piloto de caças. Göring, ajudado por seu talentoso e enérgico secretário de Estado Erhard Milch, ex-diretor da companhia aérea Lufthansa, imediatamente adotou um plano traçado por outro diretor daquela empresa, Robert Knauss, que divisava uma Força Aérea independente projetada para lutar uma guerra de duas frentes contra a França e a Polônia. Bombardeiros de longo alcance eram a chave para o sucesso, argumentou Knauss. Em 1935, a produção de aeronaves havia sido reorganizada, com muitas empresas fabricando componentes, e com isso poupando o tempo dos grandes fabricantes como Junkers, Heinkel ou Dornier. Caças defensivos logo foram acrescentados aos alvos do ministério. Em julho de 1934, um programa de longo prazo divisou a fabricação de mais de 2 mil caças, outros 2 mil bombardeiros, setecentos caças de mergulho, mais de 1,5 mil aeronaves de reconhecimento e outros milhares de simuladores de voo até o final de março de 1938. Em 1937, entretanto, a escassez de ferro e aço começou a ter um grave efeito sobre esses planos ambiciosos. Mudanças constantes no desenho dos bombardeiros retardaram ainda mais as operações. A produção de aeronaves caiu de 1937 para 1938, de cerca de 5,6 mil para 5,2 mil.[101]

Enquanto isso, as importações de minério de ferro aumentaram de pouco mais de 4,5 milhões de toneladas em 1933 para quase 21 milhões em 1938; o ímpeto para o rearmamento anulava o impulso para a autarcia. Não obstante, as restrições em moeda estrangeira limitaram severamente a extensão em que a escassez podia ser sanada por importações. Em 1939, o Exército impôs o que um levantamento americano mais tarde descreveu como "restrições drásticas no uso de veículos motorizados a fim de economizar borracha e combustível". Já em 1937, o Exército recebeu apenas metade do aço que queria. A munição era escassa, e pouquíssimas casernas estavam em construção para alojar os números rapidamente crescentes de tropas. A Marinha não conseguia obter o aço de que necessitava para cumprir seu programa de construção de navios.[102] Em 1937, a Força Aérea recebeu apenas um terço do aço exigido para atingir suas metas de produção. Em outubro de 1938, porém, Göring anunciou a quintuplicação da Força Aérea, um aumento de tamanho tão desmedido que teria exigido a importação de 85% da produção mundial de combustível aeronáutico para mantê-la em operação. No final de 1941 ou início de 1942, quase 20 mil aeronaves do *front* e reservas deveriam estar prontas para a ação no começo da guerra que se aproximava. No fim, quando a guerra realmente eclodiu, a Força Aérea tinha apenas 4 mil aviões prontos para a ação. Era um número expressivo, especialmente se comparado à situação seis anos antes, mas bem abaixo da meta imaginada por Göring.[103]

Em 1939, a escassez de matérias-primas estava gerando consequências grotescas na vida cotidiana dos alemães comuns. De 1937 em diante, o regime começou a encorajar a coleta de sucata para alimentar a demanda insaciável da indústria siderúrgica. Tornou-se dever patriótico das pessoas entregar quaisquer objetos de metal velhos ou sem uso às autoridades. Foi nomeado um comissário do Reich, Wilhelm Ziegler, para organizar a coleta e, cada vez mais, a requisição forçada de sucata. Em 1938, ele ordenou a remoção de todas as cercas de jardim de metal do Reich. Camisas-pardas uniformizados arrancaram na marra as grades de ferro ao redor de fábricas, igrejas, cemitérios e parques. Postes de iluminação de ferro foram substituídos por postes de madeira. Grades de ferro em volta de sepulcros familiares foram postas abaixo por gangues de camisas-pardas, que também vasculharam fábricas e locais de trabalho atrás de fios, tubulações e quaisquer outros objetos de metal em desuso. Membros da Juventude Hitlerista revistavam porões e sótãos de casas em busca de latas descartadas, radiadores de metal em desuso, chaves e coisas do tipo. Por toda parte formaram-se comitês locais para organizar a caçada de sucata. O metal para fins não militares foi estritamente racionado, e pesadas multas foram impostas a empreiteiros de obras que instalassem aquecimento central com canos de metal em suas casas em vez dos fornos de ladrilho mais antiquados. Quando era instalado um sanitário em uma casa, os canos de saída tinham que ser feitos de barro em vez de ferro. Proprietários de casas e conselhos municipais tentaram substituir os postes de luz por postes de madeira, mas havia igualmente escassez de madeira, que levou também à escassez de papel. Os projetistas de construção receberam instruções para cortar o uso de madeira em 20%, enquanto habitantes do interior foram avisados para queimar turfa em vez de madeira utilizável. O carvão de uso doméstico foi racionado. Foram colocados limites oficiais para o uso de ouro pelos relojoeiros. Começou a crescer o mercado negro de peças sobressalentes de metal para máquinas de lavar e outros utensílios domésticos. Houve casos de cobre e outros metais roubados e vendidos para fabricantes de armas, que àquela altura estavam tão desesperados que não faziam muitas perguntas sobre a procedência do que conseguiam.[104]

IV

Além da escassez de matérias-primas, o programa de rearmamento também criou estrangulamentos no suprimento de mão de obra que se tornaram cada vez mais apertados com o passar do tempo. À medida que a produção de carvão, ferro e aço e as fábricas de máquinas, manufaturas, armamentos e munições sugavam toda a mão de obra especializada e semiespecializada disponível, o regime foi forçado a repensar sua atitude em relação ao trabalho feminino. As mulheres não teriam condições de trabalhar na indústria pesada, mas com certeza seriam capazes de assumir mais empregos nos escritórios e nas linhas de montagem de setores modernos da economia, como o químico e o eletrotécnico, e de modo mais geral na produção de bens de consumo. Em uma série de decretos já em 1936-37, o governo retirou a exigência de que uma mulher que recebesse o empréstimo para casamento desistisse do emprego e não pegasse outro. Isso levou ao aumento imediato no número de solicitações de empréstimo, como era de se esperar, e introduziu uma reorientação geral da política em relação ao trabalho da mulher em todos os setores. Apenas em uma área, em grande parte por acaso, as restrições ficaram mais rígidas: após uma conferência no Ministério da Justiça do Reich em agosto de 1936, na qual os participantes levantaram, entre outras, a questão da mulher no sistema judiciário, Martin Bormann perguntou a Hitler se as mulheres deveriam ter permissão para praticar advocacia. A resposta de Hitler foi compreensivamente negativa: ele disse a Bormann que as mulheres não poderiam tornar-se juízas ou advogadas; se fossem legalmente qualificadas, seria necessário então achar empregos para elas no serviço público.[105] Entretanto, exceto nesse setor, as mulheres já estavam retornando ao emprego em maior quantidade. O número de médicas aumentou de 2.814, ou 6% da categoria, em 1934, para 3.650, ou 7%, no começo de 1939, sendo que, naquela ocasião, 42% delas eram casadas. Em termos mais significativos, as operárias na indústria cresceram de 1,205 milhão em 1933 para 1,846 milhão em 1938. A crescente escassez de trabalhadores na zona rural também levou a um maior uso da mão de obra feminina familiar nas fazendas. Ciente da necessidade de proporcionar assistência previdenciária e outros tipos de amparo em especial para trabalhadoras casadas e com filhos, a Frente de Trabalho Alemã, sucessora nazista dos antigos sindicatos, colocou pressão crescente nos empregadores para proporcionar creches para os filhos pequenos e regular os horários e condições das operárias para que sua saúde não sofresse.[106]

Em fevereiro de 1938, a organização do Plano de Quatro Anos anunciou que todas as mulheres com menos de 25 anos de idade que quisessem trabalhar na indústria ou no setor de serviços teriam que completar primeiro um ano de serviço em uma fazenda (ou no serviço doméstico para as trabalhadoras casadas). Prorrogado dez meses depois, o esquema mobilizava 66,4 mil moças em julho de 1938 e outras 217 mil em julho de 1939. Foi muito mais bem-sucedido que o serviço voluntário promovido por várias organizações de mulheres nazistas com o mesmo propósito: em 1939 havia apenas pouco mais de 36 mil moças trabalhando como parte desses programas, principalmente em fazendas.[107] Uma jovem que fez parte desse esquema foi Melita Maschmann, ativista da Liga de Moças Alemãs que prestou serviço no leste rural da Prússia. Lá encontrou um grau de pobreza e atraso totalmente estranhos a seu confortável ambiente de origem da classe média alta de Berlim. As longas horas de árduo trabalho físico eram aliviadas apenas por curtos períodos de esportes, instrução política ou canto. A despeito de todas as privações, como membro comprometido da Liga de Moças Alemãs, ela achou a experiência enaltecedora, até mesmo inspiradora. Mais tarde confessou:

> Nossa comunidade no campo era um modelo em miniatura do que eu imaginava que fosse a Comunidade Nacional. Era um modelo completamente bem-sucedido. Nunca antes ou desde então conheci uma comunidade tão boa, mesmo onde a composição fosse mais homogênea sob todos os aspectos. Entre nós havia moças camponesas, estudantes, operárias de fábrica, cabeleireiras, alunas de escola, funcionárias de escritório e assim por diante... A percepção de que esse modelo de Comunidade Nacional havia me proporcionado tamanha felicidade deu origem a um otimismo ao qual me agarrei obstinadamente até 1945. Sustentada por essa experiência, acreditei, a despeito de toda evidência em contrário, que o padrão de nosso campo um dia seria magnificado em uma escala infinita – se não na próxima, então em gerações futuras.[108]

Para os fazendeiros, porém, moças inexperientes da cidade eram de pouca serventia. Além disso, na economia como um todo, dois terços das mulheres casadas ainda não estavam registradas como empregadas às vésperas da guerra em 1939. Se trabalhavam, com frequência era sem registro, como faxineiras ou ajudantes domésticas de meio turno, sobretudo no interior.[109]

Em contrapartida, mais de 90% das mulheres adultas não casadas possuíam empregos em 1939. Todavia, o aumento no número de operárias industriais desde 1933 não seguiu o ritmo correspondente ao aumento no número de homens na indústria: de fato, entre 1933 e 1939, o percentual de mulheres trabalhando na indústria caiu de pouco acima de 29% para pouco mais de 25%. As tentativas da Frente de Trabalho de persuadir as empresas a proporcionar facilidades para mães trabalhadoras em geral não deram em nada. A mobilização da força de trabalho potencial feminina também ia de encontro à insistência constante do regime e de seus líderes de que o papel mais importante das mulheres era dar à luz e criar filhos para o Reich. Os empréstimos para casamento, com bônus acumulados para cada criança que nascesse, e a recuperação geral do emprego masculino no curso do rearmamento fez parecer desnecessário para as mães enfrentar as agruras do trabalho na fábrica enquanto criava uma família. Lá pelo final de 1937, o governo até tentou fazer que as garotas recém-saídas da escola participassem do treinamento em ciência doméstica e cuidados infantis antes de entrar no mercado de trabalho. Na realidade, nem os homens trabalhadores, nem suas mulheres, nem o regime em si realmente achavam apropriado a mulher trabalhar na indústria pesada, nas siderúrgicas ou outras relacionadas a armamentos, no que geralmente se concordava ser serviço de homem. A despeito da pressão das Forças Armadas em favor da mobilização do que um alto funcionário do Ministério do Trabalho descreveu, em junho de 1939, como uma enorme oferta potencial de mão de obra de cerca de 3,5 milhões de mulheres naquele momento sem emprego remunerado, a contradição entre interesse econômico e crença ideológica garantiu que nada fosse feito para se recrutar mulheres para a produção bélica antes de 1939.[110]

Nos bastidores, Hitler e as lideranças nazistas também preocupavam-se com outro problema potencial. Acreditando, como era o caso deles, que a Alemanha havia perdido a Primeira Guerra Mundial na frente doméstica, não nas trincheiras, os nazistas estavam preocupados de forma quase obsessiva em evitar o que achavam uma repetição da pobreza, da privação e da agrura sofridas em casa entre 1914 e 1918 pelas famílias dos soldados em serviço. Eles achavam que o conhecimento dessa situação havia desmoralizado as tropas e deixado a população em geral suscetível às adulações de subversivos e revolucionários. O espectro de 1918 assombrou todos os preparativos nazistas para a guerra no final da década de 1930. Recrutar mulheres para as fábricas teria dado uma forma concreta ao fantasma. Com a deflagração de uma nova guerra, os homens convocados a lutar combateriam com mais vigor se soubessem que as esposas não estavam trabalhando como escravas em linhas de montagem produzindo munição, mas em vez disso estavam sendo cuidadas, junto com seus filhos, pelo Terceiro Reich.[111] Tudo isso significou que o regime teve que procurar mão de obra em outra parte à medida que o rearmamento começou a intensificar a demanda por tipos específicos de trabalhadores de 1936 em diante. Sobretudo mão de obra estrangeira. O recrutamento e praticamente qualquer outro aspecto de controle de trabalhadores de outros países já havia sido centralizado sob o Ministério do Trabalho em 1933, embasando-se em leis e regulamentações prévios que davam prioridade aos trabalhadores alemães e reduziam operários estrangeiros à condição de cidadãos de segunda classe. Até o verão de 1938, os trabalhadores estrangeiros eram na maioria não qualificados e recrutados para mitigar a desesperadora escassez de mão de obra nas fazendas e para trabalhar na construção. Trabalhadores sazonais poloneses, junto com italianos, formavam o grosso dessa força de trabalho. Entre 1936-37 e 1938-39 o número de trabalhadores estrangeiros aumentou de 274 mil para 435 mil. Todavia, os trabalhadores estrangeiros eram um dreno para a economia porque mandavam para casa a muito necessária moeda estável. Assim, sua quantidade tinha que ser mantida sob controle, a menos que se pudesse achar um jeito de impedi-los de causar dano à balança de pagamentos da Alemanha. Em 1938-39, a solução começou a aparecer, embasada, como muitas coisas mais na economia, na conquista estrangeira pela guerra. Trabalhadores estrangeiros seriam recrutados como mão de obra forçada entre prisioneiros de guerra e outros grupos em países como Polônia e Tchecoslováquia uma vez que os alemães tivessem tomado o controle. E seriam submetidos a um regime policial particularmente ríspido que garantiria que fizessem o que fosse mandado. Regulamentações nesse sentido foram introduzidas já em agosto de 1938 e endurecidas em junho de 1939. Elas atingiriam extremos draconianos durante a guerra.[112]

Enquanto isso, porém, todas essas medidas pouco fizeram para mitigar os problemas imediatos que tencionavam abordar. As dificuldades que a economia alemã vivenciava em 1938-39 atestavam as contradições fundamentais inerentes ao Plano de Quatro Anos. A meta básica era tornar a Alemanha autossuficiente em gêneros alimentícios e matérias-primas na preparação para uma longa guerra ao estilo de 1914-18, um precedente que jamais saía do primeiro plano na mente de Hitler. Esperava-se que uma guerra europeia geral – enfocada na invasão do leste mas abrangendo o inimigo tradicional, a França, e talvez a Grã-Bretanha também – eclodisse em algum momento do início da década de 1940. Contudo, ao acelerar o ritmo do rearmamento, o Plano criou tensões e gargalos que só podiam ser resolvidos pela antecipação da data da ação militar a fim de se obter novos suprimentos de matérias-primas e alimentos de países conquistados, como a Áustria e a Tchecoslováquia. Isso, por sua vez, significava que a guerra poderia ser deflagrada antes de a Alemanha estar completamente preparada. A guerra vindoura teria que ser rápida e decisiva porque estava claro que a economia não estava em condições de sustentar um conflito prolongado em 1938-39.[113] Essa solução já estava ficando evidente para Hitler em 1937, quando, no encontro registrado por Friedrich Hossbach, ele disse aos chefes militares que a "investida sobre os tchecos" que se avizinhava teria que ser levada a cabo "em velocidade relâmpago".[114] O estado de alerta da economia simplesmente não permitiria um conflito prolongado. Nasceu o conceito de "guerra relâmpago", a *Blitzkrieg*. Contudo, nem o planejamento econômico, nem a tecnologia militar e a produção de armas, estavam ajudando nos preparativos para colocar isso em prática.

V

O Plano de Quatro Anos marcou uma escalada maciça da intervenção do Estado na economia. As prioridades eram estabelecidas pelo regime, não pela indústria, e foram implementados mecanismos para garantir que as empresas as cumprissem, fossem quais fossem as consequências. A equipe de chefia do Plano era toda de nacional-socialistas linha-dura, desde Göring no topo até os líderes regionais Walter Köhler e Adolf Wagner, o "velho combatente" Wilhelm Keppler e outros, que desbancaram em massa os burocratas econômicos tradicionalistas que haviam trabalhado com Schacht. Ao mesmo tempo, porém, dado o foco do Plano em combustível e borracha sintéticos, bem como em fertilizantes químicos para a agricultura e fibras sintéticas para vestuário e uniformes, não é de surpreender que executivos importantes da I. G. Farben, a empresa gigante encarregada de fabricar esses produtos, desempenhassem um papel-chave na administração do Plano. O mais proeminente entre eles era um dos diretores, Carl Krauch, a cargo da pesquisa e desenvolvimento dentro do Plano, mas havia outros também, notadamente Johannes Eckell, chefe da divisão química. Claro que esses homens estavam lá sobretudo por sua capacidade; mas também assumiram os cargos levando em conta os interesses de sua empresa. Isso levou alguns historiadores a descrever o Plano de Quatro Anos como um "plano da I. G. Farben" e atribuir boa dose do ímpeto por trás dos programas de armamento e autarcia à ganância dos grandes negócios pelo lucro. Depois da guerra, 23 figuras de liderança da firma realmente foram levadas a julgamento em Nuremberg por conspirar para a preparação e o lançamento da guerra. Embora tenham sido inocentados da acusação, uma ampla literatura, nem toda ela marxista, atribuiu à I. G. Farben em particular e aos grandes negócios alemães em geral uma larga parte da responsabilidade em levar a Europa e o mundo à guerra em 1933-39.[115] Em termos mais gerais, uma imensa massa de obras marxistas e neomarxistas tanto da época quanto subsequentes, em particular nas décadas de 1950 e 1960, buscou apresentar a política econômica e, em última análise, também a política externa e militar do Terceiro Reich como guiadas por interesses capitalistas.[116]

Todavia, já na década de 1960 alguns historiadores marxistas começaram a argumentar que, na Alemanha nazista ao menos, a economia estava submetida a uma "primazia da política", na qual os parâmetros-chave eram estabelecidos pela ideologia em vez do autointeresse capitalista.[117] A verdade é que o sistema econômico do Terceiro Reich desafia uma categorização simplista. Em certa medida, sua simples irracionalidade dificulta qualquer tentativa de retratá-lo como um sistema. Em termos superficiais, o Plano de Quatro Anos da Alemanha mais do que lembra o Plano de Cinco Anos de Stálin na União Soviética. Mas o planejamento econômico nazista evidentemente não foi traçado para fomentar os interesses da classe operária, como foi o dos soviéticos, pelo menos oficialmente. Enquanto o planejamento soviético sob Stálin mais ou menos eliminou os mercados livres e a livre iniciativa, o planejamento nazista deixou os negócios intactos, desde grandes firmas como a I. G. Farben até os pequenos varejistas e oficinas de artesãos. Por outro lado, a retórica nazista, em especial na década de 1920, tinha um forte tempero anticapitalista, de modo que não é de surpreender que as empresas só tenham apoiado o Partido após Hitler tornar-se chanceler em janeiro de 1933. A destruição do movimento operário nos meses seguintes convenceu muitos empresários de que estavam certos em respaldar o novo regime. Mas, com o passar do tempo, os empresários verificaram que o regime tinha objetivos próprios que cada vez mais divergiam dos deles. O principal era o afã cada vez mais frenético pelo rearmamento e preparação para a guerra. De início, as empresas ficaram felizes em se adequar a esse objetivo, que lhes trouxe encomendas renovadas e depois aumentadas. Mesmo os produtores de bens de consumo beneficiaram-se da recuperação econômica movida pelos armamentos. Mas, dentro de poucos anos, à medida que as exigências do regime começaram a destituir a indústria alemã da capacidade de cumpri-las, as dúvidas dos industriais começaram a crescer.[118]

Poucos industriais tiveram reação tão desabrida quanto o chefão do aço Fritz Thyssen, cujo apoio ao Partido Nazista antes de 1933 foi tão extremo quanto o grau de sua desilusão com o governo seis anos depois. Em 1939, Thyssen condenou amargamente a direção da economia de Estado e profetizou que os nazistas logo começariam a fuzilar industriais que não cumprissem as condições prescritas pelo Plano de Quatro Anos, assim como seus equivalentes foram fuzilados na União Soviética. Ele fugiu para o exterior após a deflagração da guerra, suas posses foram confiscadas pela Gestapo, e na sequência foi detido na França e colocado em um campo de concentração.[119] Entretanto, seu sobressalto com a crescente interferência do Estado na economia era compartilhado por muitos outros. No centro das preocupações figurava o Plano de Quatro Anos. Na tentativa de aumentar as provisões de matérias-primas domésticas, Göring antes de mais nada repreendeu os industriais pelo egoísmo de exportar seus produtos visando ao lucro em vez de usá-los para fomentar o rearmamento alemão, depois assumiu as rédeas da situação, nacionalizando depósitos privados de minério de ferro, tomando o controle de todas as siderúrgicas privadas e montando uma nova companhia, conhecida como Fundição Hermann Göring.

Fundado em julho de 1937, esse empreendimento de propriedade e administração estatal baseado em Salzgitter foi planejado para produzir e processar minério de ferro alemão de baixa qualidade a preço alto, coisa que a indústria privada não estivera disposta a fazer. A Fundição Hermann Göring usava o dinheiro do Estado para pagar mais pelo carvão coque e outras matérias-primas, e pela mão de obra também, forçando as companhias privadas a competir. A ideia era levar o preço do ferro e do aço alemães para cima e dificultar sua exportação; contudo, na época, as exportações eram o que dava mais lucro. Pior ainda foi que a Fundição Hermann Göring logo começou a tomar posse de firmas menores do setor, e, em abril de 1938, da companhia de armamentos Rheinmetall-Borsig. A nacionalização do grande conglomerado Thyssen na verdade fez parte de um processo mais amplo por meio do qual Göring colocou a indústria na linha para servir aos interesses da autarcia e do rearmamento. Dirigentes da indústria pesada de firmas como as Siderúrgicas Unidas, apoiados nos bastidores por Schacht enquanto estava no cargo, fizeram furiosa objeção ao aumento da propriedade e do controle estatal e à competição com seus empreendimentos subsidiada pelo Estado. Começaram a armar intrigas contra o Plano de Quatro Anos e a falar sobre maneiras de conseguir a redução do controle estatal. Göring providenciou gravações dos encontros secretos, grampeou conversas telefônicas e até mesmo convocou dois dos principais conspiradores a seu gabinete para exibir as gravações de suas conversas. Confrontados por essa pressão e pela ameaça mais que implícita de detenção e envio para um campo de concentração, os industriais, intimidados, desiludidos e divididos, sujeitaram-se.[120]

Sob muitos aspectos, um dos personagens típicos entre esses homens era o magnata do aço e fabricante de armas Gustav Krupp von Bohlen und Halbach, que presidiu a empresa Krupp em Essen, a cidade da companhia, no Ruhr, desde sua entrada para a família por meio do casamento em 1906.

Os Krupp possuíam uma longa e íntima associação com o Estado prussiano, que abasteciam de armas. O *Kaiser* Guilherme II em pessoa havia concedido permissão formal a Gustav para acrescentar o nome Krupp ao seu quando se casou com Bertha, herdeira da família. Dali em diante, Gustav, antes um diplomata de carreira (apesar de vir de uma família da indústria), considerou a preservação da firma a principal tarefa de sua vida. Rígido, formal, frio e inflexível, trabalhava longas horas para promover os interesses da companhia, e foi recompensado com enormes encomendas de armamentos que fizeram com que, em 1917, 85% da produção da Krupp consistisse de produtos bélicos. Embora não ativo na política, Gustav era, como a maioria dos industriais, um nacionalista conservador; Alfred Hugenberg foi o presidente do conselho de acionistas da companhia de 1909 em diante, e os dois homens compartilhavam muitas opiniões. Um paternalista que fornecia moradia, previdência e outros benefícios a seus trabalhadores em troca da concordância de não aderirem a sindicatos ou se engajarem em atividade política, Gustav pensava que o Estado deveria se comportar de forma bem parecida, cuidando das massas enquanto isso conservasse sua lealdade. Isso ficou mais difícil para a firma na inflação pós-guerra e pior ainda com a ocupação francesa de 1923, durante a qual Gustav permaneceu aprisionado por sete meses sob a alegação de encorajar a resistência alemã. Entretanto, a companhia sobreviveu, reorientando-se com sucesso para a produção de tempos de paz até ser atingida pela crise econômica mundial em 1929. Em 1933, sua produção de aço e carvão havia caído praticamente pela metade desde 1927, e sua força de trabalho em Essen fora reduzida de 49 mil para pouco mais de 28 mil.[121]

Esses acontecimentos não fizeram de Gustav Krupp um defensor do nazismo. Pelo contrário; ele avaliava a demagogia nazista com considerável repugnância, preferindo emprestar apoio ao governo conservador radical de Franz von Papen. A importância de Krupp era intensificada pela posição de chefe da Associação da Indústria Alemã do Reich, a organização nacional dos empregadores, em nome da qual ele fez *lobby* contra a ideia da autarcia e promoveu a ideia de um Estado forte que reprimisse os sindicatos, cortasse os gastos da previdência e proporcionasse a estabilidade política necessária para a recuperação da economia. Como muitos outros, de início ele não viu a nomeação de Hitler como chanceler do Reich em 30 de janeiro de 1933 como algo além da criação de mais um governo pouco duradouro de Weimar. Na campanha eleitoral subsequente, deu fundos para Papen e o Partido Popular da Alemanha na esperança vã de uma vitória conservadora. Por pressão de Thyssen e outros partidários do novo regime, foi forçado a concordar com a "coordenação" da Associação do Reich. Quando Paul Silverberg, industrial de Colônia e uma das figuras mais proeminentes da associação, foi destituído de suas posições em 1933 e forçado ao exílio por ser judeu, Krupp fez questão de visitá-lo em sua nova casa na Suíça. Não se filiou ao Partido Nazista nos primeiros anos de governo e, embora tenha se tornado diretor da "Doação Adolf-Hitler da Economia Alemã", que abasteceu o Partido Nazista com grandes somas regulares de dinheiro de junho de 1933 em diante, isso foi em boa parte para rechaçar as numerosas e gananciosas demandas de doações *ad hoc* feitas aos industriais e empregadores por líderes regionais, gangues de camisas-pardas e funcionários locais do Partido. Um visitante que se reuniu com Krupp em Berlim no final de 1934 encontrou-o desesperado com a natureza arbitrária do governo do Partido. "Creia-me", disse ele, "estamos pior aqui que os nativos de Timbuctu".[122]

Todavia, no geral, Krupp não ficou insatisfeito com o Terceiro Reich nos primeiros anos. Foi tranquilizado pela presença de homens como Papen e Schacht no governo, pela continuidade do domínio das Forças Armadas por oficiais como Blomberg e Fritsch, pelas políticas financeiras relativamente ortodoxas adotadas pelo Ministério da Economia e sobretudo pelos volumosos conjuntos de encomendas que resultaram em uma virtual duplicação dos lucros da Krupp em 1935 e o aumento de sua força de trabalho em Essen de 26.360 no começo de outubro de 1932 para 51.801 dois anos depois. Entretanto, não demorou muito para Krupp começar a descobrir que o novo regime não permitia à sua empresa a liberdade de ação que ele queria. Uma parte importante do crescimento jazia nas exportações, incluindo grandes contratos de armas com a Turquia e a América Latina, e Krupp ficou preocupado o bastante com o afã crescente do regime em busca da autarcia para falar contra isso em público em 1935. Continuou a manter um portfólio variado de produtos, nos quais os armamentos eram apenas parte de um conjunto maior. A partir de 1937, começou a ficar alarmado com o rebaixamento da indústria pesada básica pelo Plano de Quatro Anos, a hostilidade ao comércio internacional e a promoção da propriedade estatal, sobretudo da Fundição do Reich. O crescimento dos lucros da firma havia desacelerado de forma considerável. A independência que Krupp havia buscado para seu negócio foi severamente restringida pela concentração maníaca do regime nos preparativos para uma guerra europeia, na qual o nome da empresa Krupp a destinava um papel significativo. O governo proporcionou-lhe empréstimos sem juros para a expansão da capacidade, mas apenas sob a condição de o Estado poder determinar no que essa expansão seria usada. As coisas não haviam saído de modo algum como Krupp esperava, e já em 1937 ele começou a colocar seus negócios nas mãos de homens mais jovens que, esperava, pressionassem em favor dos interesses da companhia de modo mais agressivo do que agora sentia-se capaz de fazer. Em 1941, sofreu o primeiro de uma série de derrames que o forçariam a abandonar de vez sua parte nos negócios. Incapacitado, Krupp viveu até 1950, bastante alienado do que acontecia ao seu redor.[123]

Aparentemente, um conglomerado como a I. G. Farben, cujos produtos estavam no centro dos planos do regime para uma economia autárcica, estava mais bem situado para lucrar com o Terceiro Reich. De 1933 em diante, sua influência na formação e na implementação da política econômica do governo nesse setor cresceu rapidamente. O conglomerado começou os preparativos para a guerra já em 5 de setembro de 1935, quando estabeleceu um escritório de ligação com o Exército para coordenar a preparação para uma economia de guerra. Todavia, o papel do truste não deve ser exagerado, pois sua cota de gastos sobre o Plano no total não somou mais de um quarto, e a fatia da indústria química no conjunto da economia alemã não aumentou de forma marcante sob o Terceiro Reich. O processamento de metal, ferro, aço e mineração sempre foram mais centrais no programa de rearmamento. Ao mesmo tempo, a I. G. Farben foi forçada cada vez mais a redirecionar sua produção para atender às demandas militares do regime. Negociações complexas e aparentemente intermináveis sobre as condições financeiras em que o truste produziria a muito desejada buna (borracha sintética) ilustram de forma muitíssimo clara o abismo entre a primazia que as empresas colocavam no lucro e o descaso do Plano de Quatro Anos por qualquer aspecto, exceto a aceleração do rearmamento e o afã pela autarcia. A I. G. Farben arrastou-se no processo devido à preocupação em reduzir custos. No outono de 1939, a produção nacional de buna supria apenas dois terços das almejadas 30 mil toneladas, enquanto a produção e o estoque de borracha em setembro de 1939 eram suficientes para apenas dois meses de combate.[124] Essa cautela assegurou ao conglomerado gigante sair-se bem no Plano de Quatro Anos, embora as taxas de crescimento ainda fossem menores do que haviam sido nos primeiros anos de recuperação. De 1933 a 1936, os lucros líquidos cresceram 91%, e entre 1936 e 1939 outros 71%. Os cinco ramos mais importantes do conglomerado durante o Plano – óleo combustível, metal, borracha, plástico e nitrogênio para explosivos – aumentaram sua fatia no faturamento da I. G. Farben de 28% em 1936 para quase 33% em 1939; durante esse período, eles foram responsáveis por mais de 40% das vendas do conglomerado. Mas a contribuição da linha de produtos promovida pelo Plano de Quatro Anos para o faturamento total da I. G. Farben cresceu de 28,4% em 1936 para apenas 32,4% em 1939, e o conglomerado na verdade teve que pagar pelo desenvolvimento dos produtos. Assim, nem o Plano dependia essencialmente da I. G. Farben, nem a I. G. Farben do Plano.[125]

Os grandes negócios sem dúvida beneficiaram-se do rearmamento e, de modo mais geral, da recuperação econômica que ocorreu, em parte de forma natural pela melhora econômica que já havia começado antes de os nazistas chegarem ao poder, e depois cada vez mais pelos efeitos propulsores do rearmamento no resto da economia. As políticas financeiras desenvolvidas por Schacht eram audaciosas e engenhosas, mas no fim relativamente ortodoxas em termos financeiros. Em 1938, elas haviam seguido seu curso, e o regime, indo de encontro aos limites impostos pelo rearmamento ao estímulo do lucro, que sempre foi a característica central da livre iniciativa, começou a tomar as rédeas da situação. O ímpeto implacável de Hitler para o rearmamento já havia provocado uma vasta e cada vez maior interferência do regime na economia com o Plano de Quatro Anos. Em 1938, o Partido Nazista e várias organizações afiliadas, como a Frente de Trabalho, sob direção de Hitler, criavam enormes empreendimentos econômicos que almejavam driblar as operações capitalistas convencionais na perseguição das metas do regime. A indústria automobilística seria ultrapassada pela companhia Volkswagen; a siderúrgica pela Fundição Hermann Göring. Uma enxurrada de leis e regulamentações que se avolumou rapidamente almejava estabelecer limites de preços, forçar a racionalização dos negócios, desviar recursos para os investimentos bélicos, impor cotas de produção, dirigir o comércio exterior e muito mais.

Promessas feitas no programa do Partido e depois, de nacionalizar os bancos e a Bolsa de Valores da Alemanha, haviam sido calmamente esquecidas à medida que as realidades do mundo financeiro ficavam claras para Hitler e seus assessores. Eles precisavam de dinheiro, e os bancos eram necessários para fornecê-lo.[126] Não obstante, o regime também impôs controles gradativamente mais rígidos e mais abrangentes sobre as instituições financeiras a fim de dirigir o capital para o programa de rearmamento. Em 1939, uma série de leis para crédito, hipotecas, empréstimos e bancos garantia que a liberdade para investir em qualquer setor além do rearmamento estivesse severamente restringida.[127] Os empresários passavam cada vez mais tempo lidando com a massa de regulamentações e requerimentos impostos a eles pelo Estado. Esses implicavam uma interferência minuciosa e crescente na produção e no comércio. Em 2 de março de 1939, por exemplo, o coronel von Schell, plenipotenciário da indústria automobilística, emitiu uma série de ordens restringindo o número de modelos diferentes que podiam ser fabricados. Com isso, a produção de peças sobressalentes podia ser racionalizada e barateada, e os veículos militares podiam ser consertados de forma mais rápida e eficiente. Em vez de 113 diferentes tipos de caminhões e caminhonetes, por exemplo, foi permitida a fabricação de apenas 19 no futuro, e por companhias especificadas nominalmente. "Por certo que a propriedade privada permaneceu na indústria", concluiu um observador crítico, mas restou muito pouca iniciativa "para o setor empresarial, que está sendo rechaçado pelo poder do Estado em dar ordens".[128] Não é de espantar que alguns pensassem que o socialismo estivesse vindo outra vez para o primeiro plano no nacional-socialismo.

Arianizando a economia

I

Na ideologia nazista, "socialismo" envolvia um elemento real de hostilidade aos grandes negócios no começo da década de 1920, em geral misturado a uma forte dose de antissemitismo. Nos últimos anos da República de Weimar, Hitler fez o que pôde para não dar destaque a essa questão. O que sobrou, como era de se prever, foi um ódio contínuo ao papel dos judeus na economia alemã, que os nazistas exageravam em proveito próprio. A história econômica do Terceiro Reich é de fato inseparável da história da expropriação dos judeus pelo regime, uma vasta campanha de pilhagem com poucos paralelos na história moderna. De acordo com esses imperativos ideológicos, um dos primeiros alvos da propaganda nazista antes de 1933 havia sido as lojas de departamento (*Warenhaus*), nas quais desde o fim do século XIX podiam-se comprar mercadorias baratas de produção em massa de todos os tipos. Muitos dos fundadores dessas lojas eram judeus, refletindo talvez a concentração de judeus que havia no ramo de tecidos e similares do comércio varejista.

O mais famoso desses empreendimentos foi fundado pela família Wertheim depois de 1875, quando Ida e Abraham Wertheim abriram uma lojinha em Stralsund vendendo roupas e produtos manufaturados. Em breve seus cinco filhos entraram no negócio e introduziram um novo sistema de varejo baseado em alta renovação do estoque, baixas margens de lucro, preços tabelados para mercadorias, uma ampla seleção de artigos, o direito de devolver ou trocar produtos e pagamento unicamente em dinheiro. A firma cresceu depressa, e em 1893-94 foi construído um grande prédio na Oranienstrasse, no bairro de Kreuzberg, em Berlin, seguido de mais três lojas na capital. A Wertheim ofereceu um novo conceito de compra, em lojas claras, arejadas e bem planejadas, com vendedores solícitos e uma combinação de produtos baratos e de luxo para encorajar a compra impulsiva. Também exibiu uma atitude avançada quanto às relações trabalhistas e assistência aos empregados; a companhia foi a primeira na Alemanha, por exemplo, a fazer do domingo um dia de descanso compulsório para todos que lá trabalhavam. A Wertheim não foi a única família judaica a fundar uma loja de departamentos; em 1882, por exemplo, Hermann Tietz e seu sobrinho Oscar fundaram uma lojinha em Gera com princípios semelhantes. Essa também prosperou, e em 1930 os Tietz possuíam 58 lojas de departamento, inclusive a famosa KaDeWe (Kaufhaus des Westens, ou Loja de Departamentos do Oeste) em Berlim. Comparada às vendas anuais das lojas Tietz, que ficaram em 490 milhões de reichsmarks em 1928 e sua possante força de trabalho de 31.450 empregados, a essa altura a Wertheim, com meras sete lojas, 10.450 empregados e vendas de 128 milhões de reichsmarks, era um empreendimento relativamente modesto.[129]

Apesar da popularidade, essas lojas de departamento responderam por menos de 5% das vendas totais do varejo na Alemanha até o final da década de 1920.[130] Os ataques antissemitas a elas permaneceram abafados antes de 1914, mesmo entre as pequenas associações de varejistas.[131] A situação mudou com os problemas econômicos dos primeiros anos de Weimar. Em 1920, o ponto 16 do programa do Partido Nazista atraiu diretamente pequenos lojistas quando exigiu a "nacionalização imediata das grandes lojas de departamento e seu arrendamento por preços baixos a pequenos empresários".[132] Em 1932, um panfleto da eleição local na Baixa Saxônia incitava varejistas e pequenos comerciantes a se juntar ao Partido para fazer oposição à abertura de novas filiais da "empresa vampira" Woolworth's, que supostamente os arruinaria em nome do "capital financeiro".[133] Em março de 1933, camisas-pardas invadiram uma filial da Woolworth's em Gotha e arrasaram a loja inteira; ataques violentos foram desferidos a várias lojas de departamento independentemente de quem fossem os donos. Em Braunschweig, o restaurante de uma loja de departamentos local foi estraçalhado a tiros por camisas-pardas armados com pistolas. De modo menos dramático, nos primeiros meses do Terceiro Reich houve muitos pedidos para que as lojas de departamento fossem fechadas ou tributadas de modo insustentável. Mas o Ministério da Economia e a liderança nazista logo perceberam que fechar empreendimentos que empregavam tantas dezenas de milhares de pessoas causaria dano severo à "batalha pelo trabalho". Hess entrou em cena para proteger as lojas de departamento, e o boicote nacional das lojas de proprietários judeus em 1º de abril de 1933 não teve impacto além desse dia.[134]

A despeito disso, as lojas de departamento logo começaram a vivenciar a discriminação de maneiras menos óbvias. Quando o Ministério das Finanças começou a emitir empréstimos para casamento do verão de 1935 em diante, por exemplo, os cupons de compra pelos quais os empréstimos eram concedidos não podiam ser utilizados em lojas de departamento, fossem ou não de propriedade judaica, nem em empresas judaicas de qualquer tipo. Um relatório oficial estimou que as lojas e os negócios afetados perderam no mínimo 135 milhões de reichsmarks em vendas em 1934. As lojas de departamento, independentemente de quem fossem os donos, e empresas judaicas de todos os tipos também foram proibidas de anunciar na imprensa da metade de 1933 em diante. Vindo na sequência de uma queda nas vendas que já tivera início com a investida da Depressão em 1933, isso deixou-as em sérias dificuldades. O número de vendas das lojas Hermann Tietz despencou em até 41% em 1933. A companhia foi forçada a buscar um empréstimo de 14 milhões de reichsmarks com os bancos. Agenciado pelo ministro Schmitt, da Economia, que queria evitar uma falência espetacular envolvendo a perda de 14 mil empregos, graves danos aos fornecedores e problemas financeiros para os bancos, o empréstimo foi condicionado à "arianização" da administração ou, em outras palavras, à remoção dos proprietários, membros da diretoria e outros funcionários graduados judeus. Os irmãos Tietz que permaneceram foram forçados a sair em 1934, após uma detalhada auditoria, com uma compensação de 1,2 milhão de reichsmarks. Para se resguardar, Schmitt certificou-se de obter a aprovação de Hitler para esses arranjos. Dali em diante, as lojas ficaram conhecidas pelo nome de Hertie, que engenhosamente manteve o elo com o nome do fundador, mas ao mesmo tempo anunciou para todo mundo que o negócio estava em novas bases; as lojas de Leonard Tietz foram renomeadas com o título neutro de Kaufhof, ou "centro de compras".[135]

Esses acontecimentos instigaram os membros remanescentes da família Wertheim a agir para preservar seus interesses. Um amigo da família, o banqueiro Emil Georg von Stauss, que conhecia Hitler e Göring pessoalmente e apoiava o Partido Nazista de várias maneiras, foi trazido para a diretoria. Sua proteção garantiu que as tentativas das tropas de assalto de fechar a loja Wertheim em Breslau fossem frustradas. Mas ativistas do Partido Nazista, em especial aqueles ligados ao ramo sindical, a Organização da Célula das Fábricas, impediram Georg Wertheim de entrar em suas próprias lojas. Ele jamais se aventurou em uma depois de 1934 e deixou de tomar parte nas reuniões do conselho de acionistas da companhia. Para evitar a repetição dos problemas que acometeram à família Tietz, ele transferiu suas ações e algumas de seu finado irmão para sua esposa Ursula, que não era judia. Ela tornou-se então a acionista majoritária. Entretanto, isso não tirou a firma das dificuldades. À medida que a Hertie e outras redes tinham êxito em neutralizar a investida nazista contra as lojas de departamento deixando claro que não eram de propriedade judaica, a hostilidade de nazistas locais, do governo central e das organizações do Partido dirigiu-se mais precisamente às redes, como a Wertheim, que ainda o eram. O Ministério da Propaganda ordenou que todo o departamento de livros da Wertheim fosse fechado no início de 1936, após a denúncia de um ex-funcionário em Breslau, embora a firma já tivesse retirado pelo menos 2,5 mil livros proibidos de suas estantes. Stauss conseguiu reverter a ordem, mas apenas mediante a doação de 24 mil reichsmarks da firma para a Fundação Alemã Schiller. Reclamando dessas pressões em uma entrevista com o ministro da Economia, Georg Wertheim e seu filho foram advertidos por Schacht: "Vocês têm que uivar com os lobos".[136]

Os uivos aumentaram notadamente em 1936. As vendas da Wertheim de fato subiram enquanto as dos rivais tinham caído. Pode ter sido porque a remoção de gerentes e empregados judeus das redes rivais tenha levado à contratação de pessoal inexperiente para o lugar deles, ou porque apenas a Wertheim manteve intactos sua imagem conhecida e de confiança, o nome e o estilo. Não obstante, Stauss, que agora detinha a custódia das ações de

Ursula enquanto ela gastava suas rendas em férias dispendiosas, primeiro forçou os acionistas minoritários da família a transferir suas cotas para acionistas não judeus por preço bem abaixo do valor e, a seguir, deixou claro para Georg e Ursula Wertheim que o gabinete de Hess exigia que se divorciassem caso ela quisesse conservar suas ações; eles o fizeram em 1938. Encarregado por Hitler de comprar o terreno onde a nova Chancelaria do Reich seria construída em Berlim, Stauss selecionou um local ocupado por uma série de propriedades de Wertheim, fez os bancos avaliarem por baixo para economizar e depois pressionou Wertheim a vender para pagar alguns débitos que os bancos credores agora cobravam. Em 1938, não havia mais acionistas judeus, gerentes judeus haviam sido igualmente forçados a sair, e os últimos 34 empregados judeus foram despedidos; não há evidência de que tenham recebido qualquer pagamento pela rescisão, ao contrário dos colegas de outras redes. Em consulta com o Ministério da Economia, Stauss concordou em trocar o nome das lojas de Wertheim para AWAG. Foi um meio-termo semelhante ao da renomeação da Tietz, embora menos óbvio. A maioria das pessoas pensou que o novo nome fosse um acrônimo para A. Wertheim AG (Albrecht Wertheim Aktien-Gesellschaft, ou Companhia Albrecht Wertheim). Mas na verdade significava Allgemeine Warenhaus Aktien-Gesellschaft, ou Companhia Geral de Lojas de departamento, cortando assim qualquer associação com a família. Georg Wertheim, então com mais de oitenta anos de idade e quase cego, morreu em 31 de dezembro de 1939. Um ano depois, a viúva casou-se com Arthur Lindgens, um integrante não judeu do conselho de acionistas da nova companhia.[137]

II

A sina das lojas de departamento ilustra no microcosmo como as prioridades do Partido Nazista haviam mudado desde 1920. Tendo começado com uma mensagem pronunciadamente anticapitalista, primeiro amenizou-a sob influência da necessidade econômica, depois substituiu-a por um ímpeto resoluto de remover os judeus da economia alemã. As lojas de departamento em si não desapareceram; de fato, a campanha contra os proprietários judeus abriu novas oportunidades de expansão de operações para companhias não judaicas. Se, conforme os nazistas afirmavam, os males econômicos do país na década de 1920 e começo dos anos 1930 tinham origem nos judeus, não seriam então resolvidos, entre outras coisas, livrando-se da influência econômica judaica nos negócios em vez de atacar os negócios em si? O boicote de 1º de abril de 1933 já havia anunciado as intenções do Partido a esse respeito. Embora o boicote em si tenha deparado com apoio público relativamente pequeno, os grupos locais do Partido continuaram a acossar e atacar lojas e negócios judaicos, como indicou o exemplo da loja Wertheim em Breslau. Os camisas-pardas continuaram a pintar *slogans* nas vitrines de lojas de donos judeus, a desencorajar as pessoas de prestigiar tais lojas ou a pressionar as autoridades locais a fazer encomendas em outros estabelecimentos. Alarmados com os efeitos de tais ações, governo e Partido emitiram uma série de avisos oficiais. O próprio Hitler divulgou uma declaração no começo de 1933 permitindo expressamente que funcionários públicos comprassem mercadorias em lojas e redes de departamentos judaicas. Contudo, na temporada de compras do Natal de 1933, gangues de camisas-pardas estavam de novo diante das lojas de judeus em muitas localidades com cartazes proclamando qualquer um que entrasse como traidor da raça alemã. Um número crescente de mercados locais barrou comerciantes judeus, firmas judaicas não tinham mais permissão para anunciar, as autoridades locais romperam todas as relações de negócios com companhias de donos judeus e houve mais ações de boicote bastante disseminadas na primavera de 1934. A violência acompanhou tais eventos com frequência, indo da quebra de vitrines de lojas judaicas a um ataque a bomba à sinagoga de Ahaus, na Westfália. E culminou com uma manifestação de massa de mais de 1,5 mil habitantes em Gunzenhausen, na Frânconia – uma aldeia onde a população total não somava mais de 5,6 mil. Inflamados pelo veemente discurso antissemita de um líder nazista local, os manifestantes invadiram casas e apartamentos dos judeus da aldeia e arrastaram 35 pessoas para a prisão local, onde uma mais tarde foi encontrada enforcada.[138]

Os consumidores alemães deram pouco apoio às ações de boicote. Sob ameaça de represálias se prestigiassem lojas judaicas em sua própria aldeiazinha, as pessoas de Falkenstein, anotou Victor Klemperer em seu diário em junho de 1934, viajavam até a vizinha Auerbach para comprar em um estabelecimento judaico de lá, onde não seriam reconhecidas; os habitantes de Auerbach, por sua vez, frequentavam a loja judaica de Falkenstein.[139] Até mesmo Hermann Göring foi visto em 1936 fazendo uma longa visita à loja de tapetes Bernheimer em Munique, que terminou com a compra de dois tapetes pela impressionante quantia de 36 mil reichsmarks. A liquidação de fevereiro da casa de tecidos Sally Eichengrün em Munique no mesmo ano atraiu filas de consumidores, segundo a polícia. Ambos os empreendimentos eram de donos judeus. No ano seguinte, o Serviço de Segurança da SS reclamou que as pessoas ainda ignoravam as exortações do Partido para não comprar de empresas judaicas, em especial nas zonas católicas.[140] Mesmo assim, os ativistas do Partido não desanimaram. Muitos eram motivados pelo desejo pessoal de se livrar de rivais nos negócios numa época em que a economia de consumo estava em baixa.[141] Campanhas violentas de boicote continuaram ao longo de 1934 e atingiram novo patamar na temporada de compras de Natal. Em novembro, por exemplo, a liderança distrital do Partido em Baden-Baden enviou a seguinte carta ameaçadora a uma loja de brinquedos, informando ao proprietário judeu:

> Não vamos tolerar de modo algum que você, de uma loja de brinquedos não ariana, venda bonecos de homens da SA e da SS. As pessoas já estão aborrecidas com isso e reclamando. Assim, solicitamos com urgência que tire os bonecos da SA e da SS de sua loja judaica, ou não estaremos em condição de garantir a ordem e a tranquilidade públicas.[142]

Em 23 e 24 de dezembro, membros do Partido em trajes civis bloquearam as entradas de lojas de judeus e lojas de departamento em Frankfurt am Main, e gritaram insultos aos clientes, batendo naqueles que insistiram em tentar entrar. Quebraram as vitrines das lojas e, quando a polícia chegou para prendê-los, tornaram-se tão ameaçadores que os policiais tiveram que baixar as armas.[143] Essa campanha mostrou-se o prelúdio de uma onda muito mais ampla de terror econômico, na qual organizações do Partido ameaçavam retirar os pagamentos da previdência social de qualquer um que fosse visto entrando em uma loja judaica. Funcionários públicos e servidores municipais de muitas localidades receberam ordens para se manter longe de tais estabelecimentos. Ações desse tipo eram especialmente comuns nas pequenas aldeias da Pomerânia, Hesse e Francônia central. Em Marburg, um grande grupo de estudantes entrou em uma loja de calçados de proprietário judeu, enxotou os clientes e saqueou ou destruiu os artigos. Em Büdingen, quase todas as vitrines de lojas de varejistas judeus foram quebradas na noite de 18 para 19 de abril de 1935. Incidentes semelhantes ocorreram por toda parte. Quando essas ações cessaram, uma nova onda de ataques antissemitas a lojas de judeus alastrou-se pelo país no verão de 1935, incluindo um boicote total no centro de Munique em 25 de maio, levado a cabo basicamente por homens da SS em trajes civis, sendo que alguns irromperam nas lojas e surraram os vendedores. A ação só chegou ao fim quando os boicotadores tentaram invadir uma delegacia de polícia para soltar um dos participantes que havia sido detido.[144]

A reação dos ministros de governo a essas ações era variada. O ministro de Relações Exteriores, von Neurath, por exemplo, disse aos colegas que os incidentes antissemitas não teriam efeito na opinião estrangeira; detê-los não levaria a qualquer melhora da posição internacional da Alemanha. Por outro lado, o ministro da Economia, Hjalmar Schacht, declarou-se extremamente preocupado com o efeito sobre a economia, inclusive nas relações econômicas com outros países. De fato, quando a organização do Partido na aldeia de Arnswalde, em Brandenburg, colocou uma foto da esposa do gerente da filial local do Reichsbank em uma vitrine como uma "traidora" por ter sido vista comprando em um estabelecimento judaico, Schacht fechou a filial em protesto. Em 18 de agosto de 1935, ele falou abertamente em uma palestra pública em Königsberg. "Senhor", disse ele, "proteja-me de meus amigos. Ou seja", prosseguiu, "de gente que heroicamente picha vitrines de lojas sob o manto da escuridão, rotulando todo alemão que compra mercadorias em uma loja judaica de traidor do povo...". Todavia, Schacht, a despeito de suas afirmações posteriores em contrário, em princípio não se opunha à expulsão dos judeus da vida econômica. Ele acreditava, conforme explicou a um grupo de ministros e funcionários do alto escalão dois dias depois, "que deixar essa ilegalidade seguir em frente entre outras coisas coloca um ponto de interrogação sobre o rearmamento. Suas observações", relatou a minuta do encontro, "culminaram na declaração de que o programa do NSDAP deve ser cumprido, mas apenas com base em decretos legais". Schacht concordava com a Gestapo e representantes do Partido em que o caminho consistia em uma restrição ordeira e legal da capacidade dos judeus de se envolver em negócios, a sinalização pública de lojas judaicas e a exclusão de empresas judaicas dos contratos públicos.[145] Schacht compartilhava plenamente dos preconceitos antissemitas de muitos burgueses alemães, comentando até em 1953 que os judeus haviam trazido um "espírito alienígena" para a cultura alemã na República de Weimar e haviam sido proeminentes demais em muitos setores da vida pública.[146] Ele cooperou totalmente com a demissão de funcionários judeus do Reichsbank sob a chamada Lei para o Restabelecimento do Serviço Público Profissional e defendeu em público as leis antissemitas aprovadas pelo regime nos anos de 1933 e 1935; rejeitava apenas a violência aberta.[147]

Contudo, havia maneiras menos violentas de colocar pressão sobre firmas judaicas – e com frequência mais eficientes. O imenso tamanho de organizações nazistas como a SA, a Frente de Trabalho ou até o Partido em si dava-lhes um bocado de poder econômico por meio de encomendas volumosas de construções, mobília, bandeiras, uniformes e suprimentos de todos os tipos. Isso foi usado desde o princípio para discriminar negócios de proprietários judeus. A indústria calçadista foi um exemplo. Sob o Terceiro Reich, como era de esperar, o setor teve lucros imensos com o tremendo aumento da demanda por botas de cano alto. Mas é claro que essas encomendas iam para companhias não judaicas. Entretanto, as firmas judaicas dominavam a indústria, de modo que houve uma pressão imediata para arianizá-las. Assim que Hitler tornou-se chanceler do Reich, por exemplo, teve início uma campanha contra a companhia de calçados Salamander, de propriedade semijudaica e que possuía contratos com cerca de 2 mil revendas de proprietários individuais, dos quais perto de quinhentas também eram de judeus. As tropas de assalto já haviam invadido algumas lojas e as fechado no final de março de 1933, enquanto a imprensa nazista organizou uma campanha de boicote contra a firma em si, acusando-a (sem qualquer justificativa) de lograr seus clientes e garantindo que não recebesse nenhuma encomenda volumosa das organizações do Partido. As vendas começaram a despencar. Vendo a crise que se aproximava, a família judaica que possuía metade das ações vendeu sua parte para a família não judaica que detinha a outra metade por 1 milhão de reichsmarks. A companhia então demitiu os empregados judeus, removeu os diretores judeus e cancelou os contratos com suas revendas de proprietários judeus, 20% das quais já haviam passado para mãos não judaicas no final de 1934. A campanha da imprensa, os boicotes e os fechamentos cessaram em seguida, e o faturamento subiu novamente. Contudo, nesse caso não há evidência de qualquer antissemitismo ideológico notório por parte dos proprietários ou gerentes da firma; eles simplesmente curvaram-se às realidades econômicas da situação imposta pelo Partido local e pelas organizações camisas-pardas.[148]

Onde considerações econômicas de um tipo diferente desempenhavam qualquer papel, as organizações locais e regionais do Partido podiam incitar comedimento. Em Hamburgo, por exemplo, cidade portuária cujos interesses não coincidiam com as prioridades de rearmamento e autarcia do regime, a economia local foi bem mais lenta para se recuperar da Depressão do que em outras partes. Problemas econômicos contínuos, que contribuíram para um espantoso índice de 20% de votos de "não" no plebiscito de 19 de agosto de 1934 sobre a autonomeação de Hitler como chefe de Estado, deixaram o líder regional Karl Kaufmann particularmente sensível a qualquer perturbação da economia da cidade. Havia mais de 1,5 mil companhias de propriedade judaica em Hamburgo, e a maioria durou bem mais que suas congêneres do resto do Reich. A elite mercantil de Hamburgo não era nada entusiasta em relação às políticas antissemitas do regime, e instituições destacadas como a Câmara de Comércio recusaram-se a fornecer informações sobre quais firmas eram judaicas e quais não eram. Ainda em novembro de 1934, a Câmara usava uma gráfica judaica para produzir seus folhetos informativos. Mercadores e empresários mais velhos tinham uma tradicional reação alérgica a qualquer interferência do Estado no mundo dos negócios e viram a arianização como presságio de uma tomada estatal mais ampla do controle empresarial.[149] Todavia, suas atitudes haviam mudado em 1938. A essa altura, parecia claro até para o mais empedernido mercador hanseático que o regime nazista iria durar. A recuperação econômica havia atingido um ponto em que a remoção de negócios judeus não mais parecia uma ameaça à estabilidade da economia. O mais importante de tudo é que as crescentes restrições aos negócios em moeda estrangeira em 1936-37 haviam forçado o fechamento de um número substancial de companhias importadoras e exportadoras de propriedade judaica na cidade. Uma grande quantidade de organismos investigativos, incluindo o Escritório de Busca de Moeda Estrangeira (Devisenfahndungsamt), estabelecido sob a égide de Reinhard Heydrich em 1º de agosto de 1936, e um equivalente local, permitiram às autoridades assumir a administração de companhias caso fossem suspeitas de auxiliar na fuga de capital da Alemanha. Funcionários desses órgãos forjaram confissões, inventaram registros de interrogatórios e denunciaram à Gestapo procuradores que atuavam para companhias judaicas. Como resultado, foram concedidas 1.314 ordens de custódia contra empresários judeus em Hamburgo entre dezembro de 1936 e outubro de 1939.[150]

Tais políticas eram justificadas em memorandos e outros documentos internos em linguagem fortemente antissemita, repletos de referências à "falta de escrúpulos judaica", "judeus do mercado negro" e afirmações do tipo. O presidente do Escritório Regional das Finanças de Hamburgo descreveu um suspeito judeu em 1936 como um "parasita do povo". Enquanto o Estado fazia a sua parte dessa maneira, em 1936, o consultor regional de economia do Partido Nazista em Hamburgo afirmou-se como outro agente coordenador da arianização de negócios judeus. Mais do que em outras partes do país, o gabinete do consultor assumiu a direção do processo, embora não tivesse qualquer direito legal de fazê-lo. Nomeou curadores para as firmas judaicas e insistiu na demissão de todos os empregados judeus restantes. Também fixou o preço de compra dessas empresas em valores deliberadamente baixos, exigindo ainda que fossem vendidas sem levar em conta a "reputação de mercado", visto que (conforme argumentou) como firmas judaicas elas não tinham nenhuma. Os ocupantes do gabinete eram todos homens jovens de formação acadêmica; nazistas convictos com pouca experiência empresarial, como o doutor Gustav Schlotterer (26 anos de idade), Carlo Otte (24) e o doutor Otto Wolff (25). O economista a cargo do Departamento de Arianização de Hamburgo, Karl Frie, tinha apenas dezenove anos quando entrou no gabinete do consultor. Sua impiedade, característica da geração que nasceu pouco antes da Primeira Guerra Mundial e cresceu nos anos de inflação, revolução, instabilidade política e depressão econômica, não tolerava oposição. Em breve, a Câmara de Comércio de Hamburgo havia abandonado a relutância prévia em concordar com o programa de arianização e determinava que todas as compras de empresas judaicas feitas antes de 1938 fossem reinvestigadas e se fizessem reembolsos para qualquer valor embutido em função da reputação de mercado.[151]

O impressionante nesse processo não era tanto a forma como foi levado adiante pelos funcionários de economia do Partido, mas a extensão em que agências do Estado também se envolveram; e estas eram, em todo caso, ainda mais inescrupulosas que as outras. Nesse aspecto também, como no sistema legal, a ideia de um "Estado dual", no qual as normas legais eram preservadas pelas instituições tradicionais do Estado "normativo" e solapadas pelo novo aparato quase legal do "Estado prerrogativo" de Hitler, deve ser pesadamente restringida, se não abandonada de vez.[152] Todo um conjunto de gabinetes estatais envolveu-se na retirada dos judeus da economia. De certo modo, não era de surpreender, porque os funcionários públicos que trabalhavam neles haviam participado da demissão dos judeus de seus próprios departamentos em 1933-34. Uma reforma tributária de 16 de outubro de 1936, por exemplo, exigiu que todas as leis tributárias refletissem a visão de mundo nacional-socialista e usassem princípios nacional-socialistas ao tributar casos individuais. O resultado foi que companhias judaicas então encararam com frequência novas demandas de impostos anteriores não pagos, visto que as regulamentações tributárias eram livremente interpretadas em detrimento daquelas firmas. Assim, esse processo de arianização havia começado já em 1933; não teve início simplesmente quando, e muito menos porque, Schacht foi afastado da posição de líder supremo da economia em 1936. O próprio Schacht assinou uma ordem em 26 de novembro de 1935 proibindo corretores de valores judeus de exercer sua profissão, e fez pressão contínua pela promulgação de leis restringindo a atividade econômica judaica nos últimos dois meses de 1935. As restrições à moeda estrangeira, que tiveram papel tão importante no caso das firmas judaicas de Hamburgo, foram em grande parte obra de Schacht, e, em 14 de outubro de 1936, o Reichsbank ordenou a suas filiais que abrissem investigações de negociações em moeda estrangeira caso outros deixassem de fazê--lo.¹⁵³ A arianização, portanto, foi um processo contínuo, às vezes rastejante, às vezes galopante, mas sempre em andamento.¹⁵⁴

III

A partir de 1936, o Plano de Quatro Anos sem dúvida acelerou todo o processo. O memorando de Hitler estabelecendo o Plano identificou em seu estilo de costume a "judiaria internacional" como a força oculta por trás da ameaça bolchevique e exigiu leis tornando todos os judeus financeiramente responsáveis por qualquer dano causado à economia alemã, como acumulação de moeda estrangeira no exterior, infração para a qual Hitler exigiu pena de morte.¹⁵⁵ O aparato de investigação de moeda estrangeira que desempenhou esse papel funesto em Hamburgo foi criação da precursora do Plano, a Equipe de Matérias-Primas e Moeda de Göring, implantada na primavera de 1936. As discussões ministeriais sobre medidas antijudaicas adicionais seguiram ao longo de 1936, levando à aprovação de leis no fim do ano que tornaram ilegal a transferência de fundos de propriedade judaica para o exterior. Seguiram-se vários processos, levando a várias sentenças de prisão, mas não execuções. Sob essas leis, a mera suspeita de que alguém estava prestes a transferir fundos era o bastante para gerar o confisco. Isso forneceu o pretexto legal para um número crescente de expropriações ao longo dos meses e anos seguintes. Os poderes que acompanharam o Plano, notadamente o racionamento de matérias-primas, foram usados de forma deliberada em detrimento de empresas judaicas. O governo fez emendas a um decreto de emergência aprovado no tempo de Heinrich Brüning para evitar a fuga de grandes somas de capital da Alemanha, baixando a quantia inicial de 200 mil reichsmarks estabelecida pelo decreto para 50 mil, e baseando-a no valor tributável estimado da propriedade, em vez de na quantia obtida na venda. Em consequência, os judeus que emigraram na prática foram submetidos à perda de bem mais que a taxa de 25% estipulada pelo decreto de Brüning. Em 1932-33, esse imposto arrecadou menos que 1 milhão de marcos em receita para o Estado; em 1935-36, a renda subiu para quase 45 milhões; em 1937-38, mais de 80 milhões; em 1938-39, 342 milhões. Além disso, as transferências de capital para o exterior ficaram sujeitas à taxa de 20% recolhida pelo Banco Alemão de Descontos, por meio do qual as transferências tinham que ser negociadas; em junho de 1935, essa taxa subiu para 68%, em outubro de 1936 para 81%, e em junho de 1938 para 90%. Assim, as companhias e os indivíduos judeus foram sistematicamente saqueados não só por outras empresas e pelo Partido Nazista, mas também pelo Estado e suas instituições dependentes.[156]

Ao mesmo tempo, boicotes e ataques locais esporádicos tiveram continuidade, mais notadamente na época do Natal, enquanto leis e regulamentações promulgadas em Berlim tornavam a vida progressivamente mais difícil para negócios judaicos. Cada vez mais as vendas forçadas eram feitas a preço bem abaixo do valor de mercado e sob ameaça de detenção e prisão por acusações fabricadas que nada tinham a ver com a condução do negócio em si. Na aldeia de Suhl, por exemplo, o líder regional do Partido, Fritz Sauckel, deteve o proprietário judeu da fábrica de armas Simson e colocou-o na prisão em 1935 após ele recusar-se a vender a empresa a preço vil; citando a autorização expressa de Hitler, Sauckel então transferiu a posse para uma fundação especialmente criada no alegado interesse da defesa nacional. Supostas dívidas foram dadas como motivo para negar compensação de qualquer tipo ao proprietário.[157] Em 1º de janeiro de 1936, muitos banqueiros judeus haviam sido sacados à força do negócio ou decidido dar um basta e fechado para emigrar. Cerca de 25% dos 1,3 mil banqueiros privados da Alemanha desistiram da atividade; a maioria dos trezentos bancos privados que fecharam eram de propriedade judaica.[158] Apenas uns poucos bancos grandes, como o M. M. Warburg, de Hamburgo, ficaram obstinadamente firmes até 1938, sobretudo por um senso de dever para com a comunidade judaica e a tradição da companhia.[159] A atividade bancária não teve nada de excepcional. Um quarto de todos os empreendimentos judaicos de todos os tipos haviam sido arianizados ou fechados a essa altura.[160] Em julho de 1938, restavam apenas 9 mil lojas de propriedade judaica na Alemanha das 50 mil que se calcula que existissem em 1933. No começo do Terceiro Reich havia no total cerca de 100 mil firmas de propriedade judaica na Alemanha; em julho de 1938, cerca de 70% haviam sido arianizadas ou fechadas.[161]

Regulamentações de vários tipos tiraram dos negócios até os mais humildes empreendimentos judaicos. No verão de 1936, por exemplo, a introdução de um sistema de registro oficial para sucateiros fez com quem 2 mil a 3 mil judeus fossem proibidos de exercer a profissão.[162]

A arianização foi mais ou menos contínua desde 1933 na maioria das localidades. Em Marburg, por exemplo, onze dos 64 negócios judeus da cidade foram arianizados ou liquidados já em 1933; sete em 1934; nove em 1936; seis em 1937; e cinco nos três primeiros trimestres de 1938. Em Göttingen, 54 de 98 empresas de propriedade judaica ativas na cidade em 1933 haviam sido arianizadas ou liquidadas até o começo de 1938.[163] A essa altura, ficou claro para todos os envolvidos que o estágio final estava começando. Para acelerar o processo, Göring e o Ministério do Interior emitiram um decreto em 26 de abril de 1938 forçando todo judeu ou não judeu casado com judeu a declarar todos os bens no país e no exterior acima do valor de 5 mil reichsmarks, dando sequência a isso com discussões internas sobre a exclusão definitiva dos judeus da economia de uma vez por todas. Ordens adicionais impediram os judeus de atuar como leiloeiros, possuir ou vender armas e – um golpe particularmente grave – assinar contratos legais. A essa altura, a pressão sobre companhias de propriedade judaica tornara-se quase irresistível. Desde o outono de 1937, as autoridades locais vinham determinando a colocação de sinais na fachada de negócios judaicos para designá-los publicamente como tal – um claro convite a assédio, boicote e ataque. Houve quase oitocentas arianizações entre janeiro e outubro de 1938, inclusive de 340 fábricas e 22 bancos privados. O ritmo estava aumentando. Em fevereiro de 1938, ainda havia 1.680 comerciantes judeus independentes em Munique, por exemplo; em 4 de outubro, o número havia caído para 666, e dois terços desses possuíam um passaporte estrangeiro. A remoção final dos judeus da economia alemã estava claramente à vista, e muitas empresas e indivíduos alemães estavam prontos para colher os prêmios.[164]

1. Hitler mantém os trabalhadores a uma distância segura: discursando nas celebrações de 1º de maio, no campo de Tempelhof em Berlim, 1935, o líder nazista é protegido por um cordão de segurança de guarda-costas da SS.

2. Ernst Röhm, o líder camisa-parda, posa como burocrata, sentado à sua escrivaninha em casa, em 1933. A obra de arte na parede atrás dele dá uma boa ideia de seu gosto.

3. Heinrich Himmler, líder da SS do Reich, testa sua habilidade com uma pistola na galeria de tiro da polícia em Berlim-Wannsee, em 1934.

4. Hitler recebe a saudação em um desfile da Polícia da Ordem durante o comício do Partido em Nuremberg, em setembro de 1937.

5. Reinhard Heydrich, chefe do Serviço de Segurança da SS, posa para um retrato.

6. Prisioneiros do campo de concentração de Flossenbürg, reservado especialmente para "antissociais" e "criminosos", trabalham na pedreira que forneceu material para os prédios públicos de Albert Speer.

7. Leni Riefenstahl testa o ângulo de uma câmera para seu filme *O triunfo da vontade* no comício do Partido em Nuremberg, em 1934.

8. "Toda a Alemanha ouve o Líder com o Receptor do Povo": anúncio do aparelho de rádio barato que só captava as transmissões de estações domésticas.

9. O ator Emil Jannings (*à direita*) eleva-se sobre o "doutorzinho", o ministro da Propaganda Joseph Goebbels (*à esquerda*), durante um intervalo no Festival de Salzburgo, em 1938.

10. O Memorial de Guerra de Magdeburg, de Ernst Barlach, 1929, que foi retirado da exposição na catedral pelos nazistas por ser considerado impatriótico.

11. O estilo preferido de arte nazista: *Prontidão*, de Arno Breker, exibida na Grande Exposição de Arte Alemã, em 1938.

12. O pavilhão alemão de Albert Speer na Exposição Mundial de Paris, em 1937, que foi comparado por um crítico a um crematório e sua chaminé.

13. "Música degenerada: uma avaliação do Conselheiro do Estado Dr. H. S. Ziegler." Capa do livreto da mostra que tentava retratar o *jazz* como judaico e negro e, portanto, racialmente degenerado. A mostra não foi um sucesso.

14. O cardeal Caccia Dominioni, o *maestro di camera* do papa, ladeado por oficiais alemães e do Vaticano, prestes a levar Hermann Göring para uma audiência com Pio XI, em 12 de abril de 1933, como parte das negociações da Concordata.

15. "Os jovens de Adolf Hitler matriculam-se na escola não confessional." Cartaz exortando os pais a tirarem os filhos da educação gerida pela Igreja.

16. "Se todos os jovens alemães fossem assim, não haveria necessidade de temermos pelo futuro." Crianças de uma classe de escola primária, em 1939.

17. O ministro da Educação, Bernhard Rust, fotografado em 3 de agosto de 1935, tentando em vão parecer decidido.

18. "Os jovens servem ao Líder: todos aqueles com dez anos de idade na Juventude Hitlerista." O Partido intensifica a campanha para fazer todos os jovens alemães unirem-se à organização, em 1936.

19. Acampamento da Juventude Hitlerista em Nuremberg, 8 de agosto de 1934: a vasta escala e a organização militar de tais campos não satisfazia jovens em busca de liberdade, aventura, comunhão com a natureza e outros objetivos tradicionais do movimento jovem.

20. O modernismo da *Autobahn*: uma ponte de autoestrada da década de 1930.

21. Fritz Todt, o engenheiro-chefe dos nazistas, recompensa trabalhadores das fortificações da Muralha do Oeste. Muitos trabalhadores foram recrutados para o projeto contra sua vontade.

22. A companhia automobilística Daimler-Benz gaba-se de seu sucesso sob o Terceiro Reich, em 1936.

23. "Seu carro da Força pela Alegria": jovem casal alemão, com o homem ao volante, saindo para dar uma volta em um fusca da Volkswagen, projetado por Ferdinand Porsche com base em um esboço original de Adolf Hitler. De fato, nenhum modelo saiu da linha de montagem antes do final da guerra.

24. "Se isso acontecesse, não seria preciso temer quaisquer medidas de autodefesa por parte da Alemanha." Cartum em uma revista satírica antes independente, em 11 de março de 1934, elaborado para anunciar a fraqueza defensiva da Alemanha, e testemunhando também o temor generalizado quanto aos efeitos do bombardeio aéreo.

25. "Um povo se ajuda: Gertrud entendeu isso." Uma família come o ensopado obrigatório de domingo, ou a "refeição de uma só panela", conforme mostrado em uma cartilha de leitura escolar, em 1939.

26. O salão de Carinhall, a modesta cabana de caça de Hermann Göring.

27. O ideal de vida da família camponesa: *Colheita*, de Karl Alexander Flügel, exibido na Grande Exposição de Arte Alemã, em 1938.

28. Trabalhadores recusam-se a se adequar: vestidos em uniformes completos tradicionais, os mineiros de carvão de Penzberg, na Baviera, mostram seu desdém pelo cerimonial nazista deixando de prestar a saudação de Hitler da maneira aprovada. Uma formação da Juventude Hitlerista logo atrás mostra como ela deveria ser feita, mas os mineiros não prestam atenção.

29. "Aqui você está compartilhando a carga. Uma pessoa hereditariamente doente custa em média 50 mil reichsmarks até os sessenta anos de idade." Um pôster de 1935 mostra um alemão saudável carregando o fardo de manter os doentes mentais em instituições como aquela ao fundo. Esse tipo de propaganda almejava persuadir o povo da necessidade de esterilizar os deficientes mentais e, por fim, matá-los.

30. "O declínio da fertilidade conjugal: das mulheres casadas de 15-45 anos de idade, uma em cada três tinha um filho vivo em 1900, uma em cada quatro em 1910, uma em cada sete em 1925 e uma em cada oito em 1930." Ilustração de propaganda de 1933, exortando os alemães a terem mais filhos.

31. Desfile de um casal acusado de "contaminação da raça". A placa no pescoço da mulher diz: "Sou a maior porca da cidade e escolhi andar somente com judeus". A placa do homem diz: "Como rapaz judeu, sempre me certifico de deixar apenas garotas alemãs passarem pela minha porta". Cenas desse tipo, promovidas por camisas-pardas como aqueles ao fundo, eram corriqueiras antes da aprovação das Leis de Nuremberg, em 1935.

32. Pesquisa racial em um acampamento cigano, em 1933: Eva Justin, uma assistente de Robert Ritter, o principal especialista nazista do ramo, mede a cabeça de uma mulher como parte de um levantamento das supostas características raciais dos ciganos.

33. "Judeus entram aqui por sua conta e risco!" Faixa sobre a estrada que conduz a Rottach-Egern, no Lago Tegern, na Baviera, em 1935. Muitas cidades e vilas colocaram avisos semelhantes na época, removendo-os por um tempo em 1936, para evitar publicidade negativa durante os Jogos Olímpicos de Inverno e de Verão.

34. A manhã seguinte ao *pogrom* da "Noite dos Cristais do Reich", 10 de novembro de 1938: um transeunte observa o estrago em uma loja de propriedade judaica em Berlim, enquanto os donos tentam arrumar a desordem.

35. Rudolf Hess (*à direita*), o assessor de Hitler, com seu subordinado cada vez mais influente, Martin Bormann, em Berlim, 1935.

36. Os efeitos do plebiscito do Sarre, 1935: crianças fazem a saudação nazista sob um dossel de suásticas.

37. Habitantes da Renânia saúdam o exército alemão em sua entrada na zona desmilitarizada, em 7 de março de 1936. Em meio ao júbilo, alguns fazem a saudação nazista.

38. Membros da Legião do Condor no porto de Gijón, deixando a Espanha a caminho da Alemanha, em 3 de junho de 1939, após intervirem com sucesso em favor do Generalíssimo Franco na Guerra Civil Espanhola.

39. Soldado alemão fica emocionado com a recepção eufórica a sua unidade de blindados por garotas austríacas ao chegar em Viena, em 21 de março de 1938.

40. O outro lado da cena: judeus vienenses são forçados a remover das ruas uma pichação pró-austríaca, em março de 1938, diante de multidões animadas, incluindo muitas crianças.

41. O aperto de mão que selou o destino da Polônia: Stálin e Ribbentrop chegam a acordo sobre a repartição do país em 24 de agosto de 1939. Dez dias depois começava a Segunda Guerra Mundial.

Divisão dos espólios

I

Em 16 de abril de 1938, um empresário de Munique que estivera trabalhando como consultor perito em casos de arianização escreveu uma carta com termos bastante fortes para a Câmara de Comércio e Indústria local. Ele observou que era "nacional-socialista, membro da SA e admirador de Hitler". Não obstante, prosseguiu, ele estava

> tão enojado pelos métodos brutais... e extorsivos empregados contra os judeus que, de agora em diante, recuso-me a ficar envolvido de qualquer forma com as arianizações, muito embora isso signifique perder um belo honorário de consultoria... Como empresário experiente, honesto e íntegro, não [posso] mais ficar indolente e aprovar o modo como negociantes, empresários e outros arianos... estão tentando desavergonhadamente apoderar-se de lojas e fábricas judaicas do modo mais fácil possível e a um preço ridículo. Essas pessoas são como abutres, lançando-se em atropelo, com olhos turvos e de língua de fora pela ganância, para se alimentar da carcaça judaica.[165]

A arianização de fato ofereceu muitas oportunidades de enriquecimento a empresas e empresários não judeus. Muitos agarraram-nas vorazmente. Quando negócios judeus eram liquidados, as empresas não judaicas do mesmo ramo podiam no mínimo congratular-se pela eliminação de um competidor. Isso era verdade em todos os níveis. Em janeiro de 1939, por exemplo, foi informado que 2 mil lojas estavam vazias em Hamburgo como resultado do processo de arianização, um fato destacado como favorável pelo líder da Associação de Comerciantes Nazistas da cidade. Visto que a maioria dos empreendimentos judeus era de pequena escala, os beneficiados com seu fechamento foram na maioria negócios não judeus de proporções modestas. O regime de fato tentou garantir que assim fosse, como na ocasião em que redes de lojas judaicas de Hamburgo, como a de calçados Bottina e a de meias Feidler's, foram desmembradas e as lojas vendidas separadamente.[166]

Por certo que isso não foi amplamente reconhecido na época. Entre os pequenos lojistas criou-se um ressentimento particular pelo fracasso do regime em cumprir a promessa de fechar as lojas de departamento e quebrar as grandes cadeias. "As lojas de departamento", um deles reclamou em 1938, "quer sejam judaicas ou arianas, são firmas que competem de forma injusta com os pequenos negócios".[167] Um empresário de Berlim, ao escrever para a liderança social-democrata exilada durante uma viagem fora da Alemanha em 1939, afirmou que, na verdade, as grandes companhias é que estavam abocanhando a maioria dos negócios judeus. "Esse processo levou a uma enorme concentração de poder financeiro e industrial em cada setor da economia, um poder que é exercido sem dó pelos líderes dos grandes conglomerados."[168] Mas as grandes firmas, de início, hesitaram antes de entrar de modo muito agressivo. Os empreendimentos e conglomerados judaicos de larga escala eram menos suscetíveis a boicotes e ataques locais do que negócios e lojas menores e independentes, e pelo menos nos primeiros anos do Terceiro Reich o regime tomou cuidado para não colocar pressão demais porque precisava deles para a recuperação econômica e o rearmamento, e muitos eram internacionalmente famosos.[169]

Assim, os judeus permaneceram na diretoria de firmas como Mannesmann e I. G. Farben por algum tempo depois de 1933. O Deutsche Bank ainda possuía um membro judeu no conselho de acionistas em julho de 1938, embora ele estivesse no exterior desde o ano anterior. Todavia, essas foram exceções. A maior parte das empresas curvou-se mais cedo à pressão para demitir diretores, membros de conselho e empregados judeus. No Dresdner Bank, a arianização interna deu sequência à política de enxugamento da força de trabalho iniciada quando o banco assumiu o controle do Danat Bank em 1931 após a quebra deste; a diferença é que a política de cortes foi então direcionada principalmente contra empregados judeus. O Dresdner Bank foi obrigado a fazer isso porque, em maio de 1933, a Lei de 7 de Abril foi estendida a "órgãos públicos e instituições e empreendimentos equivalentes legalmente reconhecidos", o que de fato cobria um vasto leque de instituições. Os empregados do banco então tiveram que preencher formulários detalhando sua formação religiosa e racial, serviço na guerra e outros fatores relevantes. As regulamentações permitiam às instituições alegar "necessidade urgente" como motivo para conservar empregados, de modo que o banco conseguiu evitar o caos que teria resultado de demissões simultâneas em massa; mas, depois de 30 de junho de 1934, permissões desse tipo não foram mais emitidas pelo Ministério da Economia. No final do ano, todos os judeus haviam deixado o conselho de acionistas do banco; 80% dos judeus sem salvaguardas haviam deixado o serviço no banco em outubro de 1935; e todos os empregados judeus restantes haviam saído um ano depois. Essas medidas sem dúvida foram bem recebidas pelos não judeus mais jovens que trabalhavam no banco, uma vez que abriram caminho para promoções que provavelmente permaneceriam bloqueadas por um tempo. Os sete diretores do alto escalão forçados a renunciar em 1933-34 por serem judeus foram substituídos por homens na casa dos trinta anos que do contrário poderiam não ser promovidos. Aqueles que assumiram mostraram pouca compaixão pelos que haviam ficado. Apenas em alguns casos, notadamente na I. G. Farben, os empregados judeus foram transferidos para postos em subsidiárias estrangeiras em vez de perder seu meio de vida de vez.[170] Qualquer que tenha sido a sina dos administradores judeus removidos de empresas alemãs, esse processo ajudou na ascensão de uma nova elite jovem de administração que já estava começando a tomar o controle da geração mais velha na época em que a guerra chegou.[171]

A seguradora Allianz, cujo chefe Kurt Schmitt havia sido predecessor de Schacht como ministro da Economia, foi outra firma que não se empenhou ativamente em uma política de demissões. E tratou bem seus dois diretores judeus quando eles foram forçados a renunciar. Por outro lado, não ofereceu resistência séria quando ficou sob pressão da imprensa nazista e do Escritório Supervisor do Reich para Seguros para demitir empregados judeus e cortar relações com vendedores e agentes judeus. Em 1933, por exemplo, a companhia estendeu o contrato de seu agente Hans Grünebaum, que trabalhava para a filial de Stuttgart desde 1929, por cinco anos, e em 1936 estendeu-o de novo até 1941. Entretanto, isso gerou comentários hostis dos jornais locais e a seguir uma carta ameaçadora do gabinete do líder regional do Partido Nazista. A companhia replicou com o argumento de que os agentes judeus eram necessários para tratar com os clientes judeus. Mas isso não surtiu efeito sobre os nazistas. O contrato de Grünebaum foi rescindido no começo de junho de 1938; a companhia concordou em pagar a ele a comissão anual plena de 35 mil reichsmarks, cobrindo o período até o final de 1939, embora não se saiba ao certo quanto disso ele conseguiu levar consigo quando emigrou para a América. A essa altura, a proibição do governo para judeus atuarem como agentes de viagem, corretores de imóveis e profissões semelhantes havia efetivamente dado fim a esse tipo específico de relação de negócios.[172]

Em vários casos, grandes firmas parecem ter oferecido preços justos por negócios judeus nos primeiros anos do Terceiro Reich, como na aquisição da Companhia Industrial Hop, no norte da Alemanha, pela Companhia Henkel.[173] Em reflexo, os escritórios de consultores econômicos regionais do Partido com frequência mandavam os contratos de volta mesmo quando haviam se certificado de que os compradores possuíam o dinheiro necessário, eram especialistas na área envolvida e racial e politicamente aceitáveis. No sul da Westfália, a maioria dos contratos de fato foi remetida de volta para renegociação porque o preço oferecido foi considerado alto demais.[174] Entretanto, à medida que a arianização tomou ritmo, os grandes negócios, em especial os de origem relativamente recente, começaram a abandonar quaisquer escrúpulos que pudessem ter de início e aderiram ao lucro excessivo.[175] A exemplo da loja de departamentos Wertheim, alguns casos podiam ser tratados internamente, com diretores judeus dando espaço para não judeus; das 260 grandes empresas que passaram de mãos judaicas para não judaicas até o final de 1936, de fato relativamente poucas o fizeram por meio de uma tomada de controle por outra companhia.[176] Porém, de 1936 em diante, dado o número de empreendimentos judeus que agora chegavam ao mercado, as grandes firmas começaram a ficar de olho nas oportunidades de negócio. Em 1937, muitas estavam agarrando-as com alegria. Assim, a firma de engenharia Mannesmann assumiu o controle da companhia Wolf, Netter e Jacobi na indústria de metais, com um faturamento de mais de 40 milhões de reichsmarks em 1936-37; também participou do consórcio que absorveu a companhia Stern de sucata de metal em Essen, forçada à venda após o cancelamento de contratos.[177] Em alguns casos, a arianização ofereceu uma saída para as dificuldades econômicas acarretadas pelas políticas do regime, em especial nas indústrias de consumo. A companhia de sapatos Salamander, por exemplo, que se arianizou em 1933, ficou sob forte pressão do Plano de Quatro Anos para exportar calçados de couro em busca da muito necessária moeda estrangeira, e usar substitutos do couro para os sapatos vendidos no mercado doméstico. O couro em si, porém, estava estritamente racionado já em 1934. Para a Salamander, fez sentido criar uma série de combinações de integração vertical por meio da compra de companhias judaicas de couro e curtumes como Mayer e Filho em Offenbach, adquirida em 1936; trabalhando em sentido contrário, a companhia de processamento de couro de Carl Freudenberg comprou a empresa judaica de calçados Tack, que já em 1933 sofria boicotes e ataques dos nazistas locais.[178]

Em 1937, praticamente toda grande companhia da Alemanha estava participando da divisão dos espólios. A Allianz, por exemplo, abandonou qualquer relutância que sentisse anteriormente e participou com crescente cinismo do processo de tirar vantagem dos apuros das agências de seguro judaicas agora forçadas a abandonar o negócio. Enquanto ainda foi possível, a Allianz também ofereceu empréstimos hipotecários para compradores de propriedades e bens de judeus.[179] Os bancos, por sua vez, posicionaram-se para fazer um bocado de dinheiro com comissões sobre essas vendas; em 1935, por exemplo, quando o proprietário judeu da Companhia de Aparelhos Elétricos Aron de Berlim, uma grande fabricante de rádios, finalmente cedeu após várias temporadas em um campo de concentração e concordou em vender a empresa para a Siemens-Schuckert e outra firma, o Deutsche Bank levou 180 mil reichsmarks na transação. Em breve, os grandes bancos estavam competindo uns com os outros por esse negócio lucrativo. O Deutsche Bank cobrava uma comissão de 2% para agenciar as transferências, e entre 1937 e 1940 ganhou muitos milhões de reichsmarks dessa maneira.[180] De modo semelhante, o Commerzbank foi agente de compradores de negócios judeus, atuando fora da lógica comercial ao recusar novos empréstimos para estes. Nenhuma ajuda ou conselho eram oferecidos aos vendedores judeus, pelo contrário: uma vez que estava competindo contra outros bancos que faziam a mesma negociação em um mercado obviamente crescente, numa época em que sua liberdade para investir na indústria ou no comércio exterior tornava-se cada vez mais restrita, o Commerzbank buscou ativamente companhias das quais pudesse ganhar uma comissão sobre tais transações. Em 1938, as ações de arianização haviam se tornado parte integrante dos negócios cotidianos dos grandes bancos.[181]

A participação direta na arianização de negócios de propriedade judaica trouxe recompensas bem maiores. O império da rede de lojas de Helmut Horten, por exemplo, foi largamente construído em cima do processo de arianização.[182] Claro que algumas compras – talvez um quinto do total de tais transações – foram realizadas por amigos pessoais ou simpatizantes de empresários judeus que os persuadiram a vender seus empreendimentos por preços inflacionados (para disfarçar a inclusão proibida da boa reputação no mercado) ou quantias incluindo bônus secretos, ou, quando isso não era possível, mantê-los sob custódia até o Terceiro Reich chegar ao fim, quando isso ocorresse. Pagar um preço justo sob o Terceiro Reich, em especial no final da década de 1930, e com isso manter uma ética empresarial básica, era com efeito uma infração criminosa; de fato, para driblar regras e regulamentos que regiam a arianização nessa época, alguns empresários solidários concederam até mesmo pagamentos mensais secretos e ilegais aos vendedores judeus, não mencionados nos documentos de transferência ou, em um caso, contrabandearam relógios suíços e correntes de ouro para Amsterdã, para o vendedor judeu pegar quando emigrasse. Outros, como a companhia química Degussa, agindo mais pela lógica comercial do que por princípio moral, mantiveram os chefes judeus das firmas arianizadas no cargo por um tempo, por valorizar sua perícia e seus contatos nos negócios.[183]

Uma proporção bem maior de compradores – talvez 40% – não tentou driblar as regulamentações. Pagavam o preço mínimo de costume, tirando vantagem da desvalorização do inventário e dos estoques para conseguir uma pechincha. Tudo indica que consideravam essas transações inteiramente legítimas; de fato, depois da guerra, muitos reagiram com ultraje ao enfrentar demandas de compensação dos ex-proprietários judeus de quem haviam tirado o controle dessa maneira. Uma terceira categoria, também por volta de 40%, incluindo muitos membros militantes do Partido Nazista, encorajou a arianização e empurrou os preços para baixo o máximo que pôde. Em Hamburgo, por exemplo, empresas rivais fizeram campanha contra a companhia Beiesdorf, fabricante do creme Nívea para mãos, pagando anúncios na imprensa local e distribuindo adesivos informando aos consumidores que "Quem compra produtos Nívea está ajudando uma companhia judaica".[184] Alguns não tinham escrúpulos em usar ameaças e chantagens, ou em chamar a Gestapo. Um incidente característico aconteceu no verão de 1935, na cidade de Fürstenwalde, quando, após longas negociações, o proprietário judeu de uma loja concordou em vendê-la para um comprador não judeu que tentou repetidas vezes achatar o preço. Quando ele pegou o dinheiro do comprador durante o encontro final no escritório dos advogados, a porta abriu-se e dois policiais da Gestapo entraram e declararam o dinheiro confiscado com base em uma lei que abrangia a propriedade de "inimigos do Estado". Apoderaram-se do dinheiro do vendedor judeu e o detiveram por resistir à autoridade, enquanto o comprador proibiu a ele e sua família de voltar ao negócio e à sua casa em cima da loja, embora o contrato lhes permitisse.[185]

Negócios de propriedade estrangeira também foram ativos na arianização de suas forças de trabalho. Preocupados com sua situação sob um regime obviamente nacionalista, alguns agiram particularmente rápido para se desembaraçar de empregados judeus quando os nazistas agarraram o poder em 1933. O diretor administrativo da Olex, subsidiária alemã do que subsequentemente tornou-se a British Petroleum, demitiu os empregados judeus ou limitou seus contratos já no final da primavera de 1933. Mais adiante, no mesmo ano, a companhia química suíça Geigy buscou certificado oficial de empresa ariana, de modo que pudesse continuar vendendo tintas para o Partido Nazista produzir "símbolos do movimento nacional".[186] Grandes firmas estrangeiras, como a montadora Opel, subsidiária da General Motors, e a filial alemã da Ford Motor Corporation, acompanharam a política de arianização e livraram-se de empregados judeus. Ambas as companhias também deixaram suas fábricas serem convertidas para produção bélica, embora é claro que as restrições sobre a moeda estrangeira não lhes permitissem exportar os lucros para a matriz nos Estados Unidos. Portanto, dadas essas restrições, não havia muito sentido em as companhias estrangeiras aderirem ao alvoroço para assumir negócios judeus.[187]

Nas mãos de alguns dos envolvidos, esse alvoroço degenerou muito facilmente em um atoleiro de chantagem, extorsão, corrupção e pilhagem. É verdade que Göring, na função de chefe do Plano de Quatro Anos, e Hess, o assessor do Líder, haviam ordenado que a arianização fosse executada de forma legal e os detentores de cargos no Partido não obtivessem qualquer vantagem financeira no processo, ordem repetida por outros nazistas do alto escalão como Heinrich Himmler e o líder regional de Baden, Robert Wagner. Mas já fica claro pela frequência e insistência de tais advertências que os funcionários do Partido estavam todos muitíssimo preparados para explorar a expropriação de negócios judeus em benefício pessoal. Militantes nazistas dos escalões intermediários e inferiores simplesmente não estavam preparados para deixar os desprezados órgãos do Estado e da lei ficarem no caminho da luta contra os judeus e com frequência consideravam a pilhagem que se decidiam a fazer como uma justa recompensa pelos sacrifícios que haviam aguentado no "tempo de luta" sob a República de Weimar. Em todo caso, ponderavam eles, as propriedades e os fundos dos judeus haviam sido roubados da raça alemã. A violência de massa em âmbito nacional e em grande parte descoordenada que sustentou a tomada nazista do poder na primeira metade de 1933 forneceu o contexto para camisas-pardas roubarem ouro e joias de casas e apartamentos judeus, por vezes torturando os proprietários até obter as chaves do cofre. Não era incomum judeus detidos serem soltos mediante fornecimento de uma grande soma de dinheiro para a "fiança", que imediatamente desaparecia nos bolsos dos homens da SA ou da SS que os tivessem levado sob custódia. Funcionários do Partido em Breslau que ameaçaram judeus de violência se não fossem pagos primeiro foram detidos por obter dinheiro mediante ameaça e depois anistiados quando o promotor público desculpou a ação como "excesso de zelo nacionalista".[188]

Após a "Noite das Facas Longas" no final de junho de 1934, essas ações mais ou menos cessaram, embora algumas poucas tenham ocorrido no verão do ano seguinte. Porém, a arianização dos negócios judeus, em especial quando levada adiante pelos escritórios dos consultores econômicos regionais do Partido, propiciou oportunidades de ganhos em escala muito maior. Na Turíngia, por exemplo, o consultor econômico regional do Partido pegou uma comissão de 10% sobre o preço de compra de ações arianizadas a fim de, segundo ele, cobrir custos do escritório; no fim, conseguiu amealhar mais de 1 milhão de reichsmarks com esse procedimento, abrindo uma conta especial para o Partido, da qual os fundos depois eram desembolsados para membros favorecidos comprarem mais negócios judeus quando estes iam à venda. Com isso, o "companheiro de Partido Ulrich Klug" foi dotado de um "empréstimo" de 75 mil reichsmarks que o ajudaram a comprar uma fábrica de cimento, enquanto o "companheiro de Partido Ignaz Idinger" foi abastecido com 5 mil reichsmarks para a arianização do Hotel Blum em Oberhof. Práticas semelhantes também podem ser encontradas em outras regiões. Jamais se esperou que o dinheiro fosse devolvido. Oficiais graduados do Partido Nazista também puderam enriquecer substancialmente por esses expedientes. O líder regional do Partido em Hamburgo, Karl Kaufmann, exigiu "contribuições de arianização" tanto de vendedores quanto de compradores, usando-as para, por exemplo, comprar todas as ações da Companhia Siegfried Kroch, uma fábrica de produtos químicos. O líder regional de educação do Partido em Württemberg-Hohenzollern conseguiu comprar uma jazida de ardósia em Metzingen, o que aumentou sua renda anual em dez vezes.[189]

Em menor escala, muitos ativistas modestos do Partido tiveram condições de obter dinheiro da arianização para comprar concessões de loteria, bancas de tabaco e coisas do tipo. Dada a proibição oficial de especulação direta, não é de surpreender que parentes próximos de lideranças locais do Partido tenham entrado em cena no lugar delas, como no caso de Gerhard Fiehler, que comprou uma loja judaica de calçados e artigos de couro para si mesmo por intermédio do escritório comercial do irmão, o prefeito de Munique. Em muitos desses casos fica claro que a família do funcionário nazista em questão agiu em conluio. Tais ações, driblando a lei em vez de insultá-la abertamente, descambavam para atividades claramente criminosas quando funcionários do Partido Nazista obtinham dinheiro de judeus por trapaça, mediante ofertas fraudulentas de auxílio ou proteção, ou aceitavam propina para ajudá-los a se esquivar das regulamentações financeiras que tanto dificultavam a emigração. Empresários que queriam ficar bem posicionados para comprar firmas judaicas eram ainda mais generosos nas propinas. "Para fazer negócios sob os nazistas", um corretor de imóveis de Aachen que lucrou consideravelmente com a arianização de propriedades judaicas contou para um agente americano, "você tinha que ter um amigo em cada gabinete do governo, mas era perigosíssimo subornar abertamente. Você tinha que trabalhar de forma indireta". Convidar o funcionário certo do Partido para uma refeição dispendiosa com vinhos finos, ou pagar rodadas de bebida nos *pubs* e bares frequentados pela elite partidária local eram seus métodos favoritos. "Custou-me um bocado de dinheiro", ele admitiu, "mas no fim travei relações com ele".[190]

II

A arianização foi apenas parte de um vasto e rapidamente crescente sistema de pilhagem, expropriação e peculato sob o Terceiro Reich. Que tinha início bem no alto, com o próprio Hitler. Para começar, quando Hindenburg morreu, Hitler conseguiu pôr as mãos nos fundos oficiais do presidente. Os gastos desse fundo anteriormente eram objeto de auditoria interna no Ministério das Finanças e de aprovação última pelo Reichstag, como também acontecia com o orçamento pessoal do chanceler do Reich. Com a castração efetiva do Reichstag e a remoção de qualquer elemento de investigação crítica das ações do governo pela imprensa e pelos meios de comunicação de massa, para não falar do esmagador culto de personalidade que cercava Hitler, um culto que não tolerava críticas ao Líder em nenhum aspecto, o caminho ficou aberto para o uso desses fundos em qualquer objetivo que Hitler desejasse. A despeito de alguns receios nos escalões mais altos do funcionalismo público, Hitler começou a distribuir dinheiro para todo mundo com liberalidade crescente. Cientes disso, lideranças nazistas começaram a sugerir ao chanceler objetos merecedores de sua generosidade. Já no outono de 1933, por sugestão do ministro do Interior do Reich e de um de seus funcionários,

Hitler concedeu uma pensão mensal de trezentos reichsmarks dos fundos do chanceler do Reich a dezessete indivíduos designados como "precursores racistas e antissemitas" do movimento nazista. O escritor Richard Ungewitter, de Stuttgart, autor de inúmeros livros com títulos como *Da servidão aos judeus à liberdade* e *A debilitação da raça pelos judeus,* foi incluído na lista com outros indivíduos semelhantes. Em 1936, a generosidade de Hitler nesse setor havia se estendido a pessoas aprisionadas na República de Weimar por atividades de traição de um tipo ou outro. Mais de uma centena de homens e mulheres receberam pensões mensais de cinquenta a quinhentos reichsmarks por serviços especiais para o Partido. Ao distribuir essas concessões, Hitler deixou claro que estava compensando propagandistas racistas e antissemitas e ativistas do Partido pelos sacrifícios que haviam feito antes da tomada do poder, sublinhando assim a autoimagem dos camisas-pardas e dos "velhos combatentes" de mártires altruístas de uma grande causa e ligando-os ao novo regime em sentido simbólico, bem como material.[191]

Hitler tampouco negligenciou o Exército, cujos quartéis-generais de regimentos com frequência eram presenteados com pinturas a óleo de temas militares doadas pelo Líder. Além disso, de julho de 1937 em diante, os fundos oficiais de Hitler foram usados para pagar 100 mil reichsmarks por ano "para oficiais das Forças Armadas seguirem em repouso para tratar da saúde". Manter as Forças Armadas felizes com certeza era um assunto importante, em particular na esteira do assassinato do general von Schleicher durante a "Noite das Facas Longas", e Hitler também dispendeu consideráveis somas de dinheiro para aumentar as pensões de oficiais reformados, como o vice-almirante von Reuter, que em 21 de junho de 1919 ordenou o afundamento da frota alemã que se rendeu em Scapa Flow. August von Mackensen, em meados da década de 1930 o último marechal de campo vivo do Exército do *Kaiser*, e portanto uma significativa figura simbólica para o Exército, recebeu o generoso presente, livre de impostos, de uma propriedade rural no distrito de Prenzlau, junto com 350 mil reichsmarks para cobrir os custos com a reforma. Como monarquista, Mackensen sentiu necessidade de escrever ao ex-*Kaiser* Guilherme II no exílio desculpando-se por aceitar o presente, visto que na sua opinião apenas o *Kaiser* estava habilitado a fazer tais doações. Como era de esperar, o ex-*Kaiser* não gostou e, daquele momento em diante, considerou o marechal de campo um traidor de sua causa. Hitler concedeu generosas subvenções para vários outros proprietários de terra aristocráticos para ajudá-los com as dívidas e evitar que conspirassem com o ex-*Kaiser*.[192]

A fim de facilitar tanta generosidade, os fundos alocados do orçamento do Estado ao dispor de Hitler aumentaram de forma constante até atingir a espantosa soma de 24 milhões de reichsmarks em 1942.[193] Hitler podia acrescentar a esse montante os *royalties* provenientes das vendas de *Minha luta*, comprado em massa por organizações do Partido Nazista e um item praticamente compulsório na estante de livros do cidadão comum. Os *royalties* chegaram a 1,2 milhão de reichsmarks apenas em 1933. A partir de 1933 Hitler também reivindicou *royalties* pelo uso de seu retrato em selos postais, coisa que Hindenburg jamais fez; um único cheque entregue pelo ministro dos Correios do Reich era de 50 milhões de reichsmarks, conforme Speer, presente na ocasião, relatou mais tarde. A Doação Adolf Hitler das Empresas Alemãs adicionava mais uma quantia anual, junto com as taxas e os *royalties* pagos cada vez que um dos discursos de Hitler era publicado nos jornais. Hitler também recebia quantias consideráveis de heranças deixadas para ele nos testamentos de nazistas agradecidos. Levando-se tudo em conta, fica claro que Hitler pouco precisava do modesto salário de 45 mil reichsmarks que recebia como chanceler do Reich, ou do subsídio anual para despesas de 18 mil reichsmarks; portanto, no início da Chancelaria, ele renunciou publicamente a ambos os salários em um gesto propagandístico planejado para proclamar o espírito de dedicação altruísta com que ele governava o país. Todavia, quando o escritório da receita de Munique lembrou-o em 1934 de que jamais havia pago imposto de renda algum e devia mais de 400 mil reichsmarks, aplicou-se pressão nos funcionários sem tato e não demorou muito para concordarem em anular a soma total e destruir todos os arquivos sobre os negócios tributários de Hitler na barganha. Um Hitler agradecido concedeu ao chefe do escritório da receita, Ludwig Mirre, um pagamento suplementar de 2 mil reichsmarks por ano por esse serviço, livre de impostos.[194]

A posição pessoal de Hitler como o Líder carismático do Terceiro Reich, efetivamente acima e além da lei, conferia não somente a ele mas também a outros imunidade às regras normais de probidade financeira. Seus subordinados imediatos deviam o cargo não a algum organismo eleito, mas somente a Hitler; não prestavam contas a ninguém além dele. Os mesmos relacionamentos pessoais replicavam-se para baixo por toda a escala política, até a base. O resultado inevitável foi uma vasta e crescente rede de corrupção, à medida que clientelismo, nepotismo, suborno e favores, comprados, vendidos e dados, assumiam rapidamente o papel-chave de unir todo o sistema. Depois de 1933, a lealdade contínua dos fiéis do Partido foi comprada por um imenso sistema de favores pessoais. Para as centenas de milhares de ativistas do Partido Nazista desempregados, isso significou em primeiro lugar dar-lhes um emprego. Já em julho de 1933, Rudolf Hess prometeu emprego para todos os que haviam entrado para o Partido antes de 30 de janeiro de 1933. Em outubro do mesmo ano, o Escritório do Reich para Seguro-Desemprego e Empregos de Berlim centralizou a campanha para providenciar serviço para todos com um número de afiliação ao Partido abaixo do 300 mil, todos que detinham uma posição de responsabilidade no Partido há mais de um ano e qualquer um que estivesse na SA, SS ou Capacetes de Aço antes de 30 de janeiro de 1933. Isso causou certo ressentimento, visto que as afiliações ao Partido haviam passado do número 300 mil já no final de 1930, e desse modo muitos que haviam entrado desde então ficariam de fora. Na prática, entretanto, essas regulamentações pouco importavam, pois qualquer um que alegasse ser um nazista antigo tinha probabilidade de ser incluído, enquanto nazistas ambiciosos que já tinham emprego usaram o esquema para conseguir algo melhor. Em 1937, os Correios do Reich haviam dado emprego para mais de 30 mil "nacional--socialistas merecedores", ao passo que apenas 369 dos 2.023 nazistas que haviam recebido um emprego estatal permanente e bem pago no Ministério da Guerra no final de 1935 estavam de fato sem serviço anteriormente.

Esse sistema de "empregos para os rapazes", na verdade, teve por modelo uma prática há muito mantida na Prússia e em outros lugares, por meio da qual oficiais subalternos reformados do Exército recebiam emprego automaticamente no serviço estatal, notadamente na polícia, mas também em outros ramos do setor público. A aplicação desse princípio aos membros da SA e do Partido Nazista foi um caso diferente, visto que foram recompensados como membros de um partido político, não como ex-servidores do Estado. A escala e a subitaneidade também foram novas. O Partido Nazista de Berlim achou emprego para 10 mil membros até outubro de 1933, enquanto 90% de todos os empregos de escritório do setor público foram para "velhos combatentes". Quando um candidato a emprego era proposto pelos camisas-pardas locais, só um empregador corajoso o recusava, por mais escassas que fossem as qualificações. Muitos dos que obtiveram um emprego estatal descobriram que o serviço prévio no Partido, na SA ou na SS contava no cálculo do tempo no novo cargo, dando a eles uma nítida vantagem sobre os colegas na hora da promoção para o nível seguinte. Alguns empregos eram sinecuras óbvias. Em julho de 1933, por exemplo, o camisa-parda Paul Ellerhusen, comandante do campo de concentração de Fuhlsbüttel e escriturário sem qualificação desempregado desde 1929, foi nomeado secretário pessoal do comissário do Reich de Hamburgo com o título de conselheiro de Estado; não muito depois, foi transferido para um emprego mais bem pago no Escritório da Juventude da cidade, embora raramente aparecesse para trabalhar porque, conforme foi reportado, estava quase sempre bêbado.[195]

Houve muitos casos semelhantes por toda a Alemanha. Empresas de utilidades públicas municipais, como companhias de gás, água e outras, ofereciam amplas oportunidades para os homens da SA encontrar um emprego, com frequência superior ao solicitado. Uma auditoria no escritório do Fundo para Enfermidades de Hamburgo descobriu que o órgão empregava 228 administradores a mais do que precisava. Milhares de membros antigos do Partido encontraram empregos confortáveis no sistema de transportes; a ferrovia local de Hamburgo contratou mais de mil em 1933-34 – mas se realmente precisava deles era outro assunto. O líder regional dos fazendeiros de Hamburgo, Herbert Duncker, por exemplo, recebia 10 mil reichsmarks por ano como "conselheiro agrícola para a Companhia Elétrica de Hamburgo" sem ter aparecido uma única vez, nem mesmo para ver do que se tratava o emprego. Desse modo, as corporações públicas foram requisitadas a subsidiar o Partido Nazista e suas organizações auxiliares. Pressão semelhante foi exercida em uma ampla variedade de empreendimentos privados. Enquanto isso, leis aprovadas em 1934 e 1938 protegiam os membros do Partido contra reclamações de danos em resultado da destruição que impuseram a sindicatos e outras agências em 1933, e lhes permitiram saldar as dívidas sem multa se tivessem entrado em dificuldade financeira antes de 1º de janeiro de 1934.[196] Em contrapartida, ex-ativistas do Partido Comunista ou do Partido Social-Democrata viram as tentativas de conseguir um emprego repetidamente rejeitadas, até a demanda por mão de obra na indústria bélica ficar tão persistente que sua atividade política passada pôde convenientemente ser esquecida. A experiência de Willi Erbach, um operário de indústria qualificado, que havia sido da Reichsbanner, a ala paramilitar dos social-democratas, não foi atípica: despedido por causa de suas atividades políticas em 1933, não conseguiu encontrar serviço a não ser três anos depois, em 1936, quando a agência de empregos de repente designou-o para a fábrica da Krupp em Essen. Enquanto isso, operários menos qualificados encontravam trabalho com bastante facilidade se fossem membros do Partido Nazista.[197]

As oportunidades de enriquecimento pessoal seguiam escala abaixo, direto até os camisas-pardas comuns, que se serviram de cofres, mobília, roupa de cama e equipamentos que encontraram nos prédios de sindicatos que atacaram em 2 de maio de 1933 e nas casas de homens e mulheres que detiveram. Nada incomum foi o caso do líder da União Estudantil de Munique, Friedrich Oskar Stäbel, vencedor de uma briga interna que resultou em sua nomeação como chefe da União Estudantil Alemã nacional em setembro de 1933. Stäbel celebrou sua subida ao topo usando taxas da união estudantil em despesas pessoais, roupas, carros e coisas do gênero e para financiar e equipar uma banda de desfile para sua diversão. A união estudantil local de Berlim gastou as contribuições de seus membros na compra de nada menos que sete automóveis para uso pessoal de seus funcionários.[198] A quantidade de dinheiro e bens que afluiu para o Partido do início de 1933 em diante foi tão vasta que poucos se mostraram capazes de resistir à tentação de guardar um pouco para si. O tesouro do Partido não gostava de peculato com seus fundos e, entre 1º de janeiro de 1934 e 31 de dezembro de 1941, levou aos tribunais nada menos que 10.887 processos de apropriação indevida, que envolveram organizações auxiliares do Partido, bem como o Partido em si. A auditoria das contas e o controle das finanças em geral estavam quase fadados ao caos em uma situação como a de 1933, em que o

Partido Nazista e a miríade de grupos subordinados cresciam de modo quase exponencial. Não é de surpreender que entre o 1,6 milhão de pessoas que entraram para o Partido nos primeiros meses de 1933 houvesse muitas que esperavam fazer fortuna.[199]

III

Com tanto dinheiro afluindo para suas contas, não é de espantar que funcionários nazistas de todos os níveis da hierarquia logo desfrutassem de um estilo de vida com o qual não haviam sequer sonhado antes de 1933. Isso incluía os homens bem no alto. O ministro da Propaganda do Reich, Joseph Goebbels, por exemplo, declarou uma renda anual de não mais que 619 reichsmarks para as autoridades tributárias em 1932. Dentro de poucos anos, porém, ganhava 300 mil reichsmarks anuais em honorários pelos editoriais para a revista semanal *O Reich*, uma soma fora de qualquer proporção das remunerações jornalísticas de praxe, representando na prática uma enorme propina anual do editor de revistas Max Amann. De sua parte, Goebbels deduzia 20% de seus rendimentos como despesas de trabalho, embora na verdade não tivesse nenhuma. Com esse dinheiro, o ministro da Propaganda comprou, entre outras coisas, uma *villa* na ilha de Schwanenwerder, em Berlim, cuja proprietária anterior, a médica judia Charlotte Herz, foi forçada a vender. Em 1936, a cidade de Berlim colocou outra propriedade à disposição de Goebbels em caráter vitalício no lago Constança; ele então gastou 2,2 milhões de reichsmarks na ampliação e na redecoração. Em 1938, Goebbels vendeu a propriedade de Schwanenwerder para o industrial Alfred Ludwig, que então deixou-a para ele com aluguel gratuito. Todavia, Goebbels figurava na opinião popular como um dos líderes nazistas menos corruptos, assim como Albert Speer, cujos honorários de arquiteto, aumentados pelos usuais presentes de Natal do líder da Frente de Trabalho Robert Ley e as concessões fiscais garantidas comumente aos líderes nazistas, fizeram dele um milionário já antes da guerra.[200]

O mais notório de todos foi Hermann Göring, cuja casa de caça de Carinhall foi ampliada e redecorada ao custo de mais de 15 milhões de reichsmarks em dinheiro dos contribuintes. A manutenção e a administração das instalações palacianas custavam pouco menos de meio milhão de marcos, pagos mais uma vez pelos contribuintes; além disso, Göring possuía outra casa de caça no leste da Prússia, uma *villa* em Berlim, um chalé em Obersalzberg, um castelo – Burg Veldenstein –, e mais cinco casas de caça, sem falar de um trem particular cujos vagões acomodavam dez automóveis e uma padaria em funcionamento, enquanto os aposentos particulares de Göring no trem, ocupando dois vagões inteiros, custaram ao Estado 1,32 milhão de reichsmarks em 1937 antes mesmo da instalação da mobília e dos acessórios de luxo extravagantes. No mesmo ano, a Associação dos Fabricantes de Automóveis do Reich doou-lhe um iate no valor de 750 mil reichsmarks para uso pessoal. Em todos esses locais, Göring exibia uma grande e sempre crescente coleção de obras de arte, embora a verdadeira oportunidade para desenvolvê-la não surgisse até a guerra. Como as outras lideranças nazistas, ele também conseguiu esconder boa parte de seus rendimentos das autoridades tributárias e obteve isenções maciças para o resto; a evasão fiscal foi facilitada por uma regra de 1939, que estabelecia que os assuntos tributários dos ministros do Reich e dos líderes do Partido Nazista do Reich deveriam ser tratados exclusivamente pelos escritórios financeiros de Berlim central e de Munique do norte, onde podiam estar certos de um tratamento solidário.[201]

Esse consumo conspícuo não foi uma marca apenas da corrupção pessoal que afeta toda ditadura, mas expressou também um desejo difundido entre os altos oficiais nazistas de demonstrar de forma simbólica que eram os novos senhores da Alemanha. A caça tornou-se um dos passatempos preferidos de muitos líderes regionais, que compraram áreas de caça mesmo quando não haviam demonstrado interesse prévio nesse passatempo dos mais aristocráticos. Confrontado pela necessidade de ficar à altura de seus colegas nesse como em outros aspectos, o líder regional de Hamburgo, Karl Kaufmann, de início não teve condições de fazer muito, visto que seu feudo urbano não possuía terreno de caça. Entretanto, com a criação da Grande Hamburgo em 1937, a incorporação de uma área de bosques ao norte da cidade deu-lhe a chance; ele declarou-a imediatamente reserva natural, abasteceu-a de animais de caça, fechou-a ao público com onze quilômetros de cerca e então arrendou-a da cidade para uso próprio. De modo semelhante, a maioria das lideranças nazistas seguiu o exemplo de Hitler e comprou obras dos velhos mestres e novidades da Grande Exposição de Arte Alemã e colocou-as nas paredes de suas grandiosas *villas* e casas de caça, não porque fossem particularmente afeiçoados por arte, mas porque era um símbolo óbvio de seu *status* na hierarquia nazista.[202]

Não é de surpreender que a corrupção se aliasse a furto e extorsão quando líderes nazistas e seus lacaios entravam em contato com os indefesos e impotentes. O ódio que ativistas nazistas sentiam de judeus, comunistas, "marxistas" e outros "inimigos do Reich" deu-lhes rédeas soltas para saqueá-los à vontade. No curso da violenta tomada de poder em 1933, gangues de camisas-pardas recrutadas como polícia auxiliar executaram "revistas domésticas" que mal passavam de pretextos para roubo. Nos campos de concentração, oficiais e comandantes tratavam como bens pessoais as oficinas e o que era produzido pelos reclusos, pegando mobília, retratos e pinturas, entre outros, para uso próprio em seus aposentos. O comandante do campo de concentração de Lichtenburg usava os reclusos para reencadernar seus livros, confeccionar sapatos e botas para ele e sua família, caixas de correspondência e tábuas de passar roupa para sua casa, e muito mais. Oficiais subalternos do campo forçavam os detentos a roubar aspargos e morangos para eles da horta do campo, "organizavam" a comida para si na cozinha do acampamento e apropriavam-se de dinheiro da cantina do campo. O furto de pertences pessoais e dinheiro levados para os campos pelos desafortunados enviados para esses locais era a regra, não a exceção. Em 1938, o comandante de Buchenwald, Karl Koch, confiscou nada menos que o equivalente a 200 mil reichsmarks em bens e dinheiro de judeus levados para o campo, dividindo alguma parte entre seus subordinados, mas depositando a maior quantia do dinheiro em sua conta pessoal.[203]

Se alguém de nível relativamente alto era processado por tais infrações, era mais provável que fosse resultado de imprudência do que por qualquer senso de retidão da parte de seus superiores. Quando Robert Schöpwinkel, um funcionário graduado da Associação de Hoteleiros e Estalajadeiros Alemães do Reich, foi julgado e condenado com seus dois funcionários mais importantes por apropriar-se de 100 mil reichsmarks, isso aconteceu basicamente porque sua corrupção tornara-se tão notória no ramo que o estalajadeiro do Rheinhotel Dreesen, em Bad Godesberg, onde Hitler hospedava-se com frequência, abordou o Líder e disse que, se nada fosse feito para exigir uma prestação de contas de Schöpwinkel, todo o setor hoteleiro da Renânia ficaria descontente com o regime.²⁰⁴ Uns poucos julgamentos como esse permitiam aos líderes do regime mostrar-se como resolutos no combate à corrupção, ao contrário dos predecessores na República de Weimar. Na verdade, era mais frequente que esse tipo de corrupção ficasse escondido dos meios de comunicação. Isso era encorajado pela falta de qualquer controle público ou da imprensa sobre o governo e o Partido, pela natureza pessoal do poder no regime e pela aversão geral dos nazistas por estruturas e regras administrativas formais. No clima de depressão econômica do início e meados da década de 1930, o poder parecia um caminho rápido para a riqueza, e havia poucos em qualquer cargo de responsabilidade no Partido Nazista que pudessem resistir à tentação de pegá-la. Rumores e histórias sobre corrupção difundiram-se com rapidez entre a população. Em setembro de 1934, Victor Klemperer registrou uma conversa com um membro da Juventude Hitlerista, filho de um amigo, que descreveu como os líderes de grupo apropriavam-se das contribuições dos membros para excursões e usavam-nas para comprar dispendiosos artigos de luxo, como motocicletas. O rapaz disse que tudo isso era de conhecimento geral.²⁰⁵

O atoleiro de corrupção em que a economia rapidamente afundou depois de 1933 foi a fonte de um bocado de humor ácido entre a população. Dizia-se que a definição de "reacionário" era "alguém que possui um cargo bem remunerado que um nazista aprecia". O gosto de Göring por uniformes e títulos era um alvo particular do humor popular. Dizia-se que um "Gör" era "a quantidade de lata que um homem consegue carregar no peito". Em uma visita a Roma para negociar com o Vaticano, Göring telegrafou para Hitler: "Missão cumprida. Papa despido da batina. Tiara e vestimentas papais servem perfeitamente". Certa noite, conforme outra piada, a esposa de Göring acordou e deparou-se com o marido nu parado ao lado da cama brandindo seu bastão de marechal. Ela perguntou o que ele estava fazendo. "Estou promovendo minhas cuecas a calças", foi a resposta. Piadas sobre corrupção chegaram até mesmo aos palcos: em 1934, o artista de cabaré Wilhelm Finck, ao fazer um número cômico no Catacomb, em Berlim, postava-se com o braço direito erguido na saudação nazista enquanto um alfaiate tirava medidas para um novo terno. "Que tipo de casaco deve ser? Com divisas e galões?", perguntava o alfaite. Finck retrucava: "Você quer dizer uma camisa de força?" "Como você quer os bolsos?" "Escancarados, no estilo atual", era a resposta de Finck. Não muito depois, o cabaré foi fechado por ordem de Goebbels, e Finck foi mandado para um campo de concentração. Em geral, Hitler ficava isento de piadas sobre corrupção, públicas ou privadas. As queixas sobre corrupção eram dirigidas contra seus subordinados, sobretudo os "pequenos Hitlers" que cantavam de galo nas regiões. Uma piada típica contava que os filhos de Goebbels haviam sido convidados para tomar chá nas casas de Göring, Ley e outras lideranças do Partido. Depois de cada visita, chegavam em casa desmanchando-se em elogios aos bolos de creme, guloseimas e petiscos que haviam ganhado. Porém, depois de uma visita a Hitler, na qual só receberam café de cevada e bolinhos minúsculos, perguntaram: "Papai, o Líder não é do Partido?".[206]

Todavia, em paralelo com esse humor havia, em 1939, uma sensação corrente de que o regime nazista havia realizado bastante na esfera econômica. Afinal, a economia alemã havia se recuperado da Depressão mais rapidamente que a de outros países. A dívida externa da Alemanha havia se estabilizado, as taxas de juros haviam caído pela metade em relação ao nível de 1932, a Bolsa de Valores havia se recuperado da Depressão, o produto interno bruto havia crescido 81% no mesmo período, e o investimento e a produção industriais haviam atingido de novo os níveis de 1928. Os dois maiores terrores dos anos de Weimar, inflação e desemprego, haviam sido derrotados.[207] Tudo isso foi alcançado por meio de uma crescente direção estatal da economia, que em 1939 havia atingido proporções inauditas. Apesar do que afirmavam as mensagens da propaganda sobre a batalha pelo emprego, a política econômica nazista foi movida pelo desejo avassalador da parte de Hitler e da liderança, respaldados pelas Forças Armadas, de se preparar para a guerra. Até a última parte de 1936, isso foi conduzido de uma maneira que levantou poucas objeções entre as empresas; porém, quando o Plano de Quatro Anos entrou em vigor, o ímpeto rearmamentista passou a se acelerar mais que a capacidade da economia para supri-lo, e as empresas começaram a se desgastar sob uma rede de restrições e controles que se fechou rapidamente. Mais ameaçadoramente, a iniciativa privada passou a ser flanqueada por empreendimentos geridos pelo Estado, fundados e custeados por um regime cada vez mais impaciente com a prioridade que o capitalismo conferia ao lucro. Contudo, quaisquer que fossem as suspeitas dos críticos, nada disso representava uma volta aos supostos princípios socialistas advogados pelos nazistas nos seus primórdios. Esses princípios haviam sido deixados para trás há tempos, e na realidade nunca foram socialistas. O Terceiro Reich jamais criaria uma propriedade estatal total e um planejamento centralizado nas linhas da Rússia de Stálin. Os princípios darwinianos que animavam o regime ditavam que a competição entre companhias e indivíduos permaneceria o princípio condutor da economia, assim como a competição entre diferentes agências do Estado e do Partido seria o princípio condutor da política e administração.[208]

O que Hitler quis garantir, porém, foi que as firmas competissem para preencher as metas globais da política estabelecida por ele. Todavia, essas metas eram fundamentalmente contraditórias. Por um lado, planejava-se a autarcia para preparar a Alemanha para uma guerra demorada; por outro lado, o rearmamento era perseguido com uma impetuosidade temerária que mostrava pouco respeito pelos ditames da autossuficiência nacional. Avaliado por suas próprias metas, o regime nazista havia sido no máximo apenas parcialmente bem-sucedido até o verão de 1939. Os preparativos para uma guerra em larga escala eram inadequados, o programa de armamentos estava incompleto; a escassez drástica de matérias-primas indicava que as metas para a construção de tanques, navios, aviões e armas não foram nem remotamente atingidas; e a situação era exacerbada pela incapacidade do próprio Hitler de estabelecer prioridades estáveis e sensatas dentro do programa de rearmamento. A reação foi a pilhagem. A corrupção, a extorsão, a expropriação e o roubo inequívoco que se tornaram marca registrada do regime e seus senhores e servos em todos os níveis ao longo do processo de arianização colocaram a pilhagem no cerne da atitude nazista em relação à propriedade e ao sustento de pessoas consideradas não arianas. Conforme o próprio Hitler argumentou em diversas ocasiões, as enormes pressões e tensões acumuladas na economia alemã entre 1933 e 1939 só poderiam ser definitivamente resolvidas pela conquista de espaço vital no leste. Os "velhos combatentes" do Partido foram recompensados pelos sacrifícios durante os "anos de luta" sob a República de Weimar com dinheiro, empregos, propriedades e renda após a tomada do poder. Agora, em termos mais amplos, o mesmo princípio era aplicado à economia alemã e às economias do resto da Europa: exigiam-se sacrifícios do povo alemão na escalada para a guerra, mas, uma vez chegada a guerra, o povo seria recompensado com um vasto novo domínio no leste da Europa que produziria riqueza em uma escala sem precedente, abasteceria a nação com alimentos no futuro previsível, e resolveria todos os problemas econômicos da Alemanha de um só golpe.[209]

Nesse ínterim, o povo alemão tinha que fazer sacrifícios. O regime destinou todos os esforços para o desenvolvimento da produção enquanto mantinha firme restrição ao consumo. Escassez de gordura, manteiga e outros gêneros, para não falar de artigos de luxo como frutas importadas, tornaram-se parte do cotidiano em 1939. As pessoas eram constantemente exortadas a fazer contribuições para esquemas de poupança de um tipo ou outro. As economias eram direcionadas para títulos do governo, certificados de empréstimo e créditos tributários, de modo que esse enorme volume ficou disponível para ser gasto em armas. O povo era impiedosamente exortado a poupar, poupar, em vez de gastar, gastar, gastar. Esquemas de aposentadoria compulsória foram introduzidos para os trabalhadores autônomos, forçando-os a investir fundos em seguradoras, que o governo podia então sacar para ajudar a financiar o rearmamento. Ao mesmo tempo, órgãos do governo e militares com frequência atrasavam o pagamento aos fornecedores por bem mais de um ano, com isso extraindo o que na prática era uma espécie de empréstimo oculto. Para muitos empreendimentos de pequeno e médio portes da produção de armas ou projetos bélicos, essa artimanha criava problemas de fluxo de caixa tão graves que às vezes não havia condições de pagar os salários dos trabalhadores na data certa.[210] O regime justificava essa postura com a retórica costumeira de sacrifício para o bem maior da comunidade racial alemã. Mas as pessoas aceitavam a realidade dessa comunidade? Conforme os nazistas haviam prometido, o Terceiro Reich havia varrido os antagonismos e hostilidades de classe que tornaram a democracia de Weimar inviável e uniu todos os alemães em um renascimento da unidade nacional e luta pela causa comum? Uma grande dose da popularidade e do sucesso do regime com certeza dependeriam do cumprimento dessa promessa.

5
Construindo a comunidade do povo

Sangue e solo

I

Para Friedrich Reck-Malleczewen, o Terceiro Reich representou a chegada da ralé ao poder e a derrubada de toda autoridade social. Embora Reck vivesse em estilo aristocrático na Alta Baviera, onde possuía uma velha casa de campo com onze hectares de terra, ele na verdade era um alemão do norte; devia suas origens e fidelidade, explicou a um jornal de Munique em 1929, não à aristocracia bávara, mas à antiga aristocracia prussiana. Profundamente conservador, esnobe, impregnado de nostalgia pelo tempo antes de os *junkers* serem arrastados esbravejando para o mundo moderno por Bismarck, Reck detestava a Alemanha nazista com uma rara intensidade. Da segurança relativa de seu retiro rural, ele despejava em seu diário toda a repugnância que sentia pela nova ordem das coisas. "Sou prisioneiro de uma horda de macacos perversos", escreveu. Hitler era um "pedaço de imundície" em quem ele deveria ter atirado ao ter oportunidade quando, carregando um revólver para se proteger da violência da ralé enraivecida da época, encontrou-se com ele no restaurante Osteria, em Munique, em 1932. Ouvindo Hitler falar, Reck foi tomado pela impressão de "estupidez básica" do Líder. Ele parecia um "condutor de bonde"; o rosto "sacolejava com mantas de gordura; tudo dependurado, flácido e sem estrutura – escoriáceo, gelatinoso, doentio". Todavia, as pessoas veneravam aquela "monstruosidade... imunda", aquele "esquizofrênico embriagado pelo poder". Reck não suportava testemunhar o "rugido bovino e por fim idiota do *'Heil!'*... mulheres histéricas, adolescentes em transe, um povo inteiro no estado espiritual de dervixes dançantes". "Oh, francamente", escreveu ele em 1937, "os homens não podem afundar-se mais. Essa ralé, à qual estou conectado por uma nacionalidade comum, não só não está ciente de sua própria degradação, como está pronta para exigir a todo momento dos seres humanos o mesmo rugido da turba... o mesmo grau de degradação".[1]

Reck considerava os líderes nazistas "burguesinhos sujos que... sentaram-se à mesa de seus senhores desapossados".[2] Quanto à sociedade alemã em geral, escreveu com amargura em setembro de 1938:

> O homem das massas move-se como robô, da digestão à cama com suas loiras oxigenadas, e produz filhos para manter o cupinzeiro em operação contínua. Repete palavra por palavra os encantamentos do Grande Manitu, denuncia ou é denunciado, morre ou é levado à morte, e assim vai vegetando... Mas mesmo isso, a infestação do mundo por neandertais, não é o insuportável. O insuportável é que essa horda de neandertais exige dos poucos seres humanos plenos que restaram que também façam o favor de se transformar em homens da caverna; e depois ameaçam-nos de extinção física caso recusem.[3]

Sabiamente, talvez, Reck escondia seu diário todas as noites nos bosques e campos de suas terras, trocando de esconderijo constantemente para que não pudesse ser descoberto pela Gestapo.[4]

Reck ficou particularmente aflito com o que aconteceu com a geração mais jovem da aristocracia. Ao frequentar uma casa noturna da moda em Berlim no começo de 1939, encontrou-a cheia de "rapazes da nobreza rural, todos em uniformes da SS":

> Estavam divertindo-se muito lançando pedaços de gelo dos baldes para champanheiras nos decotes de suas damas e retirando os pedaços de gelo das terríveis profundezas em meio ao júbilo geral. Eles... comunicavam-se em brados que com certeza devem ter sido ouvidos em Marte, sua fala era o jargão dos gigolôs da Primeira Guerra Mundial e do período das Brigadas Livres – jargão que é aquilo em que a linguagem se transformou nos últimos vinte anos... Observar esses homens é olhar o abismo intransponível que separa todos nós da vida de tempos passados...

A primeira coisa é o vazio assustador de seus semblantes. E então se observa nos olhos um lampejo ocasional, um brilho súbito. Isso não tem nada a ver com a juventude. É o olhar típico dessa geração, o reflexo imediato de uma selvageria básica e completamente histérica.[5]

Esses homens, ele escreveu de forma profética, "transformariam as pinturas de Leonardo em um monte de cinzas se o Líder as tachasse de degeneradas". Eles "perpetrarão coisas ainda piores, e o pior, o mais pavoroso de tudo, é que serão totalmente incapazes até de *perceber* a profunda degradação de sua existência". Aristocratas de linhagem antiga e honrada, esbravejou, aceitavam títulos inexpressivos e honras de um regime que os degradava e com isso traziam desgraça a seus sobrenomes famosos. "Essa gente é insana. Vão pagar muito caro por sua insanidade." A tradicional ordem moral e social estava de ponta-cabeça, e o maior culpado era Hitler. "Odeio você a cada hora que passa", ele disse ao Líder nazista na privacidade de seu diário em agosto de 1939, "odeio tanto que daria alegremente minha vida pela sua morte e iria para a minha perdição alegremente se pudesse testemunhar a sua, levá-lo comigo para as profundezas".[6]

Reck era atípico na veemência do desdém pelo que via como as massas nazificadas. A agudeza e a percepção de algumas de suas observações talvez devam algo a sua extrema marginalidade. Pois as afirmações de linhagem nobre feitas no artigo de 1929 no jornal de Munique eram tão falsas quanto os detalhes das supostas origens na aristocracia báltica que ele forneceu em sua árvore genealógica construída com requinte. Ele era, na verdade, um simples Fritz Reck. Seu avô era estalajadeiro, e embora o pai tivesse adquirido riqueza e posição suficientes para se eleger para a Câmara de Deputados da Prússia em 1900, seu assento era na câmara baixa, como convinha a um plebeu, não na câmara alta, onde ficava a nobreza hereditária. Reck era um médico habilitado que devotava a maior parte do tempo a escrever – romances, peças, textos jornalísticos, roteiros de filme e muito mais. Construiu todo um passado fantástico para si, envolvendo serviço militar em muitos palcos diferentes de guerra e até mesmo serviço no exército colonial britânico. Era tudo inventado. Contudo, a afirmação de Reck de ser aristocrata não parece ter suscitado suspeita ou animosidade nos círculos que frequentava.

Ele a sustentava com uma pose notoriamente superior e arrogante em público. Reck assumiu todos os atributos de um *junker* prussiano em sua vida social e pessoal. Sua crença em seu personagem aristocrático e nas virtudes da elite social dos nobres e educados parece ter sido absolutamente genuína.[7] E, por mais que muitos detalhes do diário fossem inventados, o ódio de Reck por Hitler e pelos nazistas era inquestionavelmente autêntico.[8]

O conservadorismo de Reck era bem mais extremo que o da maioria da velha aristocracia prussiana genuína. Conforme ele reconheceu com sagacidade, isso era pouco compartilhado pela geração mais jovem. A aristocracia alemã havia passado por uma forte divisão de gerações durante os anos de Weimar. A geração mais velha, privada do respaldo financeiro e social do Estado, desfrutado sob o Reich de Bismarck, ansiava pela volta aos velhos tempos. Julgavam a retórica pseudoigualitária dos nazistas com desconfiança e alarme. Mas a geração mais jovem desprezava as velhas monarquias por terem desistido sem lutar em 1918. E viu no Partido Nazista no começo da década de 1930 um veículo potencial para a criação de uma nova elite de lideranças. Essa geração considerava a aristocracia à qual pertencia não um grupo de condição social baseada em um senso de honra compartilhado, mas uma entidade racial, produto de séculos de procriação. Essa visão prevalecia entre os 17 mil homens da União de Nobres Alemães (*Deutsche Adelsgenossenschaft*) no começo da década de 1920, a qual proibiu nobres judeus (cerca de 1,5% do total) de se tornar membros. Mas não era universalmente aceita. Nobres católicos, concentrados maciçamente no sul da Alemanha, mantiveram-se à parte desse processo de racialização e muitos permaneceram do lado da Igreja quando esta ficou sob pressão no Terceiro Reich. Relativamente poucos aristocratas bávaros mais jovens seguiram seus pares do norte da Alemanha protestante para a SS, embora muitos fizessem oposição à República de Weimar. De sua parte, sentiram-se mais confortáveis em outras organizações de direita, como os Capacetes de Aço. Os nobres mais velhos de todas as regiões alemãs eram em geral monarquistas, e de fato uma pré-condição para pertencer à União de Nobres, até ela afundar sob o Terceiro Reich, era o compromisso aberto com a restauração das monarquias alemãs. Todavia, muitos foram atraídos pela hostilidade dos nazistas ao socialismo e ao comunismo, pela ênfase na liderança e pelos ataques retóricos à cultura burguesa. Para a geração mais jovem, a rápida expansão das Forças Armadas ofereceu novas oportunidades de emprego em uma função tradicional nos corpos de oficiais. A priorização nazista da conquista de espaço vital no leste da Europa atraiu muitos membros das noberzas pomerânia e prussiana, que a viram como a renovação dos dias gloriosos em que seus ancestrais haviam colonizado o leste. Conscientes da necessidade de conquistar votos dos setores conservadores da população, os nazistas com frequência levavam herdeiros da nobreza para seus palanques eleitorais do começo da década de 1930. Os membros mais jovens da família Hohenzollern assumiram a frente no apoio aos nazistas; o príncipe Augusto Guilherme da Prússia era um oficial dos camisas-pardas bem antes de 1933, e o príncipe herdeiro Frederico Guilherme incitou as pessoas a votar em Hitler contra Hindenburg nas eleições presidenciais de 1932.[9]

Embora os camisas-pardas e um bom número de "velhos combatentes" continuassem a verter escárnio sobre o que viam como a degeneração impotente da nobreza alemã, Hitler reconhecia que essa geração mais jovem seria indispensável para preencher seu novo corpo de oficiais muitíssimo expandido e manter um verniz de respeitabilidade no serviço no exterior. Ele até permitiu que a União dos Nobres Alemães continuasse a existir, devidamente coordenada sob liderança nazista. Porém, tão logo sentiu que não era mais necessário tratar os conservadores com luvas de pelica, Hitler deixou claro que não cogitaria a restauração da monarquia. As celebrações aristocráticas do aniversário do ex-*Kaiser* em Berlim, no começo de 1934, foram interrompidas por gangues de camisas-pardas, e muitas associações monarquistas foram banidas. Quaisquer restos de esperança entre a geração mais velha de nobres alemães foram eliminados de vez com a posse de Hitler como chefe de Estado por ocasião da morte de Hindenburg, quando muitos esperavam uma restauração da monarquia. Mas se o tratamento da aristocracia por Hitler esfriou, isso foi mais que compensado pelo crescente entusiasmo exibido por Heinrich Himmler, o líder da SS do Reich. Pouco a pouco, a geração mais velha de homens da SS, com históricos de violência muitas vezes remontando às Brigadas Livres dos primeiros anos da República de Weimar, se aposentou e foi substituída pelos muito bem--educados e nascidos na nobreza. Os populistas nazistas podiam achincalhar a aristocracia alemã como impotente e degenerada, mas Himmler tinha certeza de que estava com a razão; séculos de procriação planejada, pensava ele, deviam ter produzido uma melhora constante na qualidade racial. Em breve estava transmitindo essa mensagem a plateias receptivas de aristocratas alemães. Figuras como o grão-duque hereditário de Mecklenburg e o príncipe Guilherme de Hesse já haviam entrado para a SS antes de 30 de janeiro de 1933; agora jovens aristocratas precipitavam-se para se alistar, inclusive muitos da nobreza militar prussiana, como os barões von der Goltz e von Podbielski e muitos mais.[10]

Em 1938, quase um quinto dos postos graduados da SS eram ocupados por membros titulados da nobreza, e cerca de um em cada dez postos de patentes inferiores de oficial. Para consolidar suas relações com a aristocracia, Himmler persuadiu todas as mais importantes associações de equitação alemãs, redutos de prática desportiva e socialização esnobe da classe alta, a ingressar na SS, independentemente de suas visões políticas, para grande desgosto de parte da geração mais velha de veteranos da SS, de modo que os cavaleiros da SS venciam regularmente os campeonatos equestres alemães, até então uma prerrogativa dos clubes de equitação privados. Mas alguns, em especial aqueles que tinham ficado por baixo na República de Weimar, assumiram um papel mais ativo e comprometido. Um caso típico foi Erich von dem Bach-Zelewski, que serviu como voluntário na guerra aos quinze anos de idade, juntou-se às Brigadas Livres e depois foi despachado do Exército em 1924 pelo proselitismo pró-nazista. Ganhou a vida administrando uma firma de táxis, depois uma fazenda, antes de entrar para o Partido Nazista e para a SS em 1930; no final de 1933, já estava ascendendo rapidamente na hierarquia. Outros jovens nobres com carreiras semelhantes foram Ludolf von Alvensleben, que também serviu nas Brigadas Livres, perdeu sua propriedade rural polonesa ao final da guerra e sua compensação pela perda durante a inflação, fez uma tentativa fracassada de gerir uma empresa de carros que acabou falindo; ou o barão Karl von Eberstein, que tentou ganhar a vida a duras penas na década de 1920 como agente de viagem. A observação de Reck--Malleczewen na casa noturna de Berlim foi contundente e perspicaz: muitos dos jovens membros da aristocracia *junker* de fato haviam entrado para a nova elite alemã de Himmler. Outros, em especial aqueles que haviam se alistado no Exército ou no serviço no exterior, por mais entusiasmados que estivessem de início, com o tempo ficariam amargamente desiludidos com o regime.[11]

II

A aristocracia da Alemanha tradicionalmente obtinha seu sustento da terra. Embora ao longo dos anos os nobres viessem a desempenhar um papel significativo e em certas áreas mais do que significativo nos corpos de oficiais, serviço público e até indústria, era a terra que ainda proporcionava a muitos a fonte principal de renda, poder social e influência política nas décadas de 1920 e 1930. O presidente do Reich Paul von Hindenburg havia sido particularmente suscetível à influência dos aristocratas rurais prussianos, com quem convivia quando estava em sua propriedade em Neudeck, no leste da Prússia, e as concessões especiais que o governo fizera a proprietários de terra como ele na forma de auxílio a produtores agrícolas do leste rural suscitaram muitos comentários públicos. Entretanto, no que dizia respeito aos nazistas, não era o grande proprietário de terra, mas o pequeno fazendeiro camponês que constituía o alicerce da sociedade alemã no interior. O ponto 17 do programa do Partido Nazista de 1920 de fato exigia "uma reforma agrária adequada a nossas necessidades nacionais" e a "criação de uma lei para o confisco de terra sem compensação e com propósito de benefícios comuns". Seguindo-se ao ponto 16, que exigia a abolição das lojas de departamento, a cláusula em si parecia dirigida contra as grandes propriedades. Mas os críticos do nazismo fizeram parecer que o Partido estava ameaçando de expropriação também os fazendeiros camponeses, de modo que, em 13 de abril de 1928, Hitler emitiu um "esclarecimento" da cláusula da lista que, naquele ínterim, fora repetidamente anunciada com estardalhaço como exigências fixas, inalteráveis e não discutíveis. Ele disse que o ponto 17 do programa do Partido referia-se apenas a especuladores de terra judeus que não controlavam a terra de acordo com o interesse público, mas usavam-na para obter lucro excessivo. Os fazendeiros não precisavam preocupar-se: o Partido Nazista estava comprometido com o princípio da inviolabilidade da propriedade privada.[12]

Tranquilizado por essa declaração, e levado ao desespero pela profunda crise econômica em que a agricultura havia tombado antes mesmo da investida da Depressão, o campesinato do norte alemão votou no Partido Nazista em grandes números de 1930 em diante. A aristocracia agrária manteve-se a distância, preferindo apoiar os nacionalistas. Ao que parecia, o nazismo tinha pouco a oferecer-lhe. Não obstante, seus interesses estavam bem representados na coalizão que chegou ao poder em 30 de janeiro de 1933. Alfred Hugenberg, o líder nacionalista, não só era ministro da Economia, mas também ministro da Agricultura, e nesse cargo introduziu rapidamente uma série de medidas planejadas para retirar seus partidários, e os fazendeiros alemães, de modo geral, do atoleiro econômico em que haviam afundado. Proibiu os credores de executar as dívidas de fazendeiros até 31 de outubro de 1933, aumentou as taxas de importação sobre produtos agrícolas essenciais e em 1º de junho introduziu medidas estipulando o cancelamento de alguns débitos. Para proteger os produtores de leite, Hugenberg também cortou a produção de margarina em 40% e ordenou que incluísse um pouco de manteiga em seus ingredientes. Essa última medida levou ao aumento de até 50% no preço das gorduras em um tempo muito curto e gerou crítica popular generalizada. Esse foi mais um prego no caixão político de Hugenberg. No final de junho, o processo de coordenação já havia há muito subjugado os principais grupos de pressão agrícola e alcançou o Partido Nacionalista de Hugenberg. No fim do mês, Hugenberg havia renunciado a todos os cargos e desaparecido no esquecimento político.[13]

O homem que o substituiu foi Richard Walther Darré, especialista agrícola do Partido e inventor do *slogan* nazista "sangue e solo". Para Darré, o que importava não era melhorar a situação econômica da agricultura, mas amparar o fazendeiro camponês como fonte do vigor racial alemão. Em seus livros *O campesinato como fonte de vida da raça nórdica*, publicado em 1928, e *Nova aristocracia do sangue e solo,* lançado no ano seguinte, Darré argumentava que as qualidades essenciais da raça alemã haviam-lhe sido infundidas pelo campesinato dos primórdios da Idade Média, que não havia sido pisoteado ou oprimido pela aristocracia agrária, mas, pelo contrário, havia sido parte essencial de uma comunidade racial única com ela. A existência de grandes propriedades rurais era puramente funcional e não expressava qualquer superioridade de intelecto ou caráter por parte dos donos.[14] Essas ideias tiveram poderosa influência sobre Heinrich Himmler, que fez de Darré o diretor de seu Escritório Central de Raça e Povoamento. A ideia de Himmler de uma nova aristocracia racial para governar a Alemanha tinha muitos aspectos em comum com a de Darré, pelo menos de início. E as ideias de Darré agradaram a Hitler, que o convidou a se juntar ao Partido e se tornar chefe de uma nova seção dedicada à agricultura e ao campesinato em 1930. Em 1933, Darré havia construído uma ampla e bem organizada máquina de propaganda que espalhou entre os camponeses as boas-novas sobre seu papel central na chegada do Terceiro Reich. E havia infiltrado com sucesso tantos membros do Partido Nazista nos grupos de pressão agrícola, como a Liga da Terra do Reich, que foi relativamente fácil para ele organizar a coordenação nos primeiros meses do novo regime.[15]

Por ocasião da renúncia de Hugenberg, Darré já controlava efetivamente a organização nacional nazificada dos fazendeiros, e a nomeação como ministro da Agricultura consolidou sua posição de líder de cerca de 9 milhões de fazendeiros e operários agrícolas que, com seus dependentes, somavam cerca de 30% da população total da Alemanha.[16] Dois meses depois da nomeação, ele estava pronto para introduzir medidas a fim de colocar suas ambições em prática. Além do Comitê de Alimentos do Reich, essas medidas incluíam novas leis de herança com as quais Darré buscava preservar o campesinato e estabelecê-lo na base de uma nova ordem social. Em certas partes da Alemanha, notadamente no sudoeste, costumes e leis de partilha de herança faziam com que, quando um fazendeiro morresse, sua propriedade e bens fossem igualmente divididos entre os filhos, levando com isso à criação de fazendas inviáveis de tão pequenas e, por conseguinte, à proletarização do pequeno fazendeiro camponês. O ideal de Darré era uma Alemanha coberta de fazendas grandes o bastante para serem autossuficientes. Ele achava que, em vez de serem herdadas por todos os sucessores igualmente ou, como na maior parte do norte da Alemanha, pelo filho mais velho, as fazendas deveriam passar apenas para o herdeiro mais forte e mais eficiente. Mantê-las na família dessa forma também as afastaria do mercado. Com o passar dos anos, encorajada por essa nova regra, a seleção natural fortaleceria o campesinato até este cumprir seu destino de fornecer uma nova casta de liderança para o conjunto da nação. Em 29 de setembro de 1933, na busca dessa meta ambiciosa, foi aprovada a Lei da Fazenda Hereditária do Reich de Darré. A lei pretendia reviver o velho costume alemão da vinculação, ou herança inalienável. Todas as fazendas entre 7,5 e 125 hectares foram enquadradas nas cláusulas da lei. Não podiam ser compradas ou vendidas ou repartidas, e não podiam ser executadas em função de dívidas. Nem podiam ser usadas como garantia em empréstimos. Tratava-se de restrições extremamente draconianas sobre o livre mercado agrário. Mas não eram muito realistas. Na prática, deviam-se mais à imagem ideal e abstrata de Darré do fazendeiro camponês em boa situação e autossuficiente. Todavia, a Alemanha era um país onde séculos de herança partilhada já haviam criado milhares de pequenas fazendas em uma ponta da escala, ao passo que a acumulação de terra pelos latifundiários havia levado à criação de grande quantidade de propriedades bem maiores que 125 hectares na outra extremidade. Apenas 700 mil fazendas, ou 22% do total, foram afetadas pela lei, somando cerca de 37% da área coberta por terras cultiváveis e florestas na Alemanha. Dessas, cerca de 85% estavam na extremidade inferior da escala, com tamanhos entre vinte e cinquenta hectares. Em algumas áreas, notadamente em Mecklenburg e partes dominadas por grandes propriedades rurais da planície a leste do Elba, de um lado, e no sudoeste, com muitas propriedades pequenas demais, do outro, a lei aplicou-se a relativamente poucas propriedades e teve pouco efeito. Mas, em áreas da Alemanha central, o impacto era potencialmente considerável.[17]

Darré esperava contornar o problema do que fazer com os herdeiros deserdados pela lei encorajando-os a começar novas fazendas no leste. Isso reviveria a tradição, consagrada pelos conservadores alemães, da "colonização" do leste, mas com uma diferença crucial: a área a ser colonizada para a criação de uma nova sociedade de pequenos fazendeiros camponeses autossuficientes já estava ocupada por grandes e médias propriedades de *junkers*. Em 11 de maio de 1934, Darré falou de forma grosseira contra os proprietários de terra que, disse ele, haviam destruído o campesinato do leste do Elba ao longo de séculos e reduzido muitos pequenos fazendeiros à condição de trabalhadores sem terra. Estava na hora, declarou ele, de devolver aos camponeses a terra que os *junkers* haviam roubado deles. Claro que, desde a desistência da ideia de expropriar os grandes proprietários e dividir a terra entre pequenos fazendeiros camponeses, originalmente levantada no ponto 17 do programa do Partido Nazista, não era possível nem mesmo para Darré insistir em medidas compulsórias a fim de executar suas propostas. Em vez disso, portanto, ele insistiu em que o Estado deveria não fazer nada para ajudar os grandes proprietários que se metessem em dificuldades financeiras, uma posição não muito distante da de Hitler, que em 27 de abril de 1933 havia declarado que as grandes propriedades que fracassassem deveriam ser "colonizadas" por camponeses alemães sem terra.[18]

Os ambiciosos planos de Darré foram cumpridos apenas em parte. Eles o tornaram profundamente impopular em muitos setores da população, inclusive entre grande parte do campesinato. Além disso, a despeito de toda sua disposição em deixar que propriedades malsucedidas fossem divididas, Hitler basicamente via a conquista de espaço vital no leste como a principal solução para os problemas agrários da Alemanha. Em sua visão, portanto, a colonização tinha que esperar até a Alemanha ter estendido seu domínio pela Polônia, Belarus e Ucrânia. Em todo caso, a despeito do igualitarismo verbal, Hitler não queria destruir a base econômica da aristocracia rural prussiana. Diversos especialistas econômicos perceberam que as propriedades dos *junkers*, das quais muitas haviam racionalizado e modernizado sua produção e gerenciamento com sucesso desde o final do século XIX, eram bem mais eficientes como produtoras de alimento que as pequenas fazendas de camponeses, e a manutenção da oferta de alimentos no presente não podia ser hipotecada para a criação de uma utopia racial no futuro. Na prática, portanto, o número de novas pequenas fazendas criadas a leste do rio Elba não cresceu de modo significativo em relação aos últimos anos da República de Weimar. A maioria dos filhos deserdados pela Lei de Fazenda Hereditária do Reich não conseguiu encontrar novas propriedades dentro desse esquema e, de qualquer modo, muitos camponeses católicos das montanhas do sul alemão não ficaram nada entusiasmados quanto a ser transplantados para as costas distantes da Pomerânia no leste da Prússia, longe da família, cercados de estranhos protestantes falando dialetos desconhecidos em uma paisagem não familiar, plana e desinteressante.[19]

Sob o esquema de liberação de dívidas iniciado por Alfred Hugenberg, predecessor de Darré, o governo gastou 650 milhões de reichsmarks para deixar fazendeiros camponeses e grandes proprietários de terra com as contas em dia. O valor era comparável aos 454 milhões gastos sob Weimar entre 1926 e 1933. Fazendeiros endividados enquadrados sob a égide da Lei da Fazenda Hereditária do Reich de repente descobriram que a ameaça de execução do débito havia desaparecido. Entretanto, os donos de fazendas hereditárias com frequência tinham o crédito recusado porque não podiam mais usar a propriedade como garantia. O fato de alguns terem usado o novo *status* para se recusar a pagar débitos existentes apenas reforçou a determinação dos fornecedores e comerciantes de fazê-los pagar à vista tudo que compravam. Assim, a lei dificultou mais que antes o investimento de fazendeiros em maquinário dispendioso, ou a compra de pequenos pedaços de terra cultivável adjacentes a suas fazendas. "De que nos adianta uma fazenda hereditária que estará livre de dívidas em trinta anos", perguntou alguém, "se não conseguimos levantar dinheiro algum agora porque ninguém está nos dando nada?".[20] Havia amargura e ressentimento entre os filhos e filhas de fazendeiros que se viram subitamente deserdados: muitos haviam dado duro a vida inteira como ajudantes familiares não remunerados na expectativa de herdar uma porção da terra do pai, mas a expectativa deles foi bruscamente eliminada pelas cláusulas da nova lei. Os fazendeiros solidários com os apuros dos filhos não mais podiam seguir o costume, comum nas regiões de direito de primogenitura, de re-hipotecar a fazenda para conseguir verba para dotes ou somas em dinheiro vivo para legar à prole deserdada em seus testamentos. Na primavera de 1934, um único tabelião registrou entre sua clientela o cancelamento de 20 casamentos desde a introdução da lei, uma vez que os pais das noivas não conseguiam mais levantar o dinheiro para o dote.[21] Além disso, ficou mais difícil para os deserdados comprar suas próprias terras mesmo que tivessem algum dinheiro, visto que, ao retirar 700 mil fazendas do mercado de terras, a lei aumentou os preços das propriedades não hereditárias. Ironicamente, portanto, a lei da Fazenda Hereditária do Reich deixou os filhos e filhas malsucedidos de fazendeiros sem outra opção a não ser migrar para as cidades, o exato oposto do que Darré pretendia. As restrições impostas eram tão opressivas que

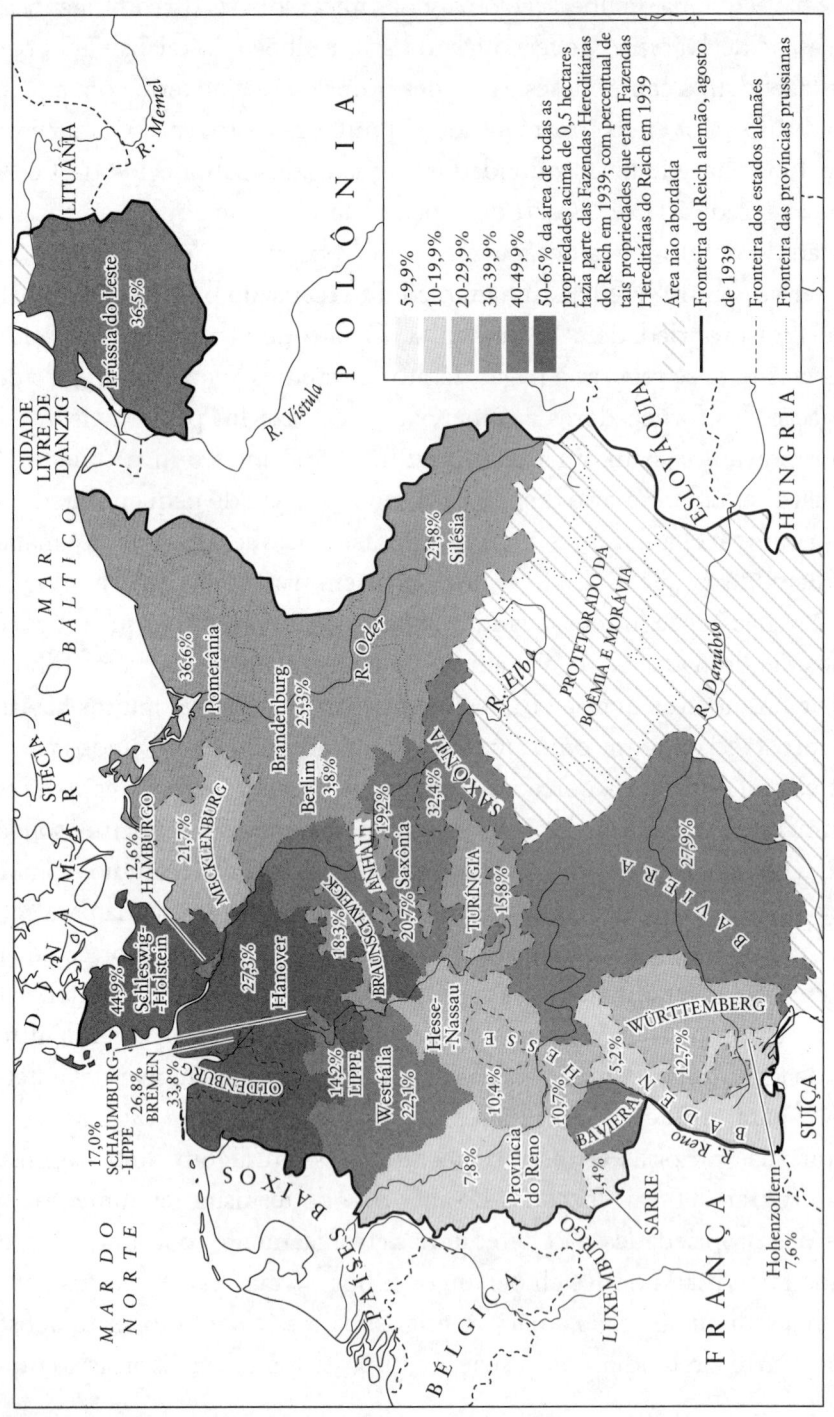

Mapa 12. Fazendas Hereditárias do Reich

muitos fazendeiros hereditários não se sentiam mais realmente donos de sua propriedade; eram meros depositários ou administradores.[22]

A remoção das regras automáticas de herança criou graves tensões nas famílias. Foi registrado que os fazendeiros acharam que a lei seria "motivo de uma guerra acirrada entre irmãos e, por consequência, vista como a introdução de um sistema de famílias de filhos únicos" – outro aspecto no qual os efeitos da lei prometiam ser o contrário do que Darré esperava. No final de 1934, um fazendeiro da Baviera, o membro do Partido há mais tempo na ativa em seu distrito, foi mandado para a prisão por três meses por dizer em público que Hitler não era fazendeiro nem tinha filhos e, por isso, tinha aprovado a lei. No tribunal, ele repetiu essas opiniões, embora sem as grosseiras obscenidades que as acompanharam na declaração original. Os camponeses chegaram a apresentar casos aos tribunais desafiando a decisão que os designava fazendeiros hereditários do Reich.[23] No verão de 1934, os camponeses haviam se voltado contra as políticas agrárias nazistas por toda parte; na Baviera foi registrado que a atmosfera nos dias de feira era tão hostil ao Partido que os gendarmes não ousavam intervir e nazistas famosos evitavam os fazendeiros por medo de ser submetidos a uma avalanche de questionamentos agressivos. Mesmo em áreas como Schleswig-Holstein, onde a população rural havia votado em números maciços no Partido Nazista em 1930-33, relatou-se em julho de 1934 que os camponeses estavam deprimidos, em particular a respeito dos preços obtidos pelos porcos. Somado a isso, um agente social-democrata do noroeste da Alemanha registrou na época:

> Antigamente, os grandes e médios proprietários de terra de Oldenburg e do leste da Frísia eram muito entusiásticos quanto aos nazistas. Mas agora estão rejeitando-os de modo quase unânime e voltando à velha tradição conservadora. Uma contribuição específica para essa mudança entre os criadores de gado do leste frísio e os ricos fazendeiros dos baixios foi fornecida pela Lei da Fazenda Hereditária, e, entre os fazendeiros de médio porte e arrendatários, sobretudo pela regulação compulsória da produção de leite e ovos.[24]

O problema ali foi que, em vez de vender o leite e os ovos diretamente para os consumidores como faziam antes, os fazendeiros agora tinham que passar pela complicada estrutura do Comitê de Alimentos do Reich, o que significava que obtinham apenas dez pfennigs por litro de leite em vez dos dezesseis de antes, visto que os atacadistas abocanhavam dez pfennigs e o preço máximo estava fixado em vinte. Não é de surpreender que logo tenha surgido um mercado negro de ovos e leite, para a irritação das autoridades, que reagiram com batidas policiais e apreensão em massa de ovos contrabandeados e detenção dos envolvidos.[25]

Camponeses mais velhos lembravam-se das grandiosas promessas de Darré em 1933 e continuaram a resmungar mais aberta e incontidamente, talvez, do que qualquer outro setor da população, pois o regime sentiu-se incapaz de dar um aperto neles, dada a sua indispensabilidade. Oradores nazistas continuaram a se deparar com apartes insistentes nos encontros de fazendeiros; em uma dessas assembleias na Silésia, em 1937, quando o orador perdeu a paciência e disse à plateia que a Gestapo em breve lhes ensinaria como ser nacional-socialista, a maioria dos ouvintes simplesmente levantou-se e foi embora. Os fazendeiros reclamavam não só dos preços baixos, da fuga da mão de obra agrícola, do custo do maquinário, fertilizantes e todo o resto, mas também dos altos salários dos funcionários do Comitê de Alimentos do Reich, que nada faziam além de interferir. Muitos, como outros alemães, ressentiam-se das demandas contínuas feitas pelo Partido e organizações afiliadas, de donativos e contribuições.[26] Particularmente vociferantes eram os donos de Fazendas Hereditárias do Reich, que se sentiam tão seguros em seu reduto que se davam ao luxo de falar com uma franqueza às vezes estarrecedora. Indagado por um jovem nazista como os camponeses de uma determinada aldeia bávara podiam realmente ser seguidores do Partido quando se mostravam tão prontos para amaldiçoá-lo, um desses fazendeiros replicou: "Não somos hitleristas, esses aí só existem em Berlim". Quando o jovem então disse que achava que deveria esclarecê-los e fazê-los cair em si, o fazendeiro, aplaudido pelos demais presentes, falou: "Não precisamos de esclarecimento algum, seu patife! Você ainda deveria estar na escola!". Os fazendeiros camponeses sentiam que haviam perdido a liberdade de comprar e vender mercadorias, e também suas propriedades no caso das Fazendas Hereditárias do Reich, no livre comércio, e não haviam recebido nada em troca. Contudo, muitos observadores lembraram "que os fazendeiros sempre amaldiçoaram todos os governos ao longo dos tempos". Resmungar contra o regime nazista não era diferente. Além disso, jovens fazendeiros e filhos de fazendeiros também viram oportunidades no regime, em muitos casos relacionadas a empregos na administração do próprio Comitê de Alimentos do Reich. A ideologia nazista de "sangue e solo" tinha mais apelo entre eles que entre os velhos e cínicos fazendeiros camponeses que pensavam já ter visto tudo aquilo antes e no fim prestavam mais atenção aos fatores materiais. Mas mesmo os fazendeiros mais velhos estavam cientes de que sua situação em 1939 não era tão ruim quanto há seis ou sete anos.[27]

III

A despeito das muitas pressões, com frequência contraditórias, a que foram submetidas sob o Terceiro Reich, as comunidades de aldeia não mudaram de maneira fundamental entre 1933 e 1939. Nas zonas rurais do norte protestante da Alemanha, o Partido Nazista conseguiu unir a opinião local, com frequência amparado por figuras de liderança da comunidade, como o pastor e o professor da aldeia, os fazendeiros mais prósperos e às vezes até mesmo pelo grande proprietário local, mediante a promessa de impedir que a luta de classes que grassava nas cidades perturbasse a paz relativa do meio rural. Ali, como em outros lugares, a promessa de uma comunidade nacional unida foi um poderoso *slogan* nazista para conquistar muitos partidários antes de 1933.[28] Famílias camponesas importantes transitaram sem esforço para papéis de liderança no novo Reich em muitas vilas. Na Baviera rural, o Partido Nazista tinha receio de aborrecer a opinião local ao colocar "velhos combatentes" nos conselhos da vila ou no gabinete do prefeito a não ser que eles já gozassem do respeito dos aldeões em virtude de sua família ou posição dentro da hierarquia tradicional da comunidade agrícola. Sobretudo onde o catolicismo era forte e os aldeões continuaram a votar no Partido de Centro ou em seu equivalente bávaro (o Partido Popular da Baviera), até 1933 os nazistas moveram-se com cautela. Gerar consenso e neutralizar a oposição potencial eram as prioridades. De sua parte, a maioria dos aldeões estava bastante feliz em se adaptar ao novo regime se este preservasse as estruturas sociais e políticas existentes.²⁹

Na vila bávara de Mietraching, por exemplo, Hinterstocker, que ocupava o cargo de tesoureiro da aldeia desde 1919, foi persuadido por outros membros do Partido Popular da Baviera a entrar para o Partido Nazista em 1933 a fim de se manter no posto e evitar que um "velho combatente" fanático metesse a mão nas economias da comunidade. Quando um nazista particularmente detestado ameaçou assumir a prefeitura em 1935, os anciãos da vila mais uma vez persuadiram o popular e sempre obediente Hinterstocker a fazer a coisa certa e se tornar prefeito. Dizem que, uma vez no cargo, fez tudo que pôde nos anos seguintes para evitar que as medidas mais impopulares do regime tivessem impacto sobre a aldeia, e marcou posição ao participar das procissões religiosas da vila todos os anos sem falta, para grande satisfação dos outros aldeões. Em 12 de dezembro de 1945, conforme o administrador regional informou às autoridades de ocupação americanas, 90% dos aldeões manifestaram-se favoráveis à renomeação de Hinterstocker.³⁰ Em outra vila bávara, quando o Partido local tentou colocar um "velho combatente" em um posto-chave, o gabinete do administrador local registrou sua inquietação:

> O gabinete distrital não está em condições de concordar com a sugestão de que o mestre alfaiate S. seja nomeado prefeito da comunidade de Langenpreising. Em discussão com outros conselheiros, estes expressaram em unanimidade o desejo de deixar o atual prefeito Nyrt no cargo, visto que, como fazendeiro, ele é mais adequado para a função do que o mestre alfaiate S... O gabinete distrital também é da opinião de que a indicação de um fazendeiro respeitado é uma garantia maior de gerenciamento tranquilo dos assuntos comunitários.³¹

De tempos em tempos, quando as atas de suas reuniões chegavam às autoridades superiores, membros dos conselhos das aldeias tinham até que ser lembrados de que os prefeitos eram nomeados e não eleitos sob o Terceiro Reich.³² Em áreas rurais de Lippe, as coisas podiam ser ainda mais desconcertantes para o Partido, como no caso do prefeito Wöhrmeier, da vila de Donop, que se recusou a tomar parte em atividades do Partido Nazista ou usar a saudação "*Heil* Hitler!" ao assinar cartas, jamais possuiu uma bandeira da suástica e organizou boicotes econômicos bem-sucedidos contra artesãos e comerciantes da aldeia que respaldavam os esforços do líder local do Partido para afastá-lo. A despeito de repetidas denúncias, Wöhrmeier manteve-se no cargo com êxito o tempo todo até 1945.[33]

A solidariedade das comunidades das aldeias de muitas partes da Alemanha foi criada ao longo de séculos por meio de uma densa rede de costumes e instituições que governavam direitos comuns como respiga, coleta de madeira e coisas do tipo. As vilas com frequência consistiam de grupos entrelaçados de famílias e parentes, e o papel de ajudantes familiares não remunerados, que em ocasiões de intensa necessidade de mão de obra podiam incluir primos, tios e tias de fazendas vizinhas, bem como a família em si, era governado de maneira semelhante pela tradição há muito consagrada. A precariedade da vida cotidiana no campo gerou uma economia baseada em um sistema de obrigações mútuas que não podia ser facilmente perturbado – daí o ressentimento em muitas partes do meio rural com a Lei da Fazenda Hereditária do Reich, mesmo entre aqueles aparentemente beneficiados. Ao mesmo tempo, também havia consideráveis desigualdades de classe e *status* dentro das comunidades das vilas, não só entre fazendeiros de um lado e moleiros, negociantes de gado, ferreiros e demais do outro, mas também entre os próprios fazendeiros. Na vila de Körle, em Hesse, por exemplo, com cerca de mil almas por volta de 1930, a comunidade estava dividida em três grupos principais. No topo estavam os "fazendeiros com cavalos", catorze camponeses abastados, com algo entre dez a trinta hectares cada um, produzindo um excedente para o mercado suficiente para ter condições de manter cavalos e empregar operários e domésticas em base permanente e outros por temporada na época de colheita. No meio estavam os "fazendeiros com vacas", 66 em 1928, mais ou menos autossuficientes, com dois a dez hectares de terra cada um, mas que dependiam da mão de obra de seus parentes e ocasionalmente contratavam trabalhadores extras em épocas de necessidade, embora em geral pagassem com produtos em vez de dinheiro. Por fim, na base da pirâmide social estavam os "fazendeiros com cabras", oitenta domicílios com menos de dois hecatres cada, que dependiam do empréstimo de animais de tração e arados dos fazendeiros com cavalos, retribuindo com trabalho ocasional.[34]

Na década de 1920, a situação do último grupo havia ficado tão precária que vários homens tiveram que ir ganhar a vida durante a semana trabalhando como operários da indústria nas cidades vizinhas, às quais a aldeia era ligada por uma boa conexão ferroviária. Isso colocou-os em contato com o comunismo e a social-democracia, que logo se tornou a preferência política de muitas famílias mais pobres de Körle. Todavia, a rede de dependências e obrigações mútuas ajudou a unir a comunidade e consolidou o papel dos fazendeiros com cavalos como os líderes naturais e geralmente aceitos; as diferenças políticas preocupavam a elite da aldeia, mas ainda eram manifestadas em grande parte fora das estruturas tradicionais da vila. Os fazendeiros com cavalos e com vacas eram na maioria nacionalistas por convicção política, e não devem ter ficado muito satisfeitos quando o então prefeito foi despachado em 1933 para abrir caminho para uma liderança nazista local. Contudo, a retórica do nazismo exerceu um poderoso apelo social sobre todos os níveis da comunidade. Os aldeões, adequadamente encorajados pelas campanhas torrenciais do Ministério da Propaganda e seus numerosos órgãos, puderam identificar-se prontamente com a imagem de Hitler como chefe de uma família nacional baseada em uma rede de obrigações mútuas na comunidade orgânica nacional. Se a propaganda tinha limitações na zona rural, com apenas um aparelho de rádio para cada 25 habitantes, contra um para cada oito nas cidades em 1939, então o ministério fez o que pôde para levar sua mensagem encorajando a compra de "receptores do povo" e enviando cinemas móveis para percorrer as aldeias. A mensagem que transmitiam, da nova comunidade popular na qual o campesinato ocuparia um lugar central, não deixou de agradar e ajudou a garantir aos fazendeiros mais velhos que não haveria muita mudança; talvez o novo regime até mesmo restaurasse as estruturas comunitárias hierárquicas que haviam sido minadas pela ida dos rapazes de famílias pobres para as cidades e pela disseminação da ideologia marxista entre os fazendeiros com cabras.[35]

Dadas essas estruturas sociais coesivas, não é de surpreender que as comunidades das aldeias permanecessem largamente intactas durante e após a tomada nazista do poder. Houve pouca resistência à tomada de controle; os comunistas locais foram submetidos a revistas domiciliares e ameaçados de detenção, e em termos sociais a supressão do movimento operário em Körle, por assim dizer, representou claramente a reafirmação do domínio dos fazendeiros com cavalos e com vacas sobre a classe mais baixa da vila, os fazendeiros com cabras. Entretanto, usar a retórica da comunidade para esmagar a oposição ao novo regime também teve implicações na aldeia a despeito de quão longe o processo de coordenação podia ir. Os fazendeiros com cabras e seus filhos eram valiosos demais para as elites da aldeia para serem sumariamente aniquilados. Assim, o pai monarquista do nazista local que liderou as batidas da polícia e dos camisas-pardas nas casas dos comunistas em 1933 ameaçou deserdá-lo se algum dos atingidos fosse levado embora da aldeia e com isso limitou os efeitos da ação. Quando os camisas-pardas foram trazidos de fora da aldeia para confiscar as bicicletas do clube de ciclismo, que era ligado ao Partido Comunista, o estalajadeiro local, membro de longa data do Partido Nazista, apresentou-lhes um documento falso dando a entender que o clube devia-lhe tanto dinheiro que ele tinha o direito de apoderar-se das bicicletas a título de pagamento. Os camisas-pardas recuaram, e o estalajadeiro escondeu as bicicletas em sua casa, onde ficaram até serem retiradas pelos antigos donos depois da guerra. A solidariedade dentro da aldeia com frequência era mais importante que a política, em especial quando a ameaça vinha de fora.[36]

Não obstante, o Terceiro Reich não as deixou totalmente intocadas. Em Körle, por exemplo, como em outras partes da Alemanha rural, o regime nazista provocou tensão entre gerações na medida em que a maioria dos pais de todos os grupos sociais permaneceu oposta ao nazismo, enquanto muitos filhos viram a filiação e a atividade no Partido como meio de se afirmar frente a uma geração autoritária mais velha. Ao aderir a uma variedade de organizações do Partido Nazista, os jovens encontraram um novo papel que não dependia de seus antepassados. Entrevistados depois da guerra, os aldeões disseram que os primeiros anos do Terceiro Reich trouxeram a "guerra" para dentro de todas as casas.[37] À medida que crescia a demanda por mão de obra na indústria, mais rapazes e progressivamente mais moças dos lares dos fazendeiros com cabras passavam mais tempo trabalhando como assalariados nas cidades, levando uma nova prosperidade para casa, mas também expondo-se a novas ideias e novas formas de organização social. A Juventude Hitlerista, a Frente de Trabalho, o Exército e toda uma variedade de organizações femininas tiraram meninos e meninas, rapazes e moças das aldeias e lhes mostraram um mundo maior. A escalada do ataque nazista às igrejas também começou a minar outra instituição central das vilas, tanto como instrumento de socialização quanto como centro de coesão social. Ao mesmo tempo, porém, essas mudanças tinham limites. A crença das gerações mais velhas na comunidade e a dependência dos fazendeiros em relação ao trabalho e outras obrigações dos jovens fez com que a arrogância da geração mais nova fosse tolerada, que as tensões geradas fossem dissipadas com humor e que a família e a comunidade se preservassem intactas. E o envolvimento das gerações mais novas com organizações do Partido Nazista não lhes trouxe muita independência como indivíduos; significou basicamente que elas estenderam sua lealdade comunitária a um novo conjunto de instituições.[38]

O fato de as estruturas sociais das aldeias não terem sido fundamentalmente afetadas pelo regime talvez explique por que, a despeito de toda reclamação, no fim das contas os camponeses não foram impelidos à oposição direta. Os principais pontos de discórdia – a escassez de mão de obra, os efeitos indesejados da Lei da Fazenda Hereditária do Reich, os baixos preços fixados para os produtos pelo Comitê de Alimentos do Reich – apresentaram obstáculos que os camponeses fizeram de tudo para driblar com sua astúcia tradicional, adulterando a farinha para fazê-la render mais, vendendo a produção diretamente no mercado negro e assim por diante. Também podiam recorrer à lei, e muitos o fizeram. Os efeitos da Lei da Fazenda Hereditária do Reich, por exemplo, foram mitigados pela inclusão de cláusulas para a remoção legal de fazendeiros hereditários que se recusaram a pagar dívidas ou fracassaram em conduzir suas fazendas de forma organizada. Tribunais locais especiais nos quais a comunidade agrícola estava bem representada não vacilaram em condenar os trapaceiros, visto que faziam isso claramente em favor da produção eficiente de alimentos, bem como da paz e estabilidade no meio rural.[39] De fato, no geral, esses tribunais tomaram decisões com uma base prática em vez de ideológica, e sob certos aspectos foram ao encontro da comunidade agrícola no abrandamento da ira com as consequências deletérias da Lei da Fazenda Hereditária.[40]

No distrito rural protestante de Stade, na costa norte alemã, onde os nazistas já haviam recebido votos muito acima da média nas eleições do começo da década de 1930, os fazendeiros camponeses foram basicamente a favor de um sistema de preços e cotas fixos, visto que isso deixava a vida menos incerta, e em todo caso o conjunto da sociedade camponesa dali, assim como de outras partes da Alemanha, jamais estivera totalmente em sintonia com o capitalismo de livre mercado. Eles não gostavam era de preços fixados baixos demais. Quanto mais baixo o preço, mais resmungavam. Como era de esperar de pessoas cuja vida inteira, assim como a de seus antepassados, fora construída em torno da necessidade de sobreviver a duras penas e de forma precária da terra, sua insatisfação com o regime limitava-se às instâncias em que este tinha efeito adverso sobre seu sustento. Além disso, a evasão de cotas de produção estabelecidas pelo Comitê de Alimentos do Reich ou pelo Plano de Quatro Anos com frequência brotava mais da forma contraditória e irracional com que a economia agrária era administrada do que de alguma objeção às cotas por princípio. Assim, por exemplo, quando pequenos fazendeiros recusavam-se a cumprir suas cotas de grãos, o que faziam seguidamente, em muitos casos era para que retivessem grãos a fim de alimentar o rebanho, e assim cumprir as metas de leite e gado. A solidariedade das comunidades rurais também significava que os fazendeiros sentiam-se relativamente seguros ao sonegar cotas ou mesmo em expressar insatisfação com as políticas agrárias do regime: em contraste com a situação na Alemanha urbana, no interior era raro alguém ser denunciado à Gestapo ou ao Partido por exprimir críticas ao regime, exceto onde emergiram conflitos realmente graves entre as velhas elites da aldeia e a ambiciosa, mas politicamente frustrada, geração mais nova. A despeito das exortações do Comitê de Alimentos do Reich e da administração do Plano de Quatro Anos, os fazendeiros camponeses com frequência continuavam desconfiados da modernização agrícola, de novas técnicas e maquinário desconhecido, para não falar das dificuldades práticas de se obter tais incrementos, e, em consequência, o Terceiro Reich pouco fez para apressar a modernização das fazendas de pequeno porte. Em vez disso, grandiosos festejos cívicos nacionais – como o festival anual de ação de graças pela colheita, que atraía mais participantes do que qualquer outra cerimônia ou ritual no Terceiro

Reich –, confirmaram a teimosia dos camponeses por meio da celebração não crítica de sua contribuição para a comunidade nacional. No fim, portanto, a promessa de Darré de uma nova utopia rural não estava mais realizada em 1939 do que a ambição contrária do regime de atingir a autossuficiência nacional no abastecimento de comida; mas poucos camponeses estavam realmente interessados nesses assuntos, por mais lisonjeados que possam ter ficado com a propaganda associada. O que realmente importava para eles é que estavam obtendo um sustento decente, melhor do que fora nos anos de Depressão, e poderiam viver com isso.[41]

A sina da classe média

I

No final do século XIX e começo do século XX, o campesinato alemão em geral enquadrava-se no peculiar grupo social amorfo conhecido no discurso político pelo intraduzível termo alemão *Mittelstand*. A palavra expressava em primeiro lugar as aspirações dos propagandistas de direita de que as pessoas que não eram nem burguesas nem proletárias tivessem um lugar reconhecido na sociedade. Mais ou menos equivalente ao francês *petite bourgeoisie* ou ao inglês *lower middle class* (classe média baixa), no início da década de 1930 passou a simbolizar muito mais que um grupo social: na política alemã, representava um conjunto de valores. Situado entre as duas grandes classes antagonistas em que a sociedade havia se dividido, representava as pessoas autossuficientes, independentes, que trabalhavam duro, o cerne saudável do povo alemão, injustamente deixado de lado pela guerra de classes que grassava ao redor delas. Era a pessoas como essas – pequenos lojistas, artesãos habilidosos que administravam suas oficinas, fazendeiros camponeses autossuficientes – que os nazistas haviam inicialmente dirigido seu apelo. O programa do Partido Nazista de 1920 era, entre outras coisas, um produto típico da política de extrema direita do *Mittelstand* alemão; o apoio dessas pessoas estava entre os fatores que de início fez o Partido decolar.[42]

Os ressentimentos desses grupos eram muitos, contra uma legião de inimigos reconhecidos. Os pequenos lojistas queixavam-se das grandes lojas de departamento, os artesãos odiavam a produção em massa das grandes fábricas, os camponeses resmungavam sobre a competição injusta das grandes propriedades. Todos foram suscetíveis ao apelo da retórica política que culpava bodes expiatórios como os judeus por seus problemas. Com a chegada do Terceiro Reich, representantes de todos esses grupos viram uma oportunidade de realizar aspirações há muito acalentadas. E, no início, de fato tiveram certo sucesso. Os ataques a lojas de departamento, os boicotes e discriminações locais incitados em muitos casos pelos próprios artesãos e pequenos lojistas, atuando por meio do Partido Nazista e da SA, foram rapidamente respaldados por uma Lei de Proteção ao Comércio Individual aprovada em 12 de maio de 1933. Dali em diante, as redes de lojas foram proibidas de se expandir ou abrir novas filiais, acrescentar novas linhas ou abrigar dentro de suas paredes departamentos independentes, como barbearias ou seções de confecção e conserto de sapatos. Foi dada ordem de fechamento para os restaurantes das lojas de departamento, que muitos acreditavam estar enfraquecendo os estalajadeiros e *restaurateurs* independentes. Em agosto de 1933, um novo decreto impôs proibições adicionais à produção de pães e salsichas, conserto de relógios, revelação de fotos e serviços automotivos nas lojas de departamento. Três meses depois, as lojas de departamento e as redes foram proibidas de oferecer desconto de mais de 3% nos preços, medida estendida também às cooperativas de consumidores. Firmas de reembolso postal foram refreadas; as organizações do Partido fizeram de tudo para garantir que os contratos de uniforme e equipamento fossem para pequenas empresas. A partir de setembro de 1933, os subsídios do governo para reforma e reconstrução de moradia proporcionaram um impulso para muitos carpinteiros, encanadores, pedreiros e outros trabalhadores manuais.[43] Os grupos de pressão dos artesãos, frustrados pelo fracasso em conseguir o que queriam durante os anos de Weimar, pressionaram por melhores qualificações e pelo reconhecimento de sua situação corporativa por meio da afiliação compulsória a associações comerciais, e conseguiram: a partir de junho de 1934, os artesãos tinham que pertencer a uma associação (*Innung*), incumbida de regular seu ramo específico de atividade, sob supervisão do Ministério da Economia a partir de janeiro de 1935. Depois de 1935, tornou-se compulsório que os artesãos passassem por um exame de capacitação a fim de ser oficialmente registrados e assim receber permissão para abrir uma oficina. Essas eram ambições muito acalentadas, que de certa forma iam ao encontro da restauração do *status* que muitos artesãos sentiam ter perdido no curso da industrialização e do surgimento da produção em massa pelas fábricas. Tiveram forte respaldo de Schacht, que julgava que as pequenas oficinas e seus donos faziam uma contribuição proveitosa à economia e deviam ser defendidos das tentativas da Frente de Trabalho de degradar seu *status* ao de operários, incorporando-os à organização.[44]

Mas a despeito de toda a retórica e de toda a pressão aplicada na base pelo Partido e pelos ativistas camisas-pardas locais, cujo próprio meio de origem em muitos casos jazia no mundo dos pequenos lojistas, comerciantes ou artesãos, o impulso inicial de ação prática e intervenção legislativa em favor dos pequenos negócios logo esmoreceu, na medida em que a economia começou a ser dirigida pelos imperativos avassaladores do rearmamento. O impetuoso rearmamento necessariamente favorecia os grandes negócios. A despeito de todas as promessas nazistas de resgatar a classe média baixa e os pequenos empresários, o número de empreendimentos de artesãos, que aumentou durante a recuperação econômica em cerca de 18% entre 1931 e 1936, caiu 14% entre 1936 e 1939.[45] Entre 1933 e 1939, o número de oficinas de sapateiros diminuiu 12%, de carpinteiros 14%. O faturamento total do comércio artesanal em 1939 não havia se recuperado aos níveis de 1926. Muitos artesãos, na verdade, eram mais pobres que os operários da indústria. A escassez de matérias-primas, a competição dos grandes empreendimentos, o custo proibitivo da compra de máquinas necessárias ao processamento, por exemplo, de couro sintético, foram alguns dos fatores envolvidos no surgimento desses problemas. Alguns artesanatos tradicionais, como a fabricação de violinos em Mittenwald ou de relógios na Floresta Negra, foram progressivamente debilitados pela produção industrial e entraram em declínio abrupto. Além disso, os pequenos negócios, assim como seus rivais maiores, foram cada vez mais cerceados por regulamentações do governo. A filiação compulsória a uma associação e a exigência de fazer um exame antes de receber certificado formal de competência que lhes permitisse entrar no negócio revelaram-se bênçãos duvidosas; muitos mestres artesãos tiveram que passar pelos exames mais de uma vez, e a papelada que isso envolvia era demais para muitos deles, em especial em 1937, quando se exigiu que mantivessem registros de renda e despesas. Em vez de trabalhar em corporações autogeridas, os artesãos viram-se recrutados para associações organizadas pelo princípio de liderança e dirigidas de cima. A promessa de *status* melhorado em um novo Estado corporativo revelou-se ilusória. Somado a isso, o Plano de Quatro Anos exigiu treinamento rápido em vez de uma preparação integral e dos altos padrões que haviam sido a ideia por trás dos exames compulsórios, de modo que as Câmaras de Artesãos perderam o direito exclusivo de conferir qualificação de mestre.[46]

Os pequenos negócios também foram espremidos de outra maneira pela perda da mão de obra devido ao alistamento militar e aos melhores vencimentos oferecidos aos empregados das indústrias diretamente relacionadas à guerra. A concentração dos negócios é fortemente sugerida por uma queda de 7% no número de proprietários e gerentes no comércio, comunicações e transportes nas estatísticas oficiais entre 1933 e 1939. É verdade que uma parte deve-se ao fechamento de oficinas de propriedade judaica; entre 1933 e 1938, o número de empresas artesanais judaicas caiu de 10 mil para 5 mil, e até o final de 1938 todo o restante havia desaparecido. Quase todas eram pequenas demais para que valesse a pena serem adquiridas, e, de fato, o total arianizado em vez de forçado a fechar não passou de 345. Mas havia mais declínio além desse. Ao longo do mesmo período, o número de empregados familiares não remunerados cresceu 11% nos estabelecimentos comerciais, à medida que ficou mais difícil encontrar empregados pagos. Cada vez mais, à medida que os rapazes afastavam-se desse setor da economia para outros mais atraentes ou eram recrutados para as Forças Armadas, os negócios eram dirigidos por homens mais velhos e suas mulheres. Um levantamento em lojas de sabonete e esponja no início de 1939, por exemplo, mostrou que 44% eram geridas por mulheres e mais de 50% dos homens proprietários tinham mais de cinquenta anos de idade; quase 40% dos proprietários homens também tinham que suplementar seus ganhos com outras fontes de renda.[47]

Uma carga financeira adicional foi imposta a partir de dezembro de 1938, quando se exigiu que os artesãos fizessem seguros sem assistência do governo. Em 1939, o Plano de Quatro Anos, com suas cotas e preços fixos, havia restringido drasticamente a independência dos pequenos empresários, desde açougueiros, verdureiros, donos de confeitarias, padeiros e donos de lojinhas de conveniência, até sapateiros, proprietários de tabacarias e quiosques nos mercados da Alemanha. Regulamentações e auditorias consumiam tempo, ao passo que novos impostos e doações compulsórias comiam os lucros. A escassez drástica de mão de obra na indústria bélica levou à crescente pressão oficial sobre os pequenos negócios e oficinas para engrossar a força de trabalho industrial; em 1939, até mesmo artesãos independentes tinham que portar um registro de trabalho com as datas de seu treinamento, qualificações e experiência; assim registrados, podiam ser recrutados para um esquema de trabalho compulsório a qualquer momento; mestres sapateiros, por exemplo, foram convocados para a fábrica da Volkswagen para um novo treinamento e trabalho como estofadores. A fim de facilitar o deslocamento da mão de obra artesanal para a produção bélica (como era de fato o caso da fábrica da Volkswagen), as Câmaras Artesanais receberam ordem em 1939 de "esquadrinhar" seus setores e apontar empreendimentos inviáveis nas indústrias de consumo; talvez cerca de 3% das empresas artesanais tenham sido liquidadas como consequência, quase todas oficinas de um homem só, nas quais o dono era tão pobre que precisava contar com pagamentos da previdência como parte da renda.[48]

Uma experiência de decepção típica de muitos grupos do Terceiro Reich foi a dos farmacêuticos, um ramo do varejo baseado sobretudo nas pequenas farmácias independentes. Muitos farmacêuticos viram na chegada do Terceiro Reich a chance de concretizar a ambição de longa data de ter a profissão igualada à medicina, de rechaçar o poderio crescente das grandes companhias de medicamentos e de restaurar a integridade do boticário como um perito habilidoso e treinado – um profissional especializado, de fato – que produzisse a maior parte dos remédios e tratamentos e ficasse protegido da competição de herbalistas e outros rivais não qualificados pelo estabelecimento de um monopólio legal. Mas essa visão logo transformou-se em miragem. Embora o treinamento dos farmacêuticos fosse reformado em 1934 e arianizado com poucas objeções, os boticários não conseguiram concordar sobre a melhor forma de colocar suas reivindicações monopolistas, e suas organizações foram absorvidas pela Frente de Trabalho em 1934. As prioridades do regime logo se impuseram, e os farmacêuticos viram-se envolvidos na busca de drogas cultivadas em casa para tornar a Alemanha independente de importações farmacêuticas e ajudando a preparar os medicamentos que seriam necessários quando chegasse a guerra. Nesse jogo, as grandes companhias de medicamentos eram os participantes principais, e as prioridades militares logo tornaram quase completamente obsoleta a ideia pseudomedieval de um boticário independente de um vilarejo produzindo suas próprias drogas e remédios aprovados.[49] A mesma história pode ser contada em muitas outras partes do setor dos negócios independentes. Na profissão veterinária, por exemplo, ocorreram os mesmos processos de coordenação, com as organizações existentes dissolvendo-se, e 4 mil dos 7,5 mil veterinários alemães já filiados à Associação de Cirurgiões Veterinários Alemães do Reich em janeiro de 1934. Ali, como em outras, a maioria das associações profissionais voluntárias coordenaram-se, e a recompensa foi a incorporação formal à Câmara de Cirurgiões Veterinários do Reich em 1936. Mas as tentativas iniciais de uma ala da categoria de impor uma forma corporativa com o antigo aspecto de sua organização nacional rapidamente cedeu espaço para as estruturas institucionais padronizadas do Terceiro Reich, centralizadas, hierarquizadas e facilmente sujeitas ao controle do governo central, assim como ocorrera em outras áreas dos pequenos negócios.[50]

Os observadores social-democratas da Alemanha reportaram a insatisfação dos artesãos e pequenos lojistas com sua situação no Terceiro Reich. Já em maio de 1934, pequenos empresários e varejistas reclamavam que a situação econômica não havia melhorado o bastante para as pessoas gastarem mais nos bens de consumo e serviço que eles produziam e vendiam, enquanto o Partido atormentava constantemente por contribuições de um tipo ou outro para as quais não tinham escolha a não ser pagar. Entre as muitas queixas estava o fato de as promessas de restringir as cooperativas de consumidores, em muitos casos instituições antes ligadas ao movimento operário social-democrata, não terem sido honradas. Coordenadas pela Frente de Trabalho e usadas como um meio conveniente de recompensar "velhos combatentes", colocando-os em cargos executivos, as cooperativas pouco perderam além dos subsídios e privilégios tributários concedidos sob a República de Weimar. Uma lei de maio de 1935 tratou da liquidação das cooperativas financeiramente debilitadas, mas as tentativas de proibir a associação de funcionários públicos foram sufocadas por Hess em 1934; e embora cerca de um terço das 12,5 mil lojas de cooperativas do país fossem fechadas até 1936, com frequência por pressão de grupos locais do Partido, ainda havia em torno de 2 milhões de membros de cooperativas nessa data, e os pequenos lojistas ainda se sentiam traídos por elas não terem desaparecido totalmente.[51] Na Silésia, conforme o relatório de um agente social-democrata, havia grande "amargura" nesses círculos:

> As arrecadações constantes estão levando as pessoas à miséria. O faturamento caiu rapidamente. Devido aos baixos ordenados, os trabalhadores só podem comprar os artigos mais baratos, e claro que afluem para as lojas de departamento e bazares de preço único. As pessoas praguejam como peixeiros, e sua decepção já se faz presente em reuniões públicas... Em um encontro recente em Görlitz, um lojista falou na discussão: "O que não nos prometeram antes?! – As lojas de departamento seriam fechadas, as sociedades cooperativas seriam destruídas, as lojas de preço único desapareceriam. Nada aconteceu! Mentiram para nós e nos traíram!". No dia seguinte, o homem foi detido. Isso causou um grande amargor.[52]

Não somente a recuperação da demanda de consumo era lenta demais, como nesse aspecto o regime não era nacional-socialista o bastante.[53]

Em 1935, registrou-se que até mesmo alguns lojistas e artesãos que haviam sido nazistas fervorosos no passado ficaram decepcionados porque sua situação não havia melhorado. Um mestre artesão de Aachen teria dito que todos os seus colegas eram contrários a Hitler, mas apenas três de cinquenta que ele conhecia realmente ousariam abrir a boca; o restante continuava calado.[54] Não era possível dizer que os nazistas não tinham feito nada por eles, anotou mais adiante um relatório social-democrata, mas quase todas as medidas tomadas haviam sido facas de dois gumes. Era difícil obter crédito, a demanda demorava a se recuperar, os controles de preço tinham efeito nocivo sobre os lucros, as contribuições para associações eram onerosas, as associações eram mal administradas, e os impostos aumentavam e eram arrecadados com zelo muito maior que antes.[55] Contudo, no fim, até os social-democratas foram forçados a concluir em 1939: "Por enquanto, o descontentamento dos artesãos contra sua situação cada vez mais opressiva quase nada tem de político". Resmungavam sobre a escassez de matérias-primas, reclamavam sobre a perda de trabalhadores para as Forças Armadas e para a indústria de munições, e praguejavam contra a exigência colocada sobre eles de manter registros detalhados dos negócios, mas nada disso se juntou em uma crítica generalizada ao regime em si. Os social-democratas concluíram que aqueles eram "estratos sociais que sempre haviam estado alheios ao pensamento político". Isso era dúbio. A decepção criou desilusão, até mesmo dissenção; mas, como em outras áreas da sociedade, havia bons motivos para isso não transbordar em oposição direta ao regime. Os artesãos e pequenos empresários que não faliram – a maioria – verificaram que, apesar de todos os problemas e entraves, sua situação econômica estava pelo menos melhor que na Depressão. O setor dos pequenos negócios permaneceu profundamente dividido entre produtores e varejistas, serviços e manufaturas, e de muitas outras maneiras. Por fim, de todos os setores da sociedade alemã, esse fora o mais favorável ao nacionalismo, ao antissemitismo e ao sentimento antidemocrático de direita desde o final do século XIX. Seria preciso mais que descontentamento econômico para virá-lo de vez contra o regime.[56]

II

Artesãos e lojistas não foram o único grupo social que esperou uma melhora de *status* com a chegada do Terceiro Reich. Funcionários de escritórios e empregados assalariados de empresas privadas há muito invejavam os vencimentos, *status* e privilégios superiores do funcionalismo público. Conhecidos popularmente como o "novo *Mittelstand*", estavam, entretanto, profundamente divididos em termos de política, com organizações social-democratas rivalizando com as de extrema direita, e seus votos no Partido Nazista nos anos de Weimar não ficaram acima da média do país como um todo. Muitos esperavam que o Terceiro Reich estabelecesse mais uma vez as barreiras de *status* entre funcionários de escritórios e trabalhadores manuais que os anos anteriores haviam derrubado. O medo da "proletarização" havia sido uma importante força motriz dos sindicatos de funcionários de escritórios, seja de esquerda, centro ou direita. Mas eles ficaram amargamente decepcionados quando Hitler chegou ao poder. Os líderes das três alas políticas dos sindicatos de funcionários de escritórios foram detidos e colocados em campos de concentração, e os sindicatos, junto com todas as outras organizações da categoria, foram amalgamados na Frente de Trabalho Alemã.[57] Além disso, o fato de os operários e suas organizações serem formalmente integrados à comunidade nacional desmantelou mais uma barreira. Os funcionários de escritórios não possuíam as tradições de união ou a cultura distinta de que o trabalho organizado havia desfrutado no movimento social-democrata e em menor grau no comunista, de modo que eram mais vulneráveis à atomização e à aterrorização e menos capazes até de resistência passiva.[58] Não é de surpreender, portanto, que um agente social-democrata em uma empresa de seguros de vida da Alemanha central relatasse em 1936 que a maioria era politicamente apática, exceto por poucos ex-seguidores dos Capacetes de Aço e dos nacionalistas, que podiam não ser adeptos fanáticos de Hitler, mas estavam satisfeitos com o modo como ele havia esmagado o "marxismo" em 1933. "A maioria dos empregados homens aceita obtusamente a coerção política e todas as várias regulamentações", ele admitiu. A maior parte vinha da classe média baixa. Culpavam os "pequenos Hitlers" do regime pelos problemas e continuavam a admirar o Líder. As chances de qualquer pensamento crítico sobre o regime eram bastante remotas ali.[59]

Mais complicada era a posição de profissionais com ensino superior: advogados, médicos, professores, engenheiros, professores universitários e outros. Como vimos, o Terceiro Reich teve um impacto variável sobre o *status* desses grupos, rebaixando advogados, funcionários públicos, professores dos níveis iniciais e universitários, por um lado, e elevando médicos em particular, por outro. O anti-intelectualismo e populismo dos nazistas teve um efeito nocivo óbvio sobre o prestígio desses grupos no geral, e as mudanças ocorridas no ensino universitário refletiram isso, com a queda drástica no número de estudantes, a exigência de se passar longos períodos nos campos de trabalho e a abolição de instituições estudantis autônomas como as corporações. O poder e o prestígio rapidamente em alta das Forças Armadas abriram novas carreiras para rapazes brilhantes e ambiciosos das classes alta e média nos corpos de oficiais e fizeram as profissões liberais parecerem sem graça e sem compensações. O desdém muito repetido e abertamente manifestado dos nazistas pela lei tirou os atrativos de uma carreira na advocacia, e não é de surpreender que em 1939 houvesse amplas queixas sobre a falta de candidatos adequados para o Judiciário e a profissão legal. Mesmo em uma profissão que se saiu relativamente bem no Terceiro Reich, como a dos engenheiros, a situação não melhorou muito. O rearmamento, com sua exigência de perícia técnica no desenho de tanques, navios, aviões e armas; fortificações, como a Muralha do Oeste, e projetos públicos, como as autoestradas; projetos de construção prestigiosos em Berlim, Munique e outros locais; esses e outros fatores levaram o Ministério do Trabalho até mesmo a eximir engenheiros de restrições quanto à mobilidade trabalhista em 1937, especialmente se mudavam de emprego para incrementar seu treinamento e desenvolvimento profissional. Porém, nada disso fazia muita diferença no salário: em uma companhia como a Siemens, por exemplo, o salário inicial de um engenheiro qualificado ainda era menor que o de um professor de escola em seu primeiro ano, ao passo que a organização dos engenheiros, liderada por Fritz Todt, ainda reclamava em 1939 de que os graduados em humanidades desfrutavam de maior prestígio social que os engenheiros. A entrega do segundo Prêmio Alemão para Arte e Ciência (substituto do Prêmio Nobel, então proibido) a Fritz Todt, ao projetista de carros Ferdinand Porsche e aos engenheiros aeronáuticos Wilhelm Messerschmidt e Ernst Heinkel no comício do Partido em Nuremberg em 1938, em um reconhecimento explícito e muito alardeado dos feitos da tecnologia alemã, não pareceu uma grande compensação aos olhos da maioria dos engenheiros.[60]

Entretanto, todos os grupos profissionais tiveram uma perda substancial de autonomia por meio do processo de coordenação nos primeiros meses do Terceiro Reich, quando as várias associações profissionais foram fechadas, fundidas e colocadas sob liderança nazista. Todas anuíram com o processo, como já haviam feito no expurgo de social-democratas e comunistas e na remoção de membros judeus das associações profissionais e no fim das profissões em si. O aviltamento da educação universitária e do treinamento profissional, com ênfase na doutrinação ideológica e no preparo militar em vez de na tradicional aquisição de conhecimento e habilidades, somou-se a essa arregimentação das atividades profissionais para produzir uma desmoralização palpável entre muitos profissionais. Mesmo os médicos, provavelmente a categoria tradicional mais favorecida sob o Terceiro Reich, perderam alguns de seus velhos privilégios sem ganhar outros novos. Por exemplo, quando o governo introduziu um Regulamento dos Médicos do Reich em 1935, suplementado por um Estatuto Profissional em novembro de 1937, os médicos viram-se firmemente confinados por um conjunto de regras vindas de cima com sanções penais ameaçando qualquer um que as infringisse. As cortes disciplinares rapidamente ativaram-se para emitir advertências, aplicar multas e até mesmo suspender médicos que as transgredissem. Os doutores não só tinham que manter a Câmara de Médicos do Reich, fundada em 1936, informada de quaisquer mudanças em sua situação e submeter qualquer novo acerto contratual à aprovação, como também precisavam quebrar o sigilo do paciente e reportar casos graves de alcoolismo, deficiências hereditárias ou congênitas e doenças sexualmente transmissíveis às autoridades. O regulamento de 1935, embora na teoria afirmasse o princípio do sigilo, de fato dizia que, na prática, este poderia ser atropelado caso exigido pelo "senso comum do povo" que, é claro, como sempre era definido pelo regime e seus servidores. Era exigido também que os médicos, não importando quanto tempo de prática tivessem, passassem por novos cursos de treinamento em higiene racial e biologia hereditária. Só em 1936, 5 mil médicos precisavam participar dos cursos; muitos ressentiram-se de ter que ouvir palestras intermináveis de ideólogos nazistas cujas qualificações eles frequentemente consideravam inferiores às suas e cujas ideias muitos tratavam com ceticismo e desconfiança justificados.[61]

Um golpe ainda pior para o orgulho coletivo foi o fracasso do regime em atender a exigência de longa data da categoria médica da supressão dos "curandeiros", ou curadores sem curso universitário, dos quais havia pelo menos 14 mil na Alemanha em 1935, ou três para cada dez médicos qualificados. A Liga dos Médicos Nacional-Socialistas, à qual pertenciam cerca de um terço dos doutores, carecia de influência e prestígio e no geral era vista como bem ineficiente. A posição da Câmara de Médicos do Reich, à qual todos tinham que pertencer, era mais forte, mas o problema básico era que as lideranças nazistas, de Hitler para baixo, eram bastante simpáticas à medicina alternativa. O chefe da Câmara de Médicos do Reich, Gerhard Wagner, como já vimos, apoiava o que chamava de "Nova Cura Alemã" e tentou fomentar cursos sobre a matéria nas faculdades de medicina.[62] Diante das pressões contraditórias da organização dos médicos, por um lado, e de seus próprios líderes, pelo outro, o regime vacilou por anos até finalmente anunciar, em fevereiro de 1939, que todos os curadores leigos tinham que se registrar na União dos Curadores Naturais Alemães e que dali em diante não haveria novos ingressos na ocupação. Isso não só deu *status* profissional aos curadores leigos, como a partir de então aqueles que mostrassem o grau de competência exigido podiam obter o título de "médico de cura natural", contando assim como doutores, enquanto médicos formados em universidade podiam ter de assistir curadores naturais registrados caso estes pedissem ajuda. Curadores leigos particularmente talentosos podiam até mesmo obter acesso às faculdades de medicina sem as qualificações usuais. Por fim, o conjunto de normas e regulamentações não foi amparado por nenhum tipo de sanção contra curadores naturais não registrados, que puderam continuar a praticar, contanto que não cobrassem honorários. Desse modo, a categoria médica alemã teve que aguentar a perda de *status* profissional, o aumento da interferência do governo e a erosão das posições éticas tradicionais.[63]

Contudo, tudo isso foi mais que equilibrado pelo enorme aumento do poder que os médicos exerceram sobre os indivíduos no Terceiro Reich, sustentado por políticas de Estado como esterilização e investigação da saúde para toda uma variedade de propósitos, de serviço militar a casamento. A saúde era central para um regime cuja prioridade máxima era a aptidão racial, e a maioria dos médicos estava mais que disposta a seguir conforme as novas exigências do Estado a esse respeito; de fato, a ideia de higiene racial já era amplamente popular na classe médica bem antes de 1933. A renda dos médicos aumentou de forma acentuada depois de 1937, com o vencimento médio bruto de pouco mais de 9 mil reichsmarks em 1933 subindo para quase 14 mil quatro anos depois; em 1939, dizia-se estar na casa dos 20 mil. A remoção de muitos médicos judeus da profissão levou ao crescimento da prática dos que permaneceram, a recuperação econômica aumentou a vontade das pessoas de contribuir para planos de saúde, e os planos foram reformados para tornar a ida dos pacientes ao consultório médico menos dispendiosa e menos complicado para os doutores receberem os honorários. Isso colocou os médicos bem à frente dos advogados em termos de rendimentos e sem querer quase duplicou a renda dos dentistas, cujo papel na higiene racial e políticas de saúde associadas foi mais ou menos mínimo. Fora do consultório, o veloz crescimento das Forças Armadas abriu novas oportunidades aos doutores de servir nos corpos médicos. Os doutores foram recrutados para fornecer serviço médico a muitos ramos do Partido Nazista e organizações afiliadas, dos camisas-pardas à Juventude Hitlerista. Os mais ambiciosos podiam entrar para a SS, onde obteriam prestígio e promoção com mais facilidade que na vida civil. Himmler montou uma academia médica da SS em Berlim para ministrar treinamento ideológico, e os médicos dentro da SS eram chefiados pelo grandiosamente intitulado doutor da SS do Reich, paralelo ao título do próprio Himmler de líder da SS do Reich. No total, estima-se que mais de dois terços dos médicos da Alemanha tivessem uma conexão com o Partido Nazista e seus órgãos afiliados. O papel-chave dos médicos no futuro imaginado pelos nazistas foi salientado por instituições como a Escola de Liderança dos Médicos Alemães, um campo de treinamento localizado na zona rural de Mecklenburg, onde os membros da Liga de Médicos Nazistas passavam por um curso de duas semanas de ideologia nazista para prepará-los para um papel político no Terceiro Reich nos anos vindouros. Desse modo, médicos mais jovens encontraram espaço para suas ambições na área altamente ideologizada da higiene racial, enquanto membros mais velhos e estabelecidos da classe tiveram condições de prosseguir no trabalho tradicional e até de receber mais que antes, ao custo de um nível ineditamente alto de interferência do Estado. Foi uma barganha implícita que a maioria dos médicos se mostrou disposta a aceitar.[64]

III

Outros grupos profissionais ficaram um tanto menos satisfeitos, em particular o vasto e ramificado funcionalismo público estatal da Alemanha.

A despeito da tentativa de Hitler em 1934 de arranjar uma divisão de trabalho entre o serviço estatal tradicional e o Partido, tensões e lutas entre os braços normativo e prerrogativo do "Estado dual" continuaram, se é que até não pioraram, com o passar do tempo. Enquanto instituições como o Ministério do Interior sentiam-se obrigadas a advertir os funcionários públicos para não aceitar instruções de agências ou indivíduos do Partido Nazista sem nenhum cargo formal no Estado, o próprio Hitler, notadamente em uma proclamação lida no comício do Partido em Nuremberg em 11 de setembro de 1935, insistiu repetidas vezes que, se as instituições do Estado se mostrassem ineficientes para pôr em prática as políticas do Partido, então "o movimento" teria que implementá-las. "A batalha contra o inimigo interno jamais será frustrada pela burocracia formal ou por sua incompetência."[65] O resultado foi que o serviço público logo começou a parecer muito sem atrativos para jovens graduados ambiciosos e ansiosos para se fazer na vida. Conforme o Serviço de Segurança da SS notou em um relatório de 1939:

O desenvolvimento da esfera do serviço público em geral esteve em sentido negativo. No período analisado, fenômenos conhecidos e ameaçadores mais uma vez aumentaram em dimensão, tais como escassez de pessoal, seleção negativa e ausência de candidatos mais jovens devido ao baixo salário e à difamação pública do serviço civil, fracassos na política de pessoal em função da falta de qualquer unidade de abordagem e assim por diante.[66]

Já em 1937 houve sérios problemas de recrutamento. As faculdades de direito da Alemanha, das quais o serviço público dependia em muito para candidatos, haviam encolhido drasticamente desde 1933, na medida em que os estudantes entravam em setores mais na moda, como medicina. Por outro lado, a burocratização da Alemanha nazista – um termo realmente usado em 1936 pelo Gabinete Estatístico do Reich – levou ao aumento de 20% no emprego público das administrações federal, estadual e local entre 1933 e 1939. Mas cargos administrativos mais bem remunerados ainda eram obtidos no Partido e suas organizações afiliadas. Em 1938, havia grave escassez de pessoal nos gabinetes estatais de todos os níveis. Todavia, somente no verão de 1939 os cortes de salário impostos pelo programa de austeridade de Brüning durante a Depressão foram ao menos parcialmente revertidos. O ministro do Interior, Wilhelm Frick, pintou um quadro drástico do endividamento crônico dos funcionários públicos e previu que os servidores em breve seriam incapazes de executar suas tarefas. Entretanto, o Partido e seus líderes, que vertiam escárnio constante sobre o aparato estatal e aqueles que nele atuavam, só podiam culpar a si mesmos pelo declínio agudo do prestígio e da posição do funcionalismo.[67]

Em vista desses acontecimentos, não é de surpreender que um funcionário público ponderado, o conde Fritz-Dietlof von der Schulenburg, membro do Partido desde 1932, manifestasse seu desespero pela forma como os acontecimentos se encaminhavam em setembro de 1937. Ele chamou a atenção dos ministros para a nova Lei do Serviço Público do Reich, que descrevia o funcionalismo como o pilar principal do Estado. Sem ele, ressaltou Schulenburg, o Plano de Quatro Anos não poderia ser implementado de forma apropriada. Todavia, sua execução eficiente estava sendo obstruída por um agudo declínio no número de funcionários em resultado de repetidos expurgos políticos e raciais, enquanto a proliferação de instituições do Partido e do Estado haviam levado ao caos de competências rivais que tornavam uma administração adequada praticamente impossível. Ele prosseguiu:

> Embora tenha a seu favor consideráveis feitos desde a tomada do poder, é publicamente *ridicularizado* como uma "burocracia" tanto pelo Líder quanto pela comunidade e execrado como alheio ao povo, desleal, sem que ninguém esteja preparado para rejeitar oficialmente essa depreciação de uma classe da qual o Estado depende. Funcionários públicos, em especial os de liderança, estão *expostos a ataques no serviço que de fato são dirigidos ao Estado*... As consequências desse tratamento do funcionalismo são que os servidores sentem-se cada vez mais *difamados, sem honra e em certo grau de desespero. O recrutamento está começando a se esgotar...* O funcionalismo em grande parte está reduzido à condição econômica do proletariado... Em comparação, as empresas oferecem salários muitas vezes maiores...[68]

Entre funcionários públicos graduados, como Schulenburg, a decepção diante do destroçamento das elevadas esperanças que nutriam em 1933 era palpável. As coisas estavam ainda piores do que sob Weimar, ele declarou. A longa e honrosa tradição do serviço público estava sendo destruída.[69]

A desilusão de Schulenburg levou-o rapidamente a uma posição de intensa hostilidade ao regime. Na maioria dos funcionários públicos, entretanto, as forças da tradição e da inércia mostraram-se superiores. O funcionalismo havia mantido um lugar especial na sociedade e na política alemãs desde sua formação na Prússia do século XIX. Alguns dos ideais de dever para com a nação, desprezo pela política e crença na administração eficiente sobreviveram no século XX e permearam a reação dos funcionários públicos aos nazistas. Rígidos procedimentos burocráticos, regras formais, uma pletora de graduações e títulos e muito mais destacavam o funcionalismo como uma instituição especial com uma consciência especial. Isso não mudaria facilmente. Alguns decidiram perseverar nos interesses da nação que julgavam que o funcionalismo sempre havia representado. Outros foram atraídos pelo estilo autoritário do Terceiro Reich, sua ênfase na unidade nacional, na remoção do conflito político aberto e em especial, talvez, na remoção efetiva de toda uma série de restrições à ação burocrática. A eficiência substituiu a prestação de contas, e isso também foi atraente para muitos funcionários públicos. Em cada ministério em Berlim, cada gabinete de governos regional e local, os servidores obedeciam leis e decretos de Hitler, Göring e outros ministros sobretudo porque consideravam seu dever fazê-lo. Os dissidentes haviam sido eliminados em 1933, é claro; mas de todo modo a maioria dos burocratas alemães era arquiconservadora que acreditava em um estado autoritário, considerava os comunistas e até mesmo os social-democratas traidores e era a favor de uma nova expansão nacional e rearmamento.[70]

Um desses burocratas, típico em muitos aspectos, cuja volumosa correspondência familiar sobreviveu por acaso e fornece uma detalhada visão de uma perspectiva da classe média sobre o Terceiro Reich foi Friedrich Karl Gebensleben, chefe do planejamento urbano em Braunschweig. Nascido em 1871, ano da unificação alemã, Karl Gebensleben estudou engenharia e trabalhou para o sistema ferroviário alemão em Berlim antes de assumir o cargo em 1915. Era obviamente um homem íntegro que tinha a confiança dos colegas e, no início da década de 1930, combinava o cargo administrativo com a função de vice-prefeito da cidade. Sua esposa, Elisabeth, nascida em 1883, vinha de um próspero ambiente rural, assim como o marido. O casal era um pilar da sociedade de Braunschweig, frequentava concertos e prestigiava o teatro, e era visto junto em todas as celebrações públicas importantes, recepções e eventos do tipo. Sua filha Irmgard, nascida em 1906, casou-se com um holandês, e a presença dela na Holanda foi a ocasião da redação de cartas pela família; seu filho Eberhard, nascido em 1910, estudou direito em uma série de universidades, como era normal na época, inclusive em Berlim e Heidelberg, e almejava fazer carreira no serviço público do Reich. Tratava-se, portanto, de uma sólida família burguesa convencional. Mas, no início da década de 1930, estava em um nítido estado de profunda ansiedade, aflita sobretudo pelos temores de uma revolução comunista ou socialista. Elisabeth Gebensleben expressou uma visão amplamente sustentada quando escreveu para a filha em 20 de julho de 1932 que a Alemanha estava em perigo mortal por causa dos comunistas, auxiliados e incitados pelos social-democratas. O país fervilhava de agentes russos, e a violência nas ruas era o começo de uma desestabilização planejada do país. Assim, quaisquer medidas para rechaçar a ameaça estavam justificadas.[71]

Bem antes da tomada nazista do poder, Elisabeth Gebensleben havia se tornado uma admiradora de Hitler e do seu movimento: "Essa prontidão para fazer sacrifícios, esse patriotismo e idealismo ardentes!", exclamou ela, em 1932, ao testemunhar uma manifestação do Partido Nazista. "E ao mesmo tempo uma disciplina e controle tão firmes!", prosseguiu.[72] Não é de surpreender que ficasse toda entusiasmada com o governo de coalizão encabeçado por Hitler e nomeado em 30 de janeiro de 1933 – na hora exata, ela pensou, ao testemunhar uma manifestação comunista contra a nomeação ("Será que Hitler pegou o comando tarde demais? O bolchevismo ancorou-se muito, muito mais fundo no povo do que se suspeita").[73] Portanto, a violência brutal e em massa deflagrada pelos nazistas contra os oponentes nos meses seguintes não lhe tirou o sono à noite: "Essa ação implacável e decisiva do governo nacional", escreveu em 10 de março de 1933, "pode desconcertar algumas pessoas, mas com certeza primeiro deve haver um expurgo de alto a baixo e uma limpeza, do contrário não seria possível começar a reconstrução".⁷⁴ O "expurgo" incluiu o prefeito social-democrata de Braunschweig, Ernst Böhme, que fora eleito em 1929, aos 37 anos de idade. Em 13 de março de 1933, camisas-pardas nazistas irromperam em uma sessão da Câmara e o arrastaram rudemente para a rua. Em poucos dias ele foi coagido a assinar um documento renunciando a todos os cargos na cidade. Um bando da SS levou-o para a redação do jornal social-democrata, despiu-o, jogou-o sobre uma mesa e o surrou até desmaiar; depois disso, jogou um balde de água em cima dele, vestiu-o de novo, desfilou com ele pelas ruas e o colocou na cadeia da cidade, de onde foi por fim liberado um tempo depois para voltar à vida privada. Seu vice, Karl Gebensleben assumiu temporariamente e sem objeções como novo prefeito da cidade. Embora ficasse transtornado com a cena que testemunhou na Câmara Municipal, Karl refutou categoricamente as reportagens de jornal de que havia chorado enquanto o prefeito era levado embora. De fato, ele trabalhara próximo a Böhme ao longo dos anos, mas sua probidade como funcionário público não teria permitido tamanha demonstração incontida de emoção. Sua esposa Elisabeth, embora desaprovando ("preferia que Böhme tivesse uma expulsão menos ignominiosa"), consolou-se com o pensamento de que na Revolução de 1918 o prefeito conservador havia sido humilhado pelos "vermelhos".⁷⁵

Como outros conservadores, os Gebensleben foram tranquilizados pela obediência à tradição prestada na cerimônia do Reichstag em Potsdam em 21 de março. Desencavaram sua bandeira imperial negra-branca-vermelha e a hastearam em triunfo, enquanto Karl participou de uma marcha celebratória pelas ruas de Braunschweig.⁷⁶ Qualquer acontecimento de que não gostassem, em especial os atos de violência cometidos pelos camisas-pardas e pela SS, os Gebensleben desprezavam como obra de comunistas infiltrados.⁷⁷ Acreditavam implicitamente nas acusações fabricadas de peculato contra funcionários de sindicatos e outros.⁷⁸ Quando Elisabeth relatou à filha os discursos de Hitler pelo rádio, o que transpareceu em suas palavras foi um orgulho nacional intensamente redesperto: a Alemanha agora tinha um chanceler em quem o mundo inteiro prestaria atenção.⁷⁹ Protestante ferrenha, juntou-se aos cristãos alemães ("Então, reforma na Igreja. Estou satisfeita") e excitou-se ao ouvir o pastor comparar Hitler a Martim Lutero.[80] As ilusões da família foram tão significativas quanto o entusiasmo. Karl Gebensleben aplaudiu a "disciplina estrita" introduzida na vida pública e na economia pelo "princípio de liderança, que por si só tem valor legal" e pela "coordenação até das mais minúsculas instituições", mas achou que com o tempo uma oposição moderada ao estilo inglês seria permitida. Perto do final de maio, ele e a esposa enfim entraram para o Partido Nazista, não por autopreservação, mas por um senso positivo de compromisso com a nova Alemanha. Conforme ele escreveu com orgulho, ainda que de modo um tanto constrangido para a filha:

> Assim seu "velho" pai também teve que arranjar para si uma camisa-parda, boné pontudo, gravata e distintivo partidário o mais rapidamente possível. A mãe acha que o uniforme me cai fantasticamente bem e me faz parecer décadas (?) mais jovem!!! Oh!!! Bem, bem, minha cara, se alguém tivesse me dito isso antes! Mas é uma sensação formidável ver como todo mundo está tentando fazer o melhor para a pátria por meio da disciplina – estritamente de acordo com o lema: *O interesse público em primeiro lugar*.[81]

Como administrador, Karl saudou a decisão de excluir a Câmara de Vereadores da maioria dos temas futuros e decidir, em vez disso, por um pequeno comitê. "Dessa maneira, tempo e energia ficam disponíveis para trabalho útil."[82] Ele viu diante de si um novo tempo de eficiência e coerência na administração. Claro que as coisas não saíram exatamente desse jeito.

Não foi esse o único ponto em que os Gebensleben se enganaram. Houve ilusões também na atitude da família quanto à postura do regime em relação aos judeus. De início, o antissemitismo desempenhou um pequeno papel no apoio da família ao nazismo. Quando Elisabeth Gebensleben viu as vitrines despedaçadas de lojas de donos judeus na cidade em meados de março de 1933, atribuiu a *"provocadores... que, conforme se averiguou, infiltraram-se no NSDAP a fim de desacreditar o movimento nacionalista em casa e no estrangeiro... Comunistas e companheiros viajantes"*. Se quaisquer nazistas estivessem envolvidos, é claro que Hitler desaprovaria, pensou ela.[83] Ela julgou os discursos antissemitas de Goebbels e Göring "terríveis" e ficou alarmada com a interrupção do trabalho de Fritz Busch como regente em Leipzig (ela pensou que fosse porque ele era judeu, embora na verdade não fosse). Tais ataques a artistas judeus eram "catastróficos", ela escreveu, e acrescentou: "Existem patifes entre os judeus também, mas não se deve esquecer todos os grandes homens entre os judeus que realizaram feitos enormes nos campos da arte e da ciência".[84]

Contudo, em pouco tempo ela estava adotando uma visão diferente, na sequência do boicote às lojas judaicas em 1º de abril de 1933 e à maciça propaganda que o acompanhou. "A era em que vivemos hoje", escreveu ela à filha com uma força profética não intencional em 6 de abril de 1933, "só será julgada de forma justa pela posteridade". E prosseguiu:

> Estamos vivenciando a história mundial. Mas a história do mundo afeta a sina dos indivíduos, e isso torna essa época, tão pura e elevada em sua *meta*, tão difícil, porque lado a lado com a alegria que estamos vivenciando existe também a solidariedade para com a sina dos indivíduos. Isso aplica-se também à sina dos indivíduos judeus, mas não altera o julgamento da questão judaica como tal. A questão judaica é uma questão mundial, assim como o comunismo, e se Hitler pretende lidar com ela assim como faz com o comunismo, e se sua meta for atingida, então talvez um dia a Alemanha seja invejada.[85]

Ela considerou o boicote justificado em vista da "campanha de difamação da Alemanha" que o regime alegou estar sendo montada por marxistas e judeus no exterior. Todas as histórias de atrocidades antissemitas na Alemanha eram *"pura invenção"*, ela declarou categoricamente para a filha na Holanda, seguindo a ordem de Goebbels de que qualquer um que tivesse contatos com estrangeiros seguisse essa linha; ou ela esquecera os incidentes que achara tão chocantes apenas três semanas antes, ou havia deliberadamente decidido suprimi-los. A Alemanha fora roubada da "possibilidade de vida" pelo Tratado de Versalhes, ela recordou à filha: "A Alemanha está se protegendo com as armas de que dispõe. Que parte dos judeus estejam sendo colocados na rua de seus cargos no sistema legal, na medicina, também *está* correto em termos econômicos, por mais duro que seja para os indivíduos, para a pessoa inocente". Ela acreditava, erroneamente é claro, que seus números estavam apenas sendo reduzidos à mesma proporção que os judeus na população como um todo (embora esse princípio, ela falhou em perceber, não se aplicasse a outros grupos da sociedade alemã – como protestantes, por exemplo, cuja cota de empregos de ponta era proporcionalmente bem mais elevada que a de católicos). Em todo caso, disse ela, demonstrando o quanto havia embarcado na propaganda nazista no espaço de poucas semanas, talvez devido a preconceitos embutidos e já latentes em sua mente, os judeus eram "ardilosos": "Os judeus querem mandar, não servir". Seu marido Karl contou-lhe histórias sobre a ambição e a corrupção judaicas que pareciam justificar o expurgo.[86] Em outubro de 1933, ela havia deslizado sem esforço para o uso da linguagem nazista em suas cartas, descrevendo o *Livro marrom* da frente comunista sobre as atrocidades nazistas como obra de "judeus difamadores".[87]

No que dizia respeito a Karl, o feito do Terceiro Reich foi substituir a desordem pela ordem. "Quando o governo nacionalista tomou o poder", disse ele em discurso saudando o novo prefeito nazista de Braunschweig em sua posse em 18 de outubro de 1933, "encontrou o caos". A remoção dos partidos políticos e suas infindáveis disputas dos anos de Weimar pavimentou o caminho para melhorias municipais metódicas. Além disso, o orgulho da Alemanha foi restaurado.[88] Quando a desordem pareceu despontar outra vez no final de junho de 1934, na forma de Ernst Röhm e seus camisas-pardas, Elisabeth suspirou aliviada quando Hitler agiu. Ao contrário da filha, ela não manifestou dúvidas sobre a justeza dos assassinatos cometidos por ordem de Hitler. "A pessoa sente-se absolutamente insignificante diante da grandeza, da honestidade e da sinceridade de um homem assim", escreveu.[89] Após esses eventos, a família pouco mais teve a dizer sobre política. As preocupações voltaram-se para dentro, para o nascimento dos netos, e para Eberhard, filho de Karl e Elisabeth, que planejava estudar para um doutorado com o jurista conservador e pró-nazista Walter Jellinek em Heidelberg; depois de muita discussão, Jellinek de repente desapareceu da correspondência: descobriu-se que ele era judeu e, portanto, perdeu o emprego.[90]

Eberhard alistou-se para treinamento paramilitar com os camisas--pardas, fez o serviço militar e depois entrou para o Ministério de Economia do Reich como funcionário público subalterno, filiando-se ao Partido Nazista em 29 de novembro de 1937. O interesse da família por política não se renovou. Para os Gebensleben, a Alemanha nazista proporcionou a estabilidade pela qual há muito ansiavam, uma espécie de volta à normalidade depois das convulsões dos anos de Weimar. Em comparação com Weimar, as pequenas dúvidas e ninharias sobre a maneira como aquilo fora feito pareciam insignificantes, mal valendo a pena se incomodar com elas. A derrota do comunismo, a superação da crise política, a restauração do orgulho nacional eram o que os Gebensleben queriam. Eles ignoraram todo o resto, atenuaram com explicações ou, mais insidiosamente, embarcaram de modo gradual à medida que o aparato de propaganda do Terceiro Reich martelava em cheio e sem cessar suas mensagens na população. A conformidade de famílias de classe média como os Gebensleben foi comprada ao preço de ilusões que seriam muito rudemente despedaçadas depois de 1939. Karl e Elisabeth não viveram para ver o desfecho acontecer. Karl morreu no dia em que se aposentou, 1º de fevereiro de 1936, de ataque cardíaco; a viúva Elisabeth seguiu-o em 23 de dezembro de 1937. A carreira de Eberhard no serviço público não durou muito: em 1939, ele foi recrutado para o Exército.[91]

A domesticação do proletariado

I

Em 1933, o proletariado era de longe a maior classe social da Alemanha, compreendendo cerca de 46% da população economicamente ativa. O censo ocupacional de 16 de junho de 1933, há muito planejado e executado bastante livre de interferência nazista, mostrou que outros 17% podiam ser classificados como servidores públicos, funcionários de escritório ou soldados, 16,4% como autônomos, a mesma proporção de 16,4% como ajudantes familiares não remunerados (principalmente em pequenas fazendas) e 3,8% como empregados domésticos. Olhando a população adulta pelo setor econômico, os recenseadores calcularam que 13,1 milhões atuavam na indústria e em ofícios artesanais em 1933, 9,3 milhões na agricultura e silvicultura, 5,9 milhões no comércio e no transporte, 2,7 milhões nos serviços público e privado e 1,3 milhão no serviço doméstico. Em outras palavras, a sociedade alemã era uma sociedade na qual a classe operária industrial era ampla e crescia, a agricultura ainda era significativa mas estava em declínio, e o setor de serviços, que dominava as economias desenvolvidas do século XXI, era relativamente pequeno em escala, mas expandia-se depressa. Indústrias modernas, como químicas, de impressão e cópia, e de produtos elétricos, apontavam para o futuro com cerca de um quarto a um quinto dos trabalhadores sendo mulheres, e as mulheres também eram proeminentes em algumas áreas do setor de serviços. As tradicionais e ainda imensamente poderosas indústrias de mineração, metalurgia, construção e outras do tipo, entretanto, ainda eram um mundo dos homens. Cerca de um quarto de todas as pessoas economicamente ativas na indústria concentravam-se na metalurgia e na engenharia em seu sentido mais amplo. Mais de 3 milhões de pessoas atuavam nessas indústrias em 1933, e mais de 2 milhões em obras e construções; a essas, o núcleo da classe operária industrial tradicional, podiam-se somar 867 mil das indústrias de madeira e marcenaria, pouco mais de 700 mil da mineração, salinas e escavação de hulha, e 605 mil da exploração de pedreiras e cantaria. Apenas uma proporção ínfima dos ativos nesses campos eram mulheres – menos de 2% na mineração e na construção, por exemplo. E eram essas áreas clássicas de emprego masculino – ou, no início da década de 1930, de desemprego – que davam o tom da classe operária e do movimento trabalhista como um todo.[92]

O desemprego em massa abalara a coesão e o moral da classe operária no início da década de 1930. Havia desestabilizado o grande e bem organizado movimento sindical da Alemanha. Em busca de uma solução, os principais partidos da classe operária haviam perdido a capacidade de ação independente, como os social-democratas, ou se enganado com fantasias revolucionárias fúteis e autodestrutivas, como os comunistas. Em 1933, eles pagaram o preço. Entre março e julho de 1933, os nazistas destruíram o movimento operário alemão há muito estabelecido, fecharam os sindicatos e baniram os dois principais partidos da classe trabalhadora. A resistência organizada de remanescentes do velho movimento operário continuou por um tempo, mas por fim também foi suprimida.[93] Nesse meio-tempo, os nazistas agiram para criar uma nova organização trabalhista que coordenasse os trabalhadores sob o controle do Estado. O sindicato nazista existente, a Organização Nacional-Socialista da Célula das Fábricas, era olhado com desconfiança pelos empregadores, que viam seu potencial para militância como uma ameaça. As empresas não queriam se livrar dos velhos sindicatos apenas para ver outra forma mais poderosa de sindicalismo assumir seu lugar. Industriais e banqueiros ficaram consternados com a desordem nas fábricas quando camisas-pardas e agentes da Organização da Célula das Fábricas atacaram e expulsaram representantes sindicais e dos conselhos eleitos dos trabalhadores e assumiram a representação dos empregados. Os empregadores logo começaram a reclamar que esses agentes estavam interferindo na direção de seus negócios, fazendo exigências irracionais e em geral perturbando, bancando os arrogantes. Na Saxônia, por exemplo, o líder regional do Partido, Martin Mutschmann, até deteve o presidente do Banco Estatal, Carl Degenhardt, e o manteve sob custódia por um mês. Tais ações não foram bem recebidas pela comunidade empresarial.[94]

A perturbação em parte foi consequência das ambições radicais da Organização da Célula das Fábricas, cuja influência nesse período esteve fora de qualquer proporção quanto à sua relativamente fraca filiação de meros 300 mil empregados. Amparados pela força bruta dos camisas-pardas e pela disposição coordenadora do novo regime, seus agentes já haviam se mudado para os escritórios dos sindicatos e estavam começando a tratar dos negócios bem antes de os sindicatos serem efetivamente abolidos em 2 de maio de 1933. A figura de destaque da Organização da Célula das Fábricas, Reinhard Muchow, que ainda não tinha trinta anos de idade na época da tomada nazista do poder, havia começado a ganhar experiência em uma série de amargas disputas trabalhistas nos anos finais da República de Weimar, mais notadamente na greve dos trabalhadores dos transportes de Berlim em 1932, quando os nazistas lutaram ao lado dos comunistas. Como assistente de propaganda de Goebbels quando este era líder regional do Partido em Berlim, Muchow havia dirigido seu apelo à classe operária da capital, à qual ele de fato pertencia. Em sua opinião, a Organização da Célula das Fábricas cresceria como uma organização sindical gigantesca representando cada pessoa empregada do Terceiro Reich. Nessa condição, seria um elemento crucial do novo Estado corporativo, determinaria vencimentos e salários, apresentaria ao governo novas medidas para a proteção da mão de obra e assumiria as funções sociais dos sindicatos.[95]

Mas a liderança nazista não queria os conflitos de classe da República de Weimar importados para dentro do novo Reich. Já em 7 de abril, Hess mandou a Organização da Célula das Fábricas não interferir na condução das empresas ou, de fato, interromper o trabalho dos sindicatos, cujo papel de pagar benefícios aos membros desempregados foi crucial durante a Depressão. A tomada dos sindicatos em 2 de maio foi, sob certos aspectos, um exemplo clássico da tendência da liderança nazista de tentar canalizar o ativismo não coordenado para formas institucionais quando ele começava a se tornar um incômodo.[96] Os sindicatos foram imediatamente substituídos pela Frente de Trabalho Alemã, com celebração oficial em uma cerimônia assistida por Hitler e pelo gabinete em 10 de maio de 1933. O homem nomeado para liderar a Frente de Trabalho foi um dos personagens mais pitorescos do Terceiro Reich, Robert Ley. Nascido em 1890, o sétimo de onze filhos de um fazendeiro do oeste alemão, Ley sofreu um trauma de infância que o marcou para a vida toda: o pai ficou profundamente endividado e tentou obter o dinheiro do seguro para pagar os débitos ateando fogo à sua fazenda. A julgar pelas obras autobiográficas posteriores de Ley, a pobreza e a desgraça que se seguiram após a condenação do pai por incêndio criminoso deixaram o garoto com um sentimento permanente de insegurança social e ressentimento contra as classes altas. Inteligente e ambicioso, optou por recuperar-se dando duro nos estudos e, algo incomum para alguém de seu meio, entrou na universidade. Sustentando-se parcialmente com um emprego de meio turno, estudou química de 1910 em diante. Em 1914, entretanto, a guerra impôs uma parada temporária; Ley alistou-se imediatamente e serviu em uma unidade de artilharia na frente oeste até 1916, quando, entediado com o embate constante e o impasse sangrento das trincheiras de guerra, treinou para piloto e começou a voar em aviões de reconhecimento. Em 29 de julho de 1917, sua aeronave foi abatida; quase por milagre, o copiloto conseguiu fazer um pouso forçado. Mas aterrissaram por trás das linhas inimigas. Ley foi capturado e passou o resto da guerra como prisioneiro dos franceses. O incidente deixou Ley com ferimentos graves, incluindo não apenas dano à perna, que só foi salva depois de seis operações, mas também no lobo frontal do cérebro, que parece ter se deteriorado gradativamente ao longo dos anos. Ele gaguejava e se tornou cada vez mais propenso a surtos de alcoolismo e comportamento desregrado de todos os tipos.[97]

Com o fim da guerra, Ley voltou para a universidade e completou os estudos, obtendo um doutorado em 1920 por sua tese em química alimentícia, que foi parcialmente publicada em um periódico científico. Com esse treinamento, não é de surpreender que garantisse um bom emprego na companhia química Bayer em Leverkusen. Isso permitiu-lhe casar e começar uma família. Todavia, continuou descontente e inseguro; a insatisfação com a monotonia da vida cotidiana era inflamada pela leitura de obras românticas e utópicas. A ocupação francesa da Renânia, onde ele vivia, atiçou suas crenças nacionalistas, que se transformaram em admiração por Hitler quando leu reportagens sobre o discurso do Líder nazista no julgamento dos golpistas de Munique no início de 1924. Ley juntou-se ao Partido Nazista e logo tornou-se um ativista local de destaque, ascendendo a líder regional do sul da Renânia em junho de 1925. Assim como muitos outros nazistas proeminentes do início, Ley foi conquistado pela oratória de Hitler ao ouvi-lo pela primeira vez. Desenvolveu uma admiração ilimitada pelo Líder nazista – talvez, conforme sugeriram psico-historiadores, encontrando nele um substituto para o pai cuja desgraça lançara uma nuvem sobre sua infância. Ley apoiou Hitler nas disputas que afastaram setores do Partido na Renânia da liderança em meados da década de 1920, e ajudou Hitler a retomar as rédeas do poder no Partido após a inatividade forçada que se seguiu ao fracasso do golpe de Munique de 1923. Foi por esse motivo e porque, a despeito da gagueira, revelou-se um orador eficiente e agitador das multidões, que Hitler repetidas vezes ignorou as queixas dos colegas de Ley sobre seu mau gerenciamento financeiro, sua atitude arrogante em relação aos subordinados e sua incompetência administrativa. Ley em breve estava gerenciando um jornal regional nazista, cheio de propaganda antissemita cuja virulência não ficava atrás daquela do mais famoso *Der Stürmer* (O atacante), publicado por Julius Streicher, líder regional do Partido em Nuremberg. Seu jornal, o *Observador do Oeste Alemão*, veiculou repetidas alegações de assassinatos rituais por judeus e ostentou histórias pornográficas sobre a suposta sedução de moças arianas por seus patrões judeus. Tais afirmações levaram a vários processos e multas contra Ley, que de nada serviram para impedi-lo de repeti-las.[98]

Levado por Hitler para a sede do Partido em Munique em 1931, Ley ocupou a vaga de Gregor Strasser com a renúncia súbita deste como líder de organização do Partido do Reich em dezembro de 1932, embora não herdasse o imenso poder administrativo do predecessor. A experiência de Ley em tentar conquistar os votos das áreas fortemente operárias da Renânia, combinada a seu idealismo utópico e seus ressentimentos sociais, deram a seu nazismo um matiz visivelmente coletivista. Isso fez dele a escolha óbvia de Hitler para elaborar planos para a remodelação das organizações trabalhistas da Alemanha no início de abril de 1933. Em termos políticos formais, a tarefa de Ley era cumprir a visão de Hitler de integrar a classe trabalhadora na nova Alemanha, conquistar talvez a parte mais recalcitrante e mais antinazista da população da Alemanha para um apoio entusiasmado à nova ordem. Mas Ley carecia de destreza para fazê-lo por iniciativa própria. Ele foi rápido ao instalar a Frente de Trabalho nos escritórios dos antigos sindicatos e ao incorporar a Organização da Célula das Fábricas. Mas teve pouca alternativa a não ser usar os funcionários da Organização ao montar as estruturas internas da Frente de Trabalho. De início, essas apenas colocaram as instituições sindicais existentes sob uma nova administração com novos nomes e as arranjaram em cinco grandes subgrupos. Assim, a antiga organização sindical tornou-se um subgrupo com todas as suas divisões subordinadas, como assessoria de imprensa e jornal, enquanto os sindicatos dos funcionários de escritórios formaram o segundo subgrupo, os de varejistas o terceiro, os de categorias profissionais o quarto e os de empresas o quinto. O caminho para a Frente do Trabalho tornar-se o núcleo de um Estado corporativo segundo o modelo fascista italiano, conciliando os interesses de todos os diferentes setores da economia a serviço da nova ordem política, parecia estar aberto.[99]

Mas essas ideias, incitadas por Muchow e pelos líderes da Organização da Célula das Fábricas, não duraram muito. Nem as categorias profissionais nem as empresas ficaram entusiasmadas, os varejistas jamais tiveram muita influência, e Muchow e seus amigos eram de longe a força mais dinâmica da nova estrutura. Não demorou muito e a Frente de Trabalho havia se tornado o que eles queriam que a Organização da Célula das Fábricas fosse, uma espécie de supersindicato representando sobretudo os interesses dos trabalhadores. Nessa posição, a Frente emitiu ordens regulando férias pagas, acordos salariais, pagamento igual para as mulheres, saúde e segurança e muito mais. Em nível local, a agitação continuou, com alguns funcionários ameaçando mandar empregadores para campos de concentração se não cedessem às exigências. Muchow declarou que ex-social-democratas e até mesmo alguns ex-comunistas eram os responsáveis e instaurou uma investigação sobre o passado político de todos os funcionários da Frente de Trabalho com a ideia de expurgar 100 mil deles da organização. Mas as queixas continuaram a se multiplicar, vindas do ministro do Trabalho, do ministro do Interior e até mesmo do ministro dos Transportes, todos preocupados com que sua autoridade fosse erodida pelas ações unilaterais de funcionários do baixo escalão da Frente de Trabalho. As coisas pareciam estar se desgovernando, e estava na hora de colocar a situação sob controle.[100]

II

Em 19 de maio de 1933, agindo sob pressão dos empregadores e dos ministérios do governo em Berlim, o gabinete promulgou uma Lei dos Curadores do Trabalho, que estabeleceu doze funcionários estatais cuja tarefa era regular salários, condições de trabalho e contratos trabalhistas em cada um de seus respectivos distritos, além de manter a paz entre trabalhadores e empregadores. Os curadores eram funcionários do Ministério do Trabalho. Apenas dois deles pertenciam à Organização da Célula das Fábricas; cinco eram advogados de corporações e quatro eram funcionários públicos. Os termos deveras vagos da lei foram preenchidos em detalhe em uma medida adicional, a Lei para a Ordenação do Trabalho Nacional, emitida em 20 de janeiro de 1934 e redigida por um funcionário público que antes havia trabalhado para um grupo de pressão da indústria.[101] As novas leis acabaram com a estrutura de barganha coletiva bilateral e regulação entre empregadores e sindicatos – que fora um dos grandes feitos da política trabalhista de Weimar – e a substituiu por uma nova estrutura, que incorporou o "princípio de liderança" nazista. As leis enfatizaram que não havia necessidade de antagonismo entre trabalhadores e empregadores no novo Estado nacional-socialista; ambos trabalhariam juntos em harmonia como parte da recém-unificada comunidade racial alemã. Para sublinhar tal propósito, as novas leis foram dispostas em linguagem neofeudal de reciprocidade que, como o real feudalismo da Idade Média, ocultava o fato de que o verdadeiro poder jazia predominantemente nas mãos de um lado: o dos empregadores. Os poderes dos curadores do trabalho incluíam a nomeação de Conselhos de Curadoria para empresas individuais, arbitragem de disputas, confirmação de demissões, regulação das horas de trabalho e das bases para o cálculo de ganhos por produtividade e o encaminhamento de casos de abuso de autoridade, provocação, disrupção, quebra de confiança e contravenções semelhantes a tribunais de honra que teriam uma função quase judicial e incluiriam juízes indicados pelo Ministério da Justiça entre seus membros. O empregador agora era chamado de "líder da empresa" (*Betriebführer*) e os trabalhadores, de "séquito" (*Gefolgschaft*). Substituindo o sistema de Weimar de conselhos laborais eleitos e contratos de vínculo legal de emprego, o novo sistema colocou todas as cartas nas mãos dos chefes em colaboração com os curadores do trabalho. De fato, os tribunais de honra foram praticamente letra morta; apenas 516 casos foram apresentados em 1934-36, a maioria referente a abuso físico de aprendizes por mestres artesãos. Podiam parecer honestos e justos no papel, mas na prática tiveram pequeno efeito.[102]

O novo sistema de relações industriais representou uma vitória importante para os empregadores, respaldados por Hitler e pela liderança nazista, que precisavam desesperadamente da cooperação da indústria no afã pelo rearmamento. Enquanto os novos curadores do trabalho despejavam franco escárnio sobre a visão de um Estado corporativo, as chances de as ideias da Organização da Célula das Fábricas adquirirem maior influência foram atingidas por um golpe fatal quando Reinhard Muchow foi abatido a tiros em uma briga de taverna em 12 de setembro de 1933. Isso tirou a força motriz da ala radical da Frente de Trabalho e abriu o caminho para Ley, agora mais versado nas complexidades das relações trabalhistas do que na primavera anterior, restabelecer sua autoridade. Em 1º de novembro de 1933, Ley falou aos trabalhadores na fábrica da Siemens em Berlim:

> Somos todos soldados do trabalho, entre os quais alguns comandam e outros obedecem. Deve haver obediência e responsabilidade entre nós outra vez... Não podemos estar todos na ponte de comando, porque então não haveria ninguém para içar as velas e puxar as cordas. Não, não podemos fazer isso todos nós, temos que entender esse fato.[103]

Ley então reorganizou a Frente de Trabalho, livrando-se de remanescentes da cultura e das atitudes sindicalistas, abolindo as últimas funções separadas da Organização da Célula das Fábricas e acedendo à insistência do Ministério do Trabalho e das novas leis de que o organismo não tinha um papel a desempenhar na negociação de acordos salariais. A Frente de

Trabalho foi reestruturada segundo as linhas do Partido, com uma organização de cima para baixo substituindo a prévia representação paralela de trabalhadores, funcionários de escritórios e demais. Ela agora possuía uma série de departamentos centrais – propaganda, lei, educação, temas sociais etc. – cujas ordens eram mandadas para os departamentos correspondentes em níveis regional e local. Os funcionários da antiga Organização da Célula das Fábricas fizeram de tudo para obstruir o novo sistema, mas, depois da "Noite das Facas Longas", foram sumariamente despedidos em massa. Por trás dessas manobras políticas jazia o reconhecimento de Hitler e de outros líderes do regime de que o rearmamento, a principal prioridade econômica, só poderia ser alcançado tranquila e rapidamente se a mão de obra pudesse ser mantida sob controle. Isso envolveu eliminar os elementos mais revolucionários da Frente de Trabalho, bem como cair de rijo em cima de quaisquer ideias de uma "segunda revolução" incitada pelos camisas-pardas e seus líderes. No outono de 1934, ficou claro que os empregadores tinham vencido a batalha pelo controle das relações trabalhistas. Todavia, a luta não os deixou na situação em que realmente desejavam. A organização e a estrutura do local de trabalho sob o nacional-socialismo com certeza tinha muito em comum com o tipo de gerenciamento e sistema de relações industriais desejado por muitos empregadores na década de 1920 e início dos anos 1930, mas também introduziu a interferência maciça do Estado, da Frente de Trabalho e do Partido nas relações trabalhistas em áreas em que a administração tradicionalmente havia buscado o controle exclusivo. Os sindicatos tinham acabado, mas, apesar disso, os empregadores não eram mais os senhores em sua própria casa.[104]

Nesse ínterim, o enorme aparato da Frente de Trabalho Alemã começou rapidamente a adquirir reputação como talvez a mais corrupta de todas as grandes instituições do Terceiro Reich. O próprio Ley tinha que arcar com grande parte da culpa. Sua posição de chefe da Frente de Trabalho deixou-o confortavelmente folgado, com um salário de 4 mil reichsmarks, aos quais ele somava 2 mil reichsmarks como líder de organização do Partido do Reich, setecentos reichsmarks como deputado do Reichstag e quatrocentos reichsmarks como conselheiro de Estado da Prússia. E isso era só o começo. Seus livros e panfletos, que os funcionários da Frente de

Trabalho eram encorajados a comprar em massa para distribuir aos membros, rendiam *royalties* substanciais, ao passo que os lucros de seu jornal – 50 mil reichsmarks por ano – iam direto para seu bolso. Ley fez livre uso pessoal dos substanciais fundos confiscados dos antigos sindicatos pela Frente de Trabalho, e em 1940 lucrou com o presente de 1 milhão de reichsmarks concedidos a ele por Hitler de uma só vez. Com tais recursos, comprou uma série de *villas* imponentes nos distritos mais chiques dos burgos e cidades alemãs. Os custos de manutenção, que na *villa* de Grunenwald em Berlim incluíam um cozinheiro, duas babás, uma camareira, um jardineiro e um zelador, foram cobertos pela Frente de Trabalho até 1938, e mesmo depois disso a organização pagava todas as despesas de lazer de Ley. Ele gostava de carros caros, e deu dois de presente para a segunda esposa. Também mandou redecorar um vagão de trem para uso pessoal. Colecionou pinturas e mobiliário para suas casas. Em 1935, comprou uma propriedade rural perto de Colônia e de imediato começou a transformá-la em uma utopia nazista, demolindo os velhos prédios e contratando o arquiteto Clemens Klotz, projetista dos Castelos da Ordem nazistas, para construir uma nova casa em estilo grandioso, confiscou terra para aumentar seus domínios, drenou pântanos, introduziu maquinário novo e implantou um programa de treinamento para aprendizes a lavrador. Ali Ley brincava de senhor neofeudal, com todo o pessoal em fila, em posição de sentido, para saudá-lo quando ele chegava de Berlim, e garantiu a designação oficial da fazenda como propriedade hereditária.

Instalado nessas residências pretensiosas, cercado de quadros e mobiliário dispendiosos, Ley passava as horas de lazer atrás de mulheres e em bebedeira cada vez mais pesada, sendo que ambas as situações com frequência levavam a cenas embaraçosas em público. Os acessos de bebedeira a que se entregava com sua comitiva muitas vezes acabavam em violência. Em uma dessas ocasiões em Heidelberg, o ministro-presidente de Baden acabou sendo espancado. Em 1937, Ley estava visivelmente bêbado ao recepcionar o duque e a duquesa de Windsor e, após conduzi-los em sua Mercedes direto pelos portões fechados de uma fábrica, foi substituído às pressas por Herman Göring durante o resto da visita, por ordem de Hitler. Dois anos antes, após uma sucessão de casos, Ley havia começado um relacionamento com a jovem soprano Inge Spilker, com quem se casou em 1938, logo após divorciar-se da primeira esposa. Seu encanto com os atributos físicos da esposa levaram-no a encomendar uma pintura dela nua da cintura para cima, que exibia orgulhoso a dignitários em visita; dizem que em certa ocasião Ley até mesmo arrancou-lhe as roupas na presença de convidados para mostrar o quão belo era seu corpo. Sujeita a essa pressão e incapaz de lidar com o alcoolismo em expansão de Ley, Inge aderiu à garrafa, ficou viciada em drogas e matou-se com um tiro em 29 de dezembro de 1942 após a última de muitas altercações violentas com o marido. Hitler advertiu o líder da Frente de Trabalho sobre seu comportamento em mais de uma ocasião, mas Ley não modificou suas atitudes. Como era frequente, o Líder nazista estava apto a perdoar quase qualquer coisa de um subordinado, contanto que ele permanecesse leal.[105]

A corrupção dentro da Frente de Trabalho de forma alguma encerrava-se em Ley; de fato, pode-se dizer que ele deu o exemplo para os subordinados sobre como mamar nas tetas da organização. Uma enorme variedade de empreendimentos operados pela Frente de Trabalho ofereciam múltiplas oportunidades de se fazer dinheiro em paralelo. As companhias de construção da Frente de Trabalho, lideradas por um alto oficial, Anton Karl, homem com condenações prévias por furto e desfalque, pagou mais de 580 mil reichsmarks em propina apenas em 1936-37 para garantir contratos. Sepp Dietrich, o líder dos guarda-costas da SS de Hitler, tomou em devida conta os presentes que Karl lhe prodigalizou, incluindo uma cigarreira de ouro, armas de caça, camisas de seda e uma viagem à Itália para sua esposa, e deu à firma de construção da Frente de Trabalho de Karl um contrato para reconstruir os alojamentos de sua unidade em Berlim. Em troca de favores e influência, Karl usou o banco da Frente de Trabalho para conceder crédito a juros baixos para lideranças nazistas ou até mesmo comprar casas para elas a preço bem abaixo do mercado. Julius Schaub e Wilhelm Brückner, assistentes de Hitler, seu fotógrafo Heinrich Hoffmann e qualquer outro que fosse próximo do Líder eram beneficiários frequentes de propinas da Frente de Trabalho; Ley deu 20 mil reichsmarks para cada um como "presente de Natal" apenas em 1935.[106] Observadores social-democratas rejubilantes relatavam um conjunto maciço de casos de corrupção e desfalque envolvendo funcionários da Frente de Trabalho todos os anos. Em 1935, por exemplo, registraram que Alois Wenger, funcionário da Frente de Trabalho em Konstanz, foi condenado por embolsar fundos destinados a atividades de lazer dos trabalhadores e forjar recibos para tentar enganar os auditores. Outro funcionário, um "velho combatente" do Partido Nazista, apropriou-se de contribuições de colegas da Frente de Trabalho e obteve 2 mil reichsmarks – provavelmente com ameaças – de seu empregador para cobrir o dinheiro que faltou. Gastou tudo em bebida. O que era feito com as contribuições da Frente de Trabalho, reportou outro agente social-democrata, podia ser visto diante da sede da organização em Berlim:

> Dois ou três carros particulares costumavam estacionar defronte à antiga sede do sindicato até 1932. Pertenciam ao Banco dos Trabalhadores ou ao sindicato. Hoje em dia dá para vê-los esperando em fila, são cinquenta ou sessenta carros por dia, às vezes até mais. Os motoristas da Frente de Trabalho recebem cheques em branco para combustível, podem encher os tanques o quanto quiserem, o que fazem com frequência, pois não têm que prestar contas. A corrupção na Frente de Trabalho é vasta, e o padrão geral de moralidade correspondente é baixo.[107]

Ley estava longe de ser o único beneficiário dos fundos da Frente de Trabalho; sua corrupção pública e notória era apenas a ponta de um enorme *iceberg* de peculato. Tais acontecimentos não tornavam a Frente de Trabalho benquista pelos milhões de trabalhadores que eram forçados a sustentá-la com contribuições compulsórias sobre seus vencimentos.

III

O regime nazista estava muitíssimo ciente de que o fechamento dos sindicatos e a arregimentação e a subordinação dos trabalhadores na corrupta e autoritária Frente de Trabalho podia causar descontentamento na maior classe social da Alemanha, uma classe que até 1933 havia dado um poderoso apoio aos mais encarniçados inimigos dos nazistas, os comunistas e os social-democratas. Portanto, junto com a propaganda constante trombeteando as vitórias na "luta pelo trabalho", o regime buscou meios alternativos de conciliar a classe operária com o Terceiro Reich. O principal foi a organização extraordinária conhecida como Comunidade Nacional--Socialista Força pela Alegria, fundada como subsidiária da Frente de Trabalho Alemã em 27 de novembro de 1933. A Força pela Alegria almejava organizar o tempo de lazer dos trabalhadores em vez de permitir que eles o organizassem por si mesmos, e com isso fazer o tempo de lazer servir aos interesses da comunidade racial e conciliar os mundos divergentes de trabalho e tempo livre, fábrica e moradia, linha de produção e zona de recreação. Os trabalhadores obteriam força para o trabalho vivenciando alegria no lazer. A Força pela Alegria acima de tudo transporia a divisão de classes, disponibilizando as atividades de lazer da classe média para as massas. Prosperidade material, declarou Robert Ley no discurso de inauguração em 27 de novembro, não faria a nação alemã feliz; esse havia sido o erro vulgar dos "marxistas" dos anos de Weimar. O regime nacional-socialista usaria meios culturais e espirituais para produzir a integração dos trabalhadores na comunidade nacional. Inspirando-se na organização fascista Depois do Trabalho (*Dopolavoro*), mas estendendo seus tentáculos também para o local de trabalho, a Força pela Alegria desenvolveu uma ampla série de atividades rapidamente e logo espalhou-se como uma das maiores organizações do Terceiro Reich. Em 1939, possuía mais de 7 mil empregados remunerados e 135 mil trabalhadores voluntários, organizados em divisões que cobriam áreas como esporte, educação e turismo, com encarregados em cada fábrica e oficina empregando mais de vinte pessoas.[108]

"A Força pela Alegria", proclamou Robert Ley em junho de 1938, "é a fórmula mais curta a que o nacional-socialismo pode ser reduzido para as grandes massas".[109] Ela inseriu um conteúdo ideológico em todo tipo de lazer. Na tentativa de cumprir essa tarefa, recrutou recursos consideráveis. Em 1937, a Força pela Alegria era subsidiada pela Frente de Trabalho no montante de 29 milhões de reichsmarks por ano, enquanto a incorporação do imenso aparato de lazer e cultura do movimento operário social-democrata trouxe mais bens, inclusive instalações como pousadas para caminhadas e centros de esporte. Com tais recursos, a Força pela Alegria teve condições de oferecer atividades de lazer com descontos substanciais, que ficavam ao alcance financeiro de muitos trabalhadores e suas famílias. Em 1934-35, mais de 3 milhões de pessoas estavam participando de sessões de educação física e ginástica ao entardecer, enquanto muitas outras aproveitavam a oferta de aulas baratas de tênis e iatismo e outros esportes até então essencialmente de classes alta e média. No campo cultural, a organização comprava lotes de ingressos de teatro para disponibilizá-los a preços baixos para seus membros, respondendo por quase metade da lotação de todos os teatros de Berlim em 1938. Providenciou concertos de música clássica nas fábricas, criando diversas orquestras itinerantes para tocar nesses locais; construiu teatros, formou trupes de atores para excursionar e organizou exposições de arte. Em 1938, mais de 2,5 milhões de pessoas assistiram a concertos e mais de 13,5 milhões às "apresentações populares"; mais de 6,5 milhões foram a noites de ópera e opereta sob seus auspícios, e quase 7,5 milhões a peças teatrais. Um milhão e meio visitaram as exposições e mais de 2,5 milhões participaram de "diversões" montadas nas autoestradas do Reich. A filiação era automática por meio da associação à Frente de Trabalho, de modo que 35 milhões de pessoas pertenciam à organização em 1936. A publicidade intensiva tanto na Alemanha quanto em outros países conquistou muitos partidários entusiásticos na Grã-Bretanha, nos Estados Unidos e em outros locais, que admiravam aquela energia para civilizar as massas.[110]

A atividade mais impressionante da Força pela Alegria sem dúvida foi a organização de turismo de massa para os trabalhadores. "Para muitos", registrou-se em fevereiro de 1938, "a 'Força pela Alegria' não passa de uma espécie de agência de viagens".[111] Já em 1934, cerca de 400 mil pessoas participaram de pacotes de viagem promovidos pela Força pela Alegria dentro da Alemanha; em 1937, o número havia crescido para 1,7 milhão, ao passo que quase sete milhões tomaram parte em excursões mais curtas de final de semana e 1,6 milhão em caminhadas organizadas. Embora esses números tenham caído um pouco em 1938-39, não há dúvida sobre o sucesso das operações. Encomendas em grande quantidade possibilitavam dar um desconto substancial nos pacotes de viagem – 75% no caso das tarifas de trem, por exemplo, e 50% no caso de hotéis e pousadas com quarto e desjejum. Isso teve um efeito importante sobre a economia das regiões turísticas;

já em 1934, por exemplo, o turismo da Força pela Alegria levou 175 mil pessoas para o sul da Baviera, sendo que elas gastaram 5,5 milhões de reichsmarks nas férias. O mais impressionante de tudo eram as viagens para o exterior montadas pela organização, fossem jornadas de trem rumo a destinos na amigável Itália fascista ou cruzeiros para a Ilha da Madeira, governada pela ditadura portuguesa do doutor Salazar, favorável aos nazistas. Apenas em 1939, 175 mil pessoas foram para a Itália nessas viagens organizadas, com um bom número viajando em cruzeiros. Em 1939, a organização possuía oito navios de cruzeiro (dois deles construídos especialmente) e alugava outros quatro em base mais ou menos permanente para transportar seus membros a locais exóticos, como a Líbia (na época, uma colônia italiana), Finlândia, Bulgária e Istambul, celebrando a solidariedade da Alemanha com aliados reais ou potenciais e anunciando os contornos de um futuro império europeu de domínio alemão. Naquele ano, 140 mil passageiros viajaram nos cruzeiros. Onde quer que fossem, delegações dos consulados locais alemães estavam prontas para recebê-los e arranjar visitas e excursões em terra, enquanto os governos amigos com frequência preparavam suntuosas recepções para os turistas.[112]

Os cruzeiros da Força pela Alegria eram cuidadosamente arranjados para que combinassem prazer com doutrinação. Pretendiam representar a nova Alemanha no resto do mundo, ou pelo menos nas partes favoráveis ao novo regime. Os passageiros de navio tradicionais eram divididos em diferentes cabines e outras instalações de acordo com o valor que pagavam, mas a Força pela Alegria desprezava essa relíquia do passado e celebrou a unidade da comunidade racial alemã, construindo seus novos navios com base em uma classe única e convertendo os outros para o mesmo modelo. Uma vez a bordo, os passageiros eram lembrados de que não estavam ali para se divertir ou para se exibir como os tradicionais passageiros burgueses de cruzeiros, mas para participar de uma iniciativa cultural séria. Eram exortados a se vestir com modéstia, evitar o excesso de bebida, abster-se de casos amorosos a bordo e obedecer de forma incondicional às ordens dos líderes da excursão. Um navio novo, como o *Robert Ley*, incluía ginásio, teatro e piscina para garantir que os participantes se envolvessem com exercício regular saudável e tomassem parte em atividades culturais sérias. Folhetos de excursão proclamavam a façanha dos cruzeiros e das excursões por terra de reunir alemães de diferentes classes e regiões em uma iniciativa comum para ajudar a construir a comunidade racial orgânica do Terceiro Reich. Os participantes tinham que viajar para regiões estrangeiras sobretudo para se educar sobre o mundo e, fazendo isso, recordar a superioridade alemã sobre as outras raças. Dentro da Alemanha, o objetivo principal das excursões era ajudar a unir a nação familiarizando as pessoas com regiões da terra nativa que jamais haviam visitado antes, em especial se, como algumas das áreas rurais mais remotas, pudessem ser apresentadas como centros de antigas tradições folclóricas alemãs.[113]

Todavia, como acontecia com tanta frequência na Alemanha nazista, a realidade não condizia realmente com as afirmações da propaganda. Muitas vezes as instalações proporcionadas pela Força pela Alegria aos turistas eram pobres, envolvendo dormitórios de grupo com pouca ou nenhuma privacidade, ou acomodações sem instalações sanitárias adequadas. Os concertos de música clássica nem sempre eram do agrado dos trabalhadores, em especial quando tinham que pagar. Um concerto providenciado pela organização em Leipzig teve que ser cancelado quando apenas 130 dos mil ingressos foram vendidos.[114] Algumas casas, como o Teatro do Oeste de Berlim, encenavam operetas baratas exclusivamente para a Força pela Alegria, enquanto os teatros convencionais continuaram a ser frequentados em grande parte pela classe média; mesmo quando a Força pela Alegria comprava lotes de lugares para apresentações específicas e os disponibilizava para seus membros com desconto, estes em geral eram abocanhados pelos frequentadores de teatro da classe média.[115] A ideia de uma sociedade isenta de classes arrefeceu rapidamente quando os grupos da Força pela Alegria caíram ruidosamente sobre pacatas estâncias rurais. Longe de sentimentos crescentes de solidariedade nacional, os pacotes turísticos na Alemanha rapidamente levaram a sérias objeções das indústrias de turismo, hospedarias e spas locais, que viram seus preços pesadamente rebaixados pelos agendamentos em bloco da nova organização. Turistas abastados do tipo tradicional, consternados ao ter seus locais favoritos de férias invadidos por hordas socialmente inferiores, cujo comportamento muitas vezes desordeiro suscitava queixas frequentes dos estalajadeiros e hoteleiros bem como de pessoas em férias, rapidamente transferiram-se para outros lugares.[116]

Inabalável, a organização tratou de construir seu modelo próprio de *resort* em Prora, na ilha de Rügen, no Báltico. A construção teve início sob a supervisão de Albert Speer em 3 de maio de 1936 e foi programada para estar concluída em 1940. O *resort* estendia-se por oito quilômetros de praia no Báltico, com blocos residenciais de seis andares intercalados com refeitórios e com um enorme salão comum ao centro, projetado para acomodar 20 mil frequentadores do *resort* quando se engajassem em demonstrações de entusiasmo coletivo pelo regime e suas políticas. Foi intencionalmente planejado para famílias, para compensar a falta de instalações de recreio para elas nos empreendimentos da Força pela Alegria, e pretendia-se que fosse barato o bastante para o trabalhador comum poder pagar, com um preço de não mais que 20 reichsmarks pela estada de uma semana. O *resort* foi equipado com as mais modernas comodidades disponíveis, inclusive quartos aquecidos com água corrente quente e fria, piscina térmica, cinema, boliche, um píer para navios de cruzeiro, uma espaçosa estação de trem e muito mais. Projetado por Clemens Klotz, arquiteto do Castelo da Ordem de Vogelsang, representou o modernismo nazista pseudoclássico em seu mais monumental. Como tudo o mais na organização Força pela Alegria, enfatizava o gigantismo, o coletivismo, a imersão do indivíduo na massa. Ao contrário dos acampamentos de férias britânicos contemporâneos montados pelo empresário Billy Butlin, que proporcionavam aos veranistas chalés individuais, livrando-os com isso da supervisão intrusiva de figuras temidas, como a estalajadeira de Blackpool, os imensos blocos de seis andares de acomodações de Prora enfileiravam seus pequenos quartos de hóspedes ao longo de intermináveis corredores anônimos e arregimentavam os visitantes sempre que se aventuravam do lado de fora, regulando até o espaço permitido a cada família ocupar na praia. Empregando em seu auge quase tantos operários de construção quanto de autoestradas, o *resort* jamais abriu: a eclosão da guerra levou à suspensão imediata da obra, embora alguns prédios mais tarde fossem concluídos às pressas para abrigar os evacuados de cidades bombardeadas. Saqueado extensivamente pelo povo local e pelos ocupantes russos depois da guerra, foi usado na sequência como alojamento e centro de treinamento pela Alemanha Oriental comunista e hoje jaz em ruínas.[117]

IV

Desse modo, a Força pela Alegria jamais contornou as dificuldades que o *resort* de Prora pretendia resolver. Mas houve fracassos piores que esse. Pois as pessoas que viajavam com a Força pela Alegria recusavam-se de modo obstinado a fazê-lo no espírito pretendido pelo regime. Apreensiva com a possível influência de ex-social-democratas que participavam das excursões e preocupada com contatos ilícitos entre trabalhadores da indústria de armas e agentes estrangeiros, a organização fez arranjos para que a Gestapo e o Serviço de Segurança da SS mandassem agentes secretos disfarçados de turistas para espionar os participantes. O quadro que seus relatórios revelaram tão logo começaram a trabalhar, em março de 1936, foi perturbador. Longe de superar a divisão social nos interesses da comunidade racial, as excursões da Força pela Alegria com frequência traziam à luz diferenças sociais que do contrário poderiam ter permanecido apenas latentes. Devido ao fato de a receita obtida com as excursões ser muito baixa, hoteleiros e donos de restaurante com frequência serviam alimentos e bebidas inferiores aos viajantes dos pacotes, que se ofendiam porque os turistas particulares da mesa ao lado recebiam iguaria melhor. Os ingressos de teatro vendidos para a organização muitas vezes eram os piores assentos da casa, contribuindo para os ressentimentos de classe na medida em que aqueles que os ocupavam eram forçados a olhar da galeria mais alta para os burgueses vestidos com peles nas poltronas da primeira fila. Nos cruzeiros, onde nenhuma medida de reestruturação interna dos navios poderia abolir por inteiro as diferenças de qualidade entre cabines dos andares mais altos e aquelas abaixo d'água, funcionários do Partido, servidores públicos e outros pegavam as melhores acomodações. De qualquer modo, essas pessoas realmente ficavam com a "parte do leão" (*lion's share*) nos melhores cruzeiros, tanto que a jornada para a Ilha da Madeira era popularmente conhecida como "viagem dos figurões" (*Bonzenfahrt*). As listas de passageiros dos cruzeiros da Força pela Alegria revelam que os empregados assalariados eram o maior grupo, assim como o eram no turismo comum. Apenas 10% dos milhares de passageiros de um cruzeiro da Força pela Alegria para a Noruega em 1935 foram classificados como da classe operária; o restante eram funcionários do Partido, que enxugavam toda a bebida do navio muito antes de este retornar ao porto de casa. "Esses camaradas estão se empanturrando de comida e engolindo os drinques como porcos", reclamou um membro da tripulação. Mulheres solteiras e homens jovens não casados predominavam entre os trabalhadores ou, em outras palavras, assalariados com renda disponível e não pais e mães de família. A maioria dos trabalhadores em viagem era qualificada e relativamente bem remunerada. Os menos abastados em geral eram fartamente subsidiados por seus patrões. O custo das viagens ainda ficava além do bolso da maioria dos assalariados, que só podiam aumentar sua renda trabalhando por mais horas, reduzindo com isso a oportunidade de sair em férias. Em muitos casos não podiam bancar as despesas extras que a viagem inevitavelmente envolvia, como roupas de passeio.[118]

Nos cruzeiros e outras viagens, enquanto funcionários do Partido e passageiros da classe média esbanjavam profusamente em presentes, lembranças e dispendiosas refeições e divertimentos em terra, os trabalhadores não tinham condições de bancar sequer os mais simples extras, além do básico proporcionado pela excursão. Havia muitas queixas dos participantes da classe operária sobre o comportamento ostentoso de seus companheiros turistas burgueses e pouca mistura social de verdade na maioria das viagens. O antagonismo entre as classes equiparava-se às rivalidades regionais; em um cruzeiro para a Itália, a discórdia entre renanos e silesianos a bordo chegou a tal ponto que os dois grupos recusaram-se a permanecer juntos na mesma sala. Em uma viagem posterior à Itália no mesmo navio, um grupo da Westfália insultou os passageiros da Silésia chamando-os de "polacos", e apenas a intervenção da tripulação impediu que o bate-boca degenerasse em pancadaria.[119] Além disso, o comportamento de muitos participantes das excursões com frequência não se adequava aos padrões fixados pelos organizadores. Como turistas de qualquer lugar, o que a maioria realmente queria era se soltar. Em vez de serem comedidos e de se comprometer com a comunidade racial, revelavam-se hedonistas e individualistas. Os agentes da Gestapo relataram frequentes bebedeiras em massa e comportamento tumultuoso. Em alguns navios, diziam que os botes salva-vidas ficavam cheios de casais entrelaçados todas as noites. Especialmente desavergonhadas, reclamava a Gestapo, eram as mulheres jovens e solteiras que viajavam em números consideráveis nos cruzeiros. Um agente achou que elas tinham ido apenas com "objetivos eróticos". Flertes, namoricos e casos com homens a bordo, ou pior, com jovens de pele escura italianos, gregos ou árabes em terra suscitavam frequentes comentários críticos dos espiões da Gestapo. Os passageiros em geral mostravam uma aflitiva falta de interesse nas palestras e encontros políticos. O pior de tudo eram os funcionários do Partido, cuja bebedeira e comportamento tumultuoso tornaram-se notórios. Em um cruzeiro organizado para líderes regionais do Partido, por exemplo, a Gestapo descobriu duas conhecidas prostitutas na lista de passageiros. Como era de esperar, o pior de todos era o próprio Robert Ley, que embarcava com frequência nos cruzeiros da Força pela Alegria, onde passava boa parte do tempo tão bêbado que o capitão tinha que mantê-lo flanqueado por dois marinheiros quando ia ao deque para garantir que não caísse pela amurada. Os encarregados da Força pela Alegria também davam um jeito de que ele fosse acompanhado por um grupo de loiras de olhos azuis para fazer-lhe "companhia" durante a viagem.[120] Não é de espantar que um apelido popular da Força pela Alegria fosse "bordel dos figurões" (*Bonzenbordell*).[121]

Apesar do grande fracasso em atingir suas metas ideológicas, a Força pela Alegria foi uma das mais populares inovações culturais do regime. Ao proporcionar férias e outras atividades que do contrário ficariam além das posses de muitos participantes, a organização tornou-se amplamente apreciada entre os trabalhadores.[122] Muito do que a Força pela Alegria oferecia era novidade para o seu público-alvo. No início de 1934, por exemplo, uma pesquisa entre 42 mil operários da Siemens em Berlim revelou que 28,5 mil deles jamais haviam saído em férias para fora de Berlim e seus arredores rurais; eles agarraram a oportunidade proporcionada pela Força pela Alegria. "Se você consegue isso tão barato então vale a pena erguer o braço de vez em quando!", disse um deles para um agente social-democrata em 1934.[123] "Os nazistas realmente criaram algo bom", era a reação frequente, notou um outro relatório.[124] Outro agente relatou de Berlim em fevereiro de 1938:

> A Força pela Alegria é muito popular. Seus programas vão ao encontro do anseio do homem humilde de sair uma vez e participar dos prazeres

dos "grandes". É uma especulação esperta fundamentada nas inclinações pequeno-burguesas do operário apolítico. Para um homem desses realmente é um acontecimento se ele vai para a Escandinávia em um cruzeiro ou mesmo se apenas viaja para a Floresta Negra ou o Harz. Ele imagina que isso o fez subir um degrau na escala social.[125]

A utilização das ofertas da Força pela Alegria era tão disseminada que uma piada popular dizia que as pessoas estavam perdendo a força devido ao excesso de alegria.[126] Alguns desesperados comentaristas social-democratas concluíram, portanto, que o programa no fim tinha uma função importante em conciliar o povo, em especial ex-oposicionistas, com o regime. "Os operários", conforme um deles comentou em 1939, "têm uma forte sensação de que estão sendo ludibriados com a Força pela Alegria, mas tomam parte assim mesmo, e desse modo a meta de propaganda no fim ainda é atingida".[127]

A Força pela Alegria, na verdade, teve um efeito simbólico que foi bem além de seus programas reais. Suas excursões e cruzeiros destacaram-se entre as experiências dos anos de paz quando os trabalhadores fizeram retrospectos sobre o Terceiro Reich após o fim da guerra.[128] Mesmo – ou especialmente, conforme afirmaram alguns ex-social-democratas em tom azedo – aqueles que nunca estiveram nas excursões e nos cruzeiros de massa organizados por ela admiravam seu empreendimento e iniciativa, e seu interesse em trazer prazeres até então inatingíveis ao alcance do bolso do homem comum.[129] Um observador social-democrata resumiu os objetivos e efeitos da organização já em dezembro de 1935:

> Atomização e perda da individualidade, terapia ocupacional e vigilância para o povo. Não há margem para lazer, exercício físico e atividades culturais individuais, não há espaço para encontros voluntários ou para quaisquer iniciativas independentes que pudessem surgir deles. E tem que ser "oferecida" alguma coisa para as massas... A Força pela Alegria no mínimo distrai as pessoas, contribui para o obscurecimento da mente delas e possui um efeito propagandístico em favor do regime.[130]

As pessoas que participavam das atividades da Força pela Alegria podiam ver o conteúdo ideológico com reticência, mas ao mesmo tempo as atividades afastavam-nas ainda mais das tradições edificantes e aperfeiçoadoras da cultura de massa social-democrata e comunista. Sem dúvida esse era um motivo pelo qual alguns observadores social-democratas olhavam-nas com desprezo ("A Força pela Alegria", desdenhou um em 1935, "carece de qualquer embasamento cultural. Seus eventos ficam no nível de festivais de cerveja em tavernas camponesas de aldeia").[131] Ao mesmo tempo, porém, ocasionaram uma corrosão adicional, que acabou sendo fatal, nas tradições culturais do movimento operário pelo crescimento das atividades de lazer comercializadas. Os vastos aparatos culturais dos social-democratas e dos comunistas, construídos desde o século XIX, haviam sido fortemente educativos e ligados a uma variedade de valores essenciais do movimento operário. Os nazistas não só assumiram tudo isso, mas também o reorientaram em uma direção mais populista, combinando-o com o surgimento da cultura popular apolítica sob a República de Weimar. Em parte como consequência, quando a cultura da classe trabalhadora ressurgiu em 1945, foi em um formato bem menos ideológico que antes.[132]

Entretanto, esses efeitos têm que ser vistos em sua devida proporção. A maioria das pessoas que ia a peças e concertos continuou a fazê-lo como cidadãos particulares. A Força pela Alegria atraiu um bocado de atenção, mas jamais respondeu por mais de 11% dos pernoites anuais em hotéis alemães.[133] O faturamento anual da maior agência de turismo comercial, o Escritório de Viagens Europeu Central, foi de 250 milhões de reichsmarks em 1938, ao passo que o faturamento do departamento de turismo da Força pela Alegria foi de 90 milhões.[134] Além disso, embora a Força pela Alegria fosse drasticamente reduzida com a deflagração da guerra, com seus navios de cruzeiro convertidos em transportadores de tropa, os hotéis em hospitais e os *resorts* em casas de recuperação, o turismo comercial continuou a prosperar, a despeito de uns poucos ruídos de desaprovação das autoridades. Porém, desde o princípio o regime buscou moldar o turismo a seus propósitos, encorajando as pessoas a viajar dentro da Alemanha, em vez de para o exterior (tanto por motivos patrióticos quanto econômicos), e tentando direcionar os turistas para países onde sua presença como embaixadores da nova Alemanha pudesse ser mais proveitosa. Surgiram novos pontos turísticos, desde estruturas grandiosas como a Chancelaria do Reich a locais de luto e memória dedicados aos nazistas mortos; os guias foram reescritos para se adaptar aos ditames do regime, dando maior ênfase às continuidades do passado alemão remoto por um lado e por outro mencionando, sempre que possível, a associação de Hitler e outros líderes nazistas com pontos turísticos. A liderança do Terceiro Reich estava ciente das tensões surgidas entre a indústria de turismo comercial e o turismo organizado pela Força pela Alegria, mas, longe de exercer pressão sobre a primeira em favor dos interesses da outra, o ministro da Propaganda Joseph Goebbels e o chefe da indústria do turismo, Gottfried Feder, perceberam que as pessoas precisavam escapar dos estresses e tensões do trabalho cotidiano mesmo que o fizessem em um ambiente apolítico. Uma sociedade de consumo estava emergindo na Alemanha nazista, e, a despeito de toda a priorização do rearmamento na política econômica, o regime não só não tinha condições, como também não tinha vontade, de impedir isso.[135]

O direito do consumidor talvez tenha sido um dos motivos do fracasso do departamento da Força pela Alegria intitulado Beleza do Trabalho. A intenção básica ainda era compensar pelas longas horas e baixos ordenados, mas aqui isso devia ser implementado não pela oferta de oportunidades de lazer e sim por melhorias no local de trabalho. A Beleza do Trabalho fez campanhas enérgicas pela instalação de lavatórios e toaletes, vestiários e armários cadeados, chuveiros e melhora geral da higiene e da limpeza nas fábricas, mais ventilação, menos barulho, vestuário adequado de trabalho, asseio e ordem. Operários saudáveis em um local de trabalho limpo trabalhariam melhor e mais felizes em suas tarefas, e, para reforçar, a Beleza do Trabalho organizou concertos e eventos semelhantes nas linhas de produção, encorajou a construção de instalações esportivas e recreativas locais e pressionou os empregadores para que proporcionassem cantinas decentes para seus trabalhadores e limpassem o entulho e o refugo que ficavam jogados pelo ambiente de trabalho. Em 1938, o departamento afirmou que quase 34 mil companhias haviam aprimorado seu desempenho em muitos desses aspectos, repintando e decorando seus estabelecimentos, construindo áreas de recreação e melhorando as instalações sanitárias. Incentivos tributários ajudaram a encorajar os empregadores, e a Beleza do Trabalho também promoveu competições e concedeu prêmios às firmas que mais se aprimoraram, emitindo às vencedoras certificados assinados por Hitler declarando-as "firmas modelos". Os benefícios tanto para os empregadores quanto para o regime em termos de aumento de produtividade que se podiam esperar eram óbvios. Mas todas essas melhorias foram pagas pelos próprios operários, visto que muitas firmas esperavam que os empregados fizessem a pintura, a limpeza e a construção em horário adicional sem pagamento extra, reduziram os ordenados para cobrir os custos e ameaçaram aqueles que não fossem "voluntários" de demissão ou até mesmo campo de concentração.[136]

Os trabalhadores não foram ludibriados pela retórica inflada do esquema, muito menos se haviam sido influenciados pelas ideias comunistas ou social-democratas antes de 1933, como milhões deles o foram. Se, apesar de tudo, a Força pela Alegria no geral foi popular, não foi devido à meta ostensiva de motivar as pessoas a trabalhar mais duro, mas porque permitiu-lhes meios de escapar do tédio e da repressão da vida cotidiana no parque industrial. As pessoas aceitaram as ofertas de distração e diversão porque, para a grande massa delas, não havia mais nada sendo oferecido. Muitos calcularam que de qualquer forma estavam pagando pela organização mediante as contribuições compulsórias para a Frente de Trabalho, de modo que bem que poderiam fazer seu dinheiro valer a pena. Com o tempo, até a relutância de ex-social-democratas que não queriam ser vistos aceitando nenhuma oferta da odiada Frente de Trabalho foi superada.[137] Os eventos da Força pela Alegria, observou um relatório social-democrata em 1935, "por certo oferecem oportunidades baratas para se encontrar um simples relaxamento. Velhos amigos podem se reunir em um ambiente bem casual e, com um copo de cerveja, podem discutir o exato oposto daquilo que os organizadores querem".[138] Não foram apenas os antigos social-democratas que reconheceram a função compensatória desses eventos. Um memorando em circulação no Ministério do Trabalho do Reich em 1936 sensatamente notou: "Viagens turísticas, peças e concertos não vão limpar favelas dominadas pela pobreza ou encher bocas vazias". "Um cruzeiro relaxante em um navio a vapor luxuoso", concluiu um funcionário da Frente de Trabalho em 1940, "não causa um relaxamento de verdade se no fim o turista tem que voltar para a opressão material de sua vida cotidiana".[139]

Promessa social e realidade social

I

Que a Força pela Alegria e programas associados representavam um substituto para melhorias econômicas reais era uma visão amplamente compartilhada e de fato tinha um bom embasamento. A maioria das investigações estatísticas concorda que a situação econômica da massa assalariada da classe operária não melhorou de forma notável entre 1933 e 1939. Os vencimentos nominais por hora em 1933 eram 97% do que haviam sido em 1932 e ainda não tinham se recuperado em 1939, quando subiram apenas um ponto percentual, para 98%.[140] O Instituto Alemão de Pesquisa Empresarial reconheceu em 24 de fevereiro de 1937 que o rearmamento acarretara "um grande sacrifício econômico para o povo alemão", embora tentasse refutar a afirmação de que os níveis de vida haviam realmente caído.[141] Calcular os salários reais sempre foi um negócio complicado, mais ainda no Terceiro Reich do que na maior parte das economias. O comissário de preços Goerdeler assumiu muito a sério a tarefa de manter os preços ao consumidor baixos, mas até o Ministério de Economia do Reich admitiu em 1935 que as estatísticas oficiais subestimavam os aumentos de preços, para não mencionar o aluguel e outros fatores. Estimativas recentes colocaram os salários médios reais da indústria abaixo dos níveis de 1928 (um ano reconhecido como particularmente bom) até 1937, subindo para 108% em 1939; na prática, porém, isso significou que muitos trabalhadores das indústrias de bens de consumo continuaram a ganhar menos do que antes da Depressão; apenas aqueles nas indústrias bélicas e associadas ganhavam substancialmente mais.[142] Além disso, os vários tipos de escassez também entraram na equação, junto com a queda na qualidade de muitos artigos em consequência do uso crescente de substitutos para matérias-primas básicas, como couro, borracha e algodão. O consumo *per capita* de muitos gêneros alimentícios básicos realmente caiu em meados da década de 1930. Somado a isso, os aumentos de salário foram alcançados sobretudo por carga horária mais longa. Em julho de 1934, os curadores do trabalho receberam o direito de aumentar o horário de trabalho para além da norma legal de oito horas por dia, e em particular nas indústrias ligadas às armas, eles o fizeram. Na engenharia de máquinas, por exemplo, a média de horas semanais, após cair durante a Depressão de 49 em 1929 para 43 em 1933, subiu para mais de cinquenta na primeira metade de 1939.[143] Entretanto, apesar disso, o percentual dos salários na renda nacional caiu em 11% entre 1932 e 1938. A desigualdade realmente aumentou entre 1928, quando 10% dos assalariados mais bem pagos recebiam 37% da renda nacional, e 1936, quando receberam 39%.[144] As numerosas deduções na fonte para a Força pela Alegria, a associação na Frente de Trabalho e assemelhadas, para não falar das infindáveis coletas realizadas nas ruas, com efeito reduziam ainda mais a renda, em alguns casos em até 30%. Sob tais circunstâncias, não é de surpreender que, em 1937-38, os trabalhadores estivessem tendo que fazer jornadas mais longas apenas para manter o seu muito modesto padrão de vida habitual.[145]

Horas extras, geralmente pagas com um acréscimo de 25%, eram o único meio realista de aumento de salário para a maioria dos trabalhadores, visto que o fechamento dos sindicatos havia tirado seu papel nos processos formais de negociação salarial. Fazer hora extra ou não era uma questão individual para cada empregado. O resultado foi uma rápida atomização da força de trabalho, à medida que cada operário era lançado contra os colegas na luta para aumentar o ordenado e melhorar o desempenho. Não foi racionalização, mas simples trabalho extra, que levou ao aumento de produção: o grande período de racionalização e mecanização havia ocorrido em meados da década de 1920; essa tendência continuaria em muitas indústrias sob o Terceiro Reich, mas em ritmo muito mais lento.[146] É claro que as horas extras, desaprovadas pelo regime e suas agências nas indústrias de bens de consumo, eram fortemente encorajadas na produção bélica. Isso porque o ritmo frenético do rearmamento não só levou a sérios gargalos no suprimento de matérias-primas, mas também a uma escassez cada vez mais grave de trabalhadores adequadamente especializados e qualificados. Nos primórdios do Terceiro Reich, o governo concentrou-se em tentar direcionar a mão de obra para a agricultura, na qual a carência era óbvia, em particular por meio do serviço compulsório e dos campos de trabalho de vários tipos. Leis aprovadas em 15 de maio de 1934 e em 26 de fevereiro de 1935 exigiam que todos os trabalhadores portassem carteiras de trabalho contendo detalhes de seu treinamento, qualificação e emprego; esses dados eram mantidos em arquivos nas agências de trabalho e podiam ser consultados quando o governo recrutava operários para novos serviços. Se um trabalhador quisesse viajar para o exterior em férias, tinha que ter permissão da agência de trabalho. Os empregadores podiam colocar observações críticas nas carteiras, dificultando as coisas para o empregado nos cargos futuros. E, à medida que o rearmamento ganhou ritmo, o governo começou a usar as carteiras de trabalho para direcionar a mão de obra para as indústrias bélicas. Em 22 de junho de 1938, Göring emitiu um Decreto sobre o Dever do Serviço, permitindo que o presidente do Instituto do Reich para Agência de Trabalho e Seguro-Desemprego convocasse trabalhadores em caráter temporário para projetos específicos nos quais houvesse escassez de mão de obra. Em fevereiro de 1939, esses poderes foram estendidos, deixando o recrutamento da mão de obra com prazo indefinido. Não demorou muito e mais de 1 milhão de operários haviam sido convocados para fábricas de munição, obras defensivas como a chamada Muralha do Oeste, mais conhecida como Linha Siegfried, um vasto sistema de fortificações guardando as fronteiras ocidentais da Alemanha, e outros projetos considerados vitais para a guerra que se aproximava. Apenas 300 mil desses foram alistados a longo prazo, mas mesmo assim 1 milhão era um naco considerável de uma força de trabalho que totalizava 23 milhões na época.[147]

Essas medidas não apenas privaram os operários do poder de trocar de serviço, transferirem-se para cargos mais bem remunerados ou mudar para um setor diferente. Em muitos casos, colocaram-nos também em uma situação com a qual achavam difícil de lidar. Em fevereiro de 1939, por exemplo, observadores social-democratas relataram que operários removidos do serviço à força na Saxônia para trabalhar em fortificações perto de Trier, do outro lado da Alemanha, incluíam um contador que jamais havia pego uma picareta e pá antes e outros indivíduos igualmente inadequados. O trabalho forçado estava sendo usado como punição: "Qualquer um que deixe escapar uma palavra incauta é mandado para lá, embora a escassez de mão de obra sugira que a pessoa não está presa". Tecelões foram mandados para exames médicos compulsórios para ver se estavam aptos para trabalho braçal nas fortificações. Houve relatos de que pessoas que se recusavam a ir eram detidas e transportadas por autoridades carcerárias para seu novo local de trabalho, onde recebiam as tarefas mais extenuantes. Ao viajar de trem para Berlim, um observador ficou surpreso quando

> Em Duisburg um grupo de cerca de oitenta pessoas entrou de forma intempestiva no trem, em altos brados, malvestidas, em alguns casos com a roupa de trabalho; a bagagem da maioria era a mala do homem pobre do Terceiro Reich, a Persil de papelão. Em meu compartimento, o guia da viagem senta-se com algumas mulheres e moças. Logo fica claro que são tecelões desempregados da área em torno de Krefeld e Rheydt que serão recolocados em Brandenburgo, os homens para trabalhar na construção da autoestrada, as mulheres em uma nova fábrica em Brandenburgo. As pessoas vêm à nossa cabine uma após a outra para pegar com o guia da viagem a quantia de dois reichsmarks para a jornada. Pouco depois algumas estão bêbadas; gastaram o dinheiro no vagão-restaurante, em cerveja.[148]

O comentarista foi informado de que tais grupos eram levados de trem para novos postos de trabalho todas as semanas. Os homens casados tinham direito a visitar a família quatro vezes por ano.

Nem isso resolveu o problema, que ficou ainda pior devido ao apetite insaciável das Forças Armadas por novos recrutas. Em abril de 1939, a agência de empregos do distrito de Hanover reportou a falta de 100 mil operários para uma variedade de serviços, cerca de metade deles na construção; a obra da Muralha do Oeste havia tirado da indústria um grande número de empregados. Em agosto de 1939, foi informada a existência de 25 mil vagas na indústria metalúrgica em Berlim. Pouco depois, a administração da Força

Aérea reclamou que faltavam 2,6 mil engenheiros na indústria de construção de aeronaves. Os administradores da mão de obra no governo estavam tão desesperados que sugeriram até a libertação de 8 mil detentos que eram metalúrgicos qualificados; visto que um bom número deles provavelmente estava na prisão por crimes políticos, a sugestão jamais foi adotada. Tudo isso colocou um novo poder de barganha nas mãos dos operários das indústrias essenciais. Em 6 de outubro de 1936, os ministérios da Economia e do Trabalho destacaram em carta enviada diretamente para Hitler que a escassez de mão de obra estava levando ao cumprimento tardio de contratos e atrasando todo o programa de rearmamento. Os empregadores estavam tomando conta do assunto e atraindo trabalhadores dos rivais com ofertas de salário mais alto, aumentando com isso o preço das mercadorias que produziam. Em algumas fábricas, os empregados estavam trabalhando até catorze horas por dia, ou mais de sessenta horas por semana.[149] Os trabalhadores da Daimler-Benz faziam em média 54 horas por semana no final da década de 1930, contra 48 horas nos últimos anos da Depressão.[150] Em uma série de casos, a Frente de Trabalho, preocupada com a boa vontade da força de trabalho, assumiu uma linha mais flexível em relação aos aumentos salariais recomendados pelo governo, derrubando uma diretiva expressa em tom veemente por Rudolf Hess, em nome do Líder, em 1º de outubro de 1937, incitando todas as instituições do Partido a não ir atrás de popularidade cedendo a exigênciais salariais. As coisas iriam melhorar um dia, ele prometeu, mas por enquanto ainda era necessário fazer sacrifícios.[151]

Em 25 de junho de 1938, Göring permitiu aos curadores do trabalho fixar tetos salariais para manter os custos sob controle. A lógica econômica dos efeitos do rearmamento sobre o mercado de trabalho estava contra ele. A essa altura, até mesmo paradas no trabalho – na verdade, greves informais – eram usadas pelos empregados de fábricas para tentar melhorar seus vencimentos; a pressão para trabalhar por longas horas estava levando os operários a ficar lentos ou faltar por doença em tal grau que alguns funcionários começaram a falar até em "resistência passiva" no parque industrial. Operários recrutados para projetos como a Muralha do Oeste enfrentavam detenção e aprisionamento se partissem sem permissão; no começo de 1939, por exemplo, foi registrado que um desses trabalhadores, Heinrich Bonsack, havia sido sentenciado a três meses de prisão por deixar a Muralha do Oeste sem permissão duas vezes para visitar a família em Wanne-Eickel. Não era de surpreender que os operários fugissem da Muralha do Oeste: a construção era executada sem interrupção em turnos de doze horas, as condições de vida eram primitivas, a remuneração era parca, não havia medidas de segurança, os acidentes eram frequentes e, se o cronograma da obra atrasasse, os trabalhadores eram forçados a trabalhar em turnos duplos ou até triplos para recuperar, com intervalo apenas a cada doze horas. Outro operário, um torneiro, não teve permissão de seu patrão em Colônia para deixar o serviço por outra colocação mais bem remunerada e, quando alegou estar doente, o médico da companhia forçou-o a voltar ao trabalho. Pouco depois, quando se verificou que sua bancada de trabalho estava danificada, o torneiro foi detido e sentenciado a seis meses de prisão por sabotagem, uma infração que na época era cada vez mais usada pelas autoridades. A convocação para serviços longe de casa provocou tantos incidentes que, em novembro de 1939, Hitler ordenou que os operários fossem recrutados para projetos ou fábricas no distrito em que viviam sempre que possível, uma medida que na prática parece ter tido pouco efeito.[152]

Em seu estilo característico, o regime cada vez mais buscou impor suas medidas pelo terror. Uma atitude favorita da parte dos empregadores era ameaçar os supostos encrenqueiros com demissão e transferência imediata para trabalhar na Muralha do Oeste. Isso teve pouco impacto. Sem ter mais o que fazer, alguns empregadores começaram a pedir à Gestapo para colocar agentes no parque industrial para espionar casos de vadiagem e indolência. A partir da segunda metade de 1938, as regulamentações trabalhistas incluíram penalidades cada vez mais severas para contravenções, como se recusar a trabalhar conforme ordenado, ou mesmo fumar e beber em serviço, mas foram relativamente ineficientes, e os tribunais ficaram apinhados de casos que levavam tempo demais para serem resolvidos. Em agosto de 1939, a administração da Frente de Trabalho, na fábrica da I. G. Farben em Wolfen, escreveu a todos os operários advertindo-os de que, no futuro, os lentos seriam entregues à Gestapo sem julgamento. Já em abril, quatro companhias de Nuremberg haviam chamado a Gestapo para pegar empregados com baixo desempenho. Na fábrica de equipamentos ferroviários de

Dresden, a Gestapo chegou a realizar investigações da força de trabalho duas vezes por semana sem informar o motivo. As fábricas de munição e produção bélica eram frequentemente abaladas pelo medo da gerência de espionagem ou sabotagem. Antigos comunistas e social-democratas eram particularmente vulneráveis a detenção, mesmo que tivessem deixado a atividade política há tempo. No outono de 1938, na fábrica de aviação Heinkel em Rostock e Warnemünde, onde os operários eram relativamente privilegiados e bem remunerados, foi informado que a polícia deteve empregados praticamente todos os dias, agindo com base em denúncias de espiões mantidos entre os trabalhadores. Em muitas fábricas, os operários foram detidos por sabotagem ao protestar contra a redução na cota de produtividade ou piora das condições de trabalho. A Gestapo tornou-se tão intrusiva em algumas fábricas que até os empregadores começaram a fazer objeções. Após a detenção de 174 empregados de uma fábrica de munição em Gleiwitz em 1938, os empregadores obtiveram sua soltura depois de 24 horas, explicando à Gestapo que um pouco de crítica dos operários ao regime tinha que ser tolerada, do contrário a produção seria afetada, o que com certeza não era do interesse nacional.[153]

A supressão e a fragmentação da vida política e organizacional direcionaram as pessoas para prazeres e objetivos particulares: conseguir um emprego estável, casar, ter filhos, melhorar as condições de vida, sair de férias. Por esse motivo a Força pela Alegria foi lembrada com tanto carinho por muitos alemães depois da guerra. Contudo, quando as pessoas recordavam esse período, tinham dificuldade não só para lembrar eventos públicos, mas até para contar suas memórias em ordem cronológica. Os anos de 1933 a 1939 ou até 1941 tornaram-se um borrão em retrospecto, nos quais a rotina da vida privada fazia ser difícil distinguir um dia do outro. A realização econômica tornou-se o único sentido real na vida de muitos: a política era uma irritação irrelevante, uma vida da qual era impossível participar com qualquer tipo de autonomia e independência e da qual, portanto, não valia a pena participar de forma alguma, exceto na medida em que se fosse obrigado. A partir desse ponto de vista, 1939 ganhou uma espécie de brilho nostálgico, o último ano de paz e prosperidade relativas antes do mergulho em um turbilhão de guerra e destruição, miséria e ruína que perdurou até 1948. De fato, da metade para o final da década de 1930 foram lançadas as fundações para a trabalhadora e relativamente apolítica sociedade alemã dos anos do "milagre econômico" da década de 1950. No final dos anos 1930, a grande massa dos operários alemães havia se resignado, com graus variáveis de relutância, com o Terceiro Reich. Podiam não estar persuadidos pelos dogmas ideológicos essenciais, podiam irritar-se com o apelo constante por aclamação e apoio e se incomodar pelo fracasso em gerar um maior grau de prosperidade. Podiam resmungar sobre muitos aspectos da vida e em caráter privado verter escárnio sobre muitos de seus líderes e instituições. Mas, pelo menos, refletia a maior parte das pessoas, o regime havia lhes dado um emprego estável e superado, por quaisquer que fossem os meios, as privações e catástrofes econômicas dos anos de Weimar, e, apenas por isso, a maioria dos operários alemães parece ter pensado que valia a pena tolerá-lo, especialmente tendo em vista que a possibilidade de resistência organizada era tão pequena e o preço de manifestar dissidência tão alto. Às vésperas da Segunda Guerra Mundial, havia indocilidades informal e individual disseminadas nas fábricas e nos postos de trabalho da Alemanha, mas isso não chegou a nada que se pudesse chamar de oposição, que dirá resistência, nem criou qualquer sentimento real de crise na elite governante do Terceiro Reich.[154]

II

Como o Terceiro Reich lidou com os desempregados e os miseráveis que sofreram aos milhões sob a Depressão e ainda sofriam quando os nazistas chegaram ao poder? A ideologia nazista, em princípio, não era a favor da ideia de previdência social. Em *Minha luta,* ao escrever sobre o tempo que viveu entre os pobres e miseráveis de Viena antes da Primeira Guerra Mundial, Hitler indignou-se com a forma pela qual a assistência social havia encorajado a preservação dos degenerados e dos fracos. De um ponto de vista social darwinista, caridade e filantropia eram males a serem eliminados para que a raça alemã fosse fortalecida e seus elementos mais fracos extirpados no processo de seleção natural.[155] O Partido Nazista com frequência condenava o elaborado sistema de previdência desenvolvido sob a República de Weimar como burocrático, embaraçoso e dirigido essencialmente para finalidades erradas. Em vez de dar apoio aos biológica e racialmente valiosos, a assistência estatal de Weimar, respaldada por uma hoste de associações de caridade privadas, era, alegavam os nazistas, completamente indiscriminada em sua aplicação, apoiando muita gente racialmente inferior que, afirmavam eles, não contribuiria em nada para a regeneração da raça alemã. Sob certos aspectos, essa visão não estava muito distante das ideias da própria burocracia previdenciária pública e privada, que no início da década de 1930 ficara impregnada das doutrinas da higiene racial e também defendia a formulação de uma nítida distinção entre merecedores e degenerados, embora a colocação dessa distinção na prática não fosse possível até 1933. Àquela altura, as instituições de previdência, cujas atitudes em relação aos miseráveis haviam se tornado cada vez mais punitivas no curso da Depressão, passaram rapidamente a empregar sanções criminais sobre os "indolentes", os derrotados e os degenerados sociais. As ideias nazistas sobre previdência, portanto, não eram inteiramente estranhas ao pensamento dos administradores previdenciários nos estágios finais da República de Weimar.[156]

Entretanto, confrontados por 10 milhões de pessoas recebendo assistência previdenciária no auge da Depressão, teria sido suicídio político para os nazistas descartar a massa de desempregados e indigentes como indigna de auxílio. Por mais que a situação do emprego melhorasse, ou que fizessem parecer que melhorara, na primavera, no verão e no outono do primeiro ano dos nazistas no governo, o ministro da Propaganda Joseph Goebbels reconheceu que a situação econômica ainda era grave o bastante para muitas pessoas viverem abaixo da linha da pobreza no primeiro inverno do Terceiro Reich no poder. Para alçar a imagem do regime e convencer o povo de que o governo estava fazendo tudo que podia para fomentar a solidariedade entre os alemães mais afortunados e mais desafortunados, Goebbels anunciou em 13 de setembro de 1933 a implantação de um programa de ajuda de curto prazo, que chamou de Programa de Auxílio de Inverno do Povo Alemão. Esse programa baseou-se em uma série de esquemas de auxílio de emergência já lançados pelos líderes regionais do Partido, formalizando-os, coordenando-os e os levando adiante; o mais importante é que continuou e expandiu esquemas semelhantes já debatidos durante a República de

Weimar e estabelecidos em termos formais em 1931 sob a Chancelaria do Reich de Brüning.[157] Em breve, cerca de 1,5 milhão de voluntários e 4 mil trabalhadores remunerados estavam servindo sopa aos pobres em centros de emergência, montando cestas de alimentos para os miseráveis, coletando e distribuindo roupas para os desempregados e suas famílias, e atuando em uma ampla variedade de outras atividades de caridade com direção centralizada. Quando Hitler, em um discurso amplamente divulgado, incitou o povo a contribuir, 2 milhões de reichsmarks foram entregues por uma variedade de instituições, inclusive a sede do Partido Nazista em Munique, no dia seguinte. Os donativos recebidos durante o inverno de 1933-34 por fim totalizaram 358 milhões de reichsmarks. O Ministério da Propaganda de Goebbels fez um estardalhaço com a satisfação diante dessa evidência de um espírito de solidariedade comunitária e auxílio mútuo entre o povo alemão.[158] Não se tratava, portanto, de caridade ou previdência estatal, embora de fato fosse gerida pelo Estado, pelo ministro da Propaganda e por um comissário do Reich especialmente nomeado para o Auxílio de Inverno. Pelo contrário, declarou Goebbels: era uma forma de auxílio pessoal racial gerido pelo povo alemão para o povo alemão.[159]

Contudo, a realidade mais uma vez era diferente da propaganda. Pois as contribuições para o Auxílio de Inverno foram praticamente compulsórias para todos, desde o princípio. Quando um grandalhão camisa-parda uniformizado aparecia na porta exigindo uma doação, poucos eram valentes o bastante para recusar, e aqueles que o faziam encaravam a perspectiva de ameaças e intimidação crescentes até ceder e colocar o dinheiro na caixa de coleta. Na Baviera, foi anunciado que aqueles que não contribuíssem seriam considerados inimigos da pátria; alguns foram levados em desfile pelas ruas com cartazes em volta do pescoço anunciando o pecado da omissão; outros foram até demitidos do serviço. A experiência de um fazendeiro hereditário do Reich na Francônia que se recusou a contribuir em 1935 dificilmente pode ser considerada atípica: ele foi informado pelo líder distrital do Partido, Gerstner, de que "não era digno de ostentar o honroso título de fazendeiro da Alemanha nacional-socialista" e advertido de que seria necessário "tomar medidas para evitar a desordem pública que sua atitude estava criando" – em outras palavras, que ele podia esperar a remoção em "custódia preventiva" para um campo de concentração ou encarar a violência física da SA local. Em dezembro de 1935, oito homens da SS armados subiram ao palco de um cinema em Breslau ao fim da exibição e anunciaram que todas as saídas estavam trancadas; havia inimigos do Estado no auditório, e todo mundo tinha que fazer uma doação ao Auxílio de Inverno para provar que não se tratava de um deles. Ao término do breve comunicado, as portas foram escancaradas e cinquenta camisas-pardas adentraram, armados com caixas de coleta. Por todo o país, os trabalhadores foram pressionados a permitir que suas contribuições fossem automaticamente deduzidas de seus ordenados à taxa de 20% do imposto de renda básico (mais tarde reduzida para 10%). Mesmo aqueles que ganhavam tão pouco a ponto de não pagar imposto tinham que contribuir com 25 pfennigs de cada envelope de pagamento. Em 1938, os empregados de uma fábrica foram informados de que, se não concordassem com a dedução, a quantia que deveriam pagar seria somada ao valor deduzido do ordenado de seus colegas de trabalho.[160]

O fundamental é que contribuições automáticas e regulares habilitavam o doador a receber uma placa que ele podia pregar na porta de casa, e os camisas-pardas, membros da Juventude Hitlerista e outros integrantes do Partido que iam de porta em porta para arrecadar donativos estavam instruídos a seguir adiante sem importuná-los. Em algumas fábricas, porém, os operários eram solicitados a fazer contribuições adicionais, mesmo que tivessem concordado em ter o Auxílio de Inverno deduzido de seus envelopes de pagamento. E mesmo isso não protegia tais doadores da importunação de homens de uniforme marrom parados nas ruas com suas caixas de coleta, ou da pressão exercida por lojistas e clientes para que depositassem os trocados nas urnas do Auxílio de Inverno colocadas no balcão da maioria dos distribuidores varejistas. Vendedores do Auxílio de Inverno também ofereciam oportunidades de se colecionar vários conjuntos de cartões ilustrados, inclusive um jogo de fotografias de Hitler. As crianças, às vezes, tinham folga durante o horário de aula e recebiam quinquilharias para vender na rua para a coleta do Auxílio de Inverno. A compra de um distintivo do Auxílio de Inverno podia ajudar a rechaçar a importunação dos coletores de rua; melhor ainda era adquirir uma tacha do Auxílio de Inverno, evidência de que se possuía um escudo do Auxílio de Inverno, nos quais as tachas, ao custo de cinco pfennigs cada, podiam ser pregadas até a superfície inteira estar coberta com cerca de 1,5 mil delas. Usar um distintivo do Auxílio de Inverno na rua podia ser uma forma de autoproteção, mas também tinha o efeito de anunciar aos outros a solidariedade para com o regime. Quase 170 milhões de distintivos foram vendidos no inverno de 1938-39. Tornou-se popular usá-los como decoração nas árvores de Natal em casa.[161]

Assim como em muitas outras medidas de emergência no Terceiro Reich, o Auxílio de Inverno logo tornou-se um item permanente do cenário sociopolítico. A ação foi corroborada por via legislativa em 5 de novembro de 1934 por uma Lei de Coleta que permitiu ao ministro do Interior e ao tesoureiro do Partido Nazista suspender quaisquer obras de caridade ou fundos que competissem com o Auxílio de Inverno, forçando assim todas as outras atividades filantrópicas para os meses de verão e garantindo que exigências de contribuições fossem dirigidas ao povo alemão durante todo o ano. Em 4 de dezembro de 1936, uma Lei do Auxílio de Inverno amparou o esquema e o colocou formalmente em base permanente. As estatísticas eram impressionantes. No inverno de 1938-39, entraram 105 milhões de reichsmarks das deduções nos salários, com coletas e doações, as maiores sendo de indústrias e grandes negócios, constituindo o restante do total de 554 milhões. Assim, as doações para o Auxílio de Inverno responderam por quase 3% da renda média do operário na época. Claro que haviam ocorrido algumas mudanças desde 1933: depois do inverno de 1935-36, os judeus não foram mais incluídos nas listas de doadores ou recebedores. E a recuperação econômica provocou um corte de cerca de metade do número dos que recebiam o Auxílio de Inverno, de 16 milhões em 1933-34 para 8 milhões em 1938-39. Um adicional notável ao esquema foi o Dia da Solidariedade Nacional em todo 1º de dezembro, quando membros proeminentes do regime apareciam em público para solicitar donativos nas ruas, amealhando 4 milhões de reichsmarks em 1935 e nada menos que 15 milhões em 1938. A essa altura, também tornou-se mais ou menos compulsório para cada família, na verdade para cada alemão, comer uma "refeição de prato único", ou ensopado barato, com ingredientes que não custassem mais de 50 pfennigs no total, no primeiro domingo de cada mês; ao anoitecer, camisas-pardas ou homens da SS ou um representante da Beneficência do Povo

Nazista aparecia na porta para exigir como contribuição a diferença entre os cinquenta pfennigs e o custo normal de uma refeição familiar. A mesma política foi igualmente implantada nos restaurantes. Hitler dava o exemplo ostensivamente, fazendo circular entre seus convidados à mesa do jantar dominical uma lista pedindo uma doação de grandeza adequada. A cada refeição dessas, Albert Speer mais tarde reclamava: "Custou-me cinquenta ou cem marcos". Sob tal pressão, o número dos convidados de Hitler no primeiro domingo do mês em breve minguou para dois ou três, "instigando", relatou Speer, "alguns comentários sarcásticos de Hitler sobre o espírito de sacrifício entre seus assessores".[162]

Entretanto, nesse ínterim, o Partido Nazista também fora ativo na remodelagem do setor de caridade privada. Nisso, a figura de liderança foi Erich Hilgenfeldt, nascido no Sarre em 1897 e oficial na Primeira Guerra Mundial. Ex-ativista dos Capacetes de Aço, Hilgenfeldt havia entrado para o Partido Nazista em 1929 e se tornado líder de distrito em Berlim; era, portanto, próximo de Joseph Goebbels, seu chefe direto no Partido como líder regional de Berlim. Hilgenfeldt coordenou e centralizou uma variedade de grupos de beneficência interna do Partido e dos camisas-pardas da capital dentro da Beneficência Popular Nacional-Socialista. Com Magda Goebbels, a esposa do ministro da Propaganda, como patrocinadora e o apoio do próprio Hitler concedido em 3 de maio de 1933, Hilgenfeldt estendeu suas garras sobre os grupos de auxílio do Partido por todo o país, contra uma oposição considerável de Robert Ley e Baldur von Schirach, que queriam a beneficência dirigida por suas respectivas organizações. Hilgenfeldt argumentou com sucesso que a assistência social não era a prioridade principal da Frente de Trabalho nem da Juventude Hitlerista, de modo que era necessária uma instituição separada e abrangente que colocasse a beneficência no topo da agenda. Nos turbulentos meses de março a julho de 1933, ele assumiu com sucesso o controle de praticamente todas as organizações privadas filantrópicas e de beneficência da Alemanha, sobretudo os possantes braços assistenciais dos social-democratas e dos comunistas. A partir de 25 de julho de 1933, havia apenas quatro organizações não estatais de beneficência na Alemanha: a Beneficência Popular Nazista, a Missão Interna Protestante, a Associação Católica Cáritas e a Cruz Vermelha alemã. Entretanto, agora apenas a organização nazista recebia fundos estatais; um bom número de instituições de beneficência, como jardins de infância da Igreja, foi passado para ela pela Missão Interna durante a breve hegemonia dos cristãos alemães na Igreja Protestante. Apesar da permissão formal para coletar contribuições durante os meses de verão, o trabalho das outras organizações, em especial a Cáritas, foi cada vez mais atrapalhado pelos ataques físicos de gangues de camisas-pardas, e a partir de 1936 foi exigido que fizessem as coletas de porta em porta ao mesmo tempo que a organização nazista, o que as colocou em grave desvantagem contra a poderosa competidora.[163]

O ministro do Interior, Wilhelm Frick, não deixou dúvidas ao povo sobre para onde suas contribuições deveriam ir: em outubro de 1934, ele declarou que era "impensável permitir que os impulsos caridosos e o senso de sacrifício da população fossem usados em objetivos cuja implementação não fosse dos interesses do Estado nacional-socialista e, portanto, para o bem comum". Conforme isso sugeria, a caridade cristã deveria agora ser substituída pelo desejo de autossacrifício que a ideologia colocava tão alto em sua lista dos supostos atributos da raça alemã. Havia outra razão para isso também: ao contrário do Auxílio de Inverno e outras organizações como a Cruz Vermelha, o Partido Nazista desde o início restringiu suas doações exclusivamente a pessoas de "descendência ariana".[164] A Beneficência Popular Nacional-Socialista cultuou em sua constituição a declaração de que sua meta era promover "as forças vívidas e saudáveis do povo alemão". Ela assistiria apenas os racialmente sãos, capazes de e dispostos a trabalhar, politicamente confiáveis e dispostos e em condições de reproduzir. Aqueles que não estivessem "em completas condições de cumprir suas obrigações comunitárias" seriam excluídos. A beneficência não se estenderia a alcoólatras, mendigos, homossexuais, prostitutas, "indolentes" ou "antissociais", criminosos habituais, doentes hereditários (uma categoria bem abrangente) e membros de outras raças que não a ariana. Os funcionários da Beneficência Popular não tardaram a atacar instituições estatais beneficentes pela forma indiscriminada com que supostamente faziam caridade, empurrando-as com isso ainda mais para a estrada da higiene racial que de fato já haviam começado a trilhar. O conceito cristão de caridade era em todo caso ainda mais repreensível aos olhos nazistas, e o encontrão dado pela organização beneficente nazista na Cáritas e na Missão Interna foi planejado em parte para limitar, tanto quanto possível, o que eram vistos como efeitos racialmente indesejáveis da filantropia da Igreja.[165]

Apesar dessas limitações, a Beneficência Popular Nacional-Socialista foi provavelmente, junto com a Força pela Alegria, a organização mais popular do Partido no Terceiro Reich. Com 17 milhões de membros em 1939, projetava uma imagem poderosa de cuidado e amparo dos membros mais fracos da comunidade racial alemã, ou pelo menos daqueles que se julgava terem entrado em dificuldades sem ser por própria culpa. Em 1939, por exemplo, a instituição dirigia 8 mil creches e oferecia casas de férias para mães, alimentos extras para grandes famílias e uma ampla variedade de outros recursos. Contudo, era temida e detestada pelos mais pobres da sociedade, que se ressentiam da intrusão de seus questionários, dos julgamentos morais sobre seu comportamento e da ameaça sempre presente de usar de coerção e acionar a Gestapo se não cumprissem os critérios determinados para o apoio. Muitos outros ficaram consternados pelo modo brusco como a organização empurrou para o lado as instituições beneficentes da Igreja com as quais tradicionalmente contavam em tempos de necessidade. Também era impossível ignorar a irritação disseminada e até mesmo a raiva e o medo suscitados de modo mais amplo pela ubiquidade das coletas de rua que, segundo reportou um agente social-democrata em 1935, haviam "assumido por completo o caráter de assalto organizado na via pública". "A importunação é tão grande", relatou outro agente, "que ninguém consegue escapar". "No ano passado dava para falar disso como um aborrecimento", reclamou um informante a respeito do Auxílio de Inverno em dezembro de 1935, "mas neste inverno tornou-se uma praga de primeira grandeza". Não havia apenas coletas do Auxílio de Inverno, mas também coletas da Juventude Hitlerista para a construção de novos albergues para jovens, coletas para o apoio a alemães no exterior, coletas para a construção de abrigos antiaéreos, coletas para "velhos combatentes" necessitados, uma loteria em favor da criação de empregos, e muitas coletas mais para programas locais. Havia deduções de salário para o carro da Volkswagen e contribuições no local de trabalho para a Força pela Alegria e a Beleza do Trabalho e muito, muito mais. Tais contribuições, fossem em gêneros ou em dinheiro, ou na forma de trabalho não remunerado, consistiam com efeito em um novo imposto informal. As pessoas resmungavam e praguejavam, mas todos os relatórios concordam que de qualquer modo elas pagavam. Não houve boicote organizado a nenhuma das ações de coleta, a despeito de uns poucos incidentes individuais de recusa em pagar. As pessoas acostumaram-se com as exigências perpétuas de dinheiro, roupas e outras contribuições; tornou-se uma parte normal da vida cotidiana. Existia uma crença difundida de que velhos nazistas estavam entre os recebedores mais frequentes e mais favorecidos do auxílio proporcionado dessa forma, e havia muitas histórias de tratamento preferencial a membros do Partido em relação a ex-comunistas ou social-democratas. Não era de surpreender, visto que a confiabilidade política de fato era um critério primordial para o recebimento de amparo. Os beneficiados realmente eram com mais frequência membros do Partido e seus parasitas. Igualmente não era de surpreender que houvesse tantas piadas sobre a corrupção que se dizia ser inerente a toda a operação. Em uma delas, dois funcionários do Partido acham uma nota de cinquenta reichsmarks na sarjeta enquanto caminham pela rua. Pegando-a, um dos homens anuncia que a doaria para o programa de Auxílio de Inverno do Partido. "Por que você vai fazer isso pelo caminho mais longo?", pergunta o outro.[166]

Ao repassar o gasto da beneficência para o setor (supostamente) voluntário, o regime teve condições de economizar a renda oficial dos impostos e usá-la, em vez disso, no rearmamento. Alistamento, empréstimos de casamento e outros esquemas para tirar as pessoas do mercado de trabalho levaram a reduções adicionais no fardo dos pagamentos de benefícios pelo Estado e com isso a mais economia no gasto estatal, que pôde então ser dirigido aos propósitos militares. Os benefícios para o desemprego já haviam sido severamente cortados por governos e autoridades legais antes de os nazistas tomarem o poder. O novo regime não perdeu tempo em cortá-los ainda mais acentuadamente. O Trabalho Voluntário e outros esquemas semelhantes para manipular as estatísticas de desemprego para baixo também tiveram o efeito de reduzir o montante de benefícios a ser pago. Claro que, como vimos, o desemprego não havia de jeito nenhum sumido de cena no verão de 1935-36, mas as autoridades locais continuaram a impulsionar o nível dos pagamentos de benefícios para baixo de todas as maneiras possíveis. De outubro a dezembro de 1935, quando o número oficial de desempregados da previdência subiu de 336 mil para 376 mil, o total dos benefícios pagos a eles em todo o Reich na verdade caiu de 4,7 milhões para 3,8 milhões de reichsmarks. Por toda parte, as autoridades previdenciárias convocavam os desempregados para questionar e examinar se estavam aptos para o trabalho; aqueles julgados aptos eram recrutados para o Serviço Compulsório do Reich ou algum tipo de programa de ajuda de emergência; os que não apareciam eram retirados do registro e seus pagamentos cessavam. Suplementos para o aluguel foram cortados, os pagamentos para cuidadores de idosos e para medicamentos aos doentes foram reduzidos drasticamente. Em Colônia, uma operária que pediu ao funcionário da previdência para ajudá-la a pagar a medicação da mãe de 75 anos de idade, de quem ela cuidava em casa, foi informada de que o Estado não podia mais pagar para essas pessoas que não passavam de um fardo para a comunidade nacional.[167]

A retração nos pagamentos da previdência foi apenas parte de uma estratégia mais ampla. Incitar o povo alemão a se engajar na autoajuda, em vez de contar com desembolsos do Estado, trazia consigo a implicação de que aqueles que não podiam se ajudar eram dispensáveis, de fato eram uma verdadeira ameaça à saúde futura do povo alemão. Os racialmente doentes, degenerados, criminosos, "associais" e assemelhados deviam ser excluídos de vez do sistema previdenciário. Como vimos, em 1937-38, membros da classe mais baixa, degenerados sociais e criminosos baratos eram detidos em grande número e colocados em campos de concentração, uma vez que eram considerados pelos nazistas como inúteis para o regime. No fim, portanto, tão logo o rearmamento absorveu a massa de desempregados, o ceticismo original do nazismo sobre os benefícios da previdência social reafirmaram-se da forma mais brutal possível.

III

A organização de Beneficência Nacional-Socialista, o Auxílio de Inverno e a Força pela Alegria foram de longe os esquemas mais populares montados pelo Terceiro Reich em casa. Para muitos, foram uma prova tangível de que o regime era sério na implementação da promessa de criar uma comunidade orgânica nacional de todos os alemães, na qual conflitos de classes e antagonismos sociais seriam superados, e o egocentrismo do indivíduo daria espaço para os interesses esmagadores do todo. Esses programas almejavam de forma explícita obliterar distinções de classe e *status*, envolver os mais abastados na ajuda aos companheiros alemães que haviam sofrido com a Depressão e melhorar a vida da massa de gente comum de diferentes maneiras. Paradoxalmente, os mais abastados foram os mais atraídos pela ideologia da comunidade do povo; os operários com frequência estavam imbuídos de maneira profunda demais das ideias marxistas de conflito de classes para ceder diretamente ao apelo. Nada incomum foi a reação de Melita Maschmann, uma moça criada em uma casa de classe média alta conservadora, em que os pais nacionalistas instilaram-lhe uma concepção de Alemanha que mais tarde ela descreveu como "um terrível e maravilhoso mistério".[168] A conversa na casa dos pais no início da década de 1930 com frequência voltava-se para assuntos como a humilhação da derrota da Alemanha na Primeira Guerra Mundial, as divisões e altercações dos partidos políticos no Reichstag, a escalada constante de violência e estragos nas ruas, e a pobreza e o desespero do número crescente de desempregados. Nostálgica quanto aos tempos do *Kaiser*, quando, disseram os pais, os alemães eram orgulhosos e unidos, Melita achou impossível resistir ao fascínio da promessa nazista de deter a dissidência interna e unir todas as classes sociais em uma nova comunidade nacional na qual ricos e pobres seriam tratados como iguais.[169] Sua experiência repetiu-se com muitos outros. Embora as reações aos esquemas de beneficência e lazer que os nazistas empregaram para pôr em prática tais ideias unificadoras com frequência fossem favoráveis, especialmente em retrospecto, também havia um lado negativo. O elemento de coerção em todas elas dificilmente podia ser ignorado. A despeito do alarde constante do regime sobre as virtudes do autossacrifício, isso não tinha um apelo universal; pelo contrário, muita gente estava concentrada na obtenção de melhorias materiais para si – pouco surpreendente depois de tudo pelo que se havia passado com a guerra, a inflação e a Depressão. As distinções de classe pareciam tão vivas quanto sempre e eram compostas por uma distinção recém-surgida entre "velhos combatentes" e chefes locais do

Partido, amplamente percebidos como os principais beneficiários desses esquemas, e o resto. Crenças profundamente arraigadas em largos setores da população, possivelmente a maioria, indo da fé na ideia cristã de caridade universal a um hábito entranhado entre muitos operários de ver tudo pelas lentes da ideia de luta de classes de influência marxista, provaram-se extremamente difíceis de serem erradicadas pelo regime.

Em 1939, portanto, a desilusão estava disseminada até mesmo quanto a alguns dos esquemas mais populares implementados pelo Terceiro Reich. O primeiro jorro de entusiasmo com o regime já havia começado a esmaecer em 1934, e no início de 1936 tinha chegado a um nível tão baixo que até a popularidade de Hitler estava começando a minguar.[170] Até onde chegou essa desilusão, quão geral ela foi e por que fracassou em se traduzir em uma oposição frontal mais ampla ao regime? Um bom retrato de como as pessoas comuns consideravam o Terceiro Reich, as formas como a sociedade mudou entre 1933 e 1939 e a extensão em que a promessa de uma comunidade orgânica nacional unida foi realizada pode ser extraída da experiência de uma cidade provinciana durante esse período. No burgo de Northeim, na Baixa Saxônia, o sinal mais externo e visível de mudança aos olhos dos habitantes foi a volta da prosperidade e da ordem depois da pobreza e da desordem dos últimos anos da República de Weimar. Confrontos de rua e pancadaria em salões de reunião, que tanta ansiedade haviam causado entre os cidadãos, agora eram coisas do passado. O prefeito nazista do burgo, Ernst Girmann, após expulsar seus rivais do Partido local em 1933, governou Northeim sozinho, livre de quaisquer controles democráticos, uma posição confirmada em janeiro de 1935 quando uma nova lei nacional entrou em vigor dando aos prefeitos um poder sem entraves desimpedidos sobre as comunidades que governavam. Girmann deflagrou uma campanha substancial de propaganda revelando planos sofisticados para a reativação do mercado de trabalho da cidade. Os planos jamais foram adotados pelos empresários cabeças-duras de Northeim; mas, depois de os desempregados terem sido retirados das ruas para campos de trabalho e programas de obras públicas, a reativação geral da economia que já havia começado antes da tomada nazista do poder começou a ter impacto real. Operários recrutados para o Serviço Compulsório do Reich foram engajados em melhorias municipais altamente visíveis, como a ampliação do parque da cidade ou a pintura de algumas casas antigas.[171]

O projeto de construção mais notável envolveu um *Thingplatz* ou local de reunião de culto nazista, um teatro ao ar livre em uma floresta próxima, em terreno comprado pela cidade a um preço extremamente alto de um dos amigos de Girmann. Um grande número de casas e prédios de apartamento novos foram erguidos na cidade com subsídios disponibilizados pelo governo, embora o projeto de construção mais amplamente alardeado, um conjunto de 48 casas novas nos arredores da cidade, tivesse sido concebido já na década de 1930 e na verdade retardado por objeções levantadas pelos próprios nazistas em 1932. Apenas famílias arianas que pertenciam ao Partido ou a uma organização subordinada podiam mudar para lá, e apenas se fossem apadrinhadas pelo Partido local. Ainda assim, a propaganda em torno da "batalha pelo trabalho" teve o efeito de convencer a maioria do povo em Northeim de que o Terceiro Reich de fato havia ocasionado uma recuperação econômica milagrosa. O sentimento de todo mundo trabalhar junto para tirar a Alemanha do buraco econômico foi fortalecido pelo hiperativismo da organização local da Beneficência Nacional-Socialista, com suas caixas de coleta, noites beneficentes, domingos de ensopado e comícios para grandes públicos. Entretanto, o benefício mais significativo do Terceiro Reich para a economia local foi trazido pela reocupação de um alojamento do Exército, cuja renovação aqueceu a indústria de construção de Northeim. Mil soldados e equipe auxiliar significaram mil novos consumidores e clientes para lojas e fornecedores locais.[172]

Contudo, de acordo com relatórios da Gestapo regional, nada disso convenceu os muitos ex-social-democratas e ex-comunistas da cidade, que ainda não estavam resignados com o regime no final de 1935 e continuavam a espalhar propaganda negativa oralmente. Também foi notada hostilidade entre os católicos; as pessoas ainda compravam em lojas judaicas; os conservadores estavam desiludidos e forjando contatos com o Exército; e a tentativa de Girmann de aniquilar a congregação luterana local e fazer de Northeim a primeira cidade da Alemanha sem cristãos afundou na resistência passiva tanto do clero quanto dos leigos. Em conformidade com a política nacional, Girmann deu um jeito de forçar o fechamento da escola católica local, efetuado basicamente por meio de uma série de entrevistas pessoais com os pais dos alunos no qual um laivo de intimidação deve ter sido claramente audível. Mas as autoridades superiores não lhe permitiram empregar violência aberta contra os luteranos, e fazer a Juventude Hitlerista lançar bolas de neve contra o crucifixo da igreja da cidade não foi realmente muito eficaz; com isso, a campanha fracassou. Girmann não se furtava de ameaçar gente que ele notasse que não se adequava. Pedia-se uma explicação às pessoas que não apareciam nas reuniões ou saíam mais cedo; em um caso, Girmann escreveu pessoalmente a uma moça que havia deixado de erguer o braço na saudação nazista, dizendo que ela correria o risco de um assalto físico se fizesse aquilo de novo. Diante de tais ameaças, o povo de Northeim no geral tomava cuidado para se adequar, pelo menos na aparência. Mesmo assim, foi inegável a perda geral de entusiasmo pelo regime na cidade após os primeiros meses de euforia.[173]

O Partido local encontrou dificuldade para combater a desilusão. No final de 1935, havia perdido o dinamismo; seus líderes, inclusive o prefeito Girmann, haviam ficado em boa situação, abastados até, sacando altos salários e colhendo as recompensas pelos esforços anteriores. Mesmo Girmann fez pouca coisa no final da década de 1930, exceto reconstruir as instalações de equitação da cidade, que ele passou a usar regularmente. Os festivais e celebrações nazistas tornaram-se rituais vazios, com as pessoas participando mais por medo que por comprometimento. Os poucos incidentes públicos de violência antissemita na cidade depararam com reações do povo indo da indiferença à franca desaprovação; afinal, era para suprimir esse tipo de desordem que se supunham que o Terceiro Reich tivesse surgido. Ex-social--democratas eram tolerados de má vontade caso se abstivessem de atividades de oposição, o que no geral eles fizeram depois de 1935, quando os últimos grupos de resistência remanescentes foram suprimidos. Os vigilantes de quarteirão visitavam as casas a seus cuidados regularmente para extrair pagamentos do Auxílio de Inverno e verificar a confiabilidade política. Tinham que apresentar relatórios sobre qualquer um de seu quarteirão que fosse candidato à previdência social, buscasse um cargo em qualquer um dos numerosos grêmios e clubes da cidade, ou procurasse um emprego no governo. Tinham que preencher um formulário com essa finalidade, fornecendo detalhes sobre a participação do candidato em reuniões, contribuições para caridade e assim por diante. Todavia, dos milhares de relatórios desse tipo armazenados nos arquivos locais, dificilmente um único depois de 1935 classificou o sujeito como politicamente pouco confiável; apenas por um breve momento, no auge da luta contra a Igreja, os relatórios continham comentários negativos nesse sentido, em geral referentes a católicos ativos. Muitas das anotações dos vigilantes de quarteirão eram vagas ou pouco diziam de significativo, mas em um ponto eram todas específicas: se o sujeito contribuía ou não para o Auxílio de Inverno e esquemas semelhantes. Falhar nisso conferia à pessoa em questão uma marca negra e a designação de "egoísta" ou "hostil". Um indivíduo desse tipo tornava a tarefa do vigilante do quarteirão mais difícil e continha o potencial de metê-lo em encrenca se ele não entregasse a cota de pagamentos designada. Nada mais importava muito, exceto uma rara falha de alguém em hastear uma bandeira no aniversário de Hitler ou esquecer de fazer a saudação de Hitler. Havia se obtido uma espécie de estabilidade política, e a maioria dos vigilantes de quarteirão agora parecia não querer muito mais do que executar seus deveres regulares sem empecilhos e sem problemas. Já não se importavam muito com as crenças políticas das pessoas, contanto que se adequassem no aspecto externo e guardassem as crenças para si. Sem dúvida eram um tanto mais vigilantes nos ex-baluartes comunistas em Berlim ou no Ruhr que em uma cidadezinha provinciana como Northeim. Contudo, em 1939, havia se chegado a uma espécie de *modus vivendi*: as pessoas, qualquer que fosse sua visão, participavam dos rituais públicos conforme o exigido, embora no geral sem muito entusiasmo; o Partido local tomava cuidado para deixar por isso mesmo e não forçar demais o povo. No fim das contas, tudo que se havia conseguido era anuência e louvor da boca para fora; mas o Partido foi realista o suficiente para admitir que isso teria que bastar, e a coisa provavelmente foi igual em outros locais.[174]

A situação em Northeim refletiu a de muitas partes da Alemanha. Os alemães não haviam se tornado todos nazistas fanáticos em 1939, mas o desejo básico da maioria por ordem, segurança, emprego, a possibilidade de melhorar o padrão de vida e avançar na carreira, coisas que pareciam impossíveis na República de Weimar, se realizaram em grande parte, e isso foi o bastante para garantir sua anuência. A propaganda pode não ter tido tanto efeito a esse respeito quanto o fato óbvio da estabilidade social, econômica e política. A violência e a ilegalidade do expurgo de Röhm foram amplamente aceitas, por exemplo, não porque o povo apoiasse o uso de assassinato como ferramenta política por Hitler, mas porque pareceu restaurar a ordem ameaçada pelos camisas-pardas de Röhm ao longo dos meses anteriores. Havia um amplo consenso sobre a primazia da ordem que os nazistas reconheceram, aceitaram e exploraram. A longo prazo, claro, esta se mostraria ilusória. Mas, por enquanto, bastava cortar as asas de quaisquer movimentos de oposição que tentassem converter a insatisfação surda com um ou outro aspecto da vida cotidiana sob o Terceiro Reich em uma forma de oposição mais ampla.[175]

IV

As promessas sociais dos líderes do Terceiro Reich de fato eram de longo alcance. O nazismo havia conquistado apoio nas urnas no começo da década de 1930 em parte pela promessa, reiterada sem cessar, de superar as divisões da República de Weimar e unir o povo alemão em uma nova comunidade racial nacional baseada na cooperação e não no conflito; no apoio mútuo e não no antagonismo mútuo. As diferenças de classe desapareceriam; os interesses da raça alemã seriam supremos. As duas grandes manifestações de propaganda simbólica coreografadas por Goebbels e pela liderança nazista nos meses inaugurais do Terceiro Reich, o "Dia de Potsdam" e o "Dia Nacional do Trabalho", tiveram a intenção de demonstrar como a nova Alemanha uniria as velhas tradições do sistema prussiano de um lado e o movimento operário de outro. Entrevistado pelo dramaturgo nazista Hanns Johst em 27 de janeiro de 1934, Hitler declarou que o nazismo "concebe a Alemanha como um órgão corporativo, um organismo único". "Do campo da tradição burguesa", ele disse a Johst, o nacional-socialismo "tira a determinação nacional, e do materialismo do dogma marxista, o socialismo vivo e criativo". Ele prosseguiu:

Comunidade do Povo: isso significa uma comunidade de toda a mão de obra produtiva, significa a unidade de todos os interesses vitais, significa superar o privatismo burguês e as massas sindicalizadas e mecanicamente organizadas, significa igualar incondicionalmente o destino individual e o da nação, o indivíduo e o povo... O burguês deve se tornar um cidadão do Estado; o camarada vermelho deve se tornar um camarada racial. Ambos devem, com suas boas intenções, enobrecer o conceito sociológico do trabalhador e elevar o *status* de um título honorário para o trabalho. Esse direito de nobreza em si coloca o soldado e o camponês, o mercador e o acadêmico, o operário e o capitalista sob o juramento de tomar a única direção possível para a qual deve ser guiado todo o esforço intencional alemão: para a nação... O burguês deve parar de se sentir uma espécie de pensionista da tradição ou do capital e separado do trabalhador pelo conceito marxista de propriedade; em vez disso, deve empenhar-se, de mente aberta, para se integrar ao todo como um trabalhador.[176]

Hitler sublinhou esses pontos projetando-se como um trabalhador de origem, um humilde homem do povo que subiu na vida sem jamais perder o contato com suas origens inferiores.

Com frequência, ele lembrava suas plateias, conforme contou para o público de mais de 1 milhão de pessoas reunidas nos Jardins do Prazer de Berlim em 1º de maio de 1937: "Não saí de um palácio; eu vim do campo de obras. Tampouco fui general; fui um soldado como milhões de outros". A camaradagem da linha de combate em 1914-18, quando as barreiras sociais foram varridas no calor do compromisso com a causa nacional, devia voltar a viver no espírito do Terceiro Reich:

É um milagre que aqui em nosso país um homem desconhecido seja capaz de dar um passo à frente no exército de milhões do povo alemão, trabalhadores e soldados alemães, para postar-se na dianteira do Reich e da nação! Ao meu lado estão pessoas alemãs de todas as classes de vida que hoje são líderes regionais etc. Contudo, vejam bem, antigos membros da burguesia e antigos aristocratas também têm seu lugar nesse movimento. Para nós não faz diferença de onde eles vêm; o que importa é que sejam capazes de trabalhar em benefício de nossa gente.[177]

Conforme sugere o uso da palavra "antigos" por Hitler na ocasião, o Terceiro Reich propagou com diligência a noção de que todas as distinções de classe haviam sido abolidas na nova Alemanha. Robert Ley declarou em 1935: "Somos o primeiro país da Europa a superar a luta de classes".[178] Como um sinal disso, muitas instituições do Partido Nazista fizeram questão de elevar membros das classes baixas a posições de autoridade sobre membros da burguesia, como na Juventude Hitlerista, ou de submeter os herdeiros das elites à autoridade de seus supostos antigos inferiores sociais, como acontecia quando estudantes universitários eram mandados para campos de trabalho, ou professores escolares eram disciplinados por "velhos combatentes" de passado humilde em suas sessões de treinamento compulsório. O ataque dos estudantes nazistas aos tradicionais grupos de duelo foi apenas um exemplo da investida generalizada aos bastiões publicamente mais proeminentes do privilégio social na Alemanha, e – para o desgosto de tradicionalistas como Reck-Malleczewen – foi acompanhado por uma bela dose de retórica igualitária e ataques verbais à natureza reacionária da discriminação de classes que os grupos de duelo praticavam muito abertamente.[179]

O crucial é que a retórica foi acompanhada de atos concretos. O declínio do *status*, autonomia e poder das profissões de formação acadêmica nos primeiros seis anos do Terceiro Reich foi real. Instituições tradicionais, como as universidades, foram rebaixadas como parte da experiência de vida dos jovens alemães, e bem menos alunos se matricularam em 1939 do que seis anos antes. Pequenos empresários e funcionários de escritório viram as divisões sociais entre eles e a classe operária erodidas por mais do que simples arenga nazista. Os aristocratas viram-se empurrados nos corredores do poder por jovens nazistas arrogantes de classes sociais bem inferiores às suas. Figuras de autoridade há muito estabelecidas, de médicos a pastores, grandes proprietários de terra a anciãos da aldeia, viram-se sob ataque. Por toda parte, os jovens, ou pelo menos uma minoria significativa deles, agarraram a oportunidade e afirmaram-se contra os mais velhos: na aristocracia, na aldeia, na sala de aula, na universidade. Uma nova elite política havia inegavelmente assumido o controle. Desde o alto escalão de nazistas como Goebbels e Göring, Schirach e Ley, passando pelos líderes regionais, até o nível mais baixo dos vigilantes de quarteirão e comandantes da Juventude Hitlerista, homens novos, na maioria jovens, com frequência de ambiente social não ortodoxo, como Rosenberg, por exemplo, até mesmo de fora da Alemanha, assumiram as rédeas do poder. Além disso, todo um conjunto de valores sociais tradicionais foi rebaixado: a priorização do ensino em si pelos professores, a ética hipocrática dos médicos de colocar os interesses do paciente acima de tudo, até mesmo a veneração do lucro pelos empresários como medida última de sucesso – tudo isso foi varrido pela priorização da guerra, da raça e da comunidade nacional pelo Terceiro Reich.

Todavia, a igualdade de *status* proclamada de forma tão ruidosa e insistente pelos nazistas não implicou igualdade de posição social, renda ou riqueza. Os nazistas não revisaram o sistema tributário de maneira radical para, por exemplo, nivelar a renda líquida das pessoas, ou controlar a economia da forma que se fazia na União Soviética, ou mais adiante na República Democrática Alemã, de modo a minimizar as diferenças entre ricos e pobres. No Terceiro Reich, ricos e pobres permaneceram basicamente como sempre haviam sido. No fim, o poder da aristocracia sobre a terra continuou imperturbado, e os nobres mais jovens até encontraram um novo papel de liderança na SS, a futura elite política da Alemanha. A maior parte das famílias camponesas que haviam governado as comunidades de suas aldeias por décadas ou mesmo séculos deu jeito de conservar a posição chegando a uma acomodação limitada com o novo regime. Empresários, grandes e pequenos, continuaram a gerir seus negócios em busca do motivo capitalista costumeiro do lucro. Professores universitários livraram-se das excrescências obviamente não científicas e não acadêmicas da ideologia nazista despachando-as para pequenos institutos específicos, nos quais podiam ficar isoladas do sistema dominante de ensino e pesquisa, e continuaram praticamente como antes. Juízes e advogados ainda julgaram e defenderam, ainda apresentaram casos, ainda mandaram gente para a prisão. Médicos tiveram mais poder sobre os pacientes, empregadores sobre os empregados. As igrejas inegavelmente perderam terreno em áreas como a educação, mas todos os relatórios concordam que o padre e o pastor em geral conservaram a lealdade de seu rebanho a despeito de todos os esforços do regime para solapá-la. A retórica da comunidade nacional convenceu muitos, talvez até a maioria dos alemães no âmbito político: as rivalidades partidárias acabaram, todo mundo parecia trabalhar unido sob a liderança de Hitler. "Sem luta de classes", como anotou Luise Solmitz em seu diário em 27 de abril de 1933, "ou marxismo, antagonismos religiosos – apenas a Alemanha – em Hitler".[180] Mas bem menos gente ficou convencida de que a utopia social prometida pelos nazistas em 1933 realmente chegasse um dia.

Uma sociedade não pode ser totalmente transformada em meros seis anos sem uma enorme violência assassina, como a ocorrida na Rússia, do "terror vermelho" dos anos de guerra civil (1918-21) aos expurgos em massa levados a cabo por Stálin na década de 1930. A liderança do Terceiro Reich, como vimos, executou uma ação limitada de assassinato contra dissidentes, ou supostos dissidentes, dentro de suas próprias fileiras no final de junho de 1934, e também liquidou alguns milhares de seus oponentes reais ou supostos dentro da Alemanha, mas sua maior violência foi reservada a pessoas de fora do país e aconteceu durante a guerra. Não há paralelo com o assassinato de cerca de 3 milhões de seus próprios cidadãos pelo regime soviético, a maioria em tempo de paz, nem com o aprisionamento de muitos milhões mais em campos de trabalho, nem com os violentos levantes que ocasionaram a posse da indústria pelo Estado e a coletivização da agricultura na Rússia de Stálin. De modo semelhante, embora o Terceiro Reich restringisse os salários e o consumo, isso não fez parte de uma tentativa deliberada de diminuir o hiato entre ricos e pobres, como no caso das restrições bem mais drásticas impostas à sociedade soviética, mas foi simplesmente um meio de economizar dinheiro para pagar o rearmamento. O nazismo não tentou voltar no tempo, a despeito de toda a conversa sobre reinstaurar as hierarquias e valores de um passado mítico alemão. Como vimos, os grupos que esperavam uma restauração das velhas barreiras sociais e hierarquias ficaram tão desapontados quanto os que aguardavam que o Terceiro Reich executasse uma redistribuição radical da terra e da riqueza.[181]

O problema é que qualquer programa de mudança social que os nazistas pudessem ter desejado acabou implacavelmente subordinado à determinação opressiva da preparação para a guerra. O que quer que ajudasse a Alemanha a ficar pronta para a conquista do leste da Europa era bom; o que quer que ficasse no caminho era ruim. A realização de qualquer utopia social ou racial foi adiada até a Alemanha adquirir o muito alardeado espaço vital no leste, assim como a prosperidade econômica das massas, em última instância, dependia da mesma coisa. Contudo, qualquer avaliação sobre o que poderia ter sido torna-se cada vez mais especulativa, ainda mais tendo em vista que existem todos os indícios de que Hitler não teria parado com a conquista do leste, mas teria transformado a guerra pela supremacia europeia em uma luta pela dominação do mundo. Ainda assim, em 1939 já se podia discernir algo da natureza de caráter utópico do futuro Terceiro Reich imaginado por seus líderes e ideólogos. O romance do nazismo com a tecnologia, embora impulsionado pelo rearmamento, foi além do mero aspecto militar. Ali estava um regime que queria as máquinas mais modernas, os aparelhos mais modernos, os meios de comunicação mais modernos. Tudo isso implicava grandes fábricas, empresas de vulto, cidades modernas, organizações elaboradas. Os princípios sobre os quais o futuro nazista se basearia eram científicos: a aplicação da higiene racial e da seleção darwinista à sociedade humana sem consideração por qualquer religiosidade tradicional ou escrúpulos religiosos, dirigida por um elaborado aparato estatal hierárquico que não toleraria dissidência. Às vezes, a retórica nazista parecia divisar uma Europa de fazendeiros camponeses, de alemães unidos por laços de "sangue e solo", escravizando e explorando membros de raças inferiores em um mundo pseudofeudal despojado das complexidades e ambiguidades da sociedade industrial; a desindustrialização e a desurbanização seriam essenciais para a encarnação final do Terceiro Reich em escala europeia.[182] Mas os proponentes mais ferrenhos dessa visão, como Darré, foram deixados para trás por aqueles que acreditavam que uma nova ordem racial europeia tinha que combinar o mais avançado em indústria, tecnologia e comunicações com a reordenação da agricultura e do meio rural em um novo equilíbrio entre ambos.[183]

No mundo real da Alemanha do século XX, os efeitos modernizantes do nazismo tiveram impacto em um contexto no qual uma rápida mudança social e econômica já estava em andamento desde a revolução industrial de meados do século XIX. Nisso também houve contradições fatais. A preparação para a guerra, por exemplo, sem dúvida acelerou os processos de concentração e racionalização existentes na indústria, e alavancou o desenvolvimento tecnológico de vários tipos. A tecnologia e a pesquisa militar e médica, como vimos, tomaram a dianteira em institutos custeados pelo governo e nos departamentos de pesquisa e desenvolvimento das companhias. Por outro lado, as políticas educacionais do Terceiro Reich deslocaram-se velozmente no rumo da redução da competência profissional, científica e intelectual das futuras elites profissionais da Alemanha, que já haviam começado a declinar em força e número em 1939. Se uma futura ponta estava começando a emergir da SS e das novas escolas de elite e dos Castelos da Ordem, tratava-se então de uma elite emburrecida que encontraria dificuldade em gerenciar um sistema social e econômico, industrial e tecnológico complexo e moderno, do tipo capaz de sustentar uma guerra complexa, moderna, industrial e tecnológica. Instituições sociais tradicionais como os sindicatos foram eliminadas para dar lugar a uma identificação total do indivíduo com o Estado e a raça; todavia, o resultado foi o exato oposto, recuo das pessoas comuns para seus mundos privados da casa e da família, priorização das necessidades de consumo que o Terceiro Reich não estava disposto e tampouco era capaz de satisfazer por completo. A destruição das instituições tradicionais do movimento operário pode plausivelmente ser vista como um sopro de modernidade, pavimentando o caminho para uma estrutura muito diferente, menos antagônica, de relações trabalhistas depois de 1945. A longo prazo, porém, o declínio da classe operária industrial tradicional e o surgimento do setor de serviços em uma sociedade pós-industrial teriam obtido esse resultado por outros meios.

O problema de discutir se o Terceiro Reich modernizou a sociedade alemã ou não, o quanto queria mudar a ordem social e de que maneiras teve sucesso em fazê-lo é que a sociedade não era realmente uma prioridade da política nazista. É verdade que as divisões sociais deveriam ser, se não abolidas de vez, pelo menos diminuídas, a discórdia social deveria ser substituída pela harmonia social, e o *status*, não a classe, seria nivelado tanto quanto possível no novo Reich. Mas muito disso seria atingido por símbolos, rituais e retórica. Acima de tudo, o que Hitler e os nazistas queriam era uma mudança no espírito do povo, na sua forma de pensar e na sua maneira de se comportar. Queriam que um novo homem, e portanto uma nova mulher, surgissem das cinzas da República de Weimar, recriando a unidade e o compromisso de luta do *front* da Primeira Guerra Mundial. Sua revolução era antes de mais nada cultural, em vez de social. Contudo, foi sustentada por algo mais concreto, que teve consequências físicas reais para milhares e no fim milhões de alemães, judeus e outros: a ideia de engenharia racial, de moldar cientificamente o povo alemão em uma nova linhagem de heróis, e seu corolário de eliminar os fracos da cadeia da hereditariedade e tirar de uma vez por todas aqueles que eram vistos como os inimigos alemães, reais e potenciais, da comunidade nacional reforjada. Isso significou uma tentativa orquestrada de melhorar a qualidade física da raça alemã por um lado, e, por outro, um impulso abrangente de remover da sociedade alemã os elementos que os nazistas consideravam indesejáveis, incluindo sobretudo os judeus, como veremos a seguir.

6
Rumo à utopia racial

No espírito da ciência

I

Os higienistas raciais saudaram a chegada do Terceiro Reich com genuína expectativa. Desde a década de 1890 eles estavam em campanha por políticas sociais que colocassem a melhora da raça no centro de suas preocupações e, segundo eles, deveriam ser eliminados da cadeia da hereditariedade todos aqueles que identificavam como fracos, preguiçosos, criminosos, degenerados e insanos. Enfim, conforme comentou Fritz Lenz, defensor de longa data de tais medidas, a Alemanha tinha um governo que estava preparado para levar esses temas a sério e fazer alguma coisa a respeito.[1] O entusiasmo não era equivocado. Pelo menos desde 1924, quando leu alguns tratados sobre higiene racial durante o período de lazer forçado na prisão de Landsberg, o futuro Líder considerava que a Alemanha e os alemães só poderiam ficar fortes de novo se o Estado aplicasse à sociedade alemã os princípios básicos da higiene e da engenharia raciais. A nação tinha ficado fraca, corrompida pela infusão de elementos degenerados em sua corrente sanguínea. Eles precisavam ser removidos o mais depressa possível. Os fortes e racialmente puros deviam ser encorajados a ter mais filhos, os fracos e racialmente impuros tinham que ser neutralizados de algum jeito.[2]

Ao ver que Hitler oferecia-lhes uma oportunidade única de colocar suas ideias em prática, destacados higienistas raciais começaram a alinhar suas doutrinas com as dos nazistas em áreas nas quais até então haviam falhado em se ajustar. É claro que uma minoria de bom tamanho estava associada excessivamente a ideias políticas e organizações de esquerda para sobreviver como membros da Sociedade de Higiene Racial, que foi assumida pelos nazistas e expurgada em 1933. Médicos judeus, dos quais poucos eram higienistas raciais entusiasmados, foram despachados de forma semelhante. Até mesmo Lenz verificou que algumas de suas ideias, como a teoria de que filhos ilegítimos eram racialmente degenerados, foram alvos de pesadas críticas de ideólogos nazistas como Heinrich Himmler. Muito rapidamente, os higienistas raciais de destaque na classe médica foram deixados para trás por uma geração mais jovem que liderou as instituições políticas-chave do setor, desde o Escritório Político-Racial do Partido Nazista, chefiado por Walter Gross (nascido em 1904), à organização de Beneficência Nacional--Socialista, a Liga de Médicos Nazistas e, cada vez mais, a SS. Todas tinham ideias próprias sobre reprodução e seleção que pisoteavam as sutilezas científicas e médicas debatidas nas publicações cultas do movimento de higiene racial. Não obstante, as figuras de liderança do movimento não se decepcionaram com o novo regime. Escrevendo pessoalmente para Hitler em abril de 1933, Alfred Ploetz, o espírito motriz do movimento de eugenia nos últimos quarenta anos, explicou que, visto que estava na casa dos setenta anos, era velho demais para assumir um papel de liderança na implementação prática dos princípios de higiene racial no novo Reich, mas mesmo assim concedia seu apoio às políticas do chanceler do Reich.[3]

As políticas práticas não tardaram a chegar. No princípio do Terceiro Reich, o ministro do Interior, Wilhelm Frick, anunciou que o novo regime iria concentrar as despesas públicas em pessoas racialmente sãs e saudáveis. Não somente reduziria o gasto com "indivíduos inferiores e associais, doentes, deficientes mentais, insanos, aleijados e criminosos", como iria submetê-los a uma política implacável de "erradicação e seleção". Em 4 de julho de 1933, essa política tomou forma legislativa na Lei para a Prevenção de Prole com Doença Hereditária.[4] A lei prescreveu a esterilização compulsória de qualquer um que sofresse de debilidade mental hereditária, esquizofrenia, psicose maníaco-depressiva, epilepsia hereditária, doença de Huntington, surdez, cegueira ou deformidade física hereditárias, ou alcoolismo grave. Essas condições foram objeto de definição mais detalhada pela grande burocracia montada pelo Ministério do Interior do Reich para administrar a lei, ao passo que decisões sobre casos individuais eram tomadas por 181 tribunais de saúde hereditária e cortes de apelação especialmente estabelecidos, consistindo de um advogado e dois médicos atuando com base em informes de funcionários da saúde pública e dos diretores de instituições como sanatórios estatais, clínicas, asilos de idosos, escolas especiais e assemelhadas, bem como de assistentes sociais do sistema de previdência. A lei há muito era a ambição do influente movimento de higiene racial da Alemanha, liderado por médicos decanos como Alfred Ploetz e Fritz Lenz, e havia se tornado uma exigência mais insistente durante a Depressão. O enorme fardo da previdência sobre as finanças nacionais havia aumentado em muito o número e a audácia daqueles que, nos setores previdenciário e médico, acreditavam que muitos aspectos de desvio social, pobreza e miséria eram resultado da degeneração hereditária de seus portadores. Já em 1932, por recomendação da Associação Médica Alemã, havia sido proposta uma lei permitindo a esterilização voluntária. De repente, isso agora tinha virado realidade.[5]

A lei de 1933 não teve nada de voluntária. Era exigido que os médicos registrassem cada caso de doença hereditária de seu conhecimento, exceto em mulheres acima de 45 anos, e podiam ser multados por deixar de fazê-lo; ao mesmo tempo, os critérios arbitrários e vagos usados para definir os casos davam-lhes uma grande margem de manobra. Alguns pacientes concordavam em ser esterilizados, a maioria não. Em 1934, primeiro ano de vigência da lei, quase 4 mil pessoas apelaram das decisões das autoridades de esterilização; 3.559 apelações foram negadas. Como esses números indicam, a esterilização foi executada em uma escala bastante considerável. Apenas em 1934, os tribunais receberam mais de 84,5 mil petições para esterilização, praticamente metade para homens e metade para mulheres. Dessas, quase 64,5 mil receberam pareceres no mesmo ano; mais de 56 mil foram a favor da esterilização. Assim, a petição de um médico, assistente social ou outra fonte legítima tinha mais de 90% de probabilidade de ser aprovada e era extremamente improvável que fosse derrubada em uma apelação. Em cada um dos quatro primeiros anos de vigência da lei, mais de 50 mil pessoas foram esterilizadas dessa maneira; quando o Terceiro Reich chegou ao fim, o número total de esterilizados havia atingido mais de 360 mil, quase todos operados antes da eclosão da guerra em setembro de 1939.[6]

Três quartos dos mandados foram expedidos com base em "debilidade mental congênita", um conceito extremamente vago e elástico que colocou grande poder nas mãos dos médicos e dos tribunais: tornou-se comum, por exemplo, definir muitos tipos de desvio social – prostituição, por exemplo, – como formas de "debilidade mental". A inclusão do alcoolismo afetou sobretudo os membros da classe mais baixa. As técnicas empregadas – vasectomia para os homens e ligação de trompas para as mulheres – com frequência eram dolorosas, e às vezes geravam complicações: a taxa de mortalidade geral, esmagadoramente maior entre mulheres do que entre homens, ficou em 0,5%, ou o total de cerca de 2 mil pessoas. Não demorou para a escala do programa transformar a profissão médica, uma vez que todos os médicos tiveram que passar por treinamento para reconhecer degeneração hereditária (por meio, por exemplo, do formato dos lóbulos da orelha, do modo de andar ou da configuração da meia-lua na base das unhas dos pacientes). As faculdades de medicina passavam boa parte do tempo escrevendo relatórios de especialistas para os tribunais e conceberam "testes práticos de inteligência" para separar o joio do trigo ("Que tipo de Estado temos hoje? Quem foram Bismarck e Lutero? Por que as casas são mais altas na cidade que no interior?"). Esses testes apresentaram problemas quando os resultados nas zonas rurais revelaram um grau idêntico de ignorância tanto entre alunos de escola considerados normais quanto entre os supostamente débeis mentais. A possibilidade de que membros do escalão inferior dos camisas-pardas dos distritos rurais pudessem fracassar nos testes foi o bastante para desacreditar todo o processo aos olhos de alguns médicos decanos do Partido.[7]

Cerca de dois terços dos esterilizados eram internos de manicômios, dos quais muitos diretores esquadrinharam zelosamente os arquivos de pacientes em busca de candidatos para os tribunais. A proporção de supostos esquizofrênicos foi mais alta ali; no asilo de Kaufbeuren-Irsee, de fato, cerca de 82% dos 1.409 pacientes foram enquadrados nas cláusulas da lei, embora em outros locais a proporção por volta de um terço fosse a mais comum. A esterilização era atraente para os diretores dos asilos porque significava que depois disso os pacientes, em muitos casos, poderiam ser despachados para a comunidade. Isso afetou em particular os pacientes mais jovens e menos gravemente perturbados, de modo que, quanto maior a chance de recuperação que se julgasse que pudessem ter, mais provável era que fossem esterilizados. No asilo de Eglfing-Haar, dois terços dos pacientes esterilizados em 1934 foram liberados em poucos meses; no asilo de Eichberg, quase 80% dos esterilizados em 1938 também tiveram alta rapidamente. Isso reduzia os custos de manutenção numa época em que os asilos, como o resto do sistema previdenciário, estavam sob forte pressão para cortar os gastos. De fato algumas moças foram claramente esterilizadas a fim de evitar que tivessem filhos ilegítimos que seriam um peso para a comunidade.[8]

Os motivos apresentados para a esterilização com frequência referiam-se mais a desvio social do que a qualquer condição hereditária demonstrável. Conforme escreveu um médico ao propor um candidato à operação com base em "debilidade mental":

Em seus arquivos do serviço social, ele é descrito como um mendigo ou vadio que decaiu no nível de vida. Recebe 50% de uma pensão por ferimento na guerra devido a tuberculose pulmonar e intestinal. Gasta o dinheiro de modo muito irresponsável. Fuma muito e às vezes embebeda-se. Foi internado em Farmsen repetidas vezes. Em geral deixa a instituição para ir perambular. Tem condenações prévias por resistir à detenção, perturbação da paz, injúria pública e lesão corporal grave. Em seus arquivos da previdência está registrado que perturbou várias vezes o funcionamento do serviço e atacou funcionários fisicamente, de modo que foi proibido de entrar no escritório da previdência. De acordo com o dr. [...], C. é "um indivíduo seriamente inferior em termos mentais, totalmente sem valor para a comunidade".[9]

Em casos assim, a esterilização parecia principalmente uma punição ou uma medida de controle social. A perspectiva de o homem em questão ter filhos de fato parecia remota. Esterilizar os internos de asilos e instituições semelhantes era em muitos casos uma desculpa para desonerar os cofres públicos da responsabilidade de mantê-los.

Não se tratava, portanto, de pessoas gravemente enfermas, menos ainda daquelas cujas doenças condenavam-nas a uma vida de institucionalização perpétua. Era improvável que os doentes demais, incapazes demais ou perigosos demais para viver em sociedade tivessem filhos, por isso não era preciso esterilizá-los. Na essência, portanto, o regime usou a esterilização para aniquilar as partes da sociedade que não se encaixavam no ideal nazista de um novo homem ou nova mulher: na maioria, membros da classe mais baixa, mendigos, prostitutas, andarilhos, gente que não queria trabalhar, egressos de orfanatos e reformatórios, favelas e ruas: gente que não se podia esperar que entrasse para a Juventude Hitlerista, desse dinheiro para o Auxílio de Inverno, se alistasse nas Forças Armadas, hasteasse bandeiras no dia do aniversário do Líder ou aparecesse para trabalhar na hora todo dia. A nova lei deu ao regime o poder sobre a esfera mais íntima da existência humana – sexualidade e reprodução –, um poder que na sequência se estenderia ao tratamento dado aos judeus e de fato, pelo menos potencialmente, a cada alemão adulto. Para sustentar as medidas, uma regulamentação emitida em 26 de julho de 1933 bloqueou o acesso de pessoas que sofriam de enfermidades mentais ou físicas hereditárias aos empréstimos para casamento; outra regulamentação emitida meses depois estendeu a proibição aos benefícios para filhos. Dali para a proibição total de casamentos racialmente indesejáveis foi apenas um pequeno passo.[10]

Tendo por base um raciocínio desse tipo, não é de surpreender que "criminosos habituais" também fossem um dos grupos cuja esterilização forçada há muito fosse considerada desejável por psiquiatras e criminologistas. Funcionários de saúde locais de Zwickau, mais notoriamente Gerhard Boeters, fizeram vigorosa campanha a favor da medida sob a República de Weimar. O médico da prisão de Straubing, Theodor Viernstein, considerava que "inimigos da raça, inimigos da sociedade" tinham que ser removidos da cadeia da hereditariedade o mais rapidamente possível.[11] Mesmo social-democratas como Wilhelm Hoegner insistiram pelo menos na esterilização voluntária de infratores persistentes, embora comunistas e o Partido de Centro, por motivos muito diferentes, fossem francamente contrários.[12] Hitler e lideranças nazistas como o especialista legal Hans Franck eram fortemente favoráveis a incluir "criminosos habituais" na lista daqueles a serem esterilizados. Mas o ministro da Justiça, Franz Gürtner, barrou a iniciativa com sucesso, tanto na Lei de Esterilização quanto na Lei de

Criminosos Habituais. Ele seguiu fazendo isso não obstante a pressão de eugenistas como Ernst Rüdin, em parte porque os funcionários não ficaram convencidos de que fosse possível separar claramente a criminalidade determinada pela hereditariedade do desvio condicionado pelo ambiente, mas sobretudo porque consideraram desnecessário, visto que "criminosos habituais" agora ficavam encarcerados a vida toda sob as novas regras de "confinamento de segurança" e, portanto, não podiam se reproduzir. Todavia, prisioneiros do Estado podiam ser esterilizados caso se enquadrassem em algum dos motivos especificados na lei, e os médicos da prisão eram ativos em identificá-los entre os detentos. Os critérios para esterilização eram extremamente elásticos e incluíam "débeis mentais congênitos" e "alcoólatras", e uma grande proporção dos detentos podia ser encaixada por algum médico da prisão. Hans Trunk, sucessor de Viernstein em Straubing, por exemplo, propôs a esterilização de até um terço dos presidiários, um número considerado alto demais até pelo Tribunal de Saúde Hereditária local. Não é de surpreender que os prisioneiros estivessem super-representados entre os esterilizados de forma compulsória, com quase 5,4 mil submetidos ao procedimento até dezembro de 1939. Igualmente não causa surpresa que a ameaça de vasectomia ou histerectomia espalhasse medo entre os detentos, que com frequência repassavam uns aos outros as respostas corretas dos testes de inteligência administrados pelos médicos e as memorizavam.[13]

Por outro lado, os deficientes físicos foram afetados de forma consideravelmente menos severa. É verdade que uma das cláusulas dispostas pela lei de 1933 era "deformidade física hereditária grave", que declarava incluído qualquer um que sofresse de "desvios da normalidade que impedissem o funcionamento normal em maior ou menor grau", contanto que se pudesse demonstrar que haviam sido herdados. Desse ponto de vista, era completamente irrelevante se a pessoa também fosse ou não deficiente mental. O apoio estatal a tais pessoas seria efetivamente abolido, visto que não tinham serventia para a comunidade. Já na Depressão, as casas de cuidado para deficientes físicos da Alemanha, que ofereciam 11 mil leitos em 1927, haviam sido forçadas por restrições financeiras a aceitar apenas crianças, e somente aquelas consideradas capazes de recuperação mediante tratamento. Bem antes de 1933, portanto, a distinção entre "valiosos" e "inferiores", ou pessoas sofrendo de deficiências físicas curáveis de um lado e de incapacitação grave ou múltipla de outro, havia se tornado lugar-comum nas instituições de cuidado. À luz dos maciços ataques de propaganda desfechados pelos nazistas contra deficientes físicos em conjunto com a lei de esterilização em 1933, muitas famílias retiraram os filhos ou parentes deficientes dessas instituições, temendo que lhes acontecesse o pior.[14]

Porém, em meados da década de 1930, a atmosfera começou a mudar. Os médicos salientavam que pelo menos três quartos das deficiências físicas desenvolviam-se após o nascimento, e que de todo modo era extremamente improvável que a maioria fosse transmitida para a geração seguinte. Condições como quadril deslocado eram consideradas perfeitamente tratáveis. Do mesmo modo o pé torto, o que deve ter sido um alívio para o ministro da Propaganda do Reich, Joseph Goebbels, o mais conhecido portador do problema na Alemanha. Claro que já era tarde demais propô-lo para a esterilização, e a futilidade da ideia de que essa deficiência fosse hereditária foi amplamente demonstrada pela condição perfeita e saudável de sua numerosa prole. Possivelmente o embaraço óbvio de repudiar pessoas de pé torto como um perigo para o futuro da raça foi um fator que gerou a mudança na política em relação a incapacitações físicas no Terceiro Reich. Mas o principal fator foi econômico. Cirurgiões e médicos ortopedistas, temendo por seus empregos caso fosse adotada uma política de esterilização e abandono efetivo do tratamento, destacaram que, contanto que os deficientes físicos tivessem a mente sã, podiam ser empregados em um conjunto variado de serviços adequados, em especial se o tratamento obtivesse algum sucesso. E notaram que a terapia bem-sucedida exigia tratamento precoce; todavia, a atitude dos nazistas fazia com que as mães escondessem as incapacitações dos filhos da classe médica por medo do que pudesse acontecer.

Funcionários locais reuniram-se em 12 de outubro de 1937 e concordaram que a crescente escassez de mão de obra tornava aconselhável integrar os deficientes físicos na economia. Otto Perl, fundador da Liga para o Avanço da Autoajuda dos Deficientes Físicos em 1919, fez pressão com sucesso para que a pejorativa designação oficial de "aleijado" (*Krüppel*) fosse substituída nos documentos oficiais pela mais neutra "deficiente físico" (*Körperbehinderte*), como de fato ocorreu cada vez mais de 1934 em diante. Muitos dos que ele representava eram feridos de guerra, é claro; mas suas campanhas tiveram consequências também para deficientes mais jovens. O resultado foi que a proporção de esterilizados à força que sofriam exclusivamente de incapacitações físicas permaneceu abaixo de 1% ao longo de todo o período nazista. Em 1934, a organização de Perl foi oficialmente reconhecida, incorporada à Beneficência Popular Nacional-Socialista sob o nome de Liga do Reich para os Deficientes Físicos (*Reichsbund der Körperbehinderten*) e incumbida da tarefa de integrar seus membros na economia produtiva. Aqueles com deficiências como hemofilia, artrite reumatoide progressiva grave, contrações musculares espasmódicas graves ou deformidades crônicas das mãos ou da coluna foram confiados a instituições com a instrução de que recebessem um grau mínimo de cuidado. Mas mesmo nesses casos, a ideia de esterilização compulsória foi abandonada; em uma terra onde muitos milhares de veteranos de guerra com graves deficiências físicas podiam ser vistos nas ruas todos os dias, teria sido difícil justificar tal medida para o público em geral.[15] Ainda assim, essa mudança de ideia teve limites. Os deficientes físicos podiam ser úteis ao regime, mas não seriam de jeito nenhum membros plenos ou iguais da comunidade racial. A ênfase colocada pelos nazistas na saúde física e na vitalidade já os discriminava na escola, onde a partir de 17 de março de 1935 foram proibidos de avançar para a educação secundária, junto com estudantes que houvessem mostrado "fracasso persistente no treinamento físico" e "jovens que exibem uma má vontade persistente para cuidar do próprio corpo". O caminho para se sair bem na escola, na universidade, na Juventude Hitlerista e praticamente em todas as outras instituições do Terceiro Reich passava também pela demonstração de aptidão para lutar. Aqueles que não estivessem em posição de mostrá-la permaneceriam como cidadãos de segunda classe.[16]

Alguns médicos fora da Alemanha também sustentavam a opinião de que muitas enfermidades sociais eram resultado de degeneração hereditária de certos setores da população. Mesmo antes de os nazistas chegarem ao poder na Alemanha, 28 estados norte-americanos haviam aprovado leis que resultaram na esterilização de cerca de 15 mil pessoas; o total havia mais do que dobrado em 1939. Higienistas raciais alemães, como Gerhard Boeters, apontaram o exemplo americano para justificar a sua postura; outros também eventualmente destacaram as leis antimiscigenação dos estados norte-americanos do Sul como mais um exemplo que poderia ser seguido com êxito na Alemanha. O eugenista americano Harry Laughlin, que em 1931 apresentou um programa para esterilizar cerca de 15 milhões de americanos de cepa racial inferior ao longo dos cinquenta anos seguintes, recebeu um doutorado honorário em Heidelberg, em 1936. Eugenistas dos Estados Unidos, por sua vez, admiravam as leis alemãs; o próprio Laughlin afirmou com orgulho que suas ideias haviam servido de inspiração parcial.[17] Leis de esterilização de um tipo ou outro foram aprovadas pela Suíça em 1928, pela Dinamarca em 1929, pela Noruega em 1934 e por uma variedade de outros países europeus de estrutura política tanto democrática quanto autoritária. Seis mil dinamarqueses foram esterilizados, e nada menos que 40 mil noruegueses. Ainda mais notavelmente, quase 63 mil esterilizações foram realizadas na Suécia entre 1935 e 1975. Argumentou-se que as esterilizações suecas foram levadas a cabo para remover pessoas não produtivas da cadeia da hereditariedade e visavam os degenerados sociais em vez de raciais; e com certeza o Estado de bem-estar social construído pela social-democracia sueca nessas décadas não teve uma base racista como o Estado nazista. Ainda assim, o Instituto Nacional Sueco de Biologia Racial estabeleceu características físicas entre os critérios para a esterilização forçada, e ciganos foram marcados como um grupo racialmente inferior. Além disso, nos primeiros seis anos do Terceiro Reich, a esterilização, embora realizada em uma escala bem maior que em qualquer outro lugar, não foi de caráter primeiramente racial no sentido de se basear na identificação de raças inferiores: as pessoas esterilizadas eram na maioria alemães "arianos", e foram esterilizadas por motivos não muito diferentes dos apresentados pelas autoridades suecas e eugenistas de outros lugares por volta da mesma época.[18] A verdadeira diferença só viria a emergir mais tarde, quando a guerra começou, à medida que os nazistas deixaram de esterilizar degenerados sociais para assassiná-los.

II

Aplicar os princípios de higiene racial à sociedade significou levar de roldão a moralidade cristã tradicional e substituí-la por um sistema de ética que extraía o bom e o mau somente a partir do que se imaginava ser os interesses coletivos da raça alemã. Isso não impediu que alguns funcionários da beneficência protestante concordassem com essa política, mas, quando a Igreja Católica fez objeções a medidas como a esterilização forçada, os ideólogos nazistas, como o líder dos médicos Gerhard Wagner, retrataram-nas como mais um episódio na longa luta entre obscurantismo religioso e esclarecimento científico, uma luta que a ciência estava fadada a vencer.[19] De fato, em poucas áreas as diferenças entre tradicionalismo conservador e modernismo nazista ficaram mais aparentes que na atitude do regime em relação a mulheres, casamento e família, com tudo isso aparecendo aos ideólogos nazistas à luz não da moralidade cristã convencional, mas dos princípios científicos da política racial. Qualquer sobreposição que parecesse haver entre as visões conservadora e nacional-socialista sobre o lugar da mulher na sociedade era puramente superficial. Alarmados com a queda de longo prazo da taxa de natalidade da Alemanha, que havia se instaurado por volta da virada do século, conservadores nacionalistas e nazistas pregavam igualmente a volta das mulheres para casa; mas, enquanto os conservadores viam a chave para a reversão da queda no restabelecimento dos padrões tradicionais do casamento, os nazistas estavam dispostos a adotar até as ideias mais radicais com o intuito de mais filhos para o Reich, somando a isso a insistência de que tais filhos tinham que ser racialmente puros e hereditariamente imaculados, princípios que os conservadores tradicionais abominavam. O aborto, profundamente repugnante para a moralidade católica, proporciona um caso ilustrativo. O Terceiro Reich apertou e impôs com mais rigor as leis existentes proibindo o aborto, exceto por justificativa médica, e com isso reduziu o número de abortos com sanção oficial de quase 35 mil por ano para menos de 2 mil no fim da década. Mas também permitiu o aborto com base na eugenia de 1935 em diante, e em novembro de 1938 um tribunal de Lüneburg criou um precedente significativo quando legalizou o aborto para mulheres judias.[20] Ao mesmo tempo, os anticoncepcionais, outro motivo de perturbação para a Igreja Católica, continuaram disponíveis ao longo de toda a década de 1930, embora as clínicas de controle de natalidade tenham sido fechadas devido à associação do movimento de controle da natalidade com políticos libertários de esquerda.[21]

Dada sua visão darwinista da política mundial, os nazistas consideravam uma alta taxa de natalidade essencial para a saúde de uma nação. Uma taxa de natalidade em queda significava uma população envelhecida e menos recrutas para as Forças Armadas a longo prazo. Uma taxa de natalidade ascendente significava uma população jovem e vigorosa, e a promessa de um efetivo militar sempre em expansão no futuro. Os higienistas raciais haviam destacado com alarme o declínio da taxa de natalidade da Alemanha, de 36 nascidos vivos para cada mil habitantes em 1900 para meros quinze para cada mil habitantes em 1932. Já em 1934, Fritz Lenz era da opinião de que a emancipação feminina era a culpada e defendeu a proibição do acesso das mulheres à educação superior. Criticava outros higienistas raciais que argumentavam modestamente que uma mulher saudável deveria dar à luz oito ou nove filhos ao longo da vida. Uma mulher, pensava ele, podia dar à luz por um período de trinta anos; sendo possível um nascimento a cada dois anos, isso significava, declarou ele, um mínimo de quinze. Qualquer outra coisa devia-se a "causas antinaturais ou patológicas".[22] Os nazistas não poderiam estar mais de acordo. Tão logo chegaram ao poder, entraram em ação para eliminar o que pensavam ser as causas do declínio da taxa de natalidade e para fornecer incentivos às mulheres para ter mais filhos. O primeiro alvo foi o grande e ativo movimento feminista da Alemanha, que foi rapidamente fechado e teve suas associações constituintes incorporadas à entidade nacional feminina do Partido, a Organização das Mulheres Nacional-Socialistas *(NS-Frauenschaft)*. As lideranças femininas radicais, inclusive Anita Augspurg e Lida Gustava Heymann, pioneiras da campanha pelo voto feminino, foram exiladas; suas convicções pacifistas colocavam-nas em risco de detenção e aprisionamento no novo regime. As feministas mais conservadoras, como Gertrude Bäumer, que dominara o movimento na década de 1920, retiraram-se em "exílio interno" autoimposto, deixando o campo livre para mulheres de convicção francamente nazista.[23]

A Organização das Mulheres Nacional-Socialistas foi liderada, após uma feroz luta interna pelo poder que se prolongou até o início de 1934, por Gertrud Scholtz-Klink, orgulhosa mãe (finalmente) de onze filhos; sua devoção à ideia da família era inquestionável. A Organização das Mulheres pretendia proporcionar a liderança ativa para uma organização abrangente da massa das mulheres alemãs, chamada Bureau das Mulheres Alemãs (*Deutsches Frauenwerk*), que converteria todo o sexo feminino da Alemanha ao modo de pensar nazista.[24] Uma vez nomeada para chefiar as duas organizações, como líder das mulheres do Reich, Scholtz-Klink lançou-se à ação, implantando uma série de projetos para persuadir as mulheres a ter mais filhos e cuidar melhor daqueles que já possuíam. Um dos mais ambiciosos foi o Serviço das Mães do Reich, que recorreu à experiência de grupos beneficentes femininos estabelecidos há tempo. Produzia cursos sobre cuidados infantis, culinária, costura e, é claro, higiene racial; esses cursos foram levados a mais de 1,7 milhão de mulheres até março de 1939 e eram custeados pela venda de distintivos do Dia das Mães, complementada por uma pequena taxa de inscrição. O Dia das Mães em si tornou-se um importante evento de propaganda. Goebbels mandou que todos os camisas-pardas, a Juventude Hitlerista e outras organizações do Partido Nazista dessem o dia de folga a seus membros para que pudessem ficar com a família; os teatros deviam encenar peças relevantes sobre o dia e distribuir ingressos grátis para mães e famílias; padres e pastores deviam pregar sermões sobre a maternidade. No Dia das Mães de 1939, 3 milhões de mulheres que haviam dado à luz quatro ou mais filhos foram investidas do título de "Mãe do Reich" em cerimônias especiais realizadas por toda a Alemanha. O novo *status* foi assinalado pela concessão da especialmente elaborada Cruz de Honra das Mães – de bronze para quatro filhos, de prata para seis e de ouro para oito ou mais, um feito considerado suficientemente digno de nota para que as cruzes fossem entregues por Hitler em pessoa. As agraciadas podiam passar na frente das filas em armazéns, e os membros da Juventude Hitlerista eram instruídos a saudá-las na rua. Mães cujo desempenho excedesse esse patamar e dessem à luz dez filhos recebiam a honra adicional de ter Hitler como padrinho da décima criança, o que no caso de meninos implicava chamar o bebê de "Adolf", algo que as famílias católicas que se ressentiam da perseguição de Hitler à sua Igreja devem ter achado um tanto aflitivo.[25]

 O envolvimento de Goebbels nesse exercício de propaganda ressaltou o fato de que as organizações femininas de Scholtz-Klink não possuíam de forma alguma o monopólio sobre a política do setor e sua implementação.

Como simples mulher, Scholtz-Klink desfrutava de uma baixa condição na hierarquia nazista e não era páreo, portanto, nem para líderes nazistas do sexo masculino relativamente fracassados nas guerras territoriais que eram uma característica muito constante da política interna do regime. Logo a Frente de Trabalho, o Comitê de Alimentos do Reich e a Beneficência Nacional-Socialista haviam retirado todas as principais áreas da previdência feminina, enquanto a Frente de Trabalho e suas subsidiárias também geriam um amplo leque das atividades de lazer feminino. Ao mesmo tempo, os limitados recursos disponíveis para Scholtz-Klink resultaram no fracasso de suas organizações femininas em atingir as metas ambiciosas que ela estabelecera; não foram muito além das mulheres de classe média que haviam formado o grosso do conjunto do velho movimento feminino dos tempos de Weimar, e as donas de casa não aceitaram ser mobilizadas para o serviço da nação da forma que Scholtz-Klink pretendia. Maridos e filhos passavam cada vez mais tempo fora de casa em atividades relacionadas ao Partido, em acampamentos ou sessões noturnas de treinamento. As mulheres alemãs, conforme reclamou uma colaboradora de uma coletânea notavelmente crítica de petições das mulheres para Hitler publicada em 1934, estavam caindo em uma "sombra de solidão" como resultado.[26]

Além disso, a ação pró-natalidade do governo significou em si uma interferência do regime na família, na sexualidade e no parto, uma vez que eram exercidos todos os tipos de pressão sobre as mulheres para que casassem e tivessem montes de filhos. O regime nazista difundiu os interesses das grandes famílias assumindo o controle da já existente Liga das Famílias Férteis do Reich, que também se tornou instrumento de engenharia racial, visto que muitas famílias grandes socialmente inferiores foram excluídas da organização, e dos privilégios que ela conferia, sob a alegação de que eram associais ou degeneradas. Para aquelas que preenchiam os requisitos, com quatro ou mais filhos com menos de dezesseis anos de idade, havia muitas vantagens, incluindo prioridade na educação, trabalho para o pai e melhor moradia para toda a família, e suplementações para as crianças introduzidas em outubro de 1935 na média de 390 reichsmarks por família. Em julho de 1937, 400 mil famílias haviam recebido a verba, 240 mil famílias também recebiam apoio familiar ininterrupto e eram feitas dotações únicas de até mil reichsmarks por criança para os pais comprarem artigos domésticos, roupa de cama e assim por diante. A partir de abril de 1936, o governo acrescentou uma doação complementar de dez reichsmarks mensais para o quinto filho e cada um subsequente de cada família. Em 1938, os benefícios foram estendidos de filhos com dezesseis anos de idade para até os de 21 anos incompletos. Reformas tributárias melhoraram as deduções das grandes famílias em nível nacional, enquanto os governos locais tomaram medidas para reduzir as contas de gás, água e eletricidade, fornecendo uniformes grátis para a Juventude Hitlerista, subsidiando os custos escolares, complementando os vencimentos de empregados municipais com quatro ou mais filhos, ou (como em Leipzig) publicando "tabelas de honra" mensais das grandes famílias. Quem arcava com todas essas medidas eram os solteiros e os casais sem filhos, constituindo um claro incentivo para os casais terem mais filhos, em especial os menos favorecidos: uma família pobre com três rebentos jovens podia melhorar sua situação de forma significativa tendo o quarto. Contudo, havia limites, sobretudo em relação à moradia, onde a prioridade que se supunha ser dada a famílias grandes de pouco servia em face da contínua escassez de habitações. Os senhorios preferiam solteiros ou casais sem filhos porque usavam menos gás, água e eletricidade em uma situação na qual os aluguéis estavam congelados. O investimento estatal em novas moradias na verdade caiu de 1,3 bilhão de marcos em 1928 para 250 milhões em 1938.[27]

Esses problemas refletiram-se no fato de que a queda no percentual de casamentos com quatro ou mais filhos continuou firme. Quase metade de todos os casados em 1900-1904 tinham quatro ou mais filhos, mas, entre os casados em 1926-30, a proporção era de apenas 20%; em 1931-35, caiu ainda mais, para 18%, e em 1936-40, novamente, para 13%.[28] De pouco adiantaram os esforços do regime diante de um declínio secular no tamanho das famílias que havia começado décadas antes e continuaria por muito tempo depois. Os custos econômicos, sociais e culturais de se ter mais que um ou dois filhos eram simplesmente altos demais para o Terceiro Reich combater.[29] Em termos superficiais ao menos, o regime pareceu desfrutar de mais sucesso em reverter a queda a longo prazo da taxa de natalidade que tanto preocupava os higienistas raciais. De escassos 14,7 nascidos vivos para cada mil habitantes em 1933, a taxa de natalidade aumentou para 18 em 1934 e

18,9 em 1935. Então nivelou-se em 19 em 1936 e em 18,8 em 1937, antes de subir de leve outra vez para 19,6 em 1938 e 20,4 em 1939.[30] No início da década de 1940, um comentarista pôde afirmar que 3 milhões a mais de alemães haviam nascido como resultado direto das políticas introduzidas pelo Terceiro Reich.[31] Todavia, o salto no número de casamentos, de quase 25% entre 1932 e 1938, foi principalmente devido à recuperação econômica. As pessoas vinham adiando casar-se e ter filhos por causa da Depressão: com bem mais de um terço da população trabalhadora desempregada, isso era bastante compreensível. Portanto, mesmo sem o esquema do empréstimo para casamento, a maioria das uniões e nascimentos que aconteceu de 1934 em diante teria ocorrido de qualquer maneira. Outros nascimentos adicionais refletiram a maior dificuldade para fazer aborto depois de 1933; apenas um número relativamente baixo de nascimentos pode ser atribuído diretamente às políticas introduzidas pelo Terceiro Reich.[32]

III

Com o passar do tempo, essas políticas invadiram ainda mais intimamente o casamento e a família. Em 1938, uma nova Lei do Casamento tornou possível para um marido ou uma esposa fértil pedir o divórcio com base em "infertilidade prematura" ou recusa do cônjuge em procriar. Três anos de separação e o colapso irrecuperável do casamento também foram introduzidos como bases para o divórcio. Dessa maneira, desconsiderando por completo a visão cristã tradicional do casamento como uma parceria santificada pelo divino para a vida inteira, o Terceiro Reich esperava facilitar que as pessoas se casassem com o objetivo de ter filhos. Em 1941, quase 28 mil pessoas haviam pedido divórcio com base em colapso e separação, enquanto 3.838 divórcios foram concedidos devido à infertilidade prematura e 1.771 pela recusa em procriar. Não são números muito impressionantes, e tiveram apenas um pequeno impacto sobre a taxa de natalidade, se é que tiveram algum. Todavia, em uma sociedade em que o divórcio ainda era algo deveras incomum e em geral desaprovado, essas separações somaram uma bela quinta parte do total. O Vaticano registrou devidamente sua desaprovação junto ao embaixador alemão. Foi ignorado.³³ Potencialmente bem mais intrusiva foi a Lei para a Proteção da Saúde Hereditária do Povo Alemão, promulgada em 18 de outubro de 1935, que estipulou a proibição do casamento quando um dos cônjuges sofresse de doença hereditária ou de enfermidade mental. Como consequência, qualquer um que quisesse casar tinha que fornecer um atestado por escrito de que estava qualificado conforme a lei. Os postos locais de saúde ficariam sobrecarregados com pedidos de exame médico caso tivesse havido a intenção de implementar essas solicitações em termos abrangentes. Assim, na prática, cabia aos cartórios exigir um exame caso tivessem quaisquer dúvidas sobre a aptidão de pares que pretendiam se casar. De fato, alguns já haviam feito isso antes de a lei ser aprovada. A exigência de um atestado por escrito foi adiada por prazo indeterminado, e nos anos seguintes a lei foi atenuada por uma série de emendas. Não obstante, dificultou notadamente o casamento de pessoas classificadas como antissociais ou débeis mentais em termos morais – diagnósticos que já as desqualificavam para o esquema do empréstimo para casamento; na prática, quem encontrava problemas nessa questão também ficava propenso a ter problemas no programa de esterilização.³⁴

Por fim, a ilegitimidade, um estigma persistente em círculos social e moralmente conservadores, era totalmente irrelevante para a visão nazista de natalidade. Se a criança fosse pura e saudável do ponto de vista racial, não importava em absoluto se os pais eram legalmente casados. As consequências lógicas de priorizar a procriação dessa maneira moralmente neutra foram levadas ao extremo por Heinrich Himmler, que fundou uma série de maternidades a partir de 1936 sob uma associação gerida pela SS chamada Fonte da Vida (*Lebensborn*). Elas destinavam-se a mães solteiras racialmente aprovadas, que do contrário poderiam não receber os recursos que ele achava que mereciam: as taxas de mortalidade infantil entre filhos ilegítimos eram bem mais altas que a média nacional. Mas a tentativa bizarra de Himmler de encorajar sua elite a procriar uma futura raça dominante não teve muito êxito: as casas logo foram usadas por casais proeminentes da SS e mais tarde do Partido Nazista em geral devido aos baixos custos, boas instalações e (especialmente durante a guerra) localização rural favorável. Nos tempos de paz, menos da metade das mães nas casas eram solteiras, embora isso em si bastasse para atrair críticas dos católicos e conservadores. No total, 8 mil crianças nasceram nessas casas, o que mal dava para inaugurar uma nova raça dominante. Himmler tampouco teve sorte muito melhor com os oficiais da SS casados. Uma investigação efetuada em 1939 mostrou que os 115.690 homens da SS casados tinham em média apenas 1,1 filho.[35]

Além de tudo isso, os nazistas fizeram um esforço considerável para propagar e de fato impor uma imagem das mulheres que expressasse sua pretendida função de se tornarem mães do Reich. Rejeitar a moda francesa tornou-se dever patriótico; abster-se de batom e maquiagem, largamente comercializados por firmas americanas, anunciava o comprometimento com a raça alemã; parar de fumar tornou-se emblema de feminilidade, bem como melhorar a saúde da mãe em potencial e do futuro filho – um resultado do qual especialistas médicos nazistas já estavam convencidos na década de 1930. Os pais eram encorajados a apresentar suas filhas com rabos de cavalo e trajes em estilo camponês, especialmente se fossem loiras. O Instituto Alemão de Moda montou *shows* da nova alta-costura alemã, combatendo o domínio internacional da moda de Paris. Tudo mais que mera propaganda. A liderança distrital do Partido em Breslau, por exemplo, proibiu as mulheres de participar dos encontros partidários caso usassem maquiagem. Foram colocados avisos nos cafés solicitando às clientes que se abstivessem de fumar, enquanto o chefe de polícia de Erfurt exortou os cidadãos a "lembrar as mulheres que encontrassem fumando na rua de seu dever como esposa e mãe alemã". Houve relatos de camisas-pardas arrancando cigarros dos lábios de mulheres que eram vistas fumando em público, ou repreendendo mulheres com a sobrancelha aparada ou com batom de cor forte. Jornais e publicações polemizavam de um lado contra a "nova mulher" andrógina dos anos de Weimar, com cabelo curto e trajes masculinos, e de outro contra a *vamp* sexualmente sedutora, com seu fascínio elegante e cabelo permanentemente cacheado. O exercício físico era indicado como a melhor maneira para as mulheres adquirirem o aspecto saudável e radiante que o futuro da raça alemã requeria.[36]

Entretanto, em última análise, também nessa questão os nazistas fracassaram em conseguir impor suas ideias. Revelou-se impossível refrear a indústria de cosméticos, que logo encontrou novas formas de lucrar. As revistas em breve estavam repletas de conselhos para as mulheres alemãs sobre como ter uma aparência natural por meios artificiais. As companhias de xampu promoveram rapidamente novos produtos que permitiam às mulheres obter a muito desejada cabeleira loira. As empresas judaico-alemãs de roupas foram arianizadas, e supostos criadores de moda judeus cosmopolitanos foram excluídos do mercado, mas a moda internacional era forte demais para ser rechaçada. As revistas femininas continuaram a exibir o estilo das estrelas de Hollywood e explicar como obtê-lo. Mulheres proeminentes da alta sociedade nazista desdenharam o ataque à moda: Magda Goebbels com frequência aparecia em público fumando com uma piteira, Winifred Wagner ia às galas da ópera vestida em seda parisiense, e até Eva Braun, companheira de Hitler, fumava quando ele não estava por perto e usava regularmente os cosméticos de Elizabeth Arden. O Instituto Alemão de Moda não tinha força para causar grande impacto, e a tentativa do regime de ajudar a economia autárcica e impulsionar o orgulho nacional encorajando as mulheres a vestir trajes feitos em casa deparou com uma dificuldade crescente devido ao baixo preço das roupas produzidas em massa com fibras artificiais – outro produto do afã pela autarcia. Preocupadas em combater a percepção difundida no exterior de que as mulheres alemãs eram desmazeladas e deselegantes, as revistas femininas, sob instruções do Ministério da Propaganda, tentaram persuadi-las a manter uma aparência elegante, em especial quando houvesse visitantes estrangeiros por perto. O traje camponês de fato teve uma espécie de retorno no final da década de 1930, mas com frequência de um jeito tão modificado na direção do estilo da moda internacional que mal podia ser reconhecido. No fim das contas, as mulheres alemãs não foram mais persuadidas a se apresentar meramente como mães de verdade ou potenciais do que o foram a se comportar como tal.[37] Isso não era de surpreender, dada a extensão em que os nazistas solaparam as distinções tradicionais entre público e privado, entre a casa e o mundo exterior. Enquanto a política de governo penetrava na esfera doméstica e a politizava, organizações do Partido tiravam as mulheres e os filhos de casa e os socializavam em acampamentos, expedições e encontros. O resultado foi um enevoamento das distinções que tornou impossível às mulheres se adequar aos papéis domésticos e maternos aos quais a propaganda nazista tentava ajustá-

-las. Na verdade, em poucas áreas as contradições e irracionalidades do Terceiro Reich foram maiores que nessa.[38]

Será que isso tudo era muito diferente da situação em outras partes da Europa? Quase todos os países europeus importantes adotaram políticas para tentar impulsionar as taxas de natalidade na década de 1930, visto que quase todos os governos estavam preocupados com os efeitos potenciais da queda do índice de natalidade sobre a futura eficiência militar. A Itália de Mussolini e a Rússia de Stálin impuseram restrições ao controle de natalidade e ofereceram recompensas a mães férteis; a propaganda pró--natalidade na França, onde o declínio da taxa de nascimentos fora particularmente severo durante um longo período, chegou a um pico quase febril nos anos entreguerras. A Itália fascista também viu o ataque ao trabalho feminino e a tentativa de reduzir o *status* das mulheres a geradoras e educadoras de filhos, e na Rússia soviética a atmosfera sexual relativamente liberal da década de 1920 deu lugar a um regime muito mais puritano e repressor sob Stálin. Por toda parte, os movimentos feministas autônomos entraram em baixa, perderam apoio ou foram esmagados por governos autoritários. Contudo, ao mesmo tempo, houve diferenças. O poder da Igreja Católica na Itália impediu que Mussolini incluísse o tipo de engenharia racial amoral que foi a pedra fundamental da política populacional da Alemanha nazista. Na Rússia, embora pudesse haver laivos racistas nas políticas de Moscou em relação a outras nacionalidades do império soviético, o racismo não foi uma parte central da ideologia do regime e não houve equivalente à legislação nazista sobre esterilização, casamento ou raça. Além disso, embora a Rússia soviética desaprovasse maquiagem e alta-costura, era em grande parte por ser algo "burguês" e por aviltar o papel das mulheres como trabalhadoras, o que – ao contrário da Alemanha nazista – era assiduamente propagado em pôsteres exibindo mulheres motoristas de trator e metalúrgicas. Tirando tudo isso, a política de casamento e população da Alemanha nazista, como quase qualquer outra política social, teve um impacto negativo e um positivo, além de ter ampliado a desvantagem das minorias raciais e de outras que não se enquadravam na imagem do novo ser humano ariano do Terceiro Reich.[39] E havia muitas delas.

IV

Um grupo específico considerado um perigo racial pelo Terceiro Reich era o dos chamados ciganos, dos quais cerca de 26 mil viviam na Alemanha no começo da década de 1930.[40] Os ciganos consistiam de grupos familiares que se designavam de uma ou outra variedade de grandes tribos – roma, sinti, lalleri – e tinham um estilo de vida nômade. Haviam chegado à Europa central no fim do século XV, e se pensava que alguns pelo Egito (daí a palavra inglesa *gypsy* para cigano); de fato, originalmente haviam procedido da Índia. Morenos, falando uma língua diferente, vivendo em maioria à parte do resto da sociedade alemã e dependendo de formas variadas de comércio ambulante, atraíram rejeição social e severa repressão legislativa à medida que surgiram os Estados no período de consolidação social e política que se seguiu ao final da Guerra dos 30 Anos em 1648. Os românticos do início do século XIX idealizaram os ciganos como primitivos e exóticos, repositórios de conhecimentos ocultos como a leitura da sorte. Mas, com o surgimento da biologia criminalista perto do fim do século, legisladores e governantes começaram a incluí-los novamente nas classes criminosas. Os ciganos foram cada vez mais submetidos a assédio policial devido à recusa em se adaptar ao ideal moderno de cidadania – frequentar a escola, pagar impostos, registrar domicílio – e ao descaso por noções convencionais de propriedade privada, trabalho, regularidade, saneamento e coisas assim. As contravenções à rede cada vez mais apertada de regulamentos que limitavam a sociedade nessas e em outras áreas fazia com que a maioria dos ciganos tivesse ficha criminal, o que confirmou a visão das agências de cumprimento da lei de que eles tinham propensão hereditária para a criminalidade. Em 1926, o governo bávaro aprovou uma lei particularmente severa contra os ciganos, juntando-os aos viajantes e preguiçosos, e fundou um Escritório Central para coletar informações sobre eles de forma sistemática. Dez anos depois, havia compilado um catálogo de quase 20 mil fichas.[41]

De início, a chegada do Terceiro Reich não significou maiores mudanças para os ciganos alemães, exceto que foram enquadrados em outras categorias de pessoas na mira do regime, como criminosos, antissociais ou preguiçosos. Várias autoridades locais e regionais avançaram no assédio a viajantes, revistando seus acampamentos, removendo-os dos locais de descanso e detendo aqueles que julgavam envolvidos em atividades como pedir esmola. Em 6 de junho de 1936, esses esforços foram coordenados por um decreto emitido pelo Ministério do Interior do Reich, e várias cidades começaram a montar acampamentos especiais para ciganos no estilo de um lançado em Frankfurt am Main. Não eram exatamente campos de concentração, visto que os ciganos, pelo menos virtualmente, tinham o direito de chegar e sair quando quisessem, e não houve tentativa de impor disciplina ou infligir punições. Entretanto, as condições com frequência eram muito precárias: o acampamento no subúrbio de Marzahn, em Berlim, que abrigou seiscentos ciganos removidos à força da cidade em julho de 1936, tinha apenas duas latrinas, três fontes de água, não dispunha de eletricidade e possuía poucos alojamentos para os que não tinham carroções. As doenças grassavam, e em março de 1939 foi informado que cerca de 40% dos residentes tinham sarna. Guardas violentos lançavam seus cães sobre internos que se recusassem a obedecer ordens. Àquela altura havia bem mais de oitocentos reclusos, e o acampamento tinha uma escola própria. Não obstante, a maioria dos ciganos continuou a viver em sociedade, em especial porque havia um alto índice de casamento com alemães, e muitos alugavam peças ou apartamentos em vez de seguir no estilo de vida nômade tradicional.[42]

 Como parte da intensificação das medidas de prevenção ao crime que empreendeu em 1938, Himmler transferiu o Escritório Central para Assuntos Ciganos da Baviera para Berlim e colocou-o sob a jurisdição do Reich. As batidas policiais atrás de desocupados apanhavam um número substancial de ciganos, mas eles ainda não estavam na mira por motivos raciais específicos. Foi apenas em 8 de dezembro de 1938 que Himmler emitiu um decreto sobre ciganos como tais, embora já estivesse em preparação há vários meses. O decreto consolidou medidas existentes e as centralizou sob o controle da Polícia Criminal em Berlim. Determinou que todos os ciganos e viajantes fossem registrados e passassem por exame racial-biológico. A carteira de identidade resultante declararia se o detentor era cigano, mestiço cigano ou viajante não cigano; apenas com a apresentação da carteira seu titular poderia obter um serviço, carta de motorista, benefícios e assim por diante. O registro foi executado com base nos arquivos da polícia e com a ajuda de um instituto especial de pesquisa montado no Gabinete de Saúde do Reich em 1936 sob a liderança do doutor Robert Ritter, jovem médico que logo se tornou o conselheiro especial preferido do governo para ciganos. Nascido em 1901, Ritter era um biólogo criminalista que organizou uma equipe de pesquisadores para visitar acampamentos ciganos, medir e registrar os habitantes e fazer exames de sangue; aqueles que se recusavam a cooperar eram ameaçados de transferência para um campo de concentração. Ritter e sua equipe esquadrinharam registros paroquiais, incorporaram os arquivos do Escritório Central para Assuntos Ciganos de Munique e compilaram um catálogo de mais de 20 mil pessoas. Ele se gabava de que em breve completaria o registro de cada cigano ou mestiço cigano da Alemanha.[43]

Ritter argumentava que os ciganos eram uma raça primitiva inferior, por natureza incapaz de seguir um estilo de vida normal. Ciganos puros, portanto, não representavam uma ameaça à sociedade, e deviam ter permissão para viver da forma nômade tradicional. Entretanto, alertava Ritter, restavam muito poucos deles. A maioria dos chamados ciganos havia casado com alemães, vivia nas favelas onde havia encontrado um lar e assim criou-se um perigoso substrato de criminosos e vadios. Com isso, ele reverteu de forma arbitrária o dogma nazista do antissemitismo, segundo o qual judeus puros eram uma ameaça maior para a Alemanha do que meio-judeus. Tais teorias proporcionaram uma justificativa pseudocientífica para as medidas policiais então empreendidas por Himmler. Elas desfrutaram de apoio difundido entre assistentes sociais, criminologistas, autoridades policiais, municipalidades e cidadãos alemães comuns. O decreto de 8 de dezembro de 1938 proibiu os ciganos de viajar em "hordas" (grupos de várias famílias), determinou a expulsão de ciganos estrangeiros e deu à polícia poderes para deter viajantes classificados como antissociais. Aplicou a legislação racial já existente aos ciganos, que agora tinham que fornecer um certificado de aptidão antes de obter licença para se casar. E era improvável que ela fosse concedida. Em março de 1939, Himmler ordenou que a mistura racial entre ciganos e alemães deveria ser evitada no futuro. Cada escritório regional da Polícia Criminal teria que montar um gabinete especial para tratar dos ciganos. O gabinete deveria garantir que, feito o exame racial, os ciganos recebessem carteiras de identidade especiais, de cor marrom para ciganos puros, marrom com uma lista azul para mestiços ciganos e cinza para viajantes não ciganos. Na época em que a guerra eclodiu, Himmler tinha ido bem adiante na preparação do que chamou, no decreto de 8 de dezembro de 1938, de "a solução final para a questão cigana".[44]

V

Embora o regime tenha abordado a "questão cigana" de modo gradual, e pelo menos de início com base em práticas policiais de caráter racista apenas parcial e não muito diferentes das aplicadas em outros países europeus, não se pode dizer o mesmo de outra minoria bem mais reduzida da sociedade alemã, os chamados "bastardos da Renânia". O termo em si era um item polêmico da terminologia nacionalista, referindo-se a negros ou mestiços alemães que, conforme a crença quase universal, eram resultado do estupro de mulheres alemãs por tropas coloniais africanas francesas durante a ocupação da Renânia após 1919 e sobretudo do Ruhr em 1923. Na verdade, houve pouquíssimos estupros; a maioria das crianças era fruto de uniões consensuais e, de acordo com um censo mais tardio, não passavam de quinhentos ou seiscentos; outros afro-alemães, embora com frequência considerados produto da ocupação francesa, eram filhos de colonizadores alemães e mulheres africanas do período colonial anterior a 1918 ou de anos posteriores, quando muitos alemães voltaram de antigas colônias, como Camarões ou Tanganica (a parte principal da atual Tanzânia). Entretanto, tamanha foi a publicidade nacional dada às alegações de estupro que estas permaneceram junto à opinião pública ao longo de toda a década de 1920. Os afro-alemães eram considerados pelos nacionalistas o símbolo vivo da vergonha da Alemanha.[45]

Já em 1927, circulavam propostas no Ministério do Interior da Baviera para sua esterilização forçada, a fim de que características africanas não entrassem no sangue alemão, e essas propostas voltaram à baila quase no mesmo instante em que os nazistas chegaram ao poder, quando Göring ordenou a coleta de informações sobre as crianças, das quais muitas então eram adolescentes. Como era de imaginar, as análises de algumas delas por especialistas raciais relataram que eram inferiores em todos os aspectos. Mas a base legal para tratar delas sob os argumentos fornecidos pela lei de esterilização de 1933 ainda era extremamente dúbia; por isso, após longas deliberações dentro da burocracia, foi decidido em 1937, quase certamente com o respaldo explícito de Hitler, que as crianças deveriam ser esterilizadas com base unicamente na autoridade do Líder. Foi montada uma comissão especial dentro da Gestapo, provida de higienistas raciais e antropólogos; abriram-se sucursais na Renânia; os jovens em questão foram localizados e examinados; e o programa de esterilização, organizado em segredo por Ernst Rüdin, Fritz Lenz e Walter Gross, entre outros, seguiu em frente.[46]

A forma como esse esquema violou os indivíduos mais diretamente afetados pode ser vista no caso que a Gestapo arquivou como "número 357", de um menino nascido em 1920 da união consensual entre a mãe alemã e um soldado colonial francês de Madagascar, que assumiu voluntariamente a paternidade, confirmada pela mãe. Um exame médico-antropológico conduzido em 1935 concluiu que os traços faciais do garoto eram não alemães e provavelmente negroides. Na época em que a política de esterilização foi decidida, ele havia começado a trabalhar em uma barcaça do Reno; a Gestapo foi em seu encalço e o deteve à meia-noite de 29 de junho de 1937. Unicamente com base na confirmação prévia da paternidade pela mãe e no exame médico de 1935, a filial da comissão em Colônia ordenou que ele fosse esterilizado; a mãe, que nesse ínterim havia casado com um alemão, concedeu sua aprovação, assim como o marido, e o garoto foi submetido a vasectomia no Hospital Evangélico de Colônia em 30 de junho, no dia seguinte à detenção. Ele foi liberado em 12 de julho e voltou ao serviço. Legalmente alemão, o menino não teve oportunidade de protestar ou apelar da decisão porque era menor de idade, e é mais do que provável que os pais tenham dado consentimento apenas sob considerável pressão da Gestapo. Muitos dos esterilizados eram mais jovens. Meninas até de doze anos de idade foram forçadas a fazer ligação de trompas. É questionável que muitos soubessem a que estavam sendo submetidos, ou por que motivo, ou quais seriam as eventuais consequências na vida deles. O número exato dos tratados dessa forma não é conhecido, mas provavelmente fica na casa dos quinhentos. Depois disso, porém, não aconteceu muito mais com eles, a menos que se complicassem com o regime por algum outro motivo. Um número substancial de afro-alemães de fato conseguiu ganhar a vida em circos e parques de diversões, ou como figurantes em filmes alemães ambientados nas colônias africanas. Os efeitos físicos e psicológicos da esterilização permaneceriam com eles pelo resto da vida.[47]

VI

Ao mesmo tempo em que iam no encalço dessas minorias raciais, os nazistas também lançaram uma perseguição cada vez mais intensiva a um grupo muito maior de alemães. O comportamento homossexual entre homens, embora não entre mulheres, era proibido por lei desde há muito na Alemanha, assim como na maioria dos países europeus. O parágrafo 175 do Código Criminal do Reich prescrevia prisão para qualquer homem que se entregasse a "atividade semelhante a intercurso sexual" com outro homem. Em outras palavras, para garantir uma condenação era necessário mostrar que havia ocorrido penetração. Essa definição restritiva era difícil de provar e permitia que muitos outros tipos de sexo homossexual existissem impunes. A cultura homossexual floresceu na atmosfera livre e solta de Berlim e uma ou duas outras cidades grandes na República de Weimar, de tal modo que gerou uma espécie de ímã para homossexuais de outros países mais repressores, sendo o mais famoso deles talvez o escritor britânico Christopher Isherwood. Contudo, ao chegar ao poder, os nazistas não estavam fazendo realmente muito mais do que aplicar a lei ao dar batidas em bares e locais de encontro homossexuais conhecidos de Berlim e ao dar um aperto no movimento pela abolição do parágrafo 175, embora a violência que acompanhasse tais ações com certeza não pudesse ser justificada por nenhum código legal existente.[48]

Para os nazistas, os homossexuais eram degenerados, efeminados e pervertidos, estavam minando o vigor da raça alemã recusando-se a ter filhos e subvertendo a ideia masculina que as políticas nazistas tanto propagavam. Para Heinrich Himmler, cuja tacanha criação burguesa havia instilado nele mais que os preconceitos sociais comuns nessa área, a homossexualidade era um "sintoma de raças moribundas", causava "o colapso de toda realização, toda tentativa de se alcançar feitos em um Estado". Havia milhões de homossexuais na República de Weimar, disse ele aos oficiais da SS em 1937, de modo que não era de espantar que ela fosse fraca, caótica e incapaz de recolocar a Alemanha em seu lugar apropriado no mundo. O medo patológico de Himmler em relação aos homossexuais extraiu mais força de sua crença de que apenas grupos de homens arianos estreitamente unidos serviam para governar a Alemanha e o mundo. Ligados por laços estreitos de camaradagem, vivendo juntos em alojamentos e campos, e passando a maior parte do tempo entre si em vez de com o sexo oposto, podiam muito facilmente cair presas de impulsos sexuais uns dos outros, quando o homoerotismo cruzasse a fronteira fatal para a homossexualidade. Himmler não só era propenso a dar sermões na SS sobre os perigos da homossexualidade masculina, como também quis impor as mais severas sanções para qualquer oficial ou homem culpado de se entregar, indo até a pena de morte.[49]

Por outro lado, os nazistas davam pouca atenção à homossexualidade feminina. Na Alemanha, como na maioria dos demais países europeus, não era contra a lei, e não se fazia referência a ela no Código Criminal. Todavia, na Alemanha nazista, ainda assim era possível que lésbicas fossem detidas e colocadas em campos de concentração se passassem da conta aos olhos das autoridades. Chegaram aos tribunais processos sob o parágrafo 176 do Código Criminal, que condenava a exploração sexual de subordinados por superiores em organizações como a Juventude Hitlerista e a Liga de Moças Alemãs. Além disso, devido ao estilo de vida anticonvencional e recusa frequente em se incumbir do que o regime considerava a principal obrigação das mulheres para com a raça, isto é, ter filhos, as lésbicas em alguns casos também foram classificadas como antissociais. Casar-se com um homem *gay* como um disfarce (para ambos os parceiros), uma prática cada vez mais comum nesses círculos depois de 1933, nem sempre ajudava, uma vez que o fato de tais casais raramente terem filhos também atraía a vigilância hostil das autoridades. Os clubes e bares de lésbicas foram fechados pela polícia em 1933, e ficou claro que não havia chance de voltarem a funcionar.

Todavia, no geral não houve uma perseguição sistemática às lésbicas como ocorreu com os homens homossexuais. A sociedade lésbica continuou em funcionamento, especialmente em cidades grandes como Berlim, embora a portas fechadas. Dada a visão nazista das mulheres como essencialmente passivas e subordinadas, aquilo não era visto como uma grande ameaça.[50]

Por outro lado, a homossexualidade masculina recebeu uma grande dose de atenção alarmada, e não só do obsessivo Heinrich Himmler. As publicações da SS às vezes ecoavam a visão de Himmler de que era necessária a "erradicação dos degenerados com o propósito de se manter a pureza da raça". Mas havia limites. A opinião médica e científica com certeza tratava a homossexualidade como perversão. Todavia, como em outros tipos de desvio, tendia a distinguir entre um núcleo de incorrigíveis, que o próprio Himmler calculava em cerca de 2% da população homossexual geral, ou cerca de 40 mil homens, e o restante, que podia ser curado da perversão por meio de reeducação. Visto que, na opinião de Himmler, a reeducação podia ser mais bem conduzida em campos de concentração, estava fadada a consistir principalmente de punições severas, concebidas como um freio para atividade homossexual posterior, uma posição não muito diferente da adotada pelos tribunais. E foi aos tribunais que de início Himmler teve que deixar o assunto, pois em 1933 a SS ainda era uma organização relativamente pequena, ofuscada quase por completo pela SA, bem maior e muito diferente. Liderados por Ernst Röhm, cuja homossexualidade era um segredo público, os camisas-pardas não tomaram absolutamente nenhuma atitude contra os homossexuais dentro de suas fileiras. Não só os inimigos de Röhm, os social-democratas, mas também seus rivais dentro do movimento nazista trouxeram à baila sua homossexualidade e a de algumas outras lideranças camisas-pardas em várias ocasiões, notadamente na reconvocação de Röhm para a liderança dos camisas-pardas no início de 1931. Todavia, Hitler desprezou tais preocupações. A SA, disse ele, "não é uma instituição moral para a educação de boas meninas, mas um bando de combatentes rudes". A vida privada de seus líderes e membros era problema deles, a menos que "transgredisse seriamente os princípios básicos do nacional--socialismo". Entrementes, qualquer um que atacasse Röhm e seus companheiros por sua sexualidade seria expulso do movimento. Isso não fez cessar o debate, nem dentro nem fora do Partido, sobre a sexualidade de Röhm. Mas, enquanto Hitler considerou o chefe da SA indispensável, aquilo não teve efeito prático.[51]

Tudo mudou de forma drástica em 30 de junho de 1934, quando Hitler investiu contra a liderança da SA e usou a homossexualidade de Röhm e outras figuras assassinadas por suas ordens, notadamente Edmund Heines, para obter compreensão para suas ações. Isso deu uma oportunidade a Himmler. Dirigindo-se a membros da liderança da SS, ele afirmou que Röhm pretendia estabelecer uma ditadura homossexual e levar o país à ruína, uma visão também manifestada por Alfred Rosenberg. A homossexualidade agora levaria à exclusão imediata do movimento. O Partido Nazista e suas organizações afiliadas foram varridos por uma onda de homofobia. Forças policiais por toda a Alemanha executaram uma série de novos ataques de surpresa aos homossexuais e seus locais de encontro. Quarenta e oito homens com condenações prévias por pederastia foram detidos novamente e mandados para o campo de concentração de Dachau. Em dezembro de 1934, foi registrada a detenção de 2 mil homens em uma série de batidas policiais em bares e clubes de homossexuais. Depois da ação contra Röhm, foi criado um novo departamento dentro da Gestapo com a tarefa de compilar um fichário de homossexuais, sobretudo dentro do Partido. Essa foi outra área em que denúncias voluntárias começaram a desempenhar um papel importante, visto que o comportamento em questão ocorria na maior parte das vezes em particular, a portas fechadas. Na metade de 1935, estava em curso toda uma série de processos contra líderes da Juventude Hitlerista com base no parágrafo 175. Dúzias deles foram arrastados em segredo para a sede da Gestapo em Berlim para interrogatório. Uma vez extraídas as confissões, um bom número deles foi enviado para campos de concentração por tempo indeterminado. Himmler também usou o novo clima para se livrar de oponentes incômodos, como o líder regional do Partido na Silésia, Helmut Brückner, que havia reclamado dos numerosos assassinatos levados a cabo pelo oficial da SS Udo von Woyrsch em sua região durante o expurgo de Röhm. Himmler deu jeito de fazer Brückner ser detido por atentado violento ao pudor com um oficial do Exército; ele foi expulso do cargo e sentenciado a dezoito meses de prisão. Os protestos de Brückner de que ninguém havia se incomodado com sua bissexualidade na época em que ele manteve o relacionamento, antes de junho de 1934, foram ignorados.[52]

Brückner foi sentenciado, como havia se tornado bastante comum na prática legal do Terceiro Reich, em caráter retroativo, com base em uma nova lei aprovada em 28 de junho de 1935. Foi uma emenda ao parágrafo 175, estipulando punições mais severas para comportamento homossexual e redefinindo este em termos bem mais vagos que antes, como um "ato sexual antinatural" (*Unzucht*). Foi abolida a exigência de se provar que havia ocorrido penetração. Em fevereiro de 1937, Himmler devotou um alentado discurso ao tema, dizendo a líderes da SS que, doravante, quaisquer homossexuais encontrados na organização seriam detidos, julgados e condenados, mandados para um campo de concentração quando fossem soltos e lá "fuzilados ao tentar escapar".[53] Forças policiais por toda a Alemanha receberam novas instruções sobre como recrutar informantes em locais frequentados por homossexuais, ao passo que se redobraram os esforços para compilar dossiês sobre todos os possíveis suspeitos. Não é de surpreender que as condenações pelo Código Criminal agora disparassem. Nos anos de 1933 a 1935, quase 4 mil homens foram condenados pelo parágrafo 175 e suas formas sem e com emenda; nos anos de 1936 a 1938, porém, o número chegou a mais de 22 mil. As batidas e detenções foram coordenadas a partir de 1º de outubro de 1936 pelo novo Escritório Central do Reich para o Combate à Homossexualidade e ao Aborto, baseado no departamento da Gestapo criado para tratar do mesmo assunto no rastro do expurgo de Röhm, que deu novo ímpeto à onda de perseguições.

No total, nada menos que 50 mil homens foram detidos com base no parágrafo 175 durante o Terceiro Reich, quase a metade em 1937-39; cerca de dois terços foram condenados e mandados para a prisão. Entretanto, esses números precisam ser vistos dentro da perspectiva de criminalização geral da homossexualidade em sociedades industriais avançadas até a última terça ou quarta parte do século XX. Eles parecem menos impressionantes quando comparados ao fato de que quase 100 mil homens foram julgados por violações ao parágrafo 175 do Código Criminal na Alemanha Ocidental em doze anos, de 1953 a 1965, dos quais cerca da metade foram condenados.[54] Os atos homossexuais consensuais em caráter privado entre homens adultos não foram efetivamente legalizados na Alemanha Ocidental até o parágrafo

175 ser emendado em 1959 e outra vez em 1965; o fato de os homossexuais aprisionados durante o Terceiro Reich terem sido condenados por tribunais regulares por violarem um parágrafo regular do Código Criminal revelou-se desde então um obstáculo importante para que o sofrimento deles fosse reconhecido.[55] Esses números também estavam longe de ser excepcionais para os padrões internacionais, embora o auge dos processos em 1937-39 talvez fosse. Na Grã-Bretanha, atentado violento ao pudor entre homens adultos era punível desde o século XIX com dois anos de prisão; nesse sentido, a emenda alemã de 1935 ao parágrafo 175 fez pouco mais do que se equiparar à posição legal ao longo do mar do Norte. No início da década de 1950, cerca de mil casos de sodomia e bestialidade foram registrados pela polícia na Inglaterra e no País de Gales a cada ano, e 2,5 mil casos de atentado violento ao pudor. Esses números marcam o aumento drástico em relação às estatísticas da década de 1930, quando houve menos de quinhentos casos por ano de ambas as infrações somadas – um salto largamente atribuível à nomeação de altos oficiais da lei homófobos raivosos nos anos intermediários.[56]

Contudo, mesmo nesse estágio havia pelo menos uma importante diferença entre a Alemanha nazista e outros Estados modernos na perseguição aos homens *gays*. Ao ser solta da prisão, uma substancial minoria de infratores da lei alemã era imediatamente detida de novo pela Gestapo ou pela SS e levada direto para um campo de concentração, prática que se tornou notadamente mais comum de 1937 em diante. No todo, entre 5 mil e 15 mil homossexuais foram aprisionados em campos ao longo de todo o período de 1933 a 1945.[57] Lá eram distinguidos por um triângulo cor-de-rosa costurado no uniforme do campo, identificando-os como homossexuais em contraste com prisioneiros políticos (vermelho), antissociais (negro), criminosos (verde) e assim por diante. Os homossexuais ficavam bem embaixo na hierarquia dos prisioneiros, submetidos a tratamento brutal e desdenhoso pelos guardas, com uma expectativa de vida significativamente menor que a maioria das outras categorias. Uma investigação chegou à conclusão de que a taxa de mortalidade dos *gays* nos campos ficou em torno de 50% ao longo de todo o período do Terceiro Reich, comparada a cerca de 40% dos políticos e 35% das testemunhas de Jeová. Isso colocaria o número total dos mortos em campos entre 2,5 mil e 7,5 mil.[58] Não houve paralelo com essa política deliberadamente assassina em outros países, por mais severa que a discriminação possa ter sido, ou por mais liberdade que os homófobos tivessem para espancar homossexuais sem medo de represália.

Para os que escapavam da morte, a alternativa às vezes dificilmente era mais agradável. Um número significativo de homossexuais também foi submetido a castração "voluntária" para se "curar" da "degeneração". A natureza legalmente dúbia do procedimento não impediu a pressão exercida sobre reclusos de prisões e campos de concentração para serem castrados. Os homossexuais das prisões estatais às vezes eram informados de que seriam entregues à Gestapo ao serem soltos se negassem a permissão, ou colocados em confinamento de segurança. Como resultado, cerca de 174 homens foram castrados "voluntariamente" em instituições penais estatais até 1939. É provável que o número de castrados nos campos tenha sido consideravelmente mais alto e possivelmente tenha ultrapassado os 2 mil.[59] A escala dessas operações ofusca as executadas em outros países, e, de todo modo, a castração compulsória só foi levada a cabo na Finlândia e uns poucos estados norte-americanos. Somado a isso, a Lei de Criminosos Habituais alemã de 24 de novembro de 1933 permitiu que todos os infratores sexuais fossem castrados, mesmo contra a vontade, conforme defendido por criminalistas e especialistas penais de destaque. Para tanto eram necessários dois crimes sexuais sérios, e até o final de 1939 mais de 2 mil homens haviam sido submetidos à punição.[60] Incluíam-se não apenas estupradores e pedófilos, mas também um grande número de exibicionistas, que podiam ser ofensivos e irritantes para o público, mas representavam uma pequena ameaça física direta a qualquer um. Muitos infratores com uma só acusação foram castrados imediatamente, sem receber oportunidade de se emendar. Os efeitos físicos posteriores à operação incluíam dor constante, perda dos pelos e crescimento de seios, fadiga e obesidade. Somado a tudo isso, a operação não necessariamente eliminava o desejo sexual. Não havia permissão formal para que os homossexuais fossem castrados contra a vontade, mas para um bom número deles houve pouca escolha: a alternativa à castração era confinamento perpétuo e morte provável em um campo de concentração.[61] A perseguição aos homossexuais sob o Terceiro Reich provavelmente só afetou de forma direta uma fração dos homens *gays* alemães, mas o conhecimento do que poderia acontecer caso fossem denunciados, detidos e condenados deve ter infundido temor em todos eles.[62]

As Leis de Nuremberg

I

A discriminação contra minorias como homossexuais, ciganos, antissociais, doentes ou deficientes mentais ou afro-alemães foi planejada em primeiro lugar para purificar a raça alemã e deixá-la apta para uma guerra de conquista do mundo. No longo prazo, a sociedade alemã se livraria de seu lastro social, de categorias de pessoas que não iriam ou não poderiam desempenhar sua parte no trabalho para a guerra por meio de adesão às Forças Armadas, labuta nas fábricas de armamentos ou enrijecimento pessoal para o conflito vindouro. Vistas por essa luz, eram fardos para o Estado e a sociedade da Alemanha que representavam uma ameaça ao futuro. Portanto, remover essas minorias aprisionando-as e, muito radicalmente, tirando-as da cadeia hereditária, economizaria o dinheiro da nação, reduzindo o número de pessoas improdutivas que, na visão dos nazistas, tinham que ser sustentadas pelo restante. Entretanto, uma minoria da sociedade alemã pareceu algo inteiramente diferente para os nazistas: não um fardo exaustivo, mas uma tremenda ameaça, não apenas ociosa, ou inferior, ou degenerada – embora a ideologia nazista também sustentasse que fosse tudo isso também –, mas ativamente subversiva, engajada em uma imensa conspiração para minar e destruir tudo que fosse alemão, uma conspiração que além de tudo não era organizada apenas dentro do país, mas operava em base mundial. Essa minoria, não mais que 1% da população, era a comunidade judaica da Alemanha.[63]

O antissemitismo estava intimamente conectado a outros aspectos da política racial nazista. A Lei para a Prevenção de Prole com Doenças

Hereditárias foi originalmente concebida como parte de um pacote que incluiu leis retirando a cidadania dos judeus e proibindo casamento e relações sexuais com arianos. Entretanto, essas leis foram temporariamente retiradas basicamente pelo efeito ruim que se julgou que teriam na opinião pública no exterior. Nos primeiros anos do regime, as políticas de eugenia estatal contra minorias como antissociais, criminosos, ciganos e homossexuais foram bem mais radicais que as contra os judeus. Claro que quando os judeus caíam em algum daqueles grupos eram tratados com mais rispidez que a maioria; todavia, a política *geral* do regime para a minoria judaica da Alemanha não incluía esterilização ou castração única e simplesmente porque a pessoa em questão era judia. Tais políticas, porém, demonstraram aos nazistas o quanto eles podiam fazer impunemente e os acostumaram à violência patrocinada pelo Estado contra o indivíduo em escala sistemática. Foi uma experiência que se mostraria útil quando as ações antissemitas começassem a se tornar mais radicais com o tempo. Nesse ínterim, contudo, o contraste era bem claro. Após a promulgação da lei de 7 de abril de 1933 proibindo judeus de ocupar cargos no serviço público, universidades, magistério, Judiciário e outras instituições custeadas pelo Estado, o governo pôs um freio na violência antissemita por um tempo. Como vimos, o governo estava interessado em refrear o ativismo violento dos camisas-pardas. Estava preocupado com os efeitos de ações antissemitas sobre a frágil recuperação econômica. Estava apreensivo com as consequências econômicas e diplomáticas que a lei e o boicote prévio a lojas judaicas patrocinado pelo governo estavam causando devido à reação de nações e negócios estrangeiros. Por fim, estava ansioso em aplacar os parceiros conservadores cada vez mais irrequietos, que – por exemplo – haviam insistido, na pessoa do presidente do Reich, Hindenburg, em isentar da lei ex-soldados da linha de frente.[64]

Levou algum tempo para os efeitos da lei de 7 de abril de 1933 se fazerem sentir nas instituições, mas, no final de 1933, o expurgo estava mais ou menos completo. O esfriamento do ardor da liderança não foi bem recebido por muitos ativistas do Partido, menos ainda dentro das Divisões de Assalto paramilitares, que organizaram repetidos boicotes locais a negócios judeus durante esse período, atingindo renovados ápices de violência na primavera de 1934. O ativismo dos camisas-pardas foi abafado por um tempo na sequência do expurgo de 30 de junho de 1934, mas, ali pelo período de Natal, as ações de boicote estavam em pleno andamento outra vez. Além disso, como vimos, organizações locais do Partido também impulsionaram a marginalização econômica de negócios judeus de outras formas, e nessa área foram igualmente encorajadas pela liderança do Partido.[65] Na primavera e verão de 1935, porém, a violência antissemita irrompeu novamente em muitas partes do país. A propaganda antissemita foi mais difundida que nunca. A circulação do jornal sensacionalista antissemita *O Atacante* disparou em 1935 quando seu editor, Julius Streicher, líder regional do Partido na Francônia, garantiu um contrato com a Frente de Trabalho para a distribuição de cópias em cada fábrica e local de trabalho do país. Dali em diante, o jornal tornou-se onipresente e inevitável. O acordo deixou Streicher milionário: o jornal sempre foi sua propriedade pessoal e não um veículo da editora nazista Eher.[66] Em termos mais imediatos, a riqueza e o poder recentes permitiram-lhe anunciar mais amplamente que antes, com pôsteres aparentemente em toda esquina. Outros líderes regionais além de Streicher realizavam encontros públicos e faziam discursos para arengar ao povo, e em especial a membros do Partido, sobre os males dos judeus. Por trás de tudo isso havia influências ideológicas mais gerais, indo das vendas ampliadas de *Minha luta,* de Hitler, a ataques frequentes a judeus na imprensa do Partido. Muitos grupos locais tomaram isso como sinal verde para seguir outra vez na ofensiva.[67]

Os motivos para o recrudescimento dos ataques aos judeus por grupos do Partido e camisas-pardas em 1935 embasavam-se sobretudo na crescente impopularidade do regime. Como vimos, qualquer euforia que tivesse acompanhado o estabelecimento do Terceiro Reich nazista em 1933 havia se desvanecido no curso de 1934, e o breve estímulo concedido ao regime pela ação decisiva de Hitler para esmagar a suposta tentativa de golpe de Röhm no fim de junho de 1934 estava dissipado no final do ano. Durante os primeiros meses de 1935, a Gestapo, o Serviço de Segurança e outros agentes reportaram um aumento abrupto no descontentamento popular, à medida que as condições materiais permaneceram miseráveis, os níveis reais de desemprego mantiveram-se altos, os preços de alimentos e outros artigos de primeira necessidade subiram agudamente e as pessoas cansaram das constantes demandas de aclamação, apoio e dinheiro do regime. Os rumores e piadas sobre a corrupção de chefes nazistas locais e regionais multiplicaram-se, e todos os esforços do Ministério da Propaganda para gerar entusiasmo popular pelo Terceiro Reich pareceram falhar.[68] Também dentro do movimento nazista, a aniquilação dos resquícios de esperança de uma "segunda revolução" em junho-julho de 1934 haviam criado boa dose de amargura. O desejo de ação violenta, entranhado em muitos setores da SA, precisava de um novo escoadouro. Como os camisas-pardas poderiam justificar sua existência, tanto para si quanto para o Partido, exceto pela ação violenta? Afinal, era para isso que haviam sido criados. Mas o desejo de retomar uma política de luta não se restringia a camisas-pardas descontentes. O Partido Nazista de modo mais geral estava bem ciente de que não apenas havia fracassado em sustentar o entusiasmo do público mais amplo, mas de que na verdade estava perdendo o apoio de que já havia desfrutado. Era preciso agir.

Não só o Partido Nazista, mas também partes significativas do Estado e do serviço público queriam desde meados de 1933 introduzir medidas proibindo o casamento e as relações sexuais entre judeus e não judeus, criando uma categoria especial de cidadania para judeus e acelerando a remoção destes da vida econômica. O ponto 4 do programa do Partido Nazista afirmava inequivocamente que no Terceiro Reich os judeus não seriam cidadãos, e uma série de discursos iniciais de Hitler, para não falar de *Minha luta*, deixaram claro que ele era visceralmente intolerante a respeito de relações sexuais entre arianos e judeus. Agindo com base nesse princípio, a delegação do Partido no Reichstag já havia tentado, sem êxito, aprovar um projeto para vetar a miscigenação racial em março de 1930, com sanções que chegavam à pena de morte. Tais dispositivos também teriam o efeito de expandir a esfera de influência do Partido para as áreas mais íntimas da vida privada. Além disso, uma nova lei de cidadania poderia não apenas conferir direitos como consequência automática da identidade racial, mas ainda aplicar critérios políticos, com elementos refratários tendo os direitos civis negados. Retirar os judeus da vida econômica aplacaria os muitos seguidores do Partido na classe média baixa e lhes daria as muito desejadas oportunidades de melhorar de situação. A ideia foi que uma nova campanha de propaganda antissemita, terror e legislação desviaria a hostilidade popular do regime, colocando com firmeza nos judeus a culpa pela situação miserável do povo.[69]

As ações antissemitas executadas na primavera e verão de 1935 tomaram muitas formas. Em maio houve, como vimos, numerosos boicotes a lojas judaicas organizados por camisas-pardas e SS, com frequência acompanhados de violência. Foi por essa época também que placas com dizeres antissemitas foram colocadas na beira da estrada e nos limites de muitas cidades e aldeias. Em princípio não se tratava de uma novidade, pois muitas já haviam sido afixadas no feudo de Julius Streicher na Francônia, mas foram colocadas em muitos outros locais na primavera e verão de 1935, inclusive no sul da Baviera. O *slogan* mais comum era "Judeus não são desejados aqui", mas algumas placas ensaiavam um arremedo irônico ("Nossa demanda de judeus já está suficientemente suprida"), exprimiam ameaças ("Judeus entram nessa localidade por sua conta e risco!") ou tentavam apelar para um sentimento religioso ("O pai dos judeus é o Demônio").[70] Em uma série de municipalidades, inclusive Weimar, as autoridades locais proibiram os judeus de ir ao cinema; em Magdeburg, todos os bondes receberam placas nas portas de entrada ostentando as palavras "Não queremos judeus!". A mesma cidade também impediu os judeus de frequentar a biblioteca pública. Estalagens e restaurantes de Stralsund e outros locais fecharam as portas para clientes judeus. Piscinas e banhos públicos, informou um agente social-democrata em agosto, foram bloqueados para judeus "em inúmeras comunidades". Cemitérios judaicos e sinagogas foram profanados. Não judeus que tinham relações com judeus eram forçados a desfilar em público como "corruptores da raça" e com frequência levados sob custódia pela Gestapo, na verdade dessa vez para sua própria proteção. A atmosfera nas ruas de muitas cidades da Renânia, da Westfália, de Hesse, da Pomerânia e do leste da Prússia era tão ameaçadora que muitos habitantes judeus mal ousavam sair de casa.[71]

Ações desse tipo eram encorajadas não só pela atmosfera de antissemitismo geral, mas também de modo explícito por figuras de liderança do Partido. "Algumas pessoas pensam", disse Goebbels em um comício do Partido Nazista na região de Berlim em 30 de junho de 1935, "que não notamos como os judeus estão mais uma vez tentando se espalhar por nossas ruas. Os judeus devem fazer o favor de observar as leis de hospitalidade e não se comportar como se fossem iguais a nós". Relatando em 15 de julho que um filme antissemita fora escarnecido por "tropas de judeus encrenqueiros" em sua estreia três dias antes, o jornal de Goebbels em Berlim, *Der Angriff* [O Ataque], incitou os membros do Partido a tomar uma atitude violenta: os judeus, declarou, devem "sempre e repetidamente sentir a palma de nossa mão". De fato, a "manifestação" judaica, fosse real ou inventada, foi a desculpa que Goebbles buscava para justificar a violência antissemita que agora inevitavelmente teria seguimento, com ativistas do Partido espancando judeus na principal rua de comércio, a Kurfürstendamm, ou perseguindo-os nos *pubs* e bares das redondezas e atacando-os fisicamente. Esse incidente, por sua vez, deflagrou uma nova onda de ações violentas de boicote em outras partes do país.

Goebbels não foi o único líder nazista a atiçar os seguidores dessa maneira. Em 30 de agosto de 1935, Julius Streicher realizou um comício em Hamburgo. No dia anterior, dois caminhões de carga de camisas-pardas andaram pelas ruas conhecidas por abrigar judeus atirando tochas em chamas pela via com cânticos de: "Deixem que os judeus pereçam!". Companheiros de Partido foram informados de que a presença no comício era obrigatória; uma campanha maciça de anúncios ofereceu ingressos a dez reichsmarks para os desempregados. Compareceram 20 mil pessoas, muitas da SA, da SS, da Juventude Hitlerista, do Serviço Compulsório ou de outros uniformes, estrategicamente posicionadas na plateia para liderar os aplausos em pontos predeterminados do discurso de Streicher. Elevando a voz até um urro ensurdecedor, Streicher invectivou contra os correspondentes estrangeiros que criticavam o antissemitismo nazista: "Digo aqui", gritou ele, "que fazemos o que quisermos com os judeus na Alemanha!". À medida que o discurso prosseguia, conforme observou um ouvinte que se reportava em segredo para os social-democratas exilados em Praga, Streicher ficou cada vez mais obsceno, não apenas declarando que centenas de mulheres alemãs haviam sido estupradas por judeus, mas também dando detalhes vívidos dos supostos crimes. Quando uma moça deu à luz nove meses depois de se casar com um judeu, prosseguiu ele, "o que jazia na manjedoura, camaradas?! Um macaquinho!". Alguns ouvintes saíram depois dessa; outros, recrutados do Serviço Compulsório, aparentemente já haviam caído no sono fazia tempo. Embora as pessoas comuns na plateia parecessem ficar indiferentes ou enojadas, tal palavreado deve ter causado efeito sobre os nazistas comprometidos; e foi repetido, ainda que de forma menos extrema, por outros líderes nazistas por todo o país. A maioria dos líderes partidários locais e regionais entendeu a insistência de Streicher em que as ações antissemitas deveriam ser legais e não violentas como nada mais que uma tentativa de abrandar a opinião pública em casa e no estrangeiro.[72]

II

Nem essa onda de ações terroristas nem a campanha concomitante contra a Igreja Católica tiveram o desejado efeito revitalizante sobre o apoio público ao regime. Na verdade, a coincidência dessas campanhas fez muitos católicos simpatizarem com os judeus e sentir, como reportou a Gestapo em Münster, "que as medidas tomadas contra os judeus estão indo longe demais". De todo modo, os católicos eram hostis à ideia de que raça em vez de religião deveria ser o princípio orientador da ação social. Boicotes, e mais ainda a violência, inspiraram "rejeição em vez de aprovação" na maioria da população, reportou outra agência da Gestapo. Em Mannheim-neckarau, os compradores até se envolveram em brigas a socos com camisas-pardas que tentaram impedi-los de frequentar varejistas judeus. As classes médias ficaram especialmente aborrecidas com essa franca desordem nas ruas e temeram o impacto junto à opinião estrangeira. Alguns adotaram a visão cínica de que ativistas nazistas pequeno-burgueses estavam apenas tentando eliminar a competição.[73]

Entretanto, um agente social-democrata na Baviera registrou em termos mais sutis:

A perseguição aos judeus não depara com nenhum apoio ativo da população. Mas, por outro lado, não fracassa por completo em causar impressão. Sem que se perceba, a propaganda racial está deixando marcas. As pessoas estão perdendo a imparcialidade em relação aos judeus, e muitas estão dizendo para si mesmas que os nazistas na verdade estão certos em combatê-los; as pessoas são contrárias apenas a esse combate ser exagerado. E quando as pessoas compram em lojas de departamento judaicas não o fazem em primeiro lugar para ajudar os judeus, mas para torcer o nariz para os nazistas.[74]

A liderança nazista em princípio não fazia objeção à violência, mas houve uma sensação crescente de que, fosse o que fosse que Streicher dissesse, aquilo estava causando efeito nocivo junto à opinião estrangeira quando o regime ainda precisava de simpatia no exterior. Na última semana de agosto de 1935, foi registrado que os camisas-pardas encenaram uma manifestação violenta contra os judeus em Breslau e no processo surraram o cônsul sueco da cidade. Göring, Bormann e Hess, falando em nome de Hitler, notificaram a polícia no final de julho e início de agosto que ações não coordenadas de terror contra os judeus tinham que cessar. Conforme Göring disse à Gestapo, em breve seriam emitidas regulamentações gerais para tratar dos judeus. Essas de fato já estavam em vigor. O debate havia sido conduzido em estilo desconexo dentro dos ministérios do Interior e da Justiça desde julho de 1934 sem ir além do que eram vistos como formidáveis obstáculos legais a uma nova lei regendo cidadania e relações sexuais interraciais. Em 21 de maio de 1935, porém, uma nova Lei de Defesa incluiu em seus dispositivos a proibição de "casamentos mistos" entre soldados alemães e mulheres não arianas. Os cartórios locais já haviam começado a negar pedidos para casamentos mistos em uma base mais ampla. Em 19 de julho, representantes dos ministérios da Justiça e do Interior e do gabinete de Hess apresentaram uma lei para impedir completamente tais casamentos. A questão havia se tornado urgente em parte devido aos numerosos ataques a "traidores da raça" e a uma onda de detenções de tais pessoas pela Gestapo. Em maio de 1935, uma nova lei regendo pedidos de cidadania por estrangeiros excluiu judeus e outros não arianos. Assim, parece ter se chegado a um consenso sobre a ação legislativa; e, à medida que isso ficou claro para organizações locais e regionais do Partido no início de setembro, a onda de ações antissemitas violentas finalmente começou a amainar, embora não tenha cessado por completo.⁷⁵

Portanto, não só a ideia de uma nova lei de cidadania, mas também um considerável número de propostas concretas para sua formulação eram familiares aos funcionários do Estado e do Partido no momento em que teve início o comício anual do Partido em Nuremberg, em 9 de setembro. Àquela altura, os estivadores de Nova York que haviam destroçado uma bandeira da suástica de um navio alemão foram soltos por um magistrado com uma longa denúncia do nazismo e de todos os seus atos. Isso enfureceu Hitler de tal maneira que ele decidiu de imediato que era chegada a hora de declarar a suástica a bandeira nacional da Alemanha. Conforme falou no comício do Partido em 11 de setembro de 1935, o recente congresso da Internacional Comunista em Moscou, que havia declarado guerra internacional ao fascismo, demonstrava que estava na hora de atacar a ameaça bolchevique, que ele julgava produto de uma conspiração internacional judaica. Hitler convocou o Reichstag para uma sessão em Nuremberg em 15 de setembro, último dia do comício; o fato de que ele simplesmente podia mandar o Reichstag ficar à disposição dessa forma mostrou o quanto este havia se tornado insignificante. Hitler decidiu então que a sessão do Reichstag seria o momento oportuno para introduzir as leis sobre cidadania, miscigenação e bandeira do Estado todas de uma vez só. Após uma apressada redação de última hora das leis em detalhe, em colaboração com um funcionário do Ministério do Interior, Hitler apresentou-as em 15 de setembro de 1935. Os judeus da Alemanha, disse ele, vinham usando a tensa situação internacional para incitar problemas. "Chegam queixas veementes de inúmeros lugares sobre o comportamento provocativo de membros individuais dessa gente", ele afirmou; de fato, as provocações judaicas tinham sido organizadas e por isso tinham que ser respondidas com ação decisiva para não levar a "ações defensivas individuais incontroláveis executadas pela população ultrajada". Ali estava uma mistura característica de mentiras e ameaças, rematada por uma garantia igualmente característica de que as novas leis seriam "uma solução secular, de uma vez por todas".⁷⁶

Hitler deixou a justificativa detalhada das leis para Göring, cujo discurso no Reichstag não deixou dúvida de que ele era um antissemita não menos raivoso que Goebbels, Streicher ou que o próprio Líder. A suástica, disse ele aos deputados de uniforme pardo reunidos do Reichstag, era um "símbolo de nossa luta por nossa espécie específica de raça, era um sinal para nós da luta contra os judeus como destruidores raciais". Quando "um judeu descarado, em seu ódio infundado" pela Alemanha havia insultado a bandeira em Nova York, havia insultado a nação inteira. Assim, os judeus não teriam permissão para hastear a bandeira. As novas leis, na verdade, iriam muito além e protegeriam o sangue alemão da poluição por judeus e outras raças alienígenas. As leis eram, afirmou Göring,

> uma declaração de fé nas forças e bênçãos do espírito germânico--nórdico. Sabemos que pecar contra o sangue é pecar contra a herança de um povo. Nós mesmos, o povo alemão, tivemos que sofrer enormemente devido a esse pecado hereditário. Sabemos que a derradeira raiz de toda a decomposição da Alemanha vem em última análise desses pecadores contra a hereditariedade. Desse modo, temos que tentar fazer outra vez uma conexão com a cadeia da hereditariedade que chega a nós oriunda das névoas da pré-história... E é o dever de todo governo, e é sobretudo o dever do próprio povo, garantir que a pureza da raça jamais possa ser novamente debilitada ou adulterada com podridão.[77]

O Parlamento, naturalmente, aprovou as três leis por aclamação, e elas foram publicadas na íntegra com destaque nos jornais do dia seguinte. Mas não eram tão simples e diretas quanto podiam parecer à primeira vista.[78] A Lei de Cidadania do Reich definiu cidadãos do Reich exclusivamente como pessoas de "sangue alemão ou congênere". De modo crucial, declarou que apenas alguém que, "por meio de sua conduta, mostra-se tanto desejoso quanto apto a servir fielmente o povo e o Reich alemães" estava habilitado a ser um cidadão do Reich. Apenas cidadãos podiam desfrutar de direitos políticos plenos. Todas as outras pessoas, sobretudo os judeus, mas também praticamente todos os oponentes do regime, ou mesmo aqueles que se distanciassem em silêncio pela falta de entusiasmo com as políticas do regime, eram apenas "sujeitos do Estado". Tinham "obrigações para com o Reich" mas não recebiam direitos políticos em troca. Os detalhes da implementação foram deixados para o Ministério do Interior elaborar em conjunto com o gabinete de Hess, e no devido tempo dois oficiais do ministério, os doutores Wilhelm Stuckart e Hans Globke, emitiram um comentário justificando as cláusulas e delineando suas implicações. Em quinze dias, o ministro do Interior Frick havia determinado a demissão de quaisquer funcionários públicos de antepassado judaico que tivessem permanecido nos cargos como resultado de dispositivos especiais da lei do funcionalismo público de 7 de abril de 1933.

Mas quem exatamente era judeu? O decreto de Frick aplicava-se a pessoas com pelo menos três dos quatro avós judeus e, naturalmente, todos que praticassem a religião judaica. De acordo com estimativas da época, que variavam amplamente, havia, além desses, cerca de 50 mil judeus na Alemanha em 1935 que tinham se convertido ao cristianismo ou eram filhos de pais convertidos e 2 mil pessoas com três quartos de sangue judeu que haviam se convertido. A alta taxa de casamento entre judeus e cristãos ao longo das décadas anteriores produzira entre 70 mil e 75 mil pessoas que possuíam apenas dois avós judeus e 125 mil a 130 mil que possuíam apenas um. Além disso, muitas dessas eram casadas com não judeus, entre elas, nada menos que cerca de 20 mil pessoas que se enquadravam na categoria nazista de judeus integrais, e muitas dessas também tinham filhos. Os próprios nazistas computaram, em 1939, 20.454 casamentos racialmente mistos no Grande Reich Alemão (incluindo, na ocasião, a Áustria e os Sudetos). O mesmo censo, o primeiro a definir judeus por critério racial, também contou 52.005 meio-judeus e 32.669 um quarto judeus vivendo no velho Reich alemão. Mais de 90% das pessoas definidas como mestiças pertenciam a uma Igreja cristã. Como acontece com qualquer lei racista, o mal jaz no detalhe, e, nessas circunstâncias, chegar a uma definição rápida sobre quem era e quem não era judeu era quase impossível. Um dilema ideológico insolúvel encarou os legisladores nazistas: será que o veneno que eles achavam que o sangue judeu carregava consigo para dentro da corrente sanguínea da raça alemã era tão virulento que apenas uma pequena adição seria suficiente para transformar uma pessoa em judeu, ou o sangue alemão era tão forte e saudável que suplantaria praticamente a mais poderosa mistura de elemento judaico na constituição hereditária de uma pessoa? Não havia resposta racional para essas perguntas, porque, para começar, as suposições sobre as quais repousavam não tinham base racional. Portanto, todas as soluções a que os nazistas chegaram sobre a questão de mestiços alemães e casamentos mistos, no fim das contas, foram inteiramente arbitrárias.[79]

As minúcias da classificação racial mantiveram os funcionários públicos ocupados em infindáveis reuniões e memorandos internos ao longo das semanas seguintes. Os de inclinação mais cautelosa advertiram que definir meio-judeus como plenamente judeus adicionaria um número substancial de alemães antes leais ao cômputo dos inimigos internos do nazismo. Seus conselhos prevaleceram, e essas pessoas foram classificadas em um decreto suplementar emitido em 14 de novembro de 1935 como raça mestiça de primeiro grau, a menos que praticassem o credo judaico ou fossem casadas com um judeu integral, sendo que, nesse caso, eram contadas como inteiramente judias (*Geltungsjuden*, no jargão oficial), com todas as consequências que isso acarretava. Pessoas com apenas um avô inteiramente judeu contavam como raça mestiça de segundo grau. Houve cláusulas adicionais abordando os nascidos fora do matrimônio, ou nascidos após a promulgação das Leis de Nuremberg em 1935 (era mais provável que esses fossem classificados como totalmente judeus). Os legisladores reconheceram a arbitrariedade dessas medidas incluindo uma cláusula final para Hitler conceder isenções sempre que e para quem lhe agradasse. Com o tempo, ele de fato fez isso, ou outros fizeram em seu nome, aplicando um carimbo com sua assinatura em um documento conhecido como Declaração de Sangue Alemão. Enquanto isso, todas as autoridades tiveram que continuar estabelecendo se o fato de os avós de alguém terem praticado a religião judaica consistia ou não em linhagem judaica, algo que, na verdade, era um contrassenso em relação às afirmações científicas sobre a importância da raça e do sangue para determinar a identidade judaica ou alemã. De repente, os genealogistas tornaram-se os especialistas mais procurados em todo o país, enquanto os alemães precipitavam-se para encontrar evidências de sua pureza racial nos registros paroquiais e em outras fontes, para incluí-las na chamada Prova de Linhagem (*Ahnennachweis*), um documento que agora constituía um pré-requisito essencial para uma carreira no serviço público e, de fato, praticamente em qualquer outro tipo de serviço.[80]

III

As Leis de Nuremberg foram apresentadas à imprensa como uma medida estabilizadora que ajudaria a minoria judaica da Alemanha a se acomodar para tocar a vida adiante. O Ministério da Propaganda de Goebbels teve o cuidado de banir artigos triunfantes ou tripudiantes da imprensa, proibindo "editoriais em tom de 'vamos nessa!'".[81] Não obstante, as Leis de Nuremberg abriram caminho para vigorosa discriminação adicional contra qualquer um classificado como judeu. Duas semanas após o decreto de 14 de novembro de 1935, Hitler anulou retroativamente a cláusula que vetava qualquer extensão das medidas para garantir a pureza do sangue alemão, além daquelas contidas na legislação. Isso efetivamente autorizou organizações não governamentais a aplicar o parágrafo ariano a seus membros e empregados, não apenas judeus, mas também mestiços. Medidas adicionais colocaram mais restrições à admissão de judeus em profissões reguladas pelo Estado. Pessoas com dois avós judeus agora tinham que obter permissão oficial de um Comitê do Reich para a Proteção do Sangue Alemão se quisessem se casar com alguém não judeu. Mas os representantes do Partido no comitê vetavam tais pedidos com tamanha regularidade que ele foi liquidado em 1936 e as solicitações passaram a ser tratadas por um único funcionário. Pessoas mestiças ainda podiam estudar, não foram proibidas de relacionamento sexual ou de outros tipos com não judeus, e sob muitos aspectos viviam uma vida relativamente sem restrições. Isso incluía, para os homens, a prestação de serviço militar. A liderança do Exército, naturalmente, ficou aflita, porque banir os mestiços de prestar serviço militar privaria as Forças Armadas de milhares de recrutas potenciais. Escrevendo para o assistente de Exército de Hitler, coronel Friedrich Hossbach, em 3 de abril de 1935, um oficial do Ministério do Interior estimou que havia 150 mil homens semijudeus e um quarto judeus em idade militar no país — um exagero considerável que fomentou a preocupação do Exército.[82]

A liderança do Exército com certeza tinha bons motivos para se preocupar. No final de 1935, havia degredado praticamente todos os oficiais e homens plenamente judeus que restavam e, no começo do verão de 1936, o

Exército chegou a um acordo com Hitler de que, embora homens meio-
-judeus e um quarto judeus tivessem que prestar serviço militar, não mais
teriam permissão para deter cargos de autoridade nas Forças Armadas, a
menos que recebessem uma isenção pessoal e específica do próprio Hitler.
O Escritório de Genealogia do Partido Nazista bombardeou os militares
com informações sobre oficiais que não eram "arianos puros" e que na sua
opinião deviam ser removidos de seus postos. Entretanto, em 1936-37,
muitos oficiais graduados ainda ressentiam-se da interferência política nos
assuntos militares e ignoraram as exigências. Além do mais, verificar os ancestrais de dezenas de milhares de homens era uma tarefa quase impossível,
e alguns oficiais conseguiram ocultar com sucesso seus antepassados parcialmente judaicos até a eclosão da guerra e em certos casos até mais adiante.
Claro que, do ponto de vista militar, o que importava é se eram ou não bons
soldados, marinheiros ou aviadores.[83]

A atitude do Exército refletiu com precisão o *status* discutível e incerto
de muitos habitantes mestiços judeus da Alemanha depois de 1935. Apesar de
tudo, no geral, as pessoas de raça mista, mesmo judias, ficaram até certo
ponto aliviadas pela aprovação das Leis de Nuremberg porque essas pareceram remover os principais elementos de incerteza em sua situação e prometeram um fim para as violentas campanhas antissemitas dos meses
anteriores. Os ativistas do Partido ficaram compreensivelmente entusiasmados com as Leis de Nuremberg e acertadamente viram-nas como um
grande passo no caminho da remoção completa dos judeus da sociedade
alemã. Entretanto, tanto agentes da Gestapo como social-democratas reportaram uma atitude crítica, até mesmo hostil, às Leis de Nuremberg mesmo
entre grupos da sociedade que normalmente estavam longe de ser favoráveis
aos judeus. Foi informado que quatro quintos da população do Palatinato
desaprovaram as leis, a classe operária foi quase unânime na rejeição ao antissemitismo nazista, e a pequena burguesia não gostou das leis porque os
pequenos empresários temeram que pudessem levar a novos boicotes das
mercadorias alemãs em outros países. Entretanto, até os social-democratas
admitiram que a maioria das pessoas sentia-se tão intimidada após a violência do verão e a propaganda cercando as Leis de Nuremberg que não mais

frequentava lojas judaicas. Indiferença e passividade caracterizaram as reações da maioria da população.[84]

Gradualmente, a violência sem fim, a propaganda incessante e o endosso legal das políticas nazistas pelo Estado estavam surtindo efeito. Conforme um agente social-democrata reportou de Berlim em janeiro de 1936:

> A campanha contra os judeus tampouco deixa de ter influência sobre a opinião das pessoas. Muito lentamente, as visões estão sendo infiltradas pelo que elas costumavam rejeitar. Primeiro as pessoas liam *O Atacante* por curiosidade, mas no fim algo daquilo gruda. Ao mesmo tempo é preciso admitir: conta muito em favor do povo alemão que, a despeito de anos de campanhas contra os judeus, ainda seja possível para eles viver na Alemanha. Se o povo alemão não fosse naturalmente afável, essa propaganda teria feito com que os judeus, simplesmente fossem espancados até a morte nas ruas... No geral, pode-se concluir que os nacional-socialistas realmente provocaram um abismo mais profundo entre o povo e os judeus. A sensação de que os judeus são outra raça é geral hoje em dia.[85]

O efeito da enxurrada constante de antissemitismo sobre uma pessoa jovem e ponderada pode ser medido pelas memórias de Melita Maschmann. Ela tinha bastante contato com judeus, que somavam cerca de um terço de sua turma na escola secundária que frequentava em uma parte abastada de Berlim no início da década de 1930. Ali as garotas não judias dissociavam instintivamente as colegas judias dos "judeus", que "eram e permaneceram algo misteriosamente ameaçador e anônimo". "O antissemitismo de meus pais", prosseguiu Maschmann na carta aberta que escreveu para uma ex--colega judia após a guerra,

> fazia parte de uma perspectiva que era aceita como verdade... A pessoa era amistosa com judeus de que gostava, assim como um protestante era amistoso com determinados católicos. Mas, embora não ocorresse a ninguém ser ideologicamente hostil *aos* católicos, era-se,

totalmente, *aos* judeus... A pregação de que toda a desgraça das nações devia-se aos judeus, ou de que o espírito judeu era sedicioso, e sobre o sangue judeu não me levava a pensar no velho *Herr* Lewy ou Rosel Cohn: eu pensava apenas no bicho-papão, *"o judeu"*. E quando ouvi falar que os judeus estavam sendo retirados de suas profissões e lares e aprisionados em guetos, os pontos ligaram-se automaticamente em minha mente para me desviar do pensamento de que essa sina também poderia abater-se sobre você ou o velho Lewy. Era apenas *o* judeu que estava sendo perseguido e "neutralizado".[86]

Porém, após entrar para a Liga das Moças Alemãs, ela sentiu que uma "franca ruptura" com a colega judia "era o meu dever, porque só se podia fazer uma de duas coisas: ou ter amigos judeus ou ser um nacional-socialista".[87]

Constantemente exposta a propaganda antissemita, Maschmann mais tarde recordou que ela e os amigos de classe média alta consideravam aquilo deveras vulgar, e com frequência riam das tentativas de convencê-los de que os judeus realizavam assassinatos rituais e crimes semelhantes. Como pessoas cultas, olhavam com desprezo o folhetim antissemita de escândalos *O Atacante*. Todavia, embora não tomasse parte em ações violentas ou boicotes, Maschmann aceitou que havia justificativas e disse a si mesma: "Os judeus são os inimigos da nova Alemanha... Se os judeus semeiam ódio contra nós pelo mundo inteiro, devem aprender que temos reféns em nossas mãos". Mais adiante, ela suprimiu a memória da violência que tinha visto nas ruas, e "com o passar dos anos fiquei cada vez melhor em 'desligar' rapidamente em ocasiões semelhantes. Era o único jeito. Quaisquer que fossem as circunstâncias, evitar desde o início as dúvidas sobre a justeza do que havia acontecido".[88] Um processo semelhante de racionalização e edição moral deve ter ocorrido também com muitos outros.

IV

A partir de setembro de 1935, o antissemitismo tornou-se um princípio que regia a vida privada bem como a pública. Cultuado como pedra fundamental da ideologia nazista desde o princípio, agora penetrava camadas mais amplas da sociedade alemã mais profundamente que nunca. A totalidade do funcionalismo público estava engajada agora em aplicar as Leis de Nuremberg e outras. Juízes, promotores, policiais, Gestapo e outros órgãos da lei passavam cada vez mais tempo fazendo cumprir a legislação antissemita. Câmaras municipais e seus empregados em bibliotecas, piscinas e todos os outros tipos de estabelecimentos municipais puseram em prática regulamentações antissemitas. Estalajadeiros, lojistas (muitos dos quais protegiam-se colocando placas anunciando-se como um "estabelecimento ariano puro"), comerciantes, empresários, pessoas de todas as condições sociais estavam cientes das leis contra os judeus e pouco hesitaram em cumpri--las. Claro que os relatórios secretos dos social-democratas estavam cheios de exemplos de senhorios e donos de restaurantes que faziam vista grossa aos avisos que eram forçados a colocar banindo clientes judeus. Não obstante, tudo isso estava fazendo efeito. Junto com a marginalização econômica progressiva dos judeus, as Leis de Nuremberg marcaram um passo significativo no rumo da remoção dos judeus da sociedade alemã. Seu isolamento foi consideravelmente maior depois de setembro de 1935.[89]

A terceira das medidas promulgadas no comício do Partido em Nuremberg em 1935, nomeada pelos nazistas de Lei para a Proteção do Sangue Alemão e da Honra Alemã, foi talvez a mais significativa de todas em levar o nazismo para dentro da esfera privada. Essa lei proibiu casamentos entre judeus e alemães "ou sangue congênere" e vetou relações sexuais fora do casamento entre as duas categorias, conforme definidas pela Lei da Cidadania. Os judeus não tinham permissão para empregar serviçais domésticas com menos de 45 anos de idade se fossem alemãs, em uma alusão à fantasia sexual que muitas vezes aparecia nas páginas de *O Atacante*. As leis seriam administradas pelos tribunais regulares. Os casos eram apresentados sob o título carregado de "corrupção racial" (*Rassenschande*, literalmente "vergonha racial" ou "desgraça racial"). Por sua natureza, tais casos eram difíceis de identificar, e a acusação desde o início dependia muito da denúncia de vizinhos, conhecidos e às vezes membros da família dos envolvidos. De 1936 a 1939, a média anual de condenações por corrupção racial sob as Leis de Nuremberg ficou em torno de 420, dois terços delas de homens judeus. Sob pressão contínua da Gestapo e do Ministério da Justiça do Reich, os tribunais ficaram gradativamente mais severos; em 1938, por exemplo, a maioria das sentenças sobre corrupção racial proferidas pelo Tribunal Regional de Hamburgo envolveu longos períodos de prisão em uma penitenciária em vez de em uma cadeia comum. A definição de relações sexuais ilícitas foi estendida até cobrir quase qualquer tipo de contato físico entre judeus e "arianos", inclusive abraços e beijos socialmente convencionais.[90] Onze sentenças para crimes raciais foram proferidas nos meses restantes de 1935; no primeiro ano completo da vigência da lei, 1936, o número saltou para 358, aumentando para 512 em 1937 e recuando para 434 em 1938, 365 em 1939 e 231 em 1940. A crescente emigração de judeus jovens e de meia-idade pode ter sido um fator para a queda. É possível também que o efeito coibitivo da lei tenha influenciado, à medida que as sentenças ficaram mais severas com o passar do tempo.[91]

Dentro da prisão, os infratores com frequência ficavam expostos a abuso antissemita dos carcereiros; em algumas instituições, eram rotineiramente mantidos com ração reduzida, e até mesmo bom comportamento muitas vezes era considerado como "típico do caráter racial que sabe como se adequar até em uma posição de impotência", conforme notou um agente carcerário bávaro em 1939. "Sofro muito por causa do ódio aos judeus", escreveu um jovem detento judeu para a mãe, em uma carta confiscada pelas autoridades da prisão em junho de 1938: "Um funcionário me chama de Moisés, embora saiba exatamente como me chamo... Outro me chamou de porco judeu maldito na hora do almoço". Os sofrimentos não acabavam por aí. De acordo com uma ordem emitida pelo Ministério da Justiça do Reich em 8 de março de 1938, judeus mandados para a prisão por corrupção da raça eram detidos de novo pela Gestapo quando completavam a sentença e levados para campos de concentração.[92] Lá, com frequência, eram discriminados devido à natureza do suposto crime. No campo de concentração de Buchenwald, Julius Meier, de 21 anos de idade, judeu culto de classe média, cumprindo pena de prisão de dois anos após ser denunciado por um vizinho que o observou em intimidades com a empregada doméstica não judia da família, foi selecionado pelo médico do campo para castração. Recusando-se a assinar o formulário de consentimento sob a alegação de que seus documentos de emigração estavam prestes a ficar prontos, Meier foi repetidamente esmurrado no rosto por um guarda da SS sob ordens do médico, chutado, privado de assistência médica para os ferimentos e colocado na câmara de punição do campo por doze dias. Usando a influência de que dispunham, os pais de Meier completaram seus documentos de emigração e obtiveram uma ordem do Escritório da Chefia da Segurança do Reich – não para soltá-lo, mas para revogar a ordem de castração. Com isso, o telegrama não foi para o comandante, que teria tratado da liberação imediata, mas para o médico do campo, para quem subjugar Meier agora se tornara uma questão de orgulho pessoal: sob ordens dele, Meier foi recolocado na câmara de punição e assassinado por um guarda da SS.[93]

A lei ofereceu muitas novas oportunidades para o assédio e a perseguição de judeus alemães, especialmente homens. Em dezembro de 1935, um escriturário judeu de 43 anos de idade foi condenado a um ano e três meses de cadeia por corrupção racial. Ele vivia com sua companheira não judia havia um ano e tinham um bebê de nove meses. Mas as acusações com frequência eram feitas sob os mais inconsistentes pretextos. Em Bad Dürkheim, por exemplo, um judeu de 66 anos de idade, Hermann Baum, foi condenado a um ano de prisão em novembro de 1935 mediante o testemunho de uma menina de quinze anos de idade de que ele havia tentado beijá-la. A Gestapo convocava empregadas que trabalhavam em casas judaicas para informar que tinham que ir embora, e as importunavam com perguntas orientadas ("mas ele a tocou algumas vezes no ombro, não foi?") na esperança de fazer uma detenção, ameaçando-as de prisão caso não incriminassem os patrões.[94] Em novembro de 1935, um empresário judeu de cinquenta anos de idade, Ludwig Abrahamson, foi denunciado à Gestapo por manter relações sexuais com uma empregada não judia, Wilhelmina Kohrt. Sob interrogatório, ela admitiu que ele havia "forçado" suas atenções sobre ela (se isso de fato é verdade pode ser duvidoso em vista dos métodos usados pela Gestapo para extrair confissões). Ele foi sentenciado a dois anos de prisão e, ao ser solto, foi levado pela Gestapo para o campo de concentração de Buchenwald, de onde garantiu a soltura em 6 de outubro de 1938 ao fornecer provas de que emigraria. Um caso ainda mais espantoso foi o de Hannelore Krieger, operária em uma fábrica de bebidas alcoólicas, que sofreu uma denúncia anônima em abril de 1938 por manter relações sexuais com o chefe, Julius Rosenheim. Ela disse que ele exigira favores sexuais em troca de dinheiro; mas, após o julgamento, mudou o depoimento e disse que a relação havia terminado em 1934, antes da aprovação da lei. O tribunal concordou em inocentar a ambos, mas a Gestapo deteve Rosenheim ao final do julgamento e levou-o para um campo de concentração assim mesmo.[95]

Se a conduta de Krieger beirava a prostituição, as prostitutas de verdade então ficaram particularmente vulneráveis à denúncia de vizinhos hostis por atender clientes judeus. Homens e mulheres judeus que mantinham relacionamentos mais comprometidos com parceiros não judeus tomaram precauções consideráveis para esconder o fato depois de setembro de 1938, mas muitos inevitavelmente caíram vítimas de denúncias de vizinhos intrometidos ou zelosos bisbilhoteiros nazistas. Com o passar do tempo, as pessoas foram denunciadas apenas por ser "amistosas com judeus": estalajadeiros por dizer incautamente a alguém que judeus ainda eram bem-vindos em seu estabelecimento, cidadãos alemães por manter relações amigáveis de tipo inteiramente não sexual com judeus, ou mesmo por trocar um aperto de mãos com judeus na rua. Às vezes, o comportamento pelo qual tais pessoas eram denunciadas podia denotar uma oposição por princípio ao antissemitismo nazista; com mais frequência, era produto de indiferença às regras e regulamentações oficiais, ou simplesmente um hábito de longa data. Muitas denúncias eram falsas, mas em certo sentido isso não interessava; denúncias falsas contribuíam tanto quanto as verdadeiras para a atmosfera geral, na qual os alemães gradativamente cortaram todos os laços com amigos e conhecidos judeus, a exemplo do que Melita Maschmann fizera. Indo bem além do que estipulavam as Leis de Nuremberg e investigando todas as denúncias que recebiam, por mais frívolas e interesseiras que fossem, a Gestapo e outras agências de controle e aplicação da lei desmantelaram pedaço por pedaço a intrincada rede de contatos sociais construída entre judeus alemães e seus companheiros alemães ao longo de décadas. As agências foram respaldadas por todo um conjunto de instituições do Partido, do vigilante de quarteirão para cima, que de modo semelhante dedicaram-se a evitar qualquer intercurso social posterior entre arianos e judeus.[96]

Apenas ocasionalmente um vigilante de quarteirão fazia vista grossa, como no caso do jovem advogado e aspirante a jornalista Raimund Pretzel e sua parceira, uma mulher judia que ele conheceu ao voltar de Paris em 1934. Pretzel originalmente deixara a Alemanha pela aversão à repressão e ao racismo do Terceiro Reich, e também para ir atrás de outra moça; quando esta casou-se com outro homem, ele voltou para a Alemanha e começou a ganhar a vida escrevendo artigos apolíticos para as seções de arte de jornais e revistas. Sua nova parceira fora despedida do emprego em uma biblioteca por causa da raça, e seu casamento também havia terminado há pouco. Seu filho, Peter, era loiro de olhos azuis, e foi até fotografado como uma criança ariana ideal. Quando Pretzel mudou-se para o apartamento dela, estavam infringindo as Leis de Nuremberg, mas o vigilante do quarteirão gostava da família e os protegeu de interferência. Entretanto, em 1938, ela ficou grávida, e o perigo de denúncia ficou grande demais. Levando Peter consigo, ela foi ao escritório de emigração e obteve licença para unir-se ao irmão na Inglaterra. Pretzel conseguiu permissão para ir à Inglaterra separadamente, usando o pretexto de que estava escrevendo uma série de artigos sobre a vida inglesa; visto com suspeita pelas autoridades britânicas quando permaneceu além do tempo estipulado, teve grande dificuldade para se sustentar e foi salvo por Frederic Warburg, chefe da editora Secker e Warburg, que ficou impressionado o bastante com a sinopse do livro que ele submeteu para lhe oferecer um contrato. Isso contentou o Ministério dos Negócios Interiores, que ofereceu a Pretzel uma prorrogação de um ano do visto. Nesse ínterim, ele casou-se com a companheira, e tiveram um filho. Entretanto, o futuro de ambos parecia qualquer coisa menos garantido, como o de milhares de outros que emigraram naquela época.[97]

"Os judeus devem sair da Europa"

I

Os judeus emigravam da Alemanha em especial se eram jovens o bastante para começar uma vida nova no exterior e ricos o suficiente para financiá-la. Claro que não foi emigração voluntária ou livre; foi fuga para o exílio para escapar de condições que para muitos estavam se tornando totalmente intoleráveis. Não sabemos quantos judeus deixaram a Alemanha durante esses anos. As estatísticas oficiais, que continuaram a classificar judeus apenas pela religião, são tudo que temos para seguir em frente. Dadas as taxas muito altas de conversão para o cristianismo ao longo das décadas antes de 1933, as cifras oficiais podem ter subestimado em 10% ou mais o número de pessoas que fugiram do país porque o regime nazista classificou-as como judias qualquer que fosse sua religião. De acordo com as estatísticas oficiais, havia 437 mil alemães de fé judaica na Alemanha em 1933. No final de 1937, o número havia caído para cerca de 350 mil. Em 1933, 37 mil membros da fé judaica deixaram a Alemanha sob o impacto do boicote de 1º de abril e da lei de 7 de abril; uma queda no número de emigrantes para 23 mil no ano seguinte refletiu a ausência de quaisquer ações nacionais ou leis semelhantes em 1934. O número continuou relativamente baixo também nos anos seguintes – 21 mil em 1935, 25 mil em 1936 e 23 mil em 1937. Como europeus, a maioria preferiu ficar em outro país do mesmo continente – 73% dos emigrantes judeus de 1933 permaneceram dentro da Europa –, enquanto apenas 8% cruzaram os mares rumo a destinos como os Estados Unidos. Em 1933, a despeito da relativa fraqueza do sionismo na Alemanha, nada menos que 19% instalaram-se na Palestina.

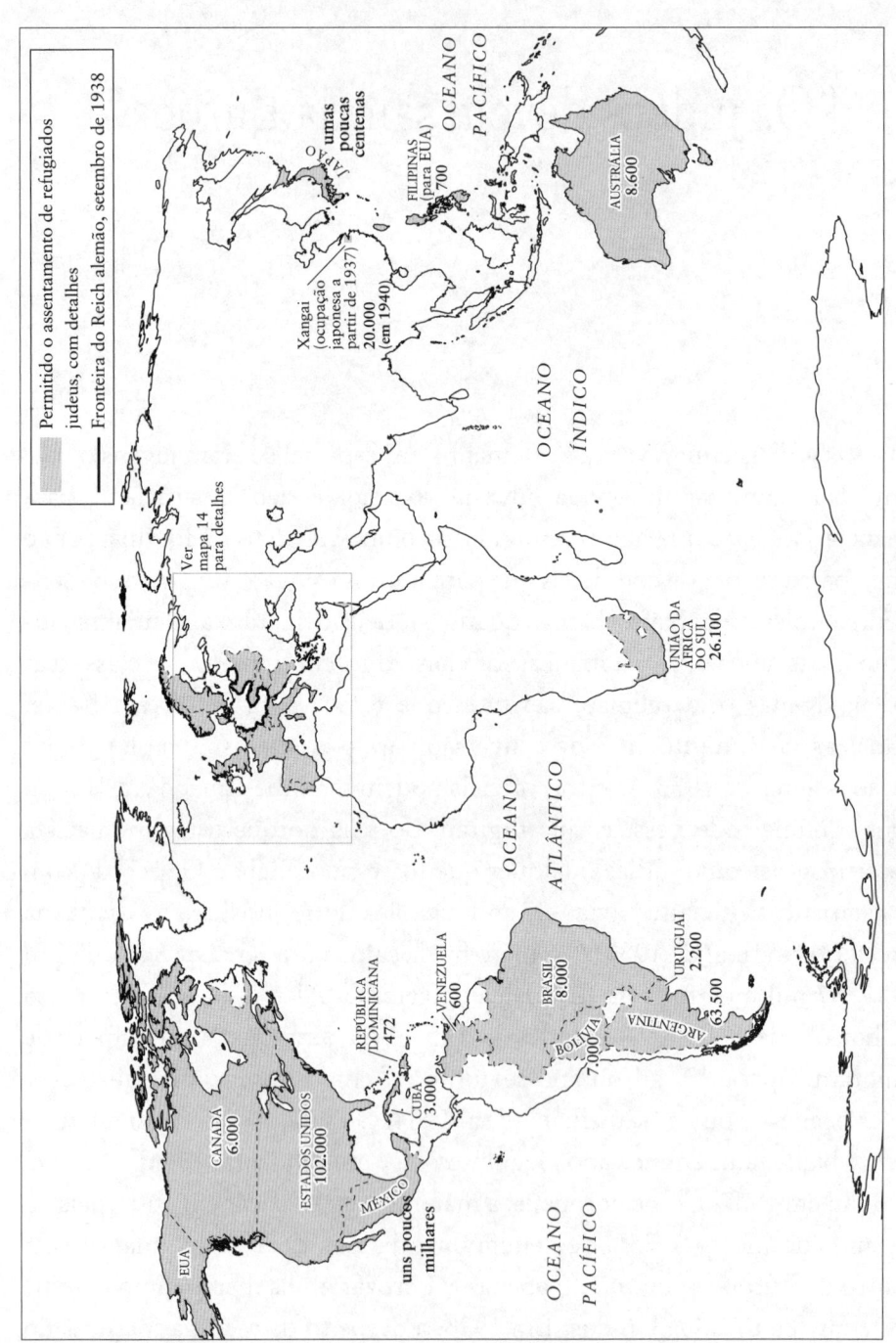

Mapa 13. Emigração judaica ultramarina, 1933-38

No total, 52 mil judeus alemães foram para lá entre 1933 e 1939. Um motivo significativo para esse número surpreendentemente alto reside no fato de que representantes do movimento sionista na Alemanha e na Palestina tinham assinado um pacto com o governo nazista em 27 de agosto de 1933. Conhecido como Acordo de Transferência de Haavara, foi endossado pessoalmente por Hitler e comprometeu o Ministério da Economia alemão a permitir que judeus que partissem para a Palestina transferissem uma parte significativa de suas posses para lá – cerca de 140 milhões de reichsmarks no todo –, ao passo que os que iam para outros países tinham que deixar uma proporção muito maior do que possuíam para trás.[98]

Os motivos para os nazistas facilitarem o tratamento de emigrantes para a Palestina eram complexos. Por um lado, consideravam o movimento sionista uma parte significativa da conspiração judaica mundial que dedicavam a vida a destruir. Por outro, ajudar a emigração judaica para a Palestina poderia mitigar a crítica internacional às medidas antissemitas em casa. Além disso, e de modo crucial, a principal meta dos nazistas naqueles anos era expulsar os judeus da Alemanha e de preferência também da Europa; apesar de toda a violência que haviam imposto, naquele estágio os nazistas não pretendiam, muito menos planejavam, exterminar todos os judeus da Alemanha. Aos olhos nazistas, uma Alemanha livre de judeus seria uma Alemanha mais forte, apta a tomar o resto da Europa e depois do mundo. Só quando isso acontecesse os nazistas iriam voltar-se para resolver o que avaliavam como o problema judaico em escala mundial. Os sionistas estavam preparados para fazer um trato com os nazistas se o resultado fosse o fortalecimento da presença judaica na Palestina. Os judeus alemães trariam consigo habilidades e experiência muito necessárias; também trariam, pensavam muitos líderes sionistas, dinheiro e capital para investimento. Em troca, o Acordo de Transferência de Haavara, que formalizou os arranjos, proporcionou, como parte da permuta a exportação de mercadorias muito necessárias da Palestina para a Alemanha, como frutas cítricas. De ambos os lados, portanto, foi sobretudo um casamento de conveniência. Mas esse foi cada vez mais questionado dentro do regime nazista. Em parte foi a consequência do estabelecimento da Divisão de Assuntos Judaicos do Serviço de Segurança da SS em 1935. Uma das principais seções da SS, era coman-

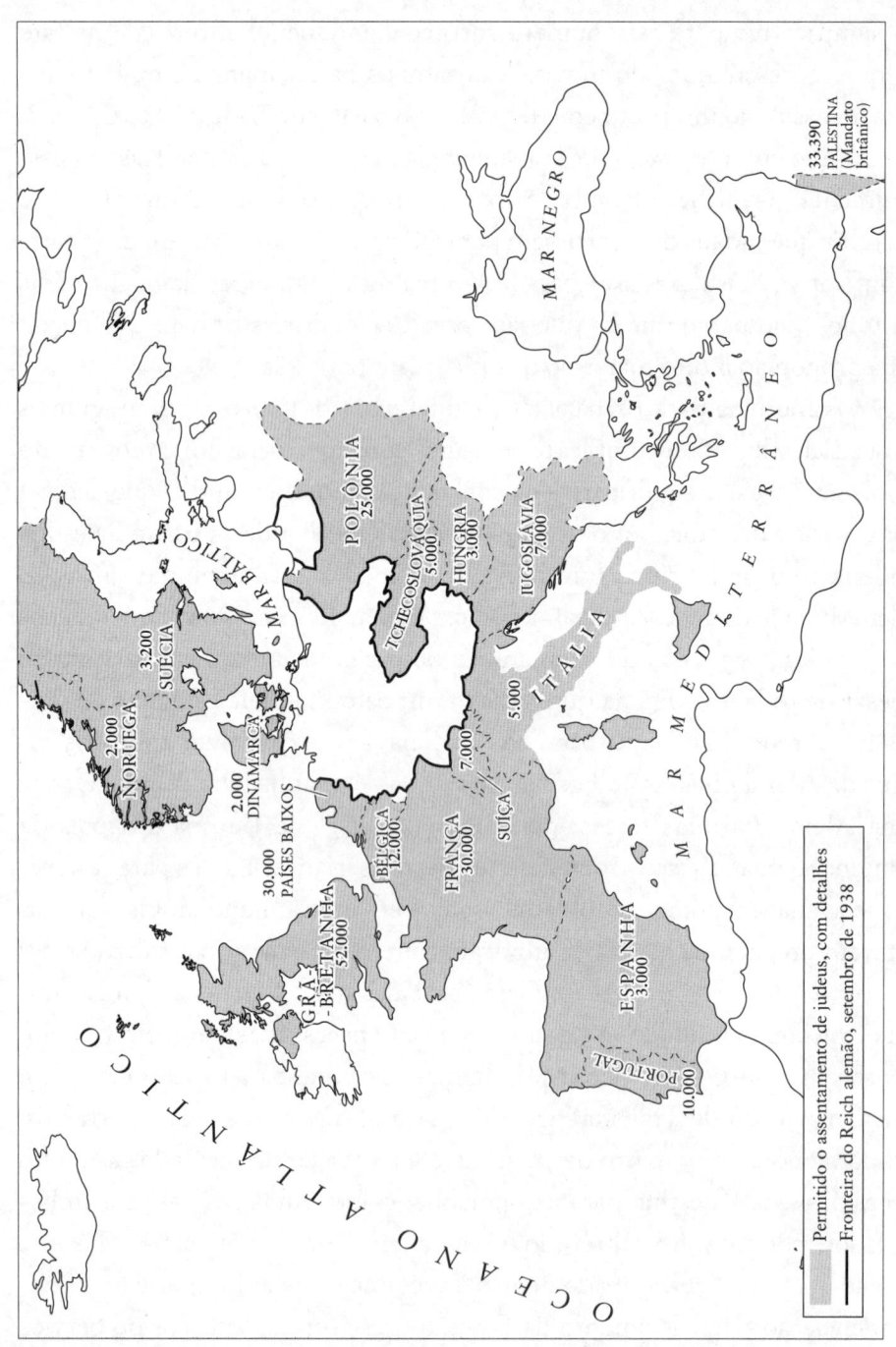

Mapa 14. Emigração judaica dentro da Europa, 1933-38

dada por um grupo cada vez mais radical de jovens oficiais, incluindo Dieter Wisliceny, Theodor Dannecker e Adolf Eichmann. Esses homens ficaram gradativamente mais receosos de que encorajar os judeus a ir para a Palestina acelerasse a formação de um Estado judaico lá, com consequências perigosas para a Alemanha a longo prazo.[99]

Para os sionistas, a nuvem de perseguição e discriminação, sobretudo na forma do boicote de 1º de abril de 1933 e na lei subsequente para o funcionalismo público, teve um certo fulgor de esperança, pois aproximou os judeus profundamente divididos da Alemanha. Já em 1932, à luz dos ataques antissemitas que se avolumavam, as associações regionais judaicas haviam decidido estabelecer uma organização nacional, implantada em 12 de fevereiro de 1933. Esta fez pouco mais do que protestar que não tinha nada a ver com o que os nazistas descreveram como a campanha internacional para o boicote de mercadorias alemãs. Apenas em setembro de 1933 a organização, junto com outras, incluindo os sionistas alemães, montou uma entidade abrangente na forma da Representação dos Judeus Alemães do Reich sob presidência do rabino Leo Baeck, de Berlim. O objetivo era reagrupar e defender a vida judaica na nova Alemanha. Seus líderes exortaram o diálogo com os nazistas, com a ideia quem sabe de chegar a uma concordata, como a que o Terceiro Reich havia concluído com os católicos. E enfatizaram o serviço patriótico que muitos judeus haviam prestado ao Reich no *front* da Primeira Guerra Mundial. Os judeus não foram os únicos alemães a acreditar que a violência que acompanhou a tomada do poder logo se dissiparia, deixando uma política mais estável e ordeira. Leo Baeck encorajou até mesmo a preparação de um grande dossiê ilustrando a contribuição judaica alemã para a vida.

Mas o dossiê foi proibido antes que pudesse ser publicado.[100] As penalidades financeiras impostas aos judeus alemães, a arianização de negócios judaicos e o aperto das restrições à exportação de moeda e bens fez com que os judeus alemães achassem cada vez mais difícil obter refúgio em países cujos governos não queriam imigrantes se fossem representar um fardo para o sistema previdenciário. Encontrar dinheiro até para pagar uma passagem para sair da Alemanha tornou-se um problema. O fato de uma proporção crescente dos judeus alemães estar perto ou acima da idade de aposentadoria piorou as coisas. Os imigrantes judeus em idade de trabalhar com frequência ressentiam-se porque o desemprego continuava alto em muitos países como resultado da Depressão. As organizações judaicas nos países que os recebiam faziam o melhor que podiam para ajudar a fornecer fundos e oportunidades de trabalho, arranjando vistos e coisas do tipo, mas a extensão em que conseguiam influenciar a política de governo era muito restrita, e, somado a isso, foram cerceadas pelo seu próprio medo de suscitar o antissemitismo em casa.[101]

Em 6 de julho de 1938, foi realizada uma conferência de 32 nações em Evian, na costa francesa do lago Genebra, para discutir o crescente fenômeno internacional da migração. A conferência fez uma tentativa de impor diretrizes de concordância geral, especialmente à luz da possível expulsão de centenas de milhares de judeus pobres da Polônia e da Romênia. Mas tomou cuidado para não ferir as suscetibilidades alemãs no momento em que as relações internacionais tornavam-se cada vez mais carregadas. O governo alemão não tomou parte, declarando os emigrantes judeus uma questão internacional. Uma delegação após a outra deixou claro na conferência que não afrouxaria a política em relação a refugiados; se fizessem algo, seria apertá-la. A Grã-Bretanha e os estados europeus viam-se sobretudo como países de trânsito, dos quais os imigrantes judeus se dispersariam rapidamente pelo além-mar. O sentimento anti-imigrante de muitos países, rematado com a retórica de serem "soterrados" por pessoas de cultura "alienígena", contribuiu ainda mais para a relutância crescente.[102]

Ao mesmo tempo, é claro, a situação ofereceu novas oportunidades para funcionários alemães corruptos, que com frequência exigiam dinheiro ou bens em troca de sua anuência para aplicar o imprescindível carimbo nos papéis de candidatos a emigrante. A tentação de enriquecer era das maiores porque os emigrantes tinham que deixar praticamente tudo para trás. Um judeu que apresentou a papelada para a emigração ouviu de um funcionário, após as formalidades preliminares estarem concluídas:

"Bem, você vai pensar em mim quando emigrar, não vai?" Eu disse a ele para falar o que queria, e eu veria o que poderia fazer. Algumas horas depois, estava jantando em casa, a campainha soou, e lá estava o funcionário em pessoa (de uniforme com um casaco por cima); ao abrir a porta, obviamente fiquei surpreso por vê-lo; ele me disse que queria apenas informar que gostaria muito de ter uma mesa redonda e um tapete de uns dois metros por três metros. E de fato nossas permissões para emigrar foram emitidas em um tempo espantosamente curto.[103]

Para contornar os problemas de moeda e outros, a Gestapo eventualmente organizava transportes ilegais de emigrantes judeus, fretando barcos para a Palestina via Danúbio e mar Negro, cobrando, como era de se esperar, preços altamente inflacionados pelas passagens.[104]

II

Para quem ficou na Alemanha, os líderes da comunidade judaica organizaram novas estruturas institucionais para tentar aliviar a situação. Em 13 de abril de 1933, foi fundado um Comitê Central para Auxílio e Reconstrução, seguido no mês seguinte da Instituição Central de Auxílio Econômico Judaico, de caráter semelhante. As organizações levantaram empréstimos para judeus em dificuldade econômica, tentaram achar serviço para judeus que haviam perdido o emprego e promoveram cursos de treinamento para judeus que queriam entrar para a agricultura ou trabalho manual (dos quais muitos subsequentemente emigravam). As organizações judaicas cada vez mais prestavam assistência logística, burocrática e às vezes financeira para quem queria emigrar. Até 1938, os judeus ainda tinham direito aos benefícios da previdência pública, de modo que as instituições de caridade judaicas atuavam mais no sentido de suplemento que de substituição quando se tratava de ajudar os realmente miseráveis; entretanto, à medida que a comunidade judaica ficou crescentemente mais empobrecida, o trabalho das instituições de caridade tornou-se cada vez mais importante.[105]

O processo de segregação teve um impacto particularmente rude sobre as crianças judias. Em 1933, havia cerca de 60 mil crianças judias entre sete anos, a idade para o início da educação formal, e catorze anos, a idade em que a escola deixava de ser compulsória, e um substancial número adicional estava matriculado em escolas secundárias. A emigração, em especial entre judeus com idade de ter e criar filhos, reduziu o número de jovens judeus entre seis e 25 anos de idade de 117 mil em 1933 para 60 mil em 1938. As crianças tiveram que encarar um esforço orquestrado dos nazistas para expulsá-las das escolas alemãs. A Lei contra a Superlotação das Escolas e Universidades Alemãs, promulgada em 25 de abril de 1933, junto com suas ordens de implementação, fixou um máximo de novas admissões em todas as escolas acima do nível primário de 1,5% de crianças não arianas. Ao mesmo tempo, a hostilidade raivosa da Liga dos Estudantes Nazistas expulsou a maioria dos estudantes judeus das universidades em um curto período, de modo que restavam apenas 590 no semestre do outono de 1933, contra 3.950 no semestre de verão do ano anterior. De forma semelhante, a hostilidade de professores nazistas fanáticos e, cada vez mais, dos ativistas da Juventude Hitlerista nas escolas teve um impacto poderoso para expulsar as crianças judias. Em Württemberg, por exemplo, enquanto 11% de alunos judeus foram forçados a abandonar o ensino secundário por causa da lei, 58% desistiram como resultado da hostilidade de alguns professores e crianças em suas escolas. A pressão era tão feroz que até mesmo o ministro Rust, da Educação, reclamou em maio de 1933 e repetiu as críticas em julho.

Em algumas escolas, as crianças judias tinham que se sentar em um "banco judeu" especial na sala de aula, e foram banidas das aulas de alemão. Tinham que ouvir os professores descrevendo os judeus como criminosos e traidores. E não tinham permissão para participar de cerimônias e festivais, concertos e peças. Os professores humilhavam-nas de forma deliberada e davam notas ruins para seus trabalhos. Claro que a atmosfera variava fortemente de escola para escola; em algumas zonas da classe operária, as outras crianças mostravam considerável solidariedade para com os colegas judeus, ao passo que na Alemanha das cidadezinhas os valentões tornavam a vida deles um inferno e faziam com que vivessem com medo constante de apanhar. O resultado de tal pressão foi que na Prússia o número de crianças judias em escolas públicas secundárias caiu de 15 mil em maio de 1932 para 7 mil em maio de 1935 e pouco mais de 4 mil no ano seguinte; as cifras quase com certeza subestimam a escala do declínio, visto que incluem apenas filhos de pais de fé judaica, não crianças classificadas como judias com base racial pelo regime. Em 1938, somente 1% dos alunos do ensino secundário público na Prússia eram judeus, e a partir de janeiro daquele ano esses jovens, de qualquer forma, foram oficialmente excluídos de participar do exame de entrada para a universidade pública. Os alunos judeus restantes foram todos sumariamente expulsos no final daquele ano.[106]

A expulsão das crianças judias das escolas públicas alemãs exigiu a oferta urgente de instalações educacionais substitutas pela comunidade judaica. Os pais da classe média judaica aculturada desprezavam as escolas judaicas da Alemanha em 1933; muitos consideravam seus padrões baixos e não compartilhavam da atitude religiosa. Isso aplicava-se em particular, é claro, aos muitos pais de fé católica que de repente viram-se classificados como judeus pela raça e atirados a uma comunidade que até então haviam estudadamente evitado. Muitas comunidades judaicas locais não possuíam nenhuma instalação educacional. Pais preocupados e consternados com o isolamento a que seus filhos eram impelidos pela hostilidade que enfrentavam nas escolas públicas com frequência assumiam a tarefa de fornecer estudo. Em 1935, quase metade das 30 mil crianças judias em idade de ensino primário frequentavam escolas comunitárias judaicas, fundadas na maior parte por organizações judaicas. Encontrar professores habilitados era difícil, e as turmas com frequência eram muito grandes, com até cinquenta crianças cada, em acomodações apinhadas e inadequadas. Em especial nas escolas secundárias, crianças de ambientes, capacidades e experiência educacional muitíssimo variados de repente foram atiradas todas juntas. Transporte e viagem eram um grande problema para muitos pais e filhos. Houve ríspidas altercações sobre o currículo entre facções ideológicas diferentes, ortodoxos, liberais e seculares, direita e esquerda, que só amainaram quando a discriminação e a repressão crescentes fizeram-nas parecer menos importantes. No início de 1937, havia 167 escolas judaicas na Alemanha, frequentadas por quase 24 mil alunos de um total de 39 mil. A emigração logo reduziu os números; em outubro de 1939, restavam menos de 10 mil alunos judeus na Alemanha, e várias escolas judaicas tinham fechado. Sua realização foi sobretudo, talvez, proporcionar um ambiente educacional livre do *éthos* de ódio racial, militarismo e habilidade física bruta que haviam passado a dominar a maioria das escolas alemãs na época.[107]

A autoajuda judaica desempenhou um papel importante também em outros setores. Os homens e mulheres esportistas judeus montaram sua organização própria depois de serem expulsos dos clubes esportivos tradicionais em 1933; em 1934, seus membros somavam nada menos que 35 mil. Um feito ainda mais notável foi a Liga de Cultura Judaica, implantada pelo ex-diretor-adjunto da Ópera da Cidade de Berlim, Kurt Singer. Oito mil artistas, músicos, atores e escritores pertenciam à Liga de Cultura Judaica, que fornecia entretenimento exclusivamente à comunidade judaica; 180 mil judeus associaram-se para aproveitar as ofertas. Sua fundação foi oficialmente aprovada por Herman Göring. Do ponto de vista nazista, a liga foi bem recebida porque marcou a separação completa da vida cultural judaica da vida da nação como um todo, e ao mesmo tempo reassegurou aos outros alemães que os judeus não estavam proibidos de escrever, pintar ou se apresentar. Entretanto, Singer foi rapidamente posto de lado, e a Liga de Cultura foi dirigida por um nazista, Hans Hinkel, durante a maior parte de sua existência. Trabalhando sob a égide de Göring, Hinkel foi responsável pela eliminação dos judeus das instituições culturais da Prússia, de modo que a Göring pareceu óbvio que ele também devesse comandar a Liga de Cultura. Hinkel logo começou a proibir a Liga de Cultura e seus membros de apresentar obras alemãs, a começar por peças medievais e românticas e avançando para Schiller (1934) e Goethe (1936). Os músicos judeus não tinham permissão para tocar as obras de Richard Wagner ou Richard Strauss; Beethoven foi adicionado à lista em 1937 e Mozart, em 1938.[108]

Entretanto, apenas em 1933-34, a liga montou 69 exibições de ópera e 117 concertos. Embora alguns membros vissem tais atividades como uma oportunidade de mostrar a contribuição que artistas judeus podiam dar à vida cultural alemã, muitos mais devem ter percebido que elas eram a evidência de que a cultura judaica na Alemanha estava sendo arrastada para o gueto. Ao restringir gradualmente o que a Liga de Cultura podia fazer, os nazistas estavam empurrando-a de modo inexorável a uma situação em que oferecia nada mais que cultura "judaica" para plateias unicamente de judeus. A guetização cultural dos judeus da Alemanha foi concluída depois de 10 de novembro de 1938, quando os judeus foram proibidos de frequentar teatros, cinemas, concertos, palestras, circos, cabarés, danças, *shows*, exposições e todos os outros eventos culturais. Seguindo-se a isso, todas as instituições culturais judaicas de qualquer tipo que fosse, inclusive as editoras judaicas restantes, foram fundidas na Liga de Cultura Judaica centralizada em 1º de janeiro de 1939. Havia muitas obras a serem apresentadas para plateias judaicas, inclusive as de escritores e compositores judeus banidos pelos nazistas por motivos raciais. Havia exposições de pintores judeus e leituras de escritores judeus. Alemães não judeus não tinham permissão para ir a esses eventos, é claro. Muita gente, se não a maioria, duvidava que realmente houvesse uma cultura judaico-alemã independente e separada da cultura não judaico-alemã; a maior parte dos escritores, artistas e compositores judeus realmente não havia cogitado a possibilidade, mas se considerado simplesmente alemães.[109]

De modo paradoxal, talvez, muitos judeus acharam o processo de guetização cultural deveras tranquilizador à medida que se adequavam às novas restrições em sua vida. Conforme um deles comentou em tom crítico mais tarde: "Os judeus foram deixados mais ou menos em sossego dentro das fronteiras traçadas para eles. Na Liga de Cultura Judaica, na escola judaica, nas sinagogas, podiam viver como lhes agradasse. Apenas a interferência na esfera dos arianos era um tabu e um perigo".[110] Essa atitude em muitos casos era uma necessidade psicológica para os que ficaram. Cada vez mais, esses eram os velhos e os pobres. Em 1933, 20% dos cidadãos alemães de fé judaica nascidos na Alemanha tinham cinquenta anos de idade ou mais; em 1938, a proporção da comunidade judaica na Alemanha com cinquenta anos ou mais havia subido para mais de 48%; um ano depois, passava da metade.[111] Muitos judeus eram patriotas alemães, com as famílias profundamente ligadas às cidades natais e comunidades há décadas, de fato séculos de residência, trabalho, cultura e tradição. Romper com tudo isso foi duro demais de suportar para alguns. Muitos deixaram a Alemanha em lágrimas, jurando voltar quando as coisas melhorassem. Não é de surpreender que muitos judeus alemães se recusassem a emigrar, ou na verdade não vissem necessidade de fazê-lo. "Por que eu deveria emigrar?", retrucou um judeu alemão de meia-idade às solicitações ansiosas do filho em 1937. "Nem tudo será tragado nessa voragem. Afinal de contas, vivemos sob o domínio da lei. O que pode acontecer comigo? – Sou um velho soldado, lutei por minha Pátria por quatro anos na frente ocidental, fui um oficial subalterno e ganhei a Cruz de Ferro de Primeira Classe."[112]

III

Um grupo específico de judeus que permaneceu foi o de casados com parceiros classificados pelo regime como arianos. Havia 35 mil casais vivendo em uniões mistas em 1933 – ou seja, casamentos nos quais os parceiros provinham de fés judaica e cristã. A maioria desses casamentos era entre homens judeus e mulheres cristãs. As Leis de Nuremberg redefiniram o casamento misto em termos raciais, é claro. Naquela época, na maioria dos casais ambos os parceiros eram de religião cristã. Nos casamentos mistos, cônjuges não judeus ficaram sob pressão crescente da Gestapo para pedir o divórcio. Os tribunais haviam começado a atender rapidamente aos pedidos de divórcio apresentados por cônjuges não judeus com base, por exemplo, em que apenas com a chegada do nacional-socialismo ao poder eles haviam percebido os perigos da corrupção racial. Devido à remoção dos judeus de praticamente todos os setores da vida pública e social àquela altura, os maridos judeus de casamentos mistos haviam sido forçados a ceder o poder sobre os filhos, assuntos financeiros, bens, negócios, propriedades e quase tudo o mais para as esposas não judias. À medida que se fechavam as oportunidades para o marido, a esposa tornava-se cada vez mais o esteio da família. Em 28 de dezembro de 1938, agindo sob ordens de Hitler, Göring emitiu novas regulamentações sobre o *status* de casamentos mistos. A fim de aplacar a ira potencial de parentes arianos, ele declarou que casamentos mistos, em que o marido fosse judeu e os filhos tivessem sido criados como cristãos ou em que a mulher fosse judia mas não houvesse filhos, deveriam ser classificados como "privilegiados" e eximidos pouco a pouco de alguns dos atos discriminatórios do regime nos anos seguintes.[113]

Nos casamentos mistos em que o homem era judeu e não havia filhos, ou em que a esposa se convertera ao judaísmo ou os filhos haviam sido criados na fé judaica não havia privilégios. A pressão sobre as esposas não judias nessa situação para entrar com o divórcio era considerável e aumentou de forma constante. As leis de casamento nazistas, cultuadas sobretudo na Lei do Casamento de 6 de julho de 1938, definiam o casamento como a união entre duas pessoas de sangue saudável, da mesma raça e de sexos opostos, consumado para o bem comum e com o propósito de ter filhos de sangue saudável e criá-los para serem bons companheiros raciais alemães. Casamentos mistos nitidamente não se enquadravam na definição, e na verdade foram proibidos a partir de setembro de 1935. A nova lei coligiu recentes decisões dos tribunais sobre casamentos mistos existentes e as levou adiante. Conforme a lei, pessoas de sangue alemão casadas com um cônjuge judeu agora podiam pedir a anulação do casamento puramente por motivos raciais. Além disso, a esposa não judia de um homem judeu que tivesse perdido o meio de vida podia pedir divórcio sob a alegação de o marido não estar cumprindo o dever de sustentar a família. Separação por três anos agora também era motivo para divórcio, de modo que, se um marido judeu houvesse estado em um campo de concentração ou em exílio no estrangeiro por esse período, a esposa não judia podia divorciar-se sem qualquer problema. As crescentes dificuldades econômicas e outras inevitavelmente colocaram grande tensão sobre tais casamentos, e mesmo sem pressão direta aplicada pela Gestapo ou pelos vários órgãos do Partido, como muitas vezes acontecia, o resultado com frequência foi a separação. Era preciso uma boa dose de coragem, lealdade e amor para manter um casamento misto sob tais circunstâncias.[114]

Em 1938, porém, as pessoas estavam ficando cientes do fato de que o divórcio significaria não só uma provação adicional para o cônjuge judeu, mas também muito possivelmente violência, prisão e morte. Quando um cônjuge não judeu morria, a Gestapo costumava aparecer um dia depois de a morte ser comunicada às autoridades e detinha o viúvo ou a viúva. A Gestapo de fato deu início a uma campanha regular de convidar mulheres arianas casadas com homens judeus para ir à delegacia de polícia para uma conversa amistosa. Por que uma mulher alemã loira e de boa aparência ia querer continuar casada com um judeu nas atuais circunstâncias? A vida não seria melhor com o divórcio? Ela tinha apenas que dizer que o nacional-socialismo havia dissipado sua ignorância prévia sobre a ameaça judaica para o divórcio ser concedido. As promessas eram misturadas a ameaças. O divórcio proporcionaria carreiras brilhantes para os filhos, que seriam reclassificados como alemães, e melhoria econômica para a família, que se livraria do cônjuge dependente. A recusa condenaria os filhos, devido à raça mestiça, a uma existência sombria, destituída de muitos dos benefícios e privilégios de ser alemão puro. Se ela não se divorciasse, o Estado confiscaria sua propriedade. Levadas ao desespero, umas poucas mulheres alemãs em casamentos mistos sem filhos divorciaram-se a fim de agarrar seus bens e continuaram a ver os maridos em segredo, mesmo depois de eles terem saído da casa da família. Muitas, porém, resistiram à pressão e reagiram com ultraje à sugestão de que deveriam se divorciar com base em motivos pecuniários: elas perguntavam o que isso insinuava antes de mais nada sobre os motivos para terem se casado?[115]

Uma dessas mulheres foi Eva, esposa de Victor Klemperer, que ficou ao lado dele ao longo de todas as vicissitudes da década de 1930. Como veterano de guerra e marido de uma ariana, ele ainda teve o direito de manter o emprego de professor de literatura francesa na Universidade Técnica de Dresden, mas foi retirado dos exames, não conseguiu achar um editor para seu novo livro, e seu ensino foi tão severamente restringido que a presença em suas palestras caiu para algarismos simples, e ele sentiu-se sob risco de se tornar supérfluo. Ficou ainda mais consternado pelas ilusões contínuas de alguns de seus amigos judeus sobre o regime; ao seu redor, colegas judeus eram demitidos, e famílias de jovens judeus que ele conhecia estavam emigrando para a Palestina. Como nacionalista alemão, Klemperer ficou chocado pela extensão em que outros amigos judeus estavam assumindo uma identidade mais judaica e perdendo a germanicidade. Ele considerava o sionismo pouca coisa melhor que o nazismo. Viu amigos judeus emigrarem para a Palestina, mas não pensou em ir para lá – "qualquer um que vai para lá está trocando nacionalismo e estreiteza por estreiteza e nacionalismo" – e de todo modo ele sentiu que não poderia se adaptar a outra vida naquela idade. Ele era, conforme escreveu, "uma criatura inútil com cultura excessiva".[116]

No começo de outubro de 1934, ele e a esposa mudaram-se para a casa que vinham construindo há muito tempo em Dölzschen, um subúrbio sossegado de Dresden.[117] Mal haviam colocado a casa em ordem quando a situação de Klemperer começou a se deteriorar ainda mais. Em março de 1935, o ministro não nazista de Educação da Saxônia foi demitido, e suas tarefas assumidas pelo líder regional do Partido Nazista, Martin Mutschmann. "Sob todos os aspectos de destruição de cultura, acossamento de judeus, tirania interna", Klemperer confidenciou ao diário, "Hitler governa com criaturas cada vez piores".[118] Em 30 de abril de 1935, ele recebeu o aviso de demissão pelo correio, assinado por Mutschmann. Nenhum de seus colegas fez nada para ajudá-lo; a única simpatia veio de uma secretária. Klemperer escreveu para vários colegas no exterior em busca de um novo emprego, mas nada se materializou, e, em todo caso, ele não achava que sua esposa Eva, frequentemente enferma, estivesse forte o bastante para aguentar os rigores do exílio. Agora na metade da casa dos cinquenta anos, ele tinha que viver de uma pensão fixada em pouco mais da metade do antigo salário. Foi salvo pelo irmão mais velho, Georg, um cirurgião bem-sucedido, de setenta anos de idade e aposentado, que havia deixado a Alemanha e fez um empréstimo de 6 mil reichsmarks para Victor – e não foi essa a única ajuda que ele prestou aos parentes aflitos. Enquanto isso, porém, os ultrajes antissemitas tornaram-se mais frequentes e mais notáveis. No centro de Dresden, Klemperer reparou em um homem gritando repetidas vezes: "Qualquer um que compra de um judeu é um traidor da nação!". Em 17 de setembro de 1935, ele registrou a aprovação das Leis de Nuremberg. "O nojo deixa a pessoa doente."[119] Privado de lecionar, Klemperer continuou a escrever obstinadamente sua história da literatura francesa do século XVIII, embora as perspectivas de publicação fossem mínimas. Nesse ínterim, passou parte do tempo saindo em expedições no carro novo e discutindo com amigos a possibilidade – remota, concluiu – de o Terceiro Reich entrar em colapso. Todo mundo resmungava, ele disse, mas ninguém estava preparado para fazer nada, e muitos viam o Terceiro Reich como um contraforte necessário contra o comunismo. Klemperer começou a sentir suas opiniões mudando. "Ninguém pode tirar meu espírito alemão de mim", ele escreveu, "mas meu nacionalismo e patriotismo foram-se para sempre".[120]

Contudo, alguns acharam mais fácil separar seu entusiasmo com as políticas nacionalistas do Terceiro Reich de sua consternação com o antissemitismo. Quando o major reformado Friedrich Solmitz assumiu o cargo de vigilante de quarteirão da Liga de Proteção ao Ataque Aéreo logo após os nazistas chegarem ao poder, ele e a esposa pareceram prontíssimos para mover-se confortavelmente para dentro do Terceiro Reich. No início de 1934, porém, teve que escrever a Peter Schönau, o líder local do Partido Nazista, renunciando como vigilante do quarteirão devido à hostilidade persistente deste contra ele. Em todas as suas ações, protestou Solmitz, ele havia seguido as ordens do Partido, inclusive a implementação do Parágrafo Ariano, ou seja, a exclusão de todos os judeus de posições de responsabilidade nos preparativos para os ataques aéreos. Não podia compreender por que estava sendo alvo de críticas. Todavia, espantosamente, o motivo para Solmitz estar sob pressão era ser judeu.[121]

No que dizia respeito à religião, a família era cristã e não tinha contato com a comunidade judaica, o que sem dúvida explica por que sua esposa, Luise Solmitz, na privacidade de seu diário, anotou em 1933 que em Hamburgo "nenhum camisa-parda está fazendo nada aos judeus, nada de imprecações lançadas contra eles, a vida cotidiana em Hamburgo está igual, todo mundo cuida de seus assuntos como sempre".[122] Luise Solmitz não tinha antepassados judeus. Contudo, até ela achou o boicote às lojas judaicas realizado em 1º de abril de 1933 um motivo de preocupação, "uma piada mordaz de primeiro de abril". "Toda nossa alma", ela reclamou, "estava orientada para a ascensão da Alemanha, não para isso". Não obstante, refletiu, pelo menos os judeus do Leste Europeu não estavam mais em evidência ("as criaturas do submundo do leste da Galícia parecem ter desaparecido por enquanto").[123] Um ano depois, ela estava ficando irritada a respeito da discriminação que ela, o marido judeu e a filha semijudia sofriam. Ficou deprimida ao ver

> que Fr[iedrich] está à mercê de todo patife ignóbil, e que está excluído da SA e dos Capacetes de Aço, da Associação Nacional-Socialista dos Oficiais de Guerra e da Associação Acadêmica. Saber que todas as vias de felicidade, seja na vida profissional ou de casada, estarão fe-

chadas para Gis[ela]! Tremer a cada palavra, cada visita, cada carta: o que as pessoas querem de nós?[124]

Em 1935, Solmitz perdeu os direitos de cidadão em consequência das Leis de Nuremberg, embora ele e a esposa não judia subsequentemente fossem classificados como vivendo em um casamento misto privilegiado porque criavam a filha na fé cristã. As Leis de Nuremberg, ela escreveu em 15 de setembro de 1935, foram "nossa sentença de morte civil". Aquilo significava que, assim como em 1918, a família agora estaria proibida de hastear a bandeira imperial (então adornada com a suástica) e muito mais:

> Nossa bandeira negra-branca-vermelha é arriada pela segunda vez. – Qualquer homem que se case com minha filha vai acabar na penitenciária, e minha filha com ele. – A empregada teve que ser despedida... Nossa filha é alijada, excluída, desprezada, inútil. Quem está realmente ciente do isolamento, do desenraizamento da mulher "ligada a um judeu", na medida em que ela não recorra a seus próprios recursos com um desafiador "a despeito de tudo, estou sempre com você", meu povo, minha Pátria? A maioria das pessoas, ou muitas, ainda vai rejeitar o judaísmo, como eu; elas não têm relação com esse lado e não querem ter nenhuma. Eu jamais tive, não conheço quaisquer pessoas judias. – E quando estamos juntos com nossos próprios companheiros raciais, cada palavra ao acaso nos aterroriza, cada uma revela o abismo.[125]

Ultrajados com o tratamento, os Solmitz escreveram uma carta pessoal para Hitler. Ela foi entregue à polícia local e ao Ministério do Interior, que informou que o casal não poderia sob nenhuma circunstância ser eximido das cláusulas da lei.[126] A despeito da situação, Luise Solmitz permaneceu otimista. O isolamento crescente de sua filha e sua amargura por não poder entrar para a Liga de Moças Alemãs continuou a preocupar Solmitz, mas a família ficou confortavelmente à parte, e o orgulho nacional familiar com as realizações da Alemanha sob o Terceiro Reich mais do que compensava quaisquer inquietações menores, que ela menosprezou em 1937 como "mosquitos nos lagos de verão".[127]

IV

E de fato, no final de 1935, os judeus da Alemanha tiveram um pequeno alívio em sua situação por um tempo. O motivo foi inesperado e, pelo menos sob um aspecto, fora do controle do regime nazista. É que a Alemanha estava designada para realizar os Jogos Olímpicos de 1936, decisão tomada pelo Comitê Olímpico Internacional bem antes de os nazistas chegarem ao poder. Os Jogos de Inverno deveriam ser realizados na estação de esqui de Garmisch-Partenkirchen, e os Jogos de Verão em Berlim. Hitler de início estava cético. Esporte por si só não tinha apelo para a ideologia nazista, e ele achou o internacionalismo do evento altamente suspeito. Mas, quando foi montada uma campanha de boicote, em especial nos Estados Unidos, devido ao tratamento dos judeus pelo Terceiro Reich, ele percebeu que transferir os jogos para outro lugar seria extremamente prejudicial, e que sua realização na Alemanha proporcionaria uma oportunidade imperdível de influenciar a opinião pública mundial em favor do Terceiro Reich. Os preparativos foram postos em andamento. A equipe alemã não tinha judeus: sob pressão para evitar um boicote norte-americano, os chefes da equipe alemã tentaram recrutar atletas judeus, mas seu banimento das instalações de treinamento de primeira classe da Alemanha desde 1933 fez com que nenhum atingisse o índice. Foram convocados para a equipe três meio-judeus, todos vivendo fora da Alemanha, incluindo a esgrimista loira Helene Mayer. Isso pareceu suficiente, junto com as garantias dos alemães de que seriam fiéis ao espírito olímpico, para evitar a ameaça de um boicote internacional.[128]

Fizeram-se elaborados preparativos para mostrar a melhor face da Alemanha para o mundo. O jornal de Goebbels em Berlim, *O Ataque*, disse aos berlinenses: "Devemos ser mais encantadores que os parisienses, mais calmos que os vienenses, mais vivazes que os romanos, mais cosmopolitas que Londres e mais práticos que Nova York".[129] Só para garantir a impressão certa, pessoas com ficha criminal foram detidas e expulsas ou presas durante o evento. Foi construído um estádio imponente com assentos para 110 mil espectadores no centro de um vasto complexo esportivo na parte noroeste de Berlim. Os jogos foram transmitidos para o mundo pelo rádio e pela primeira vez foram também televisionados, embora apenas em caráter experimental, visto que quase ninguém possuía um aparelho. Leni Riefenstahl, empregando a cobertura saturada de câmeras que havia sido tão eficiente ao filmar o comício de Nuremberg de 1934 para *O triunfo da vontade,* dirigiu aquele que ainda é o filme olímpico clássico, uma celebração da proeza humana que se ajustava facilmente tanto ao ideal olímpico quanto à ideologia nazista. Bandeiras nazistas e olímpicas foram hasteadas por toda parte na capital, e na cerimônia de abertura um coro de 3 mil vozes foi regido por Richard Strauss em uma apresentação de seu recém-composto Hino Olímpico, seguindo-se uma interpretação da Canção de Horst Wessel. A pira olímpica foi acesa, Hitler declarou os jogos abertos, e 5 mil atletas deram início às competições.[130]

Claro que Hitler era apenas um convidado dos jogos, organizado pelo Comitê Olímpico Internacional, e quando começou a chamar os atletas alemães vitoriosos para receber cumprimentos pessoais foi duramente lembrado pelo comitê de que não deveria ofender o espírito internacional dos jogos fazendo discriminação entre vitoriosos de diferentes países. Ou deveria parabenizar a todos sem exceção ou deveria desistir de não cumprimentar ninguém. Não é de surpreender que ele tenha escolhido a última opção, embora continuasse a dar felicitações aos vencedores alemães em particular; mas esse incidente, e o fato de ele ter deixado o estádio durante a prova de salto em altura, quando o último competidor alemão foi eliminado, deu origem à lenda posterior de que Hitler havia desconsiderado a estrela indiscutível dos jogos, o ganhador de quatro medalhas de ouro Jesse Owens, recusando-se a apertar a mão dele por ser negro e saindo do estádio quando Owens chegou em primeiro em uma corrida. Entretanto, nem mesmo Hitler se permitiria arruinar a impressão que os jogos estavam causando na opinião internacional entregando-se a uma manifestação petulante desse tipo. Conforme Albert Speer mais tarde relatou, Hitler de fato não ficou nada feliz com as vitórias de Owens, que rebaixou atribuindo ao vigor físico superior do homem primitivo: no futuro, disse ele em particular, uma competição injusta assim seria eliminada, e não brancos teriam a participação barrada. Enlevado pelo sucesso dos jogos, Hitler mandou Speer projetar um novo estádio muitas vezes maior que o existente. Em 1940, os jogos ocorreriam no Japão conforme o planejado, ele admitiu, mas depois ficariam localizados permanentemente em Berlim.[131]

"Temo que os nazistas tenham tido êxito com sua propaganda", escreveu William L. Shirer em 16 de agosto de 1936, ao término dos jogos. "Primeiro, organizaram os jogos em uma escala de opulência nunca experimentada antes, o que teve apelo entre os atletas. Segundo, montaram uma fachada muito boa para os visitantes em geral, em especial os grandes empresários", alguns dos quais disseram ao correspondente americano que haviam ficado favoravelmente impressionados com a "estrutura" nazista. A história fora igual nas Olimpíadas de Inverno também disputadas naquele ano, embora Shirer tivesse se metido em encrenca com o Ministério da Propaganda por produzir uma reportagem revelando que "oficiais nazistas haviam reservado todos os hotéis bons para si e colocado a imprensa em acomodações inconvenientes em pousadas, o que era verdade". Shirer também reportara a seus leitores americanos que os nazistas de Garmisch haviam "retirado todas as placas dizendo que não queriam judeus (elas estão por toda a Alemanha) e que os visitantes olímpicos com isso seriam poupados de quaisquer sinais do tipo de tratamento imposto aos judeus nesse país".[132] Isso também era verdade. Hitler distanciou-se de forma explícita de *O Atacante* em junho de 1936 para agradar a opinião internacional, e os exemplares do jornal foram retirados de exibição na capital do Reich enquanto os jogos aconteciam.[133] Os principais discursos de Hitler em 1936 mal mencionaram os judeus.[134] Em 13 de agosto de 1936, Victor Klemperer anotou que, para o regime nazista, os jogos eram

> um rematado empreendimento político. "Renascença alemã por meio de Hitler", li recentemente. As pessoas em casa e no exterior são informadas constantemente de que estão testemunhando o renascimento, o florescimento, a nova mentalidade, a unidade, a constância e a glória, também é claro a paz de espírito do Terceiro Reich que abraça o mundo inteiro amorosamente. As turbas que entoam *slogans* estão banidas (pela duração das Olimpíadas), as campanhas contra os judeus, discursos belicosos, tudo que é indecoroso desapareceu dos jornais até 16 de

agosto, e ainda assim, dia e noite, as bandeiras da suástica tremulam por toda parte.[135]

Apesar de tudo isso, Martin Bormann, o adjunto de Hess, havia recordado aos funcionários do Partido em 1936 que "a meta do NSDAP, de excluir os judeus pouco a pouco de cada esfera da vida do povo alemão, permanece inabalavelmente fixa". Pouco depois de as Olimpíadas de Verão acabarem, ficou claro que que essa meta não havia sido modificada ou abandonada de maneira alguma.[136]

V

Enquanto isso, vários milhares de judeus que haviam deixado o país em 1933 tinham retornado nos anos seguintes, à medida que a situação nas ruas pareceu acalmar-se – em comparação à violência em massa da tomada do poder – e que as lideranças do regime pareceram atenuar sua retórica antissemita. As restrições colocadas pelo governo francês ao emprego de trabalhadores estrangeiros quando a Depressão começou a atingir a França de modo severo em 1934 levou muitos exilados germano-judeus de volta à terra natal. Notando a chegada desses "elementos que são vistos como indesejáveis" nos primeiros meses de 1935, a polícia política bávara decretou:

> Pode se deduzir basicamente que não arianos emigraram por motivos políticos, mesmo que tenham dito que foram para o exterior para começar uma vida nova. Emigrantes homens que retornam serão mandados para o campo de concentração de Dachau; as mulheres que retornam irão para o campo de concentração de Moringen.[137]

Realidade muito pior estava por vir.[138] Além disso, quaisquer que fossem os ajustes cosméticos feitos pelos nazistas em suas políticas antissemitas no curso de 1936, a arianização de negócios judaicos continuou igual ao longo do ano, e, de fato, a promulgação do Plano de Quatro Anos no outono, como vimos, trouxe consigo uma aceleração aguda do ritmo do programa. Ela foi acompanhada de uma nova onda de boicotes intimidatórios em muitas partes do país, fato que sugere fortemente que muitos compradores alemães ainda frequentavam negócios judaicos e que a liderança nazista em todos os níveis estava cada vez mais frustrada com a situação. A Gestapo lançou uma ação orquestrada para destruir o costume de longa data dos camponeses de muitas partes da Alemanha de usar comerciantes judeus de gado para comprar e vender animais. Fazendeiros camponeses que mantiveram teimosamente suas ligações foram ameaçados com a retirada da licença de caça, recusa para o Auxílio de Inverno e outras medidas, enquanto os comerciantes judeus de gado foram detidos ou fisicamente expulsos dos mercados e abatedouros e seus livros de registro confiscados e entregues para rivais não judeus. No final de 1937, a maioria havia sido expulsa do negócio em resultado dessa operação.[139]

Entretanto, só em 1938 a ação violenta começou de novo em uma escala realmente grande. Mais uma vez, a liderança do Terceiro Reich levou-a adiante, com Hitler à frente. À medida que o regime passava para uma política militar e estrangeira mais agressiva, sentia menos necessidade de se preocupar com possíveis reações estrangeiras à violência antissemita. Levada a cabo de forma gradual, a arianização da economia agora estava prestes a atingir sua meta, e nenhum desastre econômico havia ocorrido em consequência da remoção dos judeus da vida econômica. A guerra avizinhava-se, e do ponto de vista do regime era essencial reduzir mais depressa o número de judeus na Alemanha para evitar a possibilidade de uma repetição da "facada nas costas" que havia custado a Primeira Guerra Mundial à Alemanha – não seria a última vez que essa fantasia desempenharia um papel-chave na orientação das políticas de Hitler e seus principais associados. À sombra da guerra vindoura, retratar os judeus da Alemanha mais uma vez como o inimigo interno proporcionaria uma forma significativa de preparar a opinião pública para o conflito. A nova fase de violência antissemita, a terceira após as de 1933 e 1935, foi inaugurada pelo próprio Hitler no comício do Partido em 13 de setembro de 1937, quando devotou grande parte de seu discurso a atacar os judeus como "totalmente inferiores", inescrupulosos, subversivos, dedicados a minar a sociedade a partir de seu interior, exterminando os mais espertos que eles e estabelecendo um reinado bolchevique de terror. O discurso foi seguido de distúrbios antissemitas em Danzig e de uma nova onda de boicotes intimidatórios a lojas judaicas durante a temporada de Natal. Recordando uma longa conversa privada com Hitler em 29 de novembro de 1937, Goebbels anotou em seu diário: "Os judeus devem sair da Alemanha, de fato da Europa inteira. Isso ainda vai levar algum tempo, mas deve e vai acontecer. O Líder está firmemente resolvido quanto a isso".[140]

A nova fase de perseguição trouxe consigo muitas novas leis e decretos que juntos pioraram de modo significativo a situação dos judeus na Alemanha. Em 25 de julho de 1938, dos 3.152 médicos judeus restantes, todos com exceção de 709 perderam a licença para praticar; os 709 não tinham o direito de se chamar de médicos, mas podiam continuar tratando de pacientes judeus, que do contrário estariam completamente privados de cuidado médico. Um decreto de 27 de setembro aplicou o mesmo princípio a advogados judeus, 172 de 1.753 tiveram permissão para continuar trabalhando, apenas com clientes judeus; a seguir foi a vez de dentistas, veterinários e farmacêuticos judeus em 17 de janeiro de 1939. Em 28 de março de 1938, uma nova lei sobre associações culturais judaicas privou-as do *status* prévio de corporações públicas, retroativo a 1º de janeiro último, removendo com isso uma importante proteção legal e expondo-as a tributação mais alta. Outras medidas aceleraram a arianização da economia banindo os judeus de mais profissões, removendo concessões tributárias para judeus com filhos, forçando o registro de bens judeus e muito mais. O Ministério do Interior começou a elaborar uma nova lei, promulgada em 17 de agosto, que tornou compulsório que todos os judeus usassem um nome judaico ou, se não o possuíssem, adicionassem o nome "Israel" ou "Sara" a seus nomes a partir de 1º de janeiro de 1939. Com isso, os judeus agora podiam ser identificados automaticamente pelos documentos de identidade pessoal que todo alemão, conforme costume de longa data, era obrigado a trazer consigo e mostrar às autoridades quando solicitado. Para muitos judeus, essa lei também deixou claro, de maneira humilhante, que agora eram inferiores sob todos os aspectos, marcados como uma raça separada. Confrontada com a perspectiva inevitável de seu marido judeu Friedrich ostentar o nome Israel, Luise Solmitz preocupou-se com o estado de ânimo deprimido dele, que deve ter sido típico de muitos em sua situação: "A vergonha que chega de modo inevitável com 1.1.39 está corroendo-o, o nome adicional desonroso, deprimente".[141]

A separação total do restante da sociedade era de fato o que o líder regional do Partido em Berlim, Joseph Goebbels, tinha em mente no verão de 1938, ao reagir às queixas de líderes regionais de outras partes da Alemanha a respeito do que julgavam um grande número de judeus visíveis nas ruas da capital do Terceiro Reich. Goebbels pediu um relatório do chefe de polícia de Berlim, conde Helldorf, que recomendou uma marca identificadora especial para judeus e suas lojas, uma carteira de identidade especial para judeus, sua remoção de um conjunto de profissões, compartimentos especiais para eles nos trens, confinamento em um bairro especial da cidade e mais. Essas ideias agora estavam claramente tornando-se corriqueiras. O Serviço de Segurança de Heydrich assinalou que seria desaconselhável Berlim seguir adiante por conta própria, muito embora um terço da população judaica da Alemanha agora morasse ali; e, de qualquer modo, essas medidas não estavam ligadas a nenhum esquema coerente de emigração judaica. Assim, não foram implantadas. Todavia, as propostas não desapareceram, e nesse meio-tempo a polícia de Berlim fez uma batida em um grande e conhecido café na Kurfürstendamm e deteve trezentos clientes judeus, inclusive numerosos estrangeiros. Estavam incluídos, anunciou a polícia, muitos elementos criminosos. Aquilo não bastou para Goebbels, que convocou Helldorf para uma discussão. "Meta – expulsar os judeus de Berlim", escreveu em seu diário em 4 de junho de 1938, "... e sem qualquer sentimentalismo" –, objetivo que também revelou a uma plateia de trezentos agentes de polícia graduados de Berlim em 10 de junho de 1938. Goebbels não estava agindo por conta própria nesse assunto. Poucos dias depois, mais de 1,5 mil judeus foram detidos por ordem pessoal de Hitler no curso de uma ação policial de larga escala contra "antissociais", pedintes, fracassados e semelhantes. Esses judeus – conhecidos da polícia devido a condenações criminais prévias, inclusive por contravenções das leis raciais, é claro – não se destinavam, como o número muito maior de "antissociais" detidos nessa ação, ao recrutamento como trabalhadores. A detenção pretendia, em vez disso, fazer pressão para que emigrassem. De fato, só seriam soltos quando os arranjos para a emigração estivessem feitos por agências judaicas. Além disso, a ação também pretendeu igualar judeus com criminosos na mente do público em geral, uma impressão reforçada com esmero pelas reportagens na imprensa diária.[142]

Todos esses discursos, leis, decretos e batidas policiais assinalaram claramente para o baixo escalão do Partido Nazista que estava na hora de partir outra vez para a ação violenta nas ruas. O exemplo das cenas de violência de massa em Viena na sequência da anexação nazista da Áustria em 1938 foi um incentivo adicional.[143] Os nazistas de Berlim foram encorajados por Goebbels e pelo chefe de polícia Helldorf; rabiscaram a estrela de Davi em lojas, consultórios médicos e escritórios de advocacia judaicos por toda a cidade, saquearam um bom número deles e demoliram três sinagogas. A violência espalhou-se para outras cidades, inclusive Frankfurt e Magdeburg. Hitler botou freio nessa violência em 22 de junho, em parte porque tinha afetado muitos judeus estrangeiros que se encontravam na cidade no momento em que as relações com outros países estavam em um ponto delicado. Entretanto, foi uma ação puramente tática. Em 25 de julho de 1938, Goebbels registrou uma conversa em que Hitler deu sua aprovação geral às ações dele em Berlim. "O importante é que os judeus sejam expulsos. Em dez anos devem estar fora da Alemanha." Como isso seria feito era uma questão de importância secundária. As considerações de política externa naquele momento vetavam a violência aberta, mas ela, em princípio, não estava descartada.[144] Mudando a tática, a polícia de Berlim emitiu uma lista confidencial de 76 pontos sobre como os judeus podiam ser assediados sem que a lei fosse quebrada no processo – convocando-os à delegacia de polícia no Sabá, aplicando as normas de saúde e segurança ao pé da letra nos prédios judaicos, retardando o processamento de documentos legais (a menos que dissessem respeito à emigração), e por aí afora. Não obstante, a violência continuou, às vezes com pretexto legal, às vezes sem. Depois de as autoridades locais de Nuremberg e Munique ordenarem a demolição das principais sinagogas das cidades, os nazistas arrasaram sinagogas em pelo menos uma dúzia de outras cidades. Em partes de Württemberg houve ataques renovados a prédios judaicos, e habitantes judeus foram arrancados de casa, espancados, em meio a cuspes, e expulsos das cidades em que moravam. Graças às ações de iniciativa oficial nos meses anteriores, todas as lojas e prédios judaicos haviam sido nitidamente marcados, homens, mulheres e crianças judeus possuíam documentos de identidade especiais e seus domicílios especialmente registrados na polícia. Eram, portanto, bem fáceis de localizar.[145] No Serviço de Segurança da SS, começaram a se discutir planos para a detenção de todos os judeus restantes em caso de eclosão da guerra. Por fim, sob pressão sempre crescente de Hitler para financiar e produzir mais armamentos, a organização do Plano de Quatro Anos, com Hermann Göring na liderança, deitou os olhos sobre o que restava de propriedades e bens judaicos na Alemanha com um senso crescente de urgência.[146]

A situação estava avançando mais uma vez para uma atmosfera de *pogrom*, como no verão de 1935. Enquanto isso, o regime começou a dar passos para expulsar todos os judeus não alemães do Reich. Patrões arianos receberam ordens de demitir todos os empregados desse tipo no outono de 1937, com o que mil judeus russos foram expulsos do país, embora o processo demorasse mais que o planejado devido à atitude não cooperativa das autoridades soviéticas.[147] No ano seguinte, o Serviço de Segurança da SS voltou sua atenção para os 50 mil judeus poloneses residentes na Alemanha. Na verdade, 40% haviam nascido na Alemanha, mas, do ponto de vista de Heydrich, eram todos uma irritação, visto que nenhum deles estava submetido às leis alemãs antijudaicas. Preocupada com que esses judeus fossem devolvidos, a ditadura militar antissemita que governava a Polônia aprovou uma lei em 31 de março de 1938 que lhe permitia retirar a cidadania polonesa desse povo desafortunado, que então se tornaria apátrida. As negociações entre a Gestapo e a embaixada polonesa em Berlim não chegaram a lugar algum, e em 27 de outubro a polícia alemã começou a deter operários poloneses, às vezes junto com toda a família, colocando-os em trens lacrados sob guarda cerrada e levando-os para a fronteira polonesa. Dezoito mil pessoas foram transportadas dessa maneira, sem qualquer aviso adequado, sem nada além da mais mínima e básica bagagem, e muitas vezes sem água ou comida durante a viagem. Ao chegar à fronteira, eram retiradas dos trens pela escolta policial e forçadas, com frequência a socos, para o outro lado. Muito rapidamente, as autoridades polonesas fecharam seu lado da fronteira de modo que os enjeitados foram deixados a vagar sem rumo na terra de ninguém até o governo polonês enfim abrandar e montar campos de refugiados para eles dentro de sua fronteira. Quando as autoridades polonesas ordenaram a expulsão de cidadãos alemães para o outro lado da fronteira, a polícia alemã encerrou a ação, em 29 de outubro de 1938. As negociações entre os dois países finalmente levaram à permissão para os deportados voltarem à Alemanha para recolher seus pertences antes de retornar para a Polônia de vez.[148]

A noite dos cristais

I

Em 7 de novembro de 1938, um polonês de dezessete anos de idade, Herschel Grynszpan, que havia crescido na Alemanha, mas estava em Paris, descobriu que seus pais estavam entre os deportados da Alemanha para a Polônia. Grynszpan conseguiu um revólver e marchou para a embaixada alemã, onde atirou no primeiro diplomata que encontrou: um oficial subalterno chamado Ernst vom Rath, que ficou gravemente ferido e foi levado para o hospital. A atmosfera política no início de novembro de 1938 já estava pesada com a violência antissemita, à medida que o regime e seus seguidores mais ativos continuavam a intensificar a pressão sobre os judeus da Alemanha para que emigrassem. Não é de surpreender que Goebbels decidisse transformar o incidente em um grande exercício de propaganda. No mesmo dia, o Ministério da Propaganda instruiu a imprensa a dar espaço de destaque para o incidente em suas reportagens. O episódio devia ser descrito como um ataque da "judiaria mundial" ao Terceiro Reich que acarretaria as "mais pesadas consequências" para os judeus da Alemanha. Foi um convite claro para os fiéis do Partido agirem. Goebbels instruiu o chefe regional da propaganda em Hesse para lançar ataques violentos às sinagogas e outros prédios da comunidade judaica para ver se um *pogrom* mais difundido era viável. Enquanto as tropas de assalto lançavam-se à ação, a SS e a Gestapo também eram aliciadas para dar apoio. Em Kassel, a sinagoga foi arrasada por camisas-pardas. Em outras cidades de Hesse, bem como em partes da vizinha Hanover, também houve ataques e tentativas de incêndio contra sinagogas e casas e apartamentos da população judaica. Os atos de violência expressaram, declarou a imprensa orquestrada em 9 de novembro, a raiva espontânea do povo alemão contra o ultraje em Paris e seus instigadores. O contraste com o assassinato de um funcionário regional do Partido, Wilhelm Gustloff, por David Frankfurter, um judeu, em fevereiro de 1936, que não gerou nenhum tipo de reação verbal ou física violenta do Partido, seus líderes ou membros devido ao interesse de Hitler em manter a opinião internacional adoçada no ano das Olimpíadas, não podia ser maior. Mostrou que o atentado foi um pretexto para o que se seguiu, não a causa.[149]

Por acaso, quando Grynszpan disparou seu tiro em 7 de novembro de 1938, Hitler era esperado em um encontro com líderes regionais do Partido Nazista e outros membros decanos do movimento em Munique no dia seguinte, véspera do aniversário do golpe fracassado de 1923. Notavelmente, ele não mencionou o incidente em Paris no discurso; era evidente que ele estava planejando a ação seguinte à morte de vom Rath, que por certo não tardaria a acontecer. Ao anoitecer de 9 de novembro, enquanto líderes do Partido deslocavam-se para o salão principal da prefeitura de Munique, Hitler foi informado por seu médico pessoal, Karl Brandt, que ele mandara a Paris para cuidar de assistir vom Rath em seu leito parisiense, que o funcionário da embaixada havia falecido em virtude dos ferimentos às cinco e meia, horário alemão. Assim, a notícia chegou não somente a ele, mas também a Goebbels e ao Ministério de Relações Exteriores no final da tarde de 9 de novembro. Imediatamente, Hitler emitiu instruções a Goebbels para uma investida física maciça e coordenada a judeus da Alemanha, combinada com a detenção de todos os homens judeus que pudessem ser encontrados e seu encarceramento em campos de concentração. Era a oportunidade ideal para intimidar o máximo possível os judeus para que deixassem a Alemanha por meio de uma explosão nacional aterrorizante de violência e destruição. A morte de vom Rath também proporcionaria a justificativa de propaganda para a expropriação final e total dos judeus da Alemanha e sua completa segregação do resto da economia, da sociedade e da cultura alemãs. Tendo tomado essas decisões, Hitler concordou com Goebbels que elas deveriam ser apresentadas aos fiéis do Partido, em um ato calculado de fraude teatral, como uma reação no calor do momento ao assassinato de vom Rath, tomada em um espírito de choque e raiva súbitos.[150]

Ao longo do jantar na prefeitura, no qual puderam ser observados por muitos dos participantes, Hitler e Goebbels foram abordados por um mensageiro por volta das nove horas, que anunciou o que eles já sabiam desde o fim da tarde, isto é, que vom Rath havia sucumbido aos ferimentos. Após uma breve e intensa conversa, Hitler saiu para seu apartamento particular mais cedo que de costume. Goebbels então falou aos líderes regionais, por volta das dez horas, anunciando que vom Rath estava morto. Um relatório subsequente da Suprema Corte do Partido retomou a história desse ponto:

Na noite de 9 de novembro de 1938, o líder de propaganda do Reich, camarada doutor Goebbels, informou aos líderes do Partido que haviam se reunido na Velha Prefeitura de Munique para um fim de tarde entre companheiros, que ocorreram manifestações contra os judeus nas regiões eleitorais de Hesse e Magdeburg-Anhalt, durante as quais lojas judaicas foram destruídas e sinagogas incendiadas. Ao ouvir esse relatório, o líder havia decidido que tais demonstrações não deveriam ser nem preparadas, nem organizadas pelo Partido, mas que também não deveriam ser colocados obstáculos em seu caminho se ocorressem de modo espontâneo... As instruções verbais do líder de propaganda do Reich foram entendidas pelos líderes do Partido presentes como significando que o Partido não deveria aparecer publicamente como organizador das demonstrações, mas que na realidade deveria organizá-las e levá-las a cabo. As instruções nesse sentido foram imediatamente retransmitidas por telefone – ou seja, um bom tempo antes de o primeiro telegrama ser enviado – por grande parte dos camaradas do Partido presentes para os escritórios de suas regiões.[151]

Nas sedes regionais do Partido, os funcionários telefonaram para comandantes das tropas de assalto e ativistas partidários das localidades, repassando à cadeia de comando a ordem para queimar sinagogas e depredar lojas, casas e apartamentos judaicos. Quando Hitler e Himmler encontraram-se nos aposentos do primeiro pouco antes do tradicional juramento dos recrutas da SS à meia-noite, discutiram rapidamente o *pogrom*. Como resultado, foi emitido outro comando central, dessa vez mais formal, por telex, às cinco para a meia-noite. Partiu de Heinrich Müller, subordinado de Himmler e chefe da Gestapo, e transmitiu a ordem pessoal de Hitler para comandantes de polícia alemães de todo o país, também registrada por Goebbels em seu diário particular no dia seguinte, para a detenção de um grande número de judeus:

> Ações contra judeus, em particular contra suas sinagogas, ocorrerão muito em breve por toda a Alemanha. Elas não devem ser interrompidas. Entretanto, devem ser tomadas medidas em cooperação com a Polícia da Ordem para se evitar saques e outros excessos especiais... A detenção de cerca de 20 mil a 30 mil judeus no Reich deve ser preparada. Sobretudo judeus de posses devem ser escolhidos.[152]

Um telex adicional enviado por Heydrich à 1h20 da madrugada mandou a polícia e o Serviço de Segurança da SS não ficarem no caminho da destruição de propriedade judaica ou impedirem atos violentos contra judeus alemães; também advertiu que a pilhagem não devia ser permitida, estrangeiros não deviam ser tocados mesmo que fossem judeus, e deveria se tomar cuidado para garantir que prédios alemães perto de lojas ou sinagogas judaicas não fossem danificados. Deveriam ser detidos tantos judeus quantos coubessem nos campos de concentração. Às 2h56 da madrugada, um terceiro telex, emitido por instigação de Hitler pelo gabinete de seu assessor, Rudolf Hess, reforçou o último ponto, acrescentando que havia sido ordenado "do mais alto nível" que não deveria ser ateado fogo a lojas judaicas devido ao perigo para os prédios alemães vizinhos.[153]

A essa altura, o *pogrom* estava em pleno andamento. As ordens iniciais via telefone de Munique para os funcionários dos líderes regionais foram rapidamente transmitidas para baixo ao longo da cadeia de comando. Um exemplo típico foi o do líder da SA da fronteira norte, Joachim Mayer-Quade, que estava em Munique para ouvir o discurso de Goebbels e telefonou para seu chefe de gabinete em Kiel às 11h30 da noite. Ele disse:

> Um judeu deu um tiro. Um diplomata alemão está morto. Em Friedrichstadt, Kiel, Lübeck e outros lugares existem casas de encon-

tro completamente desnecessárias. Essa gente ainda tem lojas entre nós também. Ambas são desnecessárias. Não deve haver saques. Não deve haver força bruta. Judeus estrangeiros não devem ser tocados. A ação deve ser executada em trajes civis e estar concluída às cinco da manhã.[154]

Mayer-Quade havia compreendido a mensagem de Goebbels. Seus subordinados não tiveram dificuldade para entender o que aquilo significava. Nem os que receberam ordens semelhantes em outros lugares. Por toda a Alemanha, camisas-pardas e ativistas do Partido ainda estavam celebrando o aniversário do golpe de 1923 em suas sedes quando as ordens chegaram; muitos estavam bêbados e não propensos a levar os avisos contra saque e violência particularmente a sério. Gangues de camisas-pardas precipitaram-se de suas casas e sedes, a maioria à paisana, armadas com latas de gasolina e rumaram para a sinagoga mais próxima. Logo quase toda casa judaica de prece e adoração que restava no país estava em chamas. Alertados pelos camisas-pardas, policiais e bombeiros locais nada fizeram exceto proteger os prédios adjacentes de danos. Os agentes social-democratas mais tarde estimaram que 520 sinagogas foram destruídas na orgia de violência, mas suas informações provavelmente foram incompletas, e o verdadeiro número seria bem acima de mil. Em 10 de novembro de 1938, era praticamente impossível para os judeus que restavam na Alemanha voltar a executar seus atos públicos de adoração religiosa.[155]

Junto com as sinagogas, camisas-pardas e SS também miraram lojas e prédios judaicos. Quebraram as vitrines, deixando o pavimento no lado de fora coberto com uma grossa camada de vidro quebrado. Com seu humor mordaz característico, atenuado por um tom irônico, o povo de Berlim logo começou a se referir a 9-10 de novembro como a "Noite dos Cristais do Reich", ou noite dos vidros quebrados. Mas os camisas-pardas destroçaram mais que vitrines de lojas; invadiram prédios judaicos por toda parte, destruíram o que havia no interior e saquearam o que podiam.[156] E depois rumaram para as casas e os apartamentos de famílias judaicas com o mesmo intento. Em Düsseldorf, foi relatado que judeus foram acordados pela temida batida na porta da Gestapo nas primeiras horas da manhã:

Enquanto a Gestapo revistava a casa, os homens da SA ocupavam-se em demolir vidraças e portas. A seguir apareciam os homens da SS, que entravam para executar seu trabalho. Por quase toda parte, cada peça de mobília foi despedaçada. Livros e objetos de valor eram atirados ao redor, os moradores judeus eram ameaçados e espancados. Só de vez em quando havia um homem da SS decente que deixava bem claro que estava apenas fazendo seu dever, pois havia recebido ordem para invadir o apartamento ou a casa. Assim, ficou-se sabendo que dois estudantes em uniformes da SS quebraram um vaso cada um e reportaram ao superior: "Ordens executadas!".[157]

Em muitas cidades, gangues de camisas-pardas invadiram cemitérios judaicos e escavaram e destruíram os sepulcros. Em algumas, grupos da Juventude Hitlerista também tomaram parte no *pogrom*. Em Esslingen, camisas-pardas vestidos em trajes civis e armados com machados e marretas invadiram o orfanato judaico entre meia-noite e uma hora da madrugada e destruíram tudo que podiam, jogando livros, símbolos religiosos e o que fosse inflamável em uma fogueira que acenderam no pátio. Um camisa-parda disse às crianças em prantos que, se não saíssem imediatamente, elas também seriam lançadas às chamas. Algumas tiveram que caminhar todo o percurso até Stuttgart para encontrar acomodação.[158] Por toda a Alemanha, lojas e lares foram saqueados: joias, câmeras, artigos elétricos, rádios e outros bens de consumo roubados. No todo, no mínimo 7,5 mil lojas de propriedade judaica foram destroçadas, de um total não superior a 9 mil. A indústria de seguros, enfim, calculou o prejuízo em 39 milhões de reichsmarks devido à destruição causada por fogo, 6,5 milhões de reichsmarks em vidraças quebradas e 3,5 milhões de reichsmarks referentes a mercadorias saqueadas. Apenas ao longo da manhã de 10 de novembro de 1938 os policiais apareceram e montaram guarda diante dos prédios saqueados para garantir que não houvesse mais furtos.[159]

O que aconteceu na cidade de Treuchtlingen não foi atípico dos eventos na Francônia antissemita. Logo depois da meia-noite de 10 de novembro de 1938, o comandante distrital da SA, Georg Sauber, recebeu um telefonema instruindo-o a destruir as sinagogas de sua região e deter todos os homens judeus. Às três da madrugada, ele havia se dirigido a Treuchtlingen e ordenado que os camisas-pardas da cidade fossem arrancados da cama e se apresentassem no posto de bombeiros. Alguns deles foram para a sinagoga das proximidades, onde se reuniram diante da porta da casa ao lado, gritando a seu ocupante, o cantor solista da sinagoga, Moses Kurzweil, para abrir, ou morreria queimado. Derrubando a porta, foram da casa de Kurzweil para a sinagoga e a incendiaram. Em pouco tempo, o prédio estava completamente destruído. O esquadrão de bombeiros chegou e começou a lançar água nas casas adjacentes de arianos. Algumas pessoas reuniram-se no local e, com gritos de encorajamento para os camisas-pardas, foram com eles para uma série de lojas de propriedade judaica, onde ajudaram a quebrar as vidraças e saquear o conteúdo. Avançaram para as casas judaicas, arrombando, invadindo e depredando à vontade. Um judeu local, Moritz Mayer, mais tarde relatou que foi acordado entre quatro e cinco da madrugada de 10 de novembro pelo som de passos em seu jardim: olhando pela janela, viu oito ou dez camisas-pardas armados com machados, machadinhas, punhais e revólveres, que invadiram a casa e já estavam destroçando lavatórios, espelhos, portas, armários e mobília na hora em que ele acordou a família. Mayer foi golpeado no rosto e seus óculos quebraram; foi jogado em um canto e alvejado com pedaços de mobília. Na cozinha, os camisas-pardas quebraram toda a louça de barro e, descendo ao porão, onde a família de Mayer estava encolhida em terror, forçaram as mulheres a quebrar todas as garrafas de vinho e vidros de conserva. Mal eles haviam saído, moradores locais e jovens chegaram e saquearam tudo que podiam. Mayer e sua família empacotaram algumas roupas depressa e fugiram, acompanhados pelos risos de escárnio da turba, até a estação ferroviária, onde embarcaram em um trem para Munique junto com a maioria dos 93 habitantes judeus que restavam na cidade.[160]

II

A violência extrema e deliberada e a humilhação degradante impostas aos judeus durante o *pogrom* eram familiares em função do comportamento dos camisas-pardas nos primeiros meses de 1933. Mas dessa vez foram muito mais longe, e nitidamente mais difundidas e mais destrutivas. Demonstraram que o ódio visceral aos judeus agora havia se apoderado não só dos camisas--pardas e dos ativistas radicais do Partido, mas também e acima de tudo – mas não apenas – dos jovens, sobre quem cinco anos de nazismo nas escolas e na Juventude Hitlerista haviam tido um efeito evidente.[161] Saindo às ruas de Hamburgo na manhã seguinte ao *pogrom*, Luise Solmitz encontrou "pessoas caladas, atônitas e aprovadoras. Uma atmosfera odiosa. – 'Se matam gente nossa lá fora, então essa ação tem que ser tomada', concluiu uma mulher idosa".[162] No Sarre, foi informado que os judeus ficaram amedrontados demais para sair às ruas nos dias seguintes ao *pogrom*:

> Assim que algum aparece em público, bandos de crianças correm atrás, cospem nele, jogam lixo e pedras ou o fazem cair cutucando suas pernas com varetas. Um judeu que é perseguido dessa maneira não ousa dizer nada, ou será acusado de ameaçar as crianças. Os pais não têm coragem de conter os filhos pois temem que isso cause dificuldades.[163]

As crianças, acrescentou o relatório, com frequência foram ensinadas na escola a considerar os judeus criminosos e não se arrependem de saquear suas propriedades.[164] Embora jovens alemães na região particularmente antissemita da Francônia e outras áreas tenham participado de bom grado do *pogrom*, a história em outros pontos da Alemanha com frequência foi bem diferente. "Homem", um operário dos transportes de Berlim foi ouvido dizer a um amigo no dia seguinte ao *pogrom*, "ninguém me convence de que o povo fez isso. Eu dormi a noite inteira, e meus colegas de trabalho também dormiram, e nós somos do povo, não somos?"[165]

Em Munique, Friedrich Reck-Malleczewen viu-se revoltado com "toda essa desgraça e vergonha imensurável" após testemunhar os eventos de 9-10 de novembro de 1938. Ele reconheceu que não podia entender aquilo.[166] Houve relatos isolados de que policiais haviam avisado os judeus de antemão em uns poucos locais para que pudessem se esconder e evitar a violência. Os social-democratas, embora registrassem zelosamente os incidentes nos quais a população local havia participado do *pogrom*, concluíram em

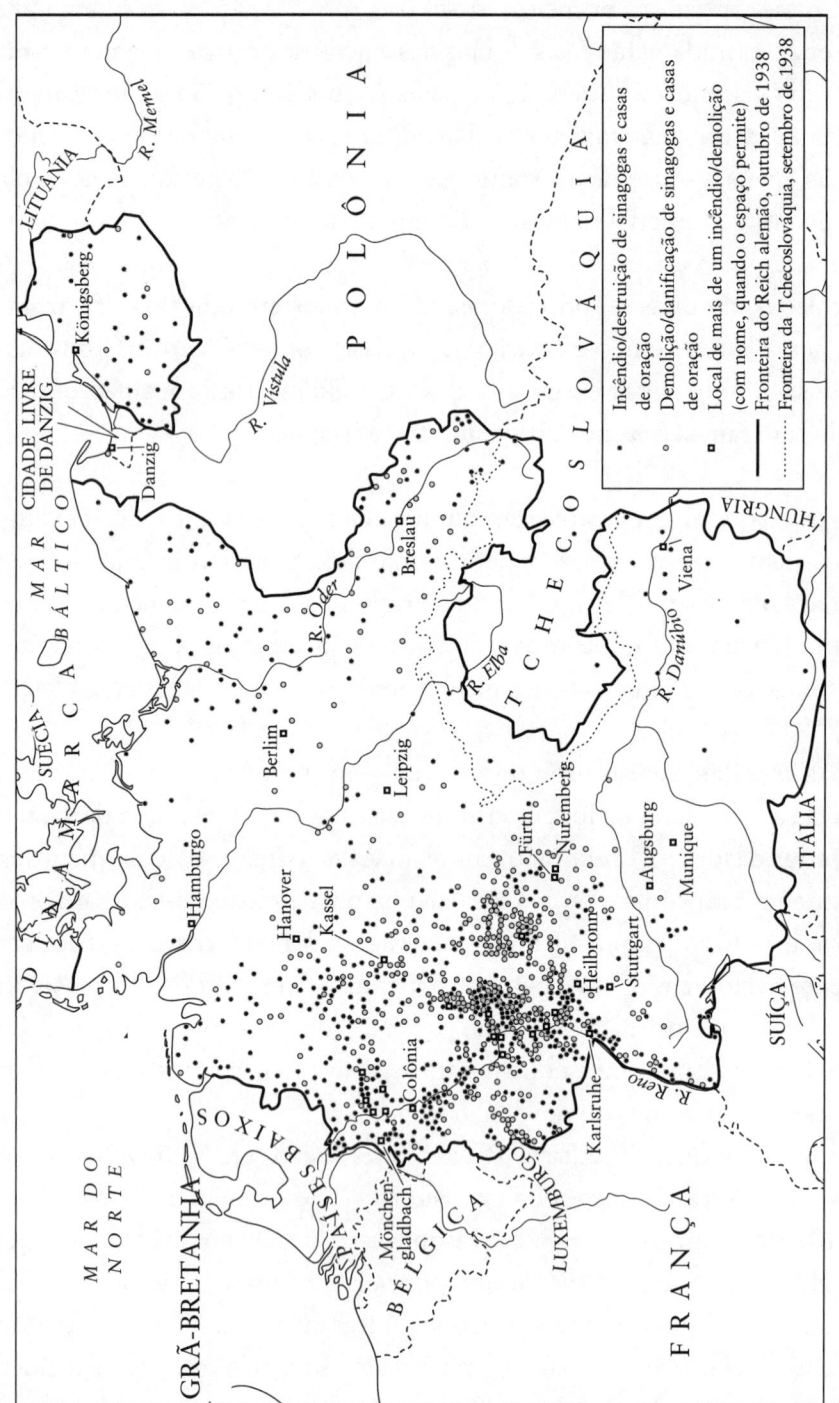

Mapa 15. Sinagogas destruídas em 9-10 de novembro de 1938

seu balanço que em muitos lugares a reação popular havia sido de horror. Em Berlim, foi registrado que a desaprovação popular "variou de um olhar desdenhoso e uma atitude de repulsa até palavras em público de repugnância e mesmo de insultos violentos".[167] O escritor e jornalista Jochen Klepper, cuja esposa era judia, registrou em seu diário em 10 de novembro de 1938:

> Dos vários bairros "judaicos" da cidade chegam notícias de que as pessoas estão rejeitando tais ações organizadas. É como se o antissemitismo ainda fartamente presente em 1933 houvesse desaparecido em larga medida desde os excessos das Leis de Nuremberg. Mas provavelmente é diferente com a Juventude Hitlerista, que abarca e educa todos os jovens alemães. Não sei até que ponto o lar paterno pode oferecer um contrapeso.[168]

Melita Maschmann mais tarde recordou que ficou pasma com as lojas danificadas e a confusão nas ruas quando foi a Berlim na manhã de 10 de novembro de 1938; ao perguntar a um policial o que havia acontecido, ficou sabendo que todos os prédios destruídos eram judaicos. "Eu disse a mim mesma: os judeus são os inimigos da nova Alemanha. Na noite passada eles tiveram uma prova do que isso significa". E, com isso, "forcei a lembrança para fora de minha consciência o mais rapidamente possível".[169]

Houve muitos que pensaram como ela. Instituições que afirmavam fornecer uma linha moral também permaneceram silentes. Alguns pastores criticaram a violência e a destruição, mas a Igreja Confessional não assumiu posição e mais tarde, quando aludiu à situação dos judeus, pediu a seus membros que rezassem apenas pelos judeus de fé cristã.[170] Vários padres católicos, de modo cauteloso e bastante evasivo, insinuaram sua desaprovação ao *pogrom* dando ênfase particular aos "elementos judaicos no ensinamento e história cristãos" em seus sermões, conforme notaram autoridades regionais da Baviera.[171] Um padre, Provost Bernhard Lichtenberg, de Berlim, declarou em novembro de 1938 que a sinagoga que havia sido queimada na noite anterior também era uma casa de Deus. Mas o tempo em que, como em 1933, dignitários decanos da Igreja Católica como o cardeal Faulhaber falavam abertamente contra o orgulho da própria raça degenerar em ódio por outra pareciam coisa de um passado remoto.[172] E pelo menos alguns católicos comuns temiam que pudessem ser os próximos. Em Colônia, uma transeunte deparou-se com uma multidão parada diante da sinagoga ainda em brasas na manhã de 10 de novembro de 1938. "Veio um policial. 'Andem, andem!' Com isso, a mulher de Colônia disse: 'Não podemos refletir sobre o que supostamente fizemos?'"[173] Todavia, o Terceiro Reich havia ultrapassado um marco na perseguição aos judeus. Havia deflagrado uma erupção portentosa de fúria destrutiva desenfreada contra eles sem deparar com nenhuma oposição significativa. Quer a sensibilidade do povo tivesse sido embotada por cinco anos de incessante propaganda antissemita, quer seus instintos humanos estivessem inibidos pela clara ameaça de violência contra eles mesmos caso expressassem condenação aberta do *pogrom*, o resultado dava no mesmo: os nazistas souberam que poderiam tomar quaisquer atitudes adicionais que quisessem contra os judeus, e ninguém tentaria detê-los.[174]

Enquanto isso, em Munique, Goebbels estivera desfrutando plenamente o saque e a destruição descarregados sobre a comunidade judaica da cidade. "A tropa de choque de Hitler vai em frente imediatamente para limpar as coisas em Munique", anotou em seu diário ao registrar os eventos da noite de 9-10 de novembro de 1938. "Então acontece na mesma hora. Uma sinagoga vem abaixo como um entulho... A tropa de choque executa um trabalho espantoso." Liderada por Julius Schaub, nazista de longa data que havia participado do fracassado golpe da cervejaria de 1923 e servido como ajudante pessoal de Hitler desde 1925, a violência refletiu claramente a atmosfera presente na comitiva próxima a Hitler durante a noite. "Schaub está completamente transtornado", anotou Goebbels. "Seu antigo passado de tropa de choque está despertando."[175] Ao receber um telefonema por volta das duas da manhã com a notícia sobre a primeira morte de um judeu, Goebbels replicou "que o homem que a reportou não deveria ficar abalado por causa de um judeu morto; milhares de judeus terão a mesma sorte nos próximos dias".[176] Ele mal conseguiu disfarçar o regozijo:

> Em Berlim, cinco, depois quinze sinagogas queimadas. Agora a ira do povo está grassando. Nada mais pode ser feito contra ela esta noite.

E eu tampouco quero fazer qualquer coisa. Deve-se deixar a rédea solta... Enquanto sigo de carro para o hotel, janelas espatifam-se. Bravo! Bravo! As sinagogas ardem em todas as cidades grandes. As propriedades alemãs não estão em perigo.[177]

Ao raiar do dia, porém, Goebbels começou a deliberar com Hitler, provavelmente por telefone, sobre como e quando a ação deveria ser encerrada. "Choveram novos relatórios a manhã toda", ele escreveu em seu diário na nota de 10 de novembro de 1938. "Avalio com o Líder que medidas devem ser tomadas agora. Deixar os espancamentos prosseguir ou parar com eles? A questão agora é essa." Na sequência da conversa, redigiu uma ordem de cessar o *pogrom* e a levou a Hitler, que estava almoçando no Osteria, seu restaurante preferido em Munique. "Apresento um relatório para o Líder no Osteria", escreveu Goebbels. "Ele concorda com tudo. Suas ideias são totalmente radicais e agressivas. A ação em si ocorreu sem nenhum problema." Hitler aprovou a minuta do decreto; que foi lido pelo rádio na mesma tarde e publicado na primeira página dos jornais da manhã seguinte. O *pogrom* finalmente havia acabado.[178]

Muitos judeus ficaram gravemente feridos no transcorrer da violência. Até mesmo o relatório oficial dos nazistas sobre o *pogrom* calculou 91 judeus mortos. O verdadeiro número provavelmente jamais será conhecido, mas com certeza foi muitas vezes maior, sobretudo levando em consideração os maus-tratos dos homens judeus depois de serem detidos, junto com pelo menos trezentos suicídios causados pelo desespero gerado; as mortes sem dúvida chegaram a centenas e provavelmente somaram entre mil e 2 mil.[179] Além disso, para muitos homens judeus, a violência continuou bem depois do *pogrom* em si estar encerrado. À medida que polícia, camisas-pardas e unidades da SS, seguindo ordens de Hitler, detiveram todos os homens judeus que conseguiam encontrar, ocorreram cenas terríveis nas ruas e praças de toda cidade alemã. Em Saarbrücken, os judeus foram obrigados a dançar e se ajoelhar defronte à sinagoga e cantar músicas religiosas; a seguir, a maioria deles, vestindo apenas pijamas ou camisolas, foi molhada com mangueira até ficar encharcada. Em Essen, os camisas-pardas agarraram os judeus e atearam fogo a suas barbas. Em Meppen, os judeus tiveram que beijar o chão diante da sede da SA enquanto camisas-pardas chutavam-nos e os pisoteavam. Em muitos lugares, foram forçados a usar placas com frases como "Somos os assassinos de vom Rath". Em Frankfurt am Main, os homens detidos foram recepcionados na estação de trem por uma multidão aos gritos e zombarias que os atacou com porretes e varas. Em alguns lugares, turmas inteiras de alunos foram tiradas da escola para cuspir nos judeus enquanto estes eram levados embora.[180]

No total, cerca de 30 mil judeus foram detidos entre 9 e 16 de novembro e transportados para Dachau, Buchenwald e Sachsenhausen. A população do campo de Buchenwald duplicou de cerca de 10 mil em meados de setembro para 20 mil dois meses depois. Moritz Mayer foi pego em Munique junto com a maioria dos outros judeus de Treuchtlingen e levado para Dachau, onde teve que ficar em posição de sentido por horas no frio de novembro junto com os demais, trajando apenas camisa, meias, calças e paletó. Quem se movia era surrado pelos guardas da SS. As camas tinham sido retiradas dos alojamentos do campo com antecedência, e os homens foram amontoados, dormindo em cima de palha no chão dos galpões. Lavar-se estava fora de questão, e havia apenas duas latrinas improvisadas. Com a nova chegada em massa de judeus aos campos, detidos por nenhum outro motivo, nem mesmo pretexto, a não ser o fato de serem judeus, a atmosfera mudou, e os guardas da SS esqueceram as regras estabelecidas por Theodor Eicke poucos anos antes. Mayer viu guardas da SS em Dachau surrar um velho por ele ter esquecido de acrescentar o título "prisioneiro sob custódia preventiva" a seu nome na chamada; os ferimentos foram tão graves que ele morreu. Outro idoso com problema de bexiga foi espancado até a morte quando pediu ao SS para ir ao banheiro durante a chamada. A taxa de mortalidade em Dachau havia ficado entre 21 e 41 por ano de 1933 a 1936; em setembro de 1938 morreram doze prisioneiros, em outubro dez. Após a chegada dos prisioneiros judeus, o número de mortos subiu para 115 em novembro e 173 em dezembro, somando 276 no ano todo.[181]

O Ministério da Propaganda de Goebbels não perdeu tempo em apresentar esses eventos ao mundo como uma explosão espontânea de raiva justificada do povo alemão. "O golpe desferido em nós pela judiaria internacional", disse a *Folha Diária de Notícias de Göttingen* (*Göttingen*

Tageblatt) a seus leitores em 11 de novembro de 1938, "foi poderoso demais para que nossa reação fosse apenas verbal. A fúria contra o judaísmo represada durante gerações foi desencadeada. Os judeus podem agradecer a seu companheiro racial Grünspan (ou seja, Grynszpan), aos mentores espirituais ou reais dele e a si mesmos por isso". Contudo, o jornal garantiu aos leitores que "os judeus foram bastante bem tratados no curso dos acontecimentos".[182] Em estilo semelhante, o diário-chefe nazista, *O Observador Racial*, relatou o seguinte, com um descaso pela verdade que foi além até mesmo do que normalmente se encontrava em suas páginas:

> Por toda a zona oeste de Berlim, assim como em outras partes da capital onde os judeus pavoneam-se e se exibem, nenhuma única vitrine de um negócio judaico permaneceu intacta. A raiva e a fúria dos cidadãos de Berlim, que mantiveram a maior disciplina apesar de tudo, ficaram restritas a limites definidos, de modo que se evitaram excessos, e nem um fio de cabelo de uma cabeça judia foi tocado. As mercadorias em exibição nas vitrines das lojas, algumas decoradas de modo bastante suntuoso, permaneceram intocadas.[183]

Ainda mais descaradamente, o Ministério da Propaganda instruiu os jornais em 10 de novembro para afirmar que "vidraças foram quebradas aqui e ali; as sinagogas pegaram fogo por si ou irromperam em chamas de alguma outra maneira". Goebbels insistiu em que as histórias não deviam ganhar muito destaque na imprensa, que era lida fora da Alemanha e assim como dentro, claro, e que não devia haver fotos dos estragos.[184]

Em 11 de novembro de 1938, em *O Observador Racial*, Goebbels atacou a "hostilidade da imprensa estrangeira basicamente judaica contra a Alemanha" por reagir em demasia ao *pogrom*. Em um artigo publicado por vários veículos, repleto de cabeçalhos como "Último Aviso à Judiaria Mundial", ele desprezou as reportagens como mentirosas. A reação espontânea do povo alemão ao assassinato covarde de vom Rath veio de um "instinto saudável". "O povo alemão", declarou Goebbels com orgulho, "é um povo antissemita. Não tem prazer ou deleite em se deixar restringir em seus direitos ou em se deixar provocar como nação pela parasítica raça judaica".

O governo, concluiu, tinha feito tudo em seu poder para deter as manifestações, e o povo havia obedecido. A Alemanha e os alemães não tinham nada de que se envergonhar.[185] Essa, entretanto, não foi a visão da imprensa internacional, que reagiu com um misto de choque e incredulidade. Para muitos observadores estrangeiros, os eventos de 9-10 de novembro de 1938 de fato foram um ponto de virada em sua avaliação do regime nazista.[186]

III

Em sua reunião-almoço no restaurante Osteria de Munique em 10 de novembro de 1938, Hitler e Goebbels, além de finalizar a minuta do decreto que encerrou o *pogrom*, também discutiram o que seria feito a seguir. Hitler mais uma vez dedicou-se à ideia que havia levantado em seu memorando sobre a criação do Plano de Quatro Anos em 1936: uma lei tornando os judeus da Alemanha coletivamente imputáveis por qualquer dano causado ao povo alemão "por indivíduos desse elemento criminoso".[187] "O Líder", Goebbels confidenciou ao diário, "quer tomar medidas muito duras contra os judeus. Eles mesmos devem colocar seus negócios em ordem. As companhias de seguro não vão pagar coisa nenhuma. A seguir o Líder quer uma expropriação gradual dos negócios judaicos".[188] Essas medidas na verdade já estavam curso; em 14 de outubro de 1938, Goebbels havia anunciado em uma reunião confidencial que havia chegado a hora de expulsar por completo os judeus da economia. Duas semanas depois, em 28 de outubro, os bancos notaram que o Escritório de Controle da Moeda Estrangeira de Heydrich estava preparando medidas para restringir o poder dos judeus de dispor de seus próprios bens. Visto que esses bens haviam sido registrados recentemente, a ordem de "compensação" de Hitler de 10 de novembro de 1938 pôde ser implementada imediatamente. A responsabilidade de dar esses passos cabia a Hermann Göring, chefe do Plano de Quatro Anos, e Hitler telefonou a ele em 11 de novembro de 1938 ordenando que convocasse uma conferência a respeito. O encontro foi em 12 de novembro de 1938. Göring assumiu a presidência e os cerca de cem participantes incluíam Goebbels, Heydrich, o ministro das Finanças

Schwerin von Krosigk, o ministro da Economia Walther Funk e representantes da polícia, do Ministério de Relações Exteriores e das companhias de seguro. Foi feita uma ata detalhada, reveladora da atitude da liderança nazista na sequência do *pogrom*.[189]

Göring começou relatando à assembleia que Hitler dera-lhe ordens por escrito e por telefone para coordenar a expropriação final dos judeus. Ele reclamou, com um toque de ironia, que as "manifestações" de 9-10 de novembro haviam causado danos à economia; bens de consumo produzidos pelas pessoas e de propriedade delas haviam sido destruídos. "Eu teria preferido", disse ele, "que tivessem espancado duzentos judeus até a morte e não tivessem destruído propriedade tão valiosa". Goebbels acrescentou que a economia não era o único setor do qual os judeus tinham que ser removidos. Ainda era possível, por exemplo, disse ele, judeus dividirem um compartimento com alemães no trem. A ata prosseguiu:

> *Goebbels:* ... Eles terão um compartimento separado só depois que todos os alemães tiverem garantido seus assentos. Não devem se misturar com os alemães, e, se não houver mais espaço, terão que ficar em pé no corredor.
>
> *Göring:* Nesse caso, acho que seria mais sensato dar a eles compartimentos separados.
>
> *Goebbels:* Não se o trem estiver superlotado!
>
> *Göring:* Espere um pouco. Haverá apenas um vagão judaico. Se estiver cheio, os outros judeus terão que ficar em casa.
>
> *Goebbels:* Suponha, contudo, que não haja muitos judeus indo para Munique no trem expresso, suponha que haja dois judeus no trem e os outros compartimentos estejam superlotados. Esses dois judeus então teriam um compartimento só para eles. Assim, os judeus só podem reivindicar um assento depois que todos os alemães tenham garantido o seu.

Göring: Eu daria um vagão ou um compartimento aos judeus. E se surgir um caso como o que você mencionou e o trem estiver superlotado, acredite, não precisaremos de uma lei. Vamos botá-los para fora e terão que ficar sentados no lavatório por todo o trajeto![190]

Goebbels também queria banir os judeus de todos os demais locais públicos, como parques e jardins, praias e estações de águas, de onde já não tivessem sido. A separação dos judeus do resto da sociedade alemã era para ser completa; e realmente, no mesmo dia, foi emitida uma ordem pela Câmara de Cultura do Reich proibindo os judeus de ir a cinemas, teatros, concertos e exposições. O Ministério do Interior mandou-os entregar todas as armas de fogo e proibiu que portassem armas ofensivas. As prefeituras receberam o direito de bani-los de certas ruas ou bairros em horários específicos. Himmler cassou suas carteiras de motorista e documentos de registro de veículos. Outra ordem, em vigor a partir de 6 de dezembro de 1938, vetou a judeus o uso de campos esportivos, banhos públicos e piscinas ao ar livre.[191]

Por mais que possam ter discordado sobre detalhes menores, Göring, Goebbels e os outros participantes do encontro realizado em 12 de novembro de 1938 concordaram unanimemente em emitir uma série de decretos dando forma concreta aos vários planos de expropriação dos judeus discutidos ao longo dos meses e semanas anteriores. O assassinato de vom Rath, que o aparato de propaganda de Goebbels já havia imputado a uma conspiração judaica, proporcionou uma oportunidade ideal, mas, se não tivesse ocorrido, então alguma outra ocasião sem dúvida teria servido de pretexto. A questão dos compartimentos de trem foi solucionada por Hitler, com quem Göring discutiu o assunto em dezembro. O Líder decretou que não deveriam ser permitidos compartimentos especiais para judeus, mas que eles deveriam ser impedidos de usar cabines-dormitórios ou os vagões-restaurantes nos expressos de longa distância. Hitler confirmou que os judeus podiam ser banidos de restaurantes conhecidos, hotéis de luxo, praças públicas, ruas muito movimentadas e bairros residenciais elegantes. Nesse ínterim, os judeus também foram proibidos de frequentar a universidade. Em 30 de abril de 1939, foram destituídos dos direitos de inquilino, consolidando-se assim o caminho para a constituição de um gueto. Os judeus agora podiam ser despejados sem apelação se o senhorio oferecesse uma acomodação alternativa, não importando o quão precária. As autoridades municipais podiam mandar os judeus sublocar partes de suas casas para outros judeus. A partir do final de janeiro de 1939, foram retiradas todas as isenções tributárias para os judeus, inclusive benefícios para filhos; eles passaram a ser taxados por uma alíquota única, a mais alta.[192]

Como resultado imediato da reunião de 12 de novembro, os judeus foram obrigados no mesmo dia a pagar uma multa coletiva de 1 bilhão de reichsmarks como reparação pelo assassinato de vom Rath. Em 21 de novembro, todos os contribuintes judeus receberam ordem de pagar um quinto sobre todos seus bens, conforme declarados em abril último, em quatro parcelas até 15 de agosto de 1939. Em outubro de 1939, a alíquota subiu para um quarto sob o argumento de que a soma total de 1 bilhão de reichsmarks não havia sido alcançada, embora na verdade o total arrecadado fosse nada menos que 1,127 bilhão. Somado a isso, foram obrigados a arrumar a desordem deixada pelo *pogrom* à sua própria custa e pagar pelo conserto de suas propriedades, muito embora estas tivessem sido danificadas pelos camisas-pardas e eles fossem totalmente inocentes. Todos os pagamentos de seguro a proprietários judeus pelo estrago causado pelos camisas-pardas foram confiscados pelo Estado. O montante chegou a 225 milhões de reichsmarks, de modo que, somando-se esse à multa e às taxas pela evasão de capital, a quantia total saqueada da comunidade judaica na Alemanha em 1938-39 atingiu bem mais de 2 bilhões de reichsmarks, muito antes de os lucros obtidos pela arianização serem levados em conta.[193]

Outra medida promulgada em 12 de novembro, o Primeiro Decreto sobre a Exclusão dos Judeus da Vida Econômica Alemã, baniu os judeus de quase todas as ocupações remuneradas restantes na Alemanha e determinou que qualquer um ainda atuante nelas fosse demitido sem compensação ou pensão. Poucas semanas depois, em 3 de dezembro de 1938, um Decreto sobre a Utilização de Bens Judaicos ordenou a arianização de todos os negócios judaicos restantes, permitindo ao Estado nomear curadores para completar o processo caso necessário. Já em 1º de abril de 1939, quase 15 mil dos 39 mil negócios judaicos ainda existentes em abril de 1938 foram liquidados, uns 6 mil haviam sido arianizados, cerca de 4 mil passavam por arianização e pouco mais de 7 mil estavam sob investigação com o mesmo objetivo.[194] Tudo isso, a imprensa anunciou antecipadamente com estardalhaço em 12 de novembro, eram "medidas punitivas justificadas pelo covarde assassinato do conselheiro diplomático vom Rath".[195]

Em 21 de fevereiro de 1939, foi determinado que todo dinheiro vivo, títulos e bens de valor judaicos, inclusive joias (exceto alianças de casamento), fossem depositados em contas especiais bloqueadas; eram exigidas permissões oficiais para quaisquer retiradas. As permissões raramente foram emitidas – se é que o foram alguma vez –, e o governo do Reich por fim apoderou-se das contas sem compensação. Na prática, portanto, quase todos os judeus que permaneceram na Alemanha não tinham um tostão e tiveram que depender cada vez mais do apoio das atividades filantrópicas da Associação dos Judeus do Reich da Alemanha, criada em 7 de julho de 1938 como uma sucessora mais maleável e subordinada da Representação do Reich. Hitler ordenou explicitamente que a associação fosse mantida na ativa para que o Reich não se deparasse com a obrigação de dar apoio a judeus na mais completa miséria. Entretanto, outras lideranças nazistas argumentaram que os judeus agora sem recursos e com frequência desempregados que ainda não haviam atingido a idade da aposentadoria – cerca de metade da população remanescente – deveriam ser colocados a trabalhar para o Reich em vez de se permitir que permanecessem ociosos. Os planos já haviam começado em outubro de 1938, bem antes do *pogrom*, e foram firmados em uma reunião convocada por Göring em 6 de dezembro de 1938. Em 20 de dezembro de 1938, a Agência de Desemprego do Reich instruiu as agências de emprego regionais a se assegurar de que, uma vez que o número de desempregados judeus havia crescido de forma substancial, tais pessoas fossem postas a trabalhar, liberando os alemães para a produção de armamentos.

Em 4 de fevereiro de 1939, Martin Bormann repetiu essa instrução. Os trabalhadores judeus deviam ser mantidos separados dos outros. As firmas que os empregassem não sofreriam nenhuma desvantagem. Alguns foram recrutados para o trabalho agrícola, outros em tarefas servis de vários tipos. O serviço compulsório tornou-se o meio preferido de se manter os judeus sem recursos fora das ruas depois de terem sido removidos do sistema de previdência pública. Em maio de 1939, cerca de 15 mil desempregados judeus já estavam empregados em esquemas de trabalho forçado, executando tarefas como coleta de lixo, varrição de rua ou construção de estradas; a facilidade para separá-los dos outros trabalhadores fez com que esta última se tornasse rapidamente o setor principal para onde foram recrutados, e no verão de 1939 cerca de 20 mil estavam empregados na construção pesada, na obra de rodovias, trabalho para o qual muitos eram de todo fisicamente despreparados. A mão de obra judaica forçada permaneceu relativamente pequena em 1939, mas já estava claro que atingiria dimensões muito maiores quando a guerra chegasse, e no início do ano foram traçados planos para a criação de campos de trabalho especiais nos quais os recrutados judeus seriam alojados.[196]

IV

Quando, em 16 de novembro de 1938, Heydrich enfim ordenou o término da detenção de homens judeus na sequência do *pogrom*, não o fez com o objetivo de simplesmente liberá-los para retornarem à sociedade e seguirem com a vida no Terceiro Reich, por assim dizer. Todos os judeus acima de sessenta anos, doentes ou deficientes e envolvidos no processo de arianização, deveriam ser soltos imediatamente. A liberação dos outros em muitos casos ficou condicionada à promessa de deixarem o país. A esposa de Moritz Mayer foi informada de que ele não seria solto enquanto seus irmãos e irmãs, que já haviam emigrado, não cedessem a ele sua parte nas propriedades; ele foi solto sob a condição de que venderia sua casa e empresa. Mayer passou as negociações para um empresário local não judeu e partiu para a Palestina com o irmão Albert e suas famílias em fevereiro de 1939, para nunca mais voltar.[197] Conforme esse exemplo deixa claro, o *pogrom* só pode ser entendido no contexto do afã do regime em forçar os judeus a emigrar e com isso encerrar a vida judaica na Alemanha. O Serviço de Segurança da SS reportou logo depois que a emigração judaica havia

> declinado de maneira considerável e... quase chegado a uma paralisação em consequência da postura defensiva de países estrangeiros e da

falta de reservas suficientes em moeda em posse deles. Um fator contribuinte era a resignação absoluta dos judeus, cujas organizações só continuaram a desempenhar sua tarefa sob pressão crescente das autoridades. Nessa situação, a ação de novembro provocou uma mudança fundamental.

O "procedimento radical contra os judeus nos dias de novembro", continuou o relatório, "aumentou a vontade da comunidade judaica de emigrar... no mais alto grau". Nos meses seguintes, foram tomadas medidas para tentar traduzir essa vontade em ação.[198]

Em janeiro de 1939, Heydrich deu um passo adiante ao mandar as autoridades policiais de toda a Alemanha soltar todos os prisioneiros judeus em campos de concentração que estivessem de posse de documentos de emigração e dizer-lhes que voltariam para o campo pelo resto da vida se um dia retornassem à Alemanha. A essa altura, ainda havia muitos homens judeus nos campos em consequência das detenções em massa de 9-10 de novembro do ano anterior, e eles receberam três semanas para deixar o país após serem soltos.[199] Ao mesmo tempo, porém, as políticas nazistas dentro da Alemanha estavam dificultando a partida dos judeus. As formalidades burocráticas que acompanhavam o processo de pedido de emigração eram tão complicadas que tornaram impossível para todos, excetos uns poucos detidos em novembro de 1938, cumprir o prazo de três semanas. As agências judaicas trabalharam razoavelmente bem com funcionários do Ministério do Interior do Reich, com frequência ex-membros do Partido Nacionalista ou do Partido de Centro, na organização da emigração até 30 de janeiro de 1939, mas nessa ocasião Göring, como chefe do Plano de Quatro Anos, passou a tarefa de administrar a emigração de judeus para o Centro de Emigração Judaica do Reich, fundado em 24 de janeiro de 1939 e sob o controle de Heydrich. Os fundos dos judeus foram bloqueados, de modo que não podiam pagar a passagem para os Estados Unidos. Uma das metas do centro era "cuidar para que a emigração de judeus mais pobres recebesse tratamento preferencial", uma vez que, conforme apontou uma circular do Ministério de Relações Exteriores em janeiro de 1939, "isso aumentaria o antissemitismo nos países ocidentais onde os judeus encontrassem refúgio... Enfatiza-se que é do interesse alemão perseguir os judeus como mendigos para além das fronteiras, pois, quanto mais pobre o imigrante, maior o fardo para o país que o recebe".[200]

A despeito de todos os obstáculos, houve aumento abrupto na emigração judaica da Alemanha depois do *pogrom* e das detenções. Judeus apavorados lotaram embaixadas e consulados estrangeiros em desespero para obter vistos de entrada. O número dos que tiveram êxito é quase impossível de estimar, mas, de acordo com as estatísticas de organizações judaicas, ainda havia cerca de 324 mil alemães de fé judaica no país no final de 1937 e 269 mil no final de 1938. Em maio de 1939, o número havia caído para pouco menos de 188 mil e para 164 mil na eclosão da guerra em setembro de 1939. O censo oficial realizado na época mostrou que restavam 233.646 pessoas racialmente definidas como judias na Alemanha. Dessas, 213.930 professavam a fé judaica, deixando cerca de 20 mil como membros judaicos de igrejas cristãs. Entretanto, cerca de 26 mil do total eram judeus estrangeiros; assim, de acordo com os números oficiais, restavam em torno de 207 mil judeus alemães no "velho Reich" por essa época, dos quais cerca de 187 mil praticavam a fé judaica. Com efeito, portanto, os números fornecidos pelas organizações judaicas estavam bastante corretos, visto que judeus cristãos e judeus estrangeiros mais ou menos se compensavam.[201]

De acordo com uma estimativa, 115 mil judeus deixaram a Alemanha em dez meses, entre 10 de novembro de 1938 e 1º de setembro de 1939, totalizando cerca de 400 mil que deixaram o país desde a tomada nazista do poder. Agora a maioria escapava para países fora da Europa continental: ao todo, 132 mil para os Estados Unidos, cerca de 60 mil para a Palestina, 40 mil para o Reino Unido, 10 mil para o Brasil, 10 mil para a Argentina, 7 mil para a Austrália, 5 mil para a África do Sul e 9 mil para o porto livre de Xangai, que se mostraria um refúgio inesperadamente conveniente em plena guerra. Muito mais alemães classificados como judeus, embora não praticassem o credo judaico, juntaram-se ao fluxo de emigrantes. Tanta gente fugiu em terror sem sequer um passaporte ou visto que os estados vizinhos começaram a montar acampamentos especiais. Antes do *pogrom*, a questão de emigrar ou não havia sido um tópico de debate contínuo e desapaixonado entre os judeus da Alemanha; depois não restaram dúvidas. O

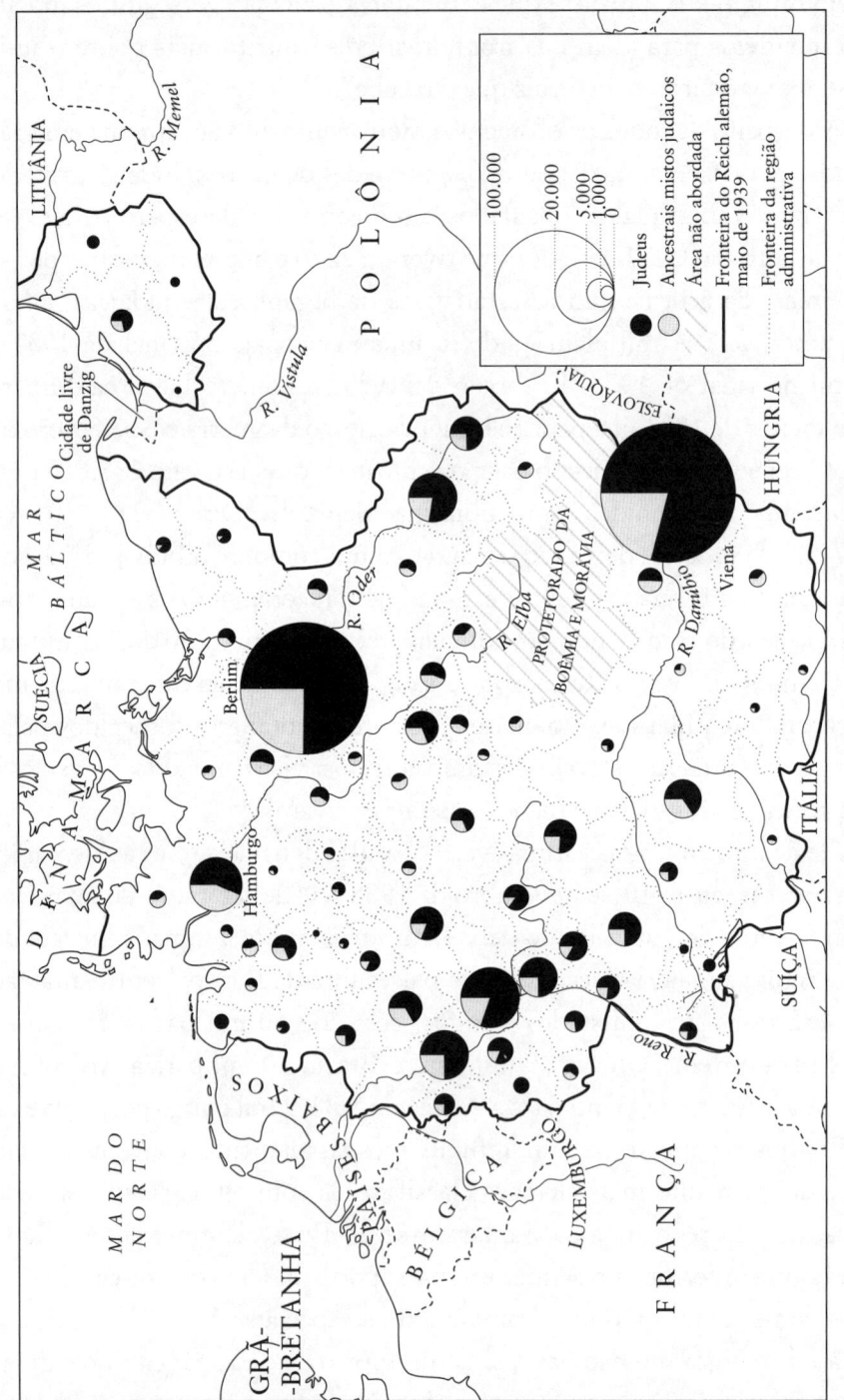

Mapa 16. Judeus no censo racial nazista de 1939

regime não mais fingia que os judeus seriam protegidos pela lei; na prática eram presa fácil para qualquer ativista ou funcionário nazista explorar, espancar, deter ou matar. Para muitos judeus, o choque do *pogrom* foi profundo, destruindo qualquer última ilusão que pudessem ter de que seu patriotismo, seu serviço na guerra, suas habilidades, educação ou mesmo o fato de serem seres humanos fossem protegê-los dos nazistas.[202]

Na conferência de Evian já ficara claro que nativistas e xenófobos em diversos países estavam pressionando seus governos para impedir a imigração de judeus da Alemanha sob o argumento de que sua cultura ficaria "soterrada" – uma perspectiva bastante improvável quando o número de judeus alemães era tão pequeno, mesmo deixando de lado outras considerações. Seja como for, segundo esse argumento, as crianças judias podiam ser aculturadas de modo relativamente fácil dentro das nações anfitriãs; e o choque que percorreu o mundo com os eventos de 9-10 de novembro de 1938 e a subsequente deterioração drástica da situação dos judeus remanescentes na Alemanha incitaram uma variedade de esquemas para oferecer novos lares a crianças judias no exterior. Foram enviadas 1,7 mil crianças para a Holanda e mais de 9 mil para o Reino Unido. Mas uma tentativa dos cleros protestante e católico de obter entrada para 20 mil crianças nos Estados Unidos naufragou no rochedo da opinião pública. Um anteprojeto nesse sentido foi retirado por seu proponente, senador Robert F. Wagner, quando o Congresso insistiu em que as 20 mil vagas fossem acomodadas nas cotas de imigração existentes, o que significaria recusar a entrada de 20 mil adultos.[203] A emigração ficava mais difícil que nunca à medida que a guerra se aproximava, outro exemplo da natureza cada vez mais irracional e contraditória das políticas do regime nazista em escala mais ampla.

Fosse como fosse, permanecer na Alemanha era tudo menos uma opção fácil, como mostrou a experiência de Victor Klemperer. À medida que a atmosfera antissemita ficou mais densa na primavera e verão de 1938, Klemperer teve que suportar assédio repetido da autoridade local por detalhes insignificantes da construção e da manutenção de sua casa e jardim em Döltzschen, nos arredores de Dresden. Em maio de 1938, a faxineira não judia dos Klemperers desistiu do trabalho após as autoridades locais ameaçarem despedir sua filha do serviço se ela continuasse a trabalhar para eles. Por morar fora da cidade, os Klemperer escaparam da violência de 9-10 de novembro de 1938, mas em 11 de novembro dois policiais submeteram a casa a uma revista geral (sob a alegação de procurar armas escondidas): o sabre de Klemperer dos tempos de guerra foi descoberto no sótão e ele foi levado sob custódia. Embora fosse tratado de forma cortês e liberado em poucas horas sem ser indiciado, foi um choque considerável. Um golpe mais severo veio quando Klemperer, já proibido de usar a sala de leitura da biblioteca local no ano anterior, foi oficialmente barrado de entrar de vez na biblioteca. O bibliotecário encarregado da seção de empréstimos, relatou Klemperer, chorou ao emitir a proibição; ele disse que queria matar os nazistas ("não apenas matar – torturar, torturar, torturar").[204] O rápido aumento no ritmo da legislação antissemita depois do *pogrom* começou a restringir a vida de Klemperer também de outras maneiras. Em 6 de dezembro de 1938, ele anotou o novo decreto de Himmler retirando as carteiras de motorista de todos os judeus e vetando a ida de judeus aos cinemas públicos. Impossibilitado de continuar sua obra sobre a literatura francesa do século XVIII porque não mais podia usar a biblioteca, Klemperer agora era privado também de suas duas principais atividades de lazer. Encarou uma grande fatura de imposto como parte da sequência do *pogrom* e temeu que sua casa em breve fosse confiscada. Novas tentativas de emigrar não deram em nada, embora seus amigos e conhecidos estivessem deixando o país em números sempre crescentes. Escritor compulsivo, Klemperer voltou-se para a redação de suas memórias, e as entradas de seu diário ficaram cada vez mais volumosas. Ele permaneceu convencido de que os judeus alemães eram primeiro alemães e depois judeus, e continuou a achar o sionismo pouca coisa melhor que o nazismo. Mas a vida estava ficando rapidamente mais penosa, e ele aguardava o futuro com mau pressentimento.[205]

Uma atmosfera igualmente soturna espalhou-se pela casa de Luise Solmitz e seu marido judeu. Logo após o *pogrom*, a Gestapo convocou-os e só foi dissuadida de deter Friedrich Solmitz quando ele mostrou suas medalhas de guerra. Não obstante, ele teve que entregar suas antigas armas de guerra ("ferido na honra, rendido em vergonha"). A multa lançada sobre os judeus alemães foi um choque adicional. "Agora Freddy também admite: estamos aniquilados." Mais uma vez, porém, o serviço de guerra de Solmitz protegeu-o. Perguntado por funcionários da receita se queria emigrar, ele respondeu: "Sou um antigo oficial, nasci na Alemanha e vou morrer também na Alemanha". Os funcionários permitiram-lhe transferir sua propriedade e bens para a esposa, de modo que escaparam do confisco. Mas a proibição de judeus frequentarem o teatro e outros eventos públicos e a ameaça de destituição que se acercava pesavam intensamente em seus pensamentos. "Não se ousa mais desfrutar de suas posses", escreveu Luise Solmitz. "Hoje a casa não é mais refúgio, nem proteção."[206]

V

No verão de 1939, conforme indicam essas experiências, os judeus restantes na Alemanha haviam sido completamente marginalizados, isolados e privados dos meios básicos de ganhar a vida. Porém, não foi o bastante para Heydrich. Na reunião de 12 de novembro de 1938, Heydrich admitiu que não seria possível forçar todos a emigrar dentro de pouco tempo. Ele sugeriu que os judeus que ficassem na Alemanha nesse meio-tempo deveriam usar um distintivo especial. "Mas, meu caro Heydrich", protestou Göring, "você não vai poder evitar a criação de guetos em larga escala em todas as cidades. Eles terão que ser criados".[207] Por enquanto, conforme Göring relatou em 6 de dezembro de 1938, Hitler em pessoa tinha vetado a proposta de concentrar os judeus em casas específicas e obrigá-los a usar uma insígnia amarela em público em consideração à opinião internacional, que reagiu com críticas ao *pogrom* e à legislação consequente; ele também limitou as medidas contra casamentos mistos e pessoas mestiças conforme definidas pelas Leis de Nuremberg, pois tratamento ríspido suscitaria descontentamento entre os parentes não judeus. Na prática, entretanto, a sociedade judaica na Alemanha estava recuando depressa para um gueto, extirpada quase por inteiro da vida cotidiana comum, deslizando depressa e por completo para além da consciência da maioria dos alemães.[208]

Foi nessa época, seguindo-se à violência de massa de 9-10 de novembro que não deparou com oposição e ao aprisionamento de 30 mil homens judeus em campos de concentração, ainda que por poucas semanas, sem qualquer oposição séria, que Hitler pela primeira vez começou a ameaçá-los de aniquilação física completa. Ao longo dos dois anos anteriores, ele havia se contido nas declarações públicas de hostilidade aos judeus em parte devido a considerações de política externa, em parte pelo desejo de se distanciar pessoalmente do que sabia ser um dos aspectos menos populares do regime entre a maioria do povo alemão. Foi inteiramente dentro dessa abordagem que ele se retirou da reunião do Partido de 9 de novembro depois de ter tomado a decisão de lançar o *pogrom*.[209] Mas essa abstenção relativa de justificação pública da política antissemita em seus discursos não significou que Hitler tivesse recuado da implementação dessa política na prática. Ele discutiu-a em várias ocasiões em particular durante 1936 e 1937, e resta pouca dúvida de que seu discurso no comício do Partido em setembro de 1937 forneceu um estímulo deliberado para a intensificação do antissemitismo que recomeçou naquele momento.[210] Em seu estilo característico, ele apresentou o *pogrom* como expressão de um ódio universal e fanático aos judeus entre a população alemã, que ele estava fazendo tudo que podia para refrear. "O que você acha, senhor Pirow", perguntou ao ministro de Defesa da África do Sul em 24 de novembro, "que aconteceria na Alemanha se eu retirasse minha mão protetora dos judeus? O mundo não pode imaginar".[211] A ameaça pouco velada era palpável. Hitler estava ávido para pressionar as potências de Evian a aceitar mais refugiados, e fez isso inclusive deixando claro o que aconteceria aos judeus da Alemanha se sua entrada em outros países fosse recusada. Em 21 de janeiro de 1939, ele disse ao ministro de Relações Exteriores da Tchecoslováquia: "Os judeus entre nós serão aniquilados. Os judeus não cometeram o 9 de novembro de 1938 em vão; esse dia será vingado".[212]

Em 30 de janeiro de 1939, Hitler repetiu as ameaças em público e ampliou-as para uma escala europeia. Falando no Reichstag no sexto aniversário de sua nomeação como chanceler, ele disse:

> Muitas vezes fui um profeta em minha vida e na maioria das vezes riram de mim. Na época de minha luta pelo poder, o povo judeu foi

quem primeiro recebeu com nada mais que risos minha profecia de que um dia eu assumiria a liderança do Estado e com ela a do povo inteiro e então, entre muitas outras coisas, daria jeito no problema judaico. Creio que nesse ínterim o estrondo das gargalhadas daqueles tempos deve ter se sufocado na garganta dos judeus.

Hoje quero ser outra vez um profeta: se as finanças internacionais judaicas da Europa e além tiverem êxito em mergulhar os povos mais uma vez em uma guerra mundial, o resultado não será a bolchevização da terra e com isso a vitória da judiaria, mas a aniquilação da raça judaica na Europa.[213]

A ameaça, transmitida na íntegra no cinejornal semanal, não podia ser mais pública. Foi lembrada e citada em numerosas ocasiões subsequentes. Merece, portanto, a mais atenta consideração.

O *pogrom* de novembro de 1938 refletiu a radicalização do regime nos estágios finais dos preparativos para a guerra.[214] Na mente de Hitler, uma parte desses preparativos tinha que consistir na neutralização do que ele concebia como a ameaça judaica. Com um desdém pela realidade típico dos antissemitas paranoicos, ele presumiu que as "finanças internacionais" estivessem trabalhando em conjunto com o comunismo internacional, ambos dirigidos dos bastidores pelos judeus, para ampliar a guerra europeia, que eles sabiam que a Alemanha venceria, para uma escala mundial, o que só podia significar trazer os Estados Unidos. Esse seria o único jeito de terem alguma chance de sucesso. No momento em que isso acontecesse, a Alemanha seria a senhora da Europa e teria a maioria dos judeus do continente em suas garras. Antecipando esse momento, portanto, Hitler estava anunciando que faria os judeus da Europa de reféns como um meio de deter a entrada dos Estados Unidos na guerra. Se os Estados Unidos entrassem ao lado dos inimigos da Alemanha, então os judeus não apenas da Alemanha, mas de toda a Europa, seriam mortos. O terrorismo nazista agora havia adquirido uma dimensão adicional: a prática, na maior escala possível, da tomada de reféns.[215]

VI

Assim, a radicalização do antissemitismo ocorrida em 1938 formou parte do que todo mundo sabia que era a arrancada final da há muito preparada guerra para o domínio alemão e reordenação racial da Europa. Na paranoica ideologia racista dos nazistas, expulsar ou, caso não desse, isolar a população judaica da Alemanha era um pré-requisito essencial para estabelecer a segurança interna e rechaçar a ameaça interior – uma ameaça que na realidade só existia na imaginação deles. A radicalização ocorreu em 1938 em parte porque o processo de conquista e reorganização de fato já se iniciara, a começar pela anexação da Áustria. A população judaica da Alemanha tinha sido no geral próspera, e sua expropriação pelo Estado e por numerosas empresas privadas foi acelerada nessa época também devido à necessidade cada vez mais desesperada de dinheiro para pagar a conta de armamentos do país, que crescia rapidamente. É tentador descrever a violência antijudaica do Terceiro Reich como uma "regressão à barbárie", mas isso é em essência entender errado a sua dinâmica. Os boicotes e expropriações de lojas e negócios judaicos foram levados adiante em particular por pequenos empresários de classe média baixa que devem ter ficado decepcionados com o fracasso do regime em melhorar sua posição econômica por meios mais convencionais. Mas a extinção social e econômica da comunidade judaica da Alemanha também foi ordenada de cima, como parte de uma preparação geral para a guerra. Foi justificada por uma ideologia nacionalista radical que estava ligada não a uma vaga visão do retorno da Alemanha a uma pacata estagnação medieval, mas, pelo contrário, a uma guerra de tecnologia avançada pelo domínio europeu, baseada no que se contava na época como o mais moderno critério científico de aptidão e supremacia raciais.

Que o antissemitismo em seu aspecto racista era uma ideologia fundamentalmente moderna pode ser visto a partir de suas manifestações em outros países do centro-leste europeu na época. Na Polônia também havia um partido antissemita raivoso na forma dos endeks do Partido Democrático-Nacional de Roman Dmowski, que atraiu uma ampla coalisão das classes médias por trás de uma ideologia cada vez mais fascista durante a década de

1930. A Polônia foi governada por uma junta militar depois de 1935, e os endeks estavam na oposição; não obstante, organizaram amplos boicotes contra lojas e negócios judaicos, muitas vezes acompanhados de violência considerável: uma estimativa afirma que 350 judeus poloneses foram mortos e quinhentos ficaram feridos em violentos incidentes antissemitas em mais de 150 aldeias e cidades polonesas entre dezembro de 1935 e março de 1939. Os endeks pressionavam pela cassação dos direitos civis dos judeus, pelo banimento dos judeus do Exército, das universidades, do mundo empresarial, das categorias profissionais e muito mais. Os judeus da Polônia – 10% da população, cerca de 3,5 milhões de pessoas – deveriam ser arrebanhados em guetos e depois forçados a emigrar. A pressão forçou o governo cada vez mais enfraquecido, desorientado pela morte do ditador polonês Pilsudski em 1935, a considerar medidas antissemitas para tentar deter o escoamento de seu apoio para os endeks. Desde a década de 1920, os judeus já haviam sido efetivamente excluídos do emprego no setor público e do recebimento de contratos de negócios do governo. Agora foram colocados limites estritos para o acesso judaico aos ensinos secundário e superior e às práticas médica e legal. Os estudantes judeus nas universidades da Polônia caíram de 25% em 1921-33 para 8% em 1938-39.[216]

A essa altura, estudantes poloneses haviam obtido êxito em forçar os colegas judeus a ocupar "bancos do gueto" separados nas aulas. Além disso, restrições cada vez mais severas foram impostas sobre as empresas de exportação e oficinas artesanais judaicas – um esteio da vida econômica judaica em um país onde os judeus no geral não estavam entre os setores mais abastados da sociedade. Em 1936, o governo proscreveu o abate ritual de animais conforme o preceito judaico, um ataque direto não só à tradição religiosa judaica, mas também ao sustento de numerosos judeus que viviam dessa ocupação. A proibição do comércio dominical atingiu os varejistas judeus, que agora tinham que abrir no sabá judaico ou perder clientes por ficarem fechados dois dias da semana. Em 1938, o partido do governo adotou um programa de treze pontos sobre a questão judaica, propondo uma variedade de novas medidas para sublinhar o *status* dos judeus como alheios ao estado nacional polonês. Em 1939, as categorias profissionais haviam vetado que os judeus se juntassem a elas mesmo que tivessem conseguido obter as qualificações requisitadas na universidade. Assim, o partido do governo adotava cada vez mais políticas fomentadas primeiro pelos nazistas na Alemanha; em janeiro de 1939, por exemplo, alguns de seus deputados apresentaram uma proposta para um equivalente polonês das Leis de Nuremberg.

Havia, contudo, uma diferença crucial. A maioria dos judeus poloneses falava ídiche em vez de polonês e era firmemente adepta da religião judaica. Para os nacionalistas poloneses, bem como para a Igreja Católica polonesa, eles pareciam um grande obstáculo à integração nacional. Na prática, foram tratados como uma minoria nacional no novo Estado polonês. Assim, o antissemitismo polonês no geral foi religioso e não racista, embora as fronteiras entre os dois inevitavelmente tenham ficado mais que nebulosas com a violência da retórica antissemita e na esteira do exemplo nazista.[217] No final da década de 1930, o governo polonês pressionava a comunidade internacional para permitir a emigração judaica maciça do país – um importante motivo para a convocação da conferência de Evian, como vimos. Uma ideia muito repetida pelos antissemitas de muitas partes da Europa desde o final do século XIX era mandar os judeus para a ilha francesa de Madagascar, na costa leste da África. No final da década de 1930, ocorreram longas mas inconclusivas negociações entre os governos polonês e francês sobre o assunto.[218]

Ideias e políticas semelhantes podiam ser encontradas em outros países do centro-leste da Europa que lutavam para construir uma nova identidade nacional na época, mais notadamente Romênia e Hungria.[219] Esses países tinham movimentos fascistas próprios na forma da Guarda de Ferro na Romênia e da Cruz de Flecha na Hungria que pouco ou nada deviam aos nacional-socialistas alemães na virulência do ódio aos judeus; assim como na Alemanha, o antissemitismo ali também estava ligado ao nacionalismo radical, à crença de que a nação não havia atingido a realização plena e de que eram sobretudo os judeus que a impediam de chegar a ela. Na Romênia, havia cerca de 750 mil judeus no início da década de 1930, ou 4,2% da população, e, como na Polônia, eram contados como uma minoria nacional. Sob pressão crescente da Guarda de Ferro radical fascista no final dos anos de 1930, o rei Carol nomeou um regime de direita de curta duração que começou a sancionar a legislação antissemita que o monarca continuou a aplicar quando tomou o poder como ditador em 1938. Em setembro de 1939, pelo menos 270 mil judeus haviam sido privados da cidadania romena; muitos haviam sido expulsos da profissão, inclusive do Judiciário, polícia, ensino e corpos de oficiais, e todos estavam sob forte pressão para emigrar.[220]

A situação dos cerca de 445 mil judeus da Hungria era mais próxima da dos judeus da Alemanha que dos judeus da Polônia, isto é, falavam húngaro e eram bem aculturados. A maioria vivia em Budapeste, a capital, e se considerava húngara em todos os aspectos. A proeminência de judeus no breve regime comunista radical de Béla Kun em 1919 alimentou o antissemitismo da direita. O governante de Estado contrarrevolucionário, almirante Miklós Hórthy, aliou a Hungria à Alemanha nazista no final da década de 1930 na esperança de reconquistar o território perdido para Tchecoslováquia e Romênia no Acordo de Paz de 1919. Isso, por sua vez, trouxe novos seguidores para a Cruz de Flecha, cuja popularidade o governo tentou minar em maio de 1938 aprovando a Primeira Lei Judaica, que impôs detalhadas restrições à proporção de empregados judeus nas empresas, nas categorias profissionais e outras ocupações. Mais adiante, no mesmo ano, foi aprovada uma Segunda Lei Judaica que passou a vigorar em maio de 1939, estreitando as cotas de 20% para 6% e vetando por completo que judeus dirigissem jornais, cinemas e teatros, lecionassem, comprassem terras, servissem como oficiais do Exército e entrassem no serviço público. Essas leis, refletindo nitidamente a influência da Alemanha nazista, foram de caráter racial em larga medida, afetando, por exemplo, judeus convertidos ao cristianismo depois de 1919. O próprio Hórthy não gostou disso, mas foi incapaz de impedir que as cláusulas raciais das leis entrassem em vigor.[221]

Em uma escala mais ampla, todos os países criados ou refundados na Europa de centro-leste ao fim da Primeira Guerra Mundial pelo princípio de autodeterminação nacional enunciado pelo presidente norte-americano Woodrow Wilson, continham largas minorias nacionais, que essas nações tentaram, com maior ou menor grau de força, assimilar na cultura nacional dominante. Mas, em quase todas elas, os judeus carregaram o fardo adicional de serem considerados pelos extremistas nacionalistas agentes de uma conspiração mundial e aliados do comunismo russo por um lado e das finanças internacionais por outro, com isso representando uma ameaça à independência nacional muitas vezes maior que qualquer outra minoria dentro de suas fronteiras. Vistas no contexto de outros países do centro-leste europeu, portanto, as políticas adotadas e executadas pelos nazistas contra os judeus entre 1933 e 1939 não parecem tão incomuns. A Alemanha estava longe de ser o único país da região na época a restringir os direitos judaicos, privar os judeus de seu sustento, tentar fazer os judeus emigrar em grande número ou testemunhar explosões de violência, destruição e assassinato contra a população judaica. Mesmo na França havia uma forte corrente de antissemitismo de direita, alimentada pela acrimoniosa hostilidade ao governo da Frente Popular de Léon Blum, ele mesmo um judeu e socialista, apoiado pelo Partido Comunista na Câmara de Deputados, que chegou ao poder em 1936.

Contudo, também havia óbvias diferenças reais, que surgiram em parte do fato de a Alemanha ser muito maior, mais poderosa e, a despeito da crise econômica do início da década de 1930, mais próspera que outros países da região, e em parte do fato de a minoria judaica alemã ser muito mais aculturada que as minorias judaicas da Polônia ou da Romênia. Apenas na Alemanha a legislação racial foi realmente introduzida e aplicada na área do casamento e das relações sexuais, embora uma lei nessa linha tenha sido proposta na Romênia; apenas na Alemanha os judeus foram roubados de sua propriedade, emprego e meio de vida de forma sistemática, embora restrições sobre tudo isso com certeza tenham sido impostas em outros lugares; apenas na Alemanha o governo organizou um *pogrom* nacional, embora com certeza tenha havido *pogroms* às centenas em outras partes; e apenas na Alemanha os governantes do país tiveram êxito em impelir mais da metade de toda a população judaica ao exílio, embora com certeza houvesse poderosos grupos políticos que desejassem ardentemente fazer isso em outros locais. Sobretudo, apenas na Alemanha os extremistas nacionalistas realmente agarraram o poder na década de 1930 em vez de apenas exercer influência; e apenas na Alemanha a eliminação da influência judaica foi considerada pelo Estado e pelo partido governante como base indispensável para um renascimento do espírito nacional e a criação de uma nova sociedade humana racialmente pura. As políticas antissemitas do Terceiro Reich tornaram-se uma espécie de modelo para antissemitas de outros países durante aqueles anos, mas em nenhum outro local houve um regime no poder que considerasse crucial que tais políticas fossem implementadas até o fim e estendidas para toda a Europa. O momento para o Terceiro Reich dar esses passos ainda não havia chegado. Chegaria apenas com a eclosão da Segunda Guerra Mundial.

7
O caminho para a guerra

Da fraqueza à força

I

Os hábitos de trabalho de Hitler eram irregulares. Ele sempre fora avesso à rotina. A boêmia ainda era evidente em seu estilo de vida após a chegada ao poder. Com frequência, ficava acordado até de madrugada assistindo a filmes em seu cinema particular e se levantava muito tarde no dia seguinte. Em geral, começava a trabalhar por volta das dez da manhã, passando de duas a três horas ouvindo relatórios de Hans-Heinrich Lammers, chefe da Chancelaria do Reich e principal elo de Hitler com seus ministros, e de Walther Funk, adjunto de Goebbels no Ministério da Propaganda. Depois de se inteirar dos assuntos administrativos, legislativos e de propaganda do dia, ele às vezes reservava tempo para consultas individuais urgentes com ministros ou com o secretário de Estado Otto Meissner, que comandava o que havia sido o gabinete do presidente. O almoço era rotineiramente preparado para a uma da tarde, mas às vezes tinha que ser adiado se Hitler se atrasasse. Os convidados em geral consistiam da comitiva mais próxima de Hitler, incluindo seus ajudantes, motoristas e o fotógrafo Heinrich Hoffmann. Göring, Goebbels e Himmler participavam com graus variados de frequência, e mais adiante Albert Speer, mas a maioria dos ministros sêniores raramente eram vistos. Na verdade, se estivessem em desfavor, jamais eram admitidos de forma alguma à presença de Hitler: o ministro da Agricultura Walther Darré, por exemplo, tentou sem sucesso ver Hitler por mais de dois anos no final da década de 1930 para discutir a piora da situação do abastecimento de comida. Depois do almoço, Hitler mantinha discussões sobre temas de política externa e questões militares com vários conselheiros, ou labutava em planos arquitetônicos com Speer. Em vez de passar horas lidando com montanhas de papelada, Hitler sempre preferia conversar com as pessoas, o que fazia demoradamente e em geral sem a interrupção de seus ouvintes bajuladores, durante o almoço ou o jantar.[1]

Quando Hitler estava em casa, no seu refúgio de Obersalzberg, nos Alpes da Baviera, seu estilo de vida era mais irregular ainda. O pequeno chalé original no topo do morro foi reconstruído depois de 1933 para formar um amplo complexo de prédios conhecidos coletivamente como Berghof ("corte da montanha" ou "fazenda da montanha"), com vistas espetaculares das montanhas a partir de um terraço e prédios adicionais morro abaixo para membros da comitiva. Ali, Hitler às vezes nem saía de seus aposentos particulares até o início da tarde, dava uma caminhada descendo o morro (um carro esperava-o embaixo para levá-lo de volta), saudava as levas de cidadãos comuns que galgavam a montanha e passavam por ele em fila silenciosa, retiravam pedaços da cerca como *souvenir* e faziam um lanche no terraço se o tempo estivesse bom. Depois do jantar havia sessões de filmes antigos, e raramente ele ia para a cama antes das duas ou três da manhã. Com frequência, era acompanhado por Eva Braun, uma jovem atraente, 23 anos mais moça que ele e ex-funcionária de Heinrich Hoffmann. A vida sexual de Hitler, tema de muita especulação sensacionalista na época e depois, parece ter sido completamente convencional, exceto pelo fato de ele se recusar a se casar ou admitir qualquer relacionamento para o grande público por medo de que isso comprometesse a aura de poder solitário e invulnerabilidade com que a propaganda cercava-o. Antes disso, em 1931, sua sobrinha Angela ("Geli") Raubal havia morrido em um acidente, dando origem a rumores ofensivos, mas infundados, sobre o relacionamento deles. Eva Braun, uma moça ingênua e submissa, sem dúvida reverenciava Hitler e foi subjugada pela atenção dele. O relacionamento foi rapidamente aceito pela comitiva de Hitler, mas mantido em segredo do público. Vivendo no luxo, com poucos deveres, Eva Braun estava presente no Berghof como acompanhante particular de Hitler, mas não como consorte oficial.[2]

A ausência de rotina no estilo de liderança de Hitler implicava que prestasse pouca atenção em assuntos minuciosos nos quais não estava interessado, como o gerenciamento da força de trabalho, ou os detalhes da administração financeira, que deixou alegremente aos cuidados de Schacht e seus sucessores. Isso podia fazer com que em certas ocasiões ele colocasse sua assinatura em medidas que precisavam ser engavetadas devido à oposição de poderosos interesses inalienáveis, como um decreto da Frente de Trabalho emitido em outubro de 1934.[3] Também significava que aqueles que tinham ou controlavam o acesso pessoal e direto a ele podiam exercer influência considerável. O acesso tornou-se uma chave cada vez mais importante para o poder. Entretanto, o estilo de vida boêmio de Hitler não significava que ele fosse preguiçoso ou inoperante, ou que tivesse se retirado da política doméstica depois de 1933. Quando a ocasião exigia, ele intervinha de modo forte e decisivo. Albert Speer, que esteve frequentemente com Hitler na segunda metade da década de 1930, observou que, embora ele parecesse jogar muito tempo fora, "com frequência deixava um problema amadurecer durante semanas enquanto parecia inteiramente absorvido por questões triviais. Então, após ter uma percepção súbita, ele passava alguns dias em trabalho intenso para dar forma final à solução".[4] Em outras palavras, Hitler era errático e não preguiçoso em seus hábitos de trabalho. Escrevia seus próprios discursos e com frequência dedicava-se a longas e exaustivas turnês pela Alemanha, falando, encontrando-se com funcionários e desempenhando suas funções cerimoniais de chefe de Estado. Em áreas pelas quais nutria interesse genuíno, não hesitava em exercer o comando direto, mesmo em questões de detalhe. Em arte e cultura, por exemplo, Hitler traçou a política a ser seguida e inspecionou pessoalmente as pinturas selecionadas para exposição ou supressão. Seus preconceitos – contra o compositor Paul Hindemith, por exemplo – revelavam-se invariavelmente decisivos. Na política racial, Hitler também assumiu papel de liderança, forçando ou desacelerando a implementação de medidas antissemitas e outras conforme julgava necessário devido às circunstâncias. Em áreas como essas, Hitler não ficava apenas reagindo às iniciativas de seus subordinados, como alguns sugeriram. Além do mais, era Hitler que delineava os princípios gerais que a política tinha que seguir. Esses eram simples, claros e fáceis de entender, e foram martelados no coração e na mente dos ativistas nazistas desde a década de 1920 por intermédio de seu livro *Minha luta*, de seus discursos e da vasta máquina de propaganda incessantemente ativa montada pelo Partido antes de 1933 e depois pelo Ministério da Propaganda. Os lacaios de Hitler não precisavam imaginar o que ele iria querer em determinada situação: os princípios que guiavam sua conduta estavam ali para todo mundo ver; tudo que tinham que fazer era preencher os pormenores. Além disso, também nos momentos decisivos, como o boicote de 1º de abril de 1933 ou o *pogrom* de 9-10 de novembro de 1938, Hitler ordenou pessoalmente que se partisse para a ação em termos que necessariamente, do ponto de vista dele, evitavam minúcias, mas que não obstante eram inequívocos quanto à força geral.[5]

Entretanto, a área pela qual Hitler nutria o interesse mais consistente e mais detalhado era inegavelmente a de política externa e preparação para a guerra. É inquestionável que ele em pessoa impeliu a Alemanha rumo à guerra desde o instante que se tornou chanceler do Reich, subordinando qualquer outro aspecto político a essa meta maior e, como vimos, criando em consequência disso um número crescente de desgastes e tensões na economia, na sociedade e no sistema político. A guerra que ele divisou seria bem mais extensiva que uma série de conflitos limitados planejados para rever as disposições territoriais do Tratado de Versalhes. Em uma de muitas ocasiões semelhantes, ele anunciou em 23 de maio de 1928 que sua intenção era "liderar nosso povo à ação sangrenta, não para um ajuste de fronteiras, mas para *salvá-lo no futuro mais distante* ao garantir tanta terra e território que o futuro receba de volta muitas vezes o sangue derramado".[6] Ele não modificou a intenção após chegar ao poder. No início de agosto de 1933, por exemplo, disse a dois empresários norte-americanos em visita que queria anexar não só a Áustria, o corredor polonês e a Alsácia-Lorena, mas também as regiões de idioma alemão da Dinamarca, da Itália, da Tchecoslováquia, da Iugoslávia e da Romênia. O que significava total domínio alemão sobre a Europa.[7] Em longo prazo, ele de fato pretendia que a Alemanha dominasse o mundo.[8] Mas, para começar, é claro que Hitler tinha que pelejar com o problema de que a Alemanha estava muito fraca internacionalmente, com as Forças Armadas bastante limitadas pelo Tratado de Versalhes, a economia deprimida, a constituição interna, no pensamento dele, caótica e dividida, assediada por inimigos que agiam dentro do país. A meta inicial de Hitler, portanto, que guiou sua política

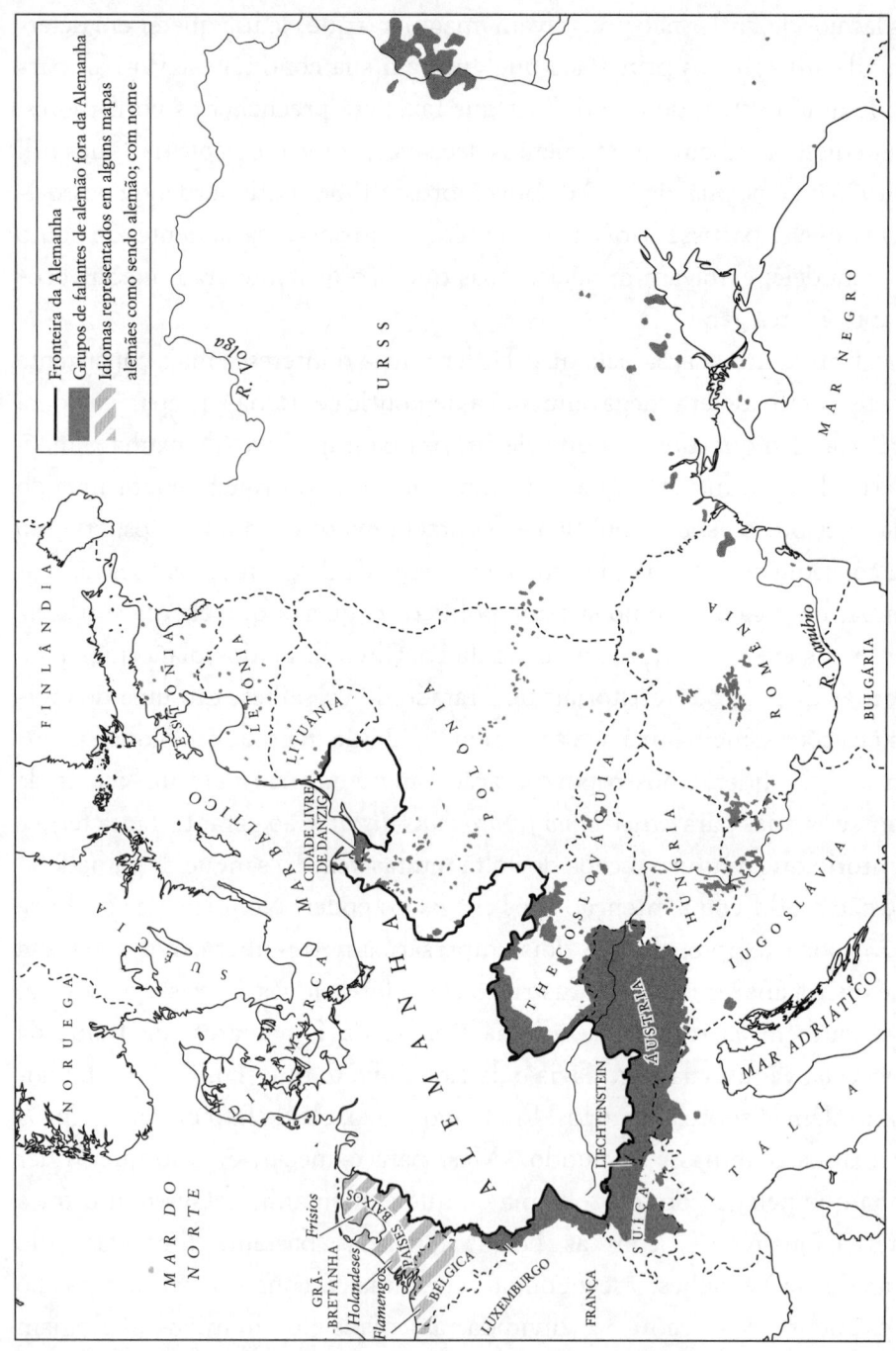

Mapa 17. Alemães étnicos na Europa central e do leste, 1937

externa nos primeiros dois ou três anos do Terceiro Reich, foi manter os inimigos potenciais da Alemanha ao largo enquanto o país se rearmava.[9]

Na prática não foi difícil fazer isso. A Alemanha desfrutava de grande dose de simpatia internacional do início até o meio da década de 1930. O idealismo que havia desempenhado um enorme papel na criação do Acordo de Paz de 1918-19 havia se voltado contra o tratado. O princípio da autodeterminação nacional, invocado para conceder independência a países como a Polônia, fora evidentemente negado à Alemanha, uma vez que milhões de pessoas de língua alemã da Áustria, dos Sudetos tchecos, de partes da Silésia (hoje da Polônia) e outros lugares perderam o direito de ver as terras em que viviam tornar-se parte do Reich. Uma sensação difundida entre as elites britânica e francesa de que a Primeira Guerra Mundial havia sido o resultado desastroso de um capítulo de acidentes e decisões medíocres alimentou uma sensação de culpa quanto à severidade dos termos de paz e uma descrença geral na cláusula de culpa de guerra que atribuía a responsabilidade à Alemanha. As reparações tiveram um fim abrupto em 1932, mas as restrições contínuas aos armamentos da Alemanha pareceram injustas e absurdas para muitos, em especial diante de governos beligerantes nacionalistas e autoritários em países como Hungria e Polônia. Para Grã-Bretanha e França, a Depressão significou retração financeira e uma enorme relutância em gastar qualquer dinheiro a mais em armas, especialmente em vista da necessidade de defender e manter seus vastos impérios além-mar na Índia, na África, na Indochina e em outras partes. De qualquer modo, a investida tardia da Depressão sobre a França, em meados da década de 1930, tornou extremamente difícil o rearmamento rápido. A maioria da geração de políticos do pós-guerra na Grã-Bretanha e na França era composta de figuras de segunda classe. Tendo visto os melhores e mais brilhantes de sua geração morrer no *front* da Primeira Guerra Mundial, eles estavam decididos a evitar a repetição do massacre caso fosse humanamente possível. A relutância em se preparar e mais ainda em ir para a guerra por causa de problemas de política europeia que pareciam solucionáveis a qualquer momento por outros meios, com um mínimo de boa vontade de todas as partes, por fim combinou-se a um medo recorrente do que essa guerra poderia trazer: não apenas uma nova carnificina nas trincheiras, mas também o bombardeio aéreo maciço das grandes cidades, uma tremenda destruição e perda de vidas civis e, possivelmente, até mesmo revolução social.[10]

Assim, tudo que Hitler teve que fazer na prática para atravessar a perigosa fase inicial do rearmamento foi acalmar a opinião internacional, garantindo a todo mundo que tudo que ele queria fazer era reparar os erros do Acordo de Paz, atingir um nível aceitável de autodeterminação nacional para os alemães e devolver ao país seu lugar de direito e igualdade no mundo das nações, rematado por meios adequados de se defender contra agressores potenciais. E foi isso essencialmente que ele fez até a metade de 1938, com o respaldo não só do Gabinete de Política Externa do Partido Nazista sob Alfred Rosenberg, mas também dos burocratas conservadores que ainda dominavam o Ministério de Relações Exteriores alemão sob o barão Konstantin von Neurath. Os funcionários, todos eles nacionalistas sem exceção, haviam se irritado com a política de cumprimento desenvolvida pelo ministro de Relações Exteriores Gustav Stresemann na década de 1920 e saudado a mudança de tom ocasionada pelo chanceler do Reich Heinrich Brüning, que substituiu o assistente sênior de Stresemann por Bernhard von Bülow, de inclinação mais agressiva, como secretário de Estado em 1930. Os diplomatas saudaram o novo regime em janeiro de 1933, em especial porque Neurath, que continuou como ministro de Relações Exteriores por desejo expresso do presidente Hindenburg, era um deles. Em 13 de março de 1933, Bülow encaminhou um memorando a Neurath e ao ministro de Defesa Blomberg no qual sublinhava que as metas a médio prazo da política externa, agora que as reparações haviam sido liquidadas e que franceses, britânicos e norte-americanos haviam encerrado a ocupação militar da Renânia, deviam ser a retomada do território perdido para os poloneses em 1918-19 e a incorporação da Áustria ao Reich. Entretanto, ele aconselhou que, no futuro imediato, a Alemanha deveria evitar quaisquer movimentos agressivos até o rearmamento ter restaurado a força do país.[11]

Mas a estrada para chegar lá era pedregosa. As negociações internacionais de desarmamento iniciadas em Genebra no começo de 1932 haviam fracassado porque britânicos e franceses não estavam dispostos a conceder paridade à Alemanha, reduzindo suas próprias Forças Armadas ou permitindo aos alemães aumentar as suas. Cada vez mais ansioso para introduzir o alistamento, particularmente em vista da ameaça crescente dos camisas-pardas de Röhm como um Exército paralelo, o ministro da Defesa Blomberg, com apoio do Ministério de Relações Exteriores, ignorou Hitler e encorajou os representantes alemães em Genebra a adotar uma linha dura em face das contínuas objeções anglo-francesas à remoção de limitações às forças alemãs. Quando as negociações chegaram a um impasse, Blomberg persuadiu Hitler a sair em 14 de outubro de 1933 e, para sublinhar o significado do gesto, retirar ao mesmo tempo a Alemanha da Liga das Nações, a principal patrocinadora das negociações.[12] A atitude foi tomada, declarou Hitler, "em vista das exigências excessivas, humilhantes e degradantes das outras potências". Afirmando seu desejo de paz e disposição para o desarmamento se as outras potências fizessem o mesmo, Hitler declarou, em um longo discurso transmitido pelo rádio na mesma noite, que a degradação da Alemanha não podia mais ser tolerada. A Alemanha fora humilhada pelo Acordo de Paz e mergulhada no desastre econômico pelas reparações; a recusa de igualdade nas conversas sobre desarmamento era o cúmulo do insulto e era demais para aguentar. A decisão, ele anunciou, seria colocada para o povo alemão em um plebiscito.[13] Realizada poucas semanas depois, a consulta apresentou uma previsível maioria em favor da decisão de Hitler, em parte graças a uma tremenda intimidação e manipulação eleitoral. Embora seja impossível afirmar com certeza, é provável que a maioria dos eleitores tivesse apoiado a retirada em uma votação livre; apenas ex-comunistas e social-democratas de esquerda seriam propensos a votar "não" se o voto fosse livre.[14]

A saída da Liga das Nações foi o primeiro passo decisivo na política externa do Terceiro Reich. Foi rapidamente seguido de outro gesto que causou espanto geral tanto dentro quanto fora da Alemanha: um pacto de não agressão de dez anos com a Polônia, assinado em 26 de janeiro de 1934, forçado por Hitler em pessoa, por cima de sérias reservas da parte do Ministério de Relações Exteriores. Para Hitler, a vantagem do pacto era cobrir o vulnerável flanco leste da Alemanha durante o período de rearmamento secreto, melhorar as relações comerciais, extremamente fracas na época, e proporcionar alguma segurança para a cidade livre de Danzig, então comandada por um governo nazista local sob suserania da Liga das

Nações, mas isolada do resto da Alemanha pelo corredor para o Báltico concedido à Polônia pelo Acordo de Paz. O pacto podia ser usado para demonstrar à Grã-Bretanha e às outras potências que a Alemanha era uma nação pacífica; mesmo o muito admirado Gustav Stresemann, ministro de Relações Exteriores durante a República de Weimar, não havia concluído um "Locarno do leste", conseguindo apenas acertar as questões do oeste por meio de um tratado com aquele nome. Para os poloneses, o pacto funcionava como substituto para a segurança anteriormente proporcionada pela Liga das Nações, e sucedeu a aliança firmada em 1921 com a França, cuja situação política e econômica interna tornava-a cada vez mais insatisfatória como um apoio defensivo contra a agressão alemã (minar a influência francesa foi outro bônus para Hitler, é claro). Entretanto, o pacto era um expediente puramente temporário da parte de Hitler: um pedaço de papel, servindo ao propósito do momento, a ser rasgado sem cerimônia quando não tivesse mais utilidade. Haveria muitos mais como esse.[15]

II

Na maior parte de 1934, a atenção de Hitler esteve dirigida para a política interna, particularmente para as tensões que levaram e se seguiram ao expurgo da SA executado no final de junho. Pouco antes do expurgo, Hitler fez sua primeira visita internacional como chanceler do Reich ao líder fascista Mussolini, em Veneza, para tentar assegurar sua compreensão dos eventos que estavam prestes a se desenrolar. A admiração de Hitler por Mussolini era manifestamente sincera. Entretanto, o clima do encontro foi nitidamente gélido. Mussolini estava profundamente desconfiado das intenções nazistas na Áustria, que ele considerava dentro de sua esfera de influência. Um pequeno país de língua alemã cercado de terra, metade dele nos Alpes fronteiriços com a Itália, a Áustria havia passado por uma repetida turbulência política desde a rejeição internacional da proposta de se fundir à Alemanha após o colapso da monarquia de Habsburgo em 1918-19. Poucos austríacos confiavam na viabilidade de seu Estado. A tremenda inflação do começo da década de 1920 fora seguida de deflação, e então veio a

Depressão, de modo muito parecido com a Alemanha. O país politicamente dividido em dois grandes campos: os socialistas, baseados sobretudo na classe operária da Viena "Vermelha", onde vivia quase um terço da população de 7 milhões de habitantes do país, e o Partido Social Cristão, de orientação católica, que extraía sua força das classes médias vienenses, de fazendeiros conservadores e eleitores de cidadezinhas das províncias. A tensão entre eles irrompeu em franca hostilidade em 1933, quando o chanceler social cristão, Engelbert Dollfuss, dissolveu o Parlamento em caráter permanente e estabeleceu um regime autoritário. O aumento do assédio policial aos socialistas provocou um levante armado nos distritos operários de Viena em fevereiro de 1934, debelado com força brutal pelo Exército austríaco. Lideranças socialistas, inclusive seu ideólogo mais famoso, Otto Bauer, fugiram para locais seguros pelos famosos esgotos subterrâneos de Viena. Dollfuss então proscreveu os socialistas de vez. Milhares foram detidos e colocados na prisão. Em 1º de maio de 1934, o ditador austríaco impôs uma nova Constituição ao país. Aboliu as eleições e estabeleceu, ao menos no papel, uma versão diluída de Estado corporativo baseado no modelo concebido por Mussolini.[16]

A despeito da aparente determinação, esses atos deixaram Dollfuss com a imagem nitidamente abalada. A situação econômica ficou pior que nunca. A grande classe operária vienense fervia de ressentimento. À direita, os paramilitares das Brigadas de Defesa Doméstica, que queriam um tipo de fascismo mais radical, mais claramente baseado no modelo italiano, causavam agitação. O antes minúsculo Partido Nazista austríaco crescia rapidamente em tamanho e ambição. Seu banimento formal por Dollfuss em julho de 1933 teve pouco efeito. Reunindo comerciantes e pequenos lojistas de Viena e do interior austríaco, funcionários públicos do baixo escalão, veteranos do Exército, universitários recém-formados e elementos significativos da polícia e da guarda, o Partido somava quase 70 mil membros na época de seu banimento. Ganhou outros 20 mil nos meses seguintes. Mantido unido, ainda que sempre de forma um tanto precária, por uma qualidade violenta e maligna de antissemitismo, fortalecido pelo anticlericalismo e anticatolicismo, relembrava o pangermanismo de Georg Ritter von Schönerer, cujas ideias haviam influenciado muito poderosamente o jovem Adolf Hitler em Linz e Viena antes de 1914. Sua meta principal era a unificação imediata com o Terceiro Reich. À medida que seus membros ouviam o fluxo constante de propaganda nazista despejado por estações de rádio do outro lado da fronteira, ficavam ainda mais convencidos de que a unificação era iminente. Violência e terror tornaram-se seus meios preferidos de minar o Estado austríaco, de modo a fazer dele uma presa fácil para o Terceiro Reich.[17]

No começo do verão de 1934, o momento pareceu propício para a ação. Fridolin Glass, líder do Estandarte 89 da SS em Viena, decidiu derrubar o governo austríaco. Em 25 de julho de 1934, 150 de seus homens, a maioria trabalhadores desempregados e soldados exonerados do Exército devido a seu nazismo, vestiram-se com uniformes do Exército austríaco e entraram na Chancelaria austríaca. O gabinete já havia deixado o prédio, mas os homens da SS pegaram Dollfuss tentando sair por uma porta lateral e o abateram ali mesmo. Precipitando-se para a sede vizinha da empresa de radiodifusão austríaca, os golpistas tomaram um microfone e anunciaram ao país que o governo havia renunciado. Simpatizantes na polícia provavelmente haviam facilitado a entrada deles nos prédios. Mas foi essa a extensão do apoio que os golpistas receberam de qualquer um. A SA austríaca, cujos líderes estavam reunidos em um hotel próximo, fingiu que não sabia de nada do golpe em fase alguma e se recusou a intervir. Menos de quatro semanas depois de os líderes da SA alemã terem sido fuzilados pela SS, eles não consideravam o fato águas passadas. Levantes em muitas partes do país, deflagrados, conforme o combinado, pelas transmissões de rádio dos golpistas, foram debelados pelo Exército austríaco, auxiliado pelas Brigadas de Defesa Doméstica locais. Houve várias centenas de mortos e feridos. Nos locais em que a SA encenava um levante, a SS recusava-se a apoiar. Até mesmo oficiais nazistas do Exército e da polícia tomaram parte de modo voluntário na repressão da revolta em muitos locais. Os nazistas austríacos revelaram-se pouco treinados e mal preparados para um empreendimento desse tipo, confiantes demais, internamente divididos e incompetentes. Em Viena, o ministro da Justiça, Kurt von Schuschnigg, formou um novo governo e, após breves negociações com os golpistas, deteve-os todos. Hitler abandonou-os à própria sorte. Os dois homens que abriram fogo contra Dollfuss foram enforcados no pátio do Tribunal Regional de Viena. Suas últimas palavras foram: "*Heil Hitler!*". O embaixador alemão em Roma, envolvido no complô, tentou sem sucesso cometer suicídio. Mesmo antes desses acontecimentos, um nazista austríaco havia reclamado que, "no geral, o austríaco é um incapaz como organizador. Na área de organização ele precisa da ajuda prussiana!... Sem o poder de organização prussiano sempre haverá um caos nos momentos decisivos". O golpe sangrento, mas grotesco, pareceu corroborá-lo. Dali em diante, Schuschnigg teve condições de reconstruir a ditadura clerical--fascista sobre uma base mais firme, refreando as Brigadas de Defesa Doméstica e mandando os nazistas para o submundo, de onde continuaram a cometer atos de violência e sabotagem contra as instituições, por enquanto sem muito efeito.[18]

Hitler sem dúvida soube desses eventos de antemão. A SS austríaca tinha passado por treinamento para o golpe no campo de concentração de Dachau. Depois do banimento do Partido Nazista austríaco em junho de 1933, o doutor Theo Habicht, um deputado do Reichstag alemão que Hitler nomeara para liderar os nazistas austríacos, havia organizado suas atividades clandestinas do exílio em Munique. Ele despejou propaganda antissemita clandestina na Áustria, acusando Dollfuss de presidir um regime comandado por judeus. Foi no apartamento de Habicht em Munique que as lideranças nazistas austríacas reuniram-se brevemente antes do golpe para finalizar os preparativos. Ele contou a Hitler o que estava sendo planejado, e Hitler deu sua bênção para um levante geral – embora na crença, evidentemente inspirada pelo otimismo exagerado de Habicht na ocasião, de que o Exército austríaco apoiaria o golpe. Do exílio em Munique, Habicht na realidade estava mal informado sobre o verdadeiro estado dos acontecimentos na Áustria. Não só o golpe fracassou e o Exército ficou ao lado do governo, como Mussolini deslocou suas tropas para o passo de Brenner e deixou muitíssimo claro que interviria em favor do governo da Áustria se a situação saísse de controle. Hitler ficou fora de si de raiva e constrangimento. Em meio a garantias de desaprovação que não convenceram ninguém, demitiu Habicht e fechou o escritório do Partido Nazista austríaco em Munique.[19]

Sob um aspecto, porém, a catástrofe proporcionou uma oportunidade. Tamanha era a gravidade do rompimento de relações com a vizinha da

Alemanha, disse Hitler ao vice-chanceler von Papen, ainda sob efetiva prisão domiciliar depois da "Noite das Facas Longas", que exigia um homem de Estado de gabarito para aplainar a situação: como amigo pessoal do chanceler austríaco assassinado e conhecido homem de Estado católico, Papen era a pessoa para jogar água na fervura das relações austro-alemãs. Assim, Hitler nomeou-o embaixador em Viena. Percebendo que não tinha escolha, Papen aceitou. A seu pedido, seu secretário, Günther von Tschirschky--Bögendorf, foi solto da prisão onde era mantido desde a ação de 30 de junho e o acompanhou à Áustria. O último político conservador de mente independente que restava no governo enfim estava fora do caminho – um subproduto inesperado do golpe mal administrado.[20]

III

O isolamento diplomático da Alemanha no inverno de 1934-35 parecia completo.[21] A única luz na escuridão foi proporcionada pelos resultados de um plebiscito realizado em 13 de janeiro de 1935 no pequeno território do Sarre, no lado oeste da Renânia. Nas negociações de paz em 1919, os franceses, que evidentemente esperavam ter condições de desligar o Sarre da Alemanha no devido tempo, foram encarregados pela Liga das Nações de administrá-lo, com o compromisso de que passados quinze anos seria realizado um referendo para dar aos habitantes da região a decisão final sobre a qual país queriam pertencer. Os quinze anos foram completados no final de 1934. Para começar, os cidadãos do Sarre, basicamente de língua alemã, jamais quiseram ser separados da Alemanha: 445 mil deles, quase 91% dos que depositaram seu voto nas urnas, expressaram devidamente o desejo de se tornar cidadãos do Terceiro Reich. Eles o fizeram por uma série de motivos. A perspectiva de viver como uma minoria de língua alemã na França não era atraente: na Alsácia-Lorena, as autoridades francesas tinham ido longe para tentar suprimir a língua e a cultura alemãs dos habitantes e discriminado intensamente aqueles que permaneceram leais à sua herança. No Sarre também os governantes franceses haviam sido inábeis e aproveitadores. Eram vistos de forma quase universal não como democratas, mas como imperialistas. Na Alemanha, as relações entre nazistas e católicos nesse estágio ainda não haviam se deteriorado a ponto de a Igreja Católica, representando a maioria da população do Sarre, achar necessário aconselhar a continuação do *statu quo,* e menos ainda adesão à França, onde o Partido Comunista parecia ganhar força constantemente. Para encorajar os padres católicos a aconselhar seus rebanhos a votar a favor da Alemanha, os nazistas baixaram o tom da propaganda anticatólica na reta final do plebiscito. O clero, devidamente agradecido, concedeu seu apoio.[22]

Além disso, quando o Partido de Centro dissolveu-se voluntariamente na Alemanha em 1933 como permuta para a Concordata, fez o mesmo também no Sarre, embora não fosse estritamente necessário. Ao longo de toda a década de 1920, o partido fez vigorosa campanha pela volta do Sarre para a Alemanha – de fato, todo partido político do Sarre fez o mesmo – e em junho de 1934 juntou forças com os nazistas e os remanescentes dos nacionalistas e de outros partidos para lutar pelo "sim" em uma "Frente Alemã" unificada que se mostrava aos eleitores como estando acima da política. Apenas os comunistas e social-democratas permaneceram de fora, mas, visto que também haviam lutado pela reunificação durante muitos anos, a súbita retratação confundiu seus defensores e foi considerada sincera por poucos. De fato, até esse ponto, os rituais patrióticos, memoriais de guerra para os mortos alemães, festivais nacionais e muito mais, apoiados financeiramente e de outras maneiras por entusiastas nacionalistas dentro da Alemanha, tinham atuado para fortalecer a consciência nacional alemã no Sarre. O efeito não seria apagado em uns poucos anos. O Partido Nazista da Alemanha também ofereceu uma variedade de incentivos materiais para a população do Sarre, enviando o Auxílio de Inverno através da fronteira para socorrer os necessitados, concedendo para professores e outros empregados estatais a pensão superior e outros acertos financeiros que podiam ser obtidos na Alemanha, e contrastando a recuperação econômica do Reich com a Depressão que se aprofundava rapidamente na França. O Ministério da Propaganda de Goebbels alardeava propaganda pelo rádio alemão e exportava grande quantidade dos baratos Receptores do Povo para o Sarre para ajudar a população a receber a mensagem. As gráficas da Renânia imprimiram milhões de folhetos que em breve eram lidos por todo o Sarre; 80 mil pôsteres foram para a região incitando o povo a votar pela Alemanha. Realizaram-se 1,5 mil eventos públicos para ajudar a convencer as pessoas sobre a justeza da reunificação. Para a votação em si, 47 mil nativos do Sarre que viviam na Alemanha foram levados lá para depositar seu voto, fortalecendo ainda mais o apoio dos nacionalistas. Comparada a isso, a campanha contra a reunificação mal existiu e foi aleijada por divisões internas entre fazer campanha pela manutenção do *statu quo* ou pela incorporação à França.[23]

Em muitas partes do Sarre, o Partido Nazista local exerceu poderosa intimidação e violência nos bastidores para impedir a oposição de votar contra a reunificação com a Alemanha. O terror deflagrado lembrou o dos primeiros meses de 1933 na Alemanha. Os encontros social-democratas foram interrompidos por camisas-pardas brandindo barras de aço. Pessoas que distribuíam propaganda contra a reunificação foram surradas com cassetetes de borracha ou mesmo baleadas. *Pubs* antifascistas foram atacados e tiveram as janelas estilhaçadas com uma saraivada de balas. Os encontros da oposição eram transformados em tumultos. A atmosfera era semelhante à de guerra civil, conforme observou um habitante. A polícia local ficou de fora enquanto tudo prosseguia. À medida que unidades da SS eram enviadas para a região e ajudavam a ampliar o terror, rumores plantados pela campanha do "sim" levavam os eleitores a crer que o pleito não seria secreto, sugestão bastante plausível em vista do que vinha acontecendo nos plebiscitos e eleições da Alemanha. Foram lançadas fortes insinuações de que quem votasse "não" seria removido para campos de concentração quando os alemães chegassem. Em especial nas pequenas comunidades, a identidade dos comunistas e social-democratas locais geralmente era conhecida, de modo que os antinazistas estavam cientes de que não se tratava de uma ameaça vã. Os monitores internacionais indicados para supervisionar o plebiscito admitiram que a campanha era violenta e exigiram o fim do terror, mas seus soldados locais eram comandados por oficiais fortemente hostis aos comunistas e social-democratas, e por isso não agiram.[24] Não é de surpreender que a maioria dos antigos eleitores comunistas e social-democratas tenha decidido que a unidade com a Alemanha seria o melhor; eles não haviam vivenciado a realidade da vida no Terceiro Reich, e sua identidade nacional como alemães era forte. O movimento operário sempre fora fraco no Sarre, onde, conforme notou um sindicalista alemão, o Estado prussiano fora um importante empregador, colocando os mineiros na linha e disciplinando os dissidentes, e os grandes industriais haviam exercido uma enorme influência. "A população do Sarre", concluiu ele resignado, "está entre a população mais retrógrada da Alemanha em termos políticos".[25] Permanece a dúvida sobre o quão possível é tirar conclusões gerais do plebiscito a respeito da atitude da maioria dos alemães em relação ao Terceiro Reich, em especial devido ao pequeno tamanho da população e sua peculiar cultura política como região de fronteira. Para a maioria dos nativos do Sarre, o voto foi "sim" para a Alemanha, independentemente de Hitler e dos nazistas.[26]

Sob pressão, o governo de Berlim havia sido obrigado a prometer que as leis e práticas alemãs só seriam introduzidas de modo gradual no Sarre, e que os judeus em particular não seriam expostos ao tipo de violência que se tornara comum no Reich desde o final de janeiro de 1933. Entretanto, não demorou muito para a população do Sarre começar a experimentar a realidade da vida no Terceiro Reich. Aventureiros políticos "prussianos" entraram em cena para assumir gabinetes e empregos, a Gestapo montou sua sede no antigo prédio do sindicato, e pessoas suspeitas de simpatia pró-França foram despachadas de seus empregos sem cerimônia. Comunistas e social-democratas de destaque fugiram do país sem demora. A massa de habitantes comuns sem dúvida jamais desejou votar em nada além da reunificação, mas mesmo assim esta fracassou em trazer as melhorias imediatas que haviam sido prometidas. O desemprego não sumiu da noite para o dia, e a escassez de alimentos logo começou a afetar a região. De início, os judeus da região tiveram permissão para emigrar em termos mais favoráveis que os oferecidos no restante da Alemanha, mas a partir de setembro de 1935, com a promulgação das Leis de Nuremberg, ficaram expostos aos plenos rigores do antissemitismo nazista. Houve murmúrios, até greves, mas não uma resistência verdadeira: as condições naquela sociedade amplamente rural e de cidadezinhas, com sua fraca tradição de movimento operário, tornavam tal procedimento praticamente impossível.[27] Só em 1938 a recuperação econômica, alimentada pelo rearmamento, começou a conciliar o povo do Sarre com sua sorte, e a avalanche contínua de propaganda vinda de Berlim, a nazificação da educação e o alistamento compulsório na Juventude Hitlerista começaram a difundir a aceitação do Terceiro Reich, em especial entre os jovens da região.²⁸

Tudo ainda estava para acontecer quando, em 1º de março de 1935, o dia formal da incorporação, Hitler falou em Saarbrücken de sua alegria pela decisão do povo do Sarre. Era um grande dia para a Alemanha, disse ele, e um grande dia para a Europa. Mostrava o poder e a popularidade do Terceiro Reich e de suas ideias entre todos os alemães. "No fim", ele proclamou, "o sangue é mais forte que quaisquer documentos de mero papel. O que a tinta escreveu será um dia borrado pelo sangue". As implicações para minorias de língua alemã em outros países europeus, notadamente Polônia e Tchecoslováquia, eram inequívocas.²⁹ A professora escolar Luise Solmitz, de Hamburgo, celebrou o "Dia do Regresso do Sarre ao Lar" hasteando sua velha bandeira imperial negra-branca-vermelha pela última vez antes de desfraldar a nova, decorada com a suástica, acima de sua casa.³⁰ Por toda a Alemanha tremularam bandeiras celebrando o evento. De modo semelhante, a votação disseminou o desânimo entre a oposição clandestina social-democrata e comunista e deu novo impulso à autoconfiança do baixo escalão nazista.³¹

Também injetou no Líder alemão uma nova audácia para os assuntos internacionais. Hitler tinha cada vez menos condições de esconder do mundo o ritmo ou a extensão do rearmamento, e o plebiscito do Sarre de fato proporcionou o estímulo para novas exigências dos militares que seriam completamente impossíveis de manter longe de olhos curiosos no exterior caso fossem levadas a cabo. O sucesso do plebiscito do Sarre parece ter incitado Hitler a anunciar a existência de uma Força Aérea alemã e a introdução do alistamento militar em 16 de março de 1935. O Exército seria expandido para mais de meio milhão de homens, cinco vezes o tamanho permitido pelo Tratado de Versalhes, disse ele. O dia seguinte viu uma grandiosa parada militar em Berlim, na qual o ministro da Defesa, general Werner von Blomberg, anunciou que a Alemanha estava prestes a tomar de novo seu lugar de direito entre as nações do mundo.³² Naturalmente, Hitler assegurou a todo o mundo que tudo que a Alemanha queria era a paz. Muitos dos simpatizantes de classe média acreditaram nele. "Temos recrutamento geral de novo!", escreveu Luise Solmitz triunfante em seu diário:

O dia pelo qual ansiamos desde a desgraça de 1918... Pela manhã a França tinha no bolso o seu muito combatido período de serviço militar de dois anos, à noite tínhamos o alistamento geral como resposta. Jamais teríamos vivenciado Versalhes se tais ações tivessem sido tomadas, tais respostas dadas sempre... O recrutamento geral vai servir não à guerra, mas à manutenção da paz. Pois um país indefeso em meio a povos fortemente armados há de ser necessariamente um convite e encorajamento a maus-tratos, bem como um território sobre o qual marchar ou para pilhar. Não esquecemos a invasão do Ruhr.[33]

Quando foi feito o anúncio formal pelo rádio, Luise Solmitz reportou: "Fiquei de pé. Aquilo me arrebatou, o momento foi grandioso demais. Tive que ouvir de pé".[34]

Mas o anúncio também deflagrou ampla ansiedade entre muitos alemães, em especial aqueles que haviam vivenciado a Primeira Guerra Mundial. Muitos jovens padeceram diante da perspectiva de ser alistados depois de passar muitos meses fazendo serviço compulsório. Ao mesmo tempo, contudo, alguns trabalhadores mais velhos saudaram o alívio que a medida daria à situação do desemprego. E, acompanhando o que um relatório chamou de "uma verdadeira psicose de guerra particularmente forte" e geral, com frequência nas mesmas pessoas, também havia uma sensação disseminada de satisfação porque a Alemanha enfim estava conquistando o respeito internacional outra vez. "Não há dúvida", relatou um agente social-democrata na Renânia-Westfália, "de que o martelar perpétuo sobre a igualdade entre honra e liberdade alemã teve um efeito profundo nas fileiras da classe operária antes marxista e causou confusão por lá".[35]

A reação internacional foi moderadora. Os governos britânico, francês e italiano reagiram reunindo-se em Stresa, na Itália, em 11 de abril de 1935, e declarando a determinação de defender a integridade da Áustria contra a ameaça alemã óbvia desde julho de 1934 e que agora parecia assomar outra vez. Menos de uma semana depois, a Liga das Nações censurou formalmente o programa de rearmamento da Alemanha. Pouco depois, a França concluiu um acordo com a União Soviética. Esses movimentos tiveram mais efeito retórico do que uma influência real. A continuação da política de negociações bilaterais com países em separado começou com o pacto polonês. Hitler vinha discutindo um acordo naval com os britânicos desde novembro de 1934. Ele percebeu que levaria muito tempo antes que a frota alemã em processo de renascimento pudesse igualar o tamanho da enorme Marinha britânica, e, por enquanto, ele queria tranquilizar de qualquer maneira os britânicos, de modo que não interferissem na conquista da hegemonia continental pela Alemanha. Mais adiante, conforme ele disse ao chefe da Marinha, almirante Raeder, em junho de 1934, a armada poderia ser construída na potência máxima e voltada contra a Grã-Bretanha, conforme Raeder e seus oficiais sonhavam; mas não agora. Hitler combinou suas garantias aos britânicos com ameaças. Ele advertiu aos negociadores britânicos que o rearmamento alemão estava bem adiantado, em especial no poder aéreo (muito mais do que de fato estava). A longo prazo, a Alemanha precisaria de colônias para expandir seu espaço vital (uma ameaça pouquíssimo velada ao vasto império britânico). Mas Hitler declarou que sua opção preferida era dar o primeiro passo por essa via junto com a Grã-Bretanha, em vez de contra, na esperança de aplainar as coisas mais adiante. Os britânicos, percebendo que não fariam a Alemanha voltar para a Liga das Nações e preocupados com o crescente poderio naval do Japão, concordaram com o que pareceram termos perfeitamente razoáveis, e em 18 de junho de 1935 foi assinado um Acordo Naval Anglo-Alemão, permitindo aos alemães desenvolver sua Marinha em até 35% do poderio da armada britânica e ficar em igualdade com os britânicos no número de submarinos. Isso contrabalançou o acordo de Stresa, concluído poucos meses antes, e foi um importante triunfo diplomático para Hitler.[36]

A equipe de negociações em Londres foi liderada por um homem que logo se juntaria aos líderes nazistas de primeira linha: Joachim von Ribbentrop. Nascido na Renânia em 1893, filho de um soldado profissional de origem burguesa, Ribbentrop graduou-se no colégio e, em vez de ir para a universidade, passou um tempo em uma série de empregos na Grã--Bretanha, no Canadá e na Suíça Francesa, adquirindo boa fluência em inglês e francês e fazendo vários contatos que se mostrariam úteis mais adiante. Serviu nas frentes ocidental e oriental da Primeira Guerra Mundial e recebeu a Cruz de Ferro por bravura. No final da guerra, estava na missão militar prussiana em Constantinopla, depois foi designado para a equipe militar dos preparativos para a Conferência de Paz. Assim, as viagens e atividades diplomáticas de Ribbentrop já haviam despertado nele um forte interesse por assuntos de relações internacionais na época em que deixou o Exército em 1919. Mas de início ele voltou para os negócios – primeiro algodão, depois comércio de bebidas, por intermédio do casamento com Annelies Henkell, filha de um conhecido fabricante de *sekt,* um vinho espumante alemão. O casamento proporcionou a ele segurança financeira e uma *entrée* na alta sociedade. Ao se fazer adotar por uma tia do ramo aristocrático da família, ele conseguiu adicionar o prefixo nobre "von" ao nome. Mas o tiro saiu pela culatra. Circularam boatos de que ele pagou à tia pelo serviço. Além do mais, alguns observaram que, embora a complicada legislação de adoção regendo sua escolha tratasse o "von" como parte do nome do pai adotivo e transferível para o filho adotivo, ao mesmo tempo frisava que a transferência do prefixo nobre de forma alguma transferia o *status* de nobreza para o adotado. O incidente foi típico tanto da presunção social de Ribbentrop quanto de sua inépcia social: na Londres da década de 1930, ele às vezes era chamado de "von Ribbensnob".[37]

Ribbentrop estava longe de ser um nazista de primeira hora. Durante a maior parte da República de Weimar ele compartilhou o ódio da maioria dos alemães de classe média pelo Acordo de Paz, desprezou o sistema parlamentar e ficou consideravelmente alarmado com a ameaça do comunismo, mas não gravitou para a extrema direita até 1932. Como membro do elegante *Herrenclub,* o clube de cavalheiros de Berlim frequentado pela aristocracia, inclusive Papen e seus amigos, Ribbentrop conheceu Hitler e envolveu-se nas complexas negociações que por fim levaram à sua nomeação como chanceler do Reich em janeiro de 1933. Para o provinciano Hitler, Ribbentrop, assim como Putzi Hanfstaengl, velho amigo íntimo do Líder nazista, parecia um homem do mundo, experiente em viagens ao exterior, poliglota, conhecedor da vida social. Hitler começou a usá-lo em missões diplomáticas especiais, ignorando o Ministério de Relações Exteriores, conservador e limitado pela rotina. Indubitavelmente com a aprovação de Hitler, Ribbentrop montou um gabinete próprio independente, no estilo do escritório de Alfred Rosenberg, para desenvolver e influenciar a política de relações exteriores. Não demorou muito e tinha uma equipe de 150 pessoas engajadas em uma espécie de guerrilha institucional com os mandarins do Ministério de Relações Exteriores. O sucesso de Ribbentrop ao negociar o Acordo Naval Anglo-Alemão conferiu-lhe a reputação de se dar bem com os britânicos, e no fim do verão de 1936 Hitler nomeou-o embaixador em Londres, com a missão de melhorar ainda mais as relações e, se possível, produzir uma aliança anglo-alemã.[38]

Infelizmente, tudo isso foi de algum modo um mal-entendido. O estilo de diplomacia de Ribbentrop – brusco, peremptório, autoritário – pode ter agradado a Hitler, mas não caiu bem entre os diplomatas, e em Londres o novo embaixador logo adquiriu outro apelido derrisório: "von Brickendrop".* Pouco depois ele fervia de ressentimento com supostas desfeitas da alta sociedade britânica. Muitas dessas eram de autoria dele mesmo. Um ponto baixo foi atingido em uma recepção na corte em 1937, quando ele chocou o tímido e gago rei George VI saudando-o com o bater de calcanhares e a saudação nazista. Na verdade, Ribbentrop não gostava em absoluto da Grã-Bretanha e dos britânicos. Quando Sir John Simon, o secretário de Relações Exteriores britânico, expressou seu prazer durante as negociações navais diante da franqueza incomum de Ribbentrop, ele provavelmente não estava fazendo um cumprimento. Ribbentrop não queria o posto em Londres, demorou três meses para assumi-lo e voltava para Berlim com tanta frequência que a revista humorística *Punch*, de Londres, chamou-o de "o Ariano Errante". Odiado e desprezado pelos "velhos combatentes" da liderança nazista, inclusive Goebbels e Göring, que se ressentiam da influência exercida por aquele recém-chegado, Ribbentrop precisava manter-se presente em Berlim para não ficar marginalizado. Mas não deixava de ter influência sobre o próprio Hitler. Ele bombardeava Hitler com despachos de Londres proclamando a total incompatibilidade das metas britânicas e alemãs no mundo e prevendo no fim uma guerra entre as duas potências. Ao mesmo tempo, porém, considerava os britânicos fracos e vacilantes, de modo que repetidamente disse a Hitler para não levar muito a sério a possibilidade de

---

* Algo como "Quebra-Tijolo". (N. T.)

uma intervenção britânica na Europa. Hitler ouviu-o. Mas, no fim, esse também se revelou um mau conselho.[39]

IV

De início, porém, tudo pareceu bastante plausível. Pois, ali pelo final de 1935, a situação internacional na Europa havia começado a sofrer uma série de mudanças drásticas. Primeiro, em outubro de 1935, Mussolini lançou uma invasão sobre a Abissínia, o último grande Estado africano que permanecia não colonizado, na busca do sonho de criar um novo Império Romano e vingar a derrota humilhante do Exército italiano por forças etíopes na batalha de Adowa em 1916. Os exércitos feudais heterogêneos do imperador etíope Hailé Selassié não foram páreo para as legiões mecanizadas dos italianos. A curta guerra demonstrou, talvez pela primeira vez, o potencial mortífero da supremacia aérea. Sem qualquer oposição séria, os aviões italianos destruíram as forças etíopes por meio de bombardeio incessante, usando não só altos explosivos para destruir a cavalaria em formação ostentosa, mas também gás tóxico para aniquilar os pouco disciplinados soldados da infantaria. Não houve peleja. Mas a Abissínia era um vasto país, e demorou para as forças italianas penetrarem em seu interior e colocá-lo sob ocupação. Hailé Selassié fez uma jornada dramática até Genebra, onde obteve ampla solidariedade com um comovente pedido de socorro à Liga das Nações. De sua parte, Mussolini havia suposto que franceses e britânicos não interviriam, mas a opinião pública forçou a mão sobre o novo secretário de Relações Exteriores britânico, Anthony Eden, que cedeu seu apoio à imposição de sanções econômicas à Itália pela Liga. Subitamente isolado, o ditador italiano, incitado por seu enteado pró-Alemanha Galeazzo Ciano, voltou-se para Hitler em busca de ajuda.[40]

Hitler viu essa como uma oportunidade de romper o isolamento diplomático da Alemanha. O assassinato de Dollfuss havia marcado um ponto baixo em suas relações com Mussolini, que ainda admirava imensamente e de quem havia tirado muitas ideias.[41] As coisas então começaram a melhorar. Entretanto, o Ministério de Relações Exteriores alemão ainda estava profundamente desconfiado dos motivos italianos. Convocando o embaixador alemão em Roma, Ulrich von Hassell, a Berlim, Hitler disse-lhe, na presença do ministro de Relações Exteriores Neurath, que estava na hora de considerar as tensões de 1934 como um "capítulo encerrado" e ir em socorro da Itália. "Devemos fazer de tudo", disse ele, "para evitar que os oponentes do sistema de governo autoritário em todo o mundo concentrem-se em nós como seu objeto único". Se o fascismo italiano fosse destruído, a Alemanha ficaria sozinha. Assim sendo, embora permanecesse formalmente neutra quanto à questão abissínia, a Alemanha recusou-se a impor sanções à Itália e levou os negócios da forma usual. Grato por esse apoio, Mussolini fez Hitler saber que dali em diante, no que lhe dizia respeito, a Áustria estava dentro da esfera de influência alemã. O acordo de Stresa, disse ele a von Hassell, estava morto.[42] Em todo caso, as sanções mostraram-se totalmente ineficazes. Os italianos forçaram a guerra adiante até uma conclusão bem-sucedida em maio de 1936, enquanto Grã-Bretanha, França e a Liga continuaram a matraquear e se agitar. Esses acontecimentos selaram o destino da Liga, cuja ineficiência agora era palpável. Também convenceram Hitler e Mussolini de que nada tinham a temer da Grã-Bretanha e da França. Em termos mais imediatos, a vitória italiana pareceu proporcionar evidência concreta de que a supremacia aérea era a chave para o sucesso militar. Os britânicos, que até então haviam dominado o Mediterrâneo graças ao poder naval, pareceram subitamente vulneráveis. Para cimentar a nova amizade com a Alemanha, Mussolini despediu seu ministro de Relações Exteriores pró-França e substituiu-o por Ciano em 9 de junho de 1936.[43]

Àquela altura, a posição da França na Europa havia se enfraquecido de modo dramático, fazendo uma aliança parecer menos atraente para os italianos. Britânicos e franceses não haviam chegado a um acordo quanto à reação à guerra etíope. Os tumultos políticos internos na França que culminaram com a vitória eleitoral da Frente Popular em maio de 1936 pareceram focar a atenção dos políticos franceses na cena doméstica. A comunidade internacional havia exibido uma incapacidade total em coibir o imperialismo italiano. E a reaproximação italiana da Alemanha aumentou a liberdade de ação alemã. Todos esses fatores juntaram-se para convencer Hitler de que França e Grã-Bretanha não tentariam impedir o

Exército alemão de marchar para a Renânia. A parte ocidental da Alemanha permanecia uma zona desmilitarizada, conforme as cláusulas do Tratado de Versalhes, mesmo depois da partida das forças de ocupação anglo-francesas no final da década de 1920. Hitler havia se safado ao sair da Liga das Nações. Havia se safado ao anunciar o rearmamento alemão. E a situação doméstica na Alemanha estava tão ruim na primavera de 1936, com escassez de alimentos, agravamento do conflito com a Igreja Católica e reclamações e descontentamento gerais, que se fazia muitíssimo necessário um golpe diplomático para animar o povo. Hitler já havia obtido garantias da liderança do Exército de que podia ser feito. Havia-se concordado que era preciso estabelecer defesas apropriadas no oeste. Todavia, Blomberg e os generais importantes estavam extremamente nervosos, percebendo que o Exército ainda não era páreo para os franceses, caso estes decidissem agir. Até Hitler hesitou, plenamente cônscio do risco que estava correndo. No começo de março, encorajado por Ribbentrop no momento crítico, ele se decidiu. A ratificação iminente do Pacto Franco--Soviético pela Câmara de Deputados francesa proporcionaria o pretexto. As unidades do Exército alemão que marchassem para a Renânia seriam reforçadas por unidades da polícia para parecer mais numerosas do que realmente eram. Toda a operação seria preparada no maior segredo, com as tropas deslocando-se para as posições pré-combinadas da noite para o dia. Até mesmo o gabinete não seria informado, a não ser no último minuto.[44]

Em 7 de março de 1936, Hitler apareceu no Reichstag, convocado em cima da hora para uma sessão na Casa de Ópera Kroll ao meio-dia. Quando ele ergueu-se para falar, as tropas alemãs já marchavam para a zona desmilitarizada desde a madrugada sem que os deputados soubessem; à uma da tarde chegaram ao rio. Hitler começou com uma longa diatribe contra o bolchevismo. Todavia, prosseguiu, os franceses recentemente haviam assinado um pacto com a União Soviética e o ratificado em 4 de março. Em vista disso, ele falou ao Reichstag, a Alemanha não mais se sentia restringida pelo Pacto de Locarno de 1925, que regulava suas relações com a França. O jornalista norte-americano William L. Shirer, que estava presente, observou as cenas de histeria que se sucederam:

Então os seiscentos deputados, todos eles indicações pessoais de Hitler, homenzinhos com corpanzil, pescoço grosso, cabelo à escovinha, barriga saliente, de uniforme marrom e botas pesadas, homenzinhos de barro em suas mãos hábeis, pulam em pé como autômatos, o braço direito estendido na saudação nazista, e gritam "*Heil*"... Hitler ergue a mão pedindo silêncio... Diz em voz grave e ressonante: "Homens do Reichstag alemão!". O silêncio é total. "Nesse momento histórico, quando as tropas alemãs das províncias do oeste do Reich marcham para o futuro, guarnições de tempos de paz, unimo-nos todos em dois juramentos sagrados." Ele não pôde ir adiante. É uma novidade para a turba "parlamentar" histérica que os soldados alemães já estão se deslocando para a Renânia... Eles saltam em pé, berrando e gritando... As mãos erguidas em saudação submissa, os rostos agora contorcidos pela histeria, as bocas escancaradas, gritando, gritando, os olhos ardendo de fanatismo, grudados no novo deus, no Messias.[45]

De forma característica, os dois votos feitos por Hitler foram que por um lado a Alemanha jamais cederia à força e que lutaria pela paz pelo outro. Como antes, declarou que a Alemanha não tinha exigências territoriais na Europa. E ofereceu uma série de pactos de paz para tranquilizar os vizinhos alemães. Tudo isso era mera retórica. Para sublinhar a importância do momento, também dissolveu o Reichstag e convocou eleições, combinadas com um plebiscito a respeito de sua ação, para 29 de março de 1936. O primeiro discurso da campanha, em 12 de março, foi proferido em Karlsruhe, às margens do Reno, pertinho da França.[46]

Os filmes de propaganda e as reportagens de imprensa alemães mostraram imagens de renanos extasiados recepcionando as tropas com saudações de Hitler e juncando seu trajeto com flores. Luise Solmitz escreveu:

Fui totalmente dominada pelos eventos da ocasião... Deleitei-me com nossos soldados marchando em frente, com a grandeza de Hitler e o poder de seu linguajar, a força daquele homem... Havíamos ansiado por aquele linguajar, aquela firmeza, enquanto a subversão imperava sobre nós junto com a Entente. Mas não havíamos ousado pensar em atos como aqueles. O Líder apresenta ao mundo um *fait accompli* atrás do outro... Se o mundo tivesse ouvido usarmos esse linguajar por 2 mil anos – teríamos precisado usá-lo apenas comedidamente, teríamos sido entendidos sempre e teríamos tido condições de nos poupar de muito sangue, muitas lágrimas, perdas de território e humilhação... Os relatos sobre o estado de espírito em todas as cidades falam sobre um júbilo sem precedente.[47]

Os observadores social-democratas, porém, contaram uma história diferente. "A ocupação da zona do Reno", reportou um agente, "supostamente foi saudada por toda a população com enorme júbilo. Mas relatórios de todo o oeste concordam que apenas os nazistas celebraram".[48]

Alguns empresários ficaram nitidamente contentes porque pensaram que as coisas iriam melhorar para eles. Em seu íntimo, a maioria das pessoas de fato aprovou a remilitarização. Os jovens em particular ficaram entusiasmados em alguns lugares. "Afinal de contas, é o nosso país", declarou um operário. "Por que não poderíamos ter nenhuma força militar ali?"[49] Mas também houve temor disseminado de que a ação levasse à guerra. Muitos militantes nazistas reagiram apontando as manifestações de intenção pacífica de Hitler. Apenas uns poucos alardearam que saudariam uma guerra.[50] As pessoas ficaram orgulhosas da recuperação da soberania nacional, mas ao mesmo tempo ficaram desesperadamente preocupadas com os perigos de uma guerra geral, com a perspectiva de bombardeio em massa de cidades alemãs e com uma repetição da morte e da destruição de 1914-18.[51] Os temores da maioria não diminuíram com as detalhadas precauções contra ataque aéreo que acompanharam a ação de remilitarização. "O povo", resumiu um agente social-democrata, "está muito tenso. Tem medo da guerra, visto que está claro para todo mundo que a Alemanha perderá essa guerra e então virá a derrocada".[52]

Em março de 1936, os alemães prenderam o fôlego enquanto 3 mil soldados marcharam para o interior da Renânia, apoiados por outros 30 mil que permaneceram próximos à margem oeste do rio. Caso os franceses tivessem optado por mandar suas tropas, os alemães teriam sido expulsos em poucas horas, a despeito da ordem de Hitler para que resistissem. Mas os franceses

Mapa 18. O plebiscito do Sarre e a remilitarização da Renânia, 1935-36

não o fizeram. Acreditando que a presença militar alemã fosse dez vezes maior do que na realidade era e debilitado pela ansiedade pública em relação a uma guerra no momento em que se avizinhava uma eleição geral, o governo francês optou pela inação. Sua posição foi apoiada pelos britânicos, que agiram rápido para conter qualquer reação precipitada. Afinal, o que havia acontecido era apenas a recuperação da soberania da Alemanha sobre seu próprio território, e ninguém achou que valesse a pena arriscar uma guerra geral. Àquela altura, ninguém considerava Hitler diferente dos chefes de Estado alemães anteriores, e esses jamais haviam escondido o desejo de deslocar tropas para dentro da Renânia outra vez. Na verdade, a indiferença pública em relação ao assunto na Grã-Bretanha foi tanta que o governo recusou-se até mesmo a apoiar a ideia de impor sanções da Liga das Nações à Alemanha pelo que de fato era uma quebra de acordos internacionais. Hitler havia feito sua maior aposta até então, e se saiu bem.[53] A experiência, confirmada por outra eleição e plebiscito manipulados, realizados em 29 de março de 1936, que produziram inevitáveis 98,9% a favor do Partido Nazista e das ações do governo, reafirmaram Hitler na crença de que ele não falharia. Convencido do mito de sua própria invencibilidade, ele começou então a acelerar o passo da marcha da Alemanha rumo à dominação europeia e à conquista do mundo. "Nem ameaças nem advertências", ele declarou em Munique em 14 de março de 1936, "vão me impedir de seguir meu caminho. Eu sigo a trilha designada pela Providência com a certeza instintiva de um sonâmbulo".[54]

Criando a Grande Alemanha

I

A remilitarização da Renânia alterou profundamente o equilíbrio das relações internacionais na Europa. Até ali, como fora deixado muitíssimo claro em 1923, os franceses eram potencialmente capazes de forçar obrigações à Alemanha marchando através do Reno e ocupando a maior região industrial do país, o Ruhr. Dali em diante, porém, não tinham mais condições de fazer isso. A posição francesa, a partir de 1936, era puramente defensiva. Deixou o Terceiro Reich com carta branca para agir contra os pequenos países do leste europeu. Chocados por um acontecimento que os deixou perigosamente vulneráveis, muitos deles, antes aliados da França, mexeram-se para tentar melhorar as relações com o Terceiro Reich. A Áustria sentiu-se particularmente em risco, dada a recém-descoberta amizade entre Alemanha e Itália.[55] Também não tardou para que o relacionamento de Hitler e Mussolini ficasse ainda mais íntimo. Pois, seguindo-se a uma vitória da esquerda nas eleições espanholas realizadas em fevereiro de 1936, oficiais de direita do Exército de várias partes do país lançaram um levante orquestrado em 17 de julho de 1936 para derrubar a república e criar uma ditadura militar. O levante fracassou em atingir seus objetivos na maioria das regiões do país, e em breve a Espanha estava mergulhada em uma desesperada e sangrenta guerra civil. Funcionários e empresários alemães na Espanha incitaram Hitler a apoiar os rebeldes, e uma das figuras de destaque do levante, o general Francisco Franco, apelou diretamente a Hitler em busca de ajuda. Esta não tardou a chegar.[56]

Antes mesmo do final de julho de 1936, aeronaves alemãs estavam na Espanha transportando forças rebeldes para frentes-chave e com isso ajudando a garantir que o levante não fracassasse. Desse começo modesto, a intervenção alemã logo atingiria proporções espantosas. Os principais motivos foram tanto militares quanto políticos. Quando a situação política na Espanha polarizou-se com intensidade inaudita, Hitler começou a se preocupar com a possibilidade de uma vitória republicana entregar o país às mãos de comunistas no momento em que o governo da Frente Popular, respaldado pelo Partido Comunista, acabara de chegar ao poder na França. Uma união entre os dois países criaria um sério obstáculo na Europa ocidental a seus planos de expansão e guerra no leste, em especial quando abrangesse a União Soviética, como finalmente aconteceria. Além disso, Hitler logo percebeu que a guerra proporcionaria o campo de provas ideal para as novas Forças Armadas e equipamentos alemães.[57] Em breve, Werner von Blomberg, o ministro alemão da Guerra, recém-promovido a marechal de campo, estava na Espanha dizendo a Franco que ele teria tropas e equipamentos se concordasse em promover a guerra com mais vigor do que havia exibido até então. Em novembro de 1936, 11 mil soldados alemães e equipe de apoio, providos de aeronaves, artilharia e blindados, desembarcaram em Cádiz. No fim do mês, o regime nacionalista havia sido reconhecido oficialmente como governo da Espanha pelo Terceiro Reich, e as forças alemãs foram organizadas como uma unidade efetiva sob o nome de Legião do Condor.[58]

Hitler e seus generais estavam certos de que a assistência alemã a Franco não poderia se expandir de forma indefinida sem atrair a hostilidade de outras potências europeias. Grã-Bretanha e França haviam concordado com uma política de não intervenção. Isso não impediu que suprimentos, em especial do Reino Unido, chegassem ao lado nacionalista, mas significava que, se era para se preservar a ficção da neutralidade geral, outras potências tinham que ter cuidado quanto à extensão em que intervinham. A assistência de Mussolini aos rebeldes foi bem maior que a de Hitler, mas houve a contraposição a ambas pelo auxílio dado ao lado republicano pela União Soviética. Voluntários de muitos países afluíram para a facção republicana para formar uma Brigada Internacional; um número bem menor foi lutar pelos franquistas. Nessa situação, evitar a escalada do conflito para uma guerra mais ampla pareceu ser do interesse de todos. Desse modo,

Hitler manteve a Legião Condor como uma força de combate relativamente pequena, ainda que altamente treinada e profissional.[59]

Entretanto, sob o comando do general Hugo Sperrle, a Legião Condor desempenhou papel significativo no esforço de guerra nacionalista. Em breve, a legião testava seus canhões antiaéreos de 88 milímetros contra os aviões republicanos. Mas a contribuição mais efetiva foi dada por seus bombardeiros, que tomaram parte em uma ofensiva combinada, empreendida sob o comando de Sperrle, no país basco. Em 31 de março de 1937, os aviões Junkers da legião bombardearam a indefesa cidade de Durango, matando 248 habitantes, inclusive vários padres e freiras, sendo essa a primeira cidade europeia submetida a bombardeio intensivo. Bem mais devastador, porém, foi o ataque que levaram a cabo, em conjunto com quatro novos e velozes bombardeiros Heinkel 111 e alguns caças Messerschmitt B-109 não testados, sobre a cidade de Guernica em 26 de abril de 1937. Quarenta e três aeronaves, inclusive um pequeno número de aviões italianos, despejaram noventa toneladas de explosivos incendiários e granadas *schrapnel* sobre a cidade, enquanto caças abriam fogo cerrado de metralhadoras contra habitantes e refugiados. A população da cidade, que normalmente não passava de 7 mil, estava inchada com refugiados, soldados republicanos em retirada e camponeses que participavam do dia da feira. Mais de 1,6 mil pessoas foram mortas e mais de oitocentas ficaram feridas. O centro da cidade foi arrasado. O ataque confirmou o temor disseminado pela Europa dos efeitos devastadores do bombardeio aéreo. Já um símbolo do assalto à identidade basca, Guernica adquiriu importância mundial por meio do artista espanhol pró-republicano exilado Pablo Picasso, que dedicou o mural que fora incumbido de produzir para a Feira Mundial de Paris a uma enorme pintura, *Guernica*, retratando com poder singular e duradouro os sofrimentos da cidade e de seu povo.[60]

O furor internacional provocado pelo ataque levou alemães e nacionalistas espanhóis a negar qualquer responsabilidade. Durante anos afirmaram que os bascos haviam explodido sua própria cidade.[61] Em caráter privado, o coronel Wolfram von Richthofen, que organizara o ataque, concluiu com satisfação que os novos aviões e bombas haviam mostrado sua eficiência, embora não ficasse nada satisfeito com o fracasso dos generais nacionalistas espanhóis em dar seguimento ao ataque com um golpe decisivo contra os oponentes bascos.⁶² Mas a Legião Condor não repetiu o experimento mortífero. Mais adiante, sua oferta de usar tanques rápidos na fase conclusiva da guerra foi vetada pelo tradicionalista Franco. Todavia, graças à ajuda, aos recursos e estratégia superiores de alemães e italianos, à unidade interna e à neutralidade internacional, os franquistas consumaram sua vitória no final de março de 1939. Em 18 de maio de 1939, liderada por Richthofen, a legião marchou orgulhosa diante de Franco no desfile da vitória final em Madri.⁶³ Mais uma vez, a inércia internacional deu rédea solta a Hitler. A Guerra Civil Espanhola deu mais um exemplo para ele da pusilanimidade da Grã-Bretanha e da França e, assim, foi um encorajamento para que ele agisse mais rapidamente na realização de seus intentos. Pelo menos nesse sentido, o conflito espanhol acelerou a derrocada para a guerra.⁶⁴

De forma mais imediata, porém, cimentou a aliança entre Hitler e Mussolini. Já em setembro de 1936, Hans Frank visitou Roma para dar início a negociações, e, no mês seguinte, o ministro de Relações Exteriores italiano, Ciano, foi à Alemanha para assinar um acordo secreto com Hitler. Em novembro de 1936, Mussolini referia-se abertamente a um "Eixo Roma-Berlim". Ambas as potências concordaram em respeitar as ambições uma da outra e se aliar contra a república espanhola. Ao mesmo tempo, pelas costas do Ministério de Relações Exteriores, Hitler fez arranjos para que o gabinete de Ribbentrop concluísse um Pacto Anticomintern com o Japão, empenhando ambos em uma aliança defensiva contra a União Soviética. Naquele momento, era ainda algo de pouco valor, mas, junto com o Eixo Roma-Berlim, completou o elenco de potências revisionistas e expansionistas que assumiria um formato devastador durante a Segunda Guerra Mundial.⁶⁵ A tentativa de trazer a Grã-Bretanha para o Pacto Anticomintern, iniciada com a indicação de Ribbentrop como embaixador em Londres em agosto de 1936, jamais teve probabilidade de êxito; afundou quase de imediato na falta de tato do novo enviado e seu uso da ameaça de solapamento do império ultramarino britânico como instrumento de chantagem – uma ameaça levada muitíssimo a sério pelos britânicos. Além disso, no que dizia respeito a Hitler àquela altura, nada menos que um arranjo global com o Reino Unido teria valido o preço de indispor-se com os italianos, dada a substancial presença britânica no Mediterrâneo. Ele não abandonou a ideia de algum tipo de acordo com os britânicos e continuou a acreditar que o Reino Unido ficaria à parte dos acontecimentos na Europa, fosse qual fosse o desenrolar. Naquele momento, contudo, essas maquinações estavam em segundo plano na busca de suas metas imediatas no continente europeu.[66]

II

Essas metas estavam consideravelmente próximas da realização na segunda metade de 1936. O Plano de Quatro Anos, projetado a fim de alavancar o poder militar da Alemanha rápido o bastante para empreender uma guerra geral no início da década de 1940, estava em andamento. O Eixo Roma-Berlim, o Pacto Anticomintern, a bem-sucedida execução da Guerra Civil Espanhola e a tendência de apaziguamento do governo britânico ajudaram a convencer Hitler de que poderia acelerar o passo de sua política externa até mesmo na ausência de uma aliança britânica. Foi com esse ânimo que Hitler presidiu a conferência com Blomberg, Fritsch, Göring, Neurath e Raeder em 5 de novembro de 1937, quando o coronel Hossbach registrou a intenção do Líder nazista de empreender uma ação militar contra Áustria e Tchecoslováquia em um futuro não muito distante.[67] Mas, àquela altura, Hitler tinha começado a sentir que seria tolhido pelo obstrucionismo e falta de entusiasmo de alguns de seus lacaios. No inverno de 1937-38, ele começou a substituí-los por homens que estivessem mais dispostos a seguir em passo acelerado rumo à guerra. O que aconteceu foi que vários líderes militares de alta patente, apoiados por simpatizantes no Ministério de Relações Exteriores, haviam ficado extremamente alarmados com o afã cada vez mais impaciente de Hitler para a guerra. A Alemanha poderia ter condições de tomar a Áustria e possivelmente a Tchecoslováquia, mas, na opinião desse grupo, a situação dos preparativos militares estava longe de deixar o país pronto para uma guerra com Grã-Bretanha e França caso a ação militar no leste europeu e na Europa central deflagrasse um conflito geral. O ministro da Guerra, marechal de campo Werner von Blomberg; o ministro de Relações Exteriores, Konstantin von Neurath; e o comandante em chefe do

Exército, Werner von Fritsch, expressaram sérias dúvidas após a reunião de novembro de 1937. O chefe do Estado-Maior Geral do Exército, general Ludwig Beck, ficou ainda mais alarmado e expressou consternação diante da irresponsabilidade de Hitler. Todos esses homens acreditavam que uma guerra geral era tanto inevitável quanto desejável, mas também estavam convencidos de que lançá-la naquele momento seria perigosamente prematuro.[68]

No início de 1938, a oportunidade de agir apresentou-se a Hitler na forma de um escândalo inesperado. Em 12 de janeiro de 1938, Blomberg, um viúvo solitário, casou-se com uma mulher 35 anos mais jovem. Ele a conheceu quando caminhava pelo Tiergarten em Berlim. A nova esposa de Blomberg, Margarethe Gruhn, era uma moça simples de origem humilde. Hitler aprovou a união por mostrar a irrelevância da distinção social no Terceiro Reich. Assim, concordou em ser padrinho na cerimônia de casamento. Mas a origem de Gruhn na realidade estava longe de ser simples. Um telefonema anônimo informou Fritsch de que certa vez ela havia sido fichada pela polícia como prostituta, posara para fotos pornográficas e fora condenada por furtar um cliente. A polícia confirmou sua identidade. Em 24 de janeiro, Göring sentiu-se obrigado a mostrar a ficha policial de Gruhn para Hitler. Alarmado com o ridículo a que seria exposto caso se tornasse conhecido que ele fora testemunha do casamento de uma ex-prostituta, Hitler mergulhou em depressão profunda, incapaz de dormir. Como era típico, a situação ficou ainda pior para ele com a revelação de que as fotos pornográficas haviam sido tiradas por um judeu com quem Gruhn vivia na época. Era a pior crise do regime desde o caso Röhm, escreveu Goebbels em seu diário. "O Líder está completamente destroçado", registrou. Goebbels achou que a única saída honrosa para Blomberg era matar-se. Blomberg recusou a oferta de Göring de anulação do casamento e foi forçado a renunciar do cargo de ministro da Defesa. Em 27 de janeiro, Hitler viu-o pela última vez; no dia seguinte, o marechal de campo e sua esposa partiram para férias de um ano na Itália.[69]

Mas esse não foi de modo algum o fim do caso. Matutando sobre a possibilidade de que outros altos oficiais também pudessem ser manchados por um escândalo moral, Hitler recordou-se de repente de uma ficha que haviam lhe mostrado sobre o coronel-general Fritsch no verão de 1936, contendo alegações de conduta homossexual apresentadas contra ele por um prostituto, Otto Schmidt. Na época, Hitler descartou as alegações prontamente e ordenou a destruição da ficha. Mas o meticuloso Heydrich manteve-a guardada e a apresentou a Hitler em 25 de janeiro de 1938. Horrorizado, o ajudante militar de Hitler, coronel Hossbach, contou a Fritsch, que declarou que as alegações eram completamente falsas. Em uma reunião convocada às pressas para o dia seguinte com Hitler, Göring e Otto Schmidt, retirado da cadeia pela Gestapo para a ocasião, Fritsch disse que as acusações talvez se referissem a um período em 1933-34 quando ele almoçara a sós regularmente com um membro da Juventude Hitlerista a quem proporcionava refeições grátis. Se fosse isso, ele podia garantir a todos que o relacionamento havia sido inteiramente inocente. Sem conhecimento prévio dessa relação, Hitler ficou então ainda mais alarmado. A falta de indignação de Fritsch ao negar friamente a história de Schmidt tampouco o ajudou. Interrogado em 27 de janeiro pela Gestapo, Schmidt forneceu mais detalhes circunstanciais da suposta relação com Fritsch. O comandante do Exército não teve dificuldades em provar que eram falsos. Mas o estrago estava feito. Hitler não mais confiava nele. Consultado sobre o assunto, o ministro da Justiça, Gürtner, opinou que Fritsch havia fracassado em limpar seu nome. Mergulhado em um abatimento ainda mais profundo, Hitler cancelou o discurso anual no aniversário de sua nomeação como chanceler do Reich em 30 de janeiro. Em 3 de fevereiro de 1938, ele pediu a Fritsch que renunciasse.[70]

Por insistência de Gürtner, Fritsch foi julgado por um tribunal militar em 18 de março de 1938. Foi inequivocamente isento de todas as acusações, que o tribunal concluiu consistirem em identidade trocada: o Fritsch em questão havia sido um outro. Com acesso barrado ao alto gabinete militar, Fritsch serviu como voluntário na frente polonesa e foi morto em batalha em 22 de setembro de 1939; Blomberg sobreviveu à guerra na reserva, morrendo em uma prisão aliada em março de 1946.[71] Nesse meio-tempo, Hitler ainda precisava achar uma saída para a crise. Entretanto, após discussões intensivas com Goebbels, Hitler finalmente agiu. A queda de dois figurões do Exército poderia ser proveitosamente disfarçada como parte de uma manobra muito mais ampla. Hitler exonerou nada menos que catorze generais, inclusive seis da Força Aérea; foram incluídos muitos conhecidos pela fraqueza em relação ao nacional-socialismo. Outros 46 oficiais de alta patente foram deslocados. Fritsch foi substituído como comandante em chefe do Exército por Walther von Brauchitsch, oficial da artilharia então promovido a coronel-general. Brauchitsch não era nazista, mas era admirador de Hitler e bem mais subserviente que seu predecessor. Hitler rechaçou as reivindicações de Göring para ser nomeado ministro da Guerra. Sua patente militar na época (capitão da reserva) era baixa demais para ser aceitável para os generais e, de todo modo, o posto o teria tornado poderoso demais. Hitler distraiu-o com o título de marechal de campo.[72]

O Ministério da Guerra permaneceu desocupado. Dali em diante, o próprio Hitler executaria suas funções como comandante supremo, criando ministérios subordinados para cada um dos três ramos das Forças Armadas, coordenados por um novo Alto Comando das Forças Armadas (Oberkommando der Wehrmacht, ou OKW), sob o general Wilhelm Keitel, o mais alto administrador militar durante a antiga estrutura. Ao mesmo tempo, Hitler aproveitou a oportunidade para substituir Neurath como ministro de Relações Exteriores por seu homem, Joachim von Ribbentrop, bem mais confiável para cumprir suas ordens. O conservador Ulrich von Hassell foi chamado da embaixada em Roma e substituído por um embaixador mais maleável. Hitler também anunciou a nomeação do leal Walther Funk como substituto para Schacht no Ministério da Economia, ao qual este havia renunciado em 26 de novembro de 1937. A explicação oficial para as mudanças foi que Blomberg e Fritsch haviam saído por motivos de saúde, mas Hitler contou a verdadeira história tanto para o gabinete, que se reuniu pela última vez em 5 de fevereiro de 1938, quanto para os generais sêniores mais cedo naquele dia. Os oficiais do Exército, convencidos pelos detalhes circunstanciais enumerados por Hitler, ficaram horrorizados. A integridade moral da liderança do Exército fora destruída. Estava agora completamente à mercê de Hitler. Em 20 de fevereiro, Hitler dirigiu-se ao Reichstag por várias horas. As Forças Armadas, declarou, agora estavam "dedicadas ao Estado nacional-socialista em fé e obediência cegas".[73]

As mudanças deixaram Hitler no livre comando das políticas externa, militar e econômica da Alemanha. Cercado de acólitos que reiteravam sua admiração por ele de modo constante, Hitler agora não tinha ninguém disposto a contê-lo. Por volta dessa época, ele também havia cortado os poucos amigos pessoais que ainda mantinham qualquer coisa parecida com uma mentalidade própria. Um deles, Ernst "Putzi" Hanfstaengl, que apoiou Hitler nos primeiros tempos, recebera o título um tanto vazio de chefe da imprensa estrangeira do Partido Nazista em 1932. Mas nunca teve condições de desafiar o domínio de Goebbels na área da propaganda, e Hitler não tinha mais uma verdadeira serventia para ele. Os dias indignos em que Hitler circulava a passos largos pela sala de visitas de Hanfstaengl balançando os braços enquanto o anfitrião tocava Wagner ao piano eram coisa do passado. Vaidoso, autocentrado, jamais um dos seguidores devotos e escravos de Hitler, Hanfstaengl causou irritação crescente na liderança nazista com histórias exageradas sobre sua bravura por ficar em Nova York durante a Primeira Guerra Mundial após os Estados Unidos entrarem na guerra em 1917, época em que muitos deles lutavam no *front*. Quando Hanfstaengl juntou isso à depreciação da coragem das tropas alemãs em combate ao lado de Franco na Guerra Civil Espanhola, Hitler e Goebbels decidiram dar-lhe uma lição. Em fevereiro de 1937, Hitler mandou Hanfstaengl ir à Espanha para uma mediação com correspondentes de guerra alemães por trás da linha de frente. Em pleno ar, o piloto, seguindo instruções de Hitler, informou Hanfstaengl que na verdade ele estava sendo enviado em missão secreta por trás das linhas inimigas. Hanfstaengl, que nunca foi um homem dos mais corajosos, entrou em pânico. Por fim, o piloto desembarcou-o em uma pista de pouso perto de Leipzig, alegando problemas com o aparelho. Todos os trechos do episódio foram capturados em filme pelo cinegrafista de Goebbels. Mais tarde, Goebbels registrou em seu diário que quase morreu de rir com o resultado da filmagem. Hanfstaengl não achou graça. Convencido de que havia sido alvo de uma tentativa de assassinato, fugiu para a Suíça e não voltou.[74]

III

No começo de 1938, a atenção de Hitler voltou-se mais uma vez para a Áustria. Ele havia concluído um acordo formal com o governo austríaco em 11 de julho de 1936, pelo qual a Áustria aceitou o princípio de que era um Estado alemão, e o ditador austríaco, Kurt von Schuschnigg, aquiesceu ao pedido de Hitler de dar à "oposição nacional", ou, em outras palavras, ao Partido Nazista austríaco, uma fatia do governo. Mas, enquanto Schuschnigg considerou isso um abrandamento das dificuldades surgidas nas relações austro-germânicas com a tentativa de golpe dois anos antes, Hitler viu apenas como a extremidade afilada de uma cunha política que por fim fenderia a soberania austríaca e produziria a união total com a Alemanha.[75] Contudo, durante muito tempo Hitler não achou que o momento fosse apropriado para agir. Ao longo de 1936, recomendou cautela aos nazistas austríacos, não querendo causar alarme enquanto o restante da Europa digeria a remilitarização da Renânia e suas consequências. Ele também seguiu nessa linha por boa parte de 1937. A liderança dos nazistas austríacos obedeceu, minimizando a hostilidade à Igreja Católica que estava causando furor na vizinha do norte. A Áustria era um país esmagadoramente católico, e era vital manter a hierarquia da Igreja, na pior das hipóteses, neutra e, na melhor, simpática quanto à ideia de uma reunião com a Alemanha. O baixo escalão do movimento aborreceu-se com as restrições impostas a seu ativismo por essa política, e o Partido ficou gravemente dividido na base. Outra fonte de tensão foi gerada pela nomeação por Schuschnigg de Arthur Seyss-Inquart, um advogado pró-nazista, para o governo. O ressentimento do Partido Nazista austríaco com essa aparente cooptação de uma de suas figuras de liderança pela máquina política do governo foi tão grande que expulsou formalmente um dos membros da equipe de Inquart, Odilo Globocnik, em outubro de 1937. A SS austríaca, liderada por Ernst Kaltenbrunner, foi particularmente vigorosa na propagação de atividades ilegais contra os desejos da liderança do Partido. À luz dessas divisões, foi preciso abandonar qualquer esperança de que a independência austríaca pudesse ser derrubada a partir de seu interior.[76]

Entretanto, enquanto Hitler instava por cautela, Hermann Göring adotava uma linha um tanto mais ousada. Como chefe do Plano de Quatro Anos, ele estava cada vez mais ansioso com a escassez rapidamente crescente de matérias-primas e mão de obra industrial qualificada para o avanço do rearmamento e da preparação para a guerra. A Áustria possuía ambas em abundância. Göring estava especialmente ávido para apoderar-se dos ricos depósitos de minério de ferro da Estíria. Deixando suas intenções claras, ele mostrou um mapa especialmente produzido da Europa, com a Áustria já incorporada à Alemanha, para Mussolini em setembro de 1937 e para o principal funcionário do Ministério de Relações Exteriores da Áustria dois meses depois. Ele tomou o silêncio de Mussolini como anuência. A incorporação da Áustria encaixava-se bem na ideia geopolítica de Göring de uma ampla esfera econômica liderada pela Alemanha na Europa central – a ideia tradicional, familiar desde o início da década de 1900, da *Mitteleuropa*. De modo que também fez pressão para a união monetária dos dois países. A ideia foi recebida com uma reação morna do governo austríaco, que suspeitou que isso levaria inexoravelmente à união política, dado o poder econômico imensamente maior da Alemanha. Essa política agressiva era dura demais, disse Hitler a Mussolini durante a visita do líder italiano à Alemanha em setembro de 1937. Todavia, ele não fez nada para deter as iniciativas de Göring. Acontece que, na prática, ele já estava se deslocando para a posição de Göring e começando a achar que era mellhor a incorporação da Áustria ocorrer antes cedo do que tarde.[77]

O senso intensificado de urgência que começou a se apoderar de Hitler no começo de 1938 teve várias causas diferentes. O rearmamento alemão progredia em ritmo impetuoso, mas outros países também estavam começando a se rearmar, e em breve a vantagem que a Alemanha havia criado estaria perdida. No momento, também a experiência parecia mostrar que Grã-Bretanha e França ainda relutavam em adotar uma ação firme contra a expansão alemã. Essa relutância foi sublinhada em 21 de fevereiro de 1938 pela substituição de Anthony Eden por lorde Halifax, mais conciliador, como ministro de Relações Exteriores britânico. Mas quanto duraria a disposição para a conciliação? Além disso, por volta de 1937-38, Hitler começou a sentir que seu tempo estava se esgotando. Ele se aproximava do aniversário de cinquenta anos e estava ficando preocupado com a saúde; em maio de 1938, chegou a suspeitar de que tivesse câncer. Em termos mais imediatos e mais cruciais, um jeito de distrair a atenção da crise na liderança do Exército seria empreender alguma manobra espetacular na política externa. E essa não seria a primeira nem a última vez que os eventos nesse setor favoreceriam o jogo de Hitler. A crescente reaproximação entre Alemanha e Itália resultou entre outras coisas na retirada de todas as objeções prévias de Mussolini à tomada da Áustria pela Alemanha, uma meta que Hitler, como nativo austríaco, alimentava desde o início de sua carreira política. Além disso, Schuschnigg, encorajado pelo embaixador especial de Hitler em Viena, Franz von Papen, estava ansioso para se reunir com Hitler para tentar coibir a violência dos nazistas austríacos, que, ele temia, planejavam um golpe nas mesmas linhas da tentativa fracassada que resultou na morte de seu predecessor em 1934. Esse seria um encontro importante.[78]

O governo de Schuschnigg ficara cada vez mais enfraquecido desde 1936. Não havia feito quase nenhum avanço para tentar melhorar a situação econômica, que permaneceu submersa nas profundezas da Depressão. Anos de pobreza excruciante e desemprego em massa deixaram a maioria da população não apenas desiludida com o governo, mas também mais convencida que nunca de que a pequena república austríaca jamais se tornaria economicamente viável por si só. Ao longo da década de 1920, todos os grandes partidos políticos haviam se comprometido a reunificar a Áustria – parte da Alemanha em suas várias encarnações desde sempre até 1866 – com o Reich. Embora a tomada nazista do poder tenha levado os socialistas austríacos de orientação marxista a tirar essa exigência específica de seu programa em 1933, não há dúvida de que muitos deles continuaram a acreditar que essa era a melhor solução para os problemas do país; afinal de contas, pensavam, juntando-se ao Terceiro Reich estariam apenas abandonando uma ditadura malsucedida por uma bem-sucedida. Além disso, muitos socialistas, amargurados pela violenta repressão pelo governo e Exército em fevereiro de 1934, não estavam de forma alguma preparados para emprestar apoio ao odiado Schuschnigg, que julgavam parcialmente responsável pela matança de centenas de seus camaradas durante o conflito. Em termos mais gerais, um relatório do governo registrou em 1936 que o antissemitismo austríaco estava em "crescimento constante", uma vez que o povo procurava alguém a quem culpar. O antissemitismo era encorajado não só pelos nazistas austríacos, mas também pelo pequeno, porém cada vez mais popular, movimento monarquista, liderado pelo arquiduque Otto von Habsburg, herdeiro do trono de Habsburgo. A tentativa de Schuschnigg de arregimentar apoio por meio da fundação de sua Frente da Pátria, em estilo fascista, fracassou por completo; os movimentos fascistas da Europa obtiveram poder aproveitando-se do descontentamento popular, e uma imitação patrocinada pelo governo não convenceu ninguém. Em 1936, Schuschnigg baniu as turbulentas Ligas de Defesa Doméstica. Isso privou-o da força paramilitar restante que poderia tê-lo ajudado a resistir à invasão alemã; a divisão paramilitar dos socialistas austríacos já havia sido banida por seu predecessor Dollfuss. Milhares de paramilitares desgostosos gravitaram para o submundo do Partido Nazista austríaco, também banido por Schuschnigg.[79]

Intermediado por Papen, um encontro entre Hitler e Schuschnigg ocorreu em Berchtesgaden em 12 de fevereiro de 1938. A fim de intimidar o ditador austríaco, Hitler fez arranjos para que figuras importantes dos militares alemães estivessem presentes em seu retiro na montanha, inclusive o comandante da Legião Condor na Espanha, Hugo Sperrle. Hitler já estava plenamente informado sobre a posição de Schuschnigg por Seyss-Inquart. Sem lhe dar chance de apresentar seus argumentos, Hitler deslanchou em uma diatribe violenta. "Toda a história da Áustria", ele arengou, "é um ato ininterrupto de alta traição. Foi assim no passado e hoje assim permanece. Esse paradoxo histórico deve agora chegar a seu muito atrasado fim". Ele passou um sermão de duas horas em Schuschnigg sobre sua própria invencibilidade ("Eu realizei tudo que me propus a fazer e com isso talvez tenha me tornado o maior alemão de toda a história") e deixou claro que haveria uma ação militar, livre de intervenção estrangeira, se os austríacos não se curvassem a suas exigências ("O Reich alemão é um grande poder, e ninguém pode ou tentará interferir quando colocar as coisas em ordem nas suas fronteiras").[80] Quando Schuschnigg contestou, Hitler chamou o general Keitel à sala, onde permaneceu por dez minutos, pleno de ameaça implícita, antes de ser mandado embora. Na manhã seguinte, para sublinhar a ameaça, Keitel recebeu ordens de ir a Berlim fazer os preparativos para manobras militares intimidatórias na fronteira austríaca.[81]

Em 15 de fevereiro, totalmente intimidado, Schuschnigg acedeu a todas as exigências de Hitler, concordando formalmente em conduzir uma política externa em conjunto com a Alemanha, legalizar o Partido Nazista austríaco dentro da Frente da Pátria, soltar nazistas aprisionados e revogar todas as medidas tomadas contra eles, e dar início a programas de colaboração militar e econômica. Por exigência de Hitler, Seyss-Inquart foi nomeado ministro do Interior austríaco. Muitos nazistas austríacos odiavam Seyss-Inquart, cuja disposição para se conciliar com o governo era vista como uma traição, e sua reação foi quebrar todas as vidraças da embaixada alemã em Viena. Em 21 de fevereiro de 1938, Hitler convocou cinco líderes eminentes dos nazistas austríacos a Berlim e efetivamente despediu-os, proibindo-os de voltar. Dali em diante, disse ele, o Partido tinha que adotar um rumo legal. O caminho a seguir, disse, era a evolução por meio da tomada à força do governo austríaco, não a revolução pela violência vinda de baixo. Mas até isso fracassou em subjugar o radicalismo de alguns elementos do Partido Nazista austríaco, que encenaram manifestações públicas que excederam de longe as da Frente da Pátria. Foi relatado que mais e mais pessoas usavam a saudação de Hitler e o emblema da suástica em público, a despeito das tentativas de Seyss-Inquart de bani-los, de acordo com a política de tomar o poder a partir de seu interior. A polícia agora recusava-se a fazer cumprir essas regulamentações, e o Exército também estava claramente indo para os nacional-socialistas. Uma dialética familiar estava surgindo da pressão oficial vinda de cima, unida com uma retórica de coibição e combinada com a pressão cada vez mais elevada vinda de baixo. A aceitação dos termos de Hitler por Schuschnigg tornou a Áustria um satélite alemão; agora, em meio à expectativa crescente de que isso levaria à rápida união dos dois países, o apoio a Schuschnigg e a já frágil legitimidade do Estado austríaco desapareciam diante de seus olhos.[82]

Na manhã de 9 de março de 1938, em resposta a sua situação cada vez mais desesperadora, Schuschnigg anunciou subitamente um referendo a ser realizado em 13 de março para perguntar aos eleitores austríacos se eram a favor de "uma Áustria livre e germânica, independente e social, cristã e unida; de liberdade e trabalho e da igualdade de todos que se declaram pelo povo e pela pátria". Para garantir que essa pergunta fortemente tendenciosa obtivesse um "sim" retumbante do eleitorado, a votação ficou restrita a pessoas com mais de 21 anos de idade, dessa forma privando de voto uma larga fatia do movimento nazista, cujos defensores eram predominantemente jovens. Além disso, sob as condições repressoras da ditadura clerofascista de Schuschnigg, não havia garantia de que o voto fosse livre ou secreto, nem o chanceler forneceu quaisquer evidências de que seria; a falta de um registro eleitoral adequado abriu caminho para uma maciça fraude eleitoral potencial. Hitler ficou ultrajado com o que viu como traição ao acordo de Berchtesgaden. Convocando Göring e Goebbels, deu início a discussões acaloradas sobre o que podia ser feito para impedir a votação. Enquanto o Exército organizava às pressas planos de invasão baseados apenas em um estudo preparado anteriormente para a eventualidade da restauração de Habsburgo, Hitler mandou um ultimato a Schuschnigg às dez da manhã de 11 de março de 1938: o referendo tinha que ser adiado por duas semanas, e o texto devia mudar para algo semelhante ao do plebiscito do Sarre, ou seja, pedir ao povo de modo implícito que aprovasse a união em vez de se opor a ela. Schuschnigg tinha que renunciar e ser substituído por Seyss--Inquart. Schuschnigg concordou em adiar a votação, mas se recusou a renunciar. Agarrando a oportunidade, Göring telefonou para o nervoso e relutante Seyss-Inquart e disse-lhe para informar o chefe de Estado austríaco, Wilhelm Miklas, que, se não o nomeasse chanceler, "à noite haveria uma invasão das tropas já mobilizadas na fronteira e seria o fim da Áustria". E acrescentou: "Você deve deixar os nacional-socialistas soltos por todo o país. Eles agora devem ter permissão de sair às ruas por toda parte".[83]

Ao anoitecer de 11 de março, os nazistas austríacos estavam em manifestações por todo o país, enquanto um contingente da SS ocupava a sede do governo provincial tirolês. O líder regional nazista da Áustria Superior anunciou a uma multidão extasiada de 20 mil pessoas na praça de Linz que Schuschnigg havia renunciado, o que ele de fato havia feito às 3h30 da tarde sob o impacto do segundo ultimato de Göring. O plebiscito foi sumariamente cancelado. Em Viena por acaso, William L. Shirer foi "levado de roldão por uma turba nazista histérica, aos gritos". Os policiais, ele relatou, "assistiam com um largo sorriso". Alguns já estavam usando braçadeiras da suástica. "Jovens desordeiros arremessavam pedras do calçamento nas vitrines de lojas judaicas. As multidões rugiam em deleite." À medida que as manifestações disseminaram-se, Göring disse a Seyss-Inquart para enviar um pedido formal às tropas alemãs para que restaurassem a ordem. Ainda não nomeado chanceler, ele hesitou; o pedido teve que ser enviado por Wilhelm Keppler, chefe do bureau do Partido Nazista austríaco, que então estava em Viena. Ele foi emitido às 9h10 da noite de 11 de março de 1938. Enquanto isso, Hitler havia enviado o príncipe Felipe de Hesse a Mussolini para garantir sua neutralidade. Às 10h45 da noite, o príncipe telefonou para Hitler pessoalmente para dizer que estava tudo certo. "Por favor, diga a Mussolini que jamais esquecerei isso", disse Hitler. "Nunca, nunca, nunca, aconteça o que acontecer." Os britânicos informaram sua neutralidade. À meia-noite, o presidente austríaco enfim cedeu e nomeou Seyss-Inquart chanceler. De qualquer modo, era tarde demais: incitado por Göring, que disse que ele pareceria frouxo se não agisse, quer os austríacos aceitassem o ultimato ou não, Hitler já havia dado a Keitel a ordem de invadir às 8h45. Mais cedo naquela noite, Schuschnigg havia feito uma emocionada transmissão de rádio ao povo austríaco, expondo os termos do ultimato e negando haver qualquer desordem. "Não estamos preparados, nem mesmo nessa situação terrível, para derramar sangue", disse ele. Às 5h30 da manhã de 12 de março de 1938, tropas alemãs reunidas na Baviera ao longo dos dois dias anteriores cruzaram a fronteira austríaca. Não encontraram resistência.[84]

IV

Ao avançar em veículos e marchar lentamente rumo às principais cidades da Áustria ao longo da manhã, as tropas alemãs foram saudadas por multidões enlevadas gritando *Heil!* e jogando flores a seus pés. Por toda parte, membros clandestinos do Partido Nazista austríaco banido revelavam abertamente sua filiação, desvirando ostensivamente os broches de suástica que até então mantinham escondidos atrás da lapela.[85] Assegurado pelos comandantes do Exército de que ele ficaria a salvo, Hitler voou para Munique e foi conduzido para a fronteira em um carro aberto, acompanhado por uma coluna motorizada de seus guarda-costas da SS. Chegando às 3h50 da tarde em sua terra natal, Braunau am Inn, foi recepcionado por multidões em júbilo que o saudaram pelo caminho. Mais tarde, após uma jornada de quatro horas pela estrada, constantemente desacelerada pelas multidões entusiásticas alinhadas nas ruas, ele chegou a Linz, onde juntou-se a um grupo de líderes nazistas, incluindo Himmler e Seyss-Inquart. Ao badalar dos sinos da igreja, Hitler dirigiu-se à enorme multidão da sacada da prefeitura, interrompido repetidas vezes pelos gritos de *Heil!* e cânticos de "um povo, um Reich, um Líder". "Qualquer outra tentativa de separar esse povo", ele advertiu, "será em vão".[86] Após depositar flores no túmulo dos pais em Leonding e visitar sua antiga casa, Hitler voltou para o hotel para avaliar como a união formal da Áustria com a Alemanha poderia ser mais bem executada. De início pensou em simplesmente tornar-se ele mesmo presidente da Áustria e fazer um plebiscito sobre a união, que manteria intacta a maior parte das instituições austríacas existentes. Mas a recepção extasiada oferecida a ele convenceu-o de que a incorporação plena da Áustria ao Reich podia ser realizada imediatamente sem qualquer oposição séria. "Essas pessoas aqui são alemãs", ele disse a um jornalista britânico.[87]

Ao anoitecer de 13 de março de 1938, uma lei estipulando a anexação da Áustria, redigida por um funcionário sênior do Ministério do Interior trazido de avião de Berlim, havia sido aprovada pelo gabinete austríaco reconstituído e assinada por Hitler. A união dos dois países criou a "Grande Alemanha" (*Grossdeutschland*). De início, o conjunto da Áustria tornou-se uma província chefiada por Seyss-Inquart; mas Hitler agora estava determinado a apagar a identidade austríaca e rebaixar Viena, a capital, da qual nunca gostou, em favor de outras regiões. Em abril de 1939, o líder regional do Partido Nazista renano, Josef Bürckel, trazido para se tornar comissário para a reunificação da Áustria com o Reich, havia abolido as assembleias regionais e fundido a administração regional com a partidária, embora conservasse, com algumas modificações, a identidade própria das regiões. A Áustria tornou-se a Marca do Leste (*Ostmark*); sua identidade haveria de ser liquidada de modo conclusivo em 1942, quando seria dividida nas regiões dos Alpes e do Danúbio do Reich.[88] Não era isso que muitos austríacos, e em especial os vienenses, esperavam; até mesmo os líderes do Partido Nazista austríaco ficaram amargamente decepcionados ao ser deixados de lado em favor de administradores importados da Alemanha. Contudo, pelo menos de início seu entusiasmo foi avassalador. Em 14 de março de 1938, o cortejo motorizado de Hitler seguiu de Linz para Viena, outra vez retardado por multidões jubilosas; ele foi obrigado a se dirigir a elas da sacada do hotel após a chegada, visto que não se acalmariam até ouvi-lo falar. A demora da chegada deu tempo para os nazistas vienenses se prepararem: escolas e locais de trabalho foram fechados para a ocasião, e nazistas e membros da Juventude Hitlerista foram trazidos de ônibus do interior. Em 15 de março, Hitler dirigiu-se a uma vasta multidão delirante de talvez 250 mil pessoas em Viena, anunciando que a nova missão histórica da Áustria era proporcionar um baluarte contra a ameaça vinda do leste.[89]

A aceitação da reunificação pelos austríacos foi garantida não apenas pela desilusão de longa data dos cidadãos do país com seu Estado minúsculo, mal e mal viável, mas também pela cuidadosa preparação da parte dos nazistas. Os socialistas há muito eram a favor da reunificação, permitindo o suscitar de dúvidas apenas devido à forma que o governo alemão assumiu a partir de 1933, não por qualquer questão de princípio nacional mais amplo. De qualquer modo, o partido havia sido esmagado por Dollfuss no breve conflito civil de fevereiro de 1934. A maioria de seus líderes estava no exílio, na prisão, na oposição subterrânea, por assim dizer, ou politicamente inertes. Os nazistas cortejaram cuidadosamente a ala moderada do partido, persuadindo seu líder Karl Renner a declarar publicamente em 3 de abril que votaria sim no plebiscito vindouro. E em um encontro arranjado pelo infatigável Franz von Papen, o cardeal Innitzer, líder dos católicos austríacos, aceitou as garantias pessoais de Hitler de que a Igreja e suas instituições, inclusive escolas, não seriam afetadas. Já inclinado a ver o nazismo como a melhor defesa contra a ameaça do bolchevismo, Innitzer recrutou outras lideranças do prelado para emitir uma declaração conjunta em favor da reunião em 18 de março, afixando um *"Heil* Hitler!" pessoal no pé da página.[90] Organizado por Josef Bürckel, que havia arquitetado a votação do Sarre, o plebiscito foi conjugado com uma eleição na qual os votantes foram apresentados à lista dos candidatos do Líder para o Reichstag da Grande Alemanha. O pleito foi realizado em 10 de abril em meio a manipulação e a intimidação maciças. Um previsível índice de 99,75% dos eleitores austríacos apoiou a anexação, embora provavelmente, a julgar ao menos por alguns relatórios da Gestapo, apenas de um quarto a um terço dos eleitores vienenses estivessem genuinamente comprometidos com a ideia de união.[91]

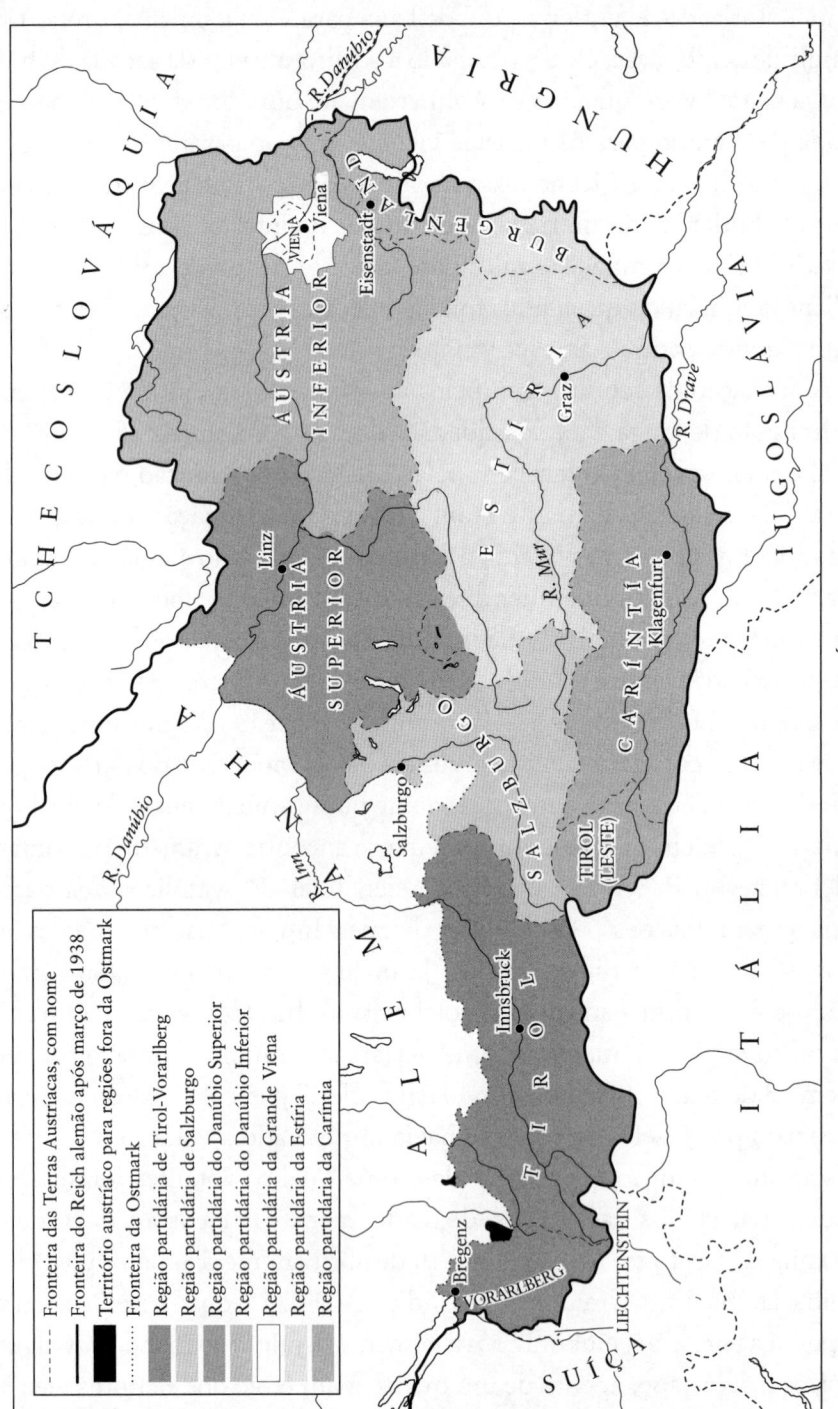

Mapa 19. A anexação da Áustria, 1938

Os austríacos logo descobriram o que, em termos práticos, significava ser incorporado ao Terceiro Reich. Os correios, as ferrovias, o sistema bancário, a moeda e todas as outras instituições econômicas foram substituídas por seus equivalentes alemães; a fusão dos sistemas tributários entrou em vigor em janeiro de 1940. Dois dias depois da tomada de poder, a economia austríaca estava subordinada ao Plano de Quatro Anos. Firmas alemãs entraram em cena para assumir negócios austríacos que os gestores econômicos do plano consideravam lerdos e ineficientes. Claro que partes de empresas austríacas já eram de propriedade alemã, mas a tomada de poder incitou uma nova onda de compras. Uma nova e imensa Siderúrgica Hermann Göring foi montada em Linz para tirar proveito dos grandes depósitos de minério de ferro da Áustria. A produção de petróleo e ferro aumentou de forma substancial como resultado da tomada de controle. As bastante consideráveis reservas de ouro e moeda estrangeira da Áustria também foram somadas às do Reich, dando um impulso temporário às reservas alemãs. A extensão da fronteira alemã a sudeste facilitou o comércio com os Bálcãs. A Áustria também forneceu efetivo humano para o Plano de Quatro Anos. A absorção pela já superaquecida economia alemã trouxe muitos benefícios aos austríacos: o desemprego caiu rapidamente, e o influxo de soldados e administradores alemães na Áustria aumentou a demanda local. Mas os problemas econômicos da Áustria não desapareceram da noite para o dia, e salários mais altos na Alemanha mostraram-se insuficientes como incentivo para atrair industriários qualificados das províncias austríacas. Portanto, para aliviar a escassez de mão de obra na Alemanha e ajudar a reduzir as estatísticas austríacas de desemprego, Göring decidiu recrutar trabalhadores à força. Um decreto com esse fim foi emitido em 22 de junho de 1938, e no ano seguinte 100 mil operários austríacos haviam sido levados para trabalhar de modo compulsório no que agora era conhecido como o "Velho Reich", inclusive 10 mil trabalhadores qualificados da indústria mecânica. A transferência de operários, a oferta de novos empregos na Áustria em si e o alistamento de todos os trabalhadores austríacos na Frente de Trabalho Alemã e na organização da Força pela Alegria tiveram um efeito amortecedor na oposição do operariado.[92]

Mas os nazistas não queriam correr riscos. Entre os primeiros a chegar em Viena estavam Himmler e Heydrich, que levaram uma equipe de funcionários da Gestapo para eliminar a oposição. Enquanto muitas lideranças do antigo regime fugiam para o exílio, o ex-chanceler Schuschnigg recusou-se a partir e foi detido; ele passou o resto do Terceiro Reich sob custódia. O secretário de Papen, Wilhelm von Ketteler, foi pego pela Gestapo; pouco depois, seu corpo foi encontrado em um canal. O ex-líder das Brigadas de Defesa Doméstica, major Fey, que havia desempenhado um papel-chave para sufocar o levante nazista de 1934, matou-se com toda a família; 2.555 oficiais do Exército austríaco sofreram reforma compulsória, e um número ainda maior foi transferido para atividades administrativas. Essas medidas afetaram mais de 40% do corpo de oficiais. O restante das tropas foi disperso por todo o Exército alemão, apagando por completo a identidade militar dos austríacos. O secretário de Estado para Segurança, no comando geral da polícia, foi substituído pelo chefe da SS austríaca, Ernst Kaltenbrunner, enquanto o novo chefe de polícia de Viena passou a ser Otto Steinhäusl, que desempenhou papel importante no golpe abortado de 1934. Foram recrutados como reforço 6 mil policiais alemães comuns, junto com um número substancial de agentes da Gestapo. Mas, no geral, a polícia austríaca não precisou de um expurgo abrangente. Muitos de seus membros eram nazistas em segredo. De bom grado repassaram as elaboradas e extensas listas de elementos da oposição compiladas sob Dollfuss e Schuschnigg. A Gestapo partiu rapidamente para a ação, detendo todos que fossem uma ameaça ao domínio nazista – 21 mil no total – na noite de 12-13 de março. Foram disponibilizadas novas instalações especiais no campo de concentração de Dachau para acomodá-los. A maioria dos aprisionados foi solta mais adiante naquele ano; apenas 1,5 mil foram deixados para o final de 1938. Até perto do fim da guerra não haveria uma resistência significativa na Áustria. Enquanto isso, Himmler montou um campo completamente novo em Mauthausen, perto de Linz, onde prisioneiros de todo o Reich extrairiam pedra a ser usada nos projetos de construção de Speer. Esse se revelaria o mais penoso de todos os campos dentro do território da Grande Alemanha antes da invasão da União Soviética em 1941. A Câmara de Vereadores de

Viena disponibilizou o terreno sob a condição de que uma parte das pedras fosse usada para calçar as ruas da cidade.[93]

A repressão mais severa de todas recaiu sobre os judeus austríacos, dos quais a maioria – 170 mil de quase 200 mil – morava em Viena. Depois de anos vivendo na frustração da ilegalidade, os nazistas austríacos tinham acumulado um grau de agressividade reprimida que agora ultrapassava qualquer condição vista até então no Velho Reich. Os nazistas da linha dura rejubilaram-se com o que chamaram de "a liberação de Viena e da Marca do Leste do domínio estrangeiro judeu" e proclamaram uma "limpeza geral da Áustria semitizada".[94] Todos os vários estágios de política e ação antissemitas que haviam se desenvolvido ao longo de anos na Alemanha agora aconteciam ao mesmo tempo na Áustria, condensados em um único surto de ódio e violência raivosos. Os novos governantes nazistas do país introduziram rapidamente toda a legislação antissemita do Velho Reich, inclusive o Parágrafo Ariano e (em maio de 1938) as Leis de Nuremberg. Os judeus foram sumariamente expulsos do serviço público e das profissões. Uma elaborada burocracia – o Escritório de Transferência de Propriedade, com uma equipe de quinhentas pessoas – foi montada para gerenciar a arianização de negócios judaicos. Uma grande quantidade de bens e propriedades judaicas foi parar nas mãos de antigos nazistas austríacos, que os exigiram como compensação pelos anos de repressão que sofreram sob Schuchsnigg (e pelos quais os judeus não tinham nenhuma culpa).[95] Em maio de 1938, 7 mil de 33 mil negócios de propriedade judaica já haviam sido fechados; em agosto de 1938, mais 23 mil estavam liquidados. Os remanescentes foram arianizados. Em muitos casos, a ação oficial foi precedida de violência não oficial. Pouco depois da tomada de controle, uma gangue de camisas-pardas jogou Franz Rothenberg, presidente do conselho do Kreditanstalt, o mais importante banco austríaco, dentro de um carro e o atirou para fora com o veículo a toda velocidade, matando-o na hora. Isidor Pollack, diretor-geral de uma fábrica de dinamite, foi surrado com tamanha brutalidade pelos camisas-pardas em abril que morreu em decorrência dos ferimentos; quem assumiu sua firma foi a I. G. Farben, enquanto o Kreditanstalt caiu nas mãos do Deutsche Bank.[96]

Enquanto isso, nazistas austríacos invadiam prédios, casas e apartamentos de judeus saqueando seu conteúdo e mandando os habitantes para a rua, onde eram reunidos sob uma saraivada de xingamentos e golpes e levados para limpar as pichações antinazistas dos prédios da cidade. Em breve foi descoberta uma nova versão desse esporte: mandavam os judeus ajoelharem-se nas ruas e apagar cruzes austríacas e outros símbolos pintados ou riscados com giz por patriotas em meio a comentários derrisórios e aplausos dos espectadores. Com frequência, os judeus eram encharcados com água fria, empurrados ou levavam chutes enquanto executavam a humilhante tarefa. "Dia após dia", escreveu George Gedye, o correspondente do *Daily Telegraph* de Londres em Viena,

> camisas-pardas nazistas, cercados por turbas de "corações de ouro vienenses" acotovelando-se, escarnecendo e rindo, arrastavam judeus de lojas, escritórios e lares, homens e mulheres, colocavam esfregões em suas mãos, borrifavam com bastante ácido e os faziam ajoelhar e esfregar por horas na tarefa inútil de remover a propaganda de Schuschnigg. Pude assistir a tudo isso da janela do meu escritório com vista para o Graben. (Onde não havia nada, vi nazistas fazerem pinturas para os judeus removerem.)... Toda manhã, no Habsburgergasse, os esquadrões da SS recebiam instruções sobre quantos judeus arrebanhar naquele dia para tarefas servis... A tarefa favorita era limpar os vasos dos banheiros dos alojamentos da SS, coisa que os judeus eram forçados a fazer simplesmente com as mãos nuas.[97]

Outros judeus, tratando de seus afazeres cotidianos pelas ruas, eram atacados de forma impune. Roubavam suas carteiras e retiravam seus casacos de pele antes de os espancarem.[98]

Em 17 de março de 1938, até mesmo Heydrich estava propondo que a Gestapo prendesse os nazistas responsáveis por tais atos. Entretanto, foi só em 29 de abril, quando os líderes camisas-pardas foram ameaçados de demissão se permitissem que tais ultrajes continuassem, que a maré de incidentes violentos começou a arrefecer. Enquanto isso, os nazistas haviam começado a confiscar oficialmente apartamentos de proprietários judeus em Viena: 44 mil de 70 mil deles haviam sido arianizados até o final de 1938. Também teve início a expulsão forçada de populações judaicas de uma forma muito mais direta do que até então ocorrera no Velho Reich. Na pequena região de Burgenland, no leste, na fronteira com a Hungria, os novos mandantes nazistas confiscaram as propriedades dos 3,8 mil membros da comunidade judaica há muito estabelecida ali, fecharam todos os negócios judaicos, prenderam líderes da comunidade e a seguir usaram a criação de uma zona de segurança na fronteira como desculpa para expulsar toda a população judaica. Muitos judeus foram arrastados para as delegacias de polícia e espancados até assinarem documentos entregando todos seus bens. A polícia levava-os para a fronteira e os fazia atravessar à força. Entretanto, visto que os países vizinhos com frequência recusavam-se a aceitá-los, muitos judeus eram deixados ao abandono na terra de ninguém. Cinquenta e um deles foram largados sem cerimônia em uma ilhota árida e arenosa do Danúbio, em um incidente que suscitou condenação na imprensa mundial. A maioria fugiu para junto de amigos e parentes em Viena. No final de 1938, não haviam sobrado judeus em Burgenland. Em parte como resposta a essa debandada em massa, entre 25 e 27 de maio de 1938 a Gestapo de Viena prendeu 1,9 mil judeus conhecidos por condenações criminais, por triviais que fossem, e mandou-os para Dachau, onde foram segregados e maltratados com especial brutalidade. A polícia também deteve e expulsou todos os judeus estrangeiros e mesmo judeus alemães que viviam em Viena. No total, 5 mil judeus haviam sido deportados da Áustria até novembro de 1938. A essa altura, os judeus que viviam fora da capital também estavam sendo removidos à força para Viena. Todos esses eventos geraram pânico entre a população judaica austríaca. Muitas centenas suicidaram-se em desespero. Milhares de outros tentaram deixar o país de todas as formas que podiam. A fim de acelerar esse processo, as autoridades nazistas estabeleceram uma Agêncial Central de Emigração Judaica em 20 de agosto de 1938.[99]

A agência era dirigida por Adolf Eichmann, que na sequência ficaria notório pelo papel no extermínio de judeus na Europa durante a guerra. Sua carreira, portanto, merece um exame mais minucioso no momento em que, em 1938, ele obteve pela primeira vez certo grau de proeminência, e ainda mais porque os procedimentos que implantou na agência central teriam depois aplicação bem mais ampla. Eichmann era originalmente da Renânia. Nascido em 1906, viveu na Áustria desde que sua família mudou-se para

Linz um ano antes da eclosão da Primeira Guerra Mundial. Classe média de origem e criação, Eichmann não possuía qualificação universitária, mas trabalhou como representante de vendas de uma companhia de petróleo na década de 1920. Como membro da pequena minoria protestante da Áustria, identificou-se fortemente com o nacionalismo pangermânico, juntou-se ao movimento jovem independente e ficou íntimo dos nacionalistas de direita, sobretudo dos Kaltenbrunner, uma família de pangermânicos de classe média. Entrou para o Partido Nazista austríaco em 1932 e caiu sob a influência de Ernst Kaltenbrunner, um bacharel em direito de 29 anos e ex-ativista de fraternidade estudantil. Kaltenbrunner era um antissemita ativo que entrou na SS austríaca em 1930 e em 1932 persuadiu Eichmann a se tornar membro da SS também. Tendo perdido o emprego na Depressão, Eichmann mudou-se para a Alemanha em agosto de 1933 e passou por treinamento físico e ideológico intensivo na SS. Logo juntou-se ao Serviço de Segurança da SS de Heydrich para compilar informações sobre os maçons da Alemanha. Sua diligência e eficiência garantiram rápida promoção na hierarquia. Em 1936, ele trabalhou no Departamento Judaico do Serviço de Segurança, escrevendo pequenos artigos sobre sionismo, emigração e tópicos semelhantes e embebendo o *éthos* do departamento em antissemitismo radical e "racional".[100]

Eichmann chegou em Viena em 16 de março de 1938 como parte de uma unidade especial, já munida de uma lista de judeus proeminentes a serem detidos. O Serviço de Segurança percebeu que a condução ordeira da emigração forçada exigia a colaboração dos líderes judeus, especialmente no caso de os judeus mais pobres, que careciam de meios para partir e começar uma vida nova em outro lugar, serem incluídos no plano. Eichmann mandou buscar membros da liderança da comunidade judaica em suas celas para entrevistá-los e selecionou Josef Löwenherz, um advogado respeitado, como o mais adequado a seus objetivos. Mandou-o de volta para a cela com ordens de que não fosse solto até produzir um plano para a emigração em massa dos judeus da Áustria. A solicitação de Löwenherz de um sistema linear de processamento dos pedidos que acabasse com a cavilação e os atrasos deliberados comuns até então obteve uma pronta resposta. Eichmann instituiu um método ordenado de processamento dos pedidos e deu jeito de que os bens confiscados da comunidade judaica e de seus membros fossem usados pela agência central para subsidiar a emigração de judeus pobres. Incitados pelas histórias de horror espalhadas a respeito dos maus-tratos de judeus austríacos mantidos em Dachau, pelo abuso e insultos sistemáticos dos funcionários da agência e pelo terror contínuo nas ruas, os judeus da Áustria faziam filas aos milhares para obter vistos de saída. Löwenherz e outros judeus cooptados para o trabalho na agência eram repetidamente ameaçados de deportação para Dachau se não preenchessem suas cotas. O resultado, vangloriou-se Eichmann mais tarde, foi que cerca de 100 mil judeus austríacos emigraram legalmente até maio de 1939, e vários milhares mais cruzaram a fronteira ilegalmente, sendo que muitos por fim chegaram à Palestina. Recompensado com uma promoção recente e deleitando-se com seu novo poder, Eichmann tornou-se grosseiro e brutal nas tratativas com indivíduos judeus. Sua agência – com seu processamento em linha de montagem, saque dos bens de judeus para subsidiar a emigração dos pobres, aplicação do terror e uso de colaboradores judeus – tornou-se um modelo para o Serviço de Segurança da SS em suas tratativas subsequentes com os judeus.[101]

V

A incorporação da Áustria ao Terceiro Reich, acompanhada de seus excessos antijudaicos, deu um tremendo impulso ao antissemitismo em toda a Alemanha. Além de tudo, o acréscimo de 200 mil judeus à população do Terceiro Reich mais do que neutralizou o número de judeus que os nazistas haviam conseguido forçar a sair da Alemanha entre março de 1933 e março de 1938.[102] Isso fez o esforço quase parecer vão, de modo que os nazistas redobraram a determinação de acelerar o processo de emigração forçada. Sem o exemplo austríaco e os sentimentos de triunfo e invulnerabilidade que ele gerou nos ativistas do Partido Nazista, é impossível entender o recrudescimento da violência contra os judeus que assolou a Alemanha no verão de 1938 e culminou no *pogrom* de 9-10 de novembro. A plena força do *pogrom* foi sentida também na Áustria. Em Viena, 42 sinagogas foram incendiadas, a maioria das lojas de propriedade judaica que restou foi destruída, e quase 2 mil famílias judaicas foram sumariamente expulsas de suas casas e apartamentos. Um destacamento da SS arrasou as sedes comunitárias judaicas e os escritórios sionistas em 10 de novembro. Eichmann queixou-se de que o *pogrom* interrompeu a execução ordeira da emigração, mas na verdade ele estava bem ciente de que a intenção básica era acelerar todo o processo mediante a aplicação súbita de um grau espetacular de terror de massa, e esse de fato foi o efeito na Áustria, bem como em outros locais.[103]

Igualmente impressionante foi o impulso dado pela anexação da Áustria e pela expropriação de sua comunidade judaica às ambições culturais das lideranças nazistas. Elas confiscaram muitas coleções importantes de arte, inclusive a dos Rothschild, que o Ministério de Finanças do Reich por fim começou a vender para saldar novos tributos recém-impostos. O prefeito de Nuremberg deu um jeito de conseguir que as joias da coroa do Sacro Império Romano, levadas de sua cidade para Viena em 1794, fossem transferidas de volta nos preparativos para o comício do Partido de 1938. Negociantes de arte começaram a se juntar em volta das coleções saqueadas como abutres ao redor de uma carcaça. Hermann Göring vetou vendas e exportações posteriores visando adquirir algumas das obras de arte para si mesmo. Mas quem liderou a pilhagem foi Hitler. Uma visita a Roma em maio de 1938 convenceu-o de que a Grande Alemanha também precisava de uma capital de destaque nas artes e seu olhar pousou em Linz, onde havia passado a infância. Em 26 de junho de 1939, mandou o historiador de arte e diretor do museu de Dresden, Hans Posse, criar uma coleção para o museu de arte planejado para Linz. Em 24 de julho, o administrador austríaco subordinado a Bürckel foi informado por Bormann de que todas as coleções confiscadas deveriam ser colocadas à disposição pessoal de Posse ou Hitler; em outubro, Posse havia dado jeito de conseguir também a inclusão das coleções Rothschild. A pilhagem da herança cultural da Europa havia começado.[104]

Esses atos de pilhagem não eram amplamente conhecidos entre os alemães. As reações imediatas à anexação foram mistas. Evidenciou-se o mesmo padrão de ocasiões anteriores, como na remilitarização da Renânia em 1936: o orgulho nacional misturou-se ao nervosismo, até mesmo pânico, nascido do medo de uma guerra geral. De acordo com alguns relatórios, o temor foi a primeira reação à crise austríaca, dando espaço bem rapidamente ao entusiasmo nacionalista, à medida que a passividade das outras potências europeias deixou claro que não haveria guerra, pelo menos naquela ocasião. "Hitler é um mestre na política", era a visão difundida; "sim, ele é verdadeiramente um grande estadista, maior que Napoleão, porque está conquistando o mundo sem guerra". A natureza pacífica da anexação foi um fator-chave para essa questão. Os trabalhadores podem ter se deprimido com a ausência de uma oposição socialista ("onde estava a Viena Vermelha?"), mas muitos também ficaram imensamente impressionados com o golpe sem derramamento de sangue dado por Hitler: "Ele realmente é um bom sujeito", recordou um.[105]

O discurso de Hitler em Viena em 15 de março de 1938 foi saudado de uma forma que um agente social-democrata admitiu ser

> um entusiasmo e alegria maciços pelo sucesso dele... O júbilo praticamente não tinha mais limites... Mesmo os setores da sociedade que até ali mostravam-se frios em relação a Hitler ou o rejeitavam ficaram empolgados com o acontecimento e admitiram que no fim das contas Hitler era um grande e sagaz estadista, que lideraria a Alemanha outra vez para a grandeza e respeito depois da derrota de 1918.[106]

A anexação da Áustria levou a popularidade de Hitler a picos sem precedentes. Os nacionalistas de classe média ficaram extasiados, fossem quais fossem suas reservas a respeito de outros pontos da política do Terceiro Reich.[107] A reunificação da Alemanha e da Áustria, escreveu Luise Solmitz em seu diário, era "história mundial, a realização de meu velho sonho germânico, uma Alemanha verdadeiramente unida por meio de um homem que não tem medo de nada, que não conhece meios-termos, empecilhos ou dificuldades". Em excitação crescente, ela ouvia o rádio transmitir o desenrolar dos acontecimentos, registrando cada gesto, cada discurso com um espírito de êxtase crescente a despeito de todos os problemas sofridos por sua família devido ao *status* racial misto: "Tudo é como um sonho", ela escreveu, "e a pessoa é arrancada por completo de seu próprio mundo e de si mesma... Deve-se recordar que o indivíduo é excluído da comunidade do povo como um criminoso ou uma pessoa degradada".[108] Victor Klemperer ficou desesperado: "Não haveremos de viver para ver o fim do Terceiro Reich", ele escreveu em 20 de março de 1938. E também anotou: "Desde ontem, um grande cartaz amarelo com a estrela de Davi está pregado em cada poste de nossa cerca: *judeu*".[109]

Para Hitler, a anexação trouxe aumento na autoconfiança, a certeza de que havia sido escolhido pela Providência, a crença de que não podia errar. Seus discursos da época estão cheios de referência a seu próprio *status* de arquiteto do renascimento da Alemanha, nomeado pelo poder divino. Agora não sobrava ninguém para contê-lo. O Exército, ainda em estado de choque e, em setores do corpo de oficiais, desiludido após o caso Blomberg-Fritsch, não teve resposta para esse grande sucesso. Mesmo os oficiais que agora estavam convencidos de que, no longo prazo, Hitler os conduziria para o abismo, sentiam-se incapazes de tomar qualquer atitude direta à luz da enorme popularidade obtida pelo Líder nazista. Hitler já estava de olho na Tchecoslováquia, instigado por Ribbentrop, que, jubiloso, lhe garantira que a Grã-Bretanha não interviria. A reação das outras potências europeias à anexação da Áustria havia sido tão débil que parecia não haver motivo para a tomada da Tchecoslováquia, anunciada por Hitler como uma meta intermediária no encontro registrado pelo coronel Hossbach em 1937, não seguir adiante.[110]

No discurso ao Reichstag em 18 de março de 1938, Hitler já havia se referido em termos exaltados à "violação brutal de incontáveis milhões de companheiros raciais germânicos" por toda a Europa. Em 28 de março, no meio de uma campanha de discursos e comícios para a eleição e o plebiscito conjuntos a serem realizados em 10 de abril, Hitler manteve um encontro secreto com o líder do Partido Sudeto Alemão, uma organização apoiada pelos nazistas que afirmava representar a minoria alemã na Tchecoslováquia. O partido, disse Hitler, tinha que evitar a colaboração com o governo tcheco e em vez disso embarcar numa campanha pela "liberdade total dos Sudetos alemães".[111] A subversão da Tchecoslováquia estava em andamento. O final definitivo seria a destruição completa do Estado tchecoslovaco e sua absorção no Reich alemão de um jeito ou de outro. Só assim as fronteiras da Alemanha poderiam ser organizadas de modo a criar um trampolim para a invasão da Polônia e da Rússia e a criação do "espaço vital" racialmente constituído para os alemães na Europa oriental que Hitler há muito desejava. Em 28 de maio, Hitler disse a seus generais e a funcionários do Ministério de Relações Exteriores que estava "totalmente determinado a tirar a Tchecoslováquia do mapa". Dois dias depois, foram apresentados planos militares para viabilizar sua "decisão inalterável de esmagar a Tchecoslováquia em um futuro próximo".[112] Pela primeira vez, portanto, Hitler embarcava em um curso que não poderia ser descrito como retificação de cláusulas injustas e punitivas resultantes do Tratado de Paz de 1919. As consequências desse passo seriam tremendas.

A violação da Tchecoslováquia

I

A República da Tchecoslováquia era uma das poucas democracias restantes na Europa em 1938. Sustentados por tradições liberais profundamente estabelecidas, os representantes tchecos nas negociações de paz de 1919 haviam logrado obter independência da monarquia de Habsburgo, à qual os Estados da Boêmia e Morávia outrora pertenciam. O novo país, diferentemente do vizinho austríaco ao sul, começou sua vida com excelentes perspectivas, inclusive uma sólida base industrial. Entretanto, como outros Estados sucessores da velha monarquia de Habsburgo, a Tchecoslováquia continha significativas minorias nacionais, sendo que a maior consistia de cerca de 3 milhões de alemães, na maioria agrupados nas regiões da fronteira oeste, noroeste e sudoeste do país. Embora o tcheco fosse o idioma nacional oficial, quase nove entre dez alemães étnicos puderam seguir usando a língua materna para tratar de assuntos oficiais, uma vez que o alemão era usado em escolas de distritos importantes, e a minoria alemã estava representada no Parlamento tcheco. Partidos alemães participavam das coalizões de governo, e pessoas que falavam alemão podiam fazer carreira, embora precisassem saber tcheco para entrar no serviço público. Os alemães étnicos, cada vez mais chamados de sudetos alemães devido à região em que muitos deles viviam, tinham plenos direitos individuais como cidadãos em um país onde as liberdades civis eram mais respeitadas que na maioria das outras partes da Europa. Não havia garantia de direitos coletivos para a minoria de língua alemã, mas a ideia de conceder o *status* de segundo "povo do Estado" ao lado dos tchecos foi amplamente discutida no final da década de 1920.[113]

Dois fatores destruíram a coexistência relativamente pacífica entre tchecos e alemães no início da década de 1930. O primeiro foi a Depressão econômica mundial, que afetou a população de língua alemã de modo especialmente severo. Indústrias leves voltadas para o consumo, como de vidros e têxteis, fortemente concentradas nas zonas de língua alemã, entraram em colapso. Em 1933, os alemães étnicos constituíam dois terços dos desempregados da república. O sobrecarregado sistema de previdência social do Estado despachou muitos deles para a pobreza e a miséria. A essa altura, o segundo fator, a tomada nazista do poder na Alemanha, entrou em cena, levando um número crescente de alemães sudetos desesperados a olhar para o Terceiro Reich, à medida que a economia alemã começava a se recuperar sob o impacto do rearmamento, enquanto a situação tcheca ainda definhava no marasmo. Nessas circunstâncias, as pessoas de língua alemã cerraram fileiras no Partido Sudeto Alemão, que exigia melhorias econômicas baseadas na autonomia regional ao mesmo tempo que declarava lealdade ao Estado tchecoslovaco e mantinha uma distância cautelosa dos nazistas do lado alemão da fronteira. O líder do partido, o professor escolar Konrad Henlein, viu-se sob pressão crescente de ex-membros dos grupos extremistas germano-nacionalistas banidos que entraram para a organização no início de 1933. Em 1937, os sucessos da política externa de Hitler deram a vantagem aos extremistas. Nas eleições de 1936, o partido obteve 63% dos votos dos alemães étnicos. No começo de 1937, o governo tcheco, percebendo o perigo, fez uma série de importantes concessões econômicas, admitindo pessoas de língua alemã no serviço público e firmando contratos do governo com empresas de alemães sudetos. Mas era tarde demais. Verbas vindas de Berlim agora fluíam para os cofres do partido, e com essa influência o governo alemão conseguiu alinhar Henlein à política de separar os Sudetos do resto da Tchecoslováquia.[114]

Na primavera de 1938, com a impaciência aumentada agudamente pela anexação alemã da Áustria, o Partido Sudeto Alemão estava ficando violento. A intimidação em massa de seus oponentes nas eleições locais ajudou a aumentar sua votação para 75%.[115] À medida que a pressão de Berlim acentuou-se, o governo tcheco concedeu o direito de autonomia sudeto alemã e ofereceu auxílio econômico adicional. Mas nada adiantou.[116]

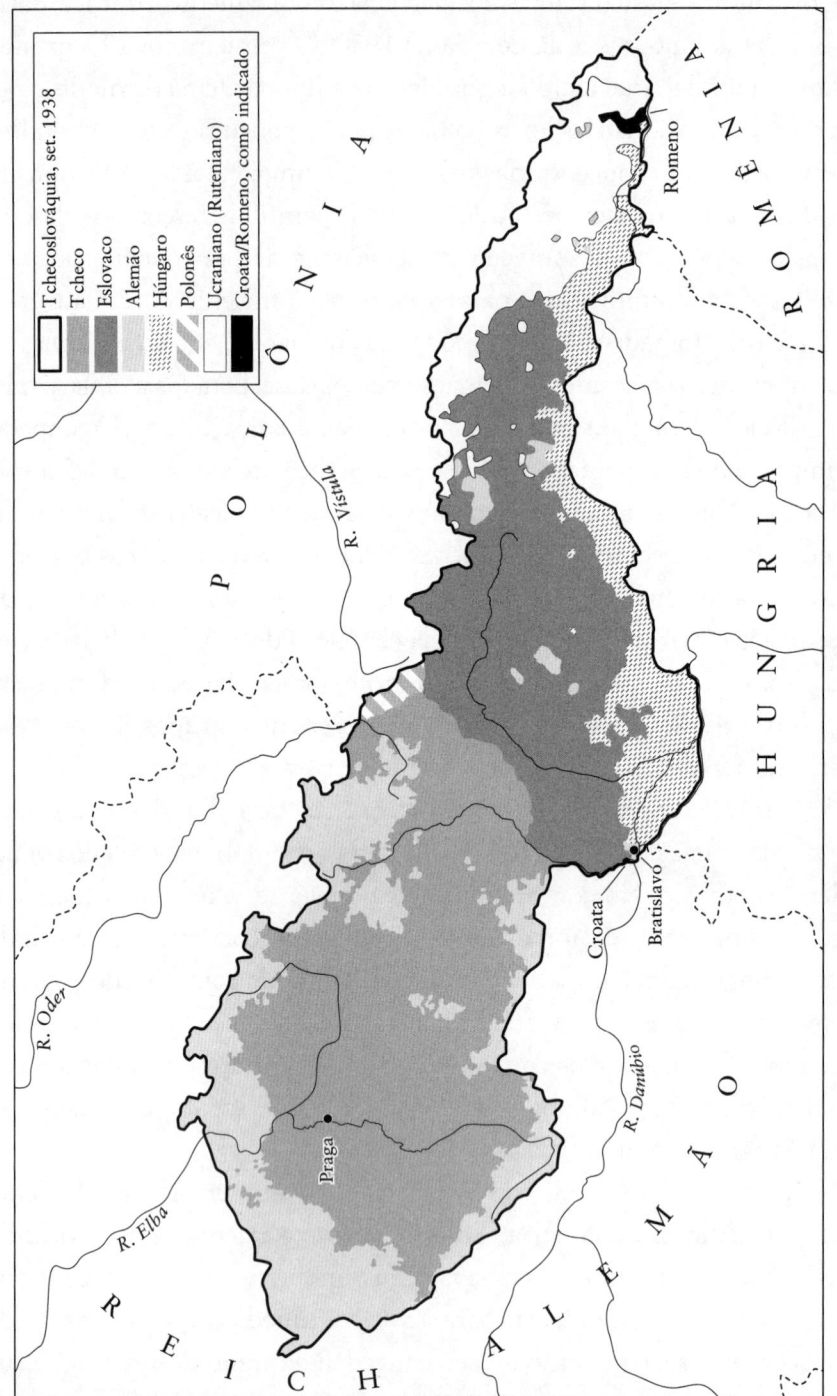

Mapa 20. Grupos étnicos na Tchecoslováquia, 1920-37

Legenda:
- Tchecoslováquia, set. 1938
- Tcheco
- Eslovaco
- Alemão
- Húngaro
- Polonês
- Ucraniano (Ruteniano)
- Croata/Romeno, como indicado

Henlein estava propenso à secessão, e Hitler estava propenso à guerra. Mas a invasão da Tchecoslováquia, onde a maioria da população era implacavelmente contrária a Hitler, ao nazismo e à ideia de uma tomada alemã, era uma perspectiva muitíssimo diferente da invasão da Áustria, onde a maioria da população era a favor de todas ou da maioria dessas ações em um grau ou outro. A Tchecoslováquia era um país maior, mais rico e mais poderoso que a Áustria, com uma grande indústria de armamentos, inclusive a fábrica Skoda, uma das líderes na produção de armas da Europa. Ao contrário do Exército austríaco, que era pequeno, pouco preparado para a ação e profundamente dividido em suas atitudes a respeito da Alemanha, o Exército tcheco era uma força de combate substancial, bem disciplinada e bem treinada, unida na determinação de resistir a uma invasão alemã. Os generais alemães já haviam ficado nervosos antes da remilitarização da Renânia e da anexação da Áustria. E ficaram em pânico quando souberam da intenção de Hitler de destruir a Tchecoslováquia. Não só os preparativos militares eram inadequados e o rearmamento estava abaixo das metas, como a probabilidade de intervenção internacional e de uma guerra geral era muito maior que antes. Afinal, a Tchecoslováquia estava formalmente aliada à França; e a invasão não poderia ser apresentada como nada além de um ato de agressão contra um país soberano sobre o qual a Alemanha – diferentemente do caso da Áustria – não tinha como reivindicar suserania aos olhos do mundo.[117]

Por certo que os generais, em princípio, tinham poucas objeções à tomada da Tchecoslováquia, que se intrometia geograficamente na recém-criada Grande Alemanha de forma perigosa do ponto de vista estratégico. Na mente deles, o ódio e o desprezo por eslavos e democratas fundia-se com uma crença mais ampla na criação final de um império alemão na Europa oriental e central. Além disso, a aquisição da indústria tcheca de armas, da mão de obra qualificada e de matérias-primas em abundância aliviariam a situação de abastecimento cada vez mais calamitosa do Terceiro Reich nesses campos. Tudo isso somava-se à importância estratégica geral da Tchecoslováquia aos olhos de Hermann Göring, cujo prestígio fora notadamente impulsionado pela anexação da Áustria. Todavia, Göring e os generais não estavam convencidos de que fosse o momento certo para uma ação contra os tchecos. Parecia um gesto imprudente e temerário, correndo-se o risco real de uma grande guerra para a qual, na visão deles, a Alemanha estava deveras despreparada. Eles achavam que seria bem mais prudente esperar, carregar na pressão e garantir concessões gradativas. Suas dúvidas cresceram ao ficar claro que a Grã-Bretanha não ficaria à margem dessa vez. Quando Goebbels deslanchou uma campanha maciça de propaganda cheia de histórias de horror sobre os supostos maus-tratos dos sudetos alemães pelos tchecos, uma sensação de crise começou a se apoderar dos comandantes mais graduados do Exército.[118]

Em 5 de maio, o chefe do Estado-Maior Geral, Ludwig Beck, informou Hitler que a Alemanha não estava em posição de vencer uma guerra caso, conforme ele achava provável, a Grã-Bretanha interviesse para proteger os tchecos. Mais adiante naquele mês, ele repetiu as advertências com maior insistência, e em 16 de julho emitiu um memorando para os generais sêniores advertindo sobre consequências sinistras caso a invasão fosse adiante. Ele até sondou a ideia de conseguir que os generais mais graduados renunciassem em massa em protesto contra os planos de Hitler. Entretanto, os outros generais ainda estavam desmoralizados pelo escândalo Blomberg--Fritsch. Estavam presos à tradição de acreditar que seu dever de soldados era obedecer ordens e não se envolver em política. Temiam que quebrar o voto pessoal de lealdade a Hitler fosse um ato de desonra. Também estavam muitíssimo cientes do aumento de prestígio e poder de Hitler após a anexação da Áustria. E de todo modo não discordavam da meta de Hitler de atacar a Tchecoslováquia, mas apenas do momento. Assim, embora compartilhassem de muitas das preocupações de Beck, dessa vez recusaram-se a respaldá-lo. Não obstante, Hitler ainda achou necessário apelar ao apoio dos oficiais em reuniões em 13 de junho e 10 de agosto de 1938. Recebeu o apoio do chefe do Exército, general Brauchitsch, após submetê-lo a uma longa invectiva quando este levou-lhe o memorando de Beck de 16 de julho de 1938. Enquanto isso, os planos de Beck sofreram um abalo com as manobras militares ordenadas por seu próprio Estado-Maior Geral em junho, que mostraram que a Tchecoslováquia podia ser conquistada em 11 dias, permitindo a rápida transferência de tropas para o oeste a fim de armar a defesa contra alguma possível ação militar franco-britânica. As objeções de que a muralha defensiva do oeste ainda não estava pronta toparam com outra invectiva de Hitler. Os britânicos e os franceses não interviriam, disse ele. E, de qualquer modo, Fritz Todt, que ele havia colocado acima da chefia do Exército em maio para apressar a construção da Muralha do Oeste, teria as fortificações prontas na chegada do inverno.[119]

Sentindo-se totalmente isolado, Beck renunciou ao cargo de comandante do Estado-Maior Geral em 18 de agosto de 1938, sendo sucedido pelo general Franz Halder, seu vice. A escolha foi óbvia, mas Halder de fato não era absolutamente o que parecia ser do ponto de vista da liderança nazista. Nascido em 1884, era um oficial da artilharia oriundo de uma família de militares da Francônia com inclinações fortemente conservadoras. Longe de ser um instrumento confiável da agressão nazista, ele compartilhava de muitas das reservas de Beck a respeito da natureza arriscada da política de Hitler. Nisso, era acompanhado por vários outros oficiais e diplomatas conservadores, notadamente o almirante Wilhelm Canaris, chefe da inteligência militar, e Erwin von Witzleben, um general de infantaria sênior e comandante do distrito militar de Berlim. A desaprovação dos oficiais quanto ao ímpeto temerário de Hitler para a guerra era tão profunda que começaram a fazer planos para derrubá-lo. Uniram forças com um grupo de oficiais mais jovens que já vinha tramando a derrubada de Hitler, notadamente Hans Oster, um general de brigada do departamento de inteligência de Canaris. E estenderam a conspiração para incluir civis que sabiam que seriam necessários para atuar em um governo pós-nazista, inclusive figuras conservadoras que haviam desenvolvido reservas mais ou menos sérias quanto à direção que o regime estava seguindo, como Schacht e Goerdeler, funcionários do Ministério de Relações Exteriores como o secretário de Estado Ernst von Weizsäcker e seus subordinados Adam von Trott zu Solz e Hans-Bernd von Haeften, e funcionários públicos graduados, inclusive Hans Bernd Gisevius, um ex-secretário-assistente do Ministério do Interior, e o conde Peter Yorck von Wartenburg, do gabinete do comissário de Preços do Reich. Os conspiradores lançaram insinuações para outros conservadores alarmados e começaram um planejamento detalhado do golpe, esboçando o deslocamento de tropas e debatendo se Hitler deveria ser assassinado ou apenas colocado sob custódia. Vários deles, sobretudo Goerdeler, viajaram para outros países, em especial a Grã-Bretanha, para expressar advertências em caráter particular a políticos importantes, ministros de governo, funcionários públicos e qualquer outro que quisesse ouvir a respeito das intenções belicosas de Hitler. Foram recebidos com manifestações polidas de interesse, mas não conseguiram garantir nenhuma promessa concreta de apoio, embora seja difícil ver exatamente o que isso poderia ter envolvido em termos concretos naquele estágio.[120]

A fragilidade fundamental da conspiração foi que seus membros no geral não desaprovavam a meta básica de Hitler de desmembrar a Tchecoslováquia, apenas lamentavam o que consideravam uma pressa irresponsável em fazer isso enquanto a economia e as Forças Armadas alemãs ainda se encontravam despreparadas para a guerra geral europeia que temiam que se seguiria. Assim, se Hitler tivesse êxito em sua meta sem provocar uma guerra geral, eles sofreriam uma puxada de tapete.[121] Além disso, os homens envolvidos na conspiração não possuíam apoio no Partido Nazista ou no vasto aparato de organizações por meio do qual este governava a Alemanha. Tanto o corpo de oficiais quanto o Ministério de Relações Exteriores, os dois centros do complô, haviam sido repetidamente desmerecidos nos meses anteriores, em especial por causa da Áustria. O Ministério da Guerra, disse Göring aos oficiais no meio da crise, abrigava "o espírito da pusilanimidade. Esse espírito", acrescentou, "deve acabar!".[122] Se Halder e seus companheiros conspiradores tivessem logrado prender Hitler, a imagem do Exército, rotulado de reacionário por Goebbels, teria obtido pequeno apoio popular, mesmo supondo-se que os outros generais tivessem cerrado fileiras pela causa. O sucesso, portanto, era improvável. Mas, em todo caso, isso logo ficou fora de questão devido aos acontecimentos na frente diplomática.[123]

II

No início de setembro, os eventos estavam chegando ao clímax. Diferentemente da anexação da Áustria, a tomada da Tchecoslováquia exigiu uma longa escalada em vista dos obstáculos militares e internacionais bem maiores que estavam no caminho de Hitler. Ele levou vários meses para superar as objeções dos generais e desenvolver o planejamento militar, no qual se envolveu pessoalmente, visto que não confiava nos generais para fazerem a seu contento. Ao longo do verão, o fluxo incessante de propaganda antitcheca de Goebbels deixou mais do que claro para a comunidade internacional que uma invasão estava sendo preparada em Berlim. Dia após dia, manchetes em letras garrafais nos jornais alardeavam histórias de supostas atrocidades tchecas, fuzilamento de sudetos alemães inocentes, "mulheres e crianças massacradas por blindados tchecos", aterrorização da população pela polícia tcheca, ameaças de ataques com gás às aldeias de sudetos alemães e as maquinações de "Praga, o centro mundial dos incendiários", o cavalo de Troia do bolchevismo na Europa central.[124] Os tchecos, de fato, tinham uma aliança com a União Soviética, mas isso significava muito pouco na prática, como logo descobririam. Bem mais importante era o fato de a integridade da Tchecoslováquia ser garantida por um tratado com a França. Se a França viesse em auxílio dos tchecos, então a Grã--Bretanha também teria que intervir, assim como tivera que fazer na Bélgica sob circunstâncias comparáveis em 1914. O primeiro-ministro britânico, Neville Chamberlain, estava ciente de que a Grã-Bretanha, embora rearmando-se às pressas naquele momento, não estava em condições de travar uma guerra geral europeia. Ele sabia que a pressão sobre as finanças públicas britânicas seria insustentável. Além do mais, pensou, uma guerra geral acarretaria bombardeios aéreos sobre as cidades britânicas que fariam Guernica parecer amena. Acreditava-se que não havia defesa contra esse tipo de ataque e também que provavelmente envolveria o uso de gás tóxico contra o povo indefeso em terra, a exemplo do bombardeio dos italianos sobre os etíopes. No auge da crise, o governo britânico de fato distribuiu máscaras contra gás para a população e ordenou a evacuação de Londres. Em todo caso, a estratégia global britânica ditava que o império, de longe o maior do mundo, vinha primeiro, e a Europa, onde o Reino Unido tinha pouco interesse direto, ficava em um distante segundo lugar. "Como é horrível, fantástico, incrível", disse Chamberlain aos ouvintes durante uma transmissão da rádio BBC perto do final de setembro de 1938, "que tenhamos que cavar trincheiras e experimentar máscaras contra gás aqui por causa de uma altercação em um país longínquo entre povos sobre os quais nada sabemos".[125]

A Tchecoslováquia, claramente, estava bem mais distante que a Índia, a África do Sul ou a Austrália no mapa mental do povo britânico, bem como na imaginação de seu primeiro-ministro. Chamberlain sabia acima de tudo que encontraria pouco ou nenhum apoio público a uma guerra contra a Alemanha por causa da questão dos Sudetos, muito embora àquela altura as vozes no mundo político britânico estivessem clamando pelo fim da marcha de conquista de Hitler na Europa.[126] Ainda não parecia claro para Chamberlain que Hitler estivesse empenhado na conquista da Europa e não meramente determinado a corrigir os erros do Tratado de Versalhes e a proteger minorias étnicas alemãs sitiadas. Se Hitler pudesse ser aplacado quanto à questão dos Sudetos talvez ficasse satisfeito, e a guerra geral poderia ser evitada. Chamberlain decidiu intervir de modo decisivo para evitar a guerra e forçar os tchecos a ceder. Quando Hitler proferiu um discurso no comício do Partido em Nuremberg em 12 de setembro de 1938 ameaçando de guerra caso não fosse concedida a autodeterminação aos Sudetos alemães, Chamberlain exigiu um encontro. Enquanto os capangas de Henlein, agindo sob ordens de Hitler, encenavam uma onda de incidentes violentos planejados para provocar a repressão da polícia tcheca e com isso proporcionar a desculpa para a intervenção alemã, Chamberlain embarcou em um avião pela primeira vez na vida – em agudo contraste com Hitler, que havia adotado esse meio de transporte mais moderno anos antes – e voou para Munique. Durante um longo encontro a sós, testemunhado apenas por um intérprete, Chamberlain concordou com uma revisão das fronteiras tchecas para aceder aos desejos dos sudetos alemães. Mas isso não pareceu satisfazer o Líder alemão. Chamberlain reagiu ao rompante de Hitler perguntando por que havia concordado em se reunir com ele se não admitiria uma alternativa à guerra. Confrontado com tal ultimato, Hitler, relutante, concordou com mais uma reunião.[127]

Em 22 de setembro de 1938, após consultar o gabinete britânico a respeito de suas concessões, Chamberlain voou outra vez para a Alemanha e encontrou-se com Hitler no Hotel Dreesen, em Bad Godesberg, no rio Reno. Os franceses, ele garantiu a Hitler, haviam concordado com seus termos. Assim não haveria problema para se chegar a um acordo. Entretanto, para seu espanto, Hitler apresentou-lhe um novo conjunto de exigências. A violência recente na Tchecoslováquia, disse Hitler, significava que ele teria que ocupar os Sudetos quase de imediato. Além disso, Polônia e Hungria, ambas lideradas por governos militares autoritários nacionalistas que haviam sentido cheiro de sangue no clima das negociações, também haviam lançado reivindicações sobre o território tcheco margeando suas fronteiras, e essas também tinham que ser atendidas, disse Hitler. As posições então começaram a endurecer. O governo tcheco, reconhecendo a situação, havia aceitado os termos anglo-franceses. Mas, ao mesmo tempo, um governo militar chegou ao poder em Praga sob o impacto da crise, e ficou claro que não seriam feitas mais concessões. O gabinete britânico rejeitou as propostas de Bad Godesberg, preocupado com o que o público britânico veria como uma humilhação para o governo. Chamberlain mandou uma missão de alto nível a Berlim para deixar claro a Hitler que a Grã-Bretanha não toleraria uma ação unilateral. Furioso, Hitler convidou Sir Horace Wilson, o líder da delegação, para um discurso que ele faria no Palácio de Esportes na noite de 26 de setembro. A fala culminou com uma violenta invectiva contra os tchecos. William L. Shirer, que estava no comício, notou que Hitler estava "gritando e guinchando no pior estado de excitação em que jamais o vi... com uma chama fanática nos olhos". Agitando-se até o frenesi, Hitler declarou, diante dos aplausos tumultuosos de 20 mil partidários nazistas, que o genocídio tcheco da minoria alemã não podia ser tolerado. Ele mesmo marcharia para o país à frente de suas tropas. A data seria 1º de outubro.[128]

Enquanto britânicos e tchecos preparavam-se para a guerra, no fim quem recuou foi Hitler. De modo talvez surpreendente, a influência decisiva foi de Hermann Göring, que caíra como um falcão sobre a Áustria. Como os generais, ele ficou estarrecido com o risco de uma guerra geral por causa de um assunto em que as concessões essenciais à Alemanha já haviam sido feitas. Por isso, pelas costas de Hitler, ele intermediou uma conferência com britânicos, franceses e, o crucial, italianos, que pediram a Hitler para adiar a invasão até a conferência reunir-se. Persuadido pelas fortes reservas de Göring quanto a uma guerra, e vendo no pedido de Mussolini uma saída para a situação sem ser humilhado, Hitler concordou. A conferência reuniu-se em Munique em 29 de setembro de 1938, sem os tchecos, que não foram convidados. Göring havia minutado um acordo de antemão e fez com que fosse colocado em termos formais por Weizsäcker no Ministério de Relações Exteriores. Ribbentrop estava totalmente a favor da guerra ("ele tem um ódio cego da Inglaterra", anotou Goebbels em seu diário).[129] Por isso, não foi informado sobre o documento minutado, entregue ao embaixador italiano, que o apresentou a Hitler em 28 de setembro como obra de Mussolini. Depois de 13 horas de negociações sobre as letras miúdas, o Acordo de Munique foi assinado pelas quatro potências em 29 de setembro de 1938. No dia seguinte, Chamberlain apresentou a Hitler uma declaração de que Grã-Bretanha e Alemanha jamais entrariam em guerra de novo. Hitler assinou sem titubear. No retorno à Inglaterra, Chamberlain acenou para as multidões em festa da janela do primeiro andar de Downing Street, 10. "Creio que essa seja a paz para o nosso tempo", disse ele. Parece que Chamberlain acreditou de verdade que obtivera um acordo satisfatório para todos, inclusive os tchecos, que, declarou, haviam sido salvos para um futuro mais feliz. Hitler, disse ele para a irmã após o primeiro encontro com o líder alemão, era um homem em cuja palavra se podia confiar. Todas as experiências nas idas e vindas das negociações não parecem tê-lo desiludido.[130]

A sensação de alívio foi tão palpável na Alemanha quanto na Grã-Bretanha. Desde maio, grassava na Alemanha a ansiedade popular sobre a possibilidade de guerra, que ficou mais aguda com a mobilização militar do governo tcheco naquele mês. Em ocasiões anteriores, o pânico havia durado pouco. Mas dessa vez a crise arrastou-se por meses. Até mesmo o Serviço de Segurança da SS admitiu que havia entre a população uma "psicose de guerra" que perdurara até a assinatura do Acordo de Munique. "Com referência à superioridade do oponente, surgiu o derrotismo, que evoluiu para a mais forte crítica à 'política aventureira do Reich'." Muita gente achava que a incorporação à Alemanha dos Sudetos assolados pela crise imporia ao Reich um severo fardo econômico. Nos momentos mais tensos da crise, as pessoas em pânico retiraram suas economias dos bancos; habitantes de zonas fronteiriças à Tchecoslováquia fizeram preparativos para fugir rumo ao oeste. Muitos alemães – lamentavelmente, do ponto de vista do Serviço de Segurança – prefeririam obter informações nas estações de rádio estrangeiras, e isso aumentava mais seu pessimismo. O Serviço de Segurança culpava sobretudo os intelectuais por essa tendência.[131]

Mas não eram apenas os intelectuais que estavam preocupados. Até então, Hitler havia conquistado os aplausos da grande massa de alemães obtendo triunfos em política externa sem derramamento de sangue. Agora que havia a impressão de que o sangue realmente seria derramado, as coisas pareciam muito diferentes. Em maio de 1938, agentes social-democratas notaram que a ansiedade geral fazia um forte contraste com o entusiasmo de agosto de 1914. Por certo, a maioria das pessoas achava as exigências dos sudetos alemães justificadas. Mas queria que fossem atendidas sem guerra.[132] Ninguém, foi reportado em julho, pensava que a Alemanha poderia vencer uma guerra contra a Grã-Bretanha e a França. Alguns social-democratas amargurados até esperavam que a guerra acontecesse porque a derrota seria o melhor jeito de se livrar dos nazistas. Mas também havia um fatalismo disseminado entre muitos trabalhadores. Os jovens com frequência eram arrebatados pela visão de uma Alemanha grandiosa, cavalgando um continente subjugado. Muita gente mais velha estava confusa e sentia que faltavam informações detalhadas.[133] À medida que se intensificaram os preparativos para a guerra, aumentou a ansiedade popular.[134] A "psicose de guerra" na população, registrou Goebbels em seu diário em 31 de agosto, estava crescendo.[135] No Ruhr, os observadores social-democratas registraram logo depois do Acordo de Munique:

> Reina aqui uma grande inquietação. As pessoas temem que haja guerra e que a Alemanha seja derrotada. Não se encontra qualquer entusiasmo pela guerra em lugar algum. As pessoas sabem que uma guerra contra a maior parte da Europa e contra a América deve acabar em derrota para a Alemanha... Se houver uma guerra, esta será a mais impopular possível na Alemanha.[136]

Mesmo os jovens, a despeito de todo o entusiasmo pela Grande Alemanha, agora estavam ansiosos com a situação.[137]

Não eram apenas as classes operárias ou os entrevistados dos agentes social-democratas que estavam preocupados. "Guerra, guerra, guerra", escreveu Luise Solmitz em seu diário em 13 de setembro de 1938. "Onde quer que se vá, não se ouve outra coisa." Por algum tempo, seu medo de uma guerra geral foi sobrepujado pelo patriotismo habitual. De repente, 1914 significava algo diferente de um espírito de união nacional: "1914 está ressurgindo de forma sinistra. Cada sudeto alemão morto é um Francisco Ferdinando".[138] Não obstante, seu marido judeu patriota Friedrich Solmitz ainda apresentou-se como voluntário para o serviço militar na hora de necessidade de seu país. Sua proposta foi recusada.[139] Entre a população em geral, a confiança na capacidade de Hitler de obter ganhos em política externa sem derramamento de sangue ficou bem mais arranhada que em ocasiões anteriores, como a remilitarização da Renânia ou a anexação da Áustria, justamente porque a crise tcheca prolongou-se muito. No final do verão e começo do outono de 1938 houve aumento marcante no número de pessoas levadas aos tribunais especiais por críticas a Hitler.[140]

De modo análogo, a onda de alívio que varreu o país com o anúncio do Acordo de Munique foi enorme. "Todos podemos seguir vivendo", escreveu Luise Solmitz em seu diário, "relaxados e felizes, foi retirada uma pressão terrível de todos nós... Agora essa experiência maravilhosa, singular. Os Sudetos obtidos em paz com a Inglaterra e a França".[141] Em Danzig, conforme registrou um agente social-democrata, quase todo mundo viu o Acordo de Munique como "100% de sucesso para Hitler".[142] Mas isso não era de causar surpresa, dada a situação da cidade. Por outro lado, entre os operários católicos do Ruhr houve relatos de preocupação de que o sucesso de Hitler levasse a uma campanha ainda mais implacável contra a Igreja. Não obstante, todo mundo ficou aliviado por Hitler ter obtido um novo território para a Alemanha sem derramamento de sangue. Não é de espantar que Chamberlain fosse saudado ao passar pelas ruas de Munique após a assinatura do acordo. Todos concordaram que o acordo fortaleceu imensamente o poder e o prestígio de Hitler. Apenas oponentes empedernidos do regime ficaram amargurados com o que viram como uma traição aos tchecos pelas democracias ocidentais. Apenas os mais soturnos concluíram que aquilo "iria mais longe".[143]

O próprio Hitler ficou longe de estar triunfante a respeito do resultado. Havia sido privado da guerra que estivera planejando. Ressentiu-se com a intervenção de Göring. Dali em diante, as relações entre os dois esfriaram, deixando Ribbentrop, efetivamente excluído das negociações de Munique, em uma posição mais forte, assim como Himmler, que também estava ao lado de Hitler em seu desejo pela guerra. Os generais do Exército e seus parceiros conspiradores tiveram que abandonar os planos de golpe diante do resultado pacífico da crise, mas também ficaram enfraquecidos no conceito de Hitler, e somado a isso os mais radicais entre eles sentiram-se traídos pela intervenção de Chamberlain. Além do mais, Hitler também estava por demais ciente do fato de que a maioria dos alemães não queria guerra, apesar de todos os esforços do Terceiro Reich para persuadi-los de sua conveniência. Em 27 de setembro de 1938, ele organizou uma parada militar em Berlim bem na hora em que os berlinenses estavam saindo de seus escritórios a caminho de casa e se podia esperar que fizessem uma pausa para saudar enquanto os caminhões de carga e tanques passavam. Mas, relatou William L. Shirer,

> eles enfiaram-se depressa nos metrôs, recusaram-se a assistir, e o punhado que ficou no meio-fio manteve-se em silêncio total, incapaz de achar uma palavra de saudação para a flor de sua juventude que partia para a guerra gloriosa. Foi a mais impressionante demonstração contra a guerra que jamais vi. O próprio Hitler apresentou-se furioso. Eu estava parado em uma esquina não fazia muito quando chegou um policial pela Wilhelmstrasse, vindo dos lados da Chancelaria, que gritou para os poucos de nós parados no meio-fio que o Führer estava na sacada revistando as tropas. Poucos se mexeram. Fui dar uma olhada. Hitler estava parado lá, e não havia duzentas pessoas na rua...[144]

Irado e desalentado, Hitler entrou.

Em 10 de novembro de 1938 (logo depois do *pogrom* antissemita, quando homens judeus foram detidos por toda a Alemanha), Hitler expressou seu desalento em um encontro fechado com representantes da imprensa alemã:

> Somente por enfatizar constantemente o desejo alemão de paz e intenções pacíficas tive condições de obter a liberdade do povo alemão passo

a passo, e com isso o armamento faz-se necessário como pré-requisito para o próximo passo. É evidente por si mesmo que essa propaganda de paz, mantida ao longo de décadas, também possui um aspecto questionável, pois pode muito bem levar muita gente a ter a impressão de que o atual regime identifica-se com a resolução e a vontade de preservar a paz sob todas as circunstâncias. Entretanto, isso levaria a nação alemã sobretudo a encher-se de um espírito de derrotismo a longo prazo, em vez de deixá-la preparada para os acontecimentos, e isso levaria embora as realizações bem-sucedidas do atual regime.[145]

Hitler foi adiante em uma arenga contra os "intelectuais" que estavam minando a disposição para a guerra. Disse que o papel da imprensa era convencer as pessoas de que a guerra era necessária. Elas tinham que ser levadas a acreditar cegamente na justeza das políticas da liderança, mesmo que incluíssem a guerra. A dúvida apenas deixava-as infelizes. "Agora tornou-se necessário reorientar o povo alemão gradualmente em termos psicológicos, e deixar claro que há coisas que não podem ser alcançadas por meios pacíficos, mas devem ser realizadas à força."[146] Era uma espantosa admissão de fracasso o fato de que mais de cinco anos de doutrinação e preparação em todos os níveis ainda não tivessem atingido essa meta. Na visão de Hitler, isso mostrava que a maioria dos alemães estava falhando em dar ao regime o apoio popular que ele exigia, mesmo no setor de política externa, onde suas metas supostamente tinham o apelo mais amplo.[147]

III

Em 1º de outubro de 1938, as tropas alemãs cruzaram a fronteira da Tchecoslováquia, enquanto o bem equipado Exército tcheco recuava das firmes posições que ocupava nas regiões montanhosas e facilmente defensáveis da fronteira. As cenas que haviam saudado a anexação alemã da Áustria repetiram-se nos Sudetos. Apoiadores extasiados do Partido Sudeto Alemão de Henlein perfilaram-se nas ruas, ovacionando os soldados alemães que passavam em marcha, lançando flores em seu caminho e erguendo os braços na saudação de Hitler. Entre os que não simpatizavam com os nazistas, o estado de ânimo predominante foi muito diferente. Mais de 25 mil pessoas, na maioria tchecos, já haviam se evadido dos Sudetos para regiões de predomínio tcheco em setembro. A essas seguiram-se mais 150 mil do mesmo território e de outras áreas fronteiriças no período entre a assinatura do Acordo de Munique e o final de 1938, e quase mais 50 mil nos meses logo em seguida. Os refugiados incluíam tchecos e alemães classificados como judeus pelas Leis de Nuremberg; eles sabiam muito bem o que os esperava se ficassem. Em maio de 1939, o número de judeus nos Sudetos havia caído de 22 mil para menos de 2 mil no total. Um quinto da população tcheca das zonas de fronteira havia fugido. Quase um quarto da população sudeto alemã era contrária ao partido de Henlein, e 35 mil deles também haviam fugido, na maioria social-democratas e comunistas alemães. A sina dos que ficaram mostrou que sábios foram os que partiram. A Gestapo e o Serviço de Segurança da SS entraram atrás das tropas alemãs e detiveram cerca de 8 mil alemães étnicos e 2 mil oponentes tchecos do nazismo, colocando a maioria em campos de concentração, e uma minoria em prisões estatais na sequência de julgamentos formais. Pouco mais de um mês depois, a violência do *pogrom* de 9-10 de novembro estendeu-se também aos Sudetos, e os judeus que lá permaneceram foram objetos de ampla violência, pilhagem e destruição de propriedade. Cinquenta mil empregados do Estado tcheco de ferrovias, correios, escolas e administração local foram demitidos para dar lugar aos alemães, e também partiram para o que restava da República Tcheco-Eslovaca, como agora era chamada.[148]

As zonas de predomínio de idioma alemão do oeste e do norte da Boêmia, do norte da Morávia e do sul da Silésia foram incorporadas ao Terceiro Reich como Região dos Sudetos do Reich, enquanto o sul da Boêmia tornou-se parte da Baviera e o sul da Morávia foi designado para a antiga Áustria. Henlein tornou-se comissário do Reich para a nova região sob o comando do Ministério do Interior do Reich, e foram recrutados funcionários públicos de outras partes da Alemanha para preencher os cargos das administrações local e regional desocupados por tchecos, judeus e esquerdistas. Não obstante, a maioria dos administradores em todos os níveis era de sudetos alemães, e – em agudo contraste com a Áustria – o regime nazista tomou grande cuidado para perpetuar um senso de identidade distinta nos Sudetos, deixando apenas a Gestapo e a SS (inclusive seu Serviço de Segurança) nas mãos de homens do Velho Reich. Os sudetos alemães afluíram para o Partido Nazista e a SA. Contudo, em breve ficariam desiludidos. Associações de voluntários e clubes locais há muito estabelecidos foram dissolvidos ou incorporados às organizações do Partido Nazista comandadas a partir de Berlim. O ressentimento contra os aventureiros políticos oriundos do Velho Reich, por mais limitado que fosse seu número, logo se disseminou. O desemprego caiu abruptamente, mas os operários da indústria tinham que viver com as longas jornadas e baixos vencimentos que haviam se tornado a norma no Velho Reich. Nas áreas anexadas situava-se 22% da produção industrial tcheca, que foi rapidamente incorporada à economia de guerra da Alemanha, com firmas alemãs chegando prontamente para tirar vantagem da arianização de empresas tchecas e judaicas. I. G. Farben, Carl Zeiss Jena e grandes bancos e companhias de seguro alemães fizeram aquisições significativas, embora companhias de sudetos alemães também tenham se beneficiado da pilhagem. Os 410 mil tchecos que permaneceram nas zonas anexadas viram seu idioma banido do uso oficial, suas escolas secundárias fechadas e suas associações de voluntários e clubes extintos. Haviam se tornado cidadãos de segunda classe.[149]

O Acordo de Munique também deu o sinal para potências menores tirarem uma fatia do bolo tcheco. Em 30 de setembro de 1938, o governo militar polonês exigiu a cessão de uma faixa de terra nos arredores de Teschen, na fronteira norte da Tchecoslováquia, que possuía uma população substancial de idioma polonês; os tchecos não tiveram opção a não ser concordar, e tropas polonesas marcharam para lá em 2 de outubro de 1938. O general tcheco que entregou a região observou para seu par polonês que ele não desfrutaria da possessão por muito tempo: a Polônia com certeza era a próxima da fila. Mas o princípio de manutenção das fronteiras traçadas pelo Tratado de Paz de 1919 pouco importou diante do nacionalismo engrandecido dos coronéis poloneses, que submeteram a região conquistada às mesmas políticas de polonização e governo autoritário que já haviam aplicado em casa.[150] Ao longo da fronteira meridional da Tchecoslováquia, o governo autoritário da Hungria, sob o almirante Horthy, também reivindicou uma longa faixa de terra na qual predominava a minoria magiar. Porém, suas

Forças Armadas estavam parcamente preparadas para uma invasão, de modo que os húngaros tiveram que recorrer à negociação. A questão foi complicada pelo fato de as tensões entre tchecos e eslovacos agora terem vindo à tona, refletindo diferenças econômicas, sociais, religiosas e culturais de longa data entre os dois principais grupos constituintes da república. Em 7 de outubro de 1938, líderes dos partidos políticos eslovacos estabeleceram uma região autônoma com governo próprio, mas ao menos nominalmente dentro do Estado que sobrou após o Acordo de Munique. As reivindicações rivais de eslovacos e húngaros no fim foram resolvidas pela intervenção dos italianos, que impuseram um acordo (com anuência alemã) em 2 de novembro de 1938. Esse deu aos húngaros um território adicional de 12 mil quilômetros quadrados com mais de 1 milhão de habitantes, incluindo uma minoria considerável de mais de 200 mil eslovacos. Era menos do que os húngaros haviam exigido inicialmente, mas o suficiente para satisfazê-los por enquanto, e Hitler deixou claro que não toleraria qualquer ação militar da parte deles para ganhos adicionais. A completa ausência da Grã-Bretanha e da França nas negociações demonstrou com assustadora clareza o grau em que as potências do Eixo agora controlavam os assuntos daquela parte da Europa.[151]

Ao reconhecer esse brutal fato da vida, os governos da região fizeram o possível para se ajustar aos desejos alemães. No novo Estado tripartite governado a partir de Praga, governos de direita suprimiram os comunistas e deram duro nos social-democratas. O governo militar na zona tcheca fez o possível para não ofender os alemães que agora cercavam boa parte de seu território. As autoridades eslovacas autônomas de Bratislava criaram um Estado de partido único e impuseram suas polícias por meio de uma força paramilitar, a Guarda Hlinka, que logo conquistou uma justificada reputação pela brutalidade. Em uma terceira região autônoma recém-criada no leste, conhecida na época como Cárpatos-Ucrânia, onde o cônsul alemão exercia uma influência dominante, as minorias nacionais foram rigorosamente reprimidas, e o ucraniano tornou-se a única língua oficial. Em 7 de dezembro de 1938, foi assinado um tratado de cooperação econômica com a Alemanha, dando ao Terceiro Reich o controle sobre os recursos minerais da região. Os húngaros juntaram-se ao Pacto Anticomintern e o governo romeno ofereceu amizade à Alemanha; em ambos os países, os governos deslocaram-se agudamente para a direita, e o rei Carol da Romênia deu um golpe contra seu próprio gabinete. Na Hungria, na Polônia e na Romênia, intensificaram-se as medidas contra judeus. Todas essas atitudes testemunharam um certo pânico entre as nações menores da Europa oriental e central. Por muitos anos, a França havia tentado cimentá-las unidas como um baluarte contra a expansão alemã. O Acordo de Munique acabou com tudo isso.[152]

Hitler considerava o Acordo de Munique como nada mais que um revés temporário nos seus planos de invadir e tomar o controle da Tchecoslováquia, independentemente do que as potências ocidentais pudessem achar. Em termos estratégicos, a posse do restante do país proporcionaria uma plataforma de salto adicional para agir contra a Polônia, cujo governo militar rejeitou com firmeza as propostas de Hitler para entrar no Pacto Anticomintern. O governo polonês também se recusou a fazer concessões à Alemanha a respeito de Danzig, uma cidade livre sob suserania da Liga das Nações, e do corredor que garantia à Polônia acesso ao Báltico, mas cortava o oeste e o leste da Prússia do resto do Reich. A população largamente alemã de Danzig havia cerrado fileiras com a causa nazista, assim como outra cidade na fronteira do leste da Prússia e da Lituânia, de Memel, que fora dada aos lituanos ao fim da Primeira Guerra Mundial. Hitler agora queria as duas cidades de volta à Alemanha e, após o colapso final nas negociações com o governo polonês, decidiu começar a aumentar a pressão. Ocupar o Estado tcheco-eslovaco que restava também traria importantes recursos econômicos para o Reich, visto que o grosso da indústria de armas tcheca situava-se ali, junto com recursos muito significativos de minerais, engenharia, ferro e aço, têxteis, vidro e outras indústrias, bem como os trabalhadores qualificados que as supriam. À medida que a situação econômica do Reich deteriorava-se no inverno de 1938-39, a aquisição desses recursos tornava-se uma perspectiva cada vez mais tentadora. Os amplos estoques de equipamento militar moderno do Exército tcheco-eslovaco ajudariam a aliviar os gargalos nos suprimentos militares alemães. As reservas tchecas de moeda estrangeira também seriam extremamente úteis. Já em 21 de outubro de 1938, Hitler ordenou que as Forças Armadas se preparassem para a liquidação do Estado tcheco-eslovaco e para a ocupação de Memel e do território circundante. Nos primeiros dois meses de 1939, ele fez três discursos para grandes e diferentes grupos de oficiais do Exército, reunindo-se com eles a portas fechadas, reiterando a visão de uma Alemanha como potência dominante na Europa, a crença de que o problema de espaço vital no leste da Europa precisava ser resolvido e a convicção de que a força militar tinha que ser usada para se alcançar essas metas.[153]

A oportunidade de fazer valer os compromissos forçados pelo Acordo de Munique foi proporcionada pela rápida deterioração das relações entre tchecos e eslovacos no que restou da república a respeito de recursos financeiros. À medida que a querela evoluiu para uma crise, a crença equivocada de que os eslovacos estavam prestes a declarar independência plena instigou o governo tcheco a mandar tropas para Bratislava em 10 de março de 1939. As negociações em polvorosa fizeram os líderes eslovacos voar para Berlim, onde lhes foi dada a rude escolha de declarar independência completa sob proteção alemã ou ser controlados pelos húngaros, que já estavam cientes dessa oportunidade. Os eslovacos decidiram-se pela primeira opção. Em 14 de março de 1939, o Parlamento eslovaco proclamou a independência do país, e nos dias seguintes seus líderes relutantes pediram a proteção do Terceiro Reich contra os tchecos, após canhoneiras alemãs no Danúbio terem apontado as armas para os prédios do governo em Bratislava. Confrontado com a dissolução iminente de seu Estado, o presidente da Tcheco-Eslováquia, Emil Hácha, viajou com seu ministro de Relações Exteriores, Franzisek Chvalkovsky, a Berlim para se reunir com Hitler. Assim como Schuschnigg antes dele, Hácha foi mantido à espera até tarde da noite (enquanto Hitler assistia a um filme popular), depois foi impiedosamente maltratado pelo Líder alemão na presença de funcionários públicos do alto escalão, oficiais militares e outros, inclusive Göring e Ribbentrop. As tropas alemãs já estavam em deslocamento, disse Hitler. Quando Göring acrescentou que bombardeiros alemães estariam despejando suas cargas sobre Praga dentro de poucas horas, o presidente tcheco, idoso e doente, desmaiou. Reanimado pelo médico pessoal de Hitler, Hácha telefonou para Praga, ordenando que suas tropas não abrissem fogo contra os invasores alemães; a seguir, assinou um documento concordando com o estabelecimento de um protetorado alemão sobre seu país pouco antes das quatro da manhã de 15 de março de 1939. "Hei de passar à história como o maior alemão de todos", disse Hitler extasiado a seus secretários ao sair das negociações.[154]

IV

Às seis da manhã, tropas alemãs cruzaram a fronteira tcheca. Chegaram a Praga por volta das nove. Dessa vez não havia multidões jogando flores em seu caminho, apenas grupos de tchecos carrancudos e ressentidos que nada fizeram exceto erguer os punhos em gestos ocasionais de desafio. Aquilo já era de se esperar, Hitler comentou mais tarde; não dava para esperar que ficassem entusiasmados. Durante a tarde, Hitler seguiu de trem para a fronteira, depois viajou em carro aberto pela neve, saudando as tropas alemãs ao passar por elas. Praga estava vazia quando ele chegou. As tropas tchecas estavam em seus alojamentos, entregando armas e equipamentos para os invasores alemães; os civis permaneciam em casa. Hitler passou a noite no Castelo Hradschin, local simbólico da soberania tcheca, onde fez uma refeição frugal – nada havia sido preparado para sua chegada – e elaborou os termos do decreto estabelecendo o protetorado alemão junto com o ministro Frick, do Interior, e o secretário de Estado, Wilhelm Stuckart, que já havia minutado os detalhes da administração pós-anexação da Áustria.[155]

Lido por Ribbentrop na rádio de Praga na manhã de 16 de setembro de 1938, o decreto declarou que as terras tchecas remanescentes dali em diante seriam chamadas de Protetorado do Reich da Boêmia e da Morávia, recordando seus nomes sob a velha monarquia de Habsburgo. As instituições democráticas, inclusive o Parlamento, foram abolidas, mas uma administração tcheca nominal permaneceu a postos, chefiada por Hácha como presidente, tendo abaixo dele um primeiro-ministro e um Comitê de Solidariedade Nacional de cinquenta membros indicados. No total, cerca de 400 mil empregados estatais e funcionários públicos tchecos continuaram nos cargos, juntos ou subordinados a meros 2 mil administradores importados da Alemanha. Outras instituições tchecas, incluindo-se os tribunais, foram preservadas; mas a lei tcheca permaneceu válida apenas quando lidava com assuntos não abordados pelas leis do Reich alemão, que agora se estendiam por todo o protetorado e assumiam precedência em todos os aspectos. Tchecos e outras nacionalidades estavam sujeitos a todas essas leis e aos decretos emitidos pelo protetorado, mas todos os alemães vivendo no protetorado, inclusive alemães étnicos que já residiam ali, eram cidadãos alemães sujeitos apenas à lei alemã. O ponto crucial foi que não se concedeu cidadania alemã aos tchecos. Isso introduziu uma diferença de direitos que mais adiante se tornaria mais extensa e alcançaria grupos bem maiores.[156]

O verdadeiro poder foi depositado nas mãos do protetor do Reich. O homem que Hitler indicou para preencher esse cargo foi Konstantin von Neurath, o ex-ministro de Relações Exteriores, um velho conservador a quem Hitler sentia-se grato pelo papel na resolução da crise de Munique em setembro passado. Neurath, junto com oficiais do Exército alemão – como o comandante-geral da Boêmia, Johannes Blaskowitz – tentaram seguir um rumo relativamente moderado, manter a disciplina entre os ocupantes e agir com comedimento em relação aos tchecos. Aos poucos, porém, a máscara de moderação começou a cair. Com sua determinação enrijecida por Karl Hermann Frank, seu vice, que comandava a SS e a polícia no protetorado, Neurath ordenou a detenção de milhares de comunistas, que foram interrogados pela Gestapo e na maioria liberados, e de muitos exilados alemães, inclusive social-democratas, apanhados pela invasão alemã em Praga. A maioria desses foi mandada para campos de concentração na Alemanha. Em 8 de junho de 1939, a Gestapo deteve toda a Câmara de Vereadores da comunidade mineira de Kladno depois de um policial alemão ser assassinado; eles foram duramente espancados, e alguns morreram. Ao mesmo tempo, seis câmaras municipais de outras localidades foram dispensadas para ser substituídas por administradores alemães. Seguiram-se leis mais repressivas, e foram tomadas medidas para identificar a população judaica do protetorado com vistas a aplicar sobre elas as Leis de Nuremberg.[157]

Enquanto isso, unidades especiais haviam se deslocado para a zona ocupada para se apoderar de enormes quantidades de equipamento militar, armas e munição, incluindo mais de mil aeronaves, 2 mil peças de artilharia de campanha, mais de oitocentos tanques e muitos outros armamentos. Entretanto, tudo isso correspondia a apenas uma minúscula fração das necessidades militares da Alemanha; uma parte acabou vendida no exterior para render a muito necessária moeda estrangeira. Firmas judaicas foram imediatamente expropriadas, com os bens transferidos para empresas alemãs. As reservas de ouro do Estado tcheco foram capturadas (o Banco da

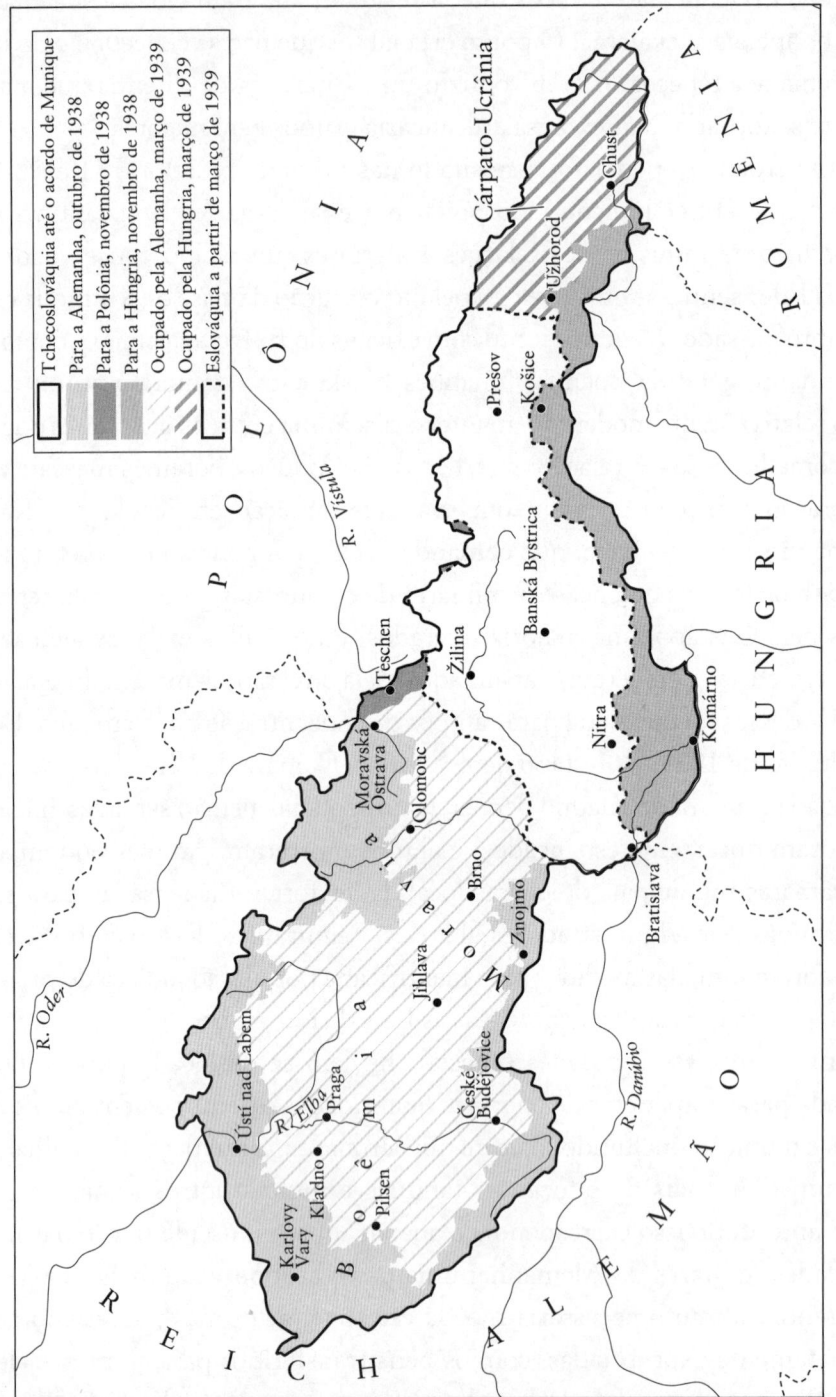

Mapa 21. O desmembramento da Tchecoslováquia, 1938-39

Inglaterra, para a irritação do governo britânico, permitiu que quase 25 quilos de ouro fossem enviados da conta do governo tcheco em Londres para as novas autoridades de ocupação em Praga em junho de 1939). Não obstante, os representantes do Plano de Quatro Anos e do Ministério da Economia que desembarcaram em Praga em 15 de março tiveram o cuidado de não minar a economia tcheca ou alienar empresários tchecos não judeus. Companhias internacionais de propriedade tcheca, como o império calçadista Bata, por exemplo, traziam lucros valiosos e não foram seriamente restringidos pelos ocupantes alemães. A Skoda e outras indústrias pesadas e empresas de manufatura continuaram a produzir mercadorias basicamente para exportar para países que não a Alemanha. Ao mesmo tempo, entretanto, os alemães rapidamente introduziram medidas, já em vigor em casa, para o alistamento e o direcionamento da mão de obra. Trabalhadores agrícolas tchecos sem serviço já haviam tentado escapar do desemprego interno pegando empregos temporários na economia em expansão da Alemanha – mais de 105 mil em 1938 –, e agora agentes alemães chegaram para recrutar ainda mais. Trinta mil novos operários, a maioria industriários qualificados, foram persuadidos a ir para o Velho Reich no primeiro mês da ocupação.[158]

Baseando-se na experiência da ocupação da Áustria e estendendo-a pela primeira vez a um país que os nazistas consideravam uma terra estrangeira conquistada, a ocupação da Tchecoslováquia criou uma série de instituições que formaram um modelo para outros países no futuro. Permitiu-se que a indústria nativa prosseguisse com suas atividades sob direção alemã, e com o envolvimento alemão expandido mediante as tomadas de controle por firmas alemãs, em especial de negócios judaicos expropriados. Uma burocracia nativa e um governo nominal nativo foram deixados no lugar sob o controle de um administrador alemão, o comissário do Reich. A economia foi integrada à esfera mais ampla de influência alemã, envolvendo uma divisão da mão de obra com a Alemanha – nesse caso, a indústria tcheca foi encorajada a exportar para o sudeste da Europa, a Alemanha para o oeste. Os bens do Estado e da população judaica foram implacavelmente saqueados (as joias da coroa tcheca foram para a Alemanha, e muito mais seguiria em breve).[159]

Trabalhadores tchecos recrutados para o Velho Reich recebiam um *status* legal especial, inferior. Antes, devido à necessidade de manter boas relações com seus países de origem, os trabalhadores estrangeiros na Alemanha haviam sido tratados principalmente com deportação quando infringiam a lei. Agora, entretanto, essa ameaça não só era considerada desnecessária, como contraproducente. Novas regulamentações, emitidas em 26 de junho e 4 de julho de 1939, determinaram custódia preventiva em um campo de concentração para trabalhadores tchecos na Alemanha que furtassem, saqueassem, se engajassem em atividade política, mostrassem atitude hostil ao Estado nacional-socialista ou se recusassem a trabalhar. Isso colocou-os efetivamente fora da lei. Mesmo assim, 18 mil operários tchecos migraram voluntariamente para serviços em outras partes do Reich em março de 1939, e mais de 16 mil em cada um dos dois meses subsequentes. Dali em diante, os números caíram rapidamente. Não eram nem de longe o bastante para tapar o buraco na oferta de mão de obra do Reich. A coerção pareceu cada vez mais provável. Em 23 de junho de 1939, antecipando o conflito europeu que se avizinhava, Göring observou: "Durante a guerra, centenas de milhares serão deslocados de unidades industriais do protetorado não engajadas na economia de guerra para a Alemanha, para alojamentos e sob supervisão, e colocados para trabalhar especialmente na agricultura".[160] Estava aberto o caminho para a deportação e a exploração sistemáticas de milhões de europeus para os propósitos da economia de guerra alemã.

Esse padrão também se prenunciou na Eslováquia, que foi incorporada de modo semelhante ao império econômico alemão. Encorajados por Hitler, os húngaros, que haviam mandado na Eslováquia por vários séculos antes de o Tratado de Versalhes tirá-la deles, originalmente esperavam pegar o território de volta. Ficaram irritados com a decisão dos eslovacos, respaldada pelo governo alemão, de declarar independência sob a proteção alemã. Hitler tentou aplacar o regente húngaro, almirante Horthy, anunciando em 12 de março que ele tinha carta branca para anexar a região cárpato--ucraniana da Tcheco-Eslováquia, que a Hungria há muito reivindicava. Ambos os governos justificaram esse curso de ação salientando que em 6 de março de 1939 o governo tcheco-eslovaco havia efetivamente dado fim à autonomia cárpato-ucraniana, citando o amplo abuso de poder das autoridades; a ocupação agora podia ser apresentada de forma plausível como outro caso de opressão tcheca que exigia intervenção externa. Apenas pouco mais de 12% dos 552 mil habitantes da região eram magiares, mas o governo de Budapeste acreditava que a área pertencia à Hungria por direito histórico. E enviou tropas em 16 de março de 1939, deslocando unidades também através da fronteira eslovaca até que os alemães os mandassem parar.[161] Finalmente, como último ato dessa rápida série de acontecimentos, Ribbentrop disse ao ministro de Relações Exteriores lituano, convocado a Berlim em 20 de março, que os aviões alemães bombardeariam sua capital, Kovno (Kaunas), se seu governo não concordasse em ceder Memel à Alemanha, conforme exigido pela comunidade alemã da cidade, dominada pelos nazistas. A sina da Tcheco-Eslováquia e dos Cárpatos-Ucrânia foi o bastante para persuadir os lituanos a concordar, e o documento de transferência foi assinado em 23 de março de 1939. As tropas alemãs entraram no território de Memel no mesmo dia, e no começo da tarde o próprio Hitler chegou em um navio de guerra para discursar para as jubilosas multidões alemãs locais; ele partiu para Berlim na mesma noite.[162]

Mais uma vez, Hitler tivera êxito em anexar grandes quantidades de território sem derramamento de sangue. A crise de março de 1939 foi breve e não deu tempo para a escalada do tipo de "psicose de guerra" que havia dominado os meses de verão do ano anterior. A aprovação da incorporação de Memel ao Reich era quase universal, mesmo entre ex-social-democratas. Não obstante, agentes social-democratas registraram ansiedade geral a respeito das consequências da invasão da Tcheco-Eslováquia, até porque não podia ser justificada como resgate de uma minoria alemã da opressão, a despeito do fato de a propaganda de Goebbels afirmar que os tchecos tinham abusado da minoria alemã entre eles. Foi registrado um trabalhador dizer o seguinte: "Penso que eles deviam deixar os tchecos em paz entre si, isso não vai acabar bem". Só depois do anúncio de que a ocupação havia ocorrido sem perda de vidas as pessoas começaram a aplaudir o mais novo sucesso de Hitler. Foi reportado que muita gente estava indiferente, com suas sensibilidades nacionalistas embotadas pelos sucessos prévios na Áustria e nos Sudetos. Entre as classes médias, houve a sensação difundida de que aquilo não importava realmente, contanto que se evitasse a guerra. Mas as dúvidas a esse respeito foram registradas como mais disseminadas que nunca. Foi a vitória menos popular de Hitler até então. "Estávamos sempre ganhando uma antes", disse um trabalhador em tom cínico, relembrando as afirmações da propaganda da Primeira Guerra Mundial, "e aquilo acabou mal".[163]

A marcha para o leste

I

A ansiedade que muitos alemães comuns sentiam quanto à guerra foi sem dúvida aumentada pela reação internacional à destruição da Tcheco-Eslováquia. O governo britânico, liderado pelo primeiro-ministro Neville Chamberlain, considerava o arduamente batalhado Acordo de Munique sacrossanto, um grande feito diplomático que resolvera todos os problemas que restavam na Europa central. Chamberlain havia acreditado nas garantias de Hitler de que ele não tinha mais exigências territoriais a fazer. Agora o pedaço de papel com que Chamberlain havia acenado para seus seguidores extáticos como prova de que havia assegurado "a paz para o nosso tempo" fora rasgado em pedacinhos. A opinião britânica, refletida nos assentos dos fundos da Câmara dos Comuns, voltou-se de forma dramática contra os alemães. De modo hesitante, seguindo o conselho do Ministério de Relações Exteriores, em um discurso a 17 de março, Chamberlain deu voz pública à suspeita de que Hitler não estava tentando corrigir erros do Tratado de Paz de 1919, mas "dominar o mundo à força".[164]

No dia seguinte, o gabinete concordou em iniciar conversações com o governo polonês para ver qual a melhor forma de impedir os alemães de ameaçar seu país na sequência dos acontecimentos. Enquanto Grã-Bretanha e França redobravam os esforços para se rearmar e continuavam as negociações frenéticas com os poloneses, tornou-se pública a notícia da ameaça alemã à Polônia, conforme exposto em relatórios de Berlim publicados na imprensa britânica em 29 de março. Chamberlain emitiu imediatamente uma garantia pública de que, caso a independência da Polônia fosse ameaçada, a Grã-Bretanha se apresentaria para defendê-la. A garantia tinha por intento deter os alemães. Entretanto, estava cercada de requisitos confidenciais que deixavam a porta aberta para a continuidade da política de conciliação. O gabinete britânico concordou que a garantia só entraria em vigor se os poloneses não mostrassem "obstinação provocativa ou estúpida" diante das exigências dos alemães quanto ao retorno de Danzig e do Corredor Polonês. Chamberlain, portanto, ainda pensava em um acordo negociado: um que teria deixado a Polônia tão vulnerável quanto o Acordo de Munique havia deixado a Tchecoslováquia. Afinal de contas, a Polônia também era um país muito distante. Além disso, a garantia seria efetiva apenas se as forças nacionais polonesas fossem mobilizadas à força para resistir a uma invasão alemã. Os britânicos combinaram essa condição com advertências lúgubres – e plenamente justificadas – aos poloneses sobre as consequências caso de fato fizessem isso. Chamberlain, portanto, ainda continuava com a esperança de paz, embora mudando suas bases da franca conciliação para uma mistura de conciliação e contenção.[165]

Do ponto de vista alemão, a garantia de Chamberlain carecia de credibilidade em várias bases. Para começar, como a Grã-Bretanha de fato viria em auxílio à Polônia se rebentasse a guerra? Como os problemas geográficos e logísticos poderiam ser superados? A incerteza da garantia e as evasivas contínuas de Chamberlain apenas serviram para reforçar essas perguntas. Sobretudo a experiência dos anos anteriores, da Renânia à Áustria e ao Acordo de Munique, havia implantado na mente de Hitler a firme convicção de que Grã-Bretanha e França se esquivariam de partir para a ação. Seus líderes eram nulidades, pensava ele.[166] Além do mais, diferentemente da situação no ano anterior, o Exército da Alemanha e sua liderança não hesitaram em enfrentar os poloneses, que – em contraste com os modernos e bem armados tchecos – consideravam atrasados, mal liderados e mal equipados. Já no final de março de 1939, Brauchitsch, informado por Hitler de que seria exigida ação militar contra a Polônia se as negociações a respeito de Danzig e do Corredor fracassassem, havia rascunhado um plano de invasão sob o codinome "Caso Branco". Hitler aprovou, escreveu a introdução, na qual declarou que se esforçaria para deixar o conflito localizado, e mandou que o plano estivesse pronto para ser posto em ação no começo de setembro de 1939. Assim como no ano anterior, começou então uma campanha de propaganda em Berlim contra o objeto das atenções hostis da Alemanha. Um desfile militar de cinco horas pela cidade no aniversário de cinquenta anos de Hitler, em 20 de abril de 1939, proporcionou, conforme Goebbels escreveu em seu diário, "uma brilhante representação do poder e do vigor alemães. Nossa mais pesada artilharia", acrescentou, "está sendo exibida pela primeira vez". Pouco depois de uma semana, em 28 de abril de 1939, Hitler anunciou formalmente ao Reichstag a revogação do Pacto de Não Agressão com a Polônia assinado em 1934 e do Acordo Naval com a Grã--Bretanha assinado no ano seguinte. No começo de abril de 1939, Weizsäcker informou os poloneses que o período de negociação sobre Danzig e o Corredor havia chegado ao fim.[167]

Em 23 de maio de 1939, Hitler disse aos líderes militares, inclusive Göring, Halder e Raeder: "Sucessos adicionais não podem ser conquistados sem derramamento de sangue". "Não é Danzig que está em jogo", prosseguiu. "Para nós é uma questão de expandir nosso espaço vital no leste e garantir o abastecimento de comida... Se o destino nos forçar a um confronto decisivo com o Ocidente, é uma boa ideia possuir uma ampla área no leste." Portanto, era necessário atacar a Polônia na primeira oportunidade conveniente. Hitler admitiu que Grã-Bretanha e França poderiam vir em socorro da Polônia. "A Inglaterra, portanto, é nossa inimiga, e o confronto decisivo com ela é uma questão de vida ou morte." Se possível, a Polônia pereceria sozinha e sem ajuda. A longo prazo, porém, a guerra com Inglaterra e França era inevitável. "A Inglaterra é a força motriz contra a Alemanha." Era de se esperar que essa guerra fosse curta. Mas também era bom se preparar, disse ele, para uma guerra que durasse dez ou quinze anos. "O tempo vai decidir contra a Inglaterra." Se Holanda, Bélgica e França fossem ocupadas, as cidades inglesas fossem bombardeadas e o abastecimento além-mar fosse cortado por um bloqueio marítimo e aéreo, a Inglaterra sangraria até a morte. Entretanto, a Alemanha provavelmente não estaria pronta para o conflito antes de mais uns cinco anos, ele acrescentou. A política alemã em 1939, portanto, tinha que isolar a Polônia tanto quanto possível e garantir que a ação militar vindoura não levasse a uma guerra geral europeia de imediato.[168] Esses comentários divagantes e em certos pontos até mesmo incoerentes traíam a incerteza de Hitler sobre as consequências de invadir a Polônia. Porém, foram acompanhados de uma campanha diplomática orquestrada para isolar os poloneses de qualquer possível apoio. Em 22 de maio, a aliança alemã com a Itália foi elevada a "Pacto de Aço", enquanto acordos de não agressão foram concluídos com êxito com Letônia, Estônia e Dinamarca. Um tratado assinado em março de 1939 deu à Alemanha acesso aos estoques de óleo romenos em caso de guerra, ao passo que elos comerciais semelhantes, bem menos unilaterais, também foram negociados com Suécia e Noruega, importantes fontes de minério de ferro. Negociações com Turquia, Iugoslávia e Hungria, entretanto, mostraram-se menos bem-sucedidas, levando a manifestações de boa vontade, em especial no campo econômico, mas a poucos resultados concretos.[169] A abertura mais espantosa foi feita na direção de Moscou. Já em maio, Hitler estava começando a perceber que garantir a neutralidade benevolente da União Soviética, cuja longa fronteira com a Polônia era de importância estratégica central, seria vital para o sucesso da invasão. Havia o perigo de que Grã-Bretanha e França garantissem o apoio soviético para a tentativa de conter a agressão alemã. Em 6 de junho de 1939, Hitler já não incluía em seus discursos as diatribes costumeiras contra a ameaça do bolchevismo mundial. Em vez disso, começou a dirigir seus ataques contra as democracias do Ocidente.[170] Nos bastidores, Ribbentrop começou a pressionar em favor de um pacto formal com os soviéticos. Ele foi encorajado por um discurso proferido por Stálin em 10 de março de 1939, no qual este declarou que não estaria disposto a sair em socorro das potências capitalistas ocidentais caso entrassem em conflito com a Alemanha, visto que sua política de satisfazer as exigências de Hitler havia obviamente fortalecido a meta de longo prazo de Hitler de atacar a União Soviética. Em 3 de maio de 1939, Stálin mandou um sinal inequívoco para Berlim ao demitir Maxim Litvinov, seu ministro de Relações Exteriores de longa data e defensor da segurança coletiva e de relações civilizadas com o Ocidente. Ele substituiu-o por seu capanga linha-dura Vyacheslav Molotov. Não escapou à atenção de ninguém que Litvinov era judeu e Molotov não.[171]

Stálin estava em situação difícil em 1939. Ao longo dos últimos anos havia executado expurgos violentos entre seus principais generais, gerentes de fábricas de munição e oficiais de alta patente do Exército. Haviam sobrado poucos no mais alto escalão do regime com qualquer experiência direta em guerra. Especialistas técnicos experientes haviam sido detidos e mortos aos milhares. A preparação militar soviética era lamentável.[172] De junho de 1939 em diante, Stálin estava ciente da intenção de Hitler de invadir a Polônia no final de agosto ou início de setembro.[173] Mais do que qualquer outra coisa, ele precisava garantir que a invasão não fosse mais adiante. Precisava de tempo para reagrupar e remontar o Exército Vermelho, remodelar a produção de armas e equipamentos e se preparar para a investida que ele tinha certeza de que se seguiria algum tempo depois da conquista alemã da Polônia. Em certa medida, deixou em aberto a opção de forjar uma aliança com as potências ocidentais; mas estas vacilaram, considerando-o pouco confiável, e Ribbentrop e o Ministério de Relações Exteriores alemão estavam ávidos, a despeito das reservas pessoais de Hitler. Quando as insinuações de Moscou ficaram mais fortes, Ribbentrop viu uma oportunidade de chocar os britânicos, a quem ainda odiava intensamente depois das humilhações de seu período como embaixador em Londres, e dar um golpe que conquistaria a gratidão e a aprovação imorredouras de Hitler. As negociações para melhorar as relações comerciais soviético-germânicas começaram, vacilaram e recomeçaram. Tanto Molotov quanto Ribbentrop indicaram que um acordo econômico deveria ter uma dimensão política. Não demorou para isso tomar forma. No começo de agosto de 1939, Ribbentrop e Weizsäcker, com aprovação de Hitler, haviam traçado planos para uma repartição conjunta da Polônia com os soviéticos. Ainda assim, Stálin hesitava. Finalmente, entretanto, em 21 de agosto, ele concordou com os pedidos, cada vez mais urgentes de Hitler, de um pacto formal. Deixando de lado as mornas tentativas britânicas de chegar a um acordo, o ditador soviético convidou Ribbentrop a Moscou. Em 23 de agosto, Ribbentrop chegou. Nas primeiras horas da manhã seguinte, o Pacto de Não Agressão estava assinado.[174]

Uma aliança formal entre duas potências que haviam passado os seis últimos anos difamando uma à outra em público e haviam sido as duas maiores apoiadoras dos dois lados rivais na Guerra Civil Espanhola foi algo inesperado, para dizer o mínimo.[175] Entretanto, havia fortes motivos para o acordo de ambas as partes. Do ponto de vista de Hitler, era necessário garantir a aquiescência soviética à invasão alemã da Polônia, do contrário o cenário de pesadelo de a invasão expandir-se em uma guerra europeia em duas frentes começaria a parecer uma nítida possibilidade. Da perspectiva de Stálin, proporcionava uma folga e abria a atraente probabilidade de as potências capitalistas da Europa – Alemanha, França e Grã-Bretanha – travarem uma guerra de destruição mútua. Além disso, enquanto a versão publicada do pacto comprometia ambos os Estados a não fazer guerra um contra o outro por dez anos, resolver disputas mediante negociação ou arbitragem de terceiros e aumentar o comércio entre si, suas cláusulas secretas alocavam esferas de influência na Europa oriental e central à Alemanha e União Soviética; por elas, Stálin assumiria a parte oriental da Polônia, junto com Letônia, Lituânia e Estônia, e Hitler a parte ocidental. O significado dessas cláusulas foi imenso. Tanto Hitler quanto Stálin perceberam que era improvável o pacto durar os dez anos estipulados. De fato, não durou nem dois. Mas, a longo prazo, a fronteira traçada na Polônia entre esferas alemãs e soviéticas se mostraria permanente, ao passo que a ocupação soviética dos países bálticos duraria até próximo do final do século XX.[176]

Houve ainda outras consequências do pacto. Durante as detalhadas negociações, o lado alemão levantou a questão da política de refugiados políticos alemães na União Soviética. Stálin não tinha interesse em protegê-los; de fato, suspeitava profundamente de estrangeiros de qualquer tipo que encontravam um lar na Rússia e de muitos dos russos que entravam em contato com eles. Assim, concordou em mandá-los de volta para o Terceiro Reich. Cerca de 4 mil cidadãos alemães foram devidamente arrebanhados e entregues à Gestapo pelas autoridades soviéticas após o pacto ter sido assinado. Entre mil e 1,2 mil eram comunistas alemães. Alguns, como Margarete Buber-Neumann, já haviam sido aprisionados pela polícia secreta de Stálin antes de serem mandados para um campo de concentração alemão; o marido dela, Heinz Neumann, fora expurgado da liderança do partido alemão em 1932 por instar por uma frente unida com os social-democratas contra a ameaça nazista; enviado primeiro para a Espanha, depois para Moscou, foi detido em 1937 e executado. A viúva foi deportada diretamente de um campo de trabalho soviético para o campo de concentração de Ravensbrück em 1940. Para os exilados comunistas alemães que eram judeus estava reservada uma sina ainda pior. O maestro e compositor Hans Walter David era um desses. Nascido em 1893, fugira para Paris em 1933 e depois para Moscou em 1935. Foi vitimado pelo grande expurgo de Stálin de 1937 e condenado a um campo de trabalho em 1939 sob a alegação de espionar para os alemães, um exemplo da suspeita paranoica de Stálin em relação a estrangeiros na União Soviética. Em abril de 1940, David foi informado de que a sentença fora comutada em deportação. Foi entregue aos alemães em 2 de maio de 1940 e assassinado pela SS. Em fevereiro de 1940, uma grata embaixada alemã em Moscou agradeceu às autoridades soviéticas pela cooperação em localizar e entregar um grande número de exilados como ele.[177]

Enquanto isso, os partidos comunistas de toda a Europa tentavam vender o pacto para seus membros, muitos dos quais haviam se filiado em primeiro lugar porque o partido parecia oferecer a melhor garantia de travar a luta contra o inimigo fascista. A descrença foi seguida de desorientação. Muitos sentiram-se traídos. Contudo, não demorou muito para a maioria dos comunistas aderir à ideia de que o pacto, afinal de contas, poderia não ser algo ruim. Anos de instrução na disciplina partidária, de apoio a todas as voltas e reviravoltas da doutrina e da política do partido, no fim facilitaram a aceitação até mesmo dessa espantosa inversão. Alguns acharam que poderia levar até a legalização do Partido Comunista na Alemanha; muitos acreditavam que, de todo modo, uma guerra entre as potências capitalistas não era da conta deles; todos reverenciavam Stálin como um grande pensador e mestre em táticas políticas, um gênio mundial que sempre sabia o que era melhor e cujas decisões estavam sempre certas.[178] Alguns nazistas também ficaram em dúvida sobre a sabedoria do pacto. O anticomunismo era um dogma central da ideologia nazista, e agora Hitler parecia estar traindo-o. Na manhã seguinte ao anúncio do pacto, o jardim diante da Casa Marrom, sede do Partido Nazista em Munique, ficou coberto de distintivos do Partido lançados ali em repúdio por seus membros descontentes. Alfred Rosenberg, o arquianticomunista, culpou a ambição de Ribbentrop pelo pacto. Teria sido preferível uma aliança com a Grã-Bretanha, pensava ele. Não obstante, como a maioria dos outros nazistas, ele estava tão acostumado a acatar qualquer decisão de Hitler como acima de discussão que aquiesceu. Muitos perceberam que a aproximação com a União Soviética era puramente tática. "O Líder fez uma manobra brilhante", escreveu Goebbels, em tom de admiração, em seu diário.[179]

II

A crescente sensação de urgência de Hitler nos últimos dias e semanas antes da assinatura do pacto provinha em parte do fato de que a invasão da Polônia já estava marcada para 26 de agosto de 1939.[180] Nesse meio-tempo, Hitler dera passos para evitar uma escalada da "psicose de guerra" do tipo que deixara a massa de alemães comuns tão inquieta durante a crise tchecoslovaca no verão anterior. Ele fez questão de portar-se em público como se nada fora do comum estivesse acontecendo, indo a passeio a locais de sua infância, frequentando o Festival de Bayreuth, participando de um imponente desfile de arte e cultura alemãs pelas ruas de Munique e passando várias semanas em seu retiro serrano no Obersalzberg. Anunciou que o comício anual do Partido em Nuremberg seria o "Comício da Paz" e começaria no início de setembro (época em que imaginava que os Exércitos alemães estariam marchando pela Polônia). E fez questão de enfocar referências públicas à Polônia sobre a questão de Danzig. Na realidade, esse era um assunto secundário, nada mais que um pretexto, se tanto. Mas, de maio em diante, as instruções diárias de Goebbels para a imprensa deflagraram uma campanha de ódio contra a Polônia que fez parecer que os alemães étnicos habitantes do país, e sobretudo de Danzig, estivessem em perigo constante, mortal e crescente de violência imposta pelos poloneses. "Alemães étnicos fogem do terror polonês", clamavam as manchetes. "Casas alemãs arrombadas com machados – Aterrorizados por poloneses durante semanas – Centenas de refugiados são detidos pelos poloneses." Os poloneses supostamente estariam assassinando alemães étnicos, atirando em transeuntes alemães em Danzig, e no geral ameaçando tornar a vida deles insuportável. Embora a política do governo polonês, em relação à minoria étnica alemã, tivesse sido bem menos liberal e tolerante que a do governo tcheco, essas histórias eram exageros grotescos, quando não pura invenção. De sua parte, os nazistas que dominavam a cena política em Danzig alimentaram a pressão provocando os poloneses e encenando incidentes para a imprensa alemã explorar, tais como montar ataques violentos aos funcionários da alfândega polonesa e espalhar histórias de atrocidades quando os funcionários se defendiam.[181]

Mas a avalanche de propaganda despejada por Goebbels deu a impressão de que se tratava de uma repetição dos Sudetos e de que Hitler buscava a incorporação de Danzig ao Reich, combinada a um arranjo ainda indefinido a respeito do Corredor Polonês, talvez intermediado outra vez por Grã-Bretanha e França. Até mesmo os social-democratas admitiram que os poloneses eram desprezados e odiados pela maioria da população alemã, inclusive trabalhadores, que os consideravam sujos, atrasados e concorrentes baratos no mercado de trabalho. Passados vinte anos, os confrontos que ocorreram na Silésia no final da Primeira Guerra Mundial não tinham perdido nada de suas ressonâncias amargas. Contudo, havia esperança geral de que o assunto fosse resolvido de modo pacífico. Segundo alguns relatos, os social-democratas pensavam que Danzig "é uma cidade totalmente alemã no fim das contas. Quem pode ter alguma coisa contra o fato de a Alemanha querer pegá-la de volta para si outra vez? A questão de Danzig é basicamente bem mais simples que as coisas na Tchecoslováquia". Com certeza, Inglaterra e França entenderiam.[182]

Tais sentimentos eram comuns também entre os defensores dos nazistas. "Nenhum de nós", mais tarde Melita Maschmann recordou, "duvidava de que Hitler evitaria a guerra caso fosse possível dar jeito de fazê-lo".[183] Afinal, ele fizera isso várias vezes antes. Hitler era um gênio da diplomacia, e as pessoas acreditavam em suas afirmações de que era um homem de paz.[184] Ao reportar a atitude em relação à crise exibida pela população rural do distrito bávaro de Ebermannstadt, um funcionário local concluiu rudemente em 30 de junho de 1939: "O desejo de paz é mais forte que o desejo de guerra. Portanto, para a maioria da população, uma solução para o caso de Danzig só estará em conformidade se acontecer da mesma forma isenta de derramamento de sangue que as anexações anteriores no leste".[185] A ideia de que Hitler queria uma solução pacífica para o problema de Danzig não pretendia manter apenas as ansiedades da população doméstica no mínimo: em 11 de agosto de 1939, Hitler reuniu-se com o alto comissário da

Liga das Nações para Danzig, o diplomata suíço Carl Burckhardt, no Obersalzberg, a pedido dele mesmo, para indicar sua boa vontade em negociar com os britânicos. Ao mesmo tempo, conseguiu estragar a pose calculada de racionalidade ao gritar que destruiria a Polônia por completo se o governo daquele país não cedesse às suas exigências.[186]

Nenhum dos movimentos diplomáticos de Hitler teve muito efeito sobre a postura adotada pelos outros participantes internacionais desse jogo mortal, nem mesmo o anúncio do Pacto Nazista-Soviético. O governo polonês sempre nutrira desconfiança e ressentimento contra a União Soviética, com quem a Polônia travara uma guerra amarga no começo da década de 1920; assim, desse ponto de vista, o pacto fazia pouca diferença. Os acontecimentos em Danzig e distúrbios semelhantes na Silésia apenas enrijeceram a determinação polonesa de resistir a qualquer tipo de acordo, dado que este entregaria a Polônia à Alemanha, do mesmo modo que o Acordo de Munique havia entregue os tchecos. De qualquer forma, um acordo parecia improvável. Os governos britânico e francês insistiam em que o Pacto Nazista-Soviético não podia alterar a decisão de ficarem ao lado da Polônia, conforme Chamberlain disse a Hitler em carta entregue no Obersalzberg por Sir Nevile Henderson, embaixador em geral pró-Alemanha, em 23 de agosto de 1939. Ao receber a carta, Hitler submeteu Henderson a uma selvagem invectiva contra os britânicos, que estavam, gritou ele em tom de acusação, determinados a exterminar a Alemanha de vez em benefício de raças inferiores. Em 25 de agosto de 1939, entretanto, de volta a Berlim, Hitler assumiu uma linha diferente, oferecendo a Henderson um acordo geral, em termos extensos, ainda que vagos, uma vez resolvida a questão polonesa. Enquanto Henderson voava de volta para consultas em Londres, Hitler ficou sabendo que os britânicos haviam acabado de assinar uma aliança militar com a Polônia. A fraca reputação de Ribbentrop na Grã-Bretanha estava frustrando nitidamente sua tentativa de atrair Chamberlain. Deixando seu ministro de Relações Exteriores temporariamente de lado, Hitler voltou-se para Göring, que sempre desfrutara de melhor reputação em Londres. Birger Dahlerus, amigo sueco de Göring, foi enviado à capital britânica para sondagens adicionais. Estas evocaram a resposta, transmitida por Henderson em 28 de agosto de 1939, de que o governo britânico estava disposto a garantir fronteiras germano-polonesas negociadas em paz e a apoiar o retorno das colônias alemãs além-mar confiadas à Liga das Nações pelo Acordo de Paz de 1919, mas que os britânicos seguiam comprometidos em apoiar a Polônia pela força das armas caso os alemães a invadissem.[187]

Em 22 de agosto de 1939, Hitler convocou os altos comandantes das Forças Armadas ao Obsersalzberg para dizer que a invasão estava em andamento. Os militares chegaram lá em trajes civis para evitar suspeitas. O pacto com Stálin estava prestes a ser assinado, e Hitler estava bem confiante. Disse que já havia decidido na primavera que invadiria a Polônia. "Primeiro pensei que me voltaria contra o oeste em poucos anos, e só depois contra o leste. Mas a sequência desses eventos não pode ser fixada." A situação polonesa havia ficado intolerável. Era chegado o momento da investida. "Inglaterra e França assumiram obrigações que nenhuma das duas está em posição de cumprir. Não existe um rearmamento verdadeiro na Inglaterra, só propaganda." Assim, não haveria guerra geral se ele invadisse a Polônia. Os riscos para as democracias ocidentais eram grandes demais. Ao mesmo tempo, a conquista do leste abriria estoques de grãos e matérias-primas que frustrariam qualquer tentativa futura de bloqueio. "Foi dado início à destruição da hegemonia da Inglaterra." "Nossos inimigos", acrescentou, "são vermezinhos minúsculos. Eu os conheci em Munique".[188] Durante o almoço, alguns dos oficiais presentes deixaram transparecer sua inquietação a respeito dessas opiniões. Muitos sentiram que Hitler estava enganando a si mesmo quando afirmava que Grã-Bretanha e França não interviriam. Para endurecer a resolução dos militares, Hitler dirigiu-se a eles novamente à tarde. "Todo mundo deve ter em mente que desde o princípio estávamos decididos a combater as potências ocidentais. Uma luta de vida e morte", disse ele. Os líderes ocidentais eram "homens mais fracos". Mesmo que declarassem guerra, não haveria muito que pudessem fazer a curto prazo. "A destruição da Polônia permanece como prioridade", concluiu.[189]

Hitler de fato continuou a crer que os britânicos não interviriam; a ameaça a longo prazo do poder norte-americano, pensava ele, os levaria a uma aliança com a Alemanha.[190] Mas a intenção que deixou clara aos generais nessa ocasião, de lançar a invasão em 26 de agosto, foi inesperadamente frustrada por Mussolini, que se sentiu afrontado porque, a despeito de todas as garantias contidas no Pacto de Aço, Hitler havia optado por não confiar plenamente nele quanto à Polônia. A notícia da invasão planejada, comunicada a Ciano por Ribbentrop no início do mês, foi uma completa surpresa para os italianos. Em 24 de agosto de 1939, o próprio Hitler escreveu para Mussolini pedindo o apoio italiano. Em 25 de agosto, quando a resposta de Mussolini chegou à Chancelaria do Reich, as tropas já haviam recebido ordens de marchar; os aeroportos alemães já haviam sido fechados, o comício anual de Nuremberg fora cancelado, e o racionamento de comida entraria em vigor em 27 de agosto. Mussolini disse a Hitler que a Itália não estava em condições de oferecer nenhuma ajuda militar em caso de guerra. "Os italianos estão se comportando exatamente como fizeram em 1914", bufou Hitler. Ele cancelou as ordens de marcha, e a invasão foi suspensa pouco antes de alcançar a fronteira polonesa.[191]

A cartada final agora estava a caminho. Superando a fúria em relação aos italianos, que combinaram a ofensa com a oferta de convocação de uma conferência com britânicos e franceses para impor um acerto nas linhas do Acordo de Munique, Hitler fez um último esforço para garantir a neutralidade anglo-francesa. Encontros posteriores com Henderson fracassaram em arredar os britânicos do tema crucial de sua garantia à Polônia em caso de conflito armado. Muito do que Hitler tinha a dizer, inclusive a oferta de um plebiscito no Corredor Polonês combinado com o retorno de Danzig para a Alemanha, não passava de conversa enganosa destinada a assegurar ao público alemão que ele havia feito todos os esforços para manter a paz. Quando Ribbentrop comunicou a oferta a Henderson na Chancelaria do Reich à meia-noite de 29 de agosto de 1939, leu-a em voz alta depressa demais para o embaixador fazer anotações adequadas, depois atirou-a em cima da mesa dizendo que, de qualquer modo, estava vencida. O intérprete do encontro mais tarde relatou que o clima estava tão ruim que pensou que os dois homens iriam às vias de fato. Hitler fez transmitir sua proposta pelas rádios alemãs ao anoitecer de 30 de agosto de 1939, culpando os britânicos e os poloneses – que haviam sido solicitados na última hora a mandar um emissário a Berlim – pelo fracasso. A essa altura, o Exército havia recebido um novo conjunto de ordens para marchar para a Polônia nas primeiras horas de 1º de setembro de 1939.[192]

Agindo conforme os planos preparados algum tempo antes por Heydrich, homens da SS em trajes civis encenaram um ataque falso a uma estação de rádio em Gleiwitz, na Alta Silésia. A equipe da rádio foi substituída por outro destacamento da SS. A evidência do suposto ataque assassino polonês foi proporcionada por dois detentos do campo de concentração de Sachsenhausen, mortos com injeções letais e jogados na estação de rádio para serem fotografados pela imprensa alemã. As ordens, aprovadas por Hitler em pessoa, referiam-se aos corpos como "alimentos enlatados". Um terceiro homem, Franz Honiok, cidadão alemão pró-Polônia, foi detido em 30 de agosto de 1939 como alguém que poderia ser identificado de forma plausível como um polonês irregular, e retirado da cadeia da polícia pela SS de Gleiwitz no dia seguinte. Ele foi sedado com uma injeção, colocado dentro da estação de rádio e, ainda inconsciente, morto a tiros. Para garantir mais autenticidade à ação, os SS de língua polonesa gritaram *slogans* antigermânicos ao microfone antes de partir. Normalmente, a estação de rádio era usada apenas para transmissões de emergência sobre as condições do tempo, de modo que quase ninguém estava ouvindo. Outros dois incidentes em locais da fronteira foram encenados por homens da SS vestidos com uniformes do Exército polonês. Ao sair da alfândega alemã que havia acabado de ajudar a reduzir a ruínas, um homem da SS tropeçou em vários corpos vestidos em uniformes poloneses. Mais tarde, ele relatou que a cabeça dos mortos estava raspada, o rosto deles havia sido espancado até se tornarem irreconhecíveis, e os corpos estavam completamente rígidos.[193]

Às 4h45 da manhã de 1º de setembro de 1939, o encouraçado alemão *Schleswig-Holstein* abriu fogo contra a guarnição e o depósito de munição de Westerplatte, uma península no estuário do Vístula que dominava a entrada para o porto de Danzig, e caças de mergulho Stuka voaram em rasante sobre a cidade. Funcionários poloneses da ferrovia e dos correios foram atacados por unidades policiais alemãs locais, e irromperam tiroteios em vários locais. Albert Forster, líder regional do Partido Nazista em Danzig, colocou o comissário Burckhardt da Liga das Nações sob detenção domiciliar e depois deu-lhe duas horas para partir. Burckhardt fez as malas e foi para a Lituânia. Ao longo de toda a fronteira entre Polônia e Alemanha, unidades das Forças Armadas alemãs ergueram as barreiras da alfândega e adentraram no território polonês, enquanto aviões da Força Aérea alemã voavam para dentro do espaço aéreo polonês carregados de bombas para lançar sobre ferrovias, estradas e pontes, bases do Exército, cidades e aldeias. Às dez da manhã, Hitler dirigiu-se ao Reichstag convocado às pressas. Exausto e esgotado pelas negociações frenéticas dos últimos dias, Hitler estava nervoso e confuso, tropeçando nas palavras várias vezes e causando uma impressão incomum de hesitação. Os poloneses haviam cometido nada menos que catorze violações graves de fronteira na noite anterior, disse ele (aludindo aos incidentes encenados pelos homens de Heydrich). Era necessária retaliação para esses e outros ultrajes. "Daqui por diante, bomba será vingada com bomba. Aquele que combate com veneno será combatido com gás venenoso. Aquele que se distancia das regras de conduta humana na luta armada só pode esperar que nós demos o mesmo passo." Após o fim do discurso, os deputados votaram solenemente pela incorporação de Danzig ao Reich. Mas não antes de Hitler lançar uma insinuação cheia não só de augúrios, mas repleta também de profecia. Ele disse que estava pronto para fazer qualquer sacrifício. "Agora eu não desejo ser outra coisa que não o primeiro soldado do Reich alemão. Por conseguinte, vesti o traje que sempre me foi o mais sagrado e querido. Não hei de tirá-lo até a vitória ser nossa – ou não hei de viver para ver o dia!" O suicídio em caso de derrota já estava no fundo de sua mente.[194]

III

Na Grã-Bretanha e na França, assim como na Polônia, as Forças Armadas estavam se preparando para a guerra desde o começo da crise. O governo britânico ordenou mobilização plena em 31 de agosto e, temendo ataques aéreos, começou a evacuar mulheres e crianças das cidades. Empilharam-se sacas de areia do lado de fora dos prédios do governo, emitiram-se ordens para *blackouts* noturnos, e Chamberlain começou a discutir a formação de um gabinete de guerra incluindo opositores da conciliação como Winston Churchill. Mas as agitadas idas e vindas do final de agosto começaram a convencer Chamberlain de que uma solução pacífica poderia ser possível. Enquanto o gabinete de Chamberlain vacilava, seu secretário de Relações Exteriores, lorde Halifax, continuou a negociar com franceses, italianos e alemães. As negociações não deram em nada. Uma maioria do gabinete, colocando de lado os argumentos para a demora, respaldou o envio de um "aviso final" a Hitler. Na noite de 1º de setembro de 1939, Henderson informou ao governo alemão que a conferência proposta pelos italianos sobre a situação polonesa, baseada na proposta de Hitler de 29 de agosto, só poderia ocorrer se as forças alemãs cessassem fogo e recuassem.[195]

Em 2 de setembro de 1939, depois de mais horas de conversas telefônicas entre o Ministério de Relações Exteriores britânico, franceses e italianos, Chamberlain encarou uma Câmara dos Comuns apinhada pouco depois das oito da noite. Começou dizendo aos membros que não havia recebido resposta de Hitler sobre o aviso final pronunciado no dia anterior. "Pode ser", prosseguiu, "que a demora seja causada pela avaliação de uma proposta que, nesse ínterim, foi apresentada pelo governo italiano, de que as hostilidades cessassem e então houvesse imediatamente uma conferência entre as cinco potências – Grã-Bretanha, França, Polônia, Alemanha e Itália". Ele não fez menção a um prazo-limite para a resposta, nenhuma referência à carnificina e à devastação em curso na Polônia naquele momento, quando tropas e civis poloneses eram massacrados por ataques alemães por terra e ar. Suas palavras ambíguas deixaram tudo parecido com Munique outra vez. Mas o estado de espírito da elite política, bem como do país, havia mudado desde março de 1939. A maioria agora estava convencida de que o Terceiro Reich almejava a dominação europeia, senão mundial, e de que era chegada a hora de dar um basta. Uma onda de fúria varreu a Câmara. Quando Arthur Greenwood levantou-se para proferir a réplica da oposição, foi rudemente interrompido. "Falando pelo Partido Trabalhista", começou Greenwood. "Fale pela Inglaterra!", gritou um conservador das cadeiras do fundo, Leo Amery. Era um sentimento amplamente compartilhado pela Câmara.[196]

Greenwood mostrou-se à altura da situação. "Estou imensamente perturbado", disse ele. "Um ato de agressão ocorreu há 38 horas... Pergunto-me por quanto tempo estamos dispostos a vacilar no momento em que a Grã-Bretanha, e tudo que a Grã-Bretanha defende, e a civilização humana estão em perigo." Chamberlain foi estraçalhado pela hostilidade que as palavras de Greenwood despertaram. Um frequentador da galeria pública mais tarde descreveu-o como "um velho agitado e vacilante, com voz e mãos trêmulas". A seguir, a maioria do gabinete reuniu-se informalmente sem ele, consternada com sua inoperância. Ficou decidido que Chamberlain teria que dar um ultimato aos alemães. Halifax e Chamberlain temiam que, se ele não o proferisse, o governo caísse. A opinião pública da Grã-Bretanha estava a favor de uma ação firme. Enquanto uma enorme tempestade rebentava sobre Londres, o gabinete reuniu-se às 11h20 da noite e tomou a decisão. Na manhã seguinte, às nove horas de 3 de setembro de 1939, Henderson entregou um ultimato formal ao Ministério de Relações Exteriores alemão. A menos que os alemães concordassem em cessar fogo e recuar em duas horas, a Grã-Bretanha e a Alemanha estariam em guerra.[197]

Os alemães responderam em um longo documento pré-redigido, entregue a Henderson pouco depois de o ultimato expirar às 11 da manhã. O documento afirmava que tudo que a Alemanha queria fazer era corrigir as injustiças do Tratado de Versalhes e culpava a Grã-Bretanha por encorajar a agressão polonesa. Ao meio-dia, os franceses apresentaram um ultimato semelhante, ainda que um tanto mais extenso. Este também foi rejeitado, em meio a garantias de que a Alemanha não tinha intenção de invadir a França. A essa altura, Chamberlain já tinha transmitido ao povo britânico pelo rádio que, na ausência de uma resposta satisfatória ao ultimato, "esse país agora está em guerra com a Alemanha". "Tudo pelo que trabalhei", disse ele pouco depois à Câmara dos Comuns, "tudo que esperei, tudo em que acreditei em minha vida pública foi reduzido a ruínas". No começo da tarde, a notícia foi transmitida à nação alemã em uma série de proclamações emitidas por Hitler. Ele disse que fizera tudo que podia para preservar a paz, mas as provocações bélicas britânicas haviam tornado isso impossível. A culpa não era do povo britânico, apenas de seus líderes judaico-plutocráticos. Com o Partido Nazista e seus membros, Hitler foi mais direto. "Nosso inimigo judaico democrático global teve êxito em colocar o povo inglês em estado de guerra com a Alemanha", disse ele, acrescentando: "O ano de 1918 não vai se repetir".[198]

Outros não estavam tão certos disso. Os conservadores, que haviam se unido durante a crise de Munique no ano anterior para fazer oposição ao afã de Hitler rumo à guerra, ficaram ainda mais consternados quando ele voltou sua atenção para a Polônia. Tentaram de várias maneiras fazer contato com os governos britânico e francês, mas suas mensagens foram dúbias – algumas instavam por maior firmeza, outras por um acordo geral europeu – e não foram levadas muito a sério.[199] Quando Hitler cancelou suas ordens iniciais para a invasão da Polônia, uns poucos, entre eles Schacht, Oster e Canaris, pensaram por um breve momento que esse golpe em seu prestígio derrubaria Hitler. Mas, dessa vez, não tiveram o respaldo dos generais. A confiança militar – maior e inteiramente justificada – dos oficiais de alta patente diante da oposição polonesa, suas ambições há muito acalentadas de aplicar um golpe nos poloneses, os meses de intimidação e coerção por parte do Líder nazista, e a surpresa e o alívio com o bem-sucedido desmembramento da Tchecoslováquia haviam subjugado quaisquer reservas que ainda tivessem quanto ao rumo geral da política de Hitler. Um ano depois da crise de Munique, as Forças Armadas estavam em um estado de prontidão bem maior, a União Soviética fora neutralizada, e na realidade não havia nada que britânicos ou franceses pudessem fazer para salvar a Polônia. Hitler desejara ir para a guerra em setembro de 1938 e fora frustrado no último instante pela intervenção anglo-francesa. Dessa vez, sua resolução era muito mais firme. A despeito de todas as tergiversações dos últimos dias de agosto de 1939, sua determinação de invadir a Polônia, mesmo com o risco de uma guerra geral europeia, não poderia ser abalada. Quando Göring, ainda tentando evitar um conflito com os britânicos, sugeriu a ele em 29 de agosto de 1939 que não era necessário "apostar tudo", Hitler replicou: "Na minha vida, eu sempre coloco todas as minhas fichas na mesa".[200]

Apostar tudo em uma só tacada não era algo que tivesse apelo imediato para a massa do povo alemão. Em 29 de agosto de 1939, as pessoas estavam ficando seriamente alarmadas. O estado de espírito no distrito rural bávaro de Ebermannstadt, reportou um funcionário, era "consideravelmente depressivo... Embora não se encontrem sinais de medo da guerra em parte alguma... tampouco pode haver dúvida sobre o entusiasmo em relação à guerra. A lembrança da guerra mundial e suas consequências ainda é muito fresca para dar espaço a um ânimo xenófobo". A eclosão da guerra, acrescentou outro relatório apresentado poucas semanas depois, causou um "desânimo" geral entre a população.²⁰¹ Observadores social-democratas corroboraram: não havia "nenhum entusiasmo pela guerra".²⁰² Presente na Wilhelmplatz por volta do meio-dia de 3 de setembro, William L. Shirer juntou-se a uma multidão de cerca de 250 pessoas para ouvir os alto-falantes anunciarem a declaração britânica de guerra. "Quando acabou", relatou, "não houve um murmúrio". Ele decidiu dar mais uma conferida nos estados de ânimo: "Caminhei pelas ruas", prosseguiu. "No rosto das pessoas, espanto, depressão... Em 1914, creio eu, a excitação em Berlim no primeiro dia da Guerra Mundial era tremenda. Hoje, nada de excitação, nada de vivas, nada de jogar flores, nada de febre de guerra, nada de histeria de guerra." Não houve um renascimento do lendário espírito de 1914 em setembro de 1939. A guerra da propaganda para encher os alemães de ódio pelos novos inimigos havia fracassado.²⁰³

Apreensão e ansiedade eram as emoções mais comuns enquanto a Alemanha entrava em estado de guerra. Em Hamburgo, Luise Solmitz ficou desesperada. "Quem vai realizar o milagre?", perguntou ela em 29 de agosto de 1939. "Quem vai ajudar a humanidade torturada a ir da guerra à paz? Fácil de responder: nada, nem ninguém... Vai começar uma carnificina que o mundo não vivenciou até hoje."²⁰⁴ Foi sobretudo o medo do bombardeio das cidades alemãs que espalhou o desânimo. Ainda mais que era piorado pelas elaboradas precauções antiataque aéreo que os vigilantes do quarteirão obrigavam as pessoas a tomar. "Ataques aéreos", disse um conhecido para o marido de Luise Solmitz em 31 de agosto de 1939, "bem, não é tão terrível assim se realmente aguentarmos um pouquinho. Vai tirar a pressão do *front*". "O *front* ficará aliviado, disse Fr[iedrich], se os pais, esposas, filhos e lares dos soldados forem aniquilados?"²⁰⁵ Sem esperar muita proteção para eles, Luise Solmitz costurou sacas de areia para colocar diante de suas janelas. "Um mundo cheio de sangue e atrocidades", anotou ela quando a guerra eclodiu. "E assim entramos no tempo tão temido, um tempo que fará a Guerra dos 30 Anos parecer um passeio escolar dominical... Agora que as feridas da Europa haviam sido curadas depois de 21 anos, o Ocidente será aniquilado."²⁰⁶

IV

A guerra havia sido o objetivo do Terceiro Reich e de seus líderes desde o momento em que chegaram ao poder em 1933. A partir dali e até a verdadeira deflagração das hostilidades em setembro de 1939, os nazistas focaram-se implacavelmente em preparar a nação para um conflito que ocasionaria a dominação da Europa, e por fim do mundo, pela Alemanha. A megalomania dessas ambições estivera aparente no gigantismo dos planos desenvolvidos por Hitler e Speer para Berlim – que deveria tornar-se Germânia, a nova capital do mundo. E a escala sem limites do ímpeto nazista para a conquista e a dominação do resto do mundo acarretava uma tentativa correspondente de remodelar por completo a mente, o espírito e o corpo do povo alemão para torná-lo digno do papel de nova raça dominante que o aguardava. A impiedosa coordenação total das instituições sociais alemãs que deu ao Partido Nazista um quase monopólio sobre a organização da vida cotidiana de 1933 em diante foi só o começo. Por certo que Hitler e as lideranças nazistas haviam proclamado em 1933-34 que queriam combinar o melhor da velha e da nova Alemanha na criação do Terceiro Reich, sintetizar tradição e revolução e tranquilizar as elites conservadoras tanto quanto canalizar o ímpeto de seu próprio movimento para a construção de uma nova Alemanha. De fato, no final de junho de 1934, as exigências dos nazistas mais radicais de uma revolução permanente foram impiedosamente debeladas na "Noite das Facas Longas", ao mesmo tempo que conservadores receberam um aviso sangrento de que o Terceiro Reich não voltaria para nada parecido com a velha ordem dos tempos do *Kaiser*.

Contudo, a síntese de velho e novo que a matança de 30 de junho pareceu restaurar na verdade já estava sendo solapada. De modo inconstante, porém inequívoco, o equilíbrio estava pendendo em favor do novo. Diferentemente de outros regimes fundados em cima da derrota de uma revolução marxista, como na Hungria, o Terceiro Reich trouxe consigo bem mais que uma mera contrarrevolução. Suas ambições estendiam-se para além da restauração de algum *statu quo* real, imaginado, depurado ou melhorado. Quase de imediato, o regime nazista começou a tentar coordenar todas as maiores instituições que, por motivos táticos, não havia tentado colocar sob sua égide no início do Terceiro Reich: o Exército, as igrejas e as empresas. Essa mostrou-se uma tarefa difícil, visto que as prioridades do rearmamento exigiam cautela no que dizia respeito a empresas e Exército, ao passo que o assalto às mais profundas crenças religiosas do povo suscitou talvez a mais franca e aberta oposição com que os nazistas depararam na sequência da supressão do movimento operário. Contudo, em 1939 já haviam feito uma boa dose de progresso. As empresas, de início entusiasmadas com os lucros a serem obtidos a partir da recuperação e do rearmamento, revelaram-se insuficientemente patrióticas do ponto de vista nazista, e de 1936 em diante foram cada vez mais coagidas, arregimentadas e cercadas pelo esforço em busca do preparo militar conduzido pelo Estado, que relegava o lucro a uma questão de importância secundária. O gerenciamento econômico ousado, imaginativo, mas em última instância convencional de Schacht foi descartado em 1937-38 quando começou a impor limites à ofensiva para a guerra total. As Forças Armadas haviam ficado voluntariamente sob o controle de Hitler a partir de 1934, e cooperaram alegremente com o rearmamento durante os três anos seguintes. Mas, quando oficiais do alto escalão, como Beck, Blomberg e Fritsch, começaram a afrouxar o passo à medida que a marcha dos acontecimentos acelerava-se no começo de 1938, foram substituídos, junto com o ministro de Relações Exteriores Neurath; os indecisos restantes foram calados momentaneamente pela bem-sucedida anexação dos Sudetos por Hitler em setembro de 1938.

A essa altura, o regime havia se imposto de forma inequívoca também na esfera da política cultural, deixando suas opiniões sobre arte modernista muitíssimo claras na exposição de Arte Degenerada exibida em Munique em julho de 1937. E havia começado a impor uma política social eugênica implacável que empurrou para o lado a moralidade cristã tradicional na busca de produzir uma raça ariana perfeita em termos físicos e espirituais. Aqui, as políticas radicais foram introduzidas desde o princípio, com a esterilização forçada dos supostamente degenerados e os primórdios da remoção de judeus do serviço público, das profissões, da vida econômica e, com a promulgação das Leis de Nuremberg de 1935, também da vida sexual dos alemães. Entretanto, nisso também o ritmo acelerou-se perceptivelmente em 1938, com novas leis sobre casamento e divórcio planejadas para garantir que apenas alemães hereditariamente adequados tivessem permissão para procriar, e casais sem filhos fossem encorajados a se separar em favor dos interesses da raça. A violência antissemita do *pogrom* de 9-10 de novembro de 1938, a subsequente expropriação final da comunidade judaica da Alemanha e sua remoção das áreas restantes da vida social e cultural compartilhada com o restante da população foram apenas as expressões mais dramáticas da aceleração do ritmo. Menos amplamente perceptível, mas de consequências não menos graves para os atingidos, foi a transformação dos campos de concentração, em 1937-38, de locais de confinamento e coerção para os remanescentes da oposição política social-democrata e comunista, agora totalmente derrotada, em depósito dos eugenicamente indesejáveis, cada vez mais empregados como trabalhadores escravos em escavação pesada de pedreiras e outros serviços planejados para, em última instância, matá-los.

Em nada disso os nazistas estavam tentando voltar no tempo. Pelo contrário, em todas as esferas, seu encanto com a modernidade logo tornou-se visível. Estava presente não só nas salas de projeto das fábricas de armas, estaleiros, companhias de construção de aeronaves, linhas de produção de munição, laboratórios de pesquisa médica e companhias químicas. A eugenia em si, inclusive a esterilização forçada, era comumente aceita por cientistas e comentaristas ao redor do mundo como a face moderna da política social. Para aqueles que desposavam essa ideia, a crença na centralidade da raça nas questões humanas também extraía legitimidade do que consideravam as últimas descobertas da ciência moderna. A modernidade também assumiu uma forma física concreta no Terceiro Reich. Novas drogas, substitutos sintéticos para o petróleo, borracha e fibras naturais, novos meios de comunicação, como a televisão, novos tipos de ligas metálicas, foguetes que podiam ser lançados ao espaço – tudo isso e muito mais foi entusiasticamente apoiado pelo Estado por meio de institutos de pesquisa financiados pelo governo e de subsídios para pesquisa e desenvolvimento em grandes companhias. A face pública do modernismo nazista ficou evidente nas autoestradas, escavando morros imperiosamente e transpondo vales profundos em obras modernas, limpas e branco-cintilantes; nos prédios nazistas, como os

Castelos da Ordem ou o local do comício do Partido em Nuremberg, ou a nova Chancelaria do Reich em Berlim, onde as mais novas técnicas eram revestidas com uma aparência neoclássica que era a última moda em arquitetura pública em todo o planeta. Mesmo na arte, na qual Hitler assegurou-se de que todo produto dos movimentos modernistas de vanguarda da época fossem varridos das paredes das galerias e dos museus alemães, as imponentes figuras musculosas esculpidas por Arno Breker e seus imitadores não tinham a ver com formas humanas tradicionais, mas com um novo tipo de homem, fisicamente perfeito e pronto para a ação violenta. Mesmo as idílicas cenas campestres pintadas pela escola "sangue e solo" de artistas alemães falavam não do retorno a um mundo rural atolado no passado hierárquico e tacanho, mas sim de uma nova ordem em que os camponeses seriam independentes, prósperos e orgulhosos, produzindo o alimento que sustentaria a Alemanha nos conflitos por vir. Para milhões de alemães, o Terceiro Reich, com sua distribuição em massa, real ou pretendida, de maravilhas tecnológicas como o Receptor do Povo ou o Carro do Povo, significava modernidade e progresso ao alcance de todos.[207]

Na mente das lideranças nazistas, a modernidade estava ligada a conflito e guerra. O darwinismo social, princípio cientificamente sancionado que jaz sob boa parte do pensamento nazista, postulava um mundo no qual nações e raças estavam engajadas em uma luta perpétua pela sobrevivência. Assim, havia a necessidade suprema, na visão de Hitler e das lideranças nazistas, de deixar a Alemanha e os alemães aptos para o combate. À medida que essa necessidade tornava-se cada vez mais premente, sobretudo a partir do final de 1937, o radicalismo e a impiedade do regime cresciam.[208] As restrições tradicionais foram jogadas para o lado. A meticulosidade e a impiedade da tentativa nazista de remodelar a Alemanha e os alemães não tinham paralelo em nenhum outro lugar. Cada segmento da vida intelectual e cultural foi curvado para servir ao propósito de preparar a mente das pessoas para a guerra. Escolas e universidades foram transformadas cada vez mais em campos de treinamento, em detrimento da erudição e do ensino. Os campos de treinamento de fato brotaram por toda parte e afetaram quase todos os setores da vida, e não apenas dos jovens. O Terceiro Reich engajou-se em um vasto experimento em engenharia humana, tanto física quanto espiritual, que não reconhecia limites de penetração do corpo e da alma dos indivíduos, ao tentar reconfigurá-los em uma massa coordenada, movendo-se e sentindo como um só. Desde o início, a coerção e o medo fizeram tanta parte desse processo quanto a propaganda e a persuasão. Se algum Estado já mereceu ser chamado de totalitário, esse foi o Terceiro Reich.

Em todas essas esferas, o Terceiro Reich moveu-se para perto de suas metas nos seis anos e meio que se passaram entre seus primórdios, na primavera de 1933, e a eclosão da guerra, no outono de 1939. Todavia, seis anos e meio não é muito tempo; mal daria para alcançar a escala e a profundidade das transformações que os nazistas buscavam. Em uma área depois da outra, o impulso totalitário foi forçado a fazer concessões à intratabilidade da natureza humana. A escala e a severidade da repressão levaram as pessoas para a esfera privada, na qual se sentiam relativamente a salvo para falar livremente sobre política; em público, cumpriam as obrigações de praxe para com o regime, mas para a maioria não passava disso. As políticas domésticas e as instituições mais populares do regime eram aquelas que atendiam às aspirações e aos desejos privados das pessoas: Força pela Alegria, Previdência Nacional-Socialista, criação de empregos, redução do desemprego, uma sensação geral de estabilidade e ordem depois dos sobressaltos e digressões dos anos de Weimar. A maioria dos adultos, cujas ideias e crenças haviam se formado antes da implantação do Terceiro Reich, mantiveram seus valores pessoais mais ou menos intactos; às vezes estes coincidiam fortemente com os dos nazistas, às vezes não. Foi sobretudo na geração mais jovem que os nazistas miraram. No longo prazo, à medida que o Terceiro Reich avançasse com firmeza para seus pretendidos mil anos, as reservas das gerações mais velhas não importariam. O futuro cabia aos jovens, e o futuro seria nazista.

É claro que os jovens, como os mais velhos, também queriam prazeres privados, e quanto mais se sentiam lesados pela mobilização perpétua na Juventude Hitlerista, nas escolas e universidades, mais reclamavam da vida no Terceiro Reich. Alguns professores escolares e universitários conseguiram distanciar-se da ideologia nazista, embora as alternativas que tivessem a oferecer raras vezes fossem bastante diferentes das ideias transmitidas pelos nazistas. O conteúdo de entretenimento nos meios de comunicação,

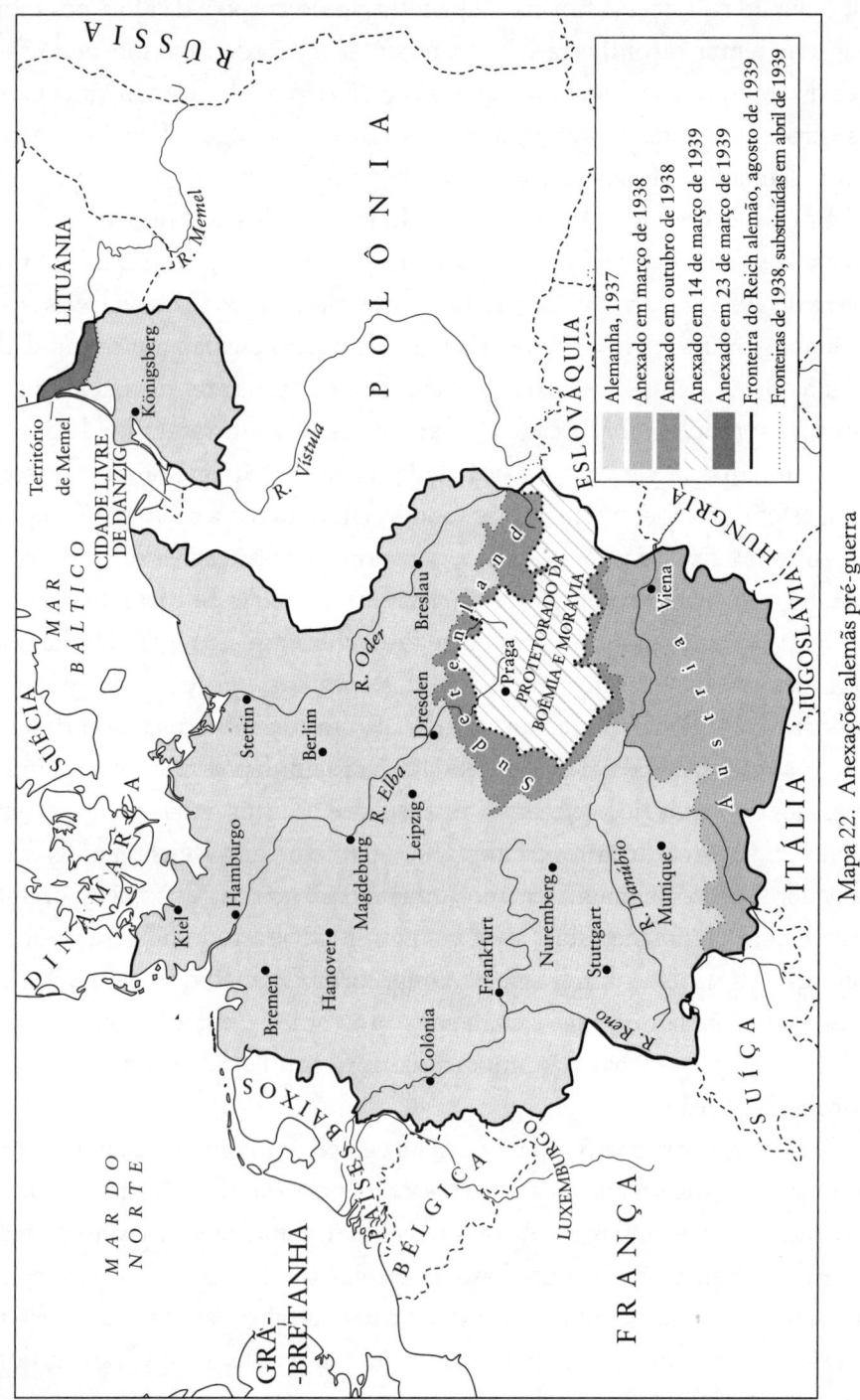

Mapa 22. Anexações alemãs pré-guerra

cinema, rádio, revistas, teatro e todo o restante cresceu com o passar do tempo, à medida que o enfado com a propaganda direta ficou aparente entre jovens e velhos. A educação e a cultura deram jeito de sobreviver, ainda que apenas fazendo muitas concessões. A despeito de tudo isso, porém, seis anos e meio de propaganda incessante e incansável tiveram efeito. Todos os analistas, qualquer que fosse seu ponto de vista, uniram-se na crença de que as gerações mais jovens, dos nascidos de meados da década de 1920 em diante, em geral ficaram mais plenamente imbuídas das ideias e crenças do nacional-socialismo do que as mais velhas. Por exemplo, foram sobretudo os mais jovens, até mesmo crianças, que participaram do *pogrom* de novembro de 1938 no rastro dos camisas-pardas e homens da SS que deram início à violência, enquanto em muitos locais os mais velhos mantiveram-se à parte, horrorizados com a ferocidade nas ruas. Mas mesmo as gerações mais velhas ficaram longe de se manter imunes: o antissemitismo em especial foi propagado com tanta insistência que as pessoas começaram a usar sua linguagem quase sem refletir, e a pensar nos judeus como uma raça à parte, por mais que pudessem deplorar a violência aberta de novembro de 1938 ou simpatizar com indivíduos judeus que fossem conhecidos pessoais.

Entretanto, foi acima de tudo o nacionalismo dos nazistas que conquistou o apoio do povo. Por mais preocupados que ficassem com a ameaça de uma guerra geral, o orgulho e a satisfação da maioria dos alemães foram inequívocos, inclusive de muitos ex-social-democratas e muito provavelmente também de não poucos ex-comunistas, com o feito de Hitler em lançar fora o universalmente odiado jugo de Versalhes. A resignação da Liga das Nações, o plebiscito no Sarre, a remilitarização da Renânia, a anexação da Áustria, a incorporação dos Sudetos, a retomada de Memel, a tomada de Danzig – para os alemães, tudo isso pareceu apagar a vergonha do Acordo de Paz de 1919, restaurando a Alemanha ao seu lugar de direito no mundo, reivindicando para os alemães o direito de autodeterminação concedido a tantas outras nações ao término da Primeira Guerra Mundial.

Para os alemães, tudo isso pareceu obra sobretudo de um homem, de Adolf Hitler, Líder do Terceiro Reich. A imagem de Hitler na propaganda como o estadista mundial que havia devolvido aos alemães o orgulho por seu país quase sozinho não correspondia inteiramente à verdade, é claro.

Mesmo no campo da política externa houve ocasiões, sobretudo na anexação da Áustria, em que ele seguiu a direção de outros (nesse caso, de Göring), ou, como na crise de Munique, foi forçado contra sua inclinação a ceder à pressão internacional. Outros, notadamente Ribbentrop, também exerceram influência considerável em momentos-chave do processo de tomada de decisão. Não obstante, foi Hitler acima de todos os outros – às vezes encorajado por seu séquito mais próximo, às vezes não – que conduziu a Alemanha pela estrada da guerra entre 1933 e 1939. Ele delineou os parâmetros gerais de política e ideologia para outros aplicarem em detalhe. Em questões cruciais, assumiu o comando pessoalmente, muitas vezes indeciso e hesitante em momentos específicos de crise, mas sempre forçando na direção de sua meta última: a guerra. A história do Terceiro Reich de 1933 a 1939 não foi uma história de radicalização incessante levada em frente por instabilidades inerentes a seu sistema de governo, ou por uma disputa constante de poder entre seus sátrapas e lacaios, na qual a política mais radical era sempre a com maior probabilidade de ser implementada. Por mais irracional e instável que fosse, o Terceiro Reich era dirigido em primeiro lugar de cima, por Hitler e seus capangas essenciais, sobretudo Göring e Goebbels, aos quais Ribbentrop juntou-se mais tarde. Quando Hitler decidia desacelerar a implementação de uma política específica, como no caso do antissemitismo na reta final para os Jogos Olímpicos de 1936, ele tinha pouca dificuldade para fazê-lo. Isso não significa que tudo que acontecia no Terceiro Reich era ordenado por Hitler, mas sim que ele estava no assento do condutor, determinando a direção geral em que as coisas se moviam.

É claro que ele não tinha dúvidas de sua importância central em tudo que acontecia na Alemanha nazista. Com o passar do tempo, seus sucessos na política externa começaram a convencê-lo de que de fato era, como disse em mais de uma ocasião no final da década de 1930, o maior alemão que já existira: um homem ordenado pelo destino, um jogador que ganhava todas as apostas, um sonâmbulo guiado pela Providência. Bem antes de 1939, ele havia começado a acreditar em seu próprio mito. Qualquer um que tentasse coibi-lo era afastado. Até então, sua fé cada vez mais inabalável em si mesmo havia se revelado mais do que justificada. Em setembro de 1939, porém, ele cometeu seu primeiro erro de cálculo sério. A despeito de todos os seus esforços, a despeito das garantias de Ribbentrop, a despeito da intervenção de Göring, a despeito das evasivas de última hora de Chamberlain, os britânicos declararam guerra. Por enquanto, porém, Hitler não estava preocupado com eles. No oeste, os primeiros meses do conflito registraram tão pouca ação que rapidamente ficaram conhecidos como "guerra crepuscular" ou "drôle de guerre". Era no leste que a verdadeira guerra tinha lugar. A guerra deflagrada contra a Polônia em 1º de setembro de 1939 foi desde o princípio uma guerra de conquista, subjugação e extermínio racial. "Fechem seus corações à piedade", disse Hitler a seus generais em 22 de agosto de 1939. "Ajam com brutalidade! O homem mais forte tem direito! Oitenta milhões de pessoas devem obter o que lhes é de direito. Sua existência deve ser assegurada. A maior severidade!"[209] Brutalidade e severidade, morte e destruição era o que a guerra significaria para milhões de pessoas no conflito que agora começava.

Notas

Parte 1 – O ESTADO POLICIAL

1. Karl-Heinz Minuth (ed.), *Akten der Reichskanzlei: Die Regierung Hitler, 1933-1934* (2 vols., Boppard, 1983), I, p. 630-1 (a citação combina duas fontes diferentes para esse discurso).
2. Kurt Werner e Karl-Heinz Biernat, *Die Köpenicker Blutwoche, Juni 1933* (Berlim, 1958).
3. Citado em Martin Broszat, *Der Staat Hitlers: Grundlegung und Entwicklung seiner inneren Verfassung* (Munique, 1969), p. 251-2.
4. Richard J. Evans, *The Coming of the Third Reich* (Londres, 2003), p. 344-9.
5. Richard Bessel, *Political Violence and the Rise of Nazism: The Storm Troopers in Eastern Germany 1925-1934* (Londres, 1984), p. 97; Peter Longerich, *Die braunen Bataillone: Geschichte der SA* (Munique, 1989), p. 184.
6. Bessel, *Political Violence*, p. 119-22; para o cenário geral, ver Wolfgang Sauer, "Die Mobilmachung der Gewalt", em Karl Dietrich Bracher *et al.*, *Die nationalsozialistische Machtergreifung: Studien zur Errichtung des totalitären Herrschaftssystems in Deutschland 1933/34* (3 vols., Frankfurt am Main, 1974 [1960]), III, p. 255-324.
7. Peter H. Merkl, *Political Violence under the Swastika: 581 Early Nazis* (Princeton, 1975), p. 472-3, citando testemunho nº 58 de Abel.
8. Norbert Frei, *National Socialist Rule in Germany: The Führer State 1933-1945* (Oxford, 1993 [1987]), p. 13.
9. Bessel, *Political Violence*, p. 126.
10. Longerich, *Die braunen Bataillone*, p. 179-88.
11. Heinz Höhne, *Mordsache Röhm: Hitlers Durchbruch zur Alleinherrschaft, 1933-1934* (Reinbek, 1984), p. 127-8.
12. John W. Wheeler-Bennett, *The Nemesis of Power: The German Army in Politics 1918-1945* (Londres, 1953), p. 761.
13. Immo von Fallois, *Kalkül und Illusion: Der Machtkampf zwischen Reichswehr und SA während der Röhm-Krise 1934* (Berlim, 1994), p. 105-8.

14. Höhne, *Mordsache Röhm*, p. 59-122, para a crescente ambição de Röhm, e p. 177--206 para a crescente inquietação da liderança do Exército. Ver também Evans, *The Coming of the Third Reich*, p. 316-7.
15. Fallois, *Kalkül*, p. 131; Robert J. O'Neill, *The German Army and the Nazi Party 1933-1939* (Londres, 1966), p. 38-42.
16. Minuth (ed.), *Akten der Reichskanzlei: Die Regierung Hitler, 1933-1934*, I, p. 1, 156-8.
17. Bessel, *Political Violence*, p. 130-2, citando o arquivo sobre Max Heydebreck no antigo Centro de Documentos de Berlim, hoje no Bundesarchiv Berlin.
18. Heinrich Bennecke, *Die Reichswehr und der "Röhm-Putsch"* (Munique, 1964), p. 43--4; Sauer, *Die Mobilmachung*, sublinha a imprecisão e a falta de conteúdo político sério no conceito de revolução de Röhm (p. 338-9); ver também Höhne, *Mordsache Röhm*, p. 207-26.
19. Minuth (ed.), *Akten der Reichskanzlei: Die Regierung Hitler, 1933-1934*, II, p. 1, 393.
20. Frei, *National Socialist Rule*, p. 15-6; Edmund Forschbach, *Edgar J. Jung: Ein konservativer Revolutionär 30. Juni 1934* (Pfullingen, 1984).
21. Elke Fröhlich (ed.), *Die Tagebücher von Joseph Goebbels: Sämtliche Fragmente*, parte I: *Aufzeichnungen 1924-1941* (Munique, 1987-96), II, p. 472 (21 de maio de 1934).
22. Höhne, *Mordsache Röhm*, p. 227-38.
23. Klaus Behnken (ed.), *Deutschland-Berichte der Sozialdemokratischen Partei Deutschlands (Sopade) 1934-1940* (7 vols., Frankfurt am Main, 1980), I (1934), p. 99--117, 187.
24. Minuth (ed.), *Akten der Reichskanzlei: Die Regierung Hitler, 1933-1934*, II, p. 1, 197-200; Max Domarus (ed.), *Hitler: Speeches and Proclamations 1932-1945: The Chronicle of a Dictatorship* (4 vols., Londres, 1990- [1962-63]), I, p. 442-6.
25. Höhne, *Mordsache Röhm*, p. 218-24.
26. Domarus, *Hitler*, I, p. 447.
27. Fröhlich (ed.), *Die Tagebücher*, I/II, p. 472-3 (29 de junho de 1934).
28. Franz von Papen, *Memoirs* (Londres, 1952), p. 307-11; Hans-Adolf Jacobsen e Werner Jochmann (eds.), *Ausgewählte Dokumente zur Geschichte des Nationalsozialismus* (3 vols., Bielefeld, 1961).
29. Domarus, *Hitler*, I, p. 463-4.
30. Papen, *Memoirs*, p. 310-1.
31. Wheeler-Bennett, *Nemesis*, p. 319-20; Höhne, *Mordsache Röhm*, p. 239-46.
32. Longerich, *Die braunen Bataillone*, p. 215-6.
33. Domarus, *Hitler*, I, p. 466.
34. O'Neill, *The German Army*, p. 72-6; Longerich, *Die braunen Bataillone*, p. 215-7; Ian Kershaw, *Hitler*, I: *1889-1936: Hubris* (Londres, 1998), p. 510-2; Domarus, *Hitler*, I, p. 466-7; Bessel, *Political Violence*, p. 131-3; Höhne, *Mordsache Röhm*, p. 239-46.
35. Ralf Georg Reuth, *Goebbels: Eine Biographie* (Munique, 1990), p. 313.
36. Domarus, *Hitler*, I, p. 468-9.
37. Herbert Michaelis e Ernst Schraepler (eds.), *Ursachen und Folgen: Vom deutschen Zusammenbruch 1918 und 1945 bis zur staatlichen Neuordnung Deutschlands in der Gegenwart*, X: *Das Dritte Reich: Die Errichtung des Führerstaates, die Abwendung von dem System der kollektiven Sicherheit* (Berlim, 1965), p. 168-72, documento nº

2.378 (reminiscências de Erich Kempka, primeiramente publicadas na revista ilustrada alemã *Quick*, 1954, nº 24).
38. Longerich, *Die braunen Bataillone*, p.216-7; Domarus, *Hitler*, I, p. 470-1.
39. Longerich, *Die braunen Bataillone*, p. 217-8; Domarus, *Hitler*, I, p. 472-7; Kershaw, *Hitler*, I, p. 513-4; Behnken (ed.), *Deutschland-Berichte*, I, p. 194-5; as ordens de Hitler para a SA em *Völkischer Beobachter*, Sondernummer (1º de julho de 1934), capa; o assassinato de Röhm em Karl Buchheim e Karl Otmar von Aretin (eds.), *Krone und Ketten: Erinnerungen eines bayerischen Edelmannes* (Munique, 1955), p. 365-6, excerto e tradução em Noakes e Pridham (eds.), *Nazism*, I, p. 10.
40. Narrativa detalhada em Höhne, *Mordsache Röhm*, p. 247-96.
41. Relato sobre Schleicher em *Erste Beilage der Germania*, 180 (2 de julho de 1934): "Schleicher und sieben SA-Führer erschossen"; detalhes em Höhne, *Mordsache Röhm*, p. 247-96, também para os parágrafos seguintes.
42. Höhne, *Mordsache Röhm*, p. 247-96.
43. Bessel, *Political Violence*, p. 133-7.
44. Göring mais tarde declarou: "Estendi meu dever ao aplicar um golpe também contra esses descontentes". Que ele tenha feito isso de modo espontâneo e por iniciativa própria ao ouvir falar dos eventos em Munique, conforme sustentaram alguns historiadores, é de se duvidar em vista do cuidado com que todo o restante da operação foi preparado e a veemência com que Hitler havia denunciado Papen e seus associados poucos dias antes. Para a ideia de que a ação foi "improvisada", ver Longerich, *Die braunen Bataillone*, p. 218 (embora sua principal evidência, a afirmação de Göring, de fato não demonstre que ele decidiu "estender" sua tarefa espontaneamente e sem consultas; a necessidade de se explicar era óbvia, dado que a justificativa para o expurgo foi proporcionada pelas supostas atividades de Röhm, não de Schleicher e Papen); para evidência do cuidadoso planejamento de antemão, ver Bessel, *Political Violence*, p. 133-7. Mais detalhes em Kershaw, *Hitler*, I, p. 512-5; e Heinz Höhne, *The Order of the Death's Head: The Story of Hitler's SS* (Londres, 1972 [1966]), p. 85-121. Sauer, *Die Mobilmachung*, p. 334-64, nota o trabalho sistemático de preparação executado por Hitler e lideranças do Partido de abril em diante, ressaltando a importância da ofensiva da propaganda contra Röhm e a SA, particularmente dentro do Partido. Para Ballerstedt, ver Evans, *The Coming of the Third Reich*, p. 181. Para Ludendorff, ver Harald Peuschel, *Die Männer um Hitler: Braune Biographien, Martin Bormann, Joseph Goebbels, Hermann Göring, Reinhard Heydrich, Heinrich Himmler und andere* (Düsseldorf, 1982).
45. "Goebbels erstattet Bericht: Die grosse Rede des Reichspropagandaministers", *Berliner Tageblatt*, 307 (2 de julho de 1934), p. 3.
46. Minuth (ed.), *Akten der Reichskanzlei: Die Regierung Hitler, 1933-1934*, I, p. 1, 354--8; reportagem no *Berliner Tageblatt*, 310 (4 de julho de 1934), capa.
47. *Erste Beilage der Germania*, 180 (2 de julho de 1934); ibid., 181 (3 de julho de 1934); *Berliner Tageblatt*, 306 (1º de julho de 1934), p. 2; para o "expurgo", ver especialmente a declaração de Göring conforme reportada em ibid., p. 3, e *Völkischer Beobachter*, 182/183 (1º e 2 de julho de 1934), capa.
48. Domarus, *Hitler*, I, p. 498.
49. Kershaw, *Hitler*, I, p. 517-22. Tentativas pós-guerra de levar os matadores sobreviventes à justiça estão documentadas em Otto Gritschneider, *"Der Führer hat Sie*

zum Tode verurteilt"...: Hitlers "Röhm-Putsch" – Morde vor Gericht (Munique, 1993).
50. Bernd Stöver (ed.), *Berichte über die Lage in Deutschland: Die Meldungen der Gruppe Neu Beginnen aus dem Dritten Reich 1933-1936* (Bonn, 1996), p. 169-85, para alguns exemplos.
51. Behnken (ed.), *Deutschland-Berichte*, I, p. 197-203; Martin Broszat et al. (eds.), *Bayern in der NS-Zeit* (6 vols., Munique, 1977-83), I, p. 71 (Bekirksamt Ebermannstadt, Halbmonatsbericht, 14 de julho de 1934); Thomas Klein (ed.), *Die Lageberichte der Geheimen Staatspolizei über die Provinz Hessen-Nassau 1933-1936* (Colônia, 1986), p. 117; Wolfgang Ribbe (ed.), *Die Lageberichte der Geheimen Staatspolizei über die Provinz Brandenburg und die Reichshauptstadt Berlin 1933 bis 1936*, I: *Der Regierungsbezirk Potsdam* (Colônia, 1998), p. 141-2; *Berliner Illustrierte Nachtausgabe*, 151 (2 de julho de 1934), capa, para a multidão; ibid., 153 (4 de julho de 1934), capa, para o aviso da polícia; para o Ministério da Propaganda, ver Gabriele Toepser-Ziegert (ed.), *NS-Presseanweisungen der Vorkriegszeit: Edition und Dokumentation*, II: *1934* (Munique, 1985), 264 (3 de julho de 1934).
52. Ian Kershaw, *The "Hitler Myth": Image and Reality in the Third Reich* (Oxford, 1987), p. 83-95.
53. Jochen Klepper, *Unter dem Schatten deiner Flügel: Aus den Tagebüchern der Jahre 1932-1942* (Stuttgart, 1955), p. 194.
54. Staatsarchiv Hamburg 622-1, 11/511-3; Familie Solmitz: Luise Solmitz geb. Stephan, 1889-1973, Tagebuch: vols. 28 e 29, entradas de 21 de março de 1933, 3 de abril de 1933, 30 de junho de 1934 (transcrições em posse do Forschungsstelle für Zeitgeschichte em Hamburgo).
55. Ver a lista em Höhne, *Mordsache Röhm*, p. 319-21.
56. Longerich, *Die braunen Bataillone*, p. 223; Bessel, *Political Violence*, p. 147-8.
57. Longerich, *Die braunen Bataillone*, p. 227-30.
58. Höhne, *The Order*, p. 113, 118, citando *Der Spiegel* (15 de maio de 1957), p. 29, e Bennecke, *Die Reichswehr und der "Röhm-Putsch"*, p. 65, 87-8; Peter Hoffmann, *Claus Schenk Graf von Stauffenberg und seine Brüder* (Stuttgart, 1992), p. 132; Hermann Foertsch, *Schuld und Verhängnis: Die Fritsch-Krise im Frühjahr 1938 als Wendepunkt in der Geschichte der nationalsozialistischen Zeit* (Stuttgart, 1951), p. 57-8.
59. Ferdinand Sauerbruch, *Das war mein Leben* (Bad Wörishofen, 1951), p. 519-20; para a data da visita, ver Kershaw, *Hitler*, I, p. 748, nota 144. Papen, *Memoirs*, p. 334, nega isso.
60. Tagebuch Luise Solmitz (2 de agosto de 1934); Minuth (ed.), *Akten der Reichskanzlei: Die Regierung Hitler, 1933-1934*, II, p. 1, 384-90. De fato, Hitler usou o título de "presidente do Reich" de novo, ao nomear Dönitz seu sucessor em seu "testamento político". Isso ilustrou a hipocrisia de sua referência à conexão "indissolúvel" do título com Hindenburg; a realidade era que o título de "Líder" estava indissoluvelmente conectado a Hitler e provinha unicamente de sua pessoa. Ver Hans Buchheim, "The SS – Instrument of Domination", em Helmut Krausnick et al., *Anatomy of the SS State* (Londres, 1968 [1965]), p. 127-301, na p. 137.
61. Minuth (ed.), *Akten der Reichskanzlei: Die Regierung Hitler, 1933-1934*, I, p. 1, 385, nota 6.
62. O'Neill, *The German Army*, p. 85-91.

63. Ibid., p. 85-91; para Beck, ver Gert Buchheit, *Ludwig Beck, ein preussischer General* (Munique, 1964), p. 46.
64. O'Neill, *The German Army*, p. 87.
65. Buchheim, "The SS", p. 127-32, citando Ernst Rudolf Huber, *Verfassungsrecht des Grossdeutschen Reiches* (Hamburgo, 1939). Para os planos de golpe de Boxheim, ver *The Coming of the Third Reich*, p. 274.
66. Ibid., p. 454-6.
67. Ernst Fraenkel, *The Dual State: Law and Justice in National Socialism* (Nova York, 1941).
68. Minuth (ed.), *Akten der Reichskanzlei: Die Regierung Hitler, 1933-1934*, I, p. 648 (Lammers para Hess, 11 de julho de 1933).
69. Victor Klemperer, *Tagebücher 1933-1934 (Ich will Zeugnis ablegen bis zum letzten: Tagebücher 1933-1945*, I) (Berlim, 1999 [1995]), p. 42-3 (20 de julho de 1933).
70. Republicado e traduzido em Noakes e Pridham (eds.), *Nazism*, II, p. 39-40; ver também os comentários e documentos seguintes, ibid., p. 41-64.
71. Ibid., p. 39-51; Broszat, *Der Staat Hitlers*, p. 244-73, 301-25; para Bormann e Hess, ver Evans, *The Coming of the Third Reich*, p. 219-20, 176-7.
72. Noakes e Pridham (eds.), *Nazism*, II, p. 52-64.
73. Ibid., p. 57.
74. Alfred Kube, "Hermann Göring: Second Man in the Third Reich", em Ronald Smelser e Rainer Zitelmann (eds.), *The Nazi Elite* (Basingstoke, 1993 [1989]), p. 62--73, nas p. 65-6; de modo mais geral também em Alfred Kube, *Pour le mérite und Hakenkreuz: Hermann Göring im Dritten Reich* (Munique, 1987 [1986]), e Stefan Martens, *Hermann Göring: "Erster Paladin des Führers" und "Zweiter Mann im Reich"* (Paderborn, 1985).
75. Buchheim, "The SS", p. 142-3; Höhne, *The Order*, p. 70-6; Evans, *The Coming of the Third Reich*, p. 226-30.
76. Höhne, *The Order*, p. 124-8.
77. Ibid., p. 121-32.
78. Ibid., p. 131-6; Josef Ackermann, *Heinrich Himmler als Ideologe* (Göttingen, 1970), p. 253-4.
79. Hans Peter Bleuel, *Strength Through Joy: Sex and Society in Nazi Germany* (Londres, 1973 [1972]), p. 199.
80. Gunnar C. Böhnert, "An Analysis of the Age and Education of the SS Führerkorps 1925-1939", *Historical Social Research*, 12 (1979), p. 4-17; Friedrich Zipfel, "Gestapo and SD: A Sociographic Profile of the Organisers of the Terror", em Stein U. Larsen *et al.* (eds.), *Who Were the Fascists? Social Roots of European Fascism* (Bergen, 1980), p. 301-11.
81. Hanno Sowade, "Otto Ohlendorf: Non-conformist, SS Leader and Economic Functionary", em Smelser e Zitelmann (eds.), *The Nazi Elite*, p. 155-64, nas p. 155--8. Para o cenário mais amplo, ver Michael Wildt, *Generation des Unbedingten: Das Führungskorps des Reichssicherheitshauptamtes* (Hamburgo, 2002), p. 41-208.
82. Joachim C. Fest, *The Face of the Third Reich* (Londres, 1979 [1963]), p. 152-70, e Günther Deschner, "Reinhard Heydrich: Security Technocrat", em Smelser e Zitelmann (eds.), *The Nazi Elite*, p. 85-96, fornecem esboços de caráter contrastantes.
83. Höhne, *The Order*, p. 147-57.

84. Shlomo Aronson, *Reinhard Heydrich und die Frühgeschichte von Gestapo und SD* (Stuttgart, 1971).
85. Para seu próprio relato da renúncia, ver Rudolf Diels, *Lucifer ante Portas: Es spricht der erste Chef der Gestapo* (Stuttgart, 1950). Para a complicada história de todos esses desdobramentos, ver Christoph Graf, "Kontinuitäten und Brüche. Von der Politischen Polizei der Weimarer Republik zur Geheimen Staatspolizei", em Gerhard Paul e Klaus-Michael Mallmann (eds.), *Die Gestapo – Mythos und Realität* (Darmstadt, 1995), p. 73-83, e Johannes Tuchel, "Gestapa und Reichssicherheitshauptamt. Die Berliner Zentralinstitutionen der Gestapo", em ibid., p. 84-100.
86. George C. Browder, *Foundations of the Nazi Police State: The Formation of Sipo and SD* (Lexington, Ky., 1990); idem, *Hitler's Enforcers: The Gestapo and the SS Security Service in the Nazi Revolution* (Nova York e Oxford, 1996); e Peter Nitschke, "Polizei und Gestapo. Vorauseilender Gehorsam oder polykratischer Konflikt?", em Paul e Mallmann (eds.), *Die Gestapo*, p. 306-22.
87. O melhor relato recente desses eventos é de Michael Schneider, *Unterm Hakenkreuz: Arbeiter und Arbeiterbewegung 1933 bis 1939* (Bonn, 1999), p. 34-120; ver também Evans, *The Coming of the Third Reich*, p. 316-49, 355-61.
88. Para uma breve introdução geral, ver Detlev J. K. Peukert, "Working-Class Resistance: Problems and Options", em David Clay Large (ed.), *Contending with Hitler: Varieties of German Resistance in the Third Reich* (Washington, DC, 1991), p. 35-48.
89. Werner Blumenberg, *Kämpfer für die Freiheit* (Berlim, 1959).
90. Detalhes em Gerhard Hetzer, "Die Industriestadt Augsburg. Eine Sozialgeschichte der Arbeiteropposition", em Martin Broszat *et al.* (eds.), *Bayern*, III, p. 1-234, esp. p. 182-200; Helmut Beer, *Widerstand gegen den Nationalsozialismus in Nürnberg 1933-1945* (Nuremberg, 1976); Heike Breitschneider, *Der Widerstand gegen den Nationalsozialismus in München 1933 bis 1945* (Munique, 1968); Kurt Klotzbach, *Gegen den Nationalsozialismus: Widerstand und Verfolgung in Dortmund 1930-1945: Eine historisch-politische Studie* (Hanover, 1969); Hans-Josef Steinberg, *Widerstand und Verfolgung in Essen 1933-1945* (Hanover, 1969); Karl Ditt, *Sozialdemokraten im Widerstand: Hamburg in der Anfangsphase des Dritten Reiches* (Hamburgo, 1984), e numerosos outros estudos locais ou regionais; mais genericamente, Schneider, *Unterm Hakenkreuz*, p. 928-62.
91. Otto Buchwitz, *50 Jahre Funktionär der deutschen Arbeiterbewegung* (Stuttgart, 1949), p. 156-63.
92. Erich Matthias, *Mit dem Gesicht nach Deutschland* (Düsseldorf, 1968), p. 215-25; tradução em inglês de trechos importantes em Susanne Miller e Heinrich Potthoff, *A History of German Social Democracy: From 1848 to the Present* (Leamington Spa, 1986), p. 265-7.
93. Gerd-Rainer Horn, "Radicalism and Moderation within German Social Democracy in Underground and Exile, 1933-1936", *German History*, 15 (1997), p. 200-20; Detlef Lehnert, *Sozialdemokratie zwischen Protestbewegung und Regierungspartei 1848 bis 1983* (Frankfurt am Main, 1983), p. 155-64.
94. Hetzer, "Die Industriestadt Augsburg", dá uma impressão vívida desses desacordos. Ver também Lewis J. Edinger, *German Exile Politics: The Social Democratic Executive Committee in the Nazi Era* (Berkeley, Calif., 1956).

95. William Sheridan Allen, "Social Democratic Resistance against Hitler and the European Tradition of Underground Movements", em Francis R. Nicosia e Lawrence D. Stokes (eds.), *Germans Against Nazism: Nonconformity, Opposition and Resistance in the Third Reich: Essays in Honour of Peter Hoffmann* (Oxford, 1990), p. 191-204.
96. Hans Gerd Schumann, *Nationalsozialismus und Gewerkschaftsbewegung: Die Vernichtung der deutschen Gewerkschaften und der Aufbau der Deutschen Arbeitsfront* (Hanover, 1958), p. 128-30.
97. Franz Osterroth e Dieter Schuster, *Chronik der deutschen Sozialdemokratie* (Hanover, 1963), p. 389; Ditt, *Sozialdemokraten*, p. 87-8; Allen, "Social Democratic Resistance", p. 191-2; Schneider, *Unterm Hakenkreuz*, p. 1065-9.
98. Francis L. Carsten, *The German Workers and the Nazis* (Londres, 1995); Schneider, *Unterm Hakenkreuz*, p. 866, 887-9, 1004-8; Richard Löwenthal, *Die Widerstandsgruppe "Neu Beginnen"* (Berlim, 1982); Jan Foitzik, *Zwischen den Fronten: Zur Politik, Organisation und Funktion linker politischer Kleinorganisationen im Widerstand 1933 bis 1939/40* (Bonn, 1986); Stöver (ed.), *Berichte*, p. xix-xxxix.
99. Hermann Weber, *Die Wandlung des deutschen Kommunismus: Die Stalinisierung der KPD in der Weimarer Republik* (edição resumida, Frankfurt am Main, 1971 [1969]), p. 245-6.
100. Eric D. Weitz, *Creating German Communism, 1890-1990: From Popular Protests to Socialist State* (Princeton, 1997), p. 286-9.
101. Horst Duhnke, *Die KPD von 1933 bis 1945* (Colônia, 1972); Schneider, *Unterm Hakenkreuz*, p. 902-26; mais genericamente, Margot Pikarski e Günter Uebel (eds.), *Gestapo-Berichte: Über den antifaschistischen Widerstandskampf der KPD 1933 bis 1945* (3 vols., Berlim, 1989-90). Para os panfletos, ver Peter Dohms (ed.), *Flugschriften in Gestapo-Akten: Nachweis und Analyse der Flugschriften in den Gestapo-Akten des Hauptstaatsarchivs Düsseldorf* (Siegburg, 1977) e Margot Pikarski e Günter Uebel (eds.), *Die KPD lebt! Flugblätter aus dem antifaschistischen Widerstandskampf der KPD, 1933-1945* (Berlim, 1980).
102. Detlev J. K. Peukert, *Die KPD im Widerstand: Verfolgung und Untergrundarbeit an Rhein und Ruhr, 1933 bis 1945* (Wuppertal, 1980), p. 106-9.
103. Allan Merson, *Communist Resistance in Nazi Germany* (Londres, 1985), p. 127.
104. Ver os relatórios pessimistas em Stöver (ed.), *Berichte*, p. 34-5, 87-90.
105. Edward H. Carr, *Twilight of the Comintern, 1930-1935* (Londres, 1982); Beatrix Herlemann, *Die Emigration als Kampfposten: Die Anleitung des kommunistischen Widerstandes in Deutschland aus Frankreich, Belgien und den Niederlanden* (Königstein im Taunus, 1982); Hermann Weber, "Die KPD in der Illegalität", em Richard Löwenthal e Patrick von zur Mühlen (eds.), *Widerstand und Verweigerung in Deutschland 1933 bis 1945* (Berlim, 1982), p. 83-101.
106. Weitz, *Creating German Communism*, p. 292-300.
107. Merson, *Communist Resistance*, p. 124-52; Peukert, *Die KPD im Widerstand*; Eric A. Johnson, *Nazi Terror: The Gestapo, Jews, and Ordinary Germans* (Nova York, 1999), p. 161-94.
108. Weitz, *Creating German Communism*, p. 289-91.
109. Ver por exemplo Hetzer, "Die Industriestadt Augsburg", p. 150-78.
110. Schneider, *Unterm Hakenkreuz*, p. 1061-4.
111. Anne Applebaum, *Gulag: A History of the Soviet Camps* (Londres, 2003), e o clássico de Robert Conquest, *The Great Terror: A Reassessment* (Londres, 1992 [1968]);

Simon Sebag Montefiore, *Stalin: The Court of the Red Tsar* (Londres, 2003) (p. 121--38 para o assassinato de Kirov).
112. Weber, *Die Wandlung*, p. 357-8; idem, *"Weisse Flecken" in der Geschichte: Die KPD-Opfer der Stalinistischen Säuberungen und ihre Rehabilitierung* (Frankfurt am Main, 1990); e Institut für die Geschichte der Arbeiterbewegung (ed.), *In den Fängen des NKWD: Deutsche Opfer des stalinistischen Terrors in der UdSSR* (Berlim, 1991).
113. Richard J. Evans, *Rituals of Retribution: Capital Punishment in Germany 1600-1987* (Oxford, 1996), p. 620-3. O princípio em questão é conhecido pelos juristas como *nulla poena sine lege*.
114. Günther Wieland, *Das war der Volksgerichtshof: Ermittlungen, Fakten, Dokumente* (Pfaffenweiler, 1989), p. 15-8; Evans, *Rituals*, p. 622-4, 576-7.
115. Hans Joachim Bernhard et al. (eds.), *Der Reichstagsbrandprozess und Georgi Dimitroff: Dokumente* (2 vols., Berlim, 1981-89); Georgi Dimitroff, *Reichstagsbrandprozess: Dokumente, Briefe und Aufzeichnungen* (Berlim, 1946).
116. *Völkischer Beobachter* (24 de dezembro de 1934), citado em Wieland, *Das war der Volksgerichtshof*, p. 15.
117. Gerhard Fieberg (ed.), *Im Namen des deutschen Volkes: Justiz und Nationalsozialismus: Katalog zur Ausstellung des Bundesministers der Justiz* (Colônia, 1989), p. 267.
118. Wieland, *Das war der Volksgerichtshof*, p. 22-9; Hannes Heer, *Ernst Thälmann in Selbszeugnissen und Bilddokumenten* (Reinbek, 1975), p. 119-27.
119. Wieland, *Das war der Volksgerichtshof*, p. 45; ver também em especial Klaus Marxen, *Das Volk und sein Gerichtshof: Eine Studie zum nationalsozialistischen Volksgerichtshof* (Frankfurt am Main, 1994), e Walter Wagner, *Der Volksgerichtshof im nationalsozialistischen Staat* (Stuttgart, 1974).
120. Marxen, *Das Volk*, p. 57-61, 79-87; Holger Schlüter, *Die Urteilspraxis des nationalsozialistischen Volksgerichtshofs* (Berlim, 1995).
121. Ingo Müller, "Nationalsozialistische Sondergerichte. Ihre Stellung im System des deutschen Strafverfahrens", em Martin Bennhold (ed.), *Spuren des Unrechts: Recht und Nationalsozialismus. Beiträge zur historischen Kontinuität* (Colônia, 1989), p. 17--34; Hans Wüllenweber, *Sondergerichte im Dritten Reich: Vergessene Verbrechen der Justiz* (Frankfurt am Main, 1990). Entre numerosos estudos locais, ver em especial Robert Bohn e Uwe Danker (eds.), *"Standgericht der inneren Front": Das Sondergericht Altona/Kiel 1932-1945* (Hamburgo, 1998); Karl-Dieter Bornscheuer (ed.), *Justiz im Dritten Reich: NS-Sondergerichtsverfahren in Rheinland-Pfalz: Eine Dokumentation* (3 vols., Frankfurt am Main, 1994, uma coleção documental exemplar); Gisela Diewald-Kerkmann et al., *Vor braunen Richtern: Die Verfolgung von Widerstandshandlungen, Resistenz und sogenannter Heimtücke durch die Justiz in Bielefeld 1933-1945* (Bielefeld, 1992); Christiane Oehler, *Die Rechtsprechung des Sondergerichts Mannheim 1933-1945* (Berlim, 1997); Herbert Schmidt, *"Beabsichtige ich die Todesstrafe zu beantragen": Die nationalsozialistische Sondergerichtsbarkeit im Oberlandesgerichtsbezirk Düsseldorf 1933 bis 1945* (Essen, 1998); Gerd Weckbecker, *Zwischen Freispruch und Todesstrafe: Die Rechtsprechung der nationalsozialistischen Sondergerichte Frankfurt a.M. und Bromberg* (Baden-Baden, 1998).
122. Evans, *Rituals*, p. 643-4, 659, 662; Bernhard Düsing, *Die Geschichte der Abschaffung der Todesstrafe in der Bundesrepublik Deutschland unter besonderer Berücksichtigung ihres parlamentarischen Zustandekommens* (Schwenningen/Neckar, 1952), p. 210-1.

123. Citado em Anthony McElligott, "Das Altonaer Sondergericht und der Prozess vom Blutsonntag" (Vortrag im Rahmen der Veranstaltung des Stadtteilarchivs Ottensen, der Bezirksversammlung und der Kulturbehörde, Hamburgo-Altona, 3 de junho de 1992), p. 20-1. Essas sentenças para Bruno Tesch, de 20 anos, e outros três, foram por fim retroativamente anuladas em novembro de 1992).
124. Evans, *Rituals*, p. 644-5.
125. Jan Valtin (pseudônimo de Richard Krebs), *Out of the Night* (Londres, 1941, republicado com pós-escrito de Lyn Walsh *et al.*, Londres, 1988), p. 318-20.
126. Lothar Gruchmann, *Justiz im Dritten Reich, 1933-1940: Anpassung und Unterwerfung in der Ära Gürtner* (Munique, 1988), p. 897-8; Martin Hirsch *et al.* (eds.), *Recht, Verwaltung und Justiz im Nationalsozialismus: Ausgewählte Schriften, Gesetze und Gerichtsentscheidungen von 1933 bis 1945* (Colônia, 1984), p. 421-556; Eduard Kohlrausch (ed.), *Deutsche Strafgesetze vom 19. Dezember 1932 bis 12. Juni 1934* (Berlim, 1934); Evans, *Rituals*, p. 624-50; e em especial Bernward Dörner, *"Heimtücke": Das Gesetz als Waffe: Kontrolle, Abschreckung und Verfolgung in Deutschland, 1933-1945* (Paderborn, 1998). Para os juízes, ver Ralph Angermund, *Deutsche Richterschaft 1919-1945: Krisenerfahrung, Illusion, politische Rechtsprechung* (Frankfurt am Main, 1990).
127. Edmund Mezger, *Kriminalpolitik auf kriminologischer Grundlage* (Stuttgart, 1934), p. v.
128. Gruchmann, *Justiz*, p. 822-924; Jürgen Regge e Werner Schubert (eds.), *Quellen zur Reform des Straf- und Strafprozessrechts, 2. Abteilung: NS-Zeit (1933-1939) – Strafgesetzbuch*, I: *Entwürfe eines Strafgesetzbuchs*; II: *Protokolle der Strafrechtskommission des Reichsjustizministeriums* (2 vols., Berlim, 1988-89).
129. "Rede des Reichsrechtsführers Reichsminister Dr. Frank auf dem zweiten Empfangsabend des Wirtschaftsrates der Deutschen Akademie in Berlin über die Grundlagen der nationalsozialistischen Rechtsauffassung" (21 de janeiro de 1936), documento nº 59, em Paul Meier-Benneckenstein (ed.), *Dokument der deutschen Politik* (6 vols., Berlim, 1935-39), IV: *Deutschlands Aufstieg zur Grossmacht 1936*, p. 337-46.
130. Klaus Drobisch, "Alltag im Zuchthaus Luckau 1933 bis 1939", em Dietrich Eichholtz (ed.), *Verfolgung, Alltag, Widerstand: Brandenburg in der NS-Zeit: Studien und Dokumente* (Berlim, 1993), p. 247-72, nas p. 269-70.
131. Citado em Nikolaus Wachsmann, *Hitler's Prisons: Legal Terror in Nazi Germany* (New Haven, 2004), p. 179.
132. Ibid., p. 165-83.
133. Ibid., as minutas da reunião de 1937 foram republicadas em Fieberg (ed.), *Justiz*, p. 160-1.
134. Düsing, *Die Geschichte*, p. 10-1; Evans, *Rituals*, p. 915-6; ver também Wilfried Knauer (ed.), *Nationalsozialistische Justiz und Todesstrafe: Eine Dokumentation zur Gedenkstätte in der Justizvollzugsanstalt Wolfenbüttel* (Braunschweig, 1991).
135. Para um levantamento exaustivo das variedades de teorias sobre criminalidade hereditária e parcialmente hereditária ou moderada, ver Richard Wetzell, *Inventing the Criminal: A History of German Criminology 1880-1945* (Chapel Hill, NC, 2000), p. 179-232.
136. Christian Müller, *Das Gewohnheitsverbrechergesetz vom 24. November 1933: Kriminalpolitik als Rassenpolitik* (Baden-Baden, 1997); idem, "'Modernes' Strafrecht

im Nationalsozialismus: Das Gewohnheitsverbrechergesetz vom 24.11.1933", em Franz-Josef Düwell e Thomas Bormbaum (eds.), *Themen juristischer Zeitgeschichte*, III (Baden-Baden, 1999), p. 46-70.
137. Nikolaus Wachsmann, "From Indefinite Confinement to Extermination: 'Habitual Criminals' in the Third Reich", em Robert Gellately e Nathan Stoltzfus (eds.), *Social Outsiders in Nazy Germany* (Princeton, 2001), p. 165-91, esp. p. 171-2; Wachsmann, *Hitler's Prisons*, p. 128-35.
138. Ibid., p. 67.
139. Ibid., p. 90-114; Erich Kosthorst e Bernd Walter, *Konzentrations- und Strafgefangenenlager im Dritten Reich: Beispiel Emsland* (3 vols., Düsseldorf, 1983); Elke Suhr, *Die Emslandlager: Die politische und wirtschaftliche Bedeutung der emsländischen Konzentrations- und Strafgefangenenlager 1933-1945* (Bremen, 1985).
140. Friedrich Schlotterbeck, *The Darker the Night, The Brighter the Stars! A German Worker Remembers (1933-1945)* (Londres, 1947), p. 61-2.
141. Ibid.
142. Wachsmann, *Hitler's Prisons*, p. 78-88.
143. Wachsmann, "From Indefinite Confinement", p. 174.
144. Wachsmann, *Hitler's Prisons*, p. 69-71 e figura 1.
145. Ibid., p. 70.
146. Gruchmann, *Justiz*, p. 897-8.
147. Michael Haerdter (ed.), *Wohnsitz: Nirgendwo: Vom Leben und Überleben auf der Strasse* (Berlim, 1982); Wolfgang Ayass, *"Asoziale" im Nationalsozialismus* (Stuttgart, 1995); Klaus Scherer, *"Asoziale" im Dritten Reich: Die vergessenen Verfolgten* (Münster, 1990); Gellately e Stoltzfus (eds.), *Social Outsiders*.
148. Citado em Patrick Wagner, "'Vernichtung der Berufsverbrecher'. Die vorbeugende Verbrechensbekämpfung der Kriminalpolizei bis 1937", em Herbert et al. (eds.), *Die nationalsozialistischen Konzentrationslager: Entwicklung und Struktur* (2 vols., Göttingen, 1998), I, p. 87-110, na p. 101.
149. Ibid. (levantamento proveitoso da literatura no vol. I, p. 17-40); Johannes Tuchel, *Konzentrationslager: Organisationsgeschichte und Funktion der "Inspektion der Konzentrationslager" 1934-1938* (Boppard, 1991) e Karin Orth, *Das System der nationalsozialistischen Konzentrationslager: Eine politische Organisationsgeschichte* (Hamburgo, 1999).
150. Ibid., p. 23-6; Klaus Drobisch e Günther Wieland, *System der NS-Konzentrationslager 1933-1939* (Berlim, 1993), p. 71-5; Klaus Drobisch, "Frühe Konzentrationslager", em Karl Giebeler et al. (eds.), *Die frühen Konzentrationslager in Deutschland: Austausch zum Forschungsstand und zur pädagogischen Praxis in Gedenkstätten* (Bad Boll, 1996), p. 41-60; Falk Pingel, *Häftlinge unter SS-Herrschaft: Widerstand, Selbstbehauptung und Vernichtung im Konzentrationslager* (Hamburgo, 1978), p. 30-49.
151. Evans, *The Coming of the Third Reich*, p. 345.
152. Martin Broszat, "The Concentration Camps 1933-1945", em Krausnick et al., *Anatomy of the SS State*, p. 397-496, nas p. 408-31.
153. Rudolf Höss, *Commandant of Auschwitz: The Autobiography of Rudolf Hoess* (Londres, 1959 [1951]), p. 263; ver também Klaus Drobisch, "Theodor Eicke. Verkörperung des KZ-Systems", em Helmut Bock et al. (eds.), *Sturz ins Dritte Reich: Historische Miniaturen und Porträts 1933/35* (Leipzig, 1983), p. 283-9; Charles W. Sydnor, *Soldiers of Destruction: The SS Death's Head Division, 1933-*

-1945 (Princeton, NJ, 1990 [1977]), p. 3-36; e, mais genericamente, Hans-Günter Richardi, *Schule der Gewalt: Das Konzentrationslager Dachau, 1933-1934* (Munique, 1983), esp. p. 119-26, para Eicke.
154. Ver Barbara Distel e Ruth Jakusch, *Konzentrationslager Dachau, 1933-1945* (Munique, 1978), p. 68-9; para a substituição dos primeiros campos por um sistema organizado, ver também Johannes Tuchel, "Planung und Realität des Systems der Konzentrationslager 1934-1938", em Herbert *et al.* (eds.), *Die nationalsozialistischen Konzentrationslager*, p. 43-59; e Giebeler *et al.* (eds.), *Die frühen Konzentrationslager*.
155. Höss, *Commandant*, p. 83-4.
156. Ibid., p. 74-5.
157. Broszat, "Concentration Camps", p. 429-45.
158. Ibid., p. 436; Pingel, *Häftlinge*, p. 50; mais genericamente, Tuchel, *Konzentrationslager*, p. 121-58.
159. Wachsmann, *Hitler's Prisons*, p. 113; Noakes e Pridham (eds.), *Nazism*, II, p. 326.
160. Wachsmann, *Hitler's Prisons*, p. 128.
161. Günther Kimmel, "Das Konzentrationslager Dachau: Eine Studie zu den nationalsozialistischen Gewaltverbrechen", em Broszat *et al.* (eds.), *Bayern*, II, p. 349-413, esp. p. 351-72; Orth, *Das System*, p. 33-5; Ulrich Herbert, "Von der Gegnerbekämpfung zur 'rassischen Generalprävention'. 'Schutzhaft' und Konzentrationslager in der Konzeption der Gestapo-Führung 1933-1939", em idem *et al.* (eds.), *Die nationalsozialistischen Konzentrationslager*, p. 60-81.
162. Tuchel, "Planung und Realität"; Herbert, "Von der Gegnerbekämpfung zur 'rassichen Generalprävention'", p. 60-86.
163. Günter Morsch, "Oranienburg-Sachsenhausen, Sachsenhausen-Oranienburg", em Herbert *et al.* (eds.), *Die nationalsozialistischen Konzentrationslager*, p. 111-34, nas p. 127-9.
164. Pingel, *Häftlinge*, p. 80-7; Orth, *Das System*, p. 53.
165. Evans, *The Coming of the Third Reich*, p. 378-80.
166. Ayass, *"Asoziale"*, p. 22-4; Pingel, *Häftlinge*, p. 27.
167. Patrick Wagner, *Volksgemeinschaft ohne Verbrecher: Konzeptionen und Praxis der Kriminalpolizei in der Zeit der Weimarer Republik und des Nationalsozialismus* (Hamburgo, 1996), p. 271.
168. Ayass, *"Asoziale"*, p. 140-65.
169. Citado em ibid., p. 153.
170. Ibid.
171. Paul B. Jaskot, *The Architecture of Oppression: The SS, Forced Labor and the Nazi Monumental Building Economy* (Londres, 2000), p. 21-4.
172. Ayass, *"Asoziale"*, p. 169-72; Orth, *Das System*, p. 46-54.
173. Broszat, "Concentration Camps", p. 446-59; Toni Siegert, "Das Konzentrationslager Flossenbürg, gegründet für sogenannte Asoziale und Kriminelle", em Broszat *et al.* (eds.), *Bayern*, II, p. 429-93; Michael Burleigh e Wolfgang Wippermann, *The Racial State: Germany 1933-1945*, p. 167-73; Jeremy Noakes, "Social Outcasts in the Third Reich", em Richard Bessel (ed.), *Life in the Third Reich* (Oxford, 1987), p. 183-96.
174. Orth, *Das System*, p. 48-9; Pingel, *Häftlinge*, p. 35-9; Hermann Kaienburg, "Funktionswandel des KZ-Kosmos? Das Konzentrationslager Neuengamme 1938-
-1945", em Herbert *et al.* (eds.), *Konzentrationslager*, p. 259-84; idem, "*Vernichtung*

durch Arbeit": *Der Fall Neuengamme: Die Wirtschaftsbestrebungen des SS und ihre Auswirkungen auf die Existenzbedingungen der KZ-Gefangenen* (Bonn, 1990).
175. Orth, *Das System*, p. 56-9. Para as leis e os regulamentos que aplicaram essas várias categorias nos campos, ver também mais adiante, capítulo 6; para as categorias, ver também Paul Martin Neurath, *Die Gesellschaft des Terrors: Innenansichten der Konzentrationslager Dachau und Buchenwald* (Frankfurt am Main, 2004), p. 86-112. O livro de Neurath originalmente foi apresentado como tese de doutorado na Columbia University, Nova York, em 1951.
176. Walter Poller, *Arztschreiber in Buchenwald: Bericht des Häftlings 996 aus Block 39* (Hamburgo, 1946), p. 9-22; citado nas p. 21-2.
177. Orth, *Das System*, p. 59-61; Poller, *Arztschreiber*, p. 23-74; mais genericamente, Wolfgang Sofsky, *Die Ordnung des Terrors: Das Konzentrationslager* (Frankfurt am Main, 1993), p. 27-40.
178. Poller, *Arztschreiber*, p. 75-105; para a música nos campos, ver Guido Fackler, *"Des Lagers Stimme": Musik im KZ: Alltag und Häftlingskultur in den Konzentrationslagern 1933 bis 1936* (Bremen, 2000).
179. Leo Stein, *I Was in Hell with Niemöller* (Londres, 1942), p. 113-47.
180. Neurath, *Die Gesellschaft*, p. 44-86.
181. Ibid., p. 113-32; Hans Buchheim, "Command and Compliance", em Krausnick *et al.*, *Anatomy*, p. 303-96.
182. Poller, *Arztschreiber*, p. 227.
183. Lothar Gruchmann, "Die bayerische Justiz im politischen Machtkampf 1933/34: Ihr Scheitern bei der Strafverfolgung von Mordfällen in Dachau", em Broszat *et al.* (eds.), *Bayern*, II, p. 415-28.
184. Ver as várias reportagens de imprensa reproduzidas em Kimmel, "Das Konzentrationslager", p. 356-8.
185. Sybil Milton, "Die Konzentrationslager der dreissiger Jahre im Bild der inund ausländischen Presse", em Herbert *et al.* (eds.), *Die nationalsozialistischen Konzentrationslager*, p. 135-47; Falk Pingel, "Konzeption und Praxis der nationalsozialistischen Konzentrationslager 1933 bis 1938. Kommentierende Bemerkungen", em ibid., p. 148-66, esp. p. 157-60.
186. Citado de uma variedade de fontes contemporâneas em Klaus-Michael Mallmann e Gerhard Paul, "Omniscient, Omnipotent, Omnipresent? Gestapo, Society and Resistance", em David F. Crew (ed.), *Nazism and German Society 1933-1945* (Londres, 1994), p. 166-96, esp. p. 167-9; e Robert Gellately, *The Gestapo and German Society: Enforcing Racial Policy 1933-1945* (Oxford, 1990), esp. p. 4-8.
187. Mallmann e Paul, "Omniscient,Omnipotent, Omnipresent?", p. 174-7.
188. Höhne, *The Order*, p. 162-3; Andreas Seeger, "Vom bayerischen 'Systembeamten' zum Chef der Gestapo. Zur Person und Tätigkeit Heinrich Müllers (1900-1945)", em Paul e Mallmann (eds.), *Die Gestapo*, p. 255-67.
189. Höhne, *The Order*, p. 167-9; Volker Eichler, "De Frankfurter Gestapo-Kartei. Entstehung, Struktur, Funktion, Überlieferungsgeschichte und Quellenwert", em Paul e Mallmann (eds.), *Die Gestapo*, p. 178-99; Rainer Eckert, "Gestapo-Berichte. Abbildungen der Realität oder reine Spekulation?", em ibid., p. 200-18.
190. Melita Maschmann, *Account Rendered: A Dossier on My Former Self* (Londres, 1964), p. 43-5.

191. Valtin, *Out of the Night*, p. 448-73. Para a realidade histórica por trás do relato imaginoso de Krebs sobre sua vida, ver Ernst von Waldenfels, *Der Spion, der aus Deutschland kam: Das geheime Leben des Seemanns Richard Krebs* (Berlim, 2003), p. 179-209 para esses eventos.
192. Valtin, *Out of the Night*, p. 487.
193. Waldenfels, *Der Spion*, p. 210-58.
194. Valtin, *Ouf of the Night*, p. 512-51; Dieter Nelles, "Jan Valtins 'Tagebuch der Hölle' – Legende und Wirklichkeit eines Schlüsselromans der Totalitärismustheorie", *1999: Zeitschrift für Sozialgeschichte des 20. und 21. Jahrhunderts*, 9 (1994), p. 11-45, oferece um relato hostil que corrige a narrativa de Krebs em muitos detalhes, mas é corrigido no panorama maior pela abordagem mais equilibrada de Waldenfels.
195. Para um relato completo, ver Waldenfels, *Der Spion*, p. 209-58, esp. p. 214, 220, 237; ver também a detalhada mas não inteiramente convincente revisão crítica desse livro por Dieter Nelles, "Die Rehabilitation eines Gestapo-Agenten: Richard Krebs/Jan Valtin", *Sozial-Geschichte*, 18 (2003), p. 148-58.
196. Mallmann e Paul, "Omniscient, Omnipotent, Omnipresent?"
197. Ibid.; Gellately, *The Gestapo*, p. 144-58; Robert Gellately, "The Gestapo and German Society: Political Denunciation in the Gestapo Case Files", *Journal of Modern History*, 6 (1988), p. 654-94; Martin Broszat, "Politische Denunziationen in der NS-Zeit: Aus Forschungserfahrungen im Staatsarchiv München", *Archivalische Zeitschrift*, 73 (1977), p. 221-38; análise percentual em Reinhard Mann, *Protest und Kontrolle im Dritten Reich: Nationalsozialistische Herrschaft in Alltag einer rheinischen Grossstadt* (Frankfurt am Main, 1987), p. 295; ver também Gisela Diewald-Kerkmann, *Politische Denunziation im NS-Regime oder die kleine Macht der "Volksgenossen"* (Bonn, 1995), e idem, "Denunziantentum und Gestapo. Die freiwilligen 'Helfer' aus der Bevölkerung", em Paul e Mallmann (eds.), *Die Gestapo*, p. 288-305 (para o desagrado da Gestapo por aqueles que enviavam denúncias por motivos pessoais).
198. Weckbecker, *Zwischen Freisprusch und Todesstrafe*, p. 77, 388, 779-800; Manfred Zeidler, *Das Sondergericht Freiberg: Zu Justiz und Repression in Sachsen, 1933-1940* (Dresden, 1998): Oehler, *Die Rechtsprechung*; Hans-Ulrich Ludewig e Dietrich Kuessner, *"Es sei also jeder gewarnt": Das Sondergericht Braunschweig 1933-1945* (Braunschweig, 2000); Klaus Bästlein, "Sondergerichte in Norddeutschland als Verfolgungsinstanz", em Frank Bajohr (ed.), *Norddeutschland im Nationalsozialismus* (Hamburgo, 1993), p. 218-38.
199. Peter Hüttenberger, "Heimtückefälle vor dem Sondergericht München 1933-1939", em Broszat *et al.* (eds.), *Bayern*, IV, p. 435-526.
200. Ibid., esp. p. 452-7, 473-92.
201. Helmut Prantl (ed.), *Die kirchliche Lage in Bayern nach den Regierungspräsidentenberichten 1933-1943*, V: *Regierungsbezirk Pfalz 1933-1940* (Mainz, 1978), 157-8 (Monatsbericht der Regierung Speyer, 6 de março de 1937); Klaus-Michael Mallmann e Gerhard Paul, *Herrschaft und Alltag: Ein Industrierevier im Dritten Reich* (Bonn, 1991), p. 327-53.
202. Hüttenberger, "Heimtückefälle", p. 512; Mallmann e Paul, *Herrschaft*, p. 175-245.
203. Bernward Dörner, "NS-Herrschaft und Denunziation. Anmerkungen zu Defiziten in der Denunziationsforschung", *Historical Social Research*, 26 (2001), p. 55-69, nas p. 58-61.

204. Mann, *Protest und Kontrolle*, p. 292; a fonte das informações da Gestapo não pôde ser encontrada em 13% dos casos.
205. Hetzer, "Die Industriestadt Augsburg", p. 146-50.
206. Ibid., p. 146-50. Para os *pubs* como centros de comunicação e socialização, ver Richard J. Evans (ed.), *Kneipengespräche im Kaiserreich: Die Stimmungsberichte der Hamburger Politischen Polizei 1892-1914* (Reinbek, 1989).
207. Victor Klemperer, *I Shall Bear Witness: The Diaries of Victor Klemperer 1933-1941* (Londres, 1998 [1995]), p. 29.
208. Friedrich Reck-Malleczewen, *Diary of a Man in Despair* (Londres, 2000 [1947]), p. 52-3.
209. Hans-Jochen Gamm, *Der Flüsterwitz im Dritten Reich: Mündliche Dokumente zur Lage der Deutschen während des Nationalsozialismus* (Munique, 1990 [1963]), p. 41, 52.
210. Ibid., p. 37.
211. Ibid., p. 42.
212. Citado em Meike Wöhlert, *Der politische Witz in der NS-Zeit am Beispiel ausgesuchter SD-Berichte und Gestapo-Akten* (Frankfurt am Main, 1997), p. 150-1. Entretanto, a afirmação de Wöhlert de que a maioria das piadas era contada em público deixa dúvidas, pois aquelas contadas em particular raramente chegavam à atenção da Gestapo e do Serviço de Segurança da SS, cujos relatórios formam a base de sua obra.
213. Klepper, *Unter dem Schatten*, p. 194.
214. Wöhlert, *Der politische Witz*, p. 156-63.
215. Ibid., p. 44.
216. Klemperer, *Tagebücher 1933-34*, 9 (10 de março de 1933).
217. Ibid., 19 (2 de abril de 1933).
218. Charlotte Beradt, *Das Dritte Reich des Traums* (Frankfurt am Main, 1981 [1966]); p. 7 para esse sonho específico.
219. Ibid., p. 19-22, 40, 74.
220. Ibid., p. 5. A declaração de Ley pode ser encontrada em Robert Ley, *Soldaten der Arbeit* (Munique, 1938), p. 71.
221. Detlef Schmiechen-Ackermann, "Der 'Blockwart'. Die unteren Parteifunktionäre im nationalsozialistischen Terror- und Überwachungsapparat", *Vierteljahrshefte für Zeitgeschichte* (*VfZ*) 48 (2000), p. 575-602; também Dieter Rebentisch, "Die 'politische Beurteilung' als Herrschaftsinstrument der NSDAP", em Detlev Peukert e Jürgen Reulecke (eds.), *Die Reihen fast geschlossen: Beiträge zur Geschichte des Alltags unterm Nationalsozialismus* (Wuppertal, 1981), p. 107-28, sobre grupos partidários locais como instrumentos de vigilância e controle.
222. Bernward Dörner, "Alltagsterror und Denunziation. Zur Bedeutung von Anzeigen aus der Bevölkerung für die Verfolgungswirkung des nationalsozialistischen 'Heimtücke-Gesetzes' in Krefeld", em Berliner Geschichtswerkstatt (ed.), *Alltagskultur, Subjektivität und Geschichte: Zur Theorie und Praxis der Alltagsgeschichte* (Münster, 1994), p. 254-71.
223. Ulrich Herbert, "'Die guten und die schlechten Zeiten'. Überlegungen zur diachronen Analyse lebensgeschichtlicher Interviews", em Lutz Niethammer (ed.), *"Die Jahre weiss man nicht, wo man die heute hinsetzen soll": Faschismuserfahrungen im Ruhrgebiet* (Berlim, 1983), p. 67-96, entrevista com Willi Erbach nas p. 73-6.

224. Karl Dietrich Bracher, *Stufen der Machtergreifung* (vol. 1 de Bracher *et al.*, *Die nationalsozialistische Machtergreifung*), p. 475-7; Otmar Jung, *Plebiszit und Diktatur: Die Volksabstimmungen der Nationalsozialistischen. Die Fälle "Austritt aus dem Völkerbund" (1933), "Staatsoberhaupt (1934) und "Anchluss Österreichs" (1938)* (Tübingen, 1995).
225. Klemperer, *I Shall Bear Witness*, 36 (23 de outubro de 1933).
226. Bracher, *Stufen*, p. 475-85. Para o plebiscito, ver p. 704
227. Behnken (ed.), *Deutschland-Berichte*, II (1934), p. 347-9; Bracher, *Stufen*, p. 485-98. Os judeus ainda tiveram permissão para votar nesse pleito. Robert Gellately, *Backing Hitler: Consent and Coercion in Nazi Germany* (Oxford, 2001), p. 14-6, toma esses resultados fabricados como uma evidência "notável" do "respaldo popular" ao regime nazista. Hans-Ulrich Wehler, *Deutsche Gesellschaftsgeschichte, IV: Vom Beginn des ersten Weltkriegs bis zur Gründung der beiden deutschen Staaten 1914-1949* (Munique, 2003), p. 614, chega a afirmar, sem considerar as evidências, que os plebiscitos refletiam as verdadeiras opiniões do povo alemão, "uma vez que não se perseguiu uma estratégia sistemática de manipulação", afirmação feita em referência ao plebiscito de 1933, mas também de modo implícito (p. 652, por exemplo) a "eleições" posteriores. Para a drástica subestimação de Wehler do componente terrorista do domínio nazista, ver Rüdiger Hachtmann, "Bürgertum, Revolution, Diktatur – zum vierten Band von Hans-Ulrich Wehlers 'Gesellschaftsgeschichte'", *Sozial--Geschichte*, 19 (2004), p. 60-87, nas p. 77-83.
228. Tagebuch Luise Solmitz, 19 de agosto de 1934.
229. Klemperer, *I Shall Bear Witness*, 79 (21 de agosto de 1934). Klemperer e sua esposa votaram "não", assim como no plebiscito anterior.
230. Behnken (ed.), *Deutschland-Berichte*, V (1938), p. 415-26; Theodor Eschenburg, "Streiflichter zur Geschichte der Wahlen im Dritten Reich", *VfZ* 3 (1955), p. 311-6; a história do leite desnatado é recontada em Höhne, *The Order*, p. 201; para o bispo, ver Paul Kopf e Max Miller (eds.), *Die Vertreibung von Bischof Joannes Baptista Sproll von Rottenburg 1938-1945: Dokumente zur Geschichte des kirchlichen Widerstands* (Mainz, 1971). Para um bom estudo local das eleições e dos plebiscitos de 1933 a 1938, ver Hetzer, "Die Industriestadt Augsburg", p. 137-46. Uma votação de 98% já havia sido obtida em 1936.
231. Tagebuch Luise Solmitz, 29 de março de 1936. Para detalhes do terror e do abuso sem precedentes nessas eleições, ver Behnken (ed.), *Deutschland-Berichte*, III (1936), p. 407-60.
232. Jeremy Noakes, "The Origins, Structure and Function of Nazi Terror", em Noel O'Sullivan (ed.), *Terrorism, Ideology and Revolution* (Brighton, 1986), p. 67-87, sustenta que, depois de 1933, o terror era com frequência mais ameaçado do que usado; isso porque os alemães aprenderam a mostrar uma conformidade aparente com os preceitos do regime, ver *infra*, p. 530-2
233. Robert G. Gellately, "Die Gestapo und die deutsche Gesellschaft: Zur Entstehungsgeschichte einer selbstüberwachenden Gesellschaft", em Detlef Schmiechen--Ackermann (ed.), *Anpassung, Verweigerung, Widerstand: Soziale Milieus, Politische Kultur und der Widerstand gegen den Nationalsozialismus in Deutschland im regionalen Vergleich* (Berlim, 1997), p. 109-21; idem, "Allwissend und allgegenwärtig? Entstehung, Funktion und Wandel des Gestapo-Mythos", em Paul e Mallmann (eds.), *Die Gestapo*, p. 47-72, na p. 67.

234. Werner Röhr, "Über die Initiative zur terroristischen Gewalt der Gestapo – Fragen und Einwände zu Gerhard Paul", em idem e Brigitte Berlekamp (eds.), *Terror, Herrschaft und Alltag im Nationalsozialismus: Probleme der Sozialgeschichte des deutschen Faschismus* (Münster, 1995), p. 211-24.
235. Diewald-Kerkmann, *Politische Denunziation*, p. 63.
236. Para um exemplo da tendência recente de trivializar a brutalidade e o comprometimento ideológico da Gestapo, ver Gerhard Paul e Klaus-Michael Mallmann, "Auf dem Wege zu einer Sozialgeschichte des Terrors: Eine Zwischenbilanz", em idem (eds.), *Die Gestapo*, p. 3-18 (atacando "a imagem do agente da Gestapo como um demônio brutal e um criminoso psicopata em um sobretudo de couro negro", p. 11). Exemplos da disposição de alguns agentes da Gestapo para empregar violência física e tortura são fornecidos em Hans-Dieter Schmid, "'Anständige Beamte' und 'üble Schläger'. Die Staatspolizeileitstelle Hannover", em ibid., p. 133-60.
237. Dörner, "NS-Hersschaft", p. 61-8.
238. Gellately, "Allwissend und Allgegenwärtig?".
239. Para uma poderosa afirmação desse e de outros pontos semelhantes, ver Michael Burleigh, *The Third Reich. A New History* (Londres, 2000), p. 149-215.
240. Bernward Dörner, "Gestapo und 'Heimtücke'. Zur Praxis der Geheimen Staatspolizei bei der Verfolgung von Verstössen gegen das 'Heimtücke-Gesetz'", em Paul e Mallmann (eds.), *Die Gestapo*, p. 325-43, na p. 341.
241. Charles Townshend, *Terrorism: A Very Short Introduction* (Oxford, 2002), p. 36-52.
242. Dieter Nelles, "Organisation des Terrors im Nationalsozialismus", *Sozialwissenschaftliche Literatur-Rundschau*, 25 (2002), p. 5-28; Karl-Heinz Reuband, "Denunziation im Dritten Reich. Die Bedeutung von Systemunterstützung und Gelegenheitsstrukturen", *Historical Social Research*, 26 (2001), p. 219-34.
243. Herbert, "'Die guten und die schlechten Zeiten'", entrevista com Willi Erbach, nas p. 73-6.

Parte 2 – A MOBILIZAÇÃO DO ESPÍRITO

1. Helmut Heiber (ed.), *Goebbels-Reden* (2 vols., Düsseldorf, 1971-2), I: *1932-39*, p. 131-41 (Berlim, Grosser Saal der Philharmonie – Eröffnung der Reichskulturkammer, 15.11.33) e p. 82-107 (Berlim, Haus des Rundfunks – Ansprache an die Intendanten und Direktoren der Rundfunkgesellschaften, 25.3.33), nas p. 82, 88, 131-4.
2. Ibid., p. 92-3.
3. Josef Wulf, *Die bildenden Künste im Dritten Reich: Eine Dokumentation* (Gütersloh, 1963), p. 94, reproduz o decreto.
4. Evans, *The Coming of the Third Reich*, p. 392-461, para a revolução cultural de 1933.
5. Publicado em Zbynek Zeman, *Nazi Propaganda* (Oxford, 1973), p. 38, citando Karlheinz Schmeer, *Die Regie des öffentlichen Lebens im Dritten Reich* (Munique, 1956), p. 28.
6. Werner Skrentny, "Terrassen, Hochhäuser und die 13 Läden: Hoheluft und Eimsbüttel", em idem (ed.), *Hamburg zu Fuss: 20 Stadtteilrundgänge durch Geschichte und Gegenwart* (Hamburgo, 1986), p. 133. Para a criação da Adolf-Hitler-Platz em Mittlerweilersbach, na Baviera, por exemplo, ver Broszat *et al.* (eds.), *Bayern*, I,

p. 69. Mais genericamente, ver Richard Grunberger, *A Social History of the Third Reich* (Harmondsworth, 1974 [1971]), p. 101-22.
7. Ernest Kohn Bramsted, *Goebbels and National Socialist Propaganda 1925-1945* (East Lansing, Mich., 1965), p. 203-18.
8. Discurso do ministro de Educação da Baviera, Hans Schemm, publicado no *Münchner Neueste Nachrichten*, 21 de abril de 1933, citado e traduzido em Kershaw, *The "Hitler Myth"*, p. 58-9.
9. Tagebuch Luise Solmitz, 17 de agosto de 1934.
10. Kershaw, *The "Hitler Myth"*, p. 60.
11. Ibid., p. 48-60.
12. Ibid., p. 67-9, 84-95; Peter Reichel, *Der schöne Schein des Dritten Reiches: Faszination und Gewalt des Faschismus* (Munique, 1991), p. 138-56.
13. Peter Reichel, "'Volksgemeinschaft' und Führer-Mythos", em Bernd Ogan e Wolfgang W. Weiss (eds.), *Faszination und Gewalt: Zur politischen Ästhetik des Nationalsozialismus* (Nuremberg, 1992), p. 137-50, nas p. 138-42.
14. Frederic Spotts, *Hitler and the Power of Aesthetics* (Londres, 2002), p. 56-72. Ver mais genericamente Wolfgang Benz, "The Ritual and Stage Management of National Socialism. Techniques of Domination and the Public Sphere", em John Milfull (ed.), *The Attractions of Fascism: Social Psychology and the Aesthetics of the "Triumph of the Right"* (Nova York, 1990), p. 273-88. Para bandeiras, estandartes e outros símbolos, ver Horst Ueberhorst, "Feste, Fahnen, Feiern: Die Bedeutung politischer Symbole und Rituale im Nationalsozialismus", em Rüdiger Voigt (ed.), *Symbole der Politik, Politik der Symbole* (Opladen, 1989), p. 157-78. Para o culto do sacrifício, ver Jay W. Baird, *To Die for Germany: Heroes in the Nazi Pantheon* (Bloomington, Ind., 1990).
15. William L. Shirer, *Berlin Diary: The Journal of a Foreign Correspondent 1934-1941* (Londres, 1970 [1941]), p. 22-7.
16. Hilmar Hoffmann, *The Triumph of Propaganda: Film and National Socialism 1933-1945* (Providence, RI, 1996), p. 151-7; Reichel, *Der schöne Schein*, p. 116-38; Yvonne Karow, *Deutsches Opfer: Kultische Selbstauslöschung auf den Reichsparteitagen der NSDAP* (Berlim, 1997); Siegfried Zelnhefer, *Die Reichsparteitage der NSDAP: Geschichte, Struktur und Bedeutung der grössten Propagandafeste im nationalsozialistischen Feierjahr* (Neustadt an der Aisch, 1991); idem, "Die Reichsparteitage der NSDAP", em Ogan e Weiss (eds.), *Faszination und Gewalt*, p. 79-94; Hans-Ulrich Thamer, "Von der 'Ästhetisierung der Politik': Die Nürnberger Parteitage der NSDAP", em ibid., p. 95-103.
17. Para uma boa análise, ver David Welch, *Propaganda and the German Cinema 1933-1945* (Oxford, 1983), p. 147-59.
18. Longerich, *Die braunen Bataillone*, p. 227-30; Zelnhefer, "Die Reichsparteitage", salienta que a SS fechou a zona de meretrício de Nuremberg durante o comício.
19. Para uma análise detalhada, enfatizando os aspectos pseudorreligiosos do comício, ver Herbert Heinzelmann, "Die Heilige Messe des Reichsparteitages. Zur Zeichensprache von Leni Rienfenstahls 'Triumph des Willens'", em Ogan e Weiss (eds.), *Faszination und Gewalt*, p. 163-8.
20. Welch, *Propaganda*, p. 158-9; Kershaw, *The "Hitler Myth"*, p. 69-70; ver também Siegfried Kracauer, *From Caligari to Hitler: A Psychological History of the German Film* (Princeton, 1947), p. 300-3.

21. Leni Riefenstahl, *Memoiren 1902-1945* (Berlim, 1990 [1987]), esp. p. 185-231. Para um celebrado ensaio crítico sobre a obra de Riefenstahl, ver Susan Sontag, "Fascinating Fascism", em Brandon Taylor e Wilfried van der Will (eds.), *The Nazification of Art: Art, Design, Music, Architecture and Film in the Third Reich* (Winchester, 1990), p. 204-18; mais genericamente, Glenn B. Infield, *Leni Riefenstahl: The Fallen Film Goddess* (Nova York, 1976).
22. Discurso no Kaiserhof (28 de março de 1933), republicado em Gerd Albrecht (ed.), *Der Film im Dritten Reich: Eine Dokumentation* (Karlsruhe, 1979), p. 26-31, tradução integral em David Welch (ed.), *The Third Reich: Politics and Propaganda* (Londres, 2002), p. 185-9.
23. Heiber (ed.), *Goebbels-Reden*, I, p. 82-107, na p. 95 (discurso de 25 de março de 1933).
24. Entrevista de Goebbels à revista *Licht-Bild-Bühne* (13 de outubro de 1933), repetindo uma frase usada pela primeira vez em um discurso de 19 de maio de 1933, citado em *Völkischer Beobachter* (20 de maio de 1933), ambos citados em Welch, *Propaganda*, p. 76-7.
25. Ibid., p. 75-88.
26. Ibid., p. 88-93. Para a análise de um filme semelhante, *Hitler Youth Quex*, ver Eric Rentschler, *The Ministry of Illusion: Nazi Cinema and its Afterlife* (Cambridge, Mass., 1996), p. 53-69; Jay W. Baird, "From Berlin to Neubabelsberg: Nazi Film Propaganda and Hitler Youth Quex", *Journal of Contemporary History*, 18 (1983), p. 495-515, e a interessante discussão por um antropólogo de destaque, Gregory Bateson, "An Analysis of the Nazi Film *Hitlerjunge Quex*", em Margaret Mead e Rhoda Métraux (eds.), *The Study of Culture at a Distance* (Chicago, 1953), p. 302-14.
27. Welch, *Propaganda*, p. 31; Boguslaw Drewniak, *Der deutsche Film 1938-45: Ein Gesamtüberblick* (Düsseldorf, 1987), p. 621 e *passim* para estatísticas sobre a indústria do cinema.
28. Welch, *Propaganda*, p. 159-64; Marcus S. Phillips, "The Nazi Control of the German Film Industry", *Journal of European Studies*, 1 (1971), p. 37-68, na p. 53; também Baird, *To Die for Germany*, p. 172-201.
29. Welch, *Propaganda*, p. 11-4; Andrea Winkler-Mayerhöpfer, *Starkult als Propagandamittel: Studien zum Unterhaltungsfilm im Dritten Reich* (Munique, 1992).
30. Carsten Laqua, *Wie Micky unter die Nazis fiel: Walt Disney und Deutschland* (Reinbek, 1992), p. 15-35, 45, 56-61. O "e" foi suprimido do nome de Mickey em alemão porque alterava a pronúncia original.
31. Ibid., p. 65-71, 81, 86-7, 93-6.
32. Welch, *Propaganda*, p. 11-3; também Wolfgang Becker, *Film und Herrschaft: Organisationsprinzipien und Organisationsstrukturen der nationalsozialistischen Filmpropaganda* (Berlim, 1937), esp. p. 32-67, e p. 67-98 para a censura; ver também Kraft Wetzel e Peter Hagemann, *Zensur: verbotene deutsche Filme 1933-1945* (Berlim, 1978), e Klaus-Jürgen Maiwald, *Filmzensur im NS-Staat* (Dortmund, 1983).
33. Jürgen Spiker, *Film und Kapital: Der Weg der deutschen Filmwirtschaft zum nationalsozialistischen Einheitskonzern* (Berlim, 1975), esp. p. 168-82; Klaus Kreimeier, *The UFA Story: A History of Germany's Greatest Film Company 1918-1945* (Nova York, 1996), p. 205-65.
34. Welch, *Propaganda*, p. 17-24, 30-8; Reichel, *Der schöne Schein*, p. 180-207.

35. Welch, *Propaganda*, p. 43; Karsten Witte, "Die Filmkomödie im Dritten Reich", em Horst Denkler e Karl Prümm (eds.), *Die deutsche Literatur im Dritten Reich: Themen, Traditionen, Wirkungen* (Stuttgart, 1976), p. 347-65; ver também Erwin Leiser, *Nazi Cinema* (Londres, 1974 [1968]).
36. Joseph Wulf, *Theater und Film im Dritten Reich: Eine Dokumentation* (Gütersloh, 1963), p. 329, citando *Film-Kurier* (29 de setembro de 1933); ver também ibid., p. 330; de modo mais geral, também Felix Moeller, *Der Filmminister: Goebbels und der Film im Dritten Reich* (Berlim, 1998), e Stephen Lowry, *Pathos und Politik: Ideologie in Spielfilmen des Nationalsozialismus* (Tübingen, 1991).
37. Ver no geral David S. Hull, *Film in the Third Reich: A Study of the German Cinema 1933-1945* (Berkeley, Calif., 1969); Gerd Albrecht, *Nationalsozialistische Filmpolitik: Eine soziologische Untersuchung über die Spielfilme des Dritten Reichs* (Stuttgart, 1969), esp. p. 284-311; Karsten Witte, *Lachende Erben, Toller Tag: Filmkomödie im Dritten Reich* (Berlim, 1995); e Linda Schulte-Saase, *Entertaining the Third Reich: Illusions of Wholeness in Nazi Cinema* (Durham, NC, 1996), argumentando em favor do significado político do cinema de entretenimento nazista.
38. Welch, *Propaganda*, p. 191-203; Hoffmann, *The Triumph*, p. 192-210.
39. Welch, *The Third Reich*, p. 38-41; Joseph Wulf, *Presse und Funk im Dritten Reich: Eine Dokumentation* (Gütersloh, 1963), p. 315-8; Grunberger, *A Social History*, p. 506-11; Inge Marssolek, "Radio in Deutschland 1923-1960: Zur Sozialgeschichte eines Mediums", *Geschichte und Gesellschaft*, 27 (2001), p. 207-39, na p. 217; os fabricantes foram retirados da Câmara de Rádio do Reich em 1934 e transferidos para o domínio do Ministério de Economia do Reich (ibid., p. 40-1). Em novembro de 1939, a Câmara foi fundida com a Companhia de Rádio do Reich (Wulf, *Presse und Funk*, p. 299-304). Ver também Inge Marssolek e Adelheid von Saldern (eds.), *Zuhören und Gehörtwerden*, I: *Radio im Nationalsozialismus: Zwischen Lenkung und Ablenkung* (Tübingen, 1998), e Florian Cebulla, *Rundfunk und ländliche Gesellschaft 1924-1945* (Göttingen, 2004), esp. p. 209-46.
40. Klepper, *Unter dem Schatten*, 59 (25 de maio de 1933), 65-6 (7 de junho de 1933), 85 (10 de julho de 1933); ver também Evans, *The Coming of the Third Reich*, p. 408-9. A Instituição Alemã de Publicações (*Deutsche Verlags-Anstalt*) era a editora dele.
41. Heiber (ed.), *Goebbels-Reden*, I, p. 82-107, na p. 87.
42. Marssolek, "Radio", p. 217.
43. Heiber (ed.), *Goebbels-Reden*, I, p. 91-4.
44. Welch, *The Third Reich*, p. 40-2; Ribbe (ed.), *Die Lageberichte*, I, p. 144-5, 162, 189; Grunberger, *A Social History*, p. 507; Norbert Frei e Johannes Schmitz, *Journalismus im Dritten Reich* (Munique, 1989), p. 86-7; números de Hans Pohle, *Der Rundfunk als Instrument der Politik: Zur Geschichte des Rundfunks von 1923 bis 1928* (Hamburgo, 1955), p. 327-9; mais genericamente, Ansgar Diller, *Rundfunkpolitik im Dritten Reich* (Munique, 1980); Nanny Drechsler, *Die Funktion der Musik im deutschen Rundfunk 1933-1945* (Pfaffenweiler, 1988); Reichel, *Der schöne Schein*, p. 159-79; Gerhard Hay, "Rundfunk und Hörspiel als 'Führungsmittel' des Nationalsozialismus", em Denkler e Prümm (eds.), *Die deutsche Literatur*, p. 366--81; Hans-Jörg Koch, *Das Wunschkonzert im NS-Rundfunk* (Colônia, 2003), p. 168--271; Uta C. Schmidt, "Der Volksempfänger: Tabernakel moderner Massenkultur", em Inge Marssolek e Adelheid von Saldern (eds.), *Radiozeiten: Herrschaft, Alltag,*

Gesellschaft (1924-1960) (Potsdam, 1999), p. 136-59. A televisão estava apenas em estágio experimental na década de 1930; as transmissões eram feitas para receptores localizados em vitrines de lojas: ver Klaus Winker, *Fernsehen unterm Hakenkreuz: Organisation, Programm, Personal* (Colônia, 1994).
45. Heinz Boberach (ed.), *Meldungen aus dem Reich, 1938-1945: Die geheimen Lageberichte des Sicherheitsdienstes der SS* (17 vols., Herrsching, 1984), II, p. 277-8.
46. Alan E. Steinweis, "Weimar Culture and the Rise of National Socialism: The Kampfbund für deutsche Kultur", *Central European History*, 24 (1991), p. 402-23.
47. Ver Reinhard Bollmus, *Das Amt Rosenberg und seine Gegner: Studien zum Machtkampf im nationalsozialistischen Herrschaftssystem* (Stuttgart, 1970).
48. Hildegard Brenner, *Die Kunstpolitik des Nationalsozialismus* (Reinbek, 1963), p. 7-21, 73-86, fornece uma boa narrativa.
49. Reuth, *Goebbels*, p. 304.
50. Spotts, *Hitler*, p. 3-9, 74-5; Reichel, *Der schöne Schein*, p. 83-100.
51. Welch, *The Third Reich*, p. 30-2; Alan E. Steinweis, "Cultural Eugenics: Social Policy, Economic Reform, and the Purge of Jews from German Cultural Life", em Glenn R. Cuomo (ed.), *National Socialist Cultural Policy* (Nova York, 1995), p. 23--37; Jonathan Petropoulos, "A Guide through the Visual Arts Administration of the Third Reich", em ibid., p. 121-53; Brenner, *Die Kunstpolitik*, p. 53-63.
52. Spotts, *Hitler*, p. 76-7; Alan E. Steinweis, *Art, Ideology, and Economics in Nazi Germany: The Reich Chambers of Music, Theater, and the Visual Arts* (Chapel Hill, NC, 1993), p. 4-6, 34-49, 83-102; Jonathan Petropoulos, *Art as Politics in the Third Reich* (Chapel Hill, NC, 1996), p. 34-8, 64-70.
53. Ibid., p. 51-6.
54. Erik Levi, *Music in the Third Reich* (Nova York, 1994), p. 14-23; Spotts, *Hitler*, p. 74; Petropoulos, *Art*, p. 38-40;
55. Steinweis, "Cultural Eugenics", p. 28-9.
56. Modris Eksteins, *The Limits of Reason: The German Democratic Press and the Collapse of Weimar Democracy* (Oxford, 1975), p. 25-8, 125-33, 167-72, 215, 251-4.
57. Ibid., p. 260, 268-9, 272-3, 275, 277-9, 283-6, 290, 303; Günther Gillessen, *Auf verlorenem Posten: Die Frankfurter Zeitung im Dritten Reich* (Berlim, 1986), p. 44-63.
58. Ibid., p. 329-69, 537; Frei e Schmitz, *Journalismus*, p. 51-2; para a hostilidade nazista à seção de variedades, ver Wulf, *Presse und Funk*, p. 197-208.
59. Numerosos exemplos em Gillessen, *Auf verlorenem Posten*.
60. Klein (ed.), *Die Lageberichte*, 525 (novembro de 1935), p. 551-3 (dezembro de 1935); Gillessen, *Auf verlorenem Posten*, p. 342-3.
61. Ibid., p. 383.
62. Klein (ed.), *Die Lageberichte*, 574 (janeiro de 1936).
63. Citado em Eksteins, *The Limits of Reason*, p. 291.
64. Gillessen, *Auf verlorenem Posten*, p. 146; a poderosa argumentação de Gillessen em defesa do jornal e sua equipe (p. 527-38) não consegue ocultar a extensão das concessões que tiveram que fazer ao regime; ver o veredito equilibrado, mas em geral pessimista, em Frei e Schmitz, *Journalismus*, p. 51-3. Para um caso paralelo, do diário liberal de qualidade a *Berliner Tageblatt* [Folha Diária de Notícias de Berlim], ver a edição documental, mixada com reminiscências pessoais, de Margret Boveri, *Wir lügen alle: Eine Hauptstadtzeitung unter Hitler* (Olten, 1965).

65. Eksteins, *The Limits of Reason*, p. 202-4; Oron J. Hale, *The Captive Press in the Third Reich* (Princeton, NJ, 1964), p. 289-99; Bramsted, *Goebbels*, p. 124-42.
66. Welch, *The Third Reich*, p. 43-6; Hale, *The Captive Press*, p. 143-68; Eksteins, *The Limits of Reason*, p. 281-311; Wulf, *Presse und Funk*, p. 39. A continuidade da posse do *Jornal de Frankfurt* pela I. G. Farben até 1938 é um testemunho notável da vasta influência exercida pela corporação no Terceiro Reich. Ver p. 425-6,429-30 neste livro.
67. Welch, The Third Reich, p. 46; Noakes e Pridham (eds.), Nazism, II, p. 193-5; texto da lei em Wulf, *Presse und Funk*, p. 72-6. Para a preocupação nazista em não ofender "sensibilidades religiosas" em 1933, ver mais adiante.
68. Norbert Frei, *Nationalsozialistische Eroberung der Provinzpresse: Gleichschaltung, Selbsanpassung und Resistenz in Bayern* (Stuttgart, 1980), esp. p. 164-7, 322-4; Hale, *The Captive Press*, p. 102-42, para o Partido e o mercado editorial em nível nacional e regional.
69. Grunberger, *A Social History*, p. 492-506; Hermann Froschauer e Renate Geyer, *Quellen des Hasses: Aus dem Archiv des "Stürmer" 1933-1945* (Nuremberg, 1988); Fred Hahn (ed.), *Lieber Stürmer! Leserbriefe an das NS-Kampfblatt 1924-1945* (Stuttgart, 1978).
70. Wulf, *Presse und Funk*, p. 87-99. Para uma edição recente, ver Gabriele Toepser-Ziegert (ed.), *NS-Presseanweisungen der Vorkriegszeit. Edition und Dokumentation*, I: *1933*; II: *1934*; III: *1935*; IV: *1936*; e os volumes seguintes: V: *1937*; VI: *1938* (ed. Karen Peter, Munique, 1985-98). Para o plano de fundo das políticas, Karl-Dietrich Abel, *Presselenkung im NS-Staat: Eine Studie zur Geschichte der Publizistik in der nationalsozialistischen Zeit* (Berlim, 1990 [1968]).
71. Ver de modo mais geral Jürgen Hagemann, *Die Presselenkung im Dritten Reich* (Bonn, 1970), esp. p. 25-60; Fritz Sänger, *Politik der Täuschungen: Missbrauch der Presse im Dritten Reich: Weisungen, Informationem, Notizen, 1933-1939* (Viena, 1975); e Henning Storek, *Dirigierte Öffentlichkeit: Die Zeitung als Herrschaftsmittel in den Anfangsjahren der nationalsozialistischen Regierung* (Opladen, 1972).
72. Gillessen, *Auf verlorenem Posten*, p. 224; para a campanha do regime contra a imprensa católica, ver Hale, *The Captive Press*, p. 169-89. Aqui, veja também p. 276.
73. Welch, *The Third Reich*, p. 47; Grunberger, *A Social History*, p. 504.
74. Klein (ed.), *Die Lageberichte*, p. 244-5; Ribbe (ed.), *Die Lageberichte*, I, p. 144-5 (Regierungspräsident Potsdam, agosto de 1934).
75. Wulf, *Presse und Funk*, p. 84 e 279, ver também Noakes e Pridham (eds.), *Nazism*, II, p. 202.
76. David Bankier, *The Germans and the Final Solution: Public Opinion under Nazism* (Oxford, 1992), p. 20-7; Hale, *The Captive Press*, p. 57, 145-63, 231.
77. Heiber (ed.), *Goebbels-Reden*, I, p. 174-205 (Berlim: Sitzungssaal des ehemaligen Preussischen Herrenhauses – 1. Reichspressetag des Reichsverbandes der Deutschen Presse, 18.11.34), nas p. 184-6.
78. Fröhlich (ed.), *Die Tagebücher*, I/II: *Diktate*, VIII, p. 101 (14 de abril de 1943).
79. Hans Fallada, *Kleiner Mann – was nun?* (Reinbek, 1978 [1932]); tradução inglesa de Susan Bennett, *Little Man – What Now?* (Londres, 1996).
80. Jenny Williams, *More Lives than One: A Biography of Hans Fallada* (Londres, 1998), esp. p. 107-9, 127. Mais genericamente, ver Cecilia von Studnitz, *Es war wie ein*

Rausch: Fallada und sein Leben (Düsseldorf, 1997), e o ensaio incisivo de Henry Ashby Turner Jr., "Fallada for Historians", German Studies Review, 26 (2003), p. 477-92.
81. Williams, More Lives, p. 135-49; Hans Fallada, Wer einmal aus dem Blechknapf frisst (Reinbek, 1980 [1934]).
82. Williams, More Lives, p. 149, 175-6, 188. Paul Mayer (ed.), Ernst Rowohlt in Selbstzeugnissen und Bilddokumenten (Reinbek, 1968); Walter Kiaulehn, Mein Freund der Verleger – Ernst Rowohlt und seine Zeit (Reinbek, 1967); Rowohlt sobreviveu à guerra e se tornou um editor destacado na Alemanha Ocidental pós-guerra.
83. Ibid., p. 150-62; Hans Fallada, Wir hatten mal ein Kind: Eine Geschichte und Geschichten (Reinbek, 1980 [1934]).
84. Williams, More Lives, p. 173-267 e 284 nota 18 (Rudolf Ditzen para Elizabeth Ditzen, 22 de dezembro de 1946); Fröhlich (ed.), Die Tagebücher, I/V, p. 15, 126 (31 de janeiro de 1938); Hans Fallada, Altes Herz geht auf die Reise (Munique, 1981 [1936]); Wolf unter Wölfen (Reinbek, 1991 [1937]); Der eiserne Gustav: Roman (Berlim, 1984 [1938]); Der Trinker/Der Alpdruck (Berlim, 1987 [1950]). Ver também Gunnar Müller-Waldeck e Roland Ulrich (eds.), Hans Fallada: Sein Leben in Bildern und Briefen (Berlim, 1997). Para a história dos altos e baixos da breve carreira de Fallada/Ditzen no pós-guerra, ver Sabine Lange, "...wir haben nicht nur das Chaos, sondern wir stehen an einem Beginn"... Hans Fallada 1945-1946 (Neubrandenburg, 1988).
85. Evans, The Coming of the Third Reich, p. 409-12.
86. Kurt R. Grossmann, Ossietzky. Ein deutscher Patriot (Frankfurt am Main, 1973 [1963]), p. 278-318; Josef Wulf, Literatur und Dichtung im Dritten Reich: Eine Dokumentation (Gütersloh, 1963), p. 259-61; Evans, The Coming of the Third Reich, p. 120, 136, 409, 429.
87. Wolfgang Emmerich, "Die Literatur des antifaschistischen Widerstandes in Deutschland", em Denkler e Prümm (eds.), Die deutsche Literatur, p. 427-58.
88. James M. Ritchie, German Literature under National Socialism (Londres, 1983), p. 111-22; Ralf Schnell, Literarische innere Emigration: 1933-1945 (Stuttgart, 1976), p. 113-32, na p. 121 para a citação; Peter Barbian, "Literary Policy in the Third Reich", em Cuomo (ed.), National Socialist Cultural Policy, p. 155-96; Reinhold Grimm, "Im Dickicht der inneren Emigration", em Denkler e Prümm (eds.), Die deutsche Literatur, p. 406-26.
89. Ritchie, German Literature, p. 123-9; Friedrich p. Reck-Malleczewen, Bockelson: Geschichte eines Massenwahns (Stuttgart, 1968 [1937]); ver também p. 472-4 neste livro; e, mais genericamente, Heidrun Ehrke-Rotermund e Erwin Rotermund, Zwischenreiche und Gegenwelten: Texte und Vorstudien zur "Verdeckten Schreibweise" im "Dritten Reich" (Munique, 1999), p. 315-93, 527-46, sobre Reck e Jünger.
90. Klaus Vondung, "Der literarische Nationalsozialismus. Ideologische, politische und sozialhistorische Wirkungszusammenhänge", em Denkler e Prümm (eds.), Die deutsche Literatur, p. 44-65; Karl Prümm, "Das Erbe der Front. Der antidemokratische Kriegsroman der Weimarer Republik und seine nationalsozialistische Fortsetzung", em ibid., p. 138-64 (e outras contribuições no mesmo volume).
91. Heiber (ed.), Goebbels-Reden, I, p. 131-41, na p. 137.
92. Kurt Eggers, Deutsche Gedichte (Munique, 1934), p. 8, em Wulf, Literatur, p. 286; Alexander von Bormann, "Das nationalsozialistische Gemeinschaftslied", em

Denkler e Prümm (eds.), *Die deutsche Literatur*, p. 256-80; Gottfried Niedhart e George Broderik (eds.), *Lieder in Politik und Alltag des Nationalsozialismus* (Frankfurt am Main, 1999); e Eberhard Frommann, *Die Lieder des NS-Zeit: Untersuchungen zur nationalsozialistischen Liedpropaganda von den Anfängen bis zum Zweiten Weltkrieg* (Colônia, 1999).

93. Wulf, *Literatur*, p. 366, republicando Fritz Sotke, "So ist es", em *Wille und Macht* (15 de janeiro de 1934), p. 1.
94. Reichel, *Der schöne Schein*, p. 323-35; mais genericamente, Sebastian Graeb--Könneker, *Autochthone Modernität: Eine Untersuchung der vom Nationalsozialismus geforderten Literatur* (Opladen, 1996) e Uwe-Karsten Ketelsen, *Literatur und Drittes Reich* (Schernfeld, 1992); ver também Baird, *To Die For Germany*, p. 130-54, sobre o poeta Gerhard Schumann.
95. Evans, *The Coming of the Third Reich*, p. 417-8.
96. Wulf, *Literatur*, p. 113-23; Ritchie, *German Literature*, p. 48-54; idem, *Gottfried Benn: The Unreconstructed Expressionist* (Londres, 1972) – ver em especial sua tradução de "To the Literary Emigrés: A Reply", p. 89-96; Reinhard Alter, *Gottfried Benn: The Artist and Politics (1910-1934)* (Frankfurt am Main, 1976), esp. p. 86-144.
97. Wolfgang Willirich para Gottfried Benn, 27 de agosto de 1937, republicado em Wulf, *Literatur*, p. 120-2.
98. Glenn R. Cuomo, "Purging an 'Art-Bolshevist': The Persecution of Gottfried Benn in the Years 1933-1938", *German Studies Review*, 9 (1986), p. 85-105; ver também Gottfried Benn, *Gesammelte Werke* (ed. Dieter Wellershoff, 4 vols., Wiesbaden, 1961), I, p. 440-52, "Der neue Staat und die Intellektuellen", defendendo a tomada nazista do poder.
99. Jan-Pieter Barbian, *Literaturpolitik im "Dritten Reich": Institutionem, Kompetenzen, Betätigungsfelder* (Munique, 1995 [1993]), p. 54-66 para os expurgos iniciais; p. 66--156 para um levantamento abrangente e detalhado das instituições de censura. Ver também o exame de Dietrich Strothmann, *Nationalsozialistische Literaturpolitik: Ein Beitrag zur Publizistik im Dritten Reich* (Bonn, 1960), com detalhes de obras proibidas; e Evans, *The Coming of the Third Reich*, p. 426-31.
100. Wulf, *Literatur*, p. 160-4; Ritchie, *German Literature*, p. 71-4. Ver também Siegfried Schliebs, "Verboten, verbrannt, verfolgt... Wolfgang Herrmann und seine 'Schwarze Liste: Schöne Literatur' vom Mai 1933. Der Fall des Volksbibliothekars Dr Wolfgang Hermann", em Hermann Haarmann et al. (eds.), *"Das war ein Vorspiel nur...": Bücherverbrennung in Deutschland 1933: Voraussetzungen und Folgen. Ausstellung der Akademie der Künste vom 8. Mai bis 3. Juli 1983* (Berlim, 1983), p. 442-54; Barbian, *Literaturpolitik*, p. 217-319 para o mercado livreiro, p. 319-63 para bibliotecas; Engelbrecht Boese, *Das öffentliche Bibliothekswesen im Dritten Reich* (Bad Honnef, 1987); e Margaret F. Stieg, *Public Libraries in Nazi Germany* (Tuscaloosa, Ala., 1992); Strothmann, *Nationalsozialistische Literaturpolitik*, p. 222-4, e Grunberger, *A Social History*, p. 452-3, para autores estrangeiros.
101. Brenner, *Die Kunstpolitik*, p. 51.
102. Reichel, *Der schöne Schein*, p. 336-45; Boguslaw Drewniak, "The Foundations of Theater Policy in Nazy Germany", em Cuomo (ed.), *National Socialist Cultural Policy*, p. 67-94; mais detalhes da atividade teatral em *Das Theater im NS-Staat: Szenarium deutscher Zeitgeschichte 1933-1945* (Düsseldorf, 1983), do mesmo autor,

com uma discussão do destino dos clássicos nas p. 167-89; mais ainda no compêndio de Thomas Eicher *et al.*, *Theater im "Dritten Reich": Theaterpolitik, Spielplanstruktur, NS-Dramatik* (Seelze-Velber, 2000); excertos documentais em Wulf, *Theater und Film*; ensaios sobre aspectos específicos em Glen W. Gadberry (ed.), *Theater in the Third Reich, the Prewar Years: Essays on Theater in Nazi Germany* (Westport, Conn., 1995).
103. Steinweis, *Art*, p. 134-7.
104. Ver Wulf, *Theater und Film*, para detalhes.
105. Friederike Euler, "Theater zwischen Anpassung und Widerstand: Die Münchner Kammerspiele im Dritten Reich", em Broszat *et al.* (eds.), *Bayern*, II, p. 91-173; Grunberger, *A Social History*, p. 457-74.
106. William Niven, "The Birth of Nazi drama?: Thing Plays", em John London (ed.), *Theatre under the Nazis* (Manchester, 2000), p. 54-95, esp. p. 73; mais detalhes em Rainer Stommer, *Die inszenierte Volksgemeinschaft: Die "Thing-Bewegung" im Dritten Reich* (Marburg, 1985), e no estudo conciso de Johannes M. Reichl, *Das Thingspiel: Über den Versuch eines nationalsozialistischen Lehrstück-Theaters (Euringer – Heynick – Möller)* (Frankfurt, 1998), esp. p. 14-33; as origens do movimento são abordadas por Egon Menz, "Sprechchor und Aufmarsch. Zur Entstehung des Thingspiels", em Denkler e Prümm (eds.), *Die deutsche Literatur*, p. 330-46; Brenner, *Die Kunstpolitik*, p. 95-106, e Rainer Stommer, "'Da oben versinkt einem der Alltag...'. Thingstätten im Dritten Reich als Demonstration der Volksgemeinschaftsideologie", em Peukert e Reulecke (eds.), *Die Reihen fast geschlossen*, p. 149-73.
107. Heiber (ed.), *Goebbels-Reden*, I, p. 168-72 (Berlim, Sportpalast, Eröffnung der "Woche des deutschen Buches", 5.11.34), na p. 177.
108. Donald R. Richards, *The German Bestseller in the Twentieth Century: A Complete Bibliography and Analysis 1915-1940* (Berna, 1968) (verbetes sobre autores individuais na tabela B, listas de *best-sellers* na tabela A); números revistos em Tobias Schneider, "Bestseller im Dritten Reich. Ermittlung und Analyse der meistverkauften Romane in Deutschland 1933-1944", *VfZ* 52 (2004), p. 77-97.
109. Hans Hagemeyer, discurso ao Reichsarbeitsgemeinschaft für deutsche Buchwerbung em 28 de agosto de 1935, em Wulf, *Literatur*, p. 243-4; ver também discurso de Goebbels em 5 de novembro de 1934 (nota 107 *supra*).
110. Wilhelm Baur, citado em ibid., ilustração 8, p. 145; também 274-7.
111. Schneider, "Bestseller", p. 80-5.
112. Kershaw, *Hitler*, I, p. 15-7.
113. Hans Dieter Schäfer, *Das gespaltene Bewusstsein: Über deutsche Kultur und Lebenswirklichkeit 1933-1945* (Munique, 1982), esp. p. 7-54; Thymian Bussemer, *Propaganda und Populärkultur. Konstruierte Erlebniswelten im Nationalsozialismus* (Wiesbaden, 2000), esp. p. 76-115.
114. Evans, *The Coming of the Third Reich*, p. 122-4, 413-6.
115. Fröhlich (ed.), *Die Tagebücher* (Munique, 2004), I/I, 293 (29 de agosto de 1924).
116. Peter Paret, *An Artist against the Third Reich: Ernst Barlach, 1933-1938* (Cambridge, 2003), p. 17-8, 23-69; Shearer West, *The Visual Arts in Germany 1890-1937: Utopia and Despair* (Manchester, 2000), p. 93-9; Brenner, *Die Kunstpolitik*, p. 65-71; Wolfgang Tarnowski, *Ernst Barlach und der Nationalsozialismus: Ein Abendvortrag*,

gehalten am 20. Oktober 1988 in der Katholischen Akademie Hamburg (Hamburgo, 1989), p. 41-5; Joseph Wulf, *Die bildenden Künste im Dritten Reich: Eine Dokumentation* (Gütersloh, 1963), p. 32. Ver também Akademie der Künste, Berlim (ed.), *Zwischen Anpassung und Widerstand: Kunst in Deutschland 1933-1945* (Berlim, 1978).
117. Paret, *An Artist*, p. 23-5, 38-43, 59; um título melhor para o excelente livro de Paret talvez fosse *The Third Reich against an Artist*.
118. Ernst Barlach, *Die Briefe* (ed. Friedrich Dross, 2 vols., Munique, 1968-69), II, p. 414 (Barlach para Leo Kestenberg, 13 de novembro de 1933).
119. Ibid., II, p. 374 (Ernst Barlach para Hans Barlach, 2 de maio de 1933).
120. Citado em Paret, *An Artist*, p. 171, nota 33, e republicado em Alfred Rosenberg, *Blut und Ehre: Ein Kampf für deutsche Wiedergeburt: Reden und Aufsätze von 1919-1933* (Munique, 1934), p. 250.
121. Paret, *An Artist*, p. 78-9, citando Barlach, *Die Briefe*, II, p. 388-9 (Barlach para Alois Schardt, 23 de julho de 1933) e p. 425 (Barlach para Carl Albert Lange, 25 de dezembro de 1933).
122. O monumento sobreviveu à guerra e hoje está de volta à catedral.
123. Maschmann, *Account Rendered*, p. 25.
124. Fröhlich (ed.), *Die Tagebücher*, I/III, p. 56 (4 de abril de 1936).
125. Barlach, *Briefe*, II, p. 735 (Barlach para Heinz Priebatsch, 23 de outubro de 1937).
126. Paret, *An Artist*, p. 137.
127. Peter Adam, *The Arts of the Third Reich* (Londres, 1992), p. 196-201.
128. Jonathan Petropoulos, *The Faustian Bargain: The Art World in Nazi Germany* (Nova York, 2000), p. 218-53; idem, "From Seduction to Denial: Arno Breker's Engagement with National Socialism", em Richard A. Etlin (ed.), *Art, Culture, and Media under the Third Reich* (Chicago, 2002), p. 205-29; Wulf, *Die bildenden Künste*, p. 252; Volker Probst, *Der Bildhauer Arno Breker* (Bonn, 1978). Breker defendeu a si e a sua arte em suas memórias, publicadas após a guerra: ver Arno Breker, *Im Strahlungsfeld der Ereignisse, 1925-1965* (Preussisch Oldendorf, 1972).
129. Klaus Backes, *Hitler und die bildenden Künste: Kulturverständnis und Kunstpolitik im Dritten Reich* (Colônia, 1988), p. 10-56.
130. Erhard Klöss (ed.), *Reden des Führers: Politik und Propaganda Adolf Hitlers 1922--1945* (Munique, 1967), p. 108-20.
131. Evans, *The Coming of the Third Reich*, p. 413-6.
132. Lynn H. Nicholas, *The Rape of Europa: The Fate of Europe's Treasures in the Third Reich and the Second World War* (Nova York, 1994), p. 9-15.
133. Petropoulos, *The Faustian Bargain*, p. 13-25; mais genericamente, Reichel, *Der schöne Schein*, p. 356-70.
134. Adam, *Arts*, p. 121-3; West, *The Visual Arts*, p. 188-9. Para um exame da obra de artistas banidos, ver Werner Haftmann, *Verfemte Kunst: Bildende Künstler der inneren und äusseren Emigration in der Zeit des Nationalsozialismus* (Colônia, 1986) (esp. Beckmann, p. 47-67, Klee, p. 1, 112-25, Kirchner, p. 126-32, e Schlemmer, p. 37--13).
135. Petropoulos, *Art*, p. 57.
136. Spotts, *Hitler*, p. 151-64. Fröhlich (ed.), *Die Tagebücher*, I/II (5 de junho de 1935); Backes, *Hitler*, p. 57-70; para as exibições precursoras, ver Christoph Zuschlag, "An

'Educational Exhibition'. The Precursors of *Entartete Kunst* and its Individual Venues", em Stephanie Barron (ed.), *"Degenerate Art": The Fate of the Avant-Garde in Nazi Germany* (Los Angeles, 1991), p. 83-103, e com mais detalhes em Christoph Zuschlag, *"Entartete Kunst": Ausstellungsstrategien in Nazi-Deutschland* (Worms, 1995), p. 58-168 (protestos em 1933 em nota na p. 329).
137. Wulf, *Die bildenden Künste*, p. 140-4.
138. Petropoulos, *The Faustian Bargain*, p. 25; Reinhard Merker, *Die bildenden Künste im Nationalsozialismus: Kulturideologie, Kulturpolitik, Kulturproduktion* (Colônia, 1983), p. 143-5; Annegret Janda, "The Fight for Modern Art: The Berlin Nationalgalerie after 1933", em Barron (ed.), *"Degenerate Art"*, p. 105-18.
139. Annegret Janda (ed.), *Das Schicksal einer Sammlung: Aufbau und Zerstörung der Neuen Abteilung der Nationalgalerie im ehemaligen Kronprinzen-Palais Unter der Linden 1918-1945* (Berlim, 1986), p. 16.
140. Inge Jádi *et al.*, *Beyond Reason: Art and Psychosis: Works from the Prinzhorn Collection* (Londres, 1996), e Hans Prinzhorn, *Bildnerei der Geisteskranken: Ein Beitrag zur Psychologie und Psychopathologie der Gestaltung* (Berlim, 1922).
141. Fritz Kaiser, *Führer durch die Ausstellung Entartete Kunst* (Berlim, 1937), p. 24-8.
142. Merker, *Die bildenden Künste*, p. 148-52. A instrução não parece ter sido levada a cabo.
143. Kaiser, *Führer*, p. 2-22. O livreto está reproduzido em Barron (ed.), *"Degenerate Art"*, p. 359-90; ver também Mario-Andreas von Lüttichau, "'Entartete Kunst'" (Munique, 1937): A Reconstruction", em ibid., p. 45-81, e o relato detalhado em Zuschlag, *"Entartete Kunst"*, p. 169-204 e 222-99.
144. Robert Böttcher, *Kunst und Kunsterziehung im neuen Reich* (Breslau, 1933), p. 41; Wolfgang Willrich, *Säuberung des Kunsttempels: Eine kunstpolitische Kampfschrift zur Gesundung deutscher Kunst im Geiste nordischer Art* (Munique, 1937), p. 6.
145. Wulf, *Die bildenden Künste*, p. 319-20, 324, 327-33; para a orquestração da publicidade na imprensa, ver Karen Peter (ed.), *NS-Presseanweisungen der Vorkriegszeit: Edition und Dokumentation*, V: *1937* (Munique, 1998), p. 579, 587, 590, 631, 701.
146. *Berliner Morgenpost*, 172 (20 de julho de 1937), capa; *Berliner Illustrierte Nachtausgabe* (25 de fevereiro de 1938).
147. Peter Guenther, "Three Days in Munich, July 1937", em Barron (ed.), *"Degenerate Art"*, p. 33-43; reações de Carola Roth e outros em Paul Ortwin Rave, *Kunstdiktatur in Dritten Reich* (Hamburgo, 1949); telegrama em Zuschlag, *"Entartete Kunst"*, p. 331; informação sobre as etiquetas de preço em Peter-Klaus Schuster (ed.), *Die "Kunststadt" München 1937: Nationalsozialismus und "Entartete Kunst"* (Munique, 1987), p. 103-4; este tem ainda uma reprodução *fac-símile* do livreto da exposição, p. 183-216.
148. Sean Rainbird (ed.), *Max Beckmann* (Londres, 2003), p. 274-7.
149. Backes, *Hitler*, p. 71-7, para um bom exame resumido.
150. Norbert Wolf, *Ernst Ludwig Kirchner 1880-1938: On the Edge of the Abyss of Time* (Colônia, 2003), p. 86-90.
151. Kaiser, *Führer*, p. 24-8.
152. Wulf, *Die bildenden Künste*, p. 118-27. A crítica literária sofreu sina semelhante (Strothmann, *Nationalsozialistische Literaturpolitik*, p. 258-300).
153. Citado e traduzido em Adam, *The Arts*, p. 123.

154. Ibid., p. 121-4.
155. Adam, *The Arts*, p. 121-2; Merker, *Die bildenden Künste*, p. 155-6 (também para as citações *supra*).
156. Brenner, *Die Kunstpolitik*, p. 159.
157. Adam, *The Arts*, p. 122-7.
158. Merker, *Die bildenden Künste*, p. 155-6; Zuschlag, *"Entartete Kunst"*, p. 205-21; Petropoulos, *Art*, p. 76-81. Wulf, *Die bildenden Künste*, p. 340-1 para as reportagens na imprensa e o anúncio do leilão.
159. Stephanie Barron, "The Galerie Fischer Auction", em Barron (ed.), *"Degenerate Art"*, p. 135-69.
160. Angelika Königseder e Juliane Wetzel, "Die 'Bilderverbrennung' 1939 – ein Pendant?", *Zeitschrift für Geschichtswissenschaft*, 51 (2003), p. 439-46, ressalta que, embora exista abundante evidência documental da proposta de queimar as obras de arte, não existe prova escrita de que isso tenha sido realmente executado, e não vieram à tona relatos de testemunho ocular. Existe apenas uma fonte para a história, ou seja, Rave, *Kunstdiktatur*. Porém, nenhuma das obras da lista de sugestões para serem queimadas jamais foi vista desde 20 de março de 1939. Ver também Andreas Hüneke, "On the Trail of Missing Masterpieces: Modern Art from German Galleries", em Barron (ed.), *"Degenerate Art"*, p. 121-33; Petropoulos, *Art*, p. 82-3 e 338, nota 50; e Georg Bussmann, *German Art of the Twentieth Century* (Munique, 1985), p. 113-24.
161. Wulf, *Die bildenden Künste*, p. 325-6.
162. Boberach (ed.), *Meldungen*, II, p. 275.
163. Ibid., p. 115.
164. Wulf, *Die bildenden Künste*, p. 96-110.
165. Nicholas, *The Rape*, p. 13.
166. Wulf, *Die bildenden Künste*, p. 113-7.
167. Ibid., p. 172-4, 181-4, 190-4.
168. Backes, *Hitler*, p. 77-83.
169. Klaus Wolbert, *Die Nackten und die Toten des "Dritten Reiches": Folgen einer politischen Geschichte des Körpers in der Plastik des deutschen Faschismus* (Giessen, 1982), p. 34-60, 188-92, 235-6.
170. Merker, *Die bildenden Künste*, p. 163-6. Para um sumário das reportagens de imprensa, ver Otto Thomae, *Die Propaganda-Maschinerie: Bildende Kunst und Öffentlichkeitsarbeit im Dritten Reich* (Berlim, 1978), p. 37-69.
171. Merker, *Die bildenden Künste*, p. 165 (com números diferentes); Petropoulos, *Art*, p. 57.
172. Guenther, "Three Days in Munich", p. 33-43, nas p. 33-4; ver também Mario-Andreas von Lüttichau, "'Deutsche Kunst' und 'Entartete Kunst': Die Münchner Ausstellungen 1937", em Schuster (ed.), *Die "Kunststadt" München*, p. 83-118.
173. Adelheid von Saldern, "'Art for the People': From Cultural Conservatism to Nazi Cultural Policies", em idem, *The Challenge of Modernity: German Social and Cultural Studies, 1890-1960* (Ann Arbor, Mich., 2002), p. 299-347.
174. Karl Arndt, "Das 'Haus der deutschen Kunst' – ein Symbol der neuen Machtverhältnisse", em Schuster (ed.), *Die "Kunststadt" München*, p. 61-82; idem, "Paul Ludwig Troost als Leitfigur der nationalsozialistischen Räpresentation-

sarchitektur", em Iris Lauterbach (ed.), *Bürokratie und Kult: Das Parteizentrum der NSDAP am Königsplatz in München: Geschichte und Rezeption* (Munique, 1995), p. 147-56; para os antecedentes da encomenda, projeto e construção do prédio, ver Karl Arndt, "Die Münchener Architekturszene 1933/34 als ästhetischpolitisches Konfliktfeld", em Broszat *et al.* (eds.), *Bayern,* III, p. 443-512, esp. p. 443-84.
175. Citado em Wulf, *Die bildenden Künste,* p. 220.
176. Rolf Badenhausen, "Betrachtungen zum Bauwillen des Dritten Reiches", *Zeitschrift für Deutschkunde 1937,* p. 222-3, excerto em Wulf, *Die bildenden Künste,* p. 223-4; Hans Lehmbruch, "Acropolis Germaniae. Der Königsplatz – Forum der NSDAP", em Lauterbach (ed.), *Bürokratie und Kult,* p. 17-46; mais genericamente, Reichel, *Der schöne Schein,* p. 287-311; sobre a dívida para com o classicismo, ver Alex Scobie, *Hitler's State Architecture: The Impact of Classical Antiquity* (Filadélfia, Pa., 1990), esp. p. 56-68; para o culto nazista aos mortos, ver Sabine Behrenbeck, *Der Kult um die toten Helden: Nationalsozialistische Mythen: Riten und Symbole 1923 bis 1945* (Vierow bei Greifswald, 1996), esp. p. 343-446; para as cerimônias que acompanharam o translado dos corpos dos mártires, ver Baird, *To Die for Germany,* p. 41-72.
177. Barbara Miller Lane, *Architecture and Politics in Germany, 1918-1945* (Cambridge, Mass., 1968), p. 169-84.
178. Norbert Borrmann, *Paul Schultze-Naumburg, 1869-1949. Maler – Publizist – Architekt: Vom Kulturreformer der Jahrhundertwende zum Kulturpolitiker im Dritten Reich* (Essen, 1989), esp. p. 198-220; mais genericamente, Joachim Petsch, "Architektur und Städtebau im Dritten Reich – Anspruch und Wirklichkeit", em Peukert e Reulecke (eds.), *Die Reihen fast geschlossen,* p. 175-98, e Elke Pahl-Weber e Dirk Schubert, "Myth and Reality in National Socialist Town Planning and Architecture: Housing and Urban Development in Hamburg, 1933-45", *Planning Perspectives,* 6 (1991), p. 161-88.
179. Jochen Thies, "Nazi Architecture – A Blueprint for World Domination: The Last Aims of Adolf Hitler", em David Welch (ed.), *Nazi Propaganda: The Power and the Limitations* (Londres, 1983), p. 45-64, na p. 52; documentação para Berlim, Hamburgo, Linz, Munique e Nuremberg em Jost Dülffer *et al.* (eds.), *Hitlers Städte: Baupolitik im Dritten Reich* (Colônia, 1978); ver também Dirk Schubert, "... Ein neues Hamburg entsteth... Planungen in der 'Führerstadt' Hamburg zwischen 1933-1945", em Harmut Frank (ed.), *Faschistische Architekturen: Planen und Bauen in Europa 1930 bis 1945* (Hamburgo, 1985), p. 299-318; Backes, *Hitler,* p. 117-93.
180. Adam, *The Arts,* p. 245-59; também Dieter Bartetzko, *Zwischen Zucht und Ekstase: Zur Theatralik von NS-Architektur* (Berlim, 1985); Robert R. Taylor, *The Word in Stone: The Role of Architecture in the National Socialist Ideology* (Berkeley, Calif., 1974), p. 250-69; Anna Teut, *Architektur im Dritten Reich 1933-1945* (Frankfurt am Main, 1967); Jochen Thies, *Architekt der Weltherrschaft: Die 'Endziele' Hitlers* (Düsseldorf, 1976), p. 62-164; Merker, *Die bildenden Künste,* p. 186-238.
181. Paul Giesler, "Bauen im Dritten Reich", *Die Kunst im Dritten Reich* (setembro de 1939), citado em Adam, *The Arts,* p. 256; exame ilustrado minucioso em Angela Schönberger, *Die neue Reichskanzlei von Albert Speer: Zum Zusammenhang von nationalsozialistischer Ideologie und Architektur* (Berlim, 1981), p. 37-173.
182. Thies, *Architekt,* p. 62-104.

183. Albert Speer, *Inside the Third Reich: Memoirs* (Londres, 1971 [1970]), p. 45-6.
184. Jost Dülffer, "Albert Speer: Cultural and Economic Management", em Ronald Smelser e Rainer Zitelmann (eds.), *The Nazi Elite* (Londres, 1993 [1989]), p. 212--23; para o vandalismo de Goebbels, ver Evans, *The Coming of the Third Reich*, p. 398. Uma alegação em contrário sobre a "catedral de luz" foi feita por Walter Frentz e Leni Riefenstahl (Gitta Sereny, *Albert Speer: His Battle with Truth* [Londres, 1995], p. 129).
185. Siegfried Zelnhefer e Rudolf Käs (eds.), *Kulissen der Gewalt: Das Reichsparteitagsgelände in Nürnberg* (Munique, 1992), esp. p. 31-48 (Siegfried Zelnhefer, "Bauen als Vorgriff auf den Sieg. Zur Geschichte des Reichsparteitagsgeländes").
186. Karen A. Fiss, "In Hitler's Salon: The German Pavilion at the 1937 Paris Exposition Internationale", em Etlin (ed.), *Art*, p. 316-42, nas p. 318-9, citando Paul Westheim, *Paul Westheim: Kunstkritik aus dem Exil* (ed. Tanja Frank, Hanau, 1985), p. 151; ver também Kurt Winkler, "Inszenierung der Macht: Weltausstellung 1937. Das 'Deutsche Haus' als Standarte", em Klaus Behnken e Frank Wagner (eds.), *Inszenierung der Macht: Ästhetische Faszination in Faschismus* (Berlim, 1987), p. 217-25. A altura superior do pavilhão alemão contra seu oposto soviético foi deliberada; Speer obteve de antemão os planos da estrutura soviética (Fies, "In Hitler's Salon", p. 321-3).
187. Speer, *Inside*, p. 117-22, 195-220.
188. Dülffer, "Albert Speer", p. 213-5; Joachim Petach, "Architektur als Weltanschauung: Die Staats- und Parteiarchitektur im Nationalsozialismus", em Ogan e Weiss (eds.), *Faszination und Gewalt*, p. 197-204.
189. Speer, *Inside*, p. 197; Sereny, *Albert Speer*, p. 126-31.
190. Gerhard Splitt, *Richard Strauss 1933-1935: Ästhetik und Musikpolitik zu Beginn der nationalsozialistischen Herrschaft* (Pfaffenweiler, 1987), p. 42-59, discute as possíveis motivações de Strauss em um exame detalhado da evidência que é maculado por um tom desnecessariamente zangado de condenação moral; para uma visão mais equilibrada, ver Michael H. Kater, *Composers of the Nazi Era: Eight Portraits* (Nova York, 2000), p. 220-3.
191. Kater, *Composers*, p. 225-7.
192. Ibid., p. 211-2; Franz Grasberger (ed.), *Der Strom der Töne trug mich fort: Die Welt um Richard Strauss in Briefen* (Tutzing, 1967), p. 171-2; Walter Thomas, *Richard Strauss und seine Zeitgenossen* (Munique, 1964), p. 218.
193. Harry Graf Kessler, *Tagebücher 1918-1937*, (ed. Wolfgang Pfeiffer-Belli, Frankfurt am Main, 1982 [1961]), 563 (14 de junho de 1928); Kater, *Composers*, p. 213-6.
194. Ibid., p. 217-25.
195. Ibid., p. 229-46; Fred K. Prieberg, *Trial of Strength: Wilhelm Furtwängler and the Third Reich* (Londres, 1991 [1986]), p. 166-9.
196. Fred K. Prieberg, *Musik im NS-Staat* (Frankfurt am Main, 1982), p. 207-8; Josef Wulf, *Musik im Dritten Reich: Eine Dokumentation* (Gütersloh, 1963), p. 182-3; Saul Friedländer, *Nazi Germany and the Jews*, I: *The Years of Persecution 1933-1939* (Londres, 1997), p. 130-5; Albrecht Riethmüller, "Stefan Zweig and the Fall of the Reich Music Chamber President, Richard Strauss", em Michael H. Kater e Albrecht Riethmüller (eds.), *Music and Nazism: Art under Tyranny, 1933-1945* (Laaber, 2003), p. 269-91. Para os *best-sellers* de Stefan Zweig, ver Richards, *The German*

Bestseller, p. 252-3; um dos livros de Zweig vendeu 300 mil cópias de 1927 a 1931, e outros dois 170 mil cada de 1922 a 1933 e de 1931 a 1933, respectivamente.
197. Strauss, "Geschichte der schweigsamen Frau" e Strauss para Hitler (13 de julho de 1935), ambos em Wulf, *Musik*, p. 183-4.
198. Kater, *Composers*, p. 247-59; Prieberg, *Musik*, p. 208-15; Lothar Gall, "Richard Strauss und das 'Dritte Reich' oder: Wie der Künstler Strauss sich missbrauchen liess", em Hanspeter Krellmann (ed.), *Wer war Richard Strauss? Neunzehn Antworten* (Frankfurt am Main, 1999), p. 123-36.
199. Levi, *Music*, p. 57-70, 94-8; Michael H. Kater, *The Twisted Muse: Musicians and Their Music in the Third Reich* (Nova York, 1997), p. 77-9; Prieberg, *Musik*, p. 277- -82; Wulf, *Musik*, p. 414-23 (excertos do *Lexikon* e obras antissemitas assemelhadas nas p. 386-91).
200. Dirk Blasius, "Die Ausstellung 'Entartete Musik' von 1938. Ein Beitrag zum Kontinuitätsproblem der deutschen Geschichte", em Othmar N. Haberl e Tobias Korenke (eds.), *Politische Deutungskulturen: Festschrift für Karl Rohe* (Baden-Baden, 1999), p. 199-211. Não houve tempo para se produzir um catálogo da exposição *Entartete Musik*, mas, no 50º aniversário, uma exposição comemorativa encenou uma reconstrução: ver Albrecht Dümling e Peter Girth (eds.), *Entartete Musik: Eine kommentierte Rekonstruktion zur Düsseldorfer Ausstellung von 1938* (Düsseldorf, 1988); o discurso de abertura de Ziegler está nas p. 128-43; também Albrecht Dümling, "The Target of Racial Purity: The 'Degenerate Music' Exhibition in Düsseldorf, 1938", em Etlin (ed.), *Art*, p. 43-72; idem (ed.), *Banned by the Nazis: Entartete Musik: The Exhibition of Düsseldorf 1938/88 in Texts and Documents* (Londres, 1995); Eckhard John, *Musikbolschewismus: Die Politisierung der Musik in Deutschland 1918-1938* (Stuttgart, 1994), p. 367-81; e, argumentando a respeito da impopularidade da música moderna na República de Weimar, Pamela M. Potter, "The Nazi 'Seizure' of the Berlin Philharmonic, or the Decline of a Bourgeois Musical Institution", em Cuomo (ed.), *Nazi Cultural Policy*, p. 39-65. Ver também Hans Severus Ziegler, *Entartete Musik: Eine Abrechnung* (Düsseldorf, 1938).
201. Fröhlich (ed.), *Die Tagebücher*, I/IV, p. 323 (29 de maio de 1938).
202. Zuschlag, *"Entartete Kunst"*, p. 315-20.
203. Levi, *Music*, p. 70-3; Prieberg, *Musik*, p. 144-64; Wulf, *Musik*, p. 407; Potter, "The Nazi 'Seizure'", p. 54.
204. Levi, *Music*, p. 74-81.
205. Ibid., p. 98-102.
206. Levi, *Music*, p. 104-5; Prieberg, *Musik*, p. 225-34. A *Sonata para Piano, Opus 1*, de Berg foi tocada em 29 de novembro de 1944 em um sarau de poesia em Viena, com intervalo musical organizado por Anton von Webern (ibid., p. 299).
207. Ibid., p. 104-7; Prieberg, *Musik*, p. 137-8.
208. Levi, *Music*, p. 107-11; Kater, *Composers*, p. 31-6.
209. Levi, *Music*, p. 111-4; Wulf, *Musik*, p. 337-40 (para as citações). Ver também Giselher Schubert, "The Aesthetic Premises of a Nazi Conception of Music", em Kater e Riethmüller (eds.), *Music and Nazism*, p. 64-74.
210. Wulf, *Musik*, p. 341.
211. Fröhlich (ed.), *Die Tagebücher*, I/III, p. 140 (27 de julho de 1936). Wahnfried era a casa da família de Wagner em Bayreuth.

212. Kater, *The Twisted Muse*, p. 197-201; Levi, *Music*, p. 199-201; Potter, "The Nazi 'Seizure'", p. 39-65. Ver mais genericamente Michael Meyer, *The Politics of Music in the Third Reich* (Nova York, 1991).
213. Levi, *Music*, p. 114-6.
214. Bernd Sponheuer, "The National Socialist Discussion on the 'German Quality' in Music", em Kater e Riethmüller (eds.), *Music and Nazism*, p. 32-42; Reinhold Brinkmann, "The Distorted Sublime: Music and National Socialist Ideology – A Sketch", em ibid., p. 43-63.
215. Kater, *Composers*, p. 3-30. O verdadeiro nome de Egk era Mayer, ele o detestava tanto por ser comum que usava um pseudônimo baseado no nome da esposa, "Elisabeth, geborene Karl", (Elisabeth, Karl de solteira). Aqueles que não gostavam dele alegavam que na verdade aquilo queria dizer "Ein grosser Komponist" ("um grande compositor"). Ver também Michael Walter, *Hitler in der Oper: Deutsches Musikleben 1919-1945* (Stuttgart, 1995), p. 175-212.
216. Ibid., p. 111-43; ver também a autobiografia da esposa de Orff, Luise Rinser, *Saturn auf der Sonne* (Frankfurt am Main, 1994), p. 94-5.
217. Frederic Spotts, *Bayreuth: A History of the Wagner Festival* (New Haven, 1994), esp. p. 159-88; Brigitte Hamann, *Winifred Wagner oder Hitlers Bayreuth* (Munique, 2002); Hans Rudolf Vaget, "Hitler's Wagner: Musical Discourse as Cultural Space", em Kater e Riethmüller (eds.), *Music and Nazism*, p. 15-31.
218. Spotts, *Hitler*, p. 223-63; idem, *Bayreuth*, p. 165-75.
219. Speer, *Inside*, p. 103-5.
220. Levi, *Music*, p. 192-3.
221. Levi, *Music*, p. 217-8; mais genericamente, Volker Dahm, "Nationale Einheit und partikulare Vielfalt. Zur Frage der kulturpolitischen Gleichschaltung im Dritten Reich", *VfZ* 43 (1995), p. 221-65. Para a complicada relação de Pfitzner com a liderança nazista, ver Kater, *Composers*, p. 144-82. Pfitzner ficou furioso com o favorecimento demonstrado pelo regime a alguns compositores modernistas. Perguntado sobre o que achava da música moderna, respondeu desdenhoso: "Egk mich am Orff!" (Berndt W. Wessling, *Wieland Wagner: Der Enkel* (Colônia, 1997), p. 257); ver também John, *Musikbolschewismus*, p. 58-89, para o papel de Pfitzner na cristalização da hostilidade da direita ao "bolchevismo musical" na República de Weimar.
222. Wulf, *Musik*, p. 403, citando Karl Grunsky, "Gedanken über Mendelssohn", *Westdeutscher Beobachter*, 10 de março de 1935.
223. Celia Applegate, "The Past and Present of *Hausmusik* in the Third Reich", em Kater e Riethmüller (eds.), *Music and Nazism*, p. 136-49.
224. Steinweis, *Art*, p. 141-2.
225. Para teorias nazistas de música, ver Pamela M. Potter, *Most German of the Arts: Musicology and Society from the Weimar Republic to the End of Hitler's Reich* (New Haven, 1998), esp. p. 200-34.
226. Walter Thomas, *Bis der Vorhang fiel: Berichtet nach Aufzeichnungen aus den Jahren 1940 bis 1945* (Dortmund, 1947), p. 241.
227. Kater, *Composers*, p. 86-110; idem, *Different Drummers: Jazz in the Culture of Nazi Germany* (Nova York, 1992), p. 29-56; idem, *The Twisted Muse*, p. 233-9; Wulf, *Musik*, p. 346-58; também Bernd Polster (ed.), *Swing Heil: Jazz im Nationalsozialismus* (Berlim, 1989).

228. Kater, *Different Drummers*, p. 90-5; Fröhlich (ed.), *Die Tagebücher*, I/III, p. 161-2 (2 de junho de 1937), p. 165-6 (5 de junho de 1937), 293 (7 de outubro de 1937), 326 (5 de novembro de 1937), 346 (26 de novembro de 1937).
229. Kater, *Different Drummers*, p. 101-10; Arno Klönne, *Jugend im Dritten Reich: Die Hitler-Jugend und ihre Gegner* (Düsseldorf, 1982), p. 241-6.
230. Hartmut Berghoff, *Zwischen Kleinstadt und Weltmarkt: Hohner und die Harmonika 1857-1961. Unternehmensgeschichte als Gesellschaftsgeschichte* (Paderborn, 1997), p. 311, 360-1, 375, 615.
231. Ibid., p. 375, 412-9, 445-6.
232. Reichel, *Der schöne Schein*, p. 371.
233. Gerhard Paul, *Aufstand der Bilder: Die NS-Propaganda vor 1933* (Bonn, 1990); Peter Zimmermann, "Die Bildsprache des Nationalsozialismus im Plakat", em Maria Rüger (ed.), *Kunst und Kunstkritik der dreissiger Jahre: 29 Standpunkte zu künstlerischen und ästhetischen Prozessen und Kontroversen* (Dresden, 1990), p. 223--36; Evans, *The Coming of the Third Reich*, p. 289-91.
234. Ver por exemplo Marla S. Stone, *The Patron State: Culture and Politics in Fascist Italy* (Princeton, NJ, 1998); Edward Tannenbaum, *The Fascist Experience: Italian Society and Culture, 1922-1945* (Nova York, 1972), esp. p. 213-302; Orlando Figes e Boris Kolonitskii, *Interpreting the Russian Revolution: The Language and Symbols of 1917* (New Haven, 1999), esp. p. 30-103, 153-86, e Richard Stites, *Russian Popular Culture: Entertainment and Society since 1900* (Cambridge, 1992); resumo em Richard J. Overy, *The Dictators: Hitler's Germany and Stalin's Russia* (Nova York, 2004), p. 349-91. Para comentários nazistas sobre a exposição futurista, ver Willrich, *Säuberung*, p. 32.
235. Como é a tendência em, por exemplo, Spotts, *Hitler*, ou Ehrhard Bahr, "Nazi Cultural Politics: Intentionalism *vs.* Functionalism", em Cuomo (ed.), *National Socialist Cultural Policy*, p. 5-22.
236. Dahm, "Nationale Einheit", considera o crescente predomínio do entretenimento sobre a propaganda direta como evidência de uma crescente liberdade da parte dos produtores culturais, em particular no nível local ou regional; mas é claro que isso estava totalmente de acordo com os objetivos culturais gerais do regime.
237. Jutta Sywottek, *Mobilmachung für den totalen Krieg: Die propagandistische Vorbereitung der deutschen Bevölkerung auf den Zweiten Weltkrieg* (Opladen, 1976).
238. Ver também p. 523-30, sobre o programa cultural da organização Força pela Alegria, e p. 634-6 sobre a cultura judaica no Terceiro Reich.
239. Heiber (ed.), *Goebbels-Reden*, I, p. 219-28 (Hamburg: Musikhalle – Eröffnung der 2. Reichs-Theaterfestwoche, 17.4.35), p. 219-28, na p. 220.
240. Rainer Stollmann, "Faschistische Politik als Gesamtkunstwerk. Tendenzen der Ästhetisierung des politischen Lebens im Nationalsozialismus", em Denkler e Prümm (eds.), *Die deutsche Literatur*, p. 83-101 (um tanto excessivamente teorizado); o conceito original da estetização da política vem do Posfácio para o celebrado ensaio de Walter Benjamin "Das Kunstwerk im Zeitalter seiner technischen Reproduzierbarkeit", em idem, *Gesammelte Schriften* I/II (ed. Rolf Tiedemann e Hermann Schweppenhäuser, Frankfurt am Main, 1974), p. 508.
241. Heiber (ed.), *Goebbels-Reden*, I, p. 219-28 (Hamburg, Musikhalle – Eröffnung der 2. Reichs-Theaterfestwoche, 17.6.35), nas p. 220, 224, 227.

242. Klemperer, *I Shall Bear Witness*, 109 (27 de fevereiro de 1935); Tagebuch Luise Solmitz, vol. 30 (5 de julho de 1935 – 16 de junho de 1937), *passim*.
243. John Heskett, "Modernism and Archaism in Design in the Third Reich", em Taylor e van der Will (eds.), *The Nazification of Art*, p. 110-27.
244. Uwe Westphal, *Werbung im Dritten Reich* (Berlim, 1989), esp. p. 50-72. Mas ver também Hans Deischmann, *Objects: A Chronicle of Subversion in Nazi Germany* (Nova York, 1995).
245. Victor Klemperer, *Tagebücher*, 14 (22 de março de 1933).
246. Rolf Steinberg (ed.), *Nazi-Kitsch* (Darmstadt, 1975) (um catálogo resumido de ilustrações desses objetos); para o jogo, ver p. 23.
247. Marion Godau, "Anti-Moderne?", em Sabine Weissler (ed.), *Design in Deutschland 1933-45: Ästhetik und Organisation des Deutschen Werkbundes im "Dritten Reich"* (Giessen, 1990), p. 74-87.
248. Joachim Wolschke-Bulmahn e Gert Gröning, "The National Socialist Garden and Landscape Ideal: *Bodenständigkeit* (Rootedness in the Soil)", em Etlin (ed.), *Art*, p. 73-97; e Vroni Heinrich-Hampf, "Über Gartenidylle und Gartenarchitektur im Dritten Reich", em Frank (ed.), *Faschistische Architekturen*, p. 271-81.
249. Leopold von Schenkendorf e Heinrich Hoffmann (eds.), *Kampf um's Dritte Reich: Eine Historische Bilderfolge* (Altona-Bahrenfeld, 1933).
250. *Die Kunst im Dritten Reich* 1937, p. 160, citada em Britta Lammers, *Werbung im Nationalsozialismus: Die Kataloge der "Grossen Deutschen Kunstausstellung", 1937--1944* (Weimar, 1999), p. 9.
251. Reichel, *Der schöne Schein*, p. 373-5; para o ocultamento das construções modernas por fachadas pseudoarcaicas, ver Lothar Suhling, "Deutsche Baukunst. Technologie und Ideologie im Industriebau des 'Dritten Reiches'", em Herbert Mehrtens e Steffen Richter (eds.), *Naturwissenschaft, Technik und NS-Ideologie: Beiträge zur Wissenschaftsgeschichte des Dritten Reichs* (Frankfurt am Main, 1980), p. 243-81.
252. Zeman, *Nazi Propaganda*, p. 177; Robert E. Herzstein, *The War that Hitler Won: The Most Infamous Propaganda Campaign in History* (Londres, 1979); Alexander D. Hardy, *Hitler's Secret Weapon: The "Managed" Press and Propaganda Machine of Nazi Germany* (Nova York, 1967).
253. Victor Klemperer, *LTI. Notizbuch eines Philologen* (Leipzig, 1975 [1947]); ver também Gerhard Bauer, *Sprache und Sprachlosigkeit im "Dritten Reich"* (Colônia, 1990 [1988]); Wolfgang Bergsdorf, "Sprachlenkung im Nationalsozialismus", em Martin Greiffenhagen (ed.), *Kampf um Wörter? Politische Begriffe im Meinungsstreit* (Munique, 1980), p. 65-74; Werner Bohleber e Jörg Drews (eds.), *"Gift, das du unbewusst eintrinkst..." Der Nationalsozialismus und die deutsche Sprache* (Bielefeld, 1994 [1991]); Siegfried Bork, *Missbrauch der Sprache: Tendenzen nationalsozialistischer Sprachregelung* (Munique, 1970); Karl-Heinz Brackmann e Renate Birkenhauer, *NS-Deutsch: "Selbstverständliche" Begriffe und Schlagwörter aus der Zeit des Nationalsozialismus* (Straelen, 1988); Dolf Sternberger *et al.*, *Aus dem Wörterbuch des Unmenschen* (Düsseldorf, 1968 [1957]).
254. Ribbe (ed.), *Die Lageberichte*, p. 162.
255. Ibid., p. 189, também p. 246.
256. Behnken (ed.), *Deutschland-Berichte*, IV (1937), p. 1, 224-5 (14 de outubro de 1937). De modo semelhante, já em ibid., III (1936), p. 1, 109-10.

257. Bankier, *The Germans*, p. 14-20, 28-34.
258. Kershaw, *The "Hitler Myth"*, esp. p. 48-147.
259. Ian Kershaw, "How Effective was Nazi Propaganda?", em David Welch (ed.), *Nazi Propaganda: The Power and the Limitations* (Londres, 1983), p. 180-205; mais genericamente, Peter Longerich, "Nationalsozialistische Propaganda", em Karl Dietrich Bracher et al. (eds.), *Deutschland 1933-1945: Neue Studien zur nationalsozialistischen Herrschaft* (Düsseldorf, 1992), p. 291-314.

Parte 3 – CONVERTENDO A ALMA

1. Doris L. Bergen, *Twisted Cross: The German Christian Movement in the Third Reich* (Chapel Hill, NC, 1996), p. 101-18; Manfred Kittel, "Konfessioneller Konflikt und politische Kultur in der Weimarer Republik", em Olaf Blaschke (ed.), *Konfessionen im Konflikt: Deutschland zwischen 1800 und 1970: ein zweites konfessionelles Zeitalter* (Göttingen, 2002), p. 243-97.
2. Para visões gerais, ver Thomas Nipperdey, *Deutsche Geschichte 1866-1918* (2 vols., Munique, 1990), I: *Arbeitswelt und Bürgergeist*, p. 468-507. Mais detalhes em Wolfgang Altgeld, *Katholizismus, Protestantismus, Judentum: Über religiös begründete Gegensätze und nationalreligiöse Ideen in der Geschichte des deutschen Nationalismus* (Mainz, 1992); idem, "Religion, Denomination and Nationalism in Nineteenth-Century Germany", em Helmut Walser Smith (ed.), *Protestants, Catholics and Jews in Germany, 1800-1913* (Oxford, 2001), p. 49-65; Helmut Walser Smith, *German Nationalism and Religious Conflict: Culture, Ideology, Politics 1870-1914* (Princeton, NJ, 1995); John Horne e Alan Kramer, *German Atrocities 1914: A History of Denial* (New Haven, 2001), p. 157-8; Manfred Gailus, *Protestantismus und Nationalsozialismus: Studien zur nationalsozialistischen Durchdringung des protestantischen Sozialmilieus in Berlim* (Colônia, 2001), p. 40-51. Para as divisões religiosas e a política na República de Weimar, ver Georges Castellan, *L'Allemagne de Weimar 1918-1933* (Paris, 1969), p. 209-40, até hoje uma das poucas histórias gerais da República de Weimar a levar a religião a sério. Para o Dia de Potsdam, ver Evans, *The Coming of the Third Reich*, p. 350-1.
3. Martin Niemöller, *From U-Boat to Pulpit* (Londres, 1936 [1934]), p. 143.
4. Ibid., p. 180-3, 187; James Bentley, *Martin Niemöller* (Oxford, 1984), p. 20-30, 39--40.
5. Ibid., p. 42-68.
6. Nipperday, *Deutsche Geschichte 1866-1918*, I, p. 507-28, para a secularização no século XIX; Hugh McLeod, *Religion and the People of Western Europe 1789-1989* (Oxford, 1997 [1981]), esp. p. 118-31, oferece um belo exame geral; idem, *Piety and Poverty: Working-Class Religion in Berlin, London and New York 1870-1914* (Nova York, 1996), é um relato comparativo detalhado.
7. Richard Steigmann-Gall, *The Holy Reich: Nazi Conceptions of Christianity 1919--1945* (Cambridge, 2003), p. 13-9, 68; Gailus, *Protestantismus*, p. 29-40, 643-4; ver também Günter Brakelmann, "Hoffnungen und Illusionen evangelischer Prediger zu Beginn des Dritten Reiches: Gottesdienstliche Feiern aus politischen Anlässen", em Peukert e Reulecke (eds.), *Die Reihen fast geschlossen*, p. 129-48.

8. Steigmann-Gall, *The Holy Reich*, p. 134-40.
9. Günter Brakelmann, "Nationalprotestantismus und Nationalsozialismus", em Christian Jansen et al. (eds.), *Von der Aufgabe der Freiheit: Politische Verantwortung und bürgerliche Gesellschaft im 19. und 20. Jahrhundert: Festschrift für Hans Mommsen zum 5. November 1995* (Berlim, 1995), p. 337-50.
10. Detlef Schmiechen-Ackermann, *Kooperation und Abgrenzung: Bürgerliche Gruppen, evangelische Kirchengemeinden und katholisches Sozialmilieu in der Auseinandersetzung mit dem Nationalsozialismus in Hannover* (Hanover, 1999), esp. p. 138-60; Ernst Klee, *"Die SA Jesu Christi": Die Kirche im Banne Hitlers* (Frankfurt am Main, 1989), esp. p. 11-81; Björn Mensing, *Pfarrer und Nationalsozialismus: Geschichte einer Verstrickung am Beispiel der Evangelisch-Lutherischen Kirche in Bayern* (Göttingen, 1998), esp. p. 147-79; Robert p. Ericksen, *Theologians under Hitler: Gerhard Kittel, Paul Althaus, and Emanuel Hirsch* (New Haven, 1985).
11. Rainer Lächele, *Ein Volk, ein Reich, ein Glaube: Die Deutschen Christen in Württemberg 1925-60* (Stuttgart, 1993); Thomas M. Schneider, *Reichsbischof L. Müller: Eine Untersuchung zu Leben, Werk und Persönlichkeit* (Göttingen, 1993); Reijo E. Heinonen, *Anpassung und Identität: Theologie und Kirchenpolitik der Bremer Deutschen Christen 1933-1945* (Göttingen, 1978), esp. p. 19-47; Kurt Meier, *Die Deutschen Christen: Das Bild einer Bewegung im Kirchenkampf des Dritten Reiches* (Göttingen, 1964), esp. p. 1-37; James A. Zabel, *Nazism and the Pastors: A Study of the Ideas of Three Deutsche Christen Groups* (Missoula, Mont., 1976).
12. Citado em Bracher, *Stufen*, p. 448.
13. Gailus, *Protestantismus*, p. 139-95.
14. Citado em Bracher, *Stufen*, p. 451.
15. Klaus Scholder, *Die Kirchen und das Dritte Reich*, I: *Vorgeschichte und Zeit der Illusionen 1918-1934* (Frankfurt am Main, 1977), Parte 2, capítulos 4-7, 10 e 12, fornece uma magistral narrativa detalhada desses eventos.
16. Gailus, *Protestantismus*, p. 640-6. Bergen, *Twisted Cross*, p. 61-81.
17. Ibid., p. 103, 145, 166; Scholder, *Die Kirchen*, p. 702-5.
18. Eberhard Bethge, *Dietrich Bonhoeffer: Theologe, Christ, Zeitgenosse* (Munique, 1967), p. 321-6, 363-5; Jürgen Schmidt, *Martin Niemöller im Kirchenkampf* (Hamburgo, 1971), p. 121-78; de modo mais geral sobre protestantismo e antissemitismo nesse período, Jochen-Christoph Kaiser, "Protestantismus, Diakonie und 'Judenfrage' 1933-41", *VfZ* 37 (1989), p. 673-714.
19. Gailus, *Protestantismus*, p. 647-53. Esses números provêm da Igreja Confessante de meados para o final da década de 1930 (ver o próximo parágrafo).
20. Eberhard Busch, *Karl Barths Lebenslauf: Nach seinen Briefen und autobiographischen Texten* (Munique, 1975). As obras de Barth sobre a Igreja Confessante estão disponíveis em *Karl Barth zum Kirchenkampf: Beteiligung – Mahnung – Zuspruch* (Munique, 1956), esp. p. 213-36; ver também Karl Barth, *The German Church Conflict* (Londres, 1965).
21. Bracher, *Stufen*, p. 441-62; John S. Conway, *The Nazi Persecution of the Churches 1933-1945* (Londres, 1968), p. 191; Bergen, *Twisted Cross*, p. 17-8.
22. Ribbe (ed.), *Die Lageberichte*, I, p. 385 (Lagebericht, dezembro de 1935); Helmut Witetschek (ed.), *Die kirchliche Lage in Bayern nach den Regierungspräsidentenberichten 1933-1945*, II: *Regierungsbezirk Ober- und Mittelfranken* (Mainz, 1967), p. 66

(Lagesonderbericht der Regierung 9 December 1935, nº 54); para Niemöller, ver Gailus, *Protestantismus*, p. 327-31, e Martin Niemöller, *Dahlemer Predigten 1936/37* (Munique, 1981).
23. Ribbe (ed.), *Die Lageberichte*, p. 231.
24. Klein (ed.), *Die Lageberichte*, p. 365 (Lagebericht, dezembro de 1935).
25. Para um relato detalhado desses eventos do outono de 1934, ver Scholder, *Die Kirchen*, II: *Das Jahre der Ernüchterung 1934. Barmen und Rom* (Berlim, 1985), p. 11--118, 159-220, 269-356.
26. Para Meiser, ver Witetschek (ed.), *Die kirchliche Lage*, II, p. 34-59.
27. Bonhoeffer para Sutz, 28 de abril de 1934, em Dietrich Bonhoeffer, *Gesammelte Schriften* (ed. Eberhard Bethe, Munique, 1958), I, p. 39-40 (citado em Bergen, *Twisted Cross*, p. 140).
28. Gailus, *Protestantismus*, p. 654-6, 661-2.
29. Bentley, *Martin Niemöller*, p. 67-9; Gailus, *Protestantismus*, p. 656-8. Wolfganf Gerlach, *Als die Zeugen schwiegen: Bekennende Kirche und die Juden* (Berlim, 1993).
30. Gailus, *Protestantismus*, p. 658.
31. Klepper, *Unter dem Schatten*, 41 (8 de março de 1933, 11 de março de 1933), 46-7 (30 de março de 1933); Christopher Clark, *The Politics of Conversion: Missionary Protestantism and the Jews in Prussia, 1728-1941* (Oxford, 1995), esp. p. 285-98.
32. Robert p. Ericksen, "A Radical Minority: Resistance in the German Protestant Church", em Nicosia e Stokes (eds.), *Germans Against Nazism*, p. 115-36; Shelley Baranowski, *The Confessing Church, Conservative Elites, and the Nazi State* (Nova York, 1986); Scholder, *Die Kirchen*, I, p. 701-42; Steigmann-Gall, *The Holy Reich*, p. 184-5; Ruth Zerner, "German Protestant Responses to Nazi Persecution of the Jews", em Randolph Braham (ed.), *Perspectives on the Holocaust* (Boston, 1983), p. 57-68, citando o sermão de Niemöller na p. 63; Victoria Barnett, *For the Soul of the People: Protestant Protest against Hitler* (Oxford, 1992), esp. p. 60-103; para o Parágrafo Ariano, Bergen, *Twisted Cross*, p. 57; para a Igreja Confessante e antissemitismo, ver Friedländer, *Nazi Germany*, p. 44-5; para um exemplo impressionante de confronto entre pastores cristãos alemães e membros dos confessantes sobre o Parágrafo Ariano, ver Broszat *et al.* (eds.), *Bayern*, I, p. 110-1 (Aus Monatsbericht der Gendarmerie-Station Heiligenstadt, 25 de novembro de 1937).
33. Ribbe (ed.), *Die Lageberichte*, p. 231.
34. Ibid., p. 230.
35. Bracher, *Stufen*, p. 458-62.
36. Bergen, *Twisted Cross*, p. 189-90.
37. Conway, *The Nazi Persecution*, p. 116-39.
38. Ibid., p. 202-14; Ribbe (ed.), *Die Lageberichte*, p. 243-4; Bentley, *Martin Niemöller*, p. 92-130.
39. Steigmann-Gall, *The Holy Reich*, p. 185-7 (um relato incompassivo, omitindo todos os detalhes dos maus-tratos a Niemöller); Conway, *The Nazi Persecution*, p. 212-3 e p. 433, nota 24; Bentley, *Martin Niemöller*, p. 143-7. Niemöller foi julgado junto com Otto Dibelius, outra figura importante, ainda que menos conhecida, da Igreja Confessante, que também foi inocentado.
40. Stein, *I Was in Hell*, p. 147-51, citações nas p. 148, 151.
41. Bentley, *Martin Niemöller*, p. 147-57.

42. Gailus, *Protestantismus*, p. 329-31, 333-44.
43. Peter Novick, *The Holocaust and Collective Memory: The American Experience* (Londres, 2000), p. 221; o texto autorizado pela viúva de Niemöller, Sibylle Niemöller, é citado na íntegra (em alemão) em Ruth Zerner, "Martin Niemöller, Activist as Bystander: The Oft-Quoted Reflection", em Marvin Perry e Frederick M. Schweitzer (eds.), *Jewish-Christian Encounters over the Centuries: Symbiosis, Prejudice, Holocaust, Dialogue* (Nova York, 1994), p. 327-40, na p. 336, nota 7.
44. Manipulações subsequentes da declaração de Niemöller na *Encyclopedia of the Holocaust* e em outros locais deslocaram os judeus para o primeiro lugar da lista; outras, inclusive o Museu Memorial do Holocausto em Washington, DC, omitiram os comunistas por completo. Ver Lionel Kochan, "Martin Niemöller", em Yisrael Gutman (ed.), *Encyclopedia of the Holocaust* (4 vols., Nova York, 1990), III, p. 1.061; Jeshajahu Weinberg e Rhina Elieli, *The Holocaust Museum in Washington* (Nova York, 1995), p. 163. Em 1946, Niemöller comentou em um sermão após a guerra que, em 1933, se ele tivesse reconhecido que o próprio Jesus Cristo estava sendo aprisionado com os comunistas que eram jogados nos campos de concentração, e tivesse ficado ao lado deles, as coisas poderiam ter sido diferentes (Bentley, *Martin Niemöller*, p. 165).
45. Adolf Hitler, *Mein Kampf*, (trad. Ralph Manheim, Londres, 1969 [1925-27]), p. 393; de modo mais geral, ver Steigmann-Gall, *The Holy Reich*, p. 29-46, 51-84.
46. Ibid., p. 133-4.
47. Para algumas qualificações, ver Oded Heilbronner, *Die Achillesferse des deutschen Katholizismus* (Gerlingen, 1998). Para a crítica católica dos nazistas, ver Guenter Lewy, *The Catholic Church and Nazi Germany* (Nova York, 1964), p. 3-24.
48. Alfons Kupper (ed.), *Staatliche Akten über die Reichskonkordatsverhandlungen 1933* (Mainz, 1969), fornece extensa documentação sobre as preocupações da Igreja.
49. Scholder, *Die Kirchen*, I, p. 627-62, citações na p. 630, 632; Lewy, *The Catholic Church*, p. 115-50. Para detalhes sobre a variedade de posições dentro da Igreja quanto a essas táticas, ver Ludwig Volk, *Bayerns Episkopat und Klerus in der Auseinandersetzung mit dem Nationalsozialismus 1930-1934* (Mainz, 1965); e Saul Friedländer, *Pius XII and the Third Reich* (Londres, 1966).
50. Conway, *The Nazi Persecution*, p. 67-71, 89-90.
51. Ibid., p. 78-81.
52. Ibid., p. 90-4; Lewy, *The Catholic Church*, p. 168-75; ver p. 51-6, para os acontecimentos de 1934.
53. Alfred Rosenberg, *Der Mythus des 20. Jahrhunderts: Eine Wertung der seelisch--geistigen Gestaltenkämpfe unserer Zeit* (Munique, 1935), esp. p. 607-36; Robert Cecil, *The Myth of the Master Race: Alfred Rosenberg and Nazi Ideology* (Londres, 1972), esp. p. 82-104, ainda é o melhor relato sobre as ideias de Rosenberg.
54. Klein (ed.), *Die Lageberichte*, p. 270 (Lagebericht, maio de 1935); Lewy, *The Catholic Church*, p. 151-68.
55. Bernhard Stasiewski (ed.), *Akten deutscher Bischöfe über die Lage der Kirche 1933--1945*, II: *1934-1935* (Mainz, 1976), p. 299-300 (Hirtenwort des deutschen Episkopats, 23 de agosto de 1935).
56. Peter Löffler (ed.), *Bischof Clemens August Graf von Galen: Akten, Briefe und Predigten 1933-1946*, I: *1933-1939* (Mainz, 1988), p. lxiv-lxvii, 168-84.
57. Ibid., p. 188-9 (Galen para Hitler, 7 de abril de 1935).

58. Conway, *The Nazi Persecution*, p. 107-12; Klein (ed.), *Die Lageberichte*, p. 193, 207--8, 235, 246-8, 270, 282.
59. Ibid., p. 319; Conway, *The Nazi Persecution*, p. 157-60.
60. Klein (ed.), *Die Lageberichte*, p. 364.
61. Ibid., p. 208, 222-3.
62. Witetschek (ed.), *Die kirchliche Lage*, I: *Regierungsbezirk Oberbayern* (Mainz, 1966), p. 145, 150, 153 (relatórios de 9 de junho e 7-10 de julho de 1936).
63. Ibid., p. 251 (Monatsbericht der Regierung Oberbayern, 10 de julho de 1937).
64. Fröhlich (ed.), *Die Tagebücher*, I/III, p. 353-4 (31 de janeiro de 1937); ver mais em geral Hans Günter Hockerts, "Die Goebbels-Tagebücher 1932-1941: Eine neue Hauptquelle zur Erforschung der nationalsozialistischen Kirchenpolitik", em Dieter Albrecht et al. (eds.), *Politik und Konfession: Festschrift für Konrad Repgen zum 60. Geburtstag* (Berlim, 1983), p. 359-92.
65. Jeremy Noakes, "The Oldenburg Crucifix Struggle of November 1936: A Case Study of Opposition in the Third Reich", em Peter D. Stachura (ed.), *The Shaping of the Nazi State* (Londres, 1978), p. 210-33. Para um incidente semelhante em Cham, na Baviera, ver Walter Ziegler (ed.), *Die kirchliche Lage in Bayern nach den Regierungspräsidentenberichten 1933-1943*, IV: *Regierungsbezirk Niederbayern und Oberpfalz 1933-1945* (Mainz, 1973), p. 229 (Monatsbericht der Regierung Regensburg, 8 de maio de 1939); para documentos sobre o estado da Igreja em Aachen, ver Bernhard Vollmer (ed.), *Volksopposition im Polizeistaat: Gestapo und Regierungsberichte 1934 bis 1936* (Stuttgart, 1957); para Baden, ver Jörg Schadt (ed.), *Verfolgung und Widerstand unter dem Nationalsozialismus in Baden: Die Lageberichte der Gestapo und des Generalstaatsanwalts Karlsruhe 1933-1940* (Stuttgart, 1975).
66. Heinz Boberach (ed.), *Berichte des SD und der Gestapo über Kirchen und Kirchenvolk in Deutschland 1934-1944* (Mainz, 1971): "Lageberichte des Chefs des Sicherheitsamtes des Reichsführers SS, Mai/Juni 1934", p. 3-63, nas p. 25-31; ibid.: "Das katholische Vereinswesen: Die Organisation der katholischen Jugendvereine. Sonderbericht des Chefs des Sicherheitshauptamtes des Reichsführers SS, September 1935", p. 118-51 (citação na p. 125); ibid. "Lagebericht der Zentralabteilung II/1 des Sicherheitshauptamtes des Reichsführers SS, September 1935", p. 118-51 (citado na p. 125); ibid.: "Lagebericht der Zentralabteilung II/1 des Sicherheitshauptamtes des Reichsführers SS für Januar 1938", p. 274-8.
67. Steinweis, *Art*, p. 137-8.
68. Dieter Albrecht (ed.), *Der Notenwechsel zwischen dem Heiligen Stuhl und der deutschen Reichsregierung* (3 vols., Mainz, 1965-80), I: *Von der Ratifizierung des Reichskonkordats bis zur Enzyklika "Mit brennender Sorge"*, esp. 6 (Denkschrift des erzbischöflichen Ordinariats München-Freising, 2 de outubro de 1933), p. 3-8, 37--44 e resposta do governo alemão em 15 de janeiro de 1934 (Promemoria des Heiligen Stuhls an die deutsche Reichsregierung, 31 de janeiro de 1934), p. 47-72, etc.
69. Ibid., p. 61.
70. Witetschek (ed.), *Die kirchliche Lage*, III: *Regierungsbezirk Schwaben* (Mainz, 1971), oferece uma impressão particularmente boa da miríade de brigas locais; ver também Ziegler (ed.), *Die kirchliche Lage*, IV, p. xxxv; Edward N. Peterson, *The Limits of Hitler's Power* (Princeton, NJ, 1969), p. 301-4; e Ian Kershaw, *Popular Opinion and Political Dissent in the Third Reich: Bavaria 1933-1945* (Oxford, 1983), p. 185-223.

71. Ambos os esboços da encíclica republicados em Albrecht (ed.), *Der Notenwechsel*, I, p. 404-43.
72. Ibid., p. 410; tradução em inglês contemporâneo em *On the Condition of the Church in Germany* (Londres, 1937); ver também Ernst C. Helmreich, *The German Churches under Hitler: Background, Struggle and Epilogue* (Detroit, Mich., 1979), p. 279-83; Conway, *The Nazi Persecution*, p. 164-7.
73. Albrecht (ed.), *Der Notenwechsel*, I, p. 421.
74. Ibid., II: *1937-1945*, resposta do embaixador alemão para Pacelli, 12 de abril de 1937 (1-5) e correspondência que se seguiu; também Witetschek, *Die kirchliche Lage*, II, p. 166-71 (Monatsbericht der Regierung Ansbach, 6 de abril de 1937).
75. Boberach (ed.), *Berichte* (Lagebericht der Zentralabteilung II/1 des Sicherheitshauptamtes des Reichsführers SS für Januar 1938), p. 274-8.
76. Edward D. R. Harrison, "The Nazi Dissolution of the Monasteries: A Case-Study", *English Historical Review*, 109 (1994), p. 323-55; Witetschek (ed.), *Die Kirchliche Lage*, I, p. 244-6, 252-3, 299 (relatórios da Polizeidirektion de 7 de julho de 1937, 7 de agosto de 1937, relatório de Regierung, 10 de novembro de 1938).
77. Ulrich von Hehl *et al.* (eds.), *Priester unter Hitlers Terror: Eine biographische und statistische Erhebung* (2 vols., Mainz, 1996 [1984]).
78. *Völkischer Beobachter*, 212 (31 de julho de 1935), p. 2; ibid., p. 337, Ausgabe A/ Norddeutsche Ausgabe, Berlim, 3 de dezembro de 1935, capa.
79. Ibid., p. 345, 11 de dezembro de 1935, p. 2; *Nachtausgabe*, p. 121, 26 de maio de 1936.
80. *Berliner Morgenpost*, 102, 29 de abril de 1937, capa; para padres e monges acusados de crime sexual contra meninas, ver Ziegler (ed.), *Die kirchliche Lage*, IV, p. 173-5 (Monatsbericht der Regierung Regensburg, 8 de dezembro de 1937).
81. *12-Uhr-Blatt*, Berlim, 102, 29 de abril de 1937, capa.
82. Ibid., 128, 29 de maio de 1937, capa.
83. Hans Günter Hockerts, *Die Sittlichkeitsprozesse gegen katholische Ordensangehörige und Priester 1936/37: Eine Studie zur nationalsozialistischen Herrschaftstechnik und zum Kirchenkampf* (Mainz, 1971), p. 78-112; citação do *Völkischer Beobachter*, 12 de junho de 1936, na p. 91.
84. Citado em Reuth, *Goebbels*, p. 361.
85. *12-Uhr-Blatt*, Berlim, 128, 29 de maio de 1937, p. 1-2; *Nachtausgabe*, 122, 29 de maio de 1937, p. 3; *Völkischer Beobachter*, 159, 30 de maio de 1937, p. 3-4; Hockerts, *Die Sittlichkeitsprozesse*, p. 113-8.
86. Conway, *The Nazi Persecution*, p. 168-91; citação de Bertram na p. 179; Hockerts, *Die Sittlichkeitsprozesse*, p. 132-46. Broszat *et al.* (eds.), *Bayern*, I, p. 107.
87. *Völkischer Beobachter*, 145, 25 de maio de 1937, p. 3.
88. Conway, *The Nazi Persecution*, p. 168-95; Witetschek (ed.), *Die kirchliche Lage*, II, p. 300, nota 2; George L. Mosse (ed.), *Nazi Culture: Intellectual, Cultural and Social Life in the Third Reich* (Nova York, 1975), p. 250-5, citando uma lista de queixas do bispo da Igreja Confessante Theophil Wurm, de Württemberg, a partir de junho de 1939, em Joachim Beckmann (ed.), *Kirchliches Jahrbuch für die evangelische Kirche in Deutschland 1933-1944* (Gütersloh, 1948), p. 343-7; Rolf Eilers, *Die nationalsozialistische Schulpolitik: Eine Studie zur Funktion der Erziehung im totalitären Staat* (Colônia, 1963), p. 22-8, 85-92 para estatísticas; um bom estudo regional de Franz

Sonnenberger, "Der neue 'Kulturkampf'. Die Gemeinschaftsschule und ihre historischen Voraussetzungen", em Broszat *et al.* (eds.), *Bayern*, III, p. 235-327.
89. Witetschek (ed.), *Die kirchliche Lage*, I: 283 (Monatsbericht der Regierung Oberbayern, 9 de dezembro de 1937).
90. Helmut Prantl (ed.), *Die kirchliche Lage in Bayern nach den Regierungspräsidentenberichten 1933-1945*, V: *Regierungsbezirk Pfalz 1933-1940* (Mainz, 1978), lv.
91. Ziegler (ed.), *Die kirchliche Lage*, IV, p. 201 (Monatsbericht der Regierung Regensburg, 8 de junho de 1938).
92. Albrecht (ed.), *Der Notenwechsel*, II, *passim*.
93. Citado em Conway, *The Nazi Persecution*, p. 216-7.
94. Ibid., p. 218-9; Ian Kershaw, *The "Hitler Myth"*, p. 105-20. Para o professor escolar da aldeia como força motriz na luta contra a Igreja liderada pelo padre da cidadezinha, ver os elucidativos relatórios contemporâneos da organização de professores nazistas em Broszat *et al.* (eds.), *Bayern*, I, p. 549-51.
95. Evans, *The Coming of the Third Reich*, p. 13-4: Denis Mack Smith, *Modern Italy: A Political History* (New Haven, 1997 [1959]), p. 83-5, 91-2, 200-1; Theodore Zeldin (ed.), *Conflicts in French Society: Anticlericalism, Education and Morals in the Nineteenth Century* (Londres, 1970).
96. Steigmann-Gall, *The Holy Reich*, p. 91-101.
97. Para alegações exageradas sobre a influência de Rosenberg, ver, por exemplo, Robert A. Pois, *National Socialism and the Religion of Nature* (Londres, 1986), esp. p. 42.
98. Henry Picker, *Hitlers Tichgespräche im Führerhauptquartier 1941-42* (Bonn, 1951), 275 (11 de abril de 1942); Fest, *The Face*, p. 254-5.
99. Reinhard Bollmus, "Alfred Rosenberg: National Socialism's 'Chief Ideologue'?", em Smelser e Zitelmann (eds.), *The Nazi Elite*, p. 183-93, na p. 187; e mais genericamente Harald Iber, *Christlicher Glaube oder rassischer Mythus: Die Auseinandersetzung der Bekennenden Kirche mit Alfred Rosenbergs 'Der Mythus des 20. Jahrhunderts'* (Frankfurt am Main, 1987), esp. p. 170-81; e Raimund Baumgärtner, *Weltanschauungskampf im Dritten Reich: Die Auseinandersetzung der Kirchen mit Alfred Rosenberg* (Mainz, 1977), esp. p. 106-34, 153.
100. Promemoria des Heiligen Stuhls an die Deutsche Reichsregierung, 13 de maio de 1934, em Albrecht (ed.), *Der Notenwechsel*, p. 125-64, nas p. 134-7, também citado e traduzido em Conway, *The Nazi Persecution*, p. 109.
101. Johann Neuhäusler, *Kreuz und Hakenkreuz: Der Kampf des Nationalsozialismus gegen die katholische Kirche und der kirchliche Widerstand* (Munique, 1946), p. 251, citado em Mosse (ed.), *Nazi Culture*, p. 241.
102. Documento de Nuremberg PS-3751, em Wulf, *Literatur*, p. 299-300. Para mais exemplos, ver Gilmer W. Blackburn, *Education in the Third Reich: A Study of Race and History in Nazi Textbooks* (Albany, NY, 1985), p. 75-92, na p. 85.
103. Reck-Malleczewen, *Diary*, p. 33. Para a confiabilidade um tanto questionável dos casos de Reck, ver p. 573 neste livro.
104. Steigmann-Gall, *The Holy Reich*, p. 126-7; Albrecht (ed.), *Der Notenwechsel*, I, p. 134-7.
105. Steigmann-Gall, *The Holy Reich*, p. 101-4.
106. Ackermann, *Heinrich Himmler*, p. 253-4; Bradley F. Smith e Agnes F. Peterson (eds.), *Heinrich Himmler-Geheimreden 1933-1945 und andere Ansprachen* (Frankfurt

am Main, 1974), p. 160-1; Hans-Jochen Gamm, *Der braune Kult: Das Dritte Reich und seine Ersatzreligion: Ein Breitag zur politischen Bildung* (Hamburgo, 1962), esp. p. 78-89, 156-90; Manfred Ach e Clemens Pentrop (eds.), *Hitlers "Religion": Pseudoreligiöse Elemente im nationalsozialistischen Sprachgebrauch* (Munique, 1991 [1979]).
107. Klein (ed.), *Die Lageberichte*, I, p. 195; (Übersicht der Staatspolizeistelle Kassel über die politische Lage im November 1934); Steigmann-Gall, *The Holy Reich*, p. 222.
108. Ibid., p. 87-91.
109. Ibid., p. 219-28.
110. Ibid., p. 230-40.
111. Conway, *The Nazi Persecution*, p. 213-22; Heike Kreutzer, *Das Reichskirchenministerium im Gefüge der nationalsozialistischen Herrschaft* (Düsseldorf, 2000), esp. p. 100-30.
112. Gailus, *Protestantismus*, p. 664-6.
113. Detlef Garbe, *Zwischen Widerstand und Martyrium: Die Zeugen Jehovas im "Dritten Reich"* (Munique, 1993); Michael H. Kater, "Die ernsten Bibelforscher im Dritten Reich", *VfZ* 17 (1969), p. 181-218; Zeidler, *Das Sondergericht Freiberg*, p. 49-55; Gerhard Hetzer, "Ernste Bibelforscher in Augsburg", em Broszat *et al.* (eds.), *Bayern*, IV, p. 621-43. Existe um bom estudo local em Walter Struve, *Aufstieg und Herrschaft des Nationalsozialismus in einer industriellen Kleinstadt: Osterode am Harz 1918-1945* (Essen, 1992), p. 242-74.
114. Wachsmann, *Hitler's Prisons*, p. 125-8; Hans-Ulrich Ludewig e Dietrich Kuessner, *"Es sei also jeder gewarnt": Das Sondergericht Braunschweig 1933-1945* (Braunschweig, 2000), p. 89-90.
115. Hans-Eckard Niermann, *Die Durchsetzung politischer und politisierter Strafjustiz im Dritten Reich* (Düsseldorf, 1995), p. 295-305; Schmidt, *"Beabsichtige ich, die Todesstrafe zu beantragen"*, p. 105-7; Wachsmann, *Hitler's Prisons*, p. 180-3.
116. Höss, *Commandant*, p. 94-8, 151-2.
117. Ribbe (ed.), *Die Lageberichte*, p. 230 (Lagebericht der Staatspolizeistelle Potsdam führ Februar 1935).
118. Höhne, *The Order*, p. 131-6; Ackermann, *Heinrich Himmler*, p. 253-4; Steigmann-Gall, *The Holy Reich*, p. 120, 122, 132, 149-53. Para as visões de Hitler quanto às ideias religiosas de Himmler, ver Speer, *Inside*, p. 94-5, 122. Para a inquietação pública quanto à "suposta hostilidade da SS à cristandade", ver Ribbe (ed.), *Die Lageberichte*, p. 429 (Lagebericht der Staatspolizeistelle Postdam führ den Monat Februar 1936). Ver também Wolfgang Dierker, "'Niema's Jesuiten, Niema's Sektierer": Die Religionspolitik des SD 1933-1941", em Michael Wildt (ed.), *Nachrichtendienst, politische Elite, Mordeinheit: Der Sicherheitsdienst des Reichsführers SS* (Hamburgo, 2003), p. 86-117.
119. Domarus, *Hitler*, III, p. 1145-7 (tradução corrigida).
120. Klaus Vondung, *Magie und Manipulation: Ideologischer Kult und politische Religion des Nationalsozialismus* (Göttingen, 1971); Eric Voegelin, *The New Science of Politics: An Introduction* (Chicago, 1952); James M. Rhodes, *The Hitler Movement: A Modern Millenarian Revolution* (Stanford, 1980); Uriel Tal, *Structures of German "Political Teology" in the Nazi Era* (Tel Aviv, 1979); Claus-Ekkehard Bärsch, *Die politische Religion des Nationalsozialismus: Die religiöse Dimension der NS-Ideologie*

in den Schriften von Dietrich Eckart, Joseph Goebbels, Alfred Rosenberg und Adolf Hitler (Munique, 1998); Michael Ley e Julius H. Schoeps (eds.), Der Nationalsozialismus als politische Religion (Bodenheim, 1997); Hans Maier, Politische Religionen: Die totalitären Regime und das Christentum (Freiburg, 1995).

121. Numerosos exemplos em Blackburn, Education, capítulo 4 ("The Secular Religious Character of National Socialist History", p. 75-92); para um comentário contemporâneo sobre o uso de linguagem religiosa em relação a Hitler, ver Klemperer, I Shall Bear Witness, 39 (11 de novembro de 1933).
122. Domarus (ed.), Hitler, II, p. 833.
123. Gailus, Protestantismus, p. 664-5; Kershaw, The "Hitler Myth", p. 106-8.
124. Philippe Burrin, "Political Religion. The Relevance of a Concept", History and Memory, 9 (1997), p. 321-49, fornece mais exemplos de linguagem religiosa na retórica nazista, mas passa muito por alto sobre a hostilidade de Hitler ao revival do paganismo pseudoalemão: Richard Steigmann-Gall, "Was National Socialism a Political Religion or a Religious Politics?", em Michael Geyer e Hartmut Lehmann (eds.), Religion und Nation: Nation und Religion. Beiträge zu einer unbewältigten Geschichte (Göttingen, 2004), p. 386-408, fornece exemplos adicionais da hostilidade de muitas lideranças nazistas à pseudorreligião pagã.
125. George L. Mosse, The Nationalization of the Masses: Political Symbolism and Mass Movements in Germany from the Napoleonic Wars through the Third Reich (Nova York, 1975), esp. p. 207-17.
126. Blackburn, Education, p. 87.
127. Detlev J. K. Peukert, "The Genesis of the 'Final Solution' from the Spirit of Science", em Thomas Childers e Jane Caplan (eds.), Reevaluating the Third Reich (Nova York, 1993), p. 234-52.
128. "Aus dem Jahresbericht des Direktors der Grossen Stadtschule (Gymnasium und Oberrealschule) zu Wismar über das Schuljahr 1933/34", nº 105 em Joachim S. Hohmann e Hermann Langer (eds.), "Stolz, ein Deutscher zu sein..." Nationales Selbstverständnis in Schulaufsätzen 1914-1945 (Frankfurt am Main, 1995), p. 208.
129. Ibid., p. 226, nº 118: "Adolf Hitler als Knabe: Aus dem Schreibheft von A. Sch., Weingarten, o.J.".
130. Ibid., p. 257, nº 142: "Waren unsere germanischen Vorfahren Barbaren? Aufsatz des Schülers M. K., Volksschule Tiefensee, 22. September de 1937".
131. Ibid., p. 276-7, nº 156: "Totengedenken. Aufsatzentwurf des 14jährigen Schülers M. K., Volksschule Tiefensee, vom November 1938".
132. Behnken (ed.), Deutschland-Berichte, II (1935), p. 203.
133. Hohmann e Langer (eds.), "Stolz", p. 270-1, nº 153: "Die Judenfrage ist eine Rassenfrage. Aufsatzentwurf von M. K., Schüler der 8. Klasse an der Volksschule in Tiefensee, Kreis Eilenburg, 1938"; mais exemplos de trabalhos escolares desse período em Dieter Rossmeissl, "Ganz Deutschland wird zum Führer halten..." Zur politischen Erziehung in den Schulen des Dritten Reiches (Frankfurt am Main, 1985), p. 110-66.
134. Blackburn, Education, p. 34-74; Mosse (ed.), Nazi Culture, p. 283-4; citando The Times (Londres), 29 de janeiro de 1935. Ver também Kurt-Ingo Flessau, Schule der Diktatur: Lehrpläne und Schulbücher des Nationalsozialismus (Munique, 1977), p. 59-62, 76-82.

135. Hohmann e Langer, *"Stolz"*, p. 209; Eilers, *Die nationalsozialistische Schulpolitik*, p. 13-5.
136. Ilustração reproduzida em Lisa Pine, *Nazi Family Policy, 1933-1945* (Oxford, 1997), p. 59; ver mais genericamente Rossmeissl, *"Ganz Deutschland"*, p. 171-80.
137. *Deutsches Lesebuch für Volksschulen: Fünftes und sechstes Schuljahr* (Braunschweig, s.d.), p. 365-6, citado em Mosse (ed.), *Nazi Culture*, p. 291-3.
138. Franz Pöggeler, "Politische Inhalte in Fibeln und Lesebüchern des 'Dritten Reiches'", em Joachim S. Hohmann (ed.), *Erster Weltkrieg und Nationalsozialistische "Bewegung" im deutschen Lesebuch 1933-1945* (Frankfurt am Main, 1988), p. 75-104.
139. Para um exemplo desse tipo de ilustração em livros didáticos, ver Hohmann e Langer, *"Stolz"*, p. 234; também Lisa Pine, "The Dissemination of Nazi Ideology and Family Values through School Textbooks", *History of Education*, 25 (1996), p. 91-110; e ilustrações em idem, *Nazi Family Policy*, p. 61-3.
140. Sylvelin Wissmann, *Es war eben unsere Schulzeit: Das Bremer Volksschulwesen unter dem Nationalsozialismus* (Bremen, 1993), p. 52; mais genericamente, ver Eilers, *Die nationalsozialistische Schulpolitik*, p. 28-30, e Flessau, *Schule der Diktatur*, p. 66-73.
141. Behnken (ed.), *Deutschland-Berichte*, III (1936), p. 197-8. Para diretivas oficiais, ver Margarete Götz, *Die Grundschule in der Zeit des Nationalsozialismus: Eine Untersuchung der inneren Augestaltung der vier unteren Jahrgänge der Volksschule auf der Grundlage amtlicher Massnahmen* (Bad Heilbrunn, 1997), esp. p. 40-140. Para o uso de panfletos nazistas não oficiais e material de ensino distribuído às escolas antes de os livros didáticos oficiais revisados serem publicados, ver Benjamin Ortmeyer, *Schulzeit unterm Hitlerbild. Analysen, Berichte, Dokumente* (Frankfurt am Main, 1996), esp. p. 50-4; em termos mais gerais, ver Joachim Trapp, *Kölner Schulen in der NS-Zeit* (Colônia, 1994), p. 1-112.
142. Kurt-Ingo Flessau, "Schulen der Partei(lichkeit)? Notizen zum allgemeinbildenden Schulwesen des Dritten Reichs", em idem *et al.* (eds.), *Erziehung im Nationalsozialismus: "... und sie werden nicht mehr frei ihr ganzes Leben!"* (Colônia, 1987), p. 65-82; idem, *Schule der Diktatur*, p. 13-20; Wissmann, *Es war eben unsere Schulzeit*, p. 162, 193, para pôsteres e quadros de aviso; Eilers, *Die nationalsozialistische Schulpolitik*, p. 31-7; a exibição de filmes nas escolas tornou-se objeto de uma típica briga de poder nazista entre o Ministério da Propaganda e o Ministério da Educação (ibid., p. 32). O rádio escolar tinha pouca importância nessa época (ibid., p. 32-3). Para as festividades, ver Rossmeissl, *"Ganz Deutschland"*, p. 69-76.
143. Wolfgang Keim, *Erziehung unter der Nazi-Diktatur*, II: *Kriegsvorbereitung, Krieg und Holocaust* (Darmstadt, 1997), p. 34-56; Reinhard Dithmar, "Literaturunterricht und Kriegserlebnis im Spiegel der nationalsozialistischen Programmatik", em Hohmann (ed.), *Erster Weltkrieg*, p. 54-74; Roland Schopf, "Von Nibelungentreue, Märtyrertod und verschwörerischer Verschwiegenheit", em ibid., p. 194-214; Eilers, *Die nationalsozialistische Schulpolitik*, p. 85-98.
144. Norbert Hopster e Ulrich Nassen, *Literatur und Erziehung im Nationalsozialismus: Deutschunterricht als Körperkultur* (Paderborn, 1983), p. 31-40; Flessau, *Schule der Diktatur*, p. 58-9.
145. Ibid., p. 140-3.
146. Ortmeyer, *Schulzeit*, p. 55-78, para a nazificação de uma variedade de matérias; também Geert Platner (ed.), *Schule im Dritten Reich: Erziehung zum Tod? Eine*

Dokumentation (Munique, 1983), p. 42-54 e 246-55 para racismo, e p. 55-62 e 203--45 para militarismo.
147. Flessau, *Schule der Diktatur*, p. 82-4, 143-54.
148. Citado em Behnken (ed.), *Deutschland-Berichte*, VI (1939), p. 329; exemplos também em Wissmann, *Es war eben unsere Schulzeit*, p. 59-69.
149. Franz Schnass, *Nationalpolitische Heimat- und Erdkunde* (Osterwieck am Harz, 1938), esp. p. 54-5; Bruno Plache, *Das Raumgefüge der Welt. Erdkundebuch für Schulen mit höheren Lehrzielen*, I: *Deutschland* (Göttingen, 1939), esp. p. 2. Hans--Günther Bracht, *Das höhere Schulwesen im Spannungsfeld von Demokratie und Nationalsozialismus: Ein Beitrag zur Kontinuitätsdebatte am Beispiel der preussischen Aufbauschule* (Frankfurt am Main, 1998), p. 603-17, enfatiza demais a resistência desse tema de se reenquadrar em termos de ideologia nazista.
150. Flessau, *Schule der Diktatur*, p. 82-3.
151. Henning Heske, "*...und morgen die ganze Welt...*" *Erdkundeunterricht im Nationalsozialismus* (Giessen, 1988), p. 188-250; exemplos incluem Ekkehart Staritz, *Deutsches Volk und deutscher Raum: Vom alten Germanien zum Dritten Reich* (Berlim, 1938), e Friedrich W. Schaafhausen, *Das Auslandsdeutschtum* (Colônia, 1934). Para um bom resumo do ensino nazista, ver Margret Kraul, *Das deutsche Gymnasium 1780-1980* (Frankfurt am Main, 1984), p. 157-65.
152. Flessau, *Schule der Diktatur*, p. 99, 138-9.
153. Karl August Eckhardt, *Die Grundschulausbildung* (Dortmund, 1938), p. 90.
154. Platner (ed.), *Schule*, p. 121-3. Porém, as reminiscências de muitos alemães famosos publicadas nessa coleção, como as do ex-chanceler federal Helmut Kohl (p. 82-3), subestimam a extensão em que as escolas ficaram impregnadas de racismo e militarismo nesse período; os excertos de livros didáticos reproduzidos mais adiante (p. 203-65) fornecem uma correção implícita.
155. Trapp, *Kölner Schulen*, p. 39-40, 51-5.
156. "Six Years Education in Nazi Germany", de um autor anônimo, escrito em 1945 ou 1946; texto datilografado no Leonard Nachlass, Caixa 12, Folder "Englische Untersuchungen ueber die Deutschen zu verschiedenen Fragen der Schulpolitik", Georg-Eckert Institut für Schulbuchforschung, Braunschweig. Sou grato a Riccarda Torriani por me fornecer uma cópia desse documento.
157. Ver Bracht, *Das höhere Schulwesen*, para um bom relato do equilíbrio entre liberdade e coerção na situação do ensino em uma escola maior. Hermann Schnorbach (ed.), *Lehrer und Schule unterm Hakenkreuz: Dokumente des Widerstands von 1930 bis 1945* (Königstein im Taunus, 1983), é notável pela falta de quaisquer documentos sobre a resistência de professores e seus alunos no Terceiro Reich. Ver também Michael H. Kater, *Hitler Youth* (Cambridge, Mass., 2004), p. 42-4, sobre a crescente politização e anuência dos professores. Para alunos judeus, ver p. 632-3 neste livro.
158. Eilers, *Die nationalsozialistische Schulpolitik*, p. 66-9 (números na p. 68, nota 140).
159. Wolfgang Wippermann, "Das Berliner Schulwesen in der NS-Zeit. Fragen, Thesen und metodische Bemerkungen", em Benno Schmoldt (ed.), *Schule in Berlin: Gestern und heute* (Berlim, 1989), p. 57-73, nas p. 61-3; e Michael Burleigh e Wolfgang Wippermann, *The Racial State: Germany 1933-1945* (Cambridge, 1991), p. 208, recorrendo àquele artigo e outras fontes históricas locais.
160. Eilers, *Die nationalsozialistische Schulpolitik*, p. 98-9.

161. Ibid., p. 3-6, 69-75.
162. Ibid., p. 6, 72-5, 76-85; Willi Feiten, *Der nationalsozialistische Lehrerbund: Entwicklung und Organisation: Ein Beitrag zum Aufbau und zur Organisationsstruktur des nationalsozialistischen Herrschaftssystems* (Weinheim, 1981), p. 177-84 (números na p. 181); Wolfgang Keim, *Erziehung unter der Nazi-Diktatur*, I: *Antidemokratische Potentiale, Machtantritt und Machtdurchsetzung* (Darmstadt, 1995), p. 97-112. Schemm morreu em 1935 e seu sucessor, Wächtler, corrigiu a data da fundação de 1927 para 1929, visto que foi nesse ano que ele filiou-se. Ver Schnorbach (ed.), *Lehrer und Schule*, p. 26-7; Behnken (ed.), *Deutschland-Berichte*, IV (1937), p. 874-5; e Trapp, *Kölner Schulen*, p. 28-47.
163. Behnken (ed.), *Deutschland-Berichte*, II (1935), p. 203; Wilfried Breyvogel e Thomas Lohmann, "Schulalltag im Nationalsozialismus", em Peukert e Reulecke (eds.), *Die Reihen fast geschlossen*, p. 199-221, nas p. 215-6.
164. Breyvogel e Lohmann, "Schulalltag", p. 216-8; exemplos de punição corporal em Behnken (ed.), *Deutschland-Berichte*, II (1935), p. 208-9.
165. Broszat et al. (eds.), *Bayern*, I, p. 543 ("Bericht NSLB, Kreis Garmisch-Partenkirchen, Gau München-Oberbayern", 2 de junho de 1938); Trapp, *Kölner Schulen*, p. 39.
166. Broszat et al. (eds.), *Bayern*, II, p. 531-2.
167. Behnken (ed.), *Deutschland-Berichte*, II (1935), p. 205-12, e III (1936), p. 205-7, provavelmente superestimando a extensão da oposição dos professores ao regime. Mais comentários sobre a queda nos números de professores em ibid., VI (1939), p. 322-6.
168. Estatísticas oficiais, citadas e comentadas, em ibid., VI (1939), p. 319-20.
169. Ibid., I (1934), p. 580.
170. Ibid. III (1936), p. 190-2.
171. Ibid., VI (1939), p. 321.
172. Ibid., I (1934), p. 568.
173. Ibid., II (1935), p. 202; Wissmann, *Es war eben unsere Schulzeit*, p. 173.
174. Behnken (ed.), *Deutschland-Berichte*, IV (1937), p. 1048-9; Rossmeissl, "*Ganz Deutschland*", p. 47-50.
175. Eilers, *Die nationalsozialistische Schulpolitik*, p. 54-66.
176. Behnken (ed.), *Deutschland-Berichte*, I (1934), p. 567-74.
177. Ibid., III (1936), p. 192.
178. Kater, *Hitler Youth*, p. 16; Arno Klönne, *Jugend im Dritten Reich: Die Hitler-Jugend und ihre Gegner* (Colônia, 1999 [1982]), p. 33-4. Para exemplo de uma redação sobre o tema "Warum bin ich nicht in der Hitlerjugend?", de 25 de abril de 1934, ver Hohmann e Langer (eds.), "*Stolz*", p. 222-3 (nº 113; Aufsatz von M. S.: o estudante prometeu filiar-se sem demora].
179. Klönne, *Jugend*, p. 15-42, tabela de filiações na p. 33 (os números de 1939 incluem a Áustria e a região dos Sudetos). Para os dias sem aula, ver Behnken (ed.), *Deutschland--Berichte*, I (1934), p. 552, e Trapp, *Kölner Schulen*, p. 67-72 (também para a recusa do certificado de conclusão). Sobre a Juventude Hitlerista, ver mais recentemente Kater, *Hitler Youth*.
180. Ver Hubert Steinhaus, *Hitlers pädagogische Maximen: "Mein Kampf" und die Destruktion der Erziehung im Nationalsozialismus* (Frankfurt am Main, 1981), p. 65--75, e Flessau, *Schule der Diktatur*, p. 22-31.
181. Hitler, *Mein Kampf*, p. 380, 383, 389.

182. Karl Christoph Lingelbach, *Erziehung und Erziehungstheorien im nationalsozialistischen Deutschland: Ursprünge und Wandlungen der 1933-1945 in Deutschland vorherrschenden erziehungstheoretischen Strömungen; ihre politischen Funktionen und ihr Verhältnis zur ausserschulischen Erziehungspraxis des "Dritten Reiches"* (Frankfurt am Main, 1987 [1970]), p. 25-33, 65-80, 162-87; Ernst Hojer, *Nationalsozialismus und Pädagogik: Umfeld und Entwicklung der Pädagogik Ernst Kriecks* (Würzburg, 1996), p. 5-33 (sobre Hitler).
183. Domarus (ed.), *Hitler*, II, p. 701 (14 de setembro de 1935); frases adicionais.
184. Behnken (ed.), *Deutschland-Berichte*, III (1936), p. 1316.
185. Klönne, *Jugend*, p. 57-62.
186. Citado em Behnken (ed.), *Deutschland-Berichte*, V (1938), p. 1361.
187. Ibid., p. 1362.
188. Ibid., I (1934), p. 554.
189. Klönne, *Jugend*, p. 133-4, para um bom exemplo; ver também Hermann Graml, "Integration und Entfremdung: Inanspruchnahme durch Staatsjugend und Dienstpflicht", em Ute Benz e Wolfgang Benz (eds.), *Sozialisation und Traumatisierung: Kinder in der Zeit des Nationalsozialismus* (Frankfurt am Main, 1992), p. 70-9, nas p. 74-9.
190. Maschmann, *Account Rendered*, p. 19-20.
191. Ibid., p. 27-8; ver, mais genericamente, Dagmar Resse, "Bund Deutscher Mädel – Zur Geschichte der weiblichen deutschen Jugend im Dritten Reich", em Frauengruppe Faschismusforschung (ed.), *Mutterkreuz und Arbeitsbuch: Zur Geschichte der Frauen in der Weimarer Republik und im Nationalsozialismus* (Frankfurt am Main, 1981), p. 163-87.
192. Behnken (ed.), *Deutschland-Berichte*, I (1934), p. 554; mais genericamente, ver Klönne, *Jugend*, p. 121-7.
193. Behnken (ed.), *Deutschland-Berichte*, I (1934), p. 555.
194. Ibid., III (1936), p. 1313-4; reminiscências pessoais sobre o mesmo efeito em Hans Siemsen, *Die Geschichte des Hitlerjungen Adolf Goer* (Düsseldorf, 1947), p. 49.
195. Behnken (ed.), *Deutschland-Berichte*, IV (1937), p. 842-4.
196. Klönne, *Jugend*, p. 57; Rossmeissl, *"Ganz Deutschland"*, p. 77-89 (para as coletas).
197. Behnken (ed.), *Deutschland-Berichte*, I (1934), p. 556-7.
198. Ver Reichsjugendführung (ed.), *HJ im Dienst: Ausbildungsvorschrift für die Ertüchtigung der deutschen Jugend* (Berlim, 1935).
199. Baldur von Schirach, *Die Hitler-Jugend: Idee und Gestalt* (Leipzig, 1938 [1934]), p. 57-65.
200. Behnken (ed.), *Deutschland-Berichte*, I (1934), p. 559-60; ibid., II (1935), p.219-20; ibid., III (1936), p. 1314-6, 1323; mais exemplos em ibid., IV (1937), p. 839-42; mais exemplos de brutalidade em Kater, *Hitler Youth*, p. 30-1.
201. Behnken (ed.), *Deustchland-Berichte*, V (1938), p. 1366.
202. Ibid., p. 1378, 1391-2.
203. Ibid.; também ibid., III (1936), p. 1324-6; e "Six Years Education in Nazi Germany", p. 4 (nota 156 anterior).
204. Behnken (ed.), *Deustchland-Berichte*, V (1938), p. 1379.
205. Kurt Hass (ed.), *Jugend unterm Schicksal – Lebensberichte junger Deutscher 1946-1949* (Hamburgo, 1950)., p. 61-2, citado em Klönne, *Jugend*, p. 142-3.

206. Karl-Heinz Janssen, "Eine Welt brach zusamenn", em Hermann Glaser e Alex Silenius (eds.), *Jugend im Dritten Reich* (Frankfurt am Main, 1975), p. 88-90.
207. Behnken (ed.), *Deutschland-Berichte*, V (1938), p. 1391.
208. Ibid., V (1938), p. 1403.
209. Ibid., III (1936), p. 1320-2; Kater, *Hitler Youth*, p. 38, para exemplo de um membro da Juventude Hitlerista denunciando o pai à Gestapo por criticar Hitler.
210. Schirach, *Die Hitler-Jugend*, p. 104.
211. Behnken (ed.), *Deustchland-Berichte*, V (1938), p. 1403-5.
212. Ibid., III (1936), p. 1322-3; para exemplo semelhante, ver Klemperer, *I Shall Bear Witness*, 195 (31 de dezembro de 1936).
213. Behnken (ed.), *Deutschland-Berichte*, I (1934), p. 564-6.
214. Ibid., V (1938), p. 1392, 1395, 1398-400; mais exemplos em ibid., II (1935), p. 692--4.
215. Ibid., V (1938), p. 1396; ibid., III (1936), p. 1317-9, para mais escândalos sexuais; também Siemsen, *Die Geschichte*, p. 172-3.
216. Kater, *Hitler Youth*, p. 61-2, 151-2.
217. Behnken (ed.), *Deutschland-Berichte*, IV (1937), p. 845.
218. Ibid., IV (1937), p. 836, também 876-7; mais genericamente, Daniel B. Horn, "The Hitler Youth and Educational Decline in the Third Reich", *History of Education Quarterly*, 16 (1976), p. 425-47.
219. Wissmann, *Es war eben unsere Schulzeit*, p. 52.
220. Michael Zimmermann, "Ausbruchshoffnungen: Junge Bergleute in den dreissiger Jahren", em Niethammer (ed.), *"Die Jahre weiss man nicht"*, p. 97-132, nas p. 99--100.
221. Boberach (ed.), *Meldungen*, II, p. 286 (Vierteljahreslagebericht 1939 des Sicherheitshauptamtes).
222. Behnken (ed.), *Deutschland-Berichte*, I (1934), p. 574; Eilers, *Die nationalsozialistische Schulpolitik*, p. 121-6. Ver também, mais genericamente, Ortmeyer, *Schulzeit*, p. 61-4, e Rossmeissl, *"Ganz Deutschland"*, p. 54-7.
223. Trapp, *Kölner Schulen*, p. 39.
224. Eilers, *Die nationalsozialistische Schulpolitik*, p. 50-4, 111-4; Behnken (ed.), *Deutschland-Berichte*, VI (1939), p. 332.
225. Ibid., p. 313-4; Trapp, *Kölner Schulen*, p. 113-5.
226. Harald Scholtz, *NS-Ausleseschulen: Internatsschulen als Herrschaftsmittel des Führerstaates* (Göttingen, 1973), p. 29-49, 57-69; Eilers, *Die nationalsozialistische Schulpolitik*, p. 41-2.
227. Elke Fröhlich, "Die drei Typen der nationalsozialistischen Ausleseschulen", em Johannes Leeb (ed.), *"Wir waren Hitlers Eliteschüler": Ehemalige Zöglinge der NS--Ausleseschulen brechen ihr Schweigen* (Hamburgo, 1998), p. 192-210, nas p. 194-6 e 200.
228. Ibid., p. 201; Behnken (ed.), *Deutschland-Berichte*, V (1938), p. 1386.
229. Fröhlich, "Die drei Typen", p. 196-7.
230. Scholtz, *NS-Ausleseschulen*, p. 69; Horst Ueberhorst (ed.), *Elite für die Diktatur: Die Nationalpolitischen Erziehungsanstalten 1933-1945: Ein Dokumentar-bericht* (Düsseldorf 1969); ver também as reminiscências em Leeb (ed.), *"Wir waren"*, p. 19-21, 76-7.

231. Fröhlich, "Die drei Typen", p. 202-3; Kraul, *Das deutsche Gymnasium*, p. 173-6, enfatiza a situação ambivalente das Napolas entre escola de elite e centro de doutrinação. Ver também Stefan Baumeister, *NS-Führungskader. Rekrutierung und Ausbildung bis zum Beginn des Zweiten Weltkriegs 1933-1939* (Konstanz, 1997), p. 22-47. Kater, *Hitler Youth*, p. 52, de certo modo exagera a eficiência delas; sobre isso, ver também Christian Schneider et al., *Das Erbe der NAPOLA: Versuch einer Generationengeschichte des Nationalsozialismus* (Hamburgo, 1996), esp. p. 33-91, 189-92.
232. Eilers, *Die nationalsozialistische Schulpolitik*, p. 112.
233. Scholtz, *NS-Ausleseschulen*, p. 162-80; Kraul, *Das deutsche Gymnasium*, p. 176-8.
234. Behnken (ed.), *Deutschland-Berichte*, V (1938), p. 1387; Eilers, *Die nationalsozialistische Schulpolitik*, p. 46-7.
235. Scholtz, *NS-Ausleseschulen*, p. 245.
236. Eilers, *Die nationalsozialistische Schulpolitik*, p. 47; Fröhlich, "Die drei Typen", p. 203-7; Baumeister, *NS-Führungskader*, p. 48-66; ver também Kater, *Hitler Youth*, p. 48-51.
237. Behnken (ed.), *Deutschland-Berichte*, V (1938), p. 1387-8.
238. Eilers, *Die nationalsozialistische Schulpolitik*, p. 48-9; Baumeister, *NS-Führungskader*, p. 67-76.
239. Hans-Dieter Arntz, *Ordensburg Vogelsang 1934-1945: Erziehung zur politischen Führung im Dritten Reich* (Euskirchen, 1986), p. 104, 180-2.
240. Hardy Krüger, "Von der Ordensburg nach Babelsberg", em Leeb (ed.), *"Wir waren"*, p. 49-55.
241. Fröhlich, "Die drei Typen", p. 208-10; Baumeister, *NS-Führungskader*, p. 81-5; Scholtz, *NS-Ausleseschulen*, p. 299-324.
242. Baumeister, *NS-Führungskader*, p. 88-90; Scholtz, *NS-Ausleseschulen*, p. 288.
243. Eilers, *Die nationalsozialistische Schulpolitik*, p. 21-2.
244. Industrie- und Handelskammer Saarbrücken, citado em Behnken (ed.), *Deutschland-Berichte*, VI (1939), p. 317, com exemplos adicionais.
245. Hans Schemm, *Hans Schemm spricht: Seine Reden und sein Werk* (Bayreuth, 1941 [1945]), p. 243-7, citado em Mosse (ed.), *Nazi Culture*, p. 282-3; também Behnken (ed.), *Deutschland-Berichte*, IV (1937), p. 868-9; ibid., p. 1051-4.
246. Ibid., I (1934), p. 575.
247. Trapp, *Kölner Schulen*, p. 67, 12-23.
248. Behnken (ed.), *Deutschland-Berichte*, IV (1937), p. 866.
249. Ibid., IV (1937), p. 878.
250. "Aus Tätigkeitsbericht des NSLB, Gau Mainfranken, Fachschaft II (Höhere Schulen), für das 2. und 3. Vierteljahr 1937", em Broszat et al. (eds.), *Bayern*, I, p. 542-3.
251. Behnken (ed.), *Deutschland-Berichte*, IV (1937), p. 834. Ver também Georg Schwingl, *Die Pervertierung der Schule im Nationalsozialismus: Ein Beitrag zum Begriff "Totalitäre Erziehung"* (Regensburg, 1993), p. 159-64 ("Schule als vormilitärische Institution").
252. Michael Grüttner, *Studenten im Dritten Reich* (Paderborn, 1995), p. 87-92; Hellmut Seier, "Der Rektor als Führer. Zur Hochschulpolitik des Reichserziehungsministeriums 1934-1945", *VfZ* 12 (1964), p. 105-46. Para o discurso de Hitler, ver Domarus (ed.), *Hitler*, II, p. 744. Tradicionalmente, a reitoria havia sido um cargo mais cerimonial que executivo; ver, por exemplo, Frank Golczewski, *Kölner*

Universitätslehrer und der Nationalsozialismus: Personengeschichtliche Ansätze (Colônia, 1988), p. 248-60.
253. Citado em Grüttner, *Studenten*, p. 93.
254. Ibid., p. 94-100. Para a história inicial da Liga dos Estudantes Nacional-Socialistas Alemães, ver Evans, *The Coming of the Third Reich*, p. 214-5, 429-31.
255. Grüttner, *Studenten*, p. 1-2; ver também, em termos mais gerais, Michael S. Steinberg, *Sabers and Brown Shirts: The German Students' Path to National Socialism, 1918-1935* (Chicago, 1977), p. 72-103.
256. Grüttner, *Studenten*, p. 245-59, citação na p. 254; ver também Geoffrey J. Giles, *Students and National Socialism in Germany* (Princeton, NJ, 1985), p. 136-50.
257. Grüttner, *Studenten*, p. 259-60, 324.
258. Ibid., p. 287-316, citação na p. 307; Helma Brunck, *Die Deutsche Burschenschaft in der Weimarer Republik und im Nationalsozialismus* (Munique, 1999), esp. p. 330-59; Friedhelm Golücke (ed.), *Korporationen und Nationalsozialismus* (Schernfeld, 1989); Michael Grüttner, "Die Korporationen und der Nationalsozialismus", em Harm-Hinrich Brandt e Matthias Stickler (eds.), *"Der Burschen Herrlichkeit". Geschichte und Gegenwart des studentischen Korporationswesens* (Würzburg, 1998), p. 125-43; Steinberg, *Sabers*, p. 154-72; Giles, *Students*, p. 175-86; Rosco G. S. Weber, *The German Student Corps in the Third Reich* (Londres, 1986), p. 102-69 (informativo, mas um tanto exagerado nas dimensões da resistência das fraternidades ao nazismo). Entre as fraternidades dissolvidas também incluíam-se grupos católicos que não participavam de duelos: ver Hans Jürgen Rösgen, *Die Auflösung der katholischen Studentenverbände im Dritten Reich* (Bochum, 1995), esp. p. 105-46.
259. Grüttner, *Studenten*, p. 101-2, 487. Nessas e nas estatísticas seguintes, os números de 1939 são para o *Altreich*, isto é, sem incluir a Áustria e a parte anexada da Tchecoslováquia, e são arredondados para o milhar mais próximo, ou percentual inteiro.
260. Ibid., p. 126-35, 490.
261. Eilers, *Nationalsozialistische Schulpolitik*, p. 18-21.
262. Grüttner, *Studenten*, p. 491 e 109-26; Irmgard Weyrather, "Numerus Clausus für Frauen – Studentinnen im Nationalsozialismus", em Frauengruppe Faschismusforschung (ed.), *Mutterkreuz*, p. 131-62; Jill Stephenson, *Women in Nazi Society* (Londres, 1975), p. 130-46.
263. Grüttner, *Studenten*, p. 102-3; Norbert Wenning, "Das Gesetz gegen die Überfüllung deutscher Schulen und Hochschulen vom 25. April 1933 – ein erfolgreicher Versuch der Bildungsbegrenzung?", *Die deutsche Schule*, 78 (1986), p. 141-60.
264. Domarus, *Hitler*, II, p. 1251-2; ver também Wilhelm Treue, "Rede Hitlers vor der deutschen Presse (10. November 1938)", *VfZ* 6 (1958), p. 175-91, republicando o discurso inteiro; *Völkischer Beobachter*, 10 de novembro de 1938 ("Adolf Hitlers Rede an Grossdeutschland").
265. Para um bom exemplo, ver Peter Chroust, *Giessener Universität und Faschismus. Studenten und Hochschullehrer 1918-1945* (2 vols., Münster, 1994), I, p. 187.
266. Grüttner, *Studenten*, p. 101-2.
267. Ibid., p. 227-9, citação na p. 227-8.
268. Gerhard Szczesny, *Als die Vergangenheit Gegenwart war: Lebensanlauf eines Ostpreussen* (Berlim, 1990), p. 90, citado junto a outras recordações semelhantes em Grüttner, *Studenten*, p. 230-1.

269. Ibid., p. 229-37.
270. Ibid., p. 260-71, 341-8.
271. Ibid., p. 317-31, citações nas p. 329 e 331; conclusões semelhantes em Konrad H. Jarausch, *Deutsche Studenten 1800-1970* (Frankfurt am Main, 1984), p. 197-8; e Geoffrey J. Giles, "The Rise of the National Socialist Students' Association and the Failure of Political Education in the Third Reich", em Stachura (ed.), *The Shaping*, p. 160-85, nas p. 180-1; ver também Steinberg, *Sabers*, p. 141-53, e Giles, *Students*, p. 186-201.
272. "Eine nötig gewordene Klarstellung", *Der Student in Mecklenburg-Lübeck*, 15 de dezembro de 1936, p. 9, citado em Grüttner, *Studenten*, p. 156.
273. Ibid., p. 155-67.
274. Ibid., p. 168-78, citação na p. 174, nota 99.
275. Ibid., p. 331-40.
276. Ibid., p. 178-93.
277. Para o ponto de vista de que a nazificação foi tanto ampla quanto profunda nas universidades alemãs, ver Steven p. Remy, *The Heidelberg Myth: The Nazification and Denazification of a German University* (Cambridge, Mass., 2002), p. 50-84; mas o argumento é baseado em uma amostra seletiva dos professores mais nazistas e suas pesquisas, no relato de aspectos da vida universitária como nomeações para títulos honorários, fundação de novos institutos de pesquisa, edição de periódicos e semelhantes – em última análise, questões secundárias –, e negligencia o ensino quase por completo. Também trata as difundidas ideias conservadoras pré-nazismo como se tivessem sido importadas para as universidades pelos nazistas. Ver também Christian Jansen, *Professoren und Politik: Politisches Denken und Handeln der Heidelberger Hochschullehrer 1914-1935* (Göttingen, 1992), esp. p. 230-6, demonstrando a guinada dos professores de Heidelberg para a direita anti-Weimar, mas não nazista, no período de 1930-35.
278. Léon Poliakov e Josef Wulf, *Das Dritte Reich und seine Denker: Dokumente* (Berlim, 1959), p. 73; Wilhelm Ribhegge, *Geschichte der Universität Münster: Europa in Westfalen* (Münster, 1985), p. 194.
279. Golczweski, *Kölner Universitätslehrer*, p. 338-49.
280. Grüttner, *Studenten*, p. 198-205; citação de Krieck na p. 204; Giles, *Students*, p. 151-62; ver a tentativa de Hellmut Seier de chegar a um equilíbrio em "Nationalsozialistisches Wissenschaftsverständnis und Hochschulpolitik", em Leonore Siegele-Wenschkewitz e Gerda Stuchlik (eds.), *Hochschule und Nationalsozialismus: Wissenschaftsgeschichte und Wissenschaftsbetrieb als Thema der Zeitgeschichte* (Frankfurt am Main, 1990), p. 5-21.
281. Hans-Paul Höpfner, *Die Universität Bonn in Dritten Reich: Akademische Biographien unter nationalsozialistischer Herrschaft* (Bonn, 1999), p. 540-4.
282. Boberach (ed.), *Meldungen*, II, p. 83 (Jahreslagebericht 1938 des Sicherheitshauptamtes).
283. Alan D. Beyerchen, *Scientists under Hitler. Politics and the Physics Community in the Third Reich* (New Haven, Conn., 1977), p. 79-85.
284. Ibid., p. 85-102; citação (93) das memórias não publicadas de Lenard, mencionada em Charlotte Schmidt-Schönbeck, *300 Jahre Physik und Astronomie an der Kieler Universität* (Kiel, 1965), p. 119.

285. Beyerchen, *Scientists*, p. 103-6.
286. Grüttner, *Studenten*, p. 194-8; Beyerchen, *Scientists*, p. 116-40, 63-4; Werner Heisenberg, *Der Teil und das Ganze: Gespräche im Umkreis der Atomphysik* (Munique, 1969), p. 206-12; mas ver também Paul Forman, "Physics and Beyond: Historiographic Doubts: Encounters and Conversations with Werner Heisenberg", *Science*, 172 (14 de maio de 1971), p. 687-8; e Steffen Richter, "Die 'Deutsche Physik'", em Herbert Mehrtens e Steffan Richter (eds.), *Naturwissenschaft, Technik und NS-Ideologie: Beiträge zur Wissenschaftsgeschichte des Dritten Reichs* (Frankfurt am Main, 1980), p. 116-41, enfatiza a natureza política da física ariana e seu fracasso em oferecer qualquer contribuição real à teoria ou à experimentação científicas.
287. Beyerchen, *Scientists*, p. 141-67.
288. Helmut Lindner, "'Deutsche' und 'gegentypische' Mathematik. Zur Begründung einer 'arteigenen Mathematik' im 'Dritten Reich' durch Ludwig Bieberbach", em Mehrtens e Richter (eds.), *Naturwissenschaft*, p. 88-115, esp. p. 105-8.
289. Martin Bechstedt, "'Gestalthafte Atomlehre' – Zur 'Deutschen Chemie' im NS--Statt", em ibid., p. 142-65; também Horst Remane, "Conrad Weygand und die 'Deutsche Chemie'", em Christoph Meinel e Peter Voswinckel (eds.), *Medizin, Naturwissenschaft, Technik und Nationalsozialismus. Kontinuitäten und Diskontinuitäten* (Stuttgart, 1994), p. 183-91.
290. Herbert Mehrtens, "Entartete Wissenschaft? Naturwissenschaften und Nationalsozialismus", em Siegele-Wenschkewitz e Stuchlik (eds.), *Hochschule und Nationalsozialismus*, p. 113-28.
291. Beyerchen, *Scientists*, p. 71-8; Remy, *The Heidelberg Myth*, p. 55-6; Horst Möller, "Nationalsozialistische Wissenschaftsideologie", em Jörg Tröger (ed.), *Hochschule und Wissenschaft im Dritten Reich* (Frankfurt am Main, 1984), p. 65-76, esp. p. 74-6; e Klaus Hentschel (ed.), *Physics and National Socialism: An Anthology of Primary Sources* (Basle, 1996), p. 116-8 (republicando um artigo anônimo da *Nature*, 136 (14 de dezembro de 1935), p. 927-8, sobre "Nazi-Socialism and International Science").
292. Helmut Maier (ed.), *Rüstungsforschung im Nationalsozialismus: Organisation, Mobilisierung und Entgrenzung der Technikwissenschaften* (Göttingen, 2002), particularmente útil quanto à pesquisa e ao desenvolvimento pelas empresas; idem, *Forschung als Waffe: Rüstungsforschung in der Kaiser-Wilhelm-Gesellschaft und das KWI für Metallforschung 1900 bis 1947* (Göttingen, 2005); Susanne Heim, *Kalorien, Kautschuk, Karrieren. Pflanzenzüchtung und landwirtschaftliche Forschung in Kaiser--Wilhelm-Instituten 1933-1945* (Göttingen, 2003); Herbert Mehrtens, "Kollaborationsverhältnisse: Natur- und Technikwissenschaften im NS-Staat und ihre Historie", em Meinel e Voswinckel (eds.), *Medizin*, p. 13-22.
293. Kristie Macrakis, *Surviving the Swastika: Scientific Research in Nazi Germany* (Nova York, 1993), esp. p. 84-186, 199-205; John Gimbel, *Science, Technology and Reparations: Exploitation and Plunder in Postwar Germany* (Stanford, Calif., 1990), p. 22.
294. Ver no geral Hartmut Lehmann e Otto Gerhard Oexle (eds.), *Nationalsozialismus in den Kulturwissenschaften* (2 vols., Göttingen, 2004).
295. Karen Schönwälder, *Historiker und Politik: Geschichtswissenschaft im Nationalsozialismus* (Frankfurt am Main, 1992), p. 75-88, citação nas p. 77 e 311, nota 85; Helmut Heiber, *Walter Frank und sein Reichsinstitut für Geschichte des neuen*

Deutschlands (Stuttgart, 1966), para um relato extremamente detalhado; Winfried Schulze, "German Historiography from the 1930s to the 1950s", em Hartmut Lehmann e James Van Horn Melton (eds.), *Paths of Continuity: Central European Historiography from the 1930s to the 1950s* (Cambridge, 1994), p. 19-42, na p. 24-5; mais detalhes em idem, *Deutsche Geschichtswissenschaft nach 1945* (Munique, 1989), esp. p. 31-45; ver também Bernd Faulenbach, "Tendenzen der Geschichtswissenschaft im 'Dritten Reich'", em Renate Knigge-Tesche (ed.), *Berater der braunen Macht: Wissenschaft und Wissenschaftler im NS-Staat* (Frankfurt am Main, 1999), p. 26-52, esp. p. 36-7 e 45-7; Peter Lambert, "From Antifascist to *Volkshistoriker: Demos* and *Ethnos* in the Political Thought of Fritz Rörig, 1921-45", em Stefan Berger et al. (eds.), *Writing National Histories: Western Europe Since 1800* (Londres, 1999), p. 137-49.
296. Schönwälder, *Historiker*, p. 87; ver também o útil estudo alemão oriental (a ser usado com as reservas habituais) de Hans Schleier, "Die *Historische Zeitschrift* 1918-1943", em Joachim Streisand (ed.), *Studien über die deutsche Geschichtwissenschaft von 1871 bis 1945* (2 vols., Berlim, 1965, 1969), II, p. 251-302, e o breve relato mais recente do mesmo autor, "German Historiography under National Socialism: Dreams of a Powerful Nation-state and German *Volkstum* Come True", em Berger et al. (eds.), *Writing National Histories*, p. 176-88.
297. Schönwälder, *Historiker*, p. 85-6; Gerhard Ritter, "Die deutschen Historikertage", *Geschichte in Wissenschaft und Unterricht*, 4 (1953), p. 513-21, na p. 517.
298. Boberach (ed.), *Meldungen*, II, p. 86 (Jahreslagebericht 1938 des Sicherheitshauptamtes).
299. Ver, no geral, Ingo Haar, *Historiker im Nationalsozialismus: Deutsche Geschichtswissenschaft und der "Volkstumskampf" im Osten* (Göttingen, 2002); Michael Burleigh, *Germany Turns Eastwards. A Study of Ostforschung in the Third Reich* (Cambridge, 1988); Christoph Klessmann, "Osteuropaforschung und Lebensraumpolitik im Dritten Reich", em Peter Lundgreen (ed.), *Wissenschaft im Dritten Reich* (Frankfurt am Main, 1985), p. 350-83; Karl Ferdinand Werner, *Das NS--Geschichtsbild und die deutsche Geschichtswissenschaft* (Stuttgart, 1967), esp. p. 9-23.
300. James Van Horn Melton, "Continuities in German Historical Scholarship, 1933--1960", em Lehmann e Melton (eds.), *Paths*, p. 1-18, na p. 5; Georg C. Iggers, "Introduction", em idem (ed.), *The Social History of Politics: Critical Perspectives in West German Historical Writing since 1945* (Leamington Spa, 1985), p. 1-48, na p. 17. Um dos poucos demitidos em 1933 foi Franz Schnabel, historiador liberal católico e autor de uma grande história em vários volumes sobre a Alemanha do século XIX (Lothar Gall, "Franz Schnabel (1887-1966)", em Lehmann e Melton (eds.), *Paths*, p. 155-65).
301. Hans Rothfels, *Ostraum, Preussentum und Reichsgedenke: Historische Abhandlungen. Vorträge und Reden* (Leipzig, 1935), p. vi; Schönwälder, *Historiker*, p. 78-9, p. 91--104.
302. Ibid. 77-80. Ver também Peter Schöttler (ed.), *Geschichtsschreibung als Legitimationswissenschaft 1918-1945* (Frankfurt am Main, 1997); Willi Oberkrome, *Volksgeschichter: Methodische Innovation und völkische Ideologisierung in der deutschen Geschichtswissenschaft 1918-1945* (Göttingen, 1992), esp. p. 102-70; e Reinhard

Kühnl, "Reichsdeutsche Geschichtswissenschaft", em Tröger (ed.), *Hochschule*, p. 92-104.
303. Christoph Cornelissen, *Gerhard Ritter: Geschichtswissenschaft und Politik im 20. Jahrhundert* (Düsseldorf, 2001), p. 230-46 (citação na p. 245, de Gerhard Ritter, *Friedrich der Grosse. Ein historisches Profil* (Leipzig, 1936), p. 252-3); ver também Klaus Schwabe, "Change and Continuity in German Historiography from 1933 into the Early 1950s: Gerhard Ritter (1888-1967)", em Lehmann e Melton (eds.), *Paths*, p. 82-108.
304. Carsten Klingemann, *Soziologie im Dritten Reich* (Baden-Baden, 1996), para estudos minuciosos de diferentes institutos e universidades alemães; ver também idem, "Social-Scientific Experts – No Ideologues: Sociology and Social Research in the Third Reich", em Stephen p. Turner e Dirk Käsler (eds.), *Sociology Responds to Fascism* (Londres, 1992), p. 127-54; Otthein Rammstedt, "Theorie und Empirie des Volksfeindes. Zur Entwicklung einer 'deutschen Soziologie'", em Lundgreen (ed.), *Wissenschaft*, p. 253-313; também Klaus Brintzinger, *Die Nationalökonomie an den Universitäten Freiburg, Heidelberg und Tübingen 1918-1945: Eine institutionshistorische, vergleichende Studie der wirtschaftswissenschaftlichen Fakultäten und Abteilungen südwestdeutscher Universitäten* (Frankfurt am Main, 1996).
305. Wilhelm Vosskamp, "Kontinuität und Diskontinuität: Zur deutschen Literaturwissenschaft im Dritten Reich", em Lundgreen (ed.), *Wissenschaft*, p. 140--62.
306. Höpfner, *Die Universität Bonn*, p. 34-8, 146-217. Ver mais genericamente os ensaios em Lehmann e Oexle (eds.), *Nationalsozialismus*.
307. Michael H. Kater, *Doctors under Hitler* (Chapel Hill, 1989), p. 111-20.
308. Ibid., p. 22-5, 120-1.
309. Ibid., p. 120-6, 147. Höpfner, *Die Universität Bonn*, p. 271-330. De acordo com Kater, 17% dos médicos da Alemanha em 1933 eram judeus, e a proporção de professores universitários de medicina era sem dúvida mais alta (Kater, *Doctors*, p. 139).
310. Klemperer, *I Shall Bear Witness*, 35 (9 de outubro de 1933).
311. Kater, *Doctors*, p. 172-3.
312. Robert N. Proctor, *The Nazi War on Cancer* (Princeton, NJ, 1999), p. 4, 198-203.
313. Ibid., p. 6-7.
314. Kater, *Doctors*, p. 174-6.

Parte 4 – PROSPERIDADE E PILHAGEM

1. Spotts, *Hitler*, p. 386-9; Martin Kornrumpf, *HAFRABA e.V.: Deutsche Autobahn--Planung 1926-1934* (Bonn, 1990); Kurt Gustav Kaftan, *Der Kampf um die Autobahnen: Geschichte der Autobahnen in Deutschland 1907-1935* (Berlim, 1955).
2. Franz Wilhelm Seidler, "Fritz Todt: From Motorway Builder to Minister of State", em Smelser e Zitelmann (eds.), *The Nazi Elite*, p. 245-56, nas p. 245-9; mais detalhes em idem, *Fritz Todt: Baumeister Dritten Reiches* (Berlim, 1987 [1986]).
3. Fritz Todt, "Der Strassenbau in nationalsozialistischen Staat", em Hans Heinrich Lammers e Hans Pfundtner (eds.), *Grundlagen, Aufbau und Wirtschaftsordnung des nationalsozialistischen Staates* (3 vols., Berlim, 1937), III: *Die Wirtschaftsordnung des*

nationalsozialistischen Staates; ver também James Shand, "The *Reichsautobahn: Symbol for the Third Reich*", *Journal of Contemporary History*, 19 (1984), p. 189--200; e Erhard Schütz e Eckhard Gruber, *Mythos Reichsautobahn: Bau und Inszenierung der "Strassen des Führers" 1933-1941* (Berlim, 1996).

4. Spotts, *Hitler*, p. 391-3; Rainer Stommer (ed.), *Reichsautobahn: Pyramiden des Dritten Reiches* (Marburg, 1982), p. 107; Thomas Zeller, "'The Landscape's Crown': Landscape, Perception, and Modernizing Effects of the German Autobahn System, 1934-1941", em David E. Nye (ed.), *Technologies of Landscape: From Reaping to Recycling* (Amherst, Mass., 1999), p. 218-40.

5. Spotts, *Hitler*, p. 393-4; Ludolf Herbst, *Das nationalsozialistische Deutschland 1933--1945: Die Entfesselung der Gewalt: Rassismus und Krieg* (Frankfurt am Main, 1996), p. 97-8; Hans-Joachim Winkler, *Legenden um Hitler* (Berlim, 1963), p. 7-14; Dan p. Silverman, *Hitler's Economy: Nazi Work Creation Programs 1933-1936* (Cambridge, Mass., 1998), p. 147-57.

6. Richard J. Overy, "Cars, Roads, and Economic Recovery in Germany, 1932-1938", *Economic History Review*, 2ª série, 28 (1975), p. 466-83, republicado em idem, *War and Economy in the Third Reich* (Oxford, 1994), p. 68-89.

7. Domarus (ed.), *Hitler*, I, p. 250-1.

8. Overy, "Cars, Roads, and Economic Recovery"; *Weekly Report of the German Institute for Business Research* (Institut für Konjunkturforschung, Berlim), vol. 7, nº 10 (7 de março de 1934), p. 53-5.

9. Gerhard Kroll, *Von der Weltwirtschaftskrise zur Staatskonjunktur* (Berlim, 1958), p. 462, 505; também Harry Niemann e Armin Hermann (eds.), *Die Entwicklung der Motorisierung im Deutschen Reich und den Nachfolgestaaten* (Stuttgart, 1995).

10. Klemperer, *I Shall Bear Witness*, 153 (tradução corrigida).

11. Ibid., 158 (tradução corrigida).

12. Geoffrey Spencely, "R. J. Overy and the Motorisierung: A comment", *Economic History Review*, 32 (1979), p. 100-6; Richard J. Overy, "The German *Motorisierung* and Rearmament. A Reply", *Economic History Review*, 32 (1979), p. 207-13.

13. Heinz Wehner, "Die Rolle des faschistischen Verkehrswesens in der ersten Periode des zweiten Weltkriegs", *Bulletin des Arbeitskreises Zweiter Weltkrieg*, 2 (1966), p. 37-61, nas p. 41-2, citado em Hans-Erich Volkmann, "The National Socialist Economy in Preparation for War", em Militärgeschichtliches Forschungsamt (ed.), *Germany and the Second World War* (10 vols., Oxford, 1990- [1979-]), I: *The Build--up of German Aggression* (Oxford, 1990), p. 157-372, nas p. 228-9.

14. Klaus Hildebrand, "Die Deutsche Reichsbahn in der nationalsozialistischen Diktatur 1933-1945", em Lothar Gall e Manfred Pohl (eds.), *Die Eisenbahn in Deutschland. Von den Anfängen bis zur Gegenwart* (Munique, 1999), p. 165-243, nas p. 176-7; ver também Stefan Arold, *Die technische Entwicklung und rüstungswirtschaftliche Bedeutung des Lokomotivbaus der Deutschen Reichsbahn im Dritten Reich (1933-1945)* (Stuttgart, 1997). O gigantismo conceitual característico de Hitler fez sentir-se aqui, com sua proposta de criar novas ferrovias maiores, em uma bitola mais larga que a existente (ibid., p. 97).

15. Fritz Blaich, *Wirtschaft und Rüstung im "Dritten Reich"* (Düsseldorf, 1987), p. 15--20; Simon Reich, *The Fruits of Fascism: Postwar Prosperity in Historical Perspective* (Ithaca, NY, 1990), p. 151.

16. Hans Mommsen e Manfred Grieger, *Das Volkswagenwerk und seine Arbeiter im Dritten Reich* (Düsseldorf, 1996), p. 52-113; para a organização Força pela Alegria, ver p. 528-40 neste livro.
17. Behnken (ed.), *Deutschland-Berichte*, VI (1939), p. 488.
18. Shelley Baranowski, *Strenght Through Joy: Consumerism and Mass Tourism in the Third Reich* (Nova York, 2004), p. 240-1; Reich, *The Fruits*, p. 147-201; em 1938 Ford e Opel produziram 52% de todos os veículos feitos e vendidos na Alemanha (ibid., p. 159).
19. Karl Lärmer, *Autobahnbau in Deutschland 1933 bis 1945: Zu den Hintergründen* (Berlim, 1975), p. 54-7; Silverman, *Hitler's Economy*, p. 261.
20. Richard J. Overy, "Unemployment in the Third Reich", em idem, *War and Economy*, p. 37-67, nas p. 37-42 (originalmente publicado sob o mesmo título em *Business History*, 29 (1987), p. 253-82); Dietmar Petzina, "The Extent and Causes of Unemployment in the Weimar Republic", em Peter D. Stachura (ed.), *Unemployment and the Great Depression in Weimar Germany* (Londres, 1986), p. 29-48.
21. Domarus (ed.), *Hitler*, I, p. 234.
22. Willi A. Boelcke, *Die deutsche Wirtschaft 1930-1945: Interna des Reichswirstschaftsministeriums* (Düsseldorf, 1983), p. 13-29.
23. Avraham Barkai, *Nazi Economics: Ideology, Theory, and Policy* (Oxford, 1990 [1988]), p. 28-35; Boelcke, *Die deutsche Wirtschaft*, p. 29-38; Wolfram Fischer, *Deutsche Wirtschaftpolitik 1918-1945* (Opladen, 1968), p. 52-5.
24. Michael Schneider, "The Development of State Work Creation Policy in Germany, 1930-1933", em Stachura (ed.), *Unemployment*, p. 163-86; Helmut Marcon, *Arbeitsbeschaffungspolitik der Regierungen Papen und Schleicher. Grundsteinlegung für die Beschäftigungspolitik im Dritten Reich* (Berna, 1974).
25. Herbst, *Das nationalsozialistische Deutschland*, p. 95-6; Schneider, *Unterm Hakenkreuz*, p. 256-62.
26. Overy, "Unemployment", p. 63-5; *Weekly Report of the German Institute for Business Resarch*, vol. 7, nº 17 (3 de maio de 1934), p. 77-82.
27. Extrato da lei traduzido em Noakes e Pridham (eds.), *Nazism*, II, p. 257; Pine, *Nazi Family Policy*, p. 17.
28. Helen L. Boak, "The State as an Employer of Women in the Weimar Republic", em William Robert Lee e Eve Rosenhaft (eds.), *The State and Social Change in Germany, 1880-1980* (Oxford, 1990), p. 61-98; mais genericamente, Renate Bridenthal e Claudia Koonz, "Beyond *Kinder, Küche, Kirche*: Weimar Women in Politics and Work", em Renate Bridenthal *et al.* (eds.), *When Biology Became Destiny: Women in Weimar and Nazi Germany* (Nova York, 1984), p. 33-65.
29. Julia Sneeringer, *Winning Women's Votes: Propaganda and Politics in Weimar Germany* (Chapel Hill, NC, 2002).
30. *Frankfurter Zeitung* (9 de setembro de 1934), citado em Noakes e Pridham (eds.), *Nazism*, II, p. 255-6.
31. Goebbels, *Michael*, 41 (ed. de 1934), citado em Mosse (ed.), *Nazi Culture*, p. 41.
32. Engelbert Huber, *Das ist Nationalsozialismus* (Stuttgart, 1933), p. 121-2, citado em Mosse (ed.), *Nazi Culture*, p. 47.
33. Clifford Kirkpatrick, *Women in Nazi Germany* (Londres, 1939), p. 121.
34. Helgard Kramer, "Frankfurt's Working Women: Scapegoats or Winners of the Great Depression?", em Richard J. Evans e Dick Geary (eds.), *The German Unemployed:*

Experiences and Consequences of Mass Unemployment from the Weimar Republic to the Third Reich (Londres, 1987), p. 108-41.
35. Herbst, *Das nationalsozialistische Deutschland*, p. 89-91; Kershaw, *The "Hitler Myth"*, p. 59-64.
36. Werner Abelshauser, "Kriegswirtschaft und Wirtschaftswunder. Deutschlands wirtschaftliche Mobilisierung für den Zweiten Weltkrieg und die Folgen für die Nachkriegszeit", *VfZ* 47 (1999), p. 503-38; versão inglesa, mais detalhada, em idem, "Germany: Guns, Butter, and Economic Miracles", em Mark Harrison (ed.), *The Economics of World War II: Six Great Powers in International Comparison* (Cambridge, 1998), p. 122-76.
37. Harold James, "Innovation and Conservatism in Economic Recovery: The Alleged 'Nazi Recovery' of the 1930s", em Childers e Caplan (eds.), *Reevaluating the Third Reich*, p. 114-38; Peter Marschalck, *Bevölkerungsgeschichte Deutschlands im 19. und 20. Jahrhundert* (Frankfurt am Main, 1984), p. 67-71, 148.
38. Silverman, *Hitler's Economy*, p. 244, e 359, nota 68, criticando as estatísticas fornecidas por Overy em "Unemployment", p. 65; entretanto, os números da República de Weimar tampouco eram tão impressionantes: ver também Dan p. Silverman, "A Pledge Unredeemed: The Housing Crisis in Weimar Germany", *Central European History*, 3 (março de 1970), p. 112-39, nas p. 119-20. Ver também Blaich, *Wirtschaft*, p. 15-21.
39. "Germany's Economic Recovery", *The Economist*, 10 de agosto de 1935, p. 271-2.
40. Willi Hemmer, *Die "unsichtbaren" Arbeitslosen. Statistische Methoden – Soziale Tatsachen* (Zeulenroda, 1935), p. 189; também Christoph Buchheim, "Zur Natur des Wirtschaftsaufschwungs in der NS-Zeit", em idem *et al.* (eds.), *Zerrissene Zwischenkriegszeit: Wirtschaftshistorische Beiträge: Knut Borchardt zum 65. Geburtstag* (Baden-Baden, 1994), p. 97-119, nas p. 105-7.
41. Birgit Wulff, "The Third Reich and the Unemployed: National Socialist Workcreation Schemes in Hamburg, 1933-4", em Evans e Geary (eds.), *The German Unemployed*, p. 281-302; Timothy W. Mason, *Social Policy in the Third Reich: The Working Class and the "National Community"* (Providence, RI, 1993 [1977]), p. 109--28; Fritz Petrick, "Eine Untersuchung zur Beseitigung der Arbeitslosigkeit unter des deutschen Jugend in den Jahren von 1933 bis 1935", *Jahrbuch für Wirtschaftsgeschichte* (1967), p. 287-300; Claudia Brunner, *Arbeitslosigkeit im NS--Staat: Das Beispiel München* (Pfaffenweiler, 1997), p. 337-40.
42. Birgit Wulff, *Arbeitslosigkeit und Arbeitsbeschaffungsmassnahmen im Hamburg 1933--1939: Eine Untersuchung zur nationalsozialistischen Wirtschafts- und Sozialpolitik* (Frankfurt am Main, 1987), esp. p. 269-82; detalhes de outras regiões em Behnken (ed.), *Deutschland-Berichte*, I (1934), p. 123-9, 214-25.
43. Behnken (ed.), *Deutschland-Berichte*, II (1935), p. 786-7; Silverman, *Hitler's Economy*, p. 10-27 e 164-74; Bernhard Vollmer (ed.), *Volksopposition im Polizeistaat*, p. 96-7.
44. Christoph Buchheim, "Die Wirtschaftsentwicklung im Dritten Reich – mehr Desaster als Wunder. Eine Erwiderung auf Werner Abelshauser", *VfZ* 49 (2001), p. 653-4; em maiores detalhes em idem, "Zur Natur".
45. "Germany's Economic Recovery", *The Economist* (10 de agosto de 1935), p. 271-2, e (17 de agosto de 1935), p. 316-7; *Weekly Report of the German Institute for Business Research*, vol. 8, nº 22/23, (8 de junho de 1935), p. 45-7; ibid., 32/33 (22 de agosto

1935), p. 64-6; "Unemployment in Germany", *The Economist* (31 de agosto de 1935), p. 421.
46. Karl-Heinz Minuth (ed.), *Akten der Reichskanzlei: Die Regierung Hitler, 1933-1934*, I, p. 49-51; também em Blaich, *Wirtschaft*, p. 55-6 (Ministerbesprechung vom 8.2.1933).
47. Volkmann, "The National Socialist Economy", p. 221-2; Dietmar Petzina, "Hauptprobleme der deutschen Wirtschaftpolitik 1932/33", *VfZg* 15 (1967), p. 18--55, na p. 40; Günther Gereke, *Ich war königlich-preussischer Landrat* (Berlim, 1970), p. 157-8.
48. Spotts, *Hitler*, p. 393-4.
49. Domarus (ed.), *Hitler*, I, p. 250-1.
50. Blaich, *Wirtschaft*, p. 15-26.
51. Neil Gregor, *Daimler-Benz in the Third Reich* (Londres, 1998), p. 54; Fritz Blaich, "Why Did the Pioneer Fall Behind? Motorization in Germany between the Wars", em Theo Barker (ed.), *The Economic and Social Effects of the Spread of Motor Vehicles: An International Centenary Tribute* (Londres, 1988), p. 148-64; Behnken (ed.), *Deutschland-Berichte*, VI (1939), p. 480-5; Mommsen e Grieger, *Das Volkswagenwerk*, p. 179-202 (números na p. 197).
52. Volkmann, "The National Socialist Economy", p. 228-9.
53. Robert J. O'Neill, *The German Army and the Nazi Party, 1933-1939* (Londres, 1968 [1966]), p. 65-6, citando as memórias não publicadas do marechal de campo Von Weichs.
54. "Sitzung des Ausschusses der Reichsregierung für Arbeitsbeschaffung vom 9.2.1993, em Minuth (ed.), *Akten der Reichskanzlei: Die Regierung Hitler, 1933--1934*, I, p. 58-69, e Blaich, *Wirtschaft*, p. 56-8. A dissimulação não passou despercebida por muito tempo pelos observadores internacionais. Em 1935, um correspondente britânico anotou em um relatório emitido pelo Bureau de Estatísticas do Reich: "O novo relatório mostra de forma explícita que o gasto com 'criação de emprego' *inclui* o gasto com rearmamento" *(The Economist*, 10 de agosto de 1935, p. 280; itálico no original).
55. Volkmann, "The National Socialist Economy", p. 223-4; Michael Geyer, *Deutsche Rüstungspolitik 1860-1980* (Frankfurt am Main, 1984), p. 139-40; idem, "Das Zweite Rüstungprogramm (1930-1934): Eine Dokumentation", *Militärgeschichtliche Mitteilungen*, 17 (1975), p. 125-72, nas p. 134 e 158; ver também Boelcke, *Die deutsche Wirtschaft*, p. 29-33.
56. Volkmann, "The National Socialist Economy", p. 228-34; também Peter Kirchberg, "Typisierung in der Kraftfahrzeugindustrie und der Generalbevollmächtigte für das Kraftfahrwesen", *Jahrbuch für Wirtschaftsgeschichte* (1969), p. 117-42; ver também Edward L. Homze, *Arming the Luftwaffe: The Reich Air Ministry and the German Aircraft Industry, 1919-1939* (Lincoln, Nebr., 1976). Parte da literatura dessa área subestima a extensão do rearmamento desde o começo do Terceiro Reich e o papel do Estado em impulsioná-lo, e negligencia o imperativo militar por trás de muitas medidas aparentemente civis da criação de empregos: ver, por exemplo, Overy, "Cars, Roads and Economic Recovery"; idem, "Hitler's War Plans and the German Economy, 1933-1939", em idem, *War and Economy*, p. 177-204; Michael Wolffsohn, "Arbeitsbeschaffung und Rüstung im nationalsozialistischen Deutschland 1933",

Militärgeschichtliche Mitteilungen, 22 (1978), p. 9-22; ou Burton H. Klein, *Germany's Economic Preparations for War* (Cambridge, Mass., 1959); para comentários críticos, ver Barkai, *Nazi Economics*, p. 217-24, e Berenice A. Carroll, *Design for Total War: Arms and Economics in the Third Reich* (Haia, 1968). A primazia do rearmamento foi sublinhada já por Sauer, *Die Mobilmachung*, p. 140-64.

57. Wilhelm Deist, "The Rearmament of the Wehrmacht", em Militärgeschichtliches Forschungsamt (ed.), *Germany*, I, p. 373-540, na p. 487.
58. Ibid., p. 456-7; O'Neill, *The German Army*, p. 134-5.
59. Boelcke, *Die deutsche Wirtschaft*, p. 171.
60. Volkmann, "The National Socialist Economy", p. 234-8; Hans Luther, *Vor dem Abgrund 1930-1933: Reichsbankpräsident in Krisenzeiten* (Frankfurt am Main, 1964), em especial o último capítulo, p. 302-8.
61. Hjalmar Schacht, *My First Seventy-Six Years: The Autobiography of Hjalmar Schacht* (Londres, 1955), p. 10-154.
62. Ibid., p. 155-306.
63. Volkmann, "The National Socialist Economy", p. 234-41; ver também Willi A. Boelcke, *Die Kosten von Hitlers Krieg: Kriegsfinanzierung und finanzielles Kriegserbe in Deutschland 1933-1948* (Paderborn, 1985); Fischer, *Deutsche Wirtschafstpolitik*, p. 66-71; Dietmar Petzina, *Die deutsche Wirtschaft in der Zwischenkriegszeit* (Wiesbaden, 1977), p. 117-24.
64. Volkmann, "The National Socialist Economy", p. 173-200; Blaich, *Wirtschaft*, p. 28.
65. Gustavo Corni e Horst Gies, *Brot, Butter, Kanonen. Die Ernährungswirtschaft in Deutschland unter der Diktatur Hitlers* (Berlim, 1997), p. 75-250, é hoje o mais completo relato sobre o Comitê de Alimentos do Reich. Ver também Horst Gies, "Der Reichsnährstand: Organ berufsständischer Selbstverwaltung oder Instrument staatlicher Wirtschaftslenkung?", *Zeitschrift für Agrargeschichte und Agrarsoziologie*, 21 (1973), p. 216-33; e idem, "Die Rolle des Reichsnährstandes im Nationalsozialistischen Hersschaftssystem", em Gerhard Hirschfeld e Lothar Kettenacker (eds.), *The "Füher State": Myth and Reality: Studies on the Structure and Politics of the Third Reich* (Stuttgart, 1981), p. 270-304.
66. Horst Gies, "Aufgaben und Probleme der nationalsozialistischen Ernährungswirtschaft 1933-1939", *Vierteljahrschrift für Sozial- und Wirtschaftgeschichte*, 22 (1979), p. 466-99.
67. Blaich, *Wirtschaft*, p. 27; Volkmann, "The National Socialist Economy", p. 245-72.
68. Blaich, *Wirtschaft*, p. 23-4, 27; Volkmann, "The National Socialist Economy", p. 258-62; Michael Krüger-Charlé, "Carl Goerdelers Versuche der Durchsetzung einer alternativen Politik 1933 bis 1937", em Jürgen Schmädeke e Peter Steinbach (eds.), *Der Widerstand gegen den Nationalsozialismus: Die deutsche Gesellschaft und der Widerstand gegen Hitler* (Munique, 1986), p. 383-404.
69. Gies, "Die Rolle"; ver também idem, "Der Reichsnährstand"; idem, "Revolution oder Kontinuität? Die personelle Struktur des Reichsnährstandes", em Günther Franz (ed.), *Bauernschaft und Bauernstand 1500-1970: Büdinger Vorträge 1911-1972* (Limburg, 1975), p. 323-30; John E. Farquharson, *The Plough and the Swastika: The NSDAP and Agriculture in Germany 1928-45* (Londres, 1976), p. 161-82.
70. Gies, "Die Rolle"; Jürgen von Krudener, "Zielkonflikte in der nationalsozialistischen Agrarpolitik: Ein Beitrag zur Diskussion des Leistungsproblems in zentralge-

lenkten Wirtschaftssytemen", *Zeitschrift für Wirtschafts- und Sozialwissenschaften,* 94 (1974), p. 335-61; Behnken (ed.), *Deutschland-Berichte,* V (1938), p. 488-98; Gustavo Corni, *Hitler and the Peasants: Agrarian Policy of the Third Reich, 1930--1939* (Princeton. NJ, 1990 [1989]), p. 245-68; Beatrix Herlemann, *"Der Bauer klebt am Hergebrachten": Bäuerliche Verhaltensweisen unterm Nationalsozialismus auf dem Gebiet des heutigen Landes Niedersachsen* (Hanover, 1993), p. 74-7 e 145-53; Farquharson, *The Plough,* p. 71-106.

71. Ver Corni, *Hitler and the Peasants,* p. 220-44; Farquharson, *The Plough,* p. 183-202; Herlemann, *"Der Bauer",* p. 154-71.
72. Volkmann, "The National Socialist Economy", p. 293-300, 350-4.
73. John H. Farquharson, *The Plough,* p. 169-70; para um bom exemplo da transição bem-sucedida para a autarcia em um setor, ver John Perkins, "Nazi Autarchic Aspirations and the Beet-Sugar Industry, 1933-39", *European History Quarterly,* 20 (1990), p. 497-518; mais genericamente, ver Corni, *Hitler and the Peasants,* p. 156--83.
74. Behnken (ed.), *Deutschland-Berichte,* VI (1939), p. 624-42; para um relato detalhado da produção de alimentos e da regulamentação do mercado, ver Corni e Gies, *Brot,* p.251-395.
75. A visão de Peter Temin, *Lessons from the Great Depression* (Cambridge, Mass., 1989), p. 109-11, de que a economia do Terceiro Reich era socialista porque era conduzida pelo Estado, que intervinha de modo constante e também dedicava recursos substanciais a projetos de previdência, não convence; por esses critérios, quase todas as economias modernas poderiam ser classificadas de socialistas (Buchheim, "Zur Natur", p. 99-100).
76. Para o pano de fundo disso, ver Peter Hayes, *Industry and Ideology: I. G. Farben in the Nazi Era* (Nova York, 1987), p. 36-47, 114-20.
77. Homze, *Arming the Luftwaffe,* p. 192-3.
78. Dieter Swatek, *Unternehmenskonzentration als Ergebnis und Mittel nationalsozialistischer Wirtschaftspolitik* (Berlim, 1972); Ingeborg Esenwein-Rothe, *Die Wirtschaftsverbände von 1933 bis 1945* (Berlim, 1965).
79. Para a ocupação do ministério por Hugenberg, ver Boelcke, *Die deutsche Wirtschaft,* p. 47-65.
80. Gerald D. Feldman, *Allianz and the German Insurance Business, 1933-1945* (Cambridge, 2001), p. 1-50.
81. Ibid., p. 51-78.
82. Ibid., p. 78-105; Boelcke, *Die deutsche Wirtschaft,* p. 65-76.
83. Volkmann, "The National Socialist Economy", p. 204-15; Noakes e Pridham, *Nazism,* II, p. 72-8.
84. Volkmann, "The National Socialist Economy", p. 242-4; "The Balance of Trade in Germany", suplemento do *Weekly Report of the German Institute for Business Research* (Berlim, 11 de abril de 1934).
85. "The Transfer Problem and Germany's Foreign Exchange Reserves", *Weekly Report of the German Institute for Business Research,* 7 (Berlim, 6 de junho de 1934); "German Foreign Exchange Control and Foreign Trade", suplemento do *Weekly Report of the German Institute for Business Research* (Berlim, 31 de outubro de 1934); Herbst, *Das nationalsozialistische Deutschland,* p. 160-2.

86. "A Review of the First Year of German Foreign Trade Under the 'New Plan'", *Weekly Report of the German Institute for Business Research*, 8 (Berlim, 2 de outubro de 1935).
87. "The German Moratorium", *The Economist* (23 de junho de 1934), p. 1378-9; mais genericamente sobre o primeiro período de Schacht no cargo, ver Boelcke, *Die deutsche Wirtschaft*, p. 77-82.
88. Volkmann, "The National Socialist Economy", p. 245-7, citando um memorando de Schacht de 3 de maio de 1935.
89. Blaich, *Wirtschaft*, p. 27; Boelcke, *Die deutsche Wirtschaft*, p. 100-17.
90. Volkmann, "The National Socialist Economy", p. 262-72; Fischer, *Deutsche Wirtschaftpolitik*, p. 71-6.
91. O memorando do Plano de Quatro Anos está republicado em Blaich, *Wirtschaft*, p. 60-7, e Wilhelm Treue (ed.), "Hitlers Denkschrift zum Vierjahresplan 1936", *VfZ* 3 (1955), p. 184-210, e traduzido na íntegra em Noakes e Pridham (eds.), *Nazism*, II, p. 86-93. Ver também Arthur Schweitzer, "Der ursprüngliche Vierjahresplan", *Jahrbücher für Nationalökonomie und Statistik*, 160 (1956), p. 348-96; e Dietmar Petzina, *Autarkiepolitik im Dritten Reich: Der nationalsozialistische Vierjahresplan (1936-42)* (Stuttgart, 1968).
92. Schacht, *My First Seventy-Six Years*, p. 362-77 (de tendência apologética, com muitas omissões e afirmações enganosas).
93. Friedrich Hossbach, *Zwischen Wehrmacht und Hitler 1934-1938* (Göttingen, 1965 [1949]), p. 181-9, e Hermann Gackenholz, "Reichskanzlei 5. November 1937: Bemerkungen über 'Politik und Kriegführung' im Dritten Reich", em Richard Dietrich e Gerhard Oestreich (eds.), *Forschungen zu Staat und Verfassung: Festgabe für Fritz Hartung* (Berlim, 1958), p. 459-84.
94. Hossbach, *Zwischen Wehrmacht und Hitler*, p. 186; Walter Bussmann, "Zur Entstehung und Überlieferung der 'Hossbach-Niederschrift", *VfZ* 16 (1968), p. 373-84; Bradley F. Smith, "Die Überlieferung der Hossbach-Niederschrift im Lichte neuer Quellen", *VfZ* 38 (1990), p. 329-36; Jonathan Wright e Paul Stafford, "Hitler, Britain and the Hossbach Memorandum", *Militärgeschichtliche Mitteilungen*, 42 (1987), p. 77-123. Esses estudos deixam claro que o ceticismo sobre a autenticidade do documento, manifestado por Alan J. p. Taylor, *The Origins of the Second World War* (Londres, 1964 [1961]), p. 21-2 e 131-4, é injustificado.
95. Schacht, *My First Seventy-Six Years*, p. 362-77 (a ser tratado com a cautela usual); Noakes e Pridham (eds.), *Nazism*, II, p. 95-8, 357-8.
96. Blaich, *Wirtschaft*, p. 26, 83, 91-4; Schacht, *My First Seventy-Six Years*, p. 386-94. Balanços orçamentários em Albrecht Ritschl, *Deutschlands Krise und Konjunktur 1924-1934: Binnenkonjunktur, Auslandverschuldung und Reparationsproblem zwischen Dawes-Plan und Transfersperre* (Berlim, 2002), tabela A9; números da renda nacional em ibid., tabela A12.
97. O'Neill, *The German Army*, p. 63-6, citando as memórias inéditas do marechal de campo Von Weichs; Schacht, *My First Seventy-Six Years*, p. 395-414; mais genericamente, Volkmann, "The National Socialist Economy", p. 273-86.
98. Ibid., p. 300-9, 356; Fischer, *Deutsche Wirtschaftspolitik*, p. 77-82; Petzina, *Die deutsche Wirstchaft*, p. 124-39. Para a "selva organizacional", ver Hans Kehrl, *Krisenmanager im Dritten Reich. 6 Jahre Frieden – 6 Jahre Krieg: Erinnerungen*

(Düsseldorf, 1973), p. 74-86, 98-117. Sobre o fracasso do planejamento e a incapacidade do regime em reunir e processar estatísticas adequadas, ver J. Adam Tooze, *Statistics and the German State, 1900-1945: The Making of Modern Economic Knowledge* (Cambridge, 2001), p. 215-45.
99. Volkmann, "The National Socialist Economy", p. 309-15.
100. Ibid., p. 354-72.
101. Wilhelm Deist, "The Rearmament of the Wehrmacht", p. 374-540, nas p. 456-504; Homze, *Arming the Luftwaffe*; Michael Salewski, *Die deutsche Seekriegsleitung 1935- -1945* (3 vols., Frankfurt am Main, 1970-75); Jost Dülffer, *Weimar, Hitler und die Marine: Reichspolitik und Flottenbau 1920-1939* (Düsseldorf, 1973); Lutz Budrass, *Flugzeugindustrie und Luftrüstung in Deutschland 1918-1945* (Düsseldorf, 1998) é o estudo abrangente mais recente.
102. Volkmann, "The National Socialist Economy", p. 300-9.
103. Richard J. Overy, "The German Pre-war Production Plans: November 1936-April 1939", *English Historical Review*, 90 (1975), p. 778-97.
104. Behnken (ed.), *Deutschland-Berichte*, VI (1939), p. 614-24.
105. "Schreiben des Stellvertreters des Führers, Entscheidung, dass Frauen weder Richter noch Anwalt werden sollen, 24 August 1936", republicado como documento 108 em Ursula von Gersdoff, *Frauen im Kriegsdienst 1914-1945* (Stuttgart, 1969), p. 282.
106. Matthew Stibbe, *Women in the Third Reich* (Londres, 2003), p. 84-91; Tim Mason, "Women in Germany, 1925-1940: Family, Welfare and Work", em idem, *Nazism, Fascism and the Working Class* (Cambridge, 1995), p. 131-211 (ensaio originalmente publicado em *History Workshop Journal*, 1 (1976), p. 74-133, e 2 (1976), p. 5-32); Dörte Winkler, *Frauenarbeit im "Dritten Reich"* (Hamburgo, 1977); Annemarie Tröger, "The Creation of a Female Assembly-Line Proletariat", em Bridenthal *et al.* (eds.), *When Biology Became Destiny*, p. 237-70; Carola Sachse, *Industrial Housewives: Women's Social Work in the Factories of Nazi Germany* (Londres, 1987); Stephenson, *Women in Nazi Society*, p. 75-115 (estatísticas sobre médicos na p. 166).
107. Lore Kleiber, "'Wo ihr seid, da soll die Sonne scheinen!' – Der Frauenarbeitsdienst am Ende der Weimarer Republik und im Nationalsozialismus", em Frauengruppe Faschismusforschung (ed.), *Mutterkreuz*, p. 188-214; Jill Stephenson, "Women's Labor Service in Nazi Germany", *Central European History*, 15 (1982), p. 241-65; Stefan Bajohr, "Weiblicher Arbeitsdienst im 'Dritten Reich'. Ein Konflikt zwischen Ideologie und Ökonomie, *VfZ* 28 (1980), p. 331-57.
108. Maschmann, *Account Rendered*, p. 31-6.
109. Elizabeth D. Heineman, *What Difference Does a Husband Make? Women and Marital Status in Nazi and Postwar Germany* (Londres, 1999), p. 40-1, também para os detalhes a seguir.
110. Stibbe, *Women*, p. 88; Annemarie Tröger, "Die Frau im wesensgemässen Einsatz", em Frauengruppe Faschismusforschung (ed.), *Mutterkreuz*, p. 246-72.
111. Timothy W. Mason, "The Legacy of 1918 for National Socialism", em Anthony Nicholls e Erich Matthias (eds.), *German Democracy and the Triumph of Hitler: Essays in Recent German History* (Londres, 1971), p. 215-39.
112. Ulrich Herbert, *Hitler's Foreign Workers: Enforced Foreign Labour in Germany under the Third Reich* (Cambridge, 1997 [1985]), p. 27-60; ver também p. 770-1 neste livro.

113. Herbst, *Das nationalsozialistische Deutschland*, p. 160-77.
114. Hossbach, *Zwischen Werhmacht und Hitler*, p. 186.
115. Josiah E. DuBois, Jr., *The Devil's Chemists: 24 Conspirators of the International Farben Cartel who Manufacture Wars* (Boston, Mass., 1952); Joseph Borkin, *The Crime and Punishment of I. G. Farben* (Nova York, 1978); Richard Sasuly, *I. G. Farben* (Nova York, 1947); Dietrich Eichholtz, "Zum Anteil des I. G. Farben Konzerns an der Vorbereitung des Zweiten Weltkrieges", *Jahrbuch für Wirtschaftsgeschichte* (1969), p. 83-105; Ferdinand Grocek, "Ein Staat im Staate – der I. G.-Farben Konzern", *Marxistische Blätter*, 4 (1966), p. 41-8; Willi Kling, *Kleine Geschichte der I. G. Farben – der Grossfabrikant des Todes* (Berlim, 1957); mais genericamente, Arthur Schweitzer, *Big Business in the Third Reich* (Bloomington, Ind., 1964).
116. Para bons levantamentos sobre essa literatura, ver Pierre Ayçoberry, *The Nazi Question: An Essay on the Interpretations of National Socialism (1922-1975)* (Nova York, 1981); A. James Gregor, *Fascism: The Classic Interpretations of the Interwar Period* (Morristown, NJ, 1983); Wolfgang Wippermann, *Zur Analyse des Faschismus: Die sozialistischen und kommunistischen Faschismustheorien, 1921-1945* (Frankfurt am Main, 1981); e Anson G. Rabinbach, "Toward a Marxist Theory of Fascism and National Socialism", *New German Critique*, 1 (1974), p. 127-53.
117. Timothy Mason, "The Primacy of Politics – Politics and Economics in National Socialist Germany", em Stuart J. Woolf (ed.), *The Nature of Fascism* (Londres, 1968), p. 165-95.
118. Alan S. Milward, "Fascism and the Economy", em Walter Laqueur (ed.), *Fascism: A Reader's Guide: Analyses, Interpretations, Bibliography* (Nova York, 1976), p. 409-53.
119. As memórias de Fritz Thyssen por um *ghost-writer*, *I Paid Hitler* (Londres, 1941), são inconfiáveis; ver Henry Asbhy Turner, Jr., "Fritz Thyssen und 'I Paid Hitler'", *VfZ* 19 (1971), p. 225-44; ver também Horst A. Wessel, *Thyssen & Co., Mülheim an der Ruhr: Die Geschichte einer Familie und ihrer Unternehmung* (Stuttgart, 1991), p. 48, 171.
120. Richard J. Overy, "Heavy Industry in the Third Reich: The Reichswerke Crisis", em idem, *War and Economy in the Third Reich*, p. 93-118 (publicado primeiramente em *European History Quarterly*, 15 (1985), p. 313-39).
121. Richard J. Overy, "'Primacy Always Belongs to Politics': Gustav Krupp and the Third Reich", em idem, *War and Economy in the Third Reich*, p. 119-43, nas p. 119--25.
122. Felix Somary, *The Raven of Zürich: The Memoirs of Felix Somary* (Londres, 1986), p. 175; mais genericamente, Overy "Primacy', p. 126-34; Henry Ashby Turner, Jr., *German Big Business and the Rise of Hitler* (Nova York, 1985), p. 338-9.
123. Overy 'Primacy', p. 135-43; Lothar Gall, *Krupp: Der Aufstieg eines Industriemperiums* (Berlim, 2000); William Manchester, *The Arms of Krupp 1587-1968* (Nova York, 1970 [1968]), p. 499-511, 645-7, 743.
124. Hayes, *Industry and Ideology*, p. 125-211.
125. Ibid., p. 158-9, 180-3; Raymond G. Stokes, "From the I. G. Farben Fusion to the Establishment of BASF AG (1925-1952)", em Werner Abelshauser *et al.*, *German Industry and Global Enterprise. BASF: The History of a Company* (Cambridge, 2004), p. 206-361, nas p. 262-3, 273-89. Gottfried Plumpe, *Die I. G. Farbenindustrie*

AG. *Wirtschaft, Technik und Politik 1904-1945* (Berlim, 1990), segue Hayes em larga medida, embora seja menos crítico em alguns aspectos: ver Peter Hayes, "Zur umstrittenen Geschichte der I. G. Farbenindustrie AG", *Geschichte und Gesellschaft*, 18 (1992), p. 405-17; a réplica de Plumpe não convence: ver Gottfried Plumpe, "Antwort auf Peter Hayes", *Geschichte und Gesellschaft*, 18 (1992), p. 526-32.

126. Harold James, "Die Deutsche Bank und die Diktatur 1933-1945", em Lothar Gall *et al.*, *Die Deutsche Bank 1870-1995* (Munique, 1993), p. 315-408; ver também Harold James, *The Nazi Dictatorship and the Deutsche Bank* (Cambridge, 2004).
127. Detalhes em Behnken (ed.), *Deutschland-Berichte*, VI (1939), p. 511-6.
128. Ibid., p. 611-3.
129. Simone Ladwig-Winters, "The Attack on Berlin Department Stores *(Warenhäuser)* after 1933", em David Bankier (ed.), *Probing the Depths of German Antisemitism: German Society and the Persecution of the Jews, 1933-1941* (Jerusalém, 2000), p. 246--67, nas p. 246-50; idem, *Wertheim – Ein Warenhausunternehmen und seine Eigentümer: Ein Beispiel der Entwicklung der Berliner Warenhäuser bis zur "Arisierung"* (Münster, 1997); Klaus Strohmeyer, *Warenhäuser: Geschichte, Blüte und Untergang in Warenmeer* (Berlim, 1980); Heidrun Homburg, "Warenhausunternehmen und ihre Gründer in Frankreich und Deutschland oder: eine diskrete Elite und mancherlei Mythen", *Jahrbuch für Wirtschaftsgeschichte* (1992), p. 183-219. Rudolf Lenz, *Karstadt. Ein deutscher Warenhauskonzern 1920-1950* (Stuttgart, 1995); Werner E. Mosse, *The German-Jewish Economic Elite 1820-1935: A Socio-Cultural Profile* (Oxford, 1989), p. 18-20, 29-31, 70-8, 103-5, 111-3, 140-2; ver também Konrad Fuchs, *Ein Konzern aus Sachsen: Das Kaufhaus Schocken als Spiegelbild deutscher Wirtschaft und Politik, 1901 bis 1953* (Stuttgart, 1990).
130. Ladwig-Winters, "The Attack", p. 251.
131. Robert J. Gellately, *The Politics of Economic Despair. Shopkeepers and German Politics, 1890-1914* (Londres, 1974), p. 141-3.
132. Albrecht Tyrell (ed.), *Führer befiehl... Selbstzeugnisse aus der "Kampfzeif" der NSDAP: Dokumentation und Analyse* (Düsseldorf, 1969), p. 24.
133. Traduzido e republicado em Noakes e Pridham (eds.), *Nazism*, I, p. 76.
134. Heinrich Uhlig, *Die Warenhäuser im Dritten Reich* (Colônia, 1956), p. 78-9, 88-127.
135. Uhlig, *Warenhäuser*, p. 115-9; Ladwig-Winters, "The Attack", p. 255-6; Johannes Ludwig, *Boykott – Enteignung – Mord: Die "Entjuding" der deutschen Wirtschaft* (Hamburgo, 1989), p. 104-27.
136. Ladwig-Winters, "The Attack", p. 226-62 (citação na p. 262). Para a Organização das Células das Fábricas, ver p. 517-23 neste livro.
137. Ladwig-Winters, "The Attack", p. 263-7; para um bom exemplo local da campanha contra lojas de departamentos, ver Franz Fichtl *et al.*, *"Bambergs Wirtschaft Judenfrei": Die Verdrängung der jüdischen Geschäftsleute in den Jahren 1933 bis 1939* (Bamberg, 1998), p. 66-72.
138. Peter Longerich, *Politik der Vernichtung: Eine Gesamtdarstellung der nationalsozialistischen Judenverfolgung* (Munique, 1998), p. 46-54; Helmut Genschel, *Die Verdrängung der Juden aus der Wirtschaft im Dritten Reich* (Göttingen, 1966), p. 78--87; Gerhard Kratzsch, *Der Gauwirtschaftsapparat der NSDAP: Menschenführung – "Arisierung" – Wehrwirtschaft im Gau Westfalen-Süd* (Münster, 1989), p. 117; Fichtl *et al.*, *"Bambergs Wirtschaft"*, p. 101-10; o melhor exame geral ainda é de

Avraham Barkai, *From Boycott to Annihilation: The Economic Struggle of German Jews 1933-1943* (Hanover, NH, 1989 [1988]).
139. Klemperer, *I Shall Bear Witness*, 65 (13 de junho de 1934).
140. Friedländer, *Nazi Germany*, p. 234-5.
141. Joachim Meynert, *Was vor der "Endlösung" geschah. Antisemitische Ausgrenzung und Verfolgung in Minden-Ravensburg, 1933-1945* (Münster, 1988), p. 82-99.
142. Citado em Longerich, *Politik*, p. 55.
143. Ibid.
144. Ibid., p. 55-6, 70-88.
145. Tudo citado em ibid., p. 97-8; relatório e tradução em *The Economist* (24 de agosto de 1935), p. 36-6. Para a afirmação de Schacht de que se opôs ao antissemitismo, ver Schacht, *My First Seventy-Six Years*, p. 467-8; seu primeiro biógrafo sério, Heinz Pentzlin, *Hjalmar Schacht: Leben und Wirken einer umstrittenen Persönlichkeit* (Berlim, 1980), engoliu a maior parte disso. Boelcke, *Die deutsche Wirtschaft*, p. 117-28 e 210--7, fornece uma introdução útil para a arianização, mas é gentil demais com Schacht.
146. Schacht, *My First Seventy-Six Years*, p. 357.
147. Albert Fischer, "The Minister of Economics and the Expulsion of the Jews from the German Economy", em Bankier (ed.), *Probing*, p. 213-25; ver também idem, *Hjalmar Schacht und Deutschlands "Judenfrage": Der "Wirtschaftsdiktator" und die Vertreibung der Juden aus der deutschen Wirtschaft* (Colônia, 1995).
148. Petra Bräutigam, *Mittelständische Unternehmer im Nationalsozialismus: Wirtschaftliche Entwicklungen und soziale Verhaltensweisen in der Schuch- und Lederindustrie Badens und Württembergs* (Munique, 1997), p. 167-73, 297-336.
149. Frank Bajohr, "The 'Aryanization' of Jewish Companies and German Society: The Example of Hamburg", em Bankier (ed.), *Probing*, p. 226-45, nas p. 227-34. Para as atitudes mercantis tradicionais, ver Richard J. Evans, *Death in Hamburg: Society and Politics in the Cholera Years 1830-1910* (Oxford, 1987), esp. p. 33-9, 392-4; e Niall Ferguson, *Paper and Iron: Hamburg Business and German Politics in the Era of Inflation 1897-1927* (Cambridge, 1995), p. 60-4.
150. Bajohr, "The 'Aryanization'", p. 235-8; mais detalhes em idem, *"Aryanization" in Hamburg: The Economic Exclusion of Jews and the Confiscation of their Property in Nazi Germany* (Nova York, 2002 [1997]), capítulo 4.
151. Bajohr, "The 'Aryanization'", p. 234-41; mais empresários ilustres atuaram no gabinete equivalente da sede regional do Partido na Westfália: ver Gerhard Kratzsch, "Die 'Entjudung' der mittelständischen Wirtschaft im Regierungsbezirk Arnsberg", em Arno Herzig *et al.* (eds.), *Verdrängung und Vernichtung der Juden in Westfalen* (Münster, 1994), p. 91-114, na p. 97. Por outro lado, escritórios estatais afirmaram--se com mais vigor em outras regiões: ver por exemplo Hans-Joachim Fliedner, *Die Judenverfolgung in Mannheim 1933-1945* (Stuttgart, 1971), p. 114, e Kratzsch, *Der Gauwirtschaftsapparat*, p. 151 e 180; também Dirk van Laak, "Die Mitwirkenden bei der 'Arisierung'. Dargestellt am Beispiel der rheinisch-westfälischen Industrieregion, 1933-1940", em Ursula Büttner (ed.), *Die Deutschen und die Judenverfolgung im Dritten Reich* (Hamburgo, 1992), p. 231-57.
152. Bajohr, "The 'Aryanization'", p. 237, criticando Fraenkel, *The Dual State* (ver *supra*, p. 65 neste livro), e Uwe Dietrich Adam, *Judenpolitik im Dritten Reich* (Düsseldorf, 1972), p. 359.

153. Fischer, *Hjalmar Schacht*, p. 187; Longerich, *Politik*, p. 124; Stefan Mehl, *Das Reichsfinanzministerium und die Verfolgung der deutschen Juden, 1933-1943* (Berlim, 1990); Behnken (ed.), *Deutschland-Berichte*, V (1938), p. 1291.
154. Fichtl et al., *"Bambergs Wirtschaft"*, p. 63-97, 111-32.
155. Treue (ed.), "Hitlers Denkschrift", p. 204, 210.
156. Longerich, *Politik*, p. 124-6; Bajohr, *"Aryanization"*, p. 185-221; Dorothee Mussgnug, *Die Reichsfluchtsteuer 1931-1933* (Berlim, 1993).
157. Hans Nothnagel e Ewald Dähn, *Juden in Suhl: Ein geschichtlicher Überblick* (Konstanz, 1995), p. 129-31.
158. Albert Fischer, "Jüdische Privatbanken im 'Dritten Reich'", *Scripta Mercaturae. Zeitschrift für Wirtschafts- und Sozialgeschichte*, 28 (1994), p. 1-54; Christopher Kopper, "Die 'Arisierung' jüdischer Privatbanken im Nationalsozialismus", *Sozialwissenschaftliche Informationem für Unterricht und Studium*, 20 (1991), p. 11--6.
159. Ver Christopher Kopper, "Privates Bankwesen im Nationalsozialismus. Das Bankhaus M. M. Warburg & Co.", em Werner Plumpe e Christian Kleinschmidt (eds.), *Unternehmen zwischen Markt und Macht: Aspekte deutscher Unternehmens- und Industriegeschichte im 20 Jahrhundert* (Essen, 1992), p. 61-73; e A. Joshua Sherman, "A Jewish Bank during the Schacht Era: M. M. Warburg & Co., 1933--1938", em Arnold Paucker (ed.), *The Jews in Nazi Germany 1933-1943* (Tübingen, 1986), p. 167-72.
160. Barkai, *From Boycott*, p. 70.
161. Longerich, *Politik*, p. 126-7; Avraham Barkai, "The Fateful Year 1938: The Continuation and Acceleration of Plunder", em Walter H. Pehle (ed.), *November 1938: From "Reichskristallnacht" to Genocide* (Nova York, 1991 [1988]), p. 95-122, nas p. 97-9. Os números aplicam-se ao *Altreich*.
162. Genschel, *Die Verdrängung*, p. 126; ver em termos mais gerais Günter Plum, "Wirtschaft und Erwerbsleben", em Wolfgang Benz (ed.), *Die Juden in Deutschland 1933-1945: Leben unter nationalsozialistischer Herrschaft* (Munique, 1988), p. 268--313, nas p. 292-304; para um estudo local, ver Meynert, *Was vor der "Endlösung" geschah*, p. 156-77.
163. Longerich, *Politik*, p. 128; Barbara Händler-Lachmann e Thomas Werther, *Vergessene Geschäfte, verlorene Geschichte: Jüdisches Wirtschaftsleben in Marburg und seine Vernichtung im Nationalsozialismus* (Marburg, 1992); Axel Bruns-Wüstefeld, *Lohnende Geschäfte. Die "Entjudung" der Wirtschaft am Beispiel Göttingens* (Hanover, 1997); também Benigna Schönhagen, *Tübingen unterm Hakenkreuz: Eine Universitätsstadt in der Zeit des Nationalsozialismus* (Tübingen, 1991).
164. Barkai, "The Fateful Year", p. 97-113; Longerich, *Politik*, p. 126-30, 159-61, 165-9. A menos que citado em contrário, essas estatísticas incluem apenas o *Altreich;* as estatísticas de arianização de 1938 também incluem a Áustria. Mais detalhes em Plum, "Wirtschaft", p. 304-13. Ver também, em termos mais gerais, Peter Hayes e Irmtrud Wojak (eds.), *"Arisierung" im Nationalsozialismus: Volksgemeinschaft, Raub und Gedächtnis* (Frankfurt am Main, 2000). Entre muitos outros proveitosos estudos locais, ver também, em particular, Dirk van Laak, "'Wenn einer ein Herz im Leibe hat, der lässt sich von einem deutschen Arzt behandeln" – Die "Entjudung" der Essener Wirtschaft von 1933 bis 1941", em Alte Synagoge (ed.), *Entrechtung und*

Selbsthilfe: Zur Geschichte der Juden in Essen unter dem Nationalsozialismus (Essen, 1994), p. 12-30.
165. Barkai, "The Fateful Year", citando Peter Hanke, *Zur Geschichte der Juden in München zwischen 1933 und 1945* (Munique, 1967), p. 154-5.
166. Avraham Barkai, "Die deutschen Unternehmer und die Judenpolitik im 'Dritten Reich'", *Geschichte und Gesellschaft*, 15 (1989), p. 227-47. Bajohr, "The 'Aryanization'", p. 241-2; para um estudo local revelador do enorme leque de diferentes tipos e tamanhos de empreendimentos envolvidos, ver Angelika Baumann e Andreas Heusler (eds.), *München 'arisiert': Entrechtung und Eintegnung der Juden in der NS-Zeit* (Munique, 2004).
167. Behnken (ed.), *Deutschland-Berichte*, V (1938), p. 750.
168. Ibid., VI (1939), p. 599; repercutido em Genschel, *Die Verdrängung*, p. 213.
169. Harold James, *The Deutsche Bank and the Nazi Economic War against the Jews: The Expropriation of Jewish-owned Property* (Cambridge, 2001), p. 36-48.
170. Dieter Ziegler, "Die Verdrängung der Juden aus der Dresdner Bank 1933-1938", *VfZ* 47 (1999), p. 187-216; Stokes, "From the I. G. Farben Fusion", p. 291-2. Para bancos, ver mais genericamente Christopher Kopper, *Zwischen Marktwirtschaft und Dirigismus: Bankenpolitik im "Dritten Reich" 1933-1939* (Bonn, 1995).
171. Paul Erker, *Industrieeliten in der NS-Zeit: Anpassungsbereitschaft und Eigeninteresse von Unternehmern in der Rüstungs- und Kriegswirtschaft 1936-1945* (Passau, 1993), p. 7-14.
172. Feldman, *Allianz*, p. 125-39.
173. Friedländer, *Nazi Germany*, p. 234-6.
174. Kratzsch, *Der Gauwirtschaftsapparat*, p. 217-8, 506.
175. James, *The Deutsche Bank*, p. 36-48.
176. Barkai, *From Boycott*, p. 75.
177. Behnken (ed.), *Deutschland-Berichte*, V (1938), p. 176-9.
178. Bräutigam, *Mittelständische Unternehmer*, p. 332-6; para a empresa de sapatos Tack, ver Ludwig, *Boycott*, p. 128-53.
179. Feldman, *Allianz*, p. 147-9.
180. James, *The Deutsche Bank*, p. 49-50; Peter Hayes, "Big Business and 'Aryanization' in Germany 1933-1939", *Jahrbuch für Antisemitismusforschung* 3 (1994), p. 254-81, na p. 267. A I. G. Farben parece ter participado pouco ou nada dessas aquisições: ver Stokes, "From the I. G. Farben Fusion", p. 291.
181. Bernhard Lorentz, "Die Commerzbank und die 'Arisierung' im Altreich. Ein Vergleich der Netzwerkstrukturen und Handlungsspielräume von Grossbanken in der NS-Zeit", *VfZ* 50 (2002), p. 237-68; Ludolf Herbst e Thomas Weihe (eds.), *Die Commerzbank und die Juden 1933-1945* (Munique, 2004).
182. Ludwig, *Boycott*, p. 154-74.
183. Bajohr, "The 'Aryanization'", p. 242-5; Peter Hayes, "Fritz Roessler and Nazism: The Observations of a German Industrialist, 1930-37", *Central European History*, 20 (1987), p. 58-83; em maior detalhe, ver também Peter Hayes, *From Cooperation to Complicity. Degussa in the Third Reich* (Nova York, 2005).
184. Frank Bajohr e Joachim Szodrzynski, "'Keine jüdische Hautcreme mehr benutzen'. Die antisemitische Kampagne gegen die Hamburger Firma Beiersdorf", em Arno Herzig (ed.), *Die Juden in Hamburg 1590-1990* (Hamburgo, 1991), p. 515-26.

185. Longerich, *Politik*, p. 127; Bajohr, "The 'Aryanization'", p. 242-7.
186. Rainer Karlsch e Raymond G. Stokes, *Faktor Öl: Die Geschichte der Mineralölwirtschaft in Deutschland, 1859-1974* (Munique, 2003), p. 161-3; Lukas Straumann e Daniel Wildmann, *Schweizer Chemieunternehmen im "Dritten Reich"* (Zurique, 2001), p. 68-9.
187. Reinhold Billstein et al., *Working for the Enemy: Ford, General Motors and Forced Labor in Germany during the Second World War* (Nova York, 2000).
188. Frank Bajohr, *Parvenüs und Profiteure: Korruption in der NS-Zeit* (Frankfurt am Main, 2001), p. 99-105.
189. Ibid., p. 104-18; idem, "Gauleiter in Hamburg. Zur Person und Tätigkeit Karl Kaufammans", *VfZ* 43 (1995), p. 27-95.
190. Bajohr, *Parvenüs*, p. 115; Saul K. Padover, *Experiment in Germany: The Story of an American Intelligence Officer* (Nova York, 1946), p. 57.
191. Gerd R. Ueberschär e Winfried Vogel, *Dienen und Verdienen: Hitlers Geschenke an seine Eliten* (Frankfurt am Main, 1999), p. 35-55; Bajohr, *Parvenüs*, p. 17-21.
192. Ueberschär e Vogel, *Dienen und Verdienen*, p. 50-69.
193. Ibid., p. 77-8.
194. Ibid., p. 90-3; Bajohr, *Parvenüs*, p. 34-6; ver também Wulf C. Schwarzwäller, *The Unknown Hitler: His Private Life and Fortune* (Bethesda, Md., 1989 [1986]), e "Der Nazi-Diktator zahlte nicht mal Steuern", *Die Welt* (17 de dezembro de 2004).
195. Bajohr, *Parvenüs*, p. 21-6. Esse sistema inspirou a piada de que NSDAP queria dizer "Na, suchst du auch Pötschen?" ("Então você está em busca de uns carguinhos no Estado?") (Gamm, *Der Flüsterwitz*, p. 77).
196. Bajohr, *Parvenüs*, p. 27-33.
197. Herbert, "'Die guten und die schlechten Zeiten'", entrevista com Willi Erbach.
198. Steinberg, *Sabers*, p. 142-4.
199. Bajohr, *Parvenüs*, p. 49-55.
200. Ibid., p. 63-8.
201. Ibid., p. 69-70.
202. Ibid., p. 71-4.
203. Ibid., p. 75-94; Behnken (ed.), *Deutschland-Berichte*, IV (1937), p. 549-53.
204. Ibid., p. 514-8.
205. Klemperer, *I Shall Bear Witness*, p. 84-5 (27 de setembro de 1934).
206. Grunberger, *A Social History*, p. 419-25, 468-9; Gamm, *Der Flüsterwitz*, p. 88, 90; Kershaw, *The "Hitler Myth"*, p. 96-104. Finck subsequentemente foi solto, mas expulso da Câmara de Cultura do Reich e impedido de trabalhar, embora tenha reaparecido no entretenimento das tropas durante a guerra (Grunberger, *A Social History*, p. 469).
207. Richard J. Overy, "Germany, 'Domestic Crisis', and War in 1939", em idem, *War and Economy*, p. 205-32, nas p. 214-5.
208. Peter Hayes, "Polycracy and Policy in the Third Reich: The Case of the Economy", em Childers e Caplan (eds.), *Reevaluating*, p. 190-210. Sobre a margem de manobra que restava a empresários e industriais em 1939, ver Fritz Blaich, "Die bayerische Industrie 1933-1939. Elemente von Gleichschaltung, Konformismus und Selbstbehauptung", em Broszat et al. (eds.), *Bayern*, II, p. 237-80.
209. Tim Mason, "The Domestic Dynamics of Nazi Conquests: A Response to Critics", em Childers e Caplan (eds.), *Reevaluating the Third Reich*, p. 161-89.

210. Behnken (ed.), *Deutschland-Berichte*, VI (1939), p. 643-9; Overy, "'Domestic Crisis'", p. 216, tabela 7.1.

Parte 5 – CONSTRUINDO A COMUNIDADE DO POVO

1. Friedrich Reck-Malleczewen, *Diary of a Man in Despair* (Londres, 1995 [1966]), p. 36-9, 59, 36, 85-6, 95.
2. Ibid., p. 63.
3. Ibid., p. 78.
4. Ibid., p. 52.
5. Ibid., p. 84-5.
6. Ibid., p. 85.
7. Christine Zeile, "Ein biographischer Essay", em Friedrich Reck, *Tagebuch eines Verzweifelten* (Frankfurt am Main, 1994), p. 251-98. Norman Stone, em sua Introdução à edição inglesa, não questiona o título de Reck *(Diary*, p. 5-15, na p. 12), tampouco o tradutor (Prefácio do Tradutor, p. 17-20, na p. 18). Burleigh, *The Third Reich*, p. 5, também o descreve como um "aristocrata"; Gellately, *The Gestapo*, chama-o de "nobre do sul da Alemanha". Para uma dissecação detalhada das fantasias, ver Alphons Kappeler, *Ein Fall von 'Pseudologia phantastica' in der deutschen Literatur: Fritz Reck-Malleczewen* (2 vols., Göppingen, 1975), I, p. 5-179.
8. Kappeler, *Ein Fall*, I, p. 482-92.
9. Heinz Reif, *Adel im 19. und 20. Jahrhundert* (Munique, 1999), p. 54, 112, 117; Georg H. Kleine, "Adelsgenossenschaft und Nationalsozialismus", *VfZ* 26 (1978), p. 100–43; Shelley Baranowski, "East Elbian Elites and Germany's Turn to Fascism: The *Sonderweg* Controversy Revisted", *European History Quarterly*, 26 (1996), p. 209–40; Willibald Gutsche e Joachim Petzold, "Das Verhältnis der Hohenzollern zum Faschismus", *Zeitschrift für Geschichtswissenschaft*, 29 (1981), p. 917-39; Wolfgang Zollitsch, "Adel und adlige Machteliten in der Endphase der Weimarer Republik. Standespolitik und agrarische Interessen", em Heinrich August Winkler (ed.), *Die deutsche Staatskrise 1930-1933: Handlungsspielräume und Alternativen* (Munique, 1992), p. 239-62; Karl Otmar von Aretin, "Der bayerische Adel von der Monarchie zum Dritten Reich", em Broszat *et al.* (eds.), *Bayern*, III, p. 513-68, nas p. 525, 542, 554-6. Stephan Malinowski, *Vom König zum Führer: Sozialer Niedergang und politische Radikalisierung im deutschen Adel zwischen Kaiserreich und NS-Staat* (Berlim, 2003), p. 321-475, fornece um estudo abrangente e bom de ler sobre clubes e grupos de pressão aristocráticos.
10. Höhne, *The Order*, p. 142-8; Gutsche e Petzold, "Das Verhältnis"; Reif, *Adel*, p. 54; mais genericamente, Martin Broszat e Klaus Schwabe (eds.), *Die deutschen Eliten und der Weg in den Zweiten Weltkrieg* (Munique, 1989).
11. Malinowski, *Vom König*, p. 560-78. Ver também os estudos em Heinz Reif (ed.), *Adel und Bürgertum in Deutschland*, II: *Entwicklungslinien und Wendepunkte im 20. Jahrhundert* (Berlim, 2001), e os exemplos detalhados apresentados em Friedrich Keinemann, *Vom Krummstab zur Republik: Westfälischer Adel unter preussischer Herrschaft 1802-1945* (Bochum, 1997), e Eckart Conze, *Von deutschem Adel: Die Grafen von Bernstorff im zwanzigsten Jahrhundert* (Stuttgart, 2000).

12. Tyrell, *Führer befiehl...*, p. 24; Noakes e Pridham (eds.), *Nazism*, I, p. 61.
13. Evans, *The Coming of the Third Reich*, p. 369-73; Corni, *Hitler and the Peasants*, p. 39-65; Petzina, *Die deutsche Wirtschaft*, p. 115-6.
14. Matthias Eidenbenz, *"Blut und Boden": Zu Funktion und Genese der Metaphern des Agrarismus und Biologismus in der nationalsozialistischen Bauernpropaganda R. W. Darré* (Berna, 1993); Oswald Spengler foi o primeiro a juntar as duas palavras no mesmo contexto, embora colocando uma em oposição à outra (ibid., p. 2-3).
15. Evans, *The Coming of the Third Reich*, p. 228, 334; Gustavo Corni, "Richard Walther Darré: The Blood and Soil Ideologue", em Smelser e Zitelmann (eds.), *The Nazi Elite*, p. 18-27; Horst Gies, *R. Walther Darré und die nationalsozialistische Bauernpolitik 1930 bis 1933* (Frankfurt am Main, 1966); idem, "Die nationalsozialistische Machtergreifung auf dem agrarpolitischen Sektor", *Zeitschrift für Agrargeschichte und Agrarsoziologie*, 16 (1968), p. 210-32; Horst Gies, "NSDAP und landwirtschaftliche Organisationen in der Endphase der Weimarer Republik", *VfZ* 15 (1967), p. 341-67; Farquharson, *The Plough*, p. 13-73; Herlemann, *"Der Bauer"*, p. 53-73.
16. Horst Gies, "Die nationalsozialistische Machtergreifung", p. 210-32; idem, "Landbevevölkerung und Nationalsozialismus: Der Weg in den Reichsnährstand", *Zeitgeschichte*, 13 (1986), p. 123-41.
17. Farquharson, *The Plough*, p. 107-40.
18. Corni, *Hitler and the Peasants*, p. 121; Minuth (ed.), *Akten der Reichskanzlei: Die Regierung Hitler, 1933-1934*, I, p. 399-401.
19. Corni, *Hitler and the Peasants*, p. 116-42; Farquharson, *The Plough*, p. 141-60.
20. Behnken (ed.), *Deutschland-Berichte*, I (1934), 52 (abril/maio).
21. Ibid., p. 52.
22. Ibid., p. 741 (novembro/dezembro, relatório do sul da Baviera); mais genericamente, Friedrich Grundmann, *Agrarpolitik im "Dritten Reich": Anspruch und Wirklichkeit des Reichserbhofgesetzes* (Hamburgo, 1979); Herlemann, *"Der Bauer"*, p. 127-45.
23. Behnken (ed.), *Deutschland-Berichte*, I (1934), p. 741-2.
24. Ibid., p. 232 (também para o trecho anterior); mais genericamente, ver o relato em Corni, *Hitler and the Peasants*, p. 143-55.
25. Behnken (ed.), *Deutschland-Berichte*, I (1934), p. 232-3; ver também Michael Schwartz, "Bauern vor dem Sondergericht: Resistenz und Verfolgung im bäuerlichen Milieu Westfalens", em Anselm Faust (ed.), *Verfolgung und Widerstand im Rheinland und in Westfalen 1933-1945* (Colônia, 1992), p. 113-23.
26. Ver, por exemplo, Herlemann, *"Der Bauer"*, p. 226-9.
27. Behnken (ed.), *Deutschland-Berichte*, IV (1937), p. 1098-140, exemplos nas p. 1100 e 1103.
28. Wolfram Pyta, *Dorfgemeinschaft und Parteipolitik 1918-1933: Die Verschränkung von Milieu und Parteien in der protestantischen Landgebieten Deutschlands in der Weimarer Republik* (Düsseldorf, 1996), p. 470-3.
29. Zdenek Zofka, *Die Ausbreitung des Nationalsozialismus auf dem Lande: Eine regionale Fallstudie zur politischen Einstellung der Landbevölkerung in der Zeit des Aufstiegs und der Machtergreifung der NSDAP 1928-1936* (Munique, 1979); Herlemann, *"Der Bauer"*, p. 77-88.
30. Zdeneck Zofka, "Dorfeliten und NSDAP. Fallbeispiele der Gleichschaltung aus dem Kreis Günzburg", em Broszat *et al.* (eds.), *Bayern*, IV, p. 383-434, na p. 429

(Aus dem Schreiben des Landrats von Bad Aibling an die zuständige Behörde der US-Militärregierung vom 12. Dezember 1945).
31. Ibid., p. 431 (Aus einem Schreiben des Bezirksamts Erding an die Kreisleitung Erding vom 5. März 1937).
32. Ibid., p. 432 (Aus der Stellungnahme des Bezirksamtes München vom 27. September 1938).
33. Caroline Wagner, *Die NSDAP auf dem Dorf: Eine Sozialgeschichte der NS- -Machtergreifung in Lippe* (Münster, 1998).
34. Gerhard Wilke, "Village Life in Nazi Germany", em Richard Bessel (ed.), *Life in the Third Reich* (Oxford, 1987), p. 17-24. Ver também o detalhado estudo de Kurt Wagner, *Leben auf dem Lande im Wandel der Industrialisierung: "Das Dorf war früher auch keine heile Welt": Veränderung der dörflichen Lebensweise und der politischen Kultur vor dem Hintergrund der Industrialisierung am Beispiel des nordhessichen Dorfes Körle (1800-1970)* (Frankfurt am Main, 1986).
35. Gerhard Wilke e Kurt Wagner, "Family and Household: Social Structures in a German Village Between the Two World Wars", em Richard J. Evans e William Robert Lee (eds.), *The German Family: Essays on the Social History of the Family in Nineteenth- and Twentieth-Century Germany* (Londres, 1981), p. 120-47; Grunberger, *A Social History*, p. 200, citando Hans Müller, *Deutsches Bauerntum zwischen Gestern und Morgen* (Witzburg, 1940), p. 28.
36. Gerhard Wilke, "The Sins of the Fathers: Village Society and Social Control in the Weimar Republic", em Richard J. Evans e W. R. Lee (eds.), *The German Peasantry: Conflict and Community in Rural Society from the Eighteenth to the Twentieth Centuries* (Londres, 1986), p. 174-204.
37. Para achados semelhantes em Lippe, ver Wagner, *Die NSDAP, passim*.
38. Kurt Wagner e Gerhard Wilke, "Dorfleben im Dritten Reich: Körle in Hessen", em Peukert e Reulecke (eds.), *Die Reihen fast geschlossen*, p. 85-106. Para outro estudo comparável, ver Wolfgang Kaschuba e Carola Lipp, "Kein Volk steht auf, kein Sturm bricht los. Stationen dörflichen Lebens auf dem Weg in den Faschismus", em Johannes Beck et al. (eds.), *Terror und Hoffnung in Deutschland 1933-1945: Leben im Faschismus* (Reinbek, 1980), p. 111-55, e idem, *Dörfliches Überleben: Zur Geschichte materieller und sozialer Reproduktion ländlicher Gesellshaft im 19. und frühen 20. Jahrhundert* (Tübingen, 1982), p. 232-59. Para uma avaliação mais geral, ver também Wolfgang Kaschuba, *Lebenswelt und Kultur der unterbürgerlichen Schichten im 19. und 20. Jahrhundert* (Munique, 1990), p. 47-9.
39. Daniela Münkel, *Nationalsozialistische Agrarpolitik und Bauernalltag* (Frankfurt am Main, 1996), p. 192-320; ver também idem, *Bauern und Nationalsozialismus: Der Landkreis Celle im Dritten Reich* (Bielefeld, 1991); e idem, "Hakenkreuz und 'Blut und Boden': Bäuerliches Leben im Landkreis Celle 1933-1939", *Zeitschrift für Agrargeschichte und Agrarsoziologie*, 40 (1992), p. 206-47.
40. Ver também a discussão em Herlemann, *"Der Bauer"*, p. 88-119.
41. Münkel, *Nationalsozialistische Agrarpolitik*, p. 278-80, 319-20, 466-81; Wagner, *Die NSDAP*, entretanto, enfatiza o nível relativamente alto de denúncias em algumas vilas de Lippe. Para o fracasso da modernização da agricultura, ver Peter Exner, *Ländliche Gesellschaft und Landwirtschaft in Westfalen, 1919-1969* (Paderborn, 1997); Joachim Lehmann, "Mecklenburgische Landwirtschaft und 'Modernisierung'

in den dreissiger Jahren", em Frank Bajohr (ed.), *Norddeutschland*, p. 335-46; e Daniela Münkel (ed.), *Der lange Abschied vom Agrarland: Agrarpolitk, Landwirtschaft und ländliche Gesellschaft zwischen Weimar und Bonn* (Göttingen, 2000). Para uma breve avaliação do festival de ação de graças pela colheita, ver Herlemann, *"Der Bauer"*, p. 223.

42. Para uma ampla literatura, ver em particular Heinz-Gerhard Haupt (ed.), *Die radikale Mitte: Lebensweisen und Politik von Kleinhändlern und Handwerkern in Deutschland seit 1848* (Munique, 1985); David Blackbourn, "Between Resignation and Volatility: The German Petty Bourgeoisie in the Nineteenth Century", em idem, *Populists and Patricians: Essays in Modern German History* (Londres, 1987), p. 84--113; Heinrich August Winkler, *Mittlestand, Demokratie und Nationalsozialismus: Die politische Entwicklung von Handwerk und Kleinhandel in der Weimarer Republik* (Colônia, 1972); Adelheid von Saldern, *Mittlestand im "Dritten Reich": Handwerker-Einzelhändler-Bauern* (Frankfurt am Main, 1979).

43. David Schoenbaum, *Hitler's Social Revolution: Class and Status in Nazi Germany, 1933-1939* (Londres, 1967), p. 136-7; Saldern, *Mittlestand*, *passim*; Behnken (ed.), *Deutschland-Berichte*, VI (1939), p. 228-32.

44. Friedrich Lenger, *Sozialgeschichte der deutschen Handwerker seit 1800* (Frankfurt am Main, 1988), p. 195-203. Para a Frente de Trabalho, ver p. 521-8 neste livro.

45. Blaich, *Wirtschaft*, p. 19-20; Petzina, *Die deutsche Wirtschaft*, p. 142.

46. Lenger, *Sozialgeschichte*, p. 132-7 e 163-202; Bernhard Keller, *Das Handwerk im faschistischen Deutschland: Zum Problem der Massenbasis* (Colônia, 1980), p. 68-84 (algumas informações úteis apesar da abordagem marxista-leninista).

47. Schoenbaum, *Hitler's Social Revolution*, p. 136-43, 147-50; Behnken (ed.), *Deustchland-Berichte*, VI (1939), p. 251-4.

48. Lenger, *Sozialgeschichte*, p. 195-203; Schoenbaum, *Hitler's Social Revolution*, p. 136-43, 147-50. A alegação de Adelheid von Saldern de que os setores artesanais alcançaram muito do que queriam no Terceiro Reich é convincente apenas em parte, mesmo para o período de 1933-36, e de forma alguma para o período posterior: ver Heinrich August Winkler, "Der entbehrliche Stand. Zur Mittlestandspolitik im 'Dritten Reich'", *Archiv für Sozialgeschichte*, 17 (1977), p. 1-4; Adelheid von Saldern, *Mittlestand;* idem, "'Alter Mittlestand' im 'Dritten Reich'. Anmerkungen zu einer Kontroverse", *Geschichte und Gesellschaft*, 12 (1986), p. 235-43; Heinrich August Winkler, "Ein neuer Mythos vom alten Mittelstand. Antwort auf eine Antikritik", *Geschichte und Gesellschaft*, 12 (1986), p. 548-57.

49. Gerald Schröder, "Die 'Wiedergeburt' der Pharmazie – 1933 bis 1934", em Mehrtens e Richter (eds.), *Naturwissenschaft*, p. 166-88; Franz Leimkugel, "Antisemitische Gesetzgebung in der Pharmazie, 1933-1939", em Meinel e Voswinckel (eds.), *Medizin*, p. 230-5.

50. Martin F. Brumme, "'Prachtvoll fegt der eiserne Besen durch die deutschen Lande.' Die Tierärzte und das Jahr 1933", em Meinel e Voswinckel (eds.), *Medizin*, p. 173--82.

51. Schoenbaum, *Hitler's Social Revolution*, p. 144-6.

52. Behnken (ed.), *Deutschland-Berichte*, I (1934), p. 49-50.

53. Ibid., p. 111-12.

54. Ibid., II (1935), p. 453-60.

55. Ibid., p. 1334-54.
56. Ibid., VI (1939), p. 868-98.
57. Günther Schulz, *Die Angestellten seit dem 19. Jahrhundert* (Munique, 2000), p. 36-7; Michael Prinz, *Vom neuen Mittelstand zum Volksgenossen: Die Entwicklung des sozialen Status der Angestellten von der Weimarer Republik bis zum Ende der NS-Zeit* (Munique, 1986), p. 92-143, 229.
58. Prinz, *Vom neuen Mittelstand*, p. 334-5.
59. Behnken (ed.), *Deutschland-Berichte*, III (1936), p. 732-3.
60. Konrad H. Jarausch, *The Unfree Professions: German Lawyers, Teachers, and Engineers, 1900-1950* (Nova York, 1990), p. 142-69.
61. Kater, *Doctors*, p. 35-6.
62. Ver p. 366-7 neste livro.
63. Kater, *Doctors*, p. 35-40.
64. Ibid., p. 25-34, 54-74; ver também idem, "Medizin und Mediziner im Dritten Reich", *Historische Zeitschrift*, 244 (1987), p. 299-352.
65. Domarus, *Hitler*, II, p. 692.
66. Boberach (ed.), *Meldungen*, II, p. 281 (Vierteljahrslagebericht 1939 des Sicherheitshauptamtes Band 2).
67. Jane Caplan, *Government without Administration: State and Civil in Weimar and Nazi Germany* (Oxford, 1998), p. 215-59.
68. Documento publicado em Hans Mommsen, *Beamtentum im Dritten Reich: Mit ausgewählten Quellen zur nationalsozialistischen Beamtenpolitik* (Stuttgart, 1976), p. 146--8.
69. Caplan, *Government*, p. 321-5.
70. Jane Caplan, "'The Imaginary Unity of Particular Interests': The 'Tradition' of the Civil Service in Germany History", *Social History*, 4 (1978), p. 299-317; idem, "Bureaucracy, Politics and the National Socialist State", em Stachura (ed.), *The Shaping*, p. 234-56.
71. Hedda Kalshoven, *Ich denk so viel an Euch: Ein deutsch-holländischer Briefwechsel 1920-1949* (Munique, 1995 [1991]), p. 151-2.
72. Ibid., p. 152.
73. Ibid, p. 161 (3 de fevereiro de 1933).
74. Ibid., p. 169 (10 de março de 1933).
75. Ibid., p. 177-8 (14 de março de 1933).
76. Ibid., p. 182-4 (22 de março de 1933).
77. Ibid., p. 187 (30 de março de 1933).
78. Ibid., p. 189 (6 de abril de 1933).
79. Ibid., p. 199 (17 de maio de 1933).
80. Ibid., também p. 198 (12 de maio de 1933).
81. Ibid., p. 202-3 (25 de maio de 1933).
82. Ibid., p. 202 (25 de maio de 1933).
83. Ibid., p. 175-6 (14 de março de 1933).
84. Ibid., p. 180 (14 de março de 1933).
85. Ibid., p. 189 (6 de abril de 1933).
86. Ibid., p. 189-90 (6 de abril de 1933).
87. Ibid., p. 216 (18 de outubro de 1933).

88. Ibid., p. 212-3 *(Braunschweigische Landeszeitung,* 19 de outubro de 1933).
89. Ibid., p. 236 (14 de julho de 1934); também a carta da filha de 7 de julho na mesma página.
90. Evans, *The Coming of the Third Reich,* p. 425.
91. Kalshoven, *Ich denk,* p. 17-31. Não há motivo para supor que a família parasse de mencionar a política em suas cartas por medo de que fossem interceptadas pela Gestapo, embora isso deva permanecer como uma possibilidade.
92. Hanna Haack, "Arbeitslose in Deutschland. Ergebnisse und Analyse der Berufszählung vom 16. Juni 1933", *Jahrbuch für Wirtschaftsgeschichte* (1986), p. 36- -69; um útil resumo breve em Heinrich August Winkler, *Der Weg in die Katastrophe: Arbeiter und Arbeiterbewegung in der Weimarer Republik 1930 bis 1933* (Berlim, 1987), p. 93-9: ver também o estudo clássico de Theodor Julius Geiger, *Die soziale Schichtung des deutschen Volkes* (Stuttgart, 1967 [1932]). A categoria dos "economi- camente ativos" *(Erwerbspersonen)* inclui desempregados registrados nesses setores, bem como pessoas ainda empregadas *(Erwerbstätige).*
93. Evans, *The Coming of the Third Reich,* p. 333-49, 355-61.
94. Boelcke, *Die deutsche Wirtschaft,* p. 68-9. Hans-Gerd Schumann, *Nationalsozialismus und Gewerkschaftsbewegung: Die Vernichtung der deutschen Gewerkschaften und der "Deutschen Arbeitsfront"* (Hanover, 1958), p. 65; Ronald Smelser, *Robert Ley: Hitler's Labor Front Leader* (Oxford, 1988), p. 117-25; Mason, *Social Policy,* p. 63- -108.
95. Smelser, *Robert Ley,* p. 126-34.
96. Schumann, *Nationalsozialismus und Gewerkschaftsbewegung,* p. 63-5.
97. Ronald Smelser, "Robert Ley: The Brown Collectivist", em idem e Zitelmann (eds.), *The Nazi Elite,* p. 144-54, nas p. 144-5; também, em maior detalhe, Smelser, *Robert Ley,* p. 6-16.
98. Ibid., p. 17-69.
99. Ibid., p. 125-34.
100. Ibid., p. 135-9.
101. Timothy W. Mason, "The Workers' Opposition in Nazi Germany", *History Workshop Journal,* 11 (1987), p. 120-37.
102. Smelser, *Robert Ley,* p. 140-2; Noakes e Pridham (eds.), *Nazism,* II, p. 149; Schoenbaum, *Hitler's Social Revolution,* p. 91-8.
103. Citado em Broszat, *Der Staat Hitlers,* p. 190 (nota).
104. Heidrun Homburg, *Rationalisierung und Industriearbeit. Arbeitsmarkt – Management – Arbeiterschaft im Siemens-Konzern Berlin 1900-1939* (Berlim, 1991), p. 681-2.
105. Smelser, *Robert Ley,* p. 98-116; Speer, *Inside,* p. 217; Felix Kersten, *The Kersten Memoirs 1940-1945* (Londres, 1956 [1952]) (nem sempre confiável); Hans-Peter Bleuel, *Strenght Through Joy: Sex and Society in Nazi Germany* (Londres, 1973 [1972]), p. 3.
106. Bajohr, *Parvenüs,* p. 55-62.
107. Behnken (ed.), *Deutschland-Berichte,* IV (1937), p. 538-40.
108. Shelley Baranowski, *Strenght Through Joy,* p. 11-51; ver também Hermann Weiss, "Ideologie der Freizeit im Dritten Reich: Die NS-Gemeinschaft 'Kraft durch Freude'", *Archiv für Sozialgeschichte,* 33 (1993), p. 289-303.
109. Citado em Behnken (ed.), *Deutschland-Berichte,* VI (1939), p. 463.

110. Baranowski, *Strength Through Joy*, p. 51-66; também von Saldern, "'Art for the People'", p. 322-9; Schneider, *Unterm Hakenkreuz*, p. 228-9.
111. Behnken (ed.), *Deutschland-Berichte*, V (1938), p. 158.
112. Baranowski, *Strength Through Joy*, p. 118-42; Schneider, *Unterm Hakenkreuz*, p. 230-4.
113. Baranowski, *Strenght Through Joy*, p. 142-54.
114. Behnken (ed.), *Deutschland-Berichte*, II (1935), p. 176; relatórios semelhantes em ibid., p. 846-7.
115. Ibid., VI (1939), p. 468.
116. Baranowski, *Strenght Through Joy*, p. 165-7; Behnken (ed.), *Deutschland-Berichte*, VI (1939), p. 464-8.
117. Jürgen Rostock e Franz Zadnicek, *Paradiesruinen: Das KdF-Seebad der Zwanzigtausend auf Rügen* (Berlim, 1997 [1992]); Baranowski, *Strenght Through Joy*, p. 155-61, 231; Hasso Spode, "Ein Seebad für zwanzigtausend Volksgenossen: Zur Grammatik und Geschichte des Fordistischen Urlaubs", em Peter J. Brenner (ed.), *Reisekultur in Deutschland: Von der Weimarer Republic zum "Dritten Reich"* (Tübingen, 1997), p. 7-47; para a comparação, John K. Walton, *The British Seaside: Holidays and Resorts in the Twentieth Century* (Manchester, 2000). O *resort* teve um paralelo cotidiano no "Burgo Força pela Alegria", construído para acomodar os trabalhadores da nova unidade da Volkswagen: ver Mommsen e Grieger, *Das Volkswagenwerk*, p. 250-82.
118. Baranowski, *Strenght Through Joy*, p. 66-74; Behnken (ed.), *Deutschland-Berichte*, II (1935), p. 175; mais relatos em ibid., V (1938), p. 165-75, e VI (1939), p. 468-85 e 879-87.
119. Baranowski, *Strength Through Joy*, p. 166-75.
120. Ibid., p. 162-75; Mason, *Social Policy*, p. 160 e nota 20; William D. Bayles, *Caesars in Goosestep* (Nova York, 1940); Behnken (ed.), *Deutschland-Berichte*, I (1934), p. 524; ibid., VI (1939), p. 479.
121. Ibid., (1936), p. 884.
122. Hasso Spode, "'Der deutsche Arbeiter reist': Massentourismus im Dritten Reich", em Gerhard Huck (ed.), *Sozialgeschichte der Freizeit: Untersuchungen zum Wandel der Alltagskultur in Deutschland* (Wuppertal, 1980), p. 281-306; Schneider, *Unterm Hakenkreuz*, p. 670-78; Behnken (ed.), *Deutschland-Berichte*, I (1934), p. 523-7.
123. Mason, *Social Policy*, p. 159.
124. Behnken (ed.), *Deutschland-Berichte*, VI (1939), p. 474.
125. Ibid., V (1938), p. 172.
126. Mason, *Social Policy*, p. 158-64.
127. Behnken (ed.), *Deutschland-Berichte*, VI (1939), p. 468.
128. Herbert, "'Die guten und die schlechten Zeiten'", p. 67-96.
129. Schneider, *Unterm Hakenkreuz*, p. 676; Behnken (ed.), *Deutschland-Berichte*, VI (1939), p. 474.
130. Ibid., II (1935), p. 1455-6.
131. Ibid., p. 849.
132. Para um importante estudo desse processo, ver Lynn Abrams, *Worker's Culture in Imperial Germany: Leisure and Recreation in the Rhineland and Westphalia* (Londres, 1992); para as tradições culturais do movimento operário, ver, entre muitos outros

estudos, Vernon L. Lidtke, *The Alternative Culture: Socialist Labor in Imperial Germany* (Nova York, 1985), e W. L. Guttsman, *Worker's Culture in Weimar Germany: Between Tradition and Commitment* (Oxford, 1990).
133. Baranowski, *Strength Through Joy*, p. 165.
134. Schneider, *Unterm Hakenkreuz*, p. 672; Christine Keitz, "Die Anfänge des modernen Massentourismus in der Weimarer Republik", *Archiv für Sozialgeschichte*, 33 (1993), p. 179-209, na p. 192.
135. Ver Kristin A. Semmens, *Seeing Hitler's Germany: Tourism in the Third Reich* (Londres, 2005).
136. Baranowski, *Strength Through Joy*, p. 75-117; Chup Friemert, *Schönheit der Arbeit: Produktionsästhetik im Faschismus* (Munique, 1980); e Anson G. Rabinbach, "The Aesthetics of Production in the Third Reich", em George L. Mosse (ed.), *International Fascism: New Thought and New Approaches* (Londres, 1979), p. 189-222. Para um exemplo, ver Matthias Frese, *Betriebspolitik im "Dritten Reich": Deutsche Arbeitsfront, Unternehmer und Staatsbürokratie in der westdeutschen Grossindustrie, 1933-1939* (Paderborn, 1991), p. 383-95; relatos adicionais em Behnken (ed.), *Deutschland-Berichte*, III (1936), p. 886-7, e V (1938), p. 173-5.
137. Ibid., VI (1939), p. 463.
138. Ibid., II (1935), p. 846.
139. Citado em Schneider, *Unterm Hakenkreuz*, p. 678.
140. Blaich, *Wirtschaft*, p. 19-20.
141. "Upswing without Prosperity? Some Notes on the Development in the Lower Income Classes in Germany", *Supplement to the Weekly Report of the German Institute for Business Research* (Berlim, 24 de fevereiro de 1937).
142. Rüdiger Hachtmann, *Industriearbeit im "Dritten Reich": Untersuchungen zu den Lohn- und Arbeitsbedingungen in Deutschland 1933-1945* (Göttingen, 1989), p. 156-9; Dietmar Petzina *et al.* (eds.), *Sozialgeschichtliches Arbeitsbuch*, III: *Materialien zur Statistik des Reiches 1914-1945* (Munique, 1978), p. 98; Mason, *Social Policy*, p. 128--33.
143. Schneider, *Unterm Hakenkreuz*, p. 546-52.
144. Petzina *et al.* (eds.), *Sozialgeschichtliches Arbeitsbuch*, III, p. 103.
145. Klaus Wisotzky, *Der Ruhrbergbau im Dritten Reich: Studien zur Sozialpolitik im Ruhrbergbau und zum sozialen Verhalten der Bergleute in den Jahren 1933 bis 1939* (Düsseldorf, 1983), p. 81-7; Behnken (ed.) *Deutschland-Berichte*, V (1938), p. 311--12.
146. Ver, por exemplo, Michael Stahlmann, *Die erste Revolution in der Autoindustrie: Management und Arbeitspolitik von 1900-1940* (Frankfurt am Main, 1993), p. 85-8 (sobre a montadora Opel); Magnus Tessner, *Die deutsche Automobilindustrie im Strukturwandel von 1919 bis 1938* (Colônia, 1994), p. 205-6; e Homburg, *Rationalisierung*, *passim*.
147. Timothy Mason, *Arbeiterklasse und Volksgemeinschaft: Dokumente und Materialien zur deutschen Arbeiterpolitik 1936-1939* (Opladen, 1975), p. 669-70; Behnken (ed.), *Deutschland-Berichte*, VI (1939), p. 163-7; para a disciplina da força de trabalho na indústria de automóveis, ver Ernst Kaiser e Michael Knorn, *"Wir lebten und schliefen zwischen den Toten": Rüstungsproduktion, Zwangsarbeit und Vernichtung in den Frankfurter Adlerwerken* (Frankfurt am Main, 1994), p. 39-48.

148. Behnken (ed.), *Deutschland-Berichte*, VI (1939), p. 159-60.
149. Mason, *Arbeiterklasse*, p. 198-203.
150. Bernard p. Bellon, *Mercedes in Peace and War: German Automobile Workers, 1903--1945* (Nova York, 1990), p. 227.
151. Mason, *Social Policy*, p. 181-94.
152. Behnken (ed.), *Deutschland-Berichte*, VI (1939), p. 167-8, 338-46.
153. Mason, *Social Policy*, p. 266-74; Behnken (ed.), *Deutschland-Berichte*, V (1938), p. 1086-94; VI (1939), p. 352-6; ver também, para um exemplo detalhado, Andreas Meyhoff, *Blohm und Voss im "Dritten Reich": Eine Hamburger Grosswerft zwischen Geschäft und Politik* (Hamburgo, 2001).
154. Herbert, "'Die guten und die schlechten Zeiten'", p. 93; para a tese de que esse tipo de conflito de classes contribuiu para uma crise pré-guerra, ver Timothy Mason, "Arbeiteropposition im nationalsozialistischen Deutschland", em Peukert e Reulecke (eds.), *Die Reihen fast geschlossen*, p. 293-314; reflexões adicionais em Mason, *Social Policy*, p. 275-331; avaliação equilibrada em Schneider, *Unterm Hakenkreuz*, p. 752-65; estudo local detalhado de uma comunidade mineira em Klaus Tenfelde, "Proletarische Provinz: Radikalisierung und Widerstand in Penzberg/Oberbayern 1900 bis 1945", em Broszat *et al.* (eds.), *Bayern*, IV, p. 1-382, na p. 320-37.
155. Hitler, *Mein Kampf*, p. 27-8.
156. Evans, *The Coming of the Third Reich*, p. 140-5, 378-80; David F. Crew, *Germans on Welfare: From Weimar to Hitler* (Nova York, 1998), p. 6, 212-5.
157. Florian Tennstedt, "Wohltat und Interesse. Das Winterhilfswerk des Deutschen Volkes. Die Weimarer Vorgeschichte und ihre Instrumentalisierung durch das NS--Regime", *Geschichte und Gesellschaft*, 13 (1987), p. 157-80.
158. Thomas E. de Witt, "'The Struggle Against Hunger and Cold': Winter Relief in Nazi Germany, 1933-1939", *Canadian Journal of History*, 12 (1978), p. 361-81.
159. Herwart Vorländer, *Die NSV: Darstellung und Dokumentation einer nationalsozialistischen Organisation* (Boppard, 1988), p. 4-5, 44-62.
160. Behnken (ed.), *Deutschland-Berichte*, II (1935), p. 1430, e V (1938), p. 77-115; De Witt, "The Struggle".
161. De Witt, "The Struggle"; também Herwart Vorländer, "NS-Volkswohlfahrt und Winterhilfswerk des deutschen Volkes", *VfZ* 34 (1986), p. 341-80; e idem, *Die NSV*, p. 230, 53-4.
162. De Witt, "'The Struggle'"; Speer, *Inside*, p. 179-80; Vörlander, *Die NSV*, p. 51-2.
163. Ibid., p. 6-37.
164. Ibid., p. 214.
165. Citado em Adelheid Gräfin zu Castell Rüdenhausen, "'Nicht mitzuleiden, mitzukämpfen sind wir da!' Nationalsozialistische Volkswohlfahrt im Gau Westfalen--Nord", em Peukert e Reulecke (eds.), *Die Reihen fast geschlossen*, p. 223-44, nas 224-5.
166. Gamm, *Der Flüsterwitz*, p. 90; Behnken (ed.), *Deutschland-Berichte*, II (1935), p. 1421-47; Castell Rüdenhausen, "'Nicht mitzuleiden'"; ver também Peter Zolling, *Zwischen Integration und Segregation: Sozialpolitik im "Dritten Reich" am Beispiel der "Nationalsozialistischen Volkswohlfahrt" (NSV) in Hamburg* (Frankfurt am Main, 1986).

167. Behnken (ed.), *Deutschland-Berichte*, II (1935), p. 1447-55; ver também ibid., I (1934), p. 42-8.
168. Maschmann, *Account Rendered*, p. 13.
169. Ibid., p. 10-8.
170. Kershaw, *The "Hitler Myth"*, p. 64-5, 73-7.
171. William Sheridan Allen, *The Nazi Seizure of Power: The Experience of a Single German Town 1922-1945* (Nova York, 1984 [1965]), p. 266-73.
172. Ibid.
173. Ibid.
174. Ibid., p. 274-91. Ver também o estudo local, rico em detalhes, mas mais politicamente orientado, de Struve, *Aufstieg*, e a coleção de documentos editada por Lawrence D. Stokes, *Kleinstadt und Nationalsozialismus: Ausgewählte Dokumente zur Geschichte von Eutin, 1918-1945* (Neumünster, 1984) (ambos do norte da Alemanha).
175. Bernd Stöver, *Volksgemeinschaft im Dritten Reich: Die Konsensbereitschaft der Deutschen aus der Sicht sozialistischer Exilberichte* (Düsseldorf, 1993), p. 115-203, 421.
176. Domarus (ed.), *Hitler*, I, p. 415-7.
177. Ibid., II, p. 892.
178. *Völkischer Beobachter*, 29 de setembro de 1935, citado em Schoenbaum, *Hitler's Social Revolution*, p. 67.
179. Ver p. 312, 348-9 neste livro; para as ideias de Reck, ver *Diary*, p. 63-4.
180. Tagebuch Luise Solmitz, 28 de abril de 1933.
181. Para uma comparação seletiva, ver Overy, *The Dictators*, p. 218-64; para o argumento de que o Terceiro Reich modernizou a sociedade alemã por meio de políticas econômicas keynesianas e destruição de instituições sociais tradicionais, como os sindicatos, ver Werner Abelshauser e Anselm Faust, *Wirtschafts- und Sozialpolitik: Eine nationalsozialistische Revolution?* (Tübingen, 1983).
182. Henry Ashby Turner, Jr, "Fascism and Modernization", em idem (ed.), *Reappraisals of Fascism* (Nova York, 1975), p. 117-39.
183. Ver a proveitosa discussão em Ian Kershaw, *The Nazi Dictatorship: Problems and Perspectives of Interpretation* (4ª edição, Londres, 2000 [1985]), p. 161-82; Horst Matzerath e Heinrich Volkmann, "Modernisierungstheorie und Nationalsozialismus", em Jürgen Kocka (ed.), *Theorien in der Praxis des Historikers* (Göttingen, 1977), p. 86-116; Jeremy Noakes, "Nazism and Revolution", em Noel O'Sullivan (ed.), *Revolutionary Theory and Political Reality* (Londres, 1983), p. 73-100. Para a visão de que o nazismo deliberadamente buscou modernizar a sociedade alemã, ver Rainer Zitelmann, *Hitler: The Politics of Seduction* (Londres, 1999 [1987]). Isso não foi amplamente aceito, pelo menos não da forma colocada por Zitelmann.

Parte 6 – RUMO À UTOPIA RACIAL

1. Paul Weindling, *Health, Race and German Politics between National Unification and Nazism, 1870-1945* (Cambridge, 1989), p. 60-84; Evans, *The Coming of the Third Reich*, p. 35-6; Robert N. Proctor, *Racial Hygiene: Medicine under the Nazis* (Londres, 1988), p. 47.

2. Evans, *The Coming of the Third Reich*, p. 34-8, 377-8; Hans-Walter Schmuhl, *Rassenhygiene, Nationalsozialismus, Euthanasie: Von der Verhütung zur Vernichtung "lebensunwerten Lebens", 1890-1945* (Göttingen, 1987), p. 49-105.
3. Weindling, *Health*, p. 489-503.
4. Longerich, *Politik*, p. 47-50.
5. Evans, *The Coming of the Third Reich*, p. 37, 145, 377-80; Proctor, *Racial Hygiene*, p. 10-104 (p. 95 para o comitê de Frick); Schmuhl, *Rassenhygiene*, p. 154-68; Christian Gansmüller, *Die Erbgesundheitspolitik des dritten Reiches: Planung, Durchführung und Durchsetzung* (Colônia, 1987), p. 34-115; Jeremy Noakes, "Nazism and Eugenics: The Background to the Nazi Sterilization Law of 14 July 1933", em Roger Bullen et al. (eds.), *Ideas into Politics: Aspects of European History 1880-1950* (Londres, 1984), p. 75-94.
6. Gisela Bock, *Zwangssterilisation im Nationalsozialismus: Studien zur Frauenpolitik und Rassenpolitik* (Opladen, 1986), p. 230-2.
7. Ganssmüller, *Die Erbgesundheitspolitik*, p. 45-6: outras 40 mil foram esterilizadas em áreas anexadas pela Alemanha em 1938-39.
8. Michael Burleigh, *Death and Deliverance: "Euthanasia" in Germany c. 1900-1945* (Cambridge, 1994), p. 56-66.
9. Citado em Andrea Brücks, "Zwangssterilisation gegen 'Ballastexistenzen'", em Klaus Frahm et al. (eds.), *Verachtet – verfolgt – vernichtet: Zu den "vergessenen" Opfern des NS-Regimes* (Hamburgo, 1986), p. 103-8.
10. Longerich, *Politik*, p. 61-2.
11. Joachim Müller, *Sterilisation und Gesetzgebung bis 1933* (Husum, 1985); Wachsmann, *Hitler's Prisons*, p. 151.
12. Michael Schwartz, *Sozialistische Eugenik: Eugenische Sozialtechnologien in Debatten und Politik der Deutschen Sozialdemokratie 1890-1933* (Bonn, 1995).
13. Wachsmann, *Hitler's Prisons*, p. 149-56.
14. Klaus-Dieter Thomann, "'Krüppel sind nicht minderwertig.' Körperbehinderte im Nationalsozialismus", em Meinel e Voswinckel (eds.), *Medizin*, p. 208-20, nas p. 208-12, citando Wilhelm Frick, "Bevölkerungs- und Rassenpolitik", em Elsbeth Unverricht (ed.), *Unsere Zeit und Wir: Das Buch der deutschen Frau* (Gauting, 1933), p. 97-109, na p. 103.
15. Thomann, "'Krüppel'", p. 213-6.
16. Rossmeissl, *"Ganz Deutschland"*, p. 134.
17. Proctor, *Racial Hygiene*, p. 95-101; Stefan Kühl, *The Nazi Connection: Eugenics, American Racism, and German National Socialism* (Nova York, 1994).
18. Alberto Spektorowski e Elisabeth Mizrachi, "Eugenics and the Welfare State in Sweden: The Politics of Social Margins and the Idea of a Productive Society", *Journal of Contemporary History*, 39 (2004), p. 333-52; Alex Duval Smith e Maciej Zaremba, "Outcasts from Nordic Super-Race", *Observer*, 24 de agosto de 1997, p. 6.
19. Proctor, *Racial Hygiene*, p. 171; para a política beneficente protestante, ver Sabine Schleiermacher, *Sozialethik im Spannungsfeld von Sozial- und Rassenhygiene der Mediziner Hans Harmsen im Centralausschuss für die Innere Mission* (Husum, 1998).
20. Proctor, *Racial Hygiene*, p. 123.
21. James Woycke, *Birth Control in Germany 1871-1933* (Londres, 1988), p. 154; Evans, *The Coming of the Third Reich*, p. 375-8; Stibbe, *Women*, p. 43; Henry P. David et al.,

"Abortion and Eugenics in Nazi Germany", *Population and Development Review*, 14 (1988), p. 81-112.
22. Citado em Proctor, *Racial Hygiene*, p. 124.
23. Richard J. Evans, *The Feminist Movement in Germany 1894-1933* (Londres, 1976), p. 255-60; idem, *The Coming of the Third Reich*, p. 185-6.
24. Stibbe, *Women*, p. 34-40; Jill Stephenson, *The Nazi Organization of Women* (Londres, 1981), p. 97-125; idem, "The Nazi Organisation of Women, 1933-1939", em Stachura (ed.), *The Shaping*, p. 186-209. Alguns dos 11 filhos de Scholtz-Klink não sobreviveram à infância.
25. Irmgard Weyrather, *Muttertag und Mutterkreuz: Die Kult um die "deutsche Mutter" im Nationalsozialismus* (Frankfurt am Main, 1993); Susanna Dammer, "Kinder, Küche, Kriegsarbeit – Die Schulung der Frauen durch die NS-Frauenschaft", em Frauengruppe Faschismusforschung (ed.), *Mutterkreuz*, p. 215-45; Karin Hausen, "Mother's Day in the Weimar Republic", em Renate Bridenthal *et al.* (eds.), *When Biology Became Destiny*, p. 131-52; idem, "The 'German Mother's Day' 1923-1933", em Hans Medick e David Sabean (eds.), *Interest and Emotion: Essays in the Study of Family and Kinship* (Cambridge, 1984), p. 371-413.
26. Stibbe, *Women*, p. 34-40; Claudia Koonz, *Mothers in the Fatherland: Women, the Family and Nazi Politics* (Londres, 1988 [1987]), p. 177-219; Stephenson, *The Nazi Organization*, p. 130-77; Pine, *Nazi Family Policy*, p. 47-81; Michael Kater, "Die deutsche Elternschaft im nationalsozialistischen Erziehungssystem. Ein Beitrag zur Sozialgeschichte der Familie", *Vierteljahrschrift für Sozial- und Wirtschaftsgeschichte*, 67 (1980), p. 484-512; Dammer, "Kinder, Küche, Kriegsarbeit".
27. Pine, *Nazi Family Policy*, p. 88-116; Dorothee Klinksiek, *Die Frau im NS-Staat* (Stuttgart, 1982), p. 93; Jill Stephenson, *"Reichsbund der Kinderreichen*: The League of Large Families in the Population Policy of Nazi Germany", *European Studies Review*, 9 (1979), p. 350-75.
28. Marschalk, *Bevölkerungsgeschichte*, p. 158.
29. Gisela Bock, "Antinatalism, Maternity and Paternity in National Socialist Realism", em Crew (ed.), *Nazism*, p. 110-40, na p. 124.
30. Marschalk, *Bevölkerungsgeschichte*, p. 159.
31. Proctor, *Racial Hygiene*, p. 126.
32. Stibbe, *Women*, p. 53-4; Bock, *Zwangssterilisation*, p. 166-7.
33. Pine, *Nazi Family Policy*, p. 16-18; Gabriele Czarnowski, "'The Value of Marriage for the *Volksgemeinschaft*': Policies towards Women and Marriage under National Socialism", em Richard Bessel (ed.), *Fascist Italy and Nazi Germany: Comparisons and Contrasts* (Cambridge, 1996), p. 94-112, nas p. 107-8; Stephenson, *Women in Nazi Society*, p. 41-3.
34. Ganssmüller, *Die Erbgesundheitspolitik*, p. 132-47.
35. Höhne, *The Order*, p. 130-46; Pine, *Nazi Family Policy*, p. 38-46; Catrine Clay e Michael Leapman, *Master Race: The Lebensborn Experiment in Nazi Germany* (Londres, 1995).
36. Irene Guenther, *Nazi Chic? Fashioning Women in the Third Reich* (Oxford, 2004), p. 91-141.
37. Ibid., p. 91-141, 167-201.
38. Dessa forma, o grande debate da década de 1980 entre Claudia Koonz, *Mothers in the Fatherland*, enfatizando a criação de uma esfera doméstica resguardada e com isso a

cumplicidade, e quem sabe até o encorajamento, das mulheres quanto à violência e ao ódio perpetrados pelos homens na esfera pública, e Bock, "Anti-Natalism", sublinhando a vitimação das mulheres por meio das políticas de Estado cada vez mais diretivas, violentas e negativas contra elas como mães, baseia-se largamente em um mal-entendido: ver Adelheid von Saldern, "Victims or Perpetrators? Controversies about the Role of Women in the Nazi State", em Crew (ed.), *Nazism*, p. 141-65; e Dagmar Reese e Carola Sachse, "Frauenforschung zum Nationalsozialismus. Eine Bilanz", em Lerke Gravenhorst e Carmen Tatschmurat (eds.), *Töchter-Fragen: NS--Frauengeschichte* (Freiburg, 1990), p. 73-106.
39. Maria S. Quine, *Population Politics in Twentieth-Century Europe: Fascist Dictatorships and Liberal Democracies* (Londres, 1996); Richard Stites, *The Women's Liberation Movement in Russia: Feminism, Nihilism, and Bolshevism, 1860-1930* (Princeton, NJ, 1978).
40. Sybil H. Milton, "'Gypsies' as Social Outsiders in Nazi Germany", em Gellately e Stoltzfus (eds.), *Social Outsiders*, p. 212-32, dá um número bem mais alto, de 35 mil (p. 212). Conforme ressalta Guenter Lewy, *The Nazi Persecution of the Gypsies* (Nova York, 2000), p. 1-14, tornou-se convencional na Alemanha referir-se aos ciganos por seus nomes tribais (sinti e roma, embora o menor grupo, o lalleri, em geral seja omitido de forma inexplicável), porque os nazistas usavam o termo *Zigeuner* (cigano) para se referir a eles no coletivo. Os argumentos contra o uso do termo estão enumerados em Burleigh e Wippermann, *The Racial State*, p. 113. Entretanto, o fato de os nazistas usarem o termo não o torna pejorativo em si, e, de fato, como nota Lewy, "diversos escritores ciganos insistiram no uso ininterrupto do termo a fim de manter a continuidade histórica e expressar solidariedade com aqueles perseguidos sob esse nome" (p. ix). Seguindo Lewy, o termo "cigano" é usado na sequência.
41. Evans, "Social Outsiders"; Michael Zimmermann, *Verfolgt, vertrieben, vernichtet: Die nationalsozialistische Vernichtungspolitik gegen Sinti und Roma* (Essen, 1989), p. 14-42; idem, *Rassenutopie und Genozid: Die nationalsozialistische "Lösung der Zigeunerfrage"* (Hamburgo, 1996); Rainer Hehemann, *Die "Bekämpfung des Zigeunerunwesens" in Wilhelminischen Deutschland und in der Weimarer Republik, 1871-1933* (Frankfurt am Main, 1987); Joachim S. Hohmann, *Geschichte der Zigeunerverfolgung in Deutschland* (Frankfurt am Main, 1981); Leo Lucassen, *Zigeuner: Die Geschichte eines polizeilichen Ordnungsbegriffes in Deutschland, 1700--1945* (Colônia, 1996); Joachim S. Hohmann, *Verfolgte ohne Heimat: Die Geschichte der Zigeuner in Deutschland* (Frankfurt am Main, 1990). A lei bávara está republicada em parte em Burleigh e Wippermann, *The Racial State*, p. 114-5.
42. Wolfgang Wippermann e Ute Brucker-Boroujerdi, "Nationalsozialistische Zwangslager in Berlin, III: Das 'Zigeunerlager Marzahn'", *Berliner Forschungen*, 2 (1987), p. 189-201; Eva von Hase-Mihalik e Doris Kreuzkamp, *"Du kriegst auch einen schönen Wohnwagen": Zwangslager für Sinti und Roma während des Nationalsozialismus in Frankfurt am Main* (Frankfurt am Main, 1990); Karola Fings e Frank Sparing, *"z. Zt. Zigeunerlager": Die Verfolgung der Düsseldorfer Sinti und Roma im Nationalsozialismus* (Colônia, 1992); Frank Sparing, "The Gypsy Camps: The Creation, Character and Meaning of an Instrument for the Persecution of Sinti and Romanies under National Socialism", em Karola Fings *et al.*, *From "Race Science" to the Camps: The Gypsies during the Second World War* (Hatfield, 1997), p. 39-70.

43. Lewy, *The Nazi Persecution*, p. 24-49; Joachim S. Hohmann, *Robert Ritter und die Erben der Kriminalbiologie: "Zigeunerforschung" im Nationalsozialismus und in Westdeutschland im Zeichen des Rassismus* (Frankfurt am Main, 1991). O decreto está republicado em Burleigh e Wippermann, *The Racial State*, p. 120-1.
44. Lewy, *The Nazi Persecution*, p. 47-55; Proctor, *Racial Hygiene*, p. 214-15; Herbert Heuss, "German Policies of Gypsy Persecution", em Fings *et al.*, *From "Race Science"*, p. 15-37; Karola Fings, "Romanies and Sinti in the Concentration Camps", em ibid., p. 71-109; ver também Ulrich König, *Sinti und Roma unter dem Nationalsozialismus: Verfolgung und Widerstand* (Bochum, 1989), p. 75-82, e Wolfgang Wippermann, *Das Leben in Frankfurt am Main zur NS-Zeit, II: Die nationalsozialistische Zigeunerverfolgung* (Frankfurt am Main, 1986), p. 1-27.
45. Evans, *The Coming of the Third Reich*, p. 186-7.
46. Reiner Pommerin, *"Sterilisierung der Rheinlandbastarde": Das Schicksal einer farbigen deutschen Minderheit 1918-1937* (Düsseldorf, 1979), p. 56-77; Proctor, *Racial Hygiene*, p. 112-4.
47. Pommerin, *"Sterilisierung"*, p. 77-84.
48. Evans, *The Coming of the Third Reich*, p. 127-8, 375-6.
49. Burkhard Jellonek, *Homosexuelle unter dem Hakenkreuz: Die Verfolgung von Homosexuellen in Dritten Reich* (Paderborn, 1990), p. 19-50; Richard Plant, *The Pink Triangle: The Nazi War Against Homosexuals* (Edinburgo, 1987 [1986]), p. 72-104; Smith e Peterson (eds.), *Heinrich Himmler: Geheimreden 1933-1945*, p. 90-91, 115--23; Geoffrey J. Giles, "The Institutionalization of Homosexual Panic in the Third Reich", em Gellately e Stoltzfus (eds.), *Social Outsiders*, p. 233-55.
50. Claudia Schoppmann, *Days of Masquerade: Life Stories of Lesbian Women During the Third Reich* (Nova York, 1996 [1993]).
51. Jellonek, *Homosexuelle*, p. 51-94; Proctor, *Racial Hygiene*, p. 212-14.
52. Jellonek, *Homosexuelle*, p. 95-110; Hans-Georg Stümke, "Vom 'unausgeglichenen Geschlechtshaushalt'. Zur Verfolgung Homosexueller", em Frahm *et al.* (eds.), *Verachet – verfolgt – vernichtet*, p. 46-63.
53. Citado na íntegra em Hans-Georg Stümke e Rudi Finkler, *Rosa Winkel, rosa Listen: Homosexuelle und "Gesundes Volksempfinden" von Auschwitz bis heute* (Reinbek, 1981), p. 217-21.
54. Jürgen Baumann, *Paragraph 175: Über die Möglichkeit, die einfache, nichtjugendgefährdende und nichtöffentliche Homosexualität unter Erwachsenen straffrei zu lassen (zugleich ein Beitrag zur Säkularisierung des Strafrechts)* (Berlim, 1968), p. 66.
55. Jellonek, *Homosexuelle*, p. 12-3.
56. Jeffrey Weeks, *Sex, Politics and Society: The Regulation of Sexuality since 1800* (Londres, 1981), p. 239-40; Joachim S. Hohmann (ed.), *Keine Zeite für gute Freunde: Homosexuelle in Deutschland 1933-1969 – Ein Lese- und Bilderbuch* (Berlim, 1982).
57. Rüdiger Lautmann, *et al.*, "Der rosa Winkel in den nationalsozialistischen Konzentrationslager", em idem (ed.), *Seminar: Gesellschaft und Homosexualität* (Frankfurt am Main, 1977), p. 325-65, na p. 332-3.
58. Rüdiger Lautmann, "Gay Prisoners in Concentration Camps as Compared with Jeovah's Witnesses and Political Prisoners", em Michael Berenbaum (ed.), *A Mosaic of Victims: Non-Jews Persecuted and Murdered by the Nazis* (Londres, 1990), p. 200--6.

59. Albrecht Langelüddecke, *Die Entmannung von Sittlichkeitsverbrechern* (Berlim, 1963); Wachsmann, *Hitler's Prisons*, p. 140-1; Geoffrey Giles, "'The Most Unkindest Cut of All'. Castration, Homosexuality and Nazi Justice", *Journal of Contemporary History*, 27 (1992), p. 41-61; Jellonek, *Homosexuelle*, p. 140-71.
60. Wachsmann, *Hitler's Prisons*, p. 139-49, 368. O total chegou a 2,3 mil em 1945 (Longerich, *Politik*, p. 62).
61. Wachsmann, *Hitler's Prisons*, p. 400-1; Frank Sparing, "Zwangskastration im Nationalsozialismus. Das Beispiel der Kriminalbiologischen Sammelstelle Köln", em Peter Busse e Klaus Schreiber (eds.), *Kriminalbiologie* (Düsseldorf, 1997), p. 169--212.
62. Burkhard Jellonek, "Staatspolizeiliche Fahndungs- und Ermittlungsmethoden gegen Homosexuelle. Regionale Differenzen und Gemeinsamkeiten", em Paul e Mallmann (eds.), *Die Gestapo*, p. 343-56.
63. Para uma boa introdução sobre a situação dos judeus na Alemanha em 1933-45, ver Michael A. Meyer (ed.), *German-Jewish History in Modern Times*, IV: *Renewal and Destruction, 1918-1945* (Nova York, 1998), p. 195-388; Marion A. Kaplan, *Between Dignity and Despair: Jewish Life in Nazi Germany* (Nova York, 1998). Para o antissemitismo nazista e seus antecedentes, ver também Evans, *The Coming of the Third Reich*, p. 21-34, 164-5, 431-40.
64. Longerich, *Politik*, p. 59.
65. Para o boicote econômico, ver p. 438-43 neste livro.
66. Hermann Froschauer, "Streicher und 'Der Stürmer'", em Ogan e Weiss (eds.), *Faszination und Gewalt*, p. 41-8; Hahn (ed.), *Lieber Stürmer!*
67. Bankier, *The Germans*, p. 28-37.
68. Longerich, *Politik*, p. 70-4; Bankier, *The Germans*, 14-20.
69. Bankier, *The Germans*, p. 28-9; Longerich, *Politik*, p. 74-8, 94-5; Longerich argumenta de forma persuasiva contra a visão de muitos historiadores de que os atentados antissemitas de 1935 foram tentativas espontâneas da base partidária de pressionar a liderança a tomar uma atitude legislativa (por exemplo, Adam, *Judenpolitik*, p. 114--6; Herbst, *Das nationalsozialistische Deutschland*, p. 153-5; Ian Kershaw, "The Persecution of the Jews and German Popular Opinion in the Third Reich", *Leo Baeck Institute Year Book*, 26 (1981), p. 261-89, na p. 265; Hermann Graml, *Reichskristallnacht: Antisemitismus und Judenverfolgung im Dritten Reich* (Munique, 1988), p. 143. Para o argumento de que as ações antissemitas de 1935 foram basicamente úteis, ver Hans Mommsen e Dieter Obst, "Die Reaktion der deutschen Bevölkerung auf die Verfolgung der Juden 1933-1943", em Hans Mommsen e Susanne Willems (eds.), *Herrschaftsalltag im Dritten Reich: Studien und Texte* (Düsseldorf, 1988), p. 374-421, na p. 385.
70. Ilustrações em Ian Kershaw, "Antisemitismus und Volksmeinung. Reaktionen auf die Judenverfolgung", em Broszat *et al.* (eds.), *Bayern*, II, p. 281-348, na p. 302-8.
71. Longerich, *Politik*, p. 86-90; Behnken (ed.), *Deutschland-Berichte*, II (1935), p. 920--33.
72. Ibid., p. 933-7; Longerich, *Politik*, p. 86-90, 100; Friedländer, *Nazi Germany*, p. 137-9.
73. Longerich, *Politik*, p. 85-94; Behnken (ed.), *Deutschland-Berichte*, II (1935), p. 923 (agosto de 1935).

74. Ibid., p. 922 (agosto de de 1935), citado em Longerich, *Politik*, p. 93.
75. Ibid., p. 94-101; Lothar Gruchmann, "'Blutschutzgesetz' und Justiz: Entstehung und Anwendung des Nürnberger Gesetzes von 15. September 1935", em Ogan e Weiss (eds.), *Faszination und Gewalt*, p. 49-60. Para detalhes sobre mais atentados antissemitas violentos nas últimas semanas de agosto, ver Behnken (ed.), *Deutschland--Berichte*, II (1935), p. 1026-45, e no começo de setembro, Longerich, *Politik*, p. 107. Para discussões de 1933 em diante prenunciando as Leis de Nuremberg, ver Friedländer, *Nazi Germany*, p. 118-23.
76. "Die Reichstagsrede des Führers", *Berliner Tageblatt*, 438, 16 de setembro de 1935, p. 2. Longerich, *Politik*, p. 102-5, e Bankier, *The Germans*, p. 41-66, deixam claro que as Leis de Nuremberg não foram um improviso de última hora; ver também Werner Strauss, "'Das Reichsministerium des Innern und die Judengesetzgebung': Aufzeichnungen von Dr. Bernhard Lösener", *VfZ* 9 (1961), p. 264-313; Friedländer, *Nazi Germany*, p. 141-50; e Hermann Graml, *Reichskristallnacht*, p. 133-56.
77. "Göring begründet die Gesetze", *Berliner Tageblatt*, 438, 16 de setembro de 1935, p. 2.
78. Longerich, *Politik*, p. 105-6.
79. Beate Meyer, "The Mixed Marriage: A Guarantee of Survival or a Reflection of German Society during the Nazi Regime?", em Bankier (ed.), *Probing*, p. 54-77; Friedländer, *Nazi Germany*, p. 151, para as estatísticas, e também o estudo fundamental de Beate Meyer, *"Jüdische Mischlinge": Rassenpolitik und Verfolgungserfahrung 1933-1945* (Hamburgo, 1999), p. 25, 162-5. A primeira contagem de judeus pela base racial proporcionada pelas Leis de Nuremberg foi o censo de 1939 (*Statisches Jahrbuch für das Deutsche Reich*, 59 (Berlim, 1941-2), 27: "Die Juden und jüdische Mischlinge in den Reischsteilen und nach Gemeindegrössenklassen 1939").
80. Jeremy Noakes, "The Development of Nazi Policy towards the German-Jewish 'Mischlinge', 1933-1945", *Leo Baeck Institute Year Book*, 34 (1989), p. 291-354; idem, "Whoin gehören die 'Judenmischlinge'? Die Entstehung der ersten Durchführungsverordnungen zu den Nürnberger Gesetzen", em Ursula Büttner (ed.), *Das Unrechtsrregime: Internationale Forschung über der Nationalsozialismus: Festschrift für Werner Joschmann zum 65. Geburtstag* (2 vols., Hamburgo, 1986), II, p. 69-89; Longerich, *Politik*, p. 112-15; Friedländer, *Nazi Germany*, p. 151-67; Meynert, *Was vor der "Endlösung" geschah*, p. 247-51; Meyer, *"Jüdische Mischlinge"*, p. 29-31 e 96-104; Kaplan, *Between Dignity and Despair*, p. 74-93.
81. Toepser-Ziegert (ed.), *NS-Presseanweisungen*, II: *1935*, p. 586 (16 de setembro de 1935).
82. Meyer, *"Jüdische Mischlinge"*, p. 230-7.
83. Bryan M. Rigg, *Hitler's Jewish Soldiers: The Untold Story of Nazi Racial Laws and Men of Jewish Descent in the German Military* (Lawrence, Kans., 2002), p. 51-109. O título é impróprio: não eram soldados "judeus" de maneira alguma; o fato de serem meio-judeus ou um quarto judeus tornava-os mais alemães que judeus no que dizia respeito às Forças Armadas. As estimativas de Riggs de que 150 mil soldados mestiços serviram entre 1933 e 1945 parece um exagero considerável, dado que o censo de 1939 calculou em 114 mil o número total de pessoas de todas as idades e ambos os sexos que contavam como mestiços sob as Leis de Nuremberg em 1935 na Alemanha e Áustria juntas.

84. Resumido em Longerich, *Politik*, p. 106-11; originais em Behnken (ed.), *Deutschland--Berichte*, II (1935), p. 1026-45, e III (1936), p. 20-55; ver também Otto Dov Kulka, "Die Nürnberger Rassengesetze und die deutsche Bevölkerung im Lichte geheimer NS-Lage- und Stimmungsberichte", *VfZ* 32 (1964), p. 582-624.
85. Behnken (ed.), *Deutschland-Berichte*, III (1936), p. 26-7.
86. Maschmann, *Account Rendered*, p. 40-1.
87. Ibid., p. 30.
88. Ibid., p. 30, 40-1, 45-7, 49-51, 56.
89. Longerich, *Politik*, p. 108-9, argumenta de modo persuasivo contra a visão de Bankier *(The Germans*, p. 76-80) de que "a maioria da população aprovou as Leis de Nuremberg porque se identificava com a política racista" e de que "na maioria dos casos... as objeções foram provenientes de interesses pessoais".
90. Wachsmann, *Hitler's Prisons*, p. 158; Ernst Noam e Wolf-Arno Kropat (eds.), *Justiz und Judenverfolgung* (2 vols., Wiesbaden, 1975), I, p. *Juden vor Gericht 1933-1945*, p. 109-68; Inge Marssolek, "'Die Zeichen an der Wand'. Denunziation aus der Perspektive des jüdischen Alltags im 'Dritten Reich'", *Historical Social Research*, 26 (2001), p. 204-18.
91. Gruchmann, "'Blutschutzgesetz'", p. 53.
92. Wachsmann, *Hitler's Prisons*, p. 162, 180.
93. Walter Poller, *Medical Block Buchenwald: The Personal Testimony of Inmate 996, Block 36* (Londres, 1988 [1946]), p. 128-36.
94. Behnken (ed.), *Deutschland-Berichte*, III (1936), p. 36, 40-1.
95. Gellately, *The Gestapo*, p. 165-79; ver também Christl Wickert, "Popular Attitudes to National Socialist Antisemitism: Denunciations for 'Insidious Offenses' and 'Racial Ignominy'", em Bankier (ed.), *Probing*, p. 282-95, e Wolfgang Wippermann, *Das Leben in Frankfurt zur NS-Zeit*, I: *Die nationalsozialistische Judenverfolgung* (Frankfurt am Main, 1986), p. 68-83.
96. Gellately, *The Gestapo*, p. 197-8, rejeitando de forma persuasiva o argumento de Sarah Gordon, *Hitler, Germans and the "Jewish Question"* (Princeton, NJ, 1984), de que comportamento desse tipo equivalia a resistência às Leis de Nuremberg. Ver também Alexandra Przymrembel, *"Rassenschande": Reinheitsmythos und Vernichtungslegitimation im Nationalsozialismus* (Göttingen, 2003).
97. Oliver Pretzel, "Afterword", em Sebastian Haffner, *Defying Hitler: A Memoir* (Londres, 2002 [2000]), p. 241-50.
98. Werner Rosenstock, "Exodus 1933-1939: A Survey of Jewish Emigration from Germany", *Leo Baeck Institute Yearbook*, 1 (1956), p. 373-90; Herbert A. Strauss, "Jewish Emigration from Germany: Nazi Policies and Jewish Responses", *Leo Baeck Institute Yearbook*, 25 (1980), p. 313-61, e 26 (1981), p. 343-409; Avraham Barkai, "German Interests in the Haavara-Transfer Agreement 1933-1939", *Leo Baeck Institute Yearbook*, 35 (1990), p. 254-66; Friedländer, *Nazi Germany*, p. 60-65; "Jüdische Bevölkerungsstatistik", em Wolfgang Benz (ed.), *Die Juden in Deutschland 1933-1945: Leben unter nationalsozialistischer Herrschaft* (Munique, 1988), p. 733, de acordo com o qual havia cerca de 100 mil judeus não alemães na Alemanha em 1933, somados aos 437 mil membros alemães de fé judaica computados nas estatísticas oficiais. Em maio de 1939 ainda havia mais de 25 mil judeus não alemães vivendo na Alemanha. As cifras de 1939 incluem a Áustria; as de 1938 não. Para as taxas de

emigração, ver p. 446-7 neste livro. Para um estudo local, ver Meynert, *Was vor der "Endlösung" geschah*, p. 178-207.

99. Francis R. Nicosia, *The Third Reich and the Palestine Question* (Londres, 1985), p. 29-49; também idem, "Ein nützlicher Feind: Zionismus im nationalsozialistichen Deutschland 1933-1939", *VfZ* 37 (1989), p. 367-400; Graml, *Reichskristallnacht*, p. 131-2; Juliane Wetzel, "Auswanderung aus Deutschland", em Benz (ed.), *Die Juden*, p. 413-98, na p. 446-77; o acordo está republicado com mais material relevante em Rolf Vogel, *Ein Stempel hat gefehlt: Dokumente zur Emigration deutscher Juden* (Munique, 1977), p. 107-53. Para as consideráveis dificuldades que encaravam os judeus que chegavam à Palestina, ver Wolfgang Benz, *Flucht aus Deutschland: Zum Exil im 20. Jahrhundert* (Munique, 2001), p. 120-50, e Werner Feilchenfeld *et al.*, *Havaara-Transfer nach Palästina und Einwanderung deutscher Juden 1933-1939* (Tübingen, 1972).

100. Friedländer, *Nazi Germany*, p. 60-2, 65; Jacob Boas, "German-Jewish Internal Politics under Hitler 1933-1939", *Leo Baeck Institute Yearbook*, 29 (1984), p. 2-25; Longerich, *Politik*, p. 56-8.

101. Yehuda Bauer, *My Brother's Keeper: A History of the American Jewish Joint Distribution Committee 1929-1939* (Filadélfia, Pa., 1974); Louise London, "Jewish Refugees, Anglo-Jewry and British Government Policy", em David Cesarani (ed.), *The Making of Modern Anglo-Jewry* (Oxford, 1990), p. 163-90; Bernard Wasserstein, "Patterns of Jewish Leadership in Great Britain during the Nazi Era", em Randolph L. Braham (ed.), *Jewish Leadership during the Nazi Era: Patterns of Behavior in the Free World* (Nova York, 1985), p. 29-43. Richard Bolchover, *British Jewry and the Holocaust* (Cambridge, 1993), é uma indiciação apaixonada, mas unilateral.

102. Louise London, *Whitehall and the Jews 1933-1948: British Immigration Policy and the Holocaust* (Cambridge, 2000), p. 16-57; A. Joshua Sherman, *Island Refuge: Britain Refugees from the Third Reich, 1933-1939* (Londres, 1973); Bernard Wasserstein, *Britain and the Jews of Europe, 1939-1945* (Oxford, 1979); Vicki Caron, *Uneasy Asylum: France and the Jewish Refugee Crisis, 1933-1942* (Stanford, Calif., 1999); Fritz Kieffer, *Judenverfolgung in Deutschland – eine innere Angelegenheit? Internationale Reaktionen auf die Flüchtlingsproblematik 1933-1939* (Stuttgart, 2002). Para Polônia e Romênia, ver p. 679-85 neste livro.

103. Citado em Wetzel, "Auswanderung", p. 428.

104. Paul Sauer, *Die Schicksale der jüdischen Bürger Baden-Württembergs während der nationalsozialistischen Verfolgungszeit, 1933-1945* (Stuttgart, 1969), p. 138-9; ver, em termos mais gerais, Salomon Adler-Rudel, *Jüdische Selbsthilfe unter dem Naziregime 1933-1939 im Spiegel der Berichte der Reichvertretung der Juden in Deutschland* (Tübingen, 1974), p. 72-120.

105. David Kramer, "Jewish Welfare Work under the Impact of Pauperization", em Arnold Paucker (ed.), *The Jews in Nazi Germany* (Tübingen, 1986), p. 173-88; Beate Gohl, *Jüdische Wohlfahrtspflege im Nationalsozialismus: Frankfurt am Main 1933--1943* (Frankfurt am Main, 1997); Avraham Barkai, "Jewish Life under Persecution", em Meyer (ed.), *German-Jewish History*, p. 231-57; e idem, "Shifting Organizational Relationships", em ibid., p. 259-82.

106. Clemens Vollnahls, "Judische Selbsthilfe bis 1938", em Benz (ed.), *Die Juden in Deutschland*, p. 314-411, na p. 330-41, também para o parágrafo anterior.

107. Ibid., p. 341-63; ver também Wolf Gruner, "Public Welfare and the German Jews under National Socialism", em Bankier (ed.), *Probing*, p. 78-105; e Adler-Rudel, *Jüdische Selbsthilfe*, p. 19-46, 121-82.
108. Vollnhals, "Jüdische Selbsthilfe"; Volker Dahm, "Kulturelles und geistiges Leben", em Benz (ed.), *Die Juden*, p. 75-267, na p. 83-124; Ersriel Hildesheimer, *Jüdische Selbstverwaltung unter dem NS-Regime: Der Existenzkampf der Reichsvertretung und Reichsvereinigung der Juden in Deutschland* (Tübingen, 1994); Longerich, *Politik*, p. 44, 133; Dorothea Bessen, "Der Jüdische Kulturbund Rhein-Ruhr 1933-1938", em Alte Synagoge (ed.), *Entrechung und Selbsthilfe*, p. 43-65; e Paulk Mendes-Flohr, "Jewish Cultural Life under National Socialism", em Meyer (ed.), *German-Jewish History*, IV, p. 283-312.
109. Henryk M. Broder e Heike Geisel, *Premiere und Pogrom: Der Jüdische Kulturbund 1933-1941. Texte und Bilder* (Berlim, 1992); Hajo Bernett, *Der jüdische Sport im nationalsozialistischen Deutschland 1933-1938* (Schorndorf, 1978); Kurt Düwell, "Jewish Cultural Centers in Nazi Germany: Expectations and Accomplishments", em Jehuda Reinharz e Walter Schatzberg (eds.), *The Jewish Response to German Culture: From the Enlightenment to the Second World War* (Hanover, N.H., 1985), p. 294-316; Wetzel, "Auswanderung", p. 438-41; um bom resumo em Friedländer, *Nazi Germany*, p. 65-8.
110. Michael Meyer, 1941, citado em Wetzel, "Auswanderung", p. 418, após sua emigração ilegal para a Palestina no ano anterior.
111. Ibid., p. 413-98, e Statistical Appendix na p. 733. Os números são todos para o chamado *"Altreich"*, isto é, não incluindo a Áustria ou os Sudetos.
112. Citado em Monika Richarz (ed.), *Jüdisches Leben in Deutschland: Selbstzeugnisse zur Sozialgeschichte 1918-1945*, III (Stuttgart, 1982), p. 339.
113. Meyer, "The Mixed Marriage", p. 54-61; idem, *"Jüdische Mischlinge"*, p. 68-76; Nathan Stoltzfus, *Resistance of the Heart: Intermarriage and the Rossenstrasse Protest in Nazi Germany* (Nova York, 1996), p. 43-9.
114. Meyer, "The Mixed Marriage".
115. Soltzfus, *Resistance*, p. 106-8.
116. Klemperer, *Tagebücher, 1933/34*, p. 38-9 (9 de julho de 1933); a citação não está na edição inglesa.
117. Klemperer, *I Shall Bear Witness*, p. 33 (9 de outubro de 1933), p. 60 (5 de abril de 1934), p. 66 (13 de junho de 1933), p. 71 (14 de julho de 1933), p. 77 (4 de agosto de 1934).
118. Ibid., p. 111 (23 de março de 1935).
119. Ibid., p. 114 (30 de abril de 1935), p. 114-16 (2 de maio de 1935), p. 117 (7 de maio de 1935), p. 119 (30 de maio de 1935), p. 124 (11 de agosto de 1935), p. 126 (16 de setembro de 1935), p. 128 (17 de setembro de 1935), p. 129 (6 de outubro de 1935, *recte* 5 de outubro); também p. 179 (29 de agosto de 1936) e p. 191 (24 de novembro de 1936).
120. Ibid., p. 260 (9 de outubro de 1938).
121. Tagebuch Luise Solmitz, 1934 (versão manuscrita), fólio 120-1.
122. Ibid., 25 de março de 1933.
123. Ibid., 31 de março, 1º de abril de 1933.
124. Ibid., 8 de março de 1934.

125. Ibid., 15 de setembro, 19 de setembro de 1935.
126. Ibid., 8 de março, 9 de março, 17 de setembro de 1936.
127. Ibid., 9 de fevereiro, 12 de fevereiro de 1937.
128. Heinz Höhne, *Die Zeit der Illusionen: Hitler und die Anfänge des Dritten Reiches 1933-1936* (Düsseldorf, 1991), p. 333-51.
129. Apud *The New York Times*, 6 de julho de 1936, p. 6, em Richard D. Mandell, *The Nazi Olimpics* (Londres, 1972 [1971]), p. 140.
130. Ibid., p. 122-58.
131. Speer, *Inside*, p. 119, 129; Mandell, *The Nazi Olympics*, p. 227-9.
132. Shirer, *Berlin Diary*, p. 44-5, 57-8. Shirer usou "pensões" para os estabelecimentos de hospedagem.
133. Friedländer, *Nazi Germany*, p. 125.
134. Kershaw, *The "Hitler Myth"*, p. 236-7.
135. Klemperer, *Tagebücher 1935-1936*, p. 123; ver também idem, *I Shall Bear Witness*, p. 293.
136. Longerich, *Politik*, p. 116-21.
137. Citado em Wetzel, "Auswanderung", p. 498.
138. Ibid., p. 420.
139. Falk Wiesemann, "Juden auf dem Lande: Die wirtschaftliche Ausgrenzung der jüdischen Viehhändler in Bayern", em Peukert e Reulecke (eds.), *Die Reihen fast geschlossen*, p. 381-96; Longerich, *Politik*, p. 122-3.
140. Longerich, *Politik*, p. 155-9; Domarus, *Hitler*, II, p. 939-40; Peter Longerich, *Der ungeschriebene Befehl: Hitler und der Weg zur Endlösung* (Munique, 2001), p. 53-6; Fröhlich (ed.), *Die Tagebücher*, I/IV, p. 429 (29 de novembro de 1937).
141. Longerich, *Politik*, p. 159-60, 170-87; Tagebuch Luise Solmitz, 14 de setembro de 1938.
142. Longerich, *Politik*, p. 170-80; ver também Wolf Gruner, "Die Reichshauptstadt und die Verfolgung der Berliner Juden 1933-1945", em Reinhard Rürup (ed.), *Jüdische Geschichte in Berlin: Bilder und Dokumente* (Berlim, 1995), p. 229-66, nas p. 229-42; e Fröhlich (ed.), *Die Tagebücher*, I/V, p. 340 (11 de junho de 1938).
143. Ver p. 737-41 neste livro.
144. Fröhlich (ed.), *Die Tagebücher*, I/V, p. 393 (25 de julho de 1938).
145. Michael Wildt, "Violence against Jews in Germany, 1933-1939", em Bankier (ed.), *Probing*, p. 191-4.
146. Longerich, *Politik*, p. 181-95; Wolf-Arno Kropat, *"Reichskristallnacht": Der Judenpogrom vom 7. bis 10. November 1938 – Urheber, Täter, Hintergründe* (Wiesbaden, 1997), p. 36-49.
147. Longerich, *Politik*, p. 161-2.
148. Ibid., p. 116, 195-7: Trude Maurer, "The Background for Kristallnacht: The Expulsion of Polish Jews", em Pehle (ed.), *November 1918*, p. 44-72; Sybil Milton, "The Expulsion of Polish Jews from Germany October 1938 to July 1939: A Documentation", *Leo Baeck Institute Yearbook*, 29 (1984), p. 169-200; relatórios contemporâneos em Behnken (ed.), *Deutschland-Berichte*, V (1938), p. 1181-6.
149. Helmut Heiber, "Der Fall Grünspan", *VfZ* 5 (1957), p. 134-72; Graml, *Reichskristallnacht*, p. 9-16; Kropat, *"Reichskristallnacht"*, p. 50-5; Hans-Jürgen Döscher, *"Reichskristallnacht": Die November-Pogrome 1938* (Frankfurt am Main,

1988), p. 57-76, com documentos e fotografias. Para a campanha de imprensa, ver Wolfgang Benz, "The Relapse into Barbarism", em Pehle (ed.), *November 1938*, p. 1-43, nas p. 3-8; Hagemann, *Die Presselenkung*, p. 148; e Peter (ed.), *NS--Presseanweisungen*, VI: *1938* (Munique, 1999), p. 1047, 1050-4. Para os eventos em Hesse, ver Kropat, *"Reichskristallnacht"*, p. 56-78; e idem, *Kristallnacht in Hesse: Der Judenpogrom vom November 1938: Eine Dokumentation* (Wiesbaden, 1997 [1988]), p. 19-50. Para o argumento geral, Longerich, *Der ungeschriebene Befehl*, p. 60-1.

150. Existem relatos sólidos em Wolfgang Benz, "The Relapse into Barbarism", p. 3-15; também idem, "Der Novemberpogrom 1938", em Benz (ed.), *Die Juden*, p. 499-544; o papel de Hitler é destacado em Longerich, *Der ungeschriebene Befehl*, p. 61-4; a evidência das origens do *pogrom* é cuidadosamente esquadrinhada em Longerich, *Politik*, p. 198-202 e nas notas finais pertinentes; ver também Kropat, *"Reichskristallnacht"*, p. 79-89 e 172-81. Para os objetivos de Hitler ao deflagrar o *pogrom*, ver Domarus (ed.), *Hitler*, II, p. 1235-42. Os muitos relatos que retratam o *pogrom* como improviso de última hora ou o atribuem apenas a Goebbels não correspondem nem à evidência, nem ao contexto dos eventos nos meses e semanas anteriores: para tais argumentos, ver, por exemplo, Dieter Obst, *"Reichskristallnacht": Ursachen und Verlauf des antisemitischen Pogroms vom November 1938* (Frankfurt am Main, 1991); Uwe Dietrich Adam, "How Spontaneous Was the Pogrom?", em Pehle (ed.), *November 1938*, p. 73-94; Döscher, *"Reichskristallnacht"*, p. 77-80. Ver também, com ênfases variáveis, Hermann Graml, *Reichskristallnacht*, p. 17-19; Ulrich Herbert, "Von der 'Reichskristallnacht' zum 'Holocaust'. Der 9. November und das Ende des 'Radau-Antisemitismus'", em idem, *Arbeit, Volkstum, Weltanschauung: Über Fremde und Deutsche im 20. Jahrhundert* (Frankfurt am Main, 1995), p. 59-78; Barkai, *From Boycott to Annihilation*, p. 133-8; Kurt Pätzold e Irene Runge, *Pogromnacht 1938* (Berlim, 1988); Kaplan, *Between Dignity and Despair*, p. 119-44; e Kropat, *"Reichskristallnacht"*, para uma seleção de documentos-chave.

151. Documento de Nuremberg PS 3063 (Relatório do Tribunal Supremo do Partido, 13 de fevereiro de 1939), em *Trial of the Major War Criminals before the International Military Tribunal, Nuremberg, 14 November 1945 – 1 October 1946* (Nuremberg, 1948), XXXII, p. 20-29.

152. Müller para todos os *Stapostellen* e *Stapoleitstellen*, 9 de novembro de 1939, em *Trial of the Major War Criminals*, XXV, p. 376-80, na p. 377 (ND 374-PS); Hermann Graml, *Anti-Semitism in the Third Reich* (Cambridge, Mass., 1992), p. 13; para o encontro de Hitler com Himmler, ver Kershaw, *Hitler*, II, p. 883, nota 56.

153. Citado e discutido, com outros documentos, em Richard J. Evans, *Lying About Hitler: History, Holocaust and the David Irving Trial* (Nova York, 2001), p. 52-61; ver também Longerich, *Politk*, p. 198-202; Graml, *Reichskristallnacht*, p. 20-2; e Kropat, *"Reichskristallnacht"*, p. 89-108.

154. Citado em Longerich, *Politik*, p. 199-200.

155. Saskia Lorenz, "Die Zerstörung der Synagogen unter dem Nationalsozialismus", em Arno Herzig (ed.), *Verdrängung*, p. 153-72; Behnken (ed.), *Deutschland-Berichte*, V (1938), p. 187.

156. Para boa evidência da plena participação da SS, ver Michael Zimmermann, "Die 'Reichskristallnacht' 1938 em Essen", em Alte Synagoge (ed.), *Entrechtung und Selbsthilfe*, p. 66-97.

157. Behnken (ed.), *Deutschland-Berichte*, V (1938), p. 1188.
158. Sauer, *Die Schicksale*, p. 420.
159. Avraham Barkai, "The Fateful Year", p. 95-122; Longerich, *Politik*, p. 203. Para mais detalhes, ver, por exemplo, Karl H. Debus, "Die Reichskristallnacht in der Pfalz", *Zeitschrift für die Geschichte des Oberrheins*, 129 (1981), p. 445-515; Joachim Meynert, *Was vos der "Endlösung" geschah*, p. 208-22; Graml, *Reichskristallnacht*, p. 22-49; Fichtl et al., *"Bambergs Wirtschaft"*, p. 135-89; Kropat, *"Reichskristallnacht"*, p. 109-18; idem, *Kristallnacht in Hessen*, p. 51-136; e Wippermann, *Das Leben*, I, p. 97-107. Herbert Schultheis, *Die Reichskristallnacht in Deutschland nach Augenzeugenberichten* (Bad Neustadt an der Saale, 1985), republica uma coleção de testemunhos oculares contemporâneos.
160. Wildt, "Violence", p. 191-200.
161. Longerich, *Politik*, p. 203-5 e 642-3, nota 231; Friedländer, *Nazi Germany*, p. 269--79.
162. Tagebuch Luise Solmitz, 10 de novembro de 1938.
163. Behnken (ed.), *Deutschland-Berichte*, V (1938), p. 1191.
164. Ibid.
165. Ibid., p. 1208.
166. Reck-Malleczewen, *Diary*, p. 80.
167. Behnken (ed.), *Deutschland-Berichte*, V (1938), p. 1207.
168. Klepper, *Unter den Schatten*, p. 675.
169. Maschmann, *Account Rendered*, p. 56-7. Além disso, reações variadas de alemães não judeus são citadas e discutidas em Benz, "Der Novemberpogrom", p. 525-8; Bankier, *The Germans*, p. 85-8; Kropat, *"Reichskristallnacht"*, p. 153-69; idem, *Kristallnacht in Hessen*, p. 241-6; e Helmut Gatzen, *Novemberpogrom 1938 in Gütersloh: Nachts Orgie der Gewalt, tags organisierte Vernichtung* (Gütersloh, 1993), p. 63-7. Jörg Wollenberg (ed.), *The German Public and the Persecution of the Jews 1933-1945: "No One Participated, No One Knew"* (Atlantic Highlands, NJ, 1996 [1989]), contém documentos e ensaios de qualidade variada.
170. Friedländer, *Nazi Germany*, p. 297.
171. Witetschek (ed.), *Die kirchliche Lage*, I, p. 300 (nº 122, Regierung Oberbayern, 10 de dezembro de 1938).
172. Michael Faulhaber, *Judaism, Christianity, and Germany: Advent Sermons Preached in St. Michael's, Munich in 1933* (Londres, 1934), p. 1-6, 13-6, 107-10, republicado em Mosse (ed.), *Nazi Culture*, p. 256-61; Friedländer, *Nazi Germany*, p. 297; Walter Zwi Bacharach, "The Catholic Anti-Jewish Prejudice, Hitler and the Jews", em Bankier (ed.), *Probing*, p. 415-30.
173. Horst Matzerath (ed), *"... vergessen kann man die Zeit nicht, das ist nicht möglich..." Kolner erinnern sich an die Jahre 1929-1945* (Colônia, 1985), p. 172; ver também Ursula Büttner, "'The Jewish Problem becomes a Christian Problem': German Protestants and the Persecution of the Jews in the Third Reich", em Bankier (ed.), *Probing*, p. 431-59.
174. Longerich, *Politik*, p. 206.
175. Fröhlich (ed.), *Die Tagebücher*, I/VI, p. 180-1 (10 de novembro de 1938).
176. *Trial of the Major War Criminals*, XXXII, p. 29 (ND 3063-PS).
177. Fröhlich (ed.), *Die Tagebücher*, I/VI, p. 181 (10 de novembro de 1938).

178. Ibid., p. 182 (11 de novembro de 1938); para a ordem de pôr fim à ação, ver "Keine weiteren Aktionen mehr", *Berliner Volks-Zeitung*, 534, 11 de novembro de 1938, capa; "Keine Einzel-Aktionen gegen das Judentum", *Berliner Morgenpost*, 270, 11 de novembro de 1938, capa; etc.
179. Longerich, *Politik*, 204; para os suicídios, ver Konrad Kuriet e Helmut Eschwege (eds.), *Selbstbehauptung und Widerstand: Deutsche Juden im Kampf um Existenz und Menschenwürde 1933-1945* (Hamburgo, 1984), p. 202.
180. Obst, *Reichskristallnacht*, p. 284-5, 297-307; Wildt, "Violence", p. 201-2; Zimmermann, "Die 'Reichskristallnacht'", p. 77.
181. Wildt, "Violence", p. 204; Pingel, *Häftlinge*, p. 94; Anthony Read e David Fisher, *Kristallnacht: Unleashing the Holocaust* (Londres, 1989), p. 121-35; Kropat, "Reichskristallnacht", p. 138-41; idem, *Kristallnacht in Hessen*, p. 167-79.
182. Citado em Benz, "The Relapse", p. 17.
183. *Völkischer Beobachter*, 11 de novembro de 1938 (edição do norte alemão), p. 2; Benz, "The Relapse", p. 18.
184. Peter (ed.), *NS-Presseanweisungen*, VI: *1938*, p. 1060-1.
185. Republicado no *Berliner Morgenpost*, 271, 12 de novembro de 1938, capa. Para uma análise mais ampla, ver Herbert Obenaus, "The Germans: 'An Antisemitic People'. The Press Campaign after 9 November 1938", em Bankier (ed.), *Probing*, p. 147-80.
186. Read e Fischer, *Kristallnacht*, p. 166-79.
187. Treue (ed.), "Hitlers Denkschrift", p. 210.
188. Fröhlich (ed.), *Die Tagebücher*, I/VI, p. 182 (11 de novembro de 1938).
189. Barkai, "The Fateful Year", p. 119-20; longos excertos da ata em Wilfried Mairgünther, *Reichskristallnacht* (Kiel, 1987), p. 90-140.
190. *Trial of the Major War Criminals*, XXVIII, p. 499-540, na p. 509-10.
191. Bruno Blau (ed.), *Das Ausnahmerecht für die Juden in Deutschland, 1933-1945* (Düsseldorf, 1954 [1952]), p. 54-62; "Dr. Goebbels: Theater, Kinos, Konzerte für Juden verboten", *Berliner Illustrierte Nachtausgabe*, 266, 12 de novembro de 1938, capa; Longerich, *Politik*, p. 208-9; Kropat, "Reichskristallnacht", p. 127-34. Para crítica convincente da lenda de que Göring e Himmler de início desaprovaram o *pogrom*, ver Graml, *Reichskristallnacht*, p. 177 e Kropat, "Reichskristallnacht", p. 119-27.
192. Jonny Moser, "Depriving Jews of Their Legal Rights in the Third Reich", em Pehle (ed.), *November 1938*, p. 123-38; ver também, mais genericamente, Kropat, "Reichskristallnacht", p. 134-8.
193. Barkai, "The Fateful Year", p. 119-20; "Beratung über die Massnahmen gegen Juden: Die Aufbringung der Sühne von 1 Milliarde", *Berliner Illustrierte Nachtausgabe*, 267, 14 de novembro de 1938, capa.
194. Genschel, *Die Verdrängung*, p. 206; exemplos locais em Fichtl et al., "Bambergs Wirtschaft", p. 183-97.
195. "Dr. Goebbels über die Lösung der Judenfrage", *Berliner Illustrierte Nachtausgabe*, 267, 14 de novembro de 1938, p. 2; para uma lista completa das medidas, ver Longerich, *Politik*, p. 208-19; também Friedländer, *Nazi Germany*, p. 280-305.
196. Barkai, "The Fateful Year", p. 121-2; Moser, "Depriving Jews", p. 123-38, nas p. 126-34; Konrad Kwiet, "Nach dem Pogrom: Stufen der Ausgrenzung", em Benz (ed.), *Die Juden*, p. 545-659; Longerich, *Politik*, p. 218-9; Wolf Gruner, *Der geschlossene Arbeitseinsatz deutscher Juden: Zur Zwangsarbeit als Element der Verfolgung,*

1938-1943 (Berlim, 1997); para exemplos locais, ver Uwe Lohalm, "Local Administration and Nazi Anti-Jewish Policy", em Bankier (ed.), *Probing*, p. 109-46, e Meynert, *Was vor der "Endlösung" geschah*, p. 230-33. Para a Associação do Reich, ver Otto Dov Kulka (ed.), *Deutsches Judentum unter dem Nationalsozialismus*, I: *Dokumente zur Geschichte der Reichsvertretung der deutschen Juden 1933-1939* (Tübingen, 1997), p. 410-28.

197. Wildt, "Violence", p. 204-8.
198. Boberach (ed.), *Meldungen*, II, p. 21-6, 221-2.
199. Wetzel, "Auswanderung", p. 420.
200. Citado em Hannah Arendt, *The Origins of Totalitarism* (Londres, 1973 [1955]), p. 269, nota 2; ver também Wetzel, "Auswanderung", p. 426, 429; e Avraham Barkai, "Self-Help in the Dilemma: 'To Leave or to Stay?'", em Meyer (ed.), *German-Jewish History*, IV, p. 313-32. Para as origens do Centro do Reich, ver p. 739-41 neste livro.
201. Sem contar a Áustria e os Sudetos, que, quando somados, totalizavam 330.539 (*Statistisches Jahrbuch für das deutsches Reich*, 59 (1941/42), 27: "Die Juden und jüdischen Mischlinge in den Reichsteilen und nach Gemeindegrössenklassen 1939").
202. "Jüdische Bevölkerungsstatistik", em Benz (ed.), *Die Juden*, p. 733. Esses números são obtidos subtraindo-se o total de cerca de 26 mil judeus de nacionalidade estrangeira do total de Wetzel para cada ano. Mais estatísticas são fornecidas em Konrad Kwiet, "To Leave or Not to Leave: The German Jews at the Crossroads", em Pehle (ed.), *November 1938*, p. 139-53.
203. Wetzel, "Auswanderung", p. 423-5; Arthur D. Morse, *While Six Million Died: A Chronicle of American Apathy* (Nova York, 1967); David Wyman, *Paper Walls: America and the Refugee Crisis, 1938-1941* (Amherst, Mass., 1968); Richard Breitman e Alan Kraut, *American Refugee Policy and European Jewry, 1933-1945* (Bloomington, 1987); ver também Irving Abella e Harold Troper, *None Is Too Many: Canada and the Jews of Europe, 1933-1948* (Toronto, 1983).
204. Klemperer, *I Shall Bear Witness*, p. 241 (20 de março de 1938), p. 247 (23 de maio de 1938), p. 251 (12 de julho de 1938), p. 252-3 (10 de agosto de 1938), p. 263-4 (27 de novembro de 1938), p. 266 (3 de dezembro de 1938).
205. Ibid., p. 267-8 (6 de dezembro de 1938), p. 269 (15 de dzembro de 1938), p. 279 (10 de janeiro de 1939). Ver também Susanne Heim, "The German-Jewish Relationship in the Diaries of Victor Klemperer", em Bankier (ed.), *Probing*, p. 312-25; e, em termos mais gerais, Meynert, *Was vor der "Endlösung" geschah*, p. 223-9.
206. Tagebuch Luise Solmitz, 12 de novembro de 1938, 13 de novembro de 1938, 15 de novembro de 1938, 22 de novembro de 1938, 1º de dezembro de 1938, 14 de março de 1939, 29 de agosto de 1939.
207. *Trial of the Major War Criminals*, XXVIII, p. 534 (ND 1816-PS). Para a reunião de 6 de dezembro, ver Longerich, *Politik*, p. 210-2.
208. Longerich, *Politik*, p. 206; Friedländer, *Nazi Germany*, p. 288-92 e 298-9.
209. Kershaw, *The "Hitler Myth"*, p. 235-9.
210. Longerich, *Der ungeschriebene Befehl*, p. 55-7.
211. Ibid., p. 67; James Marshall-Cornwell et al. (eds.), *Akten zur deutschen auswärtigen Politik, 1918-1945: Aus den Akten des Deutschen Auswärtigen Amtes* (Séries A-E,

Baden-Baden, 1951-95), Série D, IV, p. 291-5, na p. 293 ("Aufzeichnung des Legationsrats Hewel, Berchtesgaden", 24 de novembro de 1938).
212. "Aufzeichnung des Legationsrats Hewel", 21 de janeiro de 1939, em Marshall--Cornwell *et al.* (eds.), *Akten*, Série D, IV, p. 167-71, na p. 170.
213. Domarus, *Hitler*, II, p. 1055-8.
214. Herbert A. Strauss, "The Drive for War and the Pogroms of November 1938: Testing Explanatory Models", *Leo Baeck Institute Yearbook*, 35 (1990), p. 267-78.
215. Longerich, *Politik*, p. 220-21; Philippe Burrin, *Hitler and the Jews: The Genesis of the Holocaust* (Londres, 1994 [1989]), p. 61-3. Para a visão de que a ameaça de Hitler não devia ser levada a sério e não foi seguida de nenhuma abordagem da parte dele aos Estados Unidos, ver Graml, *Reichskristallnacht*, p. 105-6.
216. Friedländer, *Nazi Germany*, p. 211-24; William W. Hagen, "Before the 'Final Solution': Toward a Comparative Analysis of Political Anti-Semitism in Interwar Germany and Poland", *Journal of Modern History*, p. 68 (1996), p. 351-81; Joseph Marcus, *Social and Political History of the Jews in Poland, 1919-1939* (Berlim, 1983) – nem sempre exato nos detalhes; Celia S. Heller, *On the Edge of Destruction: Jews of Poland between the two World Wars* (Nova York, 1977); Yisrael Gutman, *The Jews of Poland between two World Wars* (Hanover, N.H., 1989); James D. Wynot, Jr, "'A Necessary Cruelty': The Emergence of Official Anti-Semitism in Poland, 1935-39", *American Historical Review*, 76 (1971), p. 1035-58.
217. Emanuel Melzer, "The Polish Authorities and the Jewish Question, 1930-1939", em Alfred A. Greenbaum (ed.), *Minority Problems in Eastern Europe between the World Wars, with Emphasis on the Jewish Minority* (Universidade Hebraica de Jerusalém, Instituto de Estudos Avançados, texto datilografado, Jerusalém, 1998), p. 77-81; Jerzy Tomascewski, "Economic and Social Situation of Jews in Poland, 1918-1939", em ibid., p 101-6; Ezra Mendelsohn, *The Jews of East Central Europe between the World Wars* (Bloomington, Ind., 1983), p. 11-83.
218. Magnus Brechtken, *"Madagaskar für die Juden"; Antisemitische Idee und politische Praxis 1885-1945* (Munique, 1997), p. 81-164.
219. Mendelsohn, *The Jews*; Bela Vago, *The Shadow of the Swastika: The Rise of Fascism and Anti-Semitism in the Danube Basin, 1936-1939* (Londres, 1975).
220. Mendelsohn, *The Jews*, p. 171-211; David Schaary, "The Romanian Authorities and the Jewish Communities in Romania between the Two World Wars", em Greebaum (ed.), *Minority Problems*, p. 89-95; Paul A. Shapiro, "Prelude to Dictatorship in Romania: The National Christian Party in Power, December 1937-February 1938", *Canadian-American Slavic Studies*, 8 (1974), p. 45-88.
221. Mendelsohn, *The Jews*, p. 85-128; ver também as seções introdutórias de Randolph H. Braham, *The Politics of Genocide: The Holocaust in Hungary* (2 vols., Nova York, 1980).

Parte 7 – O CAMINHO PARA A GUERRA

1. Kershaw, *Hitler*, I, p. 484-6, 531-6.
2. Anton Joachimsthaler, *Hitlers Liste: Ein Dokument persönlicher Beziehungen* (Munique, 2003); Semmery, *Seeing Hitler's Germany*, p. 56.

3. Kershaw, *Hitler*, I, p. 537.
4. Speer, *Inside*, p. 194-5.
5. Evans, *The Coming of the Third Reich*, p. 434; ver também *supra*, p. 202, 207, 212-3, 215-6, 653-4.
6. *Völkischer Beobachter*, 25 de maio de 1928, citado em Gerhard L. Weiberg, *The Foreign Policy of Hitler's Germany*, I: *Diplomatic Revolution in Europe 1933-1936* (Londres, 1970), p. 22 (tradução corrigida); original em Bärbel Dusik (ed.), *Hitler: Reden, Schriften, Anordnungen: Februar 1925 bis Januar 1933* (5 vols., Munique, 1992-8), II, p. 845-9, na p. 856 (itálicos no original).
7. Citado em Weinberg, *The Foreign Policy*, I, p. 163; para os antecedentes, ver Anthony Komjathy e Rebecca Stockwell, *German Minorities and the Third Reich: Ethnic Germans of East Central Europe between the Wars* (Nova York, 1980).
8. Ver o argumento geral em Thies, *Architekt der Weltherrschaft*; mais diretamente, ver Milan Hauner, "Did Hitler Want a World Domination?", *Journal of Contemporary History*, 13 (1978), p. 15-32; Günter Moltmann, "Weltherrschaftsideen Hitlers", em Otto Brunner e Dietrich Gerhard (eds.), *Europa und Übersee: Festschrift für Egmont Zechlin* (Hamburgo, 1961), p. 197-240; e Geoffrey Stoakes, *Hitler and the Quest for World Domination* (Leamington Spa, 1986).
9. Para discussões introdutórias úteis, ver Hermann Graml, "Grundzüge nationalsozialistische Aussenpolitik", em Martin Broszat e Horst Möller (eds.), *Das Dritte Reich: Herrschaftsstruktur und Gechichte* (Munique, 1986 [1983]), p. 104-26; idem, "Wer bestimmte die Aussenpolitik des Dritten Reiches? Ein Beitrag zur Kontroverse um Polykratie und Monokratie im NS-Herrschaftssystem", em Manfred Funke *et al.* (eds.), *Demokratie und Diktatur: Geist und Gestalt politischer Herrschaft in Deutschland und Europa: Festschrift für Karl Dietrich Bracher* (Düsseldorf, 1987), p. 223-36; Wolfgang Michalka, "Conflicts within the German Leadership on the Objectives and Tactics of German Foreign Policy 1933-9", em Wolfgang J. Mommsen e Lothar Kettenacker (eds.), *The Fascist Challenge and the Policy of Appeasement* (Londres, 1983), p. 48-60; e Andreas Hillgruber, "Grundzüge der nationalsozialistichen Aussenpolitik 1933-1945", *Saeculum*, 24 (1973), p. 328-45.
10. Para um leque de visões sobre a política externa britânica e francesa na década de 1930, ver David Dilks, "'We Must Hope for the Best and Prepare for the Worst': The Prime Minister, the Cabinet and Hitler's Germany, 1937-1939", em Patrick Finney (ed.), *The Origins of the Second World War* (Londres, 1997), p. 43-61; Sidney Aster, "'Guilty Men': The Case of Neville Chamberlain", em ibid., p. 62-77; Anthony Adamthwaite, "France and the Coming of War", em ibid., p. 78-89; Robert A. C. Parker, "Alternative to Appeasement", em ibid., p. 206-21.
11. Günter Wollstein, "Eine Denkschrift des Staatssekretärs Berhard von Bülow vom Marz 1933", *Militärgeschichtliche Mitteilungen*, 1 (1973), p. 77-94; para os antecedentes, ver Peter Krüger, *Die Aussenpolitik der Republik von Weimar* (Darmstadt, 1985); Hans-Adolf Jacobsen, *Nationalsozialistische Aussenpolitik 1933-1939* (Frankfurt am Main, 1968), p. 20-89 e 319-47; Jost Dülffer, "Grunbedingungen der nationalsozialistischen Aussenpolitik", em Leo Haupts e Georg Mölich (eds.), *Strukturelemente des Nationalsozialismus. Rassenideologie, Unterdrückungsmaschinerie, Aussenpolitik* (Colônia, 1981), p. 61-88; idem, "Zum 'decision-making process' in der deutschen Aussenpolitik 1933-1939", em Manfred Funke (ed.), *Hitler,*

Deutschland und die Mächte: Materialien zur Aussenpolitik des Dritten Reiches (Düsseldorf, 1976), p. 186-204.
12. Kershaw, *Hitler*, I, p. 490-95; Weinberg, *The Foreign Policy*, I, p. 159-79; para continuidades e descontinuidades no princípio da década de 1930, ver Günter Wollstein, *Vom Weimarer Revisionismus zu Hitler: Das Deutsche Reich und die Grossmächte in der Anfangsphase der nationalsozialistischen Herrschaft in Deutschland* (Bonn, 1973).
13. Domarus (ed.), *Hitler*, I, p. 364-75.
14. Ver *supra*, p. 37-8 neste livro.
15. Herbert S. Levine, *Hitler's Free City: A History of the Nazi Party in Danzig, 1925-39* (Chicago, 1973); Weinberg, *The Foreign Policy*, I, p. 184-94; Klaus Hildebrand, *The Foreign Policy of the Third Reich* (Londres, 1973 [1970]), p. 24-33 (sublinhando a coerência da abordagem passo a passo de longo prazo de Hitler); Manfred Messerschmidt, "Foreign Policy and Preparation for War", em Militärgeschichtliches Forschungsamt (ed.), *Germany*, p. 541-717, nas p. 590-3; Klaus Hildebrand, *Das vergangene Reich: Deutsche Aussenpolitik von Bismarck bis Hitler, 1871-1945* (Stuttgart, 1995), p. 586-92.
16. Martin Kitchen, *The Coming of Austrian Fascism* (Londres, 1980), p. 36-110; Bruce F. Pauley, *Hitler and the Forgotten Nazis. A History of Austrian National Socialism* (Chapel Hill, NC, 1981), p. 3-15; George E. R. Gedye, *Fallen Bastions: The Central European Tragedy* (Londres, 1939), p. 9-126. Charles A. Gulick, *Austria from Habsburg to Hitler* (2 vols., Berkeley, Calif., 1948), é uma narrativa muito detalhada, hoje bastante ultrapassada.
17. Francis L. Carsten, *Fascist Movements in Austria: From Schönerer to Hitler* (Londres, 1977), p. 229-70, ainda é o relato autorizado; Kitchen, *The Coming*, p. 173-262; Pauley, *Hitler and the Forgotten Nazis*, p. 16-103, enfatizando a desunião interna do Partido; para Schönerer, ver Evans, *The Coming of the Third Reich*, p. 42-4, 163-4; também, mais genericamente, Bruce F. Pauley, *From Prejudice to Persecution: A History of Austrian Anti-Semitism* (Chapel Hill, NC, 1992).
18. Carsten, *Fascist Movements*, p. 254-92 (p. 254 para a citação); Gedye, *Fallen Bastions*, p. 101-43; Pauley, *Hitler and the Forgotten Nazis*, p. 104-54; Hildebrand, *Das vergangene Reich*, p. 593-9.
19. Kershaw, *Hitler*, I, p. 522-4; entre obras mais antigas, ver também Dieter Ross, *Hitler und Dollfuss: Die deutsche Österreich-Politik, 1933-1934* (Hamburgo, 1966).
20. Domarus (ed.), *Hitler*, I, p. 504-7.
21. Hildebrand, *Das vergangene Reich*, p. 578-86.
22. Patrick von zur Mühlen, *"Schlagt Hitler an der Sarr!" Abstimmungskampf, Emigration und Widerstand im Saargebiet, 1933-1945* (Bonn, 1979), p. 230-2; Gerhard Paul, *"Deutsche Mutter – heim zu Dir!" Warum es misslang, Hitler an der Saar zu schlagen: Der Saarkampf 1933 bis 1935* (Colônia, 1984), p. 376-401.
23. Mühlen, *"Schlagt Hitler"*, p. 73-4, 195, 229; Paul, *"Deutsche Mutter"*, p. 102-32; Markus Gestier, *Die christlichen Parteien an der Saar und ihr Verhältnis zum deutschen Nationalstaat in den Abstimmungskämpfen 1935 und 1955* (St Ingbert, 1991), p. 48-69; Ludwig Linsmayer, *Politische Kultur im Saargebiet 1920-1932: Symbolische Politik, verhinderte Demokratisierung, nationalisiertes Kulturleben in einer abgetrennten Region* (St Ingbert, 1992), p. 447; Klaus-Michael Mallmann e Gerhard Paul, *Milieus und Widerstand: Eine Verhaltengeschichte der Gesellschaft im Natio-*

nalsozialismus (Bonn, 1995), p. 203-23; Dieter Muskalla, *NS-Politik an der Saar unter Josef Bürckel: Gleichschaltung – Neuordnung – Verwaltung* (Saarbrücken, 1995), p. 71.
24. Mühlen, "Schlagt Hitler", p. 204-7, 230-1; Paul, "Deutsche Mutter", p. 214-32; Linsmayer, *Politische Kultur*, p. 447.
25. Behnken (ed.), *Deutschland-Berichte*, II (1935), p. 9-15 (citação na p. 10).
26. Mallman e Paul, *Herrschaft*, p. 26-32.
27. Klaus-Michael Mallmann e Gerhard Paul, *Das zersplitterte Nein: Saarländer gegen Hitler* (Bonn, 1989), p. vi-vii; idem, Hersschaft, p. 39-54; idem, *Milieus*, p. 530-5; Muskalla, *NS-Politik*, p. 187, 551-96, 600-601.
28. Mallmann e Paul, *Herrschaft*, p. 55-64, 114-34.
29. Domarus (ed.), *Hitler*, II, p. 643-8, na p. 644; Behnken (ed.), *Deutschland-Berichte*, II (1935), p. 117-20, 154-7.
30. Tagebuch Luise Solmitz, 1º de março de 1935.
31. Stöver (ed.), *Berichte*, p. 336.
32. Weinberg, *The Foreign Policy*, I, p. 203-6.
33. Tagebuch Luise Solmitz, 16 de março de 1935.
34. Ibid.
35. Behnken (ed.), *Deutschland-Berichtes*, II (1935), p. 409-14. O relato de William L. Shirer (*Berlin Diary*, p. 32-4), que registra entusiasmo universal e irrestrito, foi fortemente matizado por sua profunda crença, manifestada outra vez em seu *Ascensão e queda do III Reich*, de que todos os alemães "no fundo eram militaristas".
36. Kershaw, *Hitler*, I, p. 556-8; Dülffer, *Weimar*, p. 256-67, 325-54; Geoffrey T. Waddington, "Hitler, Ribbentrop, die NSDAP und der Niedergang des Britishen Empire 1935-1938", *VfZ* 40 (1992), p. 274-306; Hildebrand, *Das vergangene Reich*, p. 600-4.
37. Fest, *The Face*, p. 265-82; Wolfgang Michalka, "Joachim von Ribbentrop: From Wine Merchant to Foreign Minister", em Smelser e Zitelmann (eds.), *The Nazi Elite*, p. 165-72.
38. Jacobsen, *Nationalsozialistische Aussenpolitik*, p. 298-318.
39. Fest, *The Face*, p. 271-6; Michalka, "Joachim von Ribbentrop", p. 166-8; Jacobsen, *Nationalsozialistische Aussenpolitik*, p. 252-318; em mais detalhes, Wolfgang Michalka, *Ribbentrop und die deutsche Weltpolitik 1933-1940: Aussenpolitische Konzeptionen und Entscheidungsprozesse im Dritten Reich* (Munique, 1989 [1980]); reavaliação recente em Stefan Kley, *Hitler, Ribbentrop und die Entfesselung des Zweiten Weltkrieges* (Paderborn, 1996).
40. Para a guerra etíope, ver George L. Steer, *Caesar in Abyssinia* (Londres, 1936); Alberto Sbacchi, *Legacy of Bitterness: Ethiopia and Fascist Italy, 1935-1941* (Laurenceville, NJ, 1997); e Anthony Mockler, *Haile Selassie's War* (Oxford, 1984); plano de fundo em Denis Mack Smith, *Mussolini's Roman Empire* (Londres, 1976).
41. Evans, *The Coming of the Third Reich*, p. 184-5.
42. "Memorandum by the Ambassador in Italy (20 January 1936)", em John W. Wheeler-Bennett *et al.* (eds.), *Documents on German Foreign Policy 1918-1945* (13 vols., Londres, 1950-70), série C, IV: *The Third Reich: First Phase* (Londres, 1962), p. 1013-16.
43. Weinberg, *The Foreign Policy*, I, p. 207-38.
44. Ibid., p. 239-63.

45. Shirer, *Berlin Diary*, p. 49-51.
46. Ibid., p. 54-6; Domarus (ed.), *Hitler*, II, p. 787-90.
47. Tagebuch Luise Solmitz, 7 de março de 1936.
48. Behnken (ed.), *Deutschland-Berichte*, III (1936), p. 303.
49. Ibid., p. 468.
50. Ibid., p. 300-20, 460-78 ("Rheinlandbesetzung und Kriegs-Angst").
51. Stöver, *Volksgemeinschaft*, p. 418-9.
52. Behnken (ed.), *Deutschland-Berichte*, III (1936), p. 302; ver também Kershaw, *The "Hitler Myth"*, p. 124-9.
53. Weinberg, *The Foreign Policy*, I, p. 239-63; Donald Cameron Watt, "German Plans for the Reoccupation of the Rhineland: A Note", *Journal of Contemporary History*, 1 (1966), p. 193-9; Hildebrand, *Das vergangene Reich*, p. 604-17; James T. Emmerson, *The Rhineland Crisis, 7 March 1936: A Critical Study in Multilateral Diplomacy* (Londres, 1977).
54. Domarus, *Hitler*, II, p. 790; Kershaw, *Hitler*, I, p. 590-1.
55. Weinberg, *The Foreign Policy*, I, p. 264-84. A questão muito debatida pelos historiadores sobre quando teria sido o momento certo para deter Hitler é irrelevante, visto que praticamente nenhum governo europeu quis fazer isso antes de 1939. Apenas o cenário imaginário inspira a conclusão de Stephen A. Schuker, "France and the Remilitarization of the Rhineland, 1936", *French Historical Studies*, 14 (1986), p. 299-338, de que 1936 não foi um momento decisivo (também em Finney (ed.), *The Origins of the Second World War*, p. 222-44).
56. Weinberg, *The Foreign Policy*, I, p. 284-93, de certo modo superestimando as considerações econômicas; maiores detalhes em idem, *The Foreign Policy of Nazi Germany*, II: *Starting World War II, 1937-1939* (Chicago, 1980), p. 142-66; ver também Paul Preston, *The Spanish Civil War 1936-39* (Londres, 1986), p. 80-1.
57. Paul Preston, *Franco: A Biography* (Londres, 1993), p. 158-61; Hugh Thomas, *The Spanish Civil War* (3ª ed., Londres, 1986 [1961]), p. 579-80; Christian Leitz, "Nazi Germany's Intervention in the Spanish Civil War and the Foundation of Hisma/Rowak", em Paul Preston e Ann L. Mackenzie (eds.), *The Republic Besieged: Civil War in Spain, 1936-1939* (Edimburgo, 1996), p. 53-85; Hans-Henning Abendroth, "Deutschlands Rolle im Spanischen Bürgerkrieg", em Manfred Funke (ed.), *Hitler, Deutschland und die Mächte*, p. 471-88.
58. Preston, *Franco*, p. 203-9; mais genericamente, Hans-Henning Abendroth, *Hitler in der spanischen Arena: Die deutsch-spanischen Beziehungen im Spannungsfeld der europäischen Interessenpolitik vom Ausbruch des Bürgerkrieges bis zum Ausbruch des Weltkrieges (1936-1939)* (Paderborn, 1973); Robert H. Whealey, *Hitler and Spain: The Nazi Role in the Spanish Civil War, 1936-1939* (Lexington, Ky., 1989).
59. Preston, *Franco*, p. 243-4.
60. Thomas, *The Spanish Civil War*, p. 623-31.
61. Herbert R. Southworth, *Guernica! Guernica! A Study of Journalism, Propaganda and History* (Berkeley, Calif., 1977).
62. Preston, *Franco*, p. 246.
63. Ibid., p. 303, 329-30.
64. Willard C. Frank, "The Spanish Civil War and the Coming of the Second World War", *International History Review*, 9 (1987), p. 368-409.

65. Hildebrand, *The Foreign Policy*, p. 45; Herbst, *Das nationalsozialistische Deutschland*, p. 177-83; Elizabeth Wiskemann, *The Rome-Berlin Axis: A History of the Relations between Hitler and Mussolini* (Londres, 1949); John P. Fox, *Germany and the Far Eastern Crisis, 1931-1938: A Study in Diplomacy and Ideology* (Oxford, 1982); Theo Sommer, *Deutschland und Japan zwischen den Mächten 1935-1940: Vom Antikominternpakt zum Dreimächtepakt: Eine Studie zur diplomatischen Vorgeschichte des Zweiten Weltkrieges* (Tübingen, 1962); Weinberg, *The Foreign Policy*, II, p. 167--91.
66. Hildebrand, *The Foreign Policy*, p. 38-50; Josef Henke, *England in Hitlers politischen Kalkül, 1935-1939* (Boppard, 1973); Klaus Hildebrand, *Vom Reich zum Weltreich: Hitler, NSDAP und koloniale Frage 1919-1945* (Munique, 1969), p. 491-548; mais genericamente, Wolfgang Michalka, *Ribbentrop*.
67. Ver *supra*, p. 411-5 neste livro.
68. O'Neill, *The German Army*, p. 178-95; Kershaw, *Hitler*, II, p. 49-51; Klaus-Jürgen Müller, *Das Heer und Hitler: Armee und nationalsozialistisches Regime 1933-1940* (Stuttgart, 1988 [1969]), p. 244.
69. A obra modelo sobre esses acontecimentos é de Karl-Heinz Janssen e Fritz Tobias, *Der Sturz der Generäle: Hitler und die Blomberg-Fritsch Krise 1938* (Munique, 1994). Para um vívido relato curto, desses e dos acontecimentos seguintes, ver Kershaw, *Hitler*, II, p. 51-7. Citações de Goebbels em Fröhlich (ed.), *Die Tagebücher*, I/V, p. 117 (27 de janeiro de 1938) e p. 118-20 (28 de janeiro de 1938).
70. Janssen e Tobias, *Der Sturz*, p. 140.
71. Ibid., p. 173-84 sobre o julgamento de Fritsch, p. 245-51 sobre sua morte, p. 253-8 sobre o destino de Blomberg depois da guerra; ver também O'Neill, *The German Army*, p. 196-204.
72. Janssen e Tobias, *Der Sturz*, p. 197-233, nas p. 197-9.
73. Domarus, *Hitler*, II, p. 1025 (o discurso está reproduzido em parte e resumido em parte nas p. 1019-340).
74. David G. Maxwell, "Ernst Hanfstaengl: Des 'Fuhrers' Klavierspieler", em Ronald Smelser et al. (eds.), *Die braune Elite*, II: *21 weitere biographische Skizzen* (Darmstadt, 1993), p. 137-49, um resumo da tese de doutorado do autor, *Unwanted Exile: A Biography of Dr Ernst "Putzi" Hanfstaengl* (SUNY, Binghampton, 1988). Ver também o proveitoso relato de Peter Conradi, *Hitler's Piano Player: The Rise and Fall of Ernst Hanfstaengl, Confidant of Hitler, Ally of FDR* (Nova York, 2004).
75. Kershaw, *Hitler*, II, p. 63-6; Gerhard L. Weinberg, "Hitler's Private Testament of May 2, 1938", *Journal of Modern History*, 27 (1955), p. 415-9; Gerhard Botz, *Der 13. März und die Anschluss-Bewegung: Selbstaufgabe, Okkupation und Selbstfindung Österreichs 1918-1945* (Viena, 1978), p. 5-14; Carsten, *Fascist Movements*, p. 299--301.
76. Ibid., p. 293-314; Gedye, *Fallen Bastions*, p. 144-216.
77. Alfred Kube, *Pour le mérite und Hakenkreuz: Hermann Göring im Dritten Reich* (Munique, 1986), p. 233-43; Hildebrand, *Das vergangene Reich*, p. 618-51, também para o que se segue; Stefan Martens, "Die Rolle Hermann Görings in der deutschen Aussenpolitik 1937/38", em Franz Knipping e Klaus-Jürgen Müller (eds.), *Machtbewusstsein in Deutschland am Vorabend des Zweiten Weltkrieges* (Paderborn, 1984), p. 75-82, para o papel de Göring; Kley, *Hitler*, p. 35-49, para o de Ribbentrop.

78. Kershaw, *Hitler*, II, p. 63-4; também Weinberg, *The Foreign Policy*, II, p. 261-312; Weinberg, "Hitler's Private Testament".
79. Carsten, *Fascist Movements*, p. 271-88; Barbara Jelavich, *Modern Austria: Empire and Republic 1800-1986* (Cambridge, 1987), p. 192-216; Behnken (ed.), *Deutschland-Berichte*, V (1938), p. 236-49.
80. Domarus, *Hitler*, II, p. 1013-4; Kurt von Schuschnigg, *Austrian Requiem* (Londres, 1947), p. 13-32, nas p. 21, 25; Jelavich, *Modern Austria*, p. 217-8. Para Papen, ver Franz Müller, *Ein "Rechtskatholik" zwischen Kreuz und Hakenkreuz: Franz von Papen als Sonderbevollmächtigter in Wien 1934-1938* (Frankfurt am Main, 1990); e Joachim Petzold, *Franz von Papen: Ein deutsches Verhängnis* (Munique, 1995), p. 239-51.
81. Kershaw, *Hitler*, II, p. 70-2; Gedye, *Fallen Bastions*, p. 217-35; Erwin A. Schmidl, *März 38: Der deutsche Einmarsch in Österreich* (Viena, 1987), p. 31-42, para os preparativos militares alemães.
82. Carsten, *Fascist Movements*, p. 315-23; Schmidl, *März 38*, p. 1-29, 43-68.
83. "Generalfeldmarschall Göring mit Seyss-Inquart, 11.3.1938", em *International Military Tribunal*, XXXI, p. 360-2; também Jelavich, *Modern Austria*, p. 218-21; Gedye, *Fallen Bastions*, p. 236-77; e Ralf Georg Reuth (ed.), *Die Tagebücher*, 1/5, p. 197-201 (10-11 de março de 1938); Schmidl, *März 38*, p. 69-109; Pauley, *Hitler and the Forgotten Nazis*, p. 155-92.
84. Kershaw, *Hitler*, II, p. 76-8; Carsten, *Fascist Movements*, p. 323; Shirer, *Berlin Diary*, p. 80-5; Gedye, *Fallen Bastions*, p. 278-99; Fröhlich (ed.), *Die Tagebücher*, 1/5, p. 202-6 (12-13 de março de 1938); Schmidl, *März 38*, p. 111-34, para a tomada do poder nas províncias; Pauley, *Hitler and the Forgotten Nazis*, p. 193-215.
85. Shirer, *Berlin Diary*, p. 84-6, para um exemplo.
86. Domarus, *Hitler*, II, p. 1049-50; Kershaw, *Hitler*, II, p. 79-82.
87. Domarus, *Hitler*, II, p. 1051 (entrevista com Ward Price, 12 de março de 1938); Schmidl, *März 38*, p. 211-38; Fröhlich (ed.), *Die Tagebücher*, 1/5, p. 204-12 (13-16 de março de 1938); Gerhard Botz, *Die Eingliederung Österreichs in das deutsche Reich: Planung und Verwirklichung des politisch-administrativen Anschlusses (1938--1940)* (Linz, 1972), p. 22-39, para ideias e propostas prévias. Para os motivos de Hitler retardar a ida para Viena, na época erroneamente atribuído ao bloqueio das estradas por tanques e caminhões de carga alemães estragados, ver Kershaw, *Hitler*, II, p. 868, nota 115.
88. Domarus (ed.), *Hitler*, II, p. 1052-5; Botz, *Die Eingliederung*, p. 61-72, para a Lei de 13 de março de 1938; p. 73-115 para os acontecimentos posteriores.
89. Domarus (ed.), *Hitler*, II, p. 1055-7; Pauley, *Hitler and the Forgotten Nazis*, p. 216-22.
90. Domarus (ed.), *Hitler*, II, p. 1059; Pauley, *Hitler and the Forgotten Nazis*, p. 217; Gerhard Botz, *Wien von "Anschluss" zum Krieg: Nationalsozialistische Machtübernahme und politisch-soziale Umgestaltung am Beispiel der Stadt Wien 1938/39* (Viena, 1978), p. 117-46.
91. Botz, *Wien*, p. 175-85. Em algumas zonas eleitorais, o número de votos "sim" foi maior que o de eleitores. Para os métodos costumeiros aplicados pelo Terceiro Reich em tais votações, ver *supra*, p. 37-41. Ver também Evan B. Bukey, "Popular Opinion in Vienna after the Anschluss", em Fred Parkinson (ed.), *Conquering the Past: Austrian Nazism Yesterday and Today* (Detroit, Mich., 1989), p. 151-64.

92. Hans-Erich Volkmann, "The National Socialist Economy in Preparation for War", em Militärgeschichtliches Forschungsamt (eds.), *Germany*, p. 157-372, nas p. 323-7; Norbert Schausberger, "Wirtschaftliche Aspekte des Anschlusses Österreichs an das Deutsche Reich (Dokumentation)", *Militärgeschichtliche Mitteilungen*, 8 (1970), p. 133-64; idem, *Der Griff nach Österreich: Der Anschluss* (Viena, 1978).
93. Gordon Brook-Shepherd, *The Austrians: A Thousand-Year Odissey* (Londres, 1996), p. 341-3; Botz, *Wien*, p. 55-8, 255-9; Schmidl, *März 38*, p. 232-7; Florian Freund, "Mauthausen – zu Strukturen von Haupt- und Aussenlagern", em Wolfgang Benz (ed.), *KZ-Aussenlager – Geschichte und Erinnerung* (Dachau, 1999), p. 254-72.
94. Robert Körber, *Rassesieg in Wien, der Grenzfeste des Reiches* (Viena, 1939), p. 271, 281.
95. Longerich, *Politik*, p. 162-5. Ver também Herbert Rosenkranz, *Verfolgung und Selbstbehauptung: Die Juden in Österreich 1938-1945* (Viena, 1978).
96. Friedländer, *Nazi Germany*, p. 241-4.
97. Gedye, *Fallen Bastions*, p. 308-9.
98. Ibid.; Botz, *Wien*, p. 93-105.
99. Longerich, *Politik*, 163-4; Wolfgang Neugebauer (ed.), *Widerstand und Verfolgung im Burgenland: Eine Dokumentation* (Viena, 1979); Gerhard Botz, *Wohnungspolitik und Judendeportation in Wien, 1938 bis 1945: Zur Funktion der Antisemitismus als Ersatz nationalsozialistischer Sozialpolitik* (Viena, 1975); Gedye, *Fallen Bastions*, p. 300-6, p. 360-2; Eckart Früh, "Terror und Selbstmord in Wien nach der Annexion Österreichs", em Felix Kreissler (ed.), *Fünzig Jahre danach – Der "Anschsluss" von innen geschen* (Viena, 1989), p. 216-26.
100. David Cesarani, *Eichmann: His Life and Crimes* (Londres, 2004), p. 18-60; ver também Peter Black, "Ernst Kaltenbrunner: Chief of the Reich Security Main Office", em Smelser e Zitelmann (eds.), *The Nazi Elite*, p. 133-43, e idem, *Ernst Kaltenbrunner: Vassall Himmlers: Eine SS-Karriere* (Paderborn, 1991).
101. Ibid., p. 61-76; Doron Rabinovici, *Instanzen der Ohnmacht: Wien 1938-1945: Der Weg zum Judenrat* (Frankfurt am Main, 2000); Hans Safrian, *Die Eichmann-Männer* (Viena, 1993); idem, "Expediting Expropriation and Expulsion: The Impact of the 'Vienna Model' on Anti-Jewish Policies in Nazi Germany, 1938", *Holocaust and Genocide Studies*, 14 (2000), p. 390-414; Gabriele Anderl e Dirk Rupnow, *Die Zentralstelle für jüdische Answanderung als Beraubungsinstitution* (Viena, 2004); Friedländer, *Nazi Germany*, p. 243-8; Debórah Dwork e Robert Jan Van Pelt, *Holocaust: A History* (Londres, 2002), p. 95-8, 121-5; Botz, *Wien*, p. 243-54.
102. Behnken (ed.), *Deutschland-Berichte*, VI (1939), p. 381.
103. Cesarani, *Eichmann*, p. 70-1; Botz, *Wien*, p. 397-411.
104. Nicholas, *The Rape*, p. 37-46; Petropoulos, *The Faustian Bargain*, p. 170-85.
105. Behnken (ed.), *Deutschland-Berichte*, V (1938), p. 260.
106. Ibid., p. 264.
107. Kershaw, *The "Hitler Myth"*, p. 129-32.
108. Tagebuch Luise Solmitz, 11 de março de 1938, 12 de março de 1938, 13 de março de 1938.
109. Klemperer, *I Shall Bear Witness*, p. 241 (20 de março de 1938).
110. Kershaw, *Hitler*, II, p. 90-1.

111. Domarus (ed.), *Hitler*, II, p. 1061-76.
112. Citado em ibid., p. 100-1.
113. Jürgen Tampke, *Czech-German Relations and the Politics of Central Europe: From Bohemia to the EU* (Londres, 2003), p. 25-44; Rudolf Jaworski, *Vorposten oder Minderheit? Der Sudetendeutsche Volkstumskampf in den Beziehungen zwischen der Weimarer Republik und der CSR* (Stuttgart, 1977); Jaroslav Kucera, *Minderheit im Nationalstaat: Die Sprachenfrage in den tschechisch-deutschen Beziehungen 1918--1938* (Munique, 1999).
114. Tampke, *Czech-German Relations*, p. 45-53; Hugh Seton-Watson, *Eastern Europe between the Wars 1918-1941* (Nova York, 1967 [1945]), p. 277-83; Carlile A. Macartney e Alan W. Palmer, *Independent Eastern Europe: A History* (Londres, 1966), p. 156-9, 190-98, 363-6; Christoph Boyer, *Nationale Kontrahenten oder Partner? Studien zu den Beziehungen zwischen Deutschen und Tschechen in der Wirtschaft der CSR* (Munique, 1999); Ronald M. Smelser, *The Sudeten Problem 1933-1938: Volkstumpolitik and the Formulation of Nazi Foreign Policy* (Folkestone, 1975); Gedye, *Fallen Bastions*, p. 363-450; Jörg Kracik, *Die Politik des deutschen Aktivismus in der Tschechoslowakei 1920-1938* (Frankfurt am Main, 1999).
115. Nancy M. Wingfield, *Minority Politics in a Multinational State: The German Social Democratic Party 1918-1938* (Nova York, 1989), p. 169, mas ver também Reinhard Schmutzer, "Der Wahlsieg der Sudetendeutschen Partei: Die Legende von der faschistischen Bekenntniswahl", *Zeitschrift für Ostforschung*, 41 (1992), p. 345-85.
116. Tampke, *Czech-German Relations*, p. 53-4.
117. Kershaw, *Hitler* II, p. 87-108; Klaus-Jürgen Müller, *General Ludwig Beck: Studien und Dokumente zur politisch-militärischen. Vorstellungswelt und Tätigkeit des Generalstabschefs des deutschen Heers 1933-1938* (Boppard, 1980); criticado por Peter Hoffmann, "Generaloberst Ludwig Becks militärpolitisches Denken", *Historische Zeitschrift*, 234 (1981), p. 101-21; resposta convincente em Klaus-Jürgen Müller, "Militärpolitik nicht Militäropposition!", *Historische Zeitschrift*, 235 (1982), p. 355-71.
118. O'Neill, *The German Army*, p. 211-22; Müller, *Das Heer*, p. 300-44.
119. Müller (ed.), *General Ludwig Beck*, p. 287.
120. Joachim Fest, *Plotting Hitler's Death: The Story of German Resistance* (Londres, 1996 [1994]), p. 71-101, fornece uma narrativa dramática do complô; Klemens von Klemperer, *German Resistance against Hitler: The Search for Allies Abroad, 1938--1945* (Oxford, 1992), p. 86-110, e Patricia Meehan, *The Unnecessary War: Whitehall and the German Resistance to Hitler* (Londres, 1992), mapeiam as tentativas de arregimentação de apoio estrangeiro. Entre numerosos relatos mais antigos, ver Harold C. Deutsch, *The Conspiracy against Hitler in the Twilight War* (Minneapolis, 1968), e Peter Hoffmann, *Widerstand – Staatsstreich – Attentat: Der Kampf der Opposition gegen Hitler* (4ª ed., Munique, 1985 [1969]).
121. As tentativas de argumentar que a oposição nesse estágio era impulsionada por princípios mais fundamentais não deparou com aceitação difundida entre os historiadores. Ver Müller, "Militärpolitik", para a controvérsia sobre os motivos de Beck, e Rainer A. Blasius, *Für Grossdeutschland – gegen den grossen Krieg: Staatssekretär Ernst Frhr. von Weizsäcker in den Krisen um die Tschechoslowakei und Polen 1938/39* (Colônia, 1981), para os motivos de Weizsäcker. Para Halder, ver O'Neill, *The German Army*, p. 224-31.

122. Citado nas memórias do general Weichs, em ibid., p. 226.
123. Para o que se segue, ver as narrativas de Hildebrand, *Das vergangene Reich*, p. 651--66, e Weinberg, *The Foreign Policy*, II, p. 313-464.
124. Behnken (ed.), *Deutschland-Berichte*, V (1938), p. 559, 823-5; Shirer, *Berlin Diary*, p. 111; Fröhlich (ed.), *Die Tagebücher*, I/VI, p. 80-1 (10 de setembro de 1938), p. 95 (17 de setembro de 1938) e seguintes.
125. *The Times*, 28 de setembro de 1938. A política de conciliação de Chamberlain gerou uma vasta e controversa literatura. Martin Gilbert, *The Roots of Appeasement* (Londres, 1966), é uma tentativa inicial de uma abordagem equilibrada; Robert A. C. Parker, *Chamberlain and Appeasement: British Policy and the Coming of the Second World War* (Londres, 1993), é um bom estudo detalhado; Keith Robbins, *Munich 1938* (Londres, 1968), permanece o melhor relato geral da crise.
126. Robert A. C. Parker, *Churchill and Appeasement* (Londres, 2000), p. 167-89; David Reynolds, *In Command of History: Churchill Fighting and Writing the Second World War* (Londres, 2004), p. 91-110.
127. Kershaw, *Hitler*, II, p. 108-13; Robbins, *Munich 1938*, p. 268-80.
128. Domarus (ed.), *Hitler*, II, p. 1181-94; Shirer, *Berlin Diary*, p. 116; Robbins, *Munich 1938*, p. 288-302; Fröhlich (ed.), *Die Tagebücher*, I/VI, p. 94-116 (17-27 de setembro de 1938).
129. Ibid., p. 119 (29 de setembro de 1938).
130. Robbins, *Munich 1938*, p. 303-19; *The Times*, 1º de outubro de 1938; Kershaw, *Hitler*, II, p. 113-23; também Kley, *Hitler*, p. 49-146.
131. Boberach (ed.), *Meldungen*, II, p. 72-3.
132. Behnken (ed.), *Deutschland-Berichte*, V (1938), p. 367-90.
133. Ibid., p. 681-99.
134. Ibid., p. 809-41.
135. Fröhlich (ed.), *Die Tagebücher*, I/VI, p. 65 (31 de agosto de 1938).
136. Behnken (ed.), *Deutschland-Berichte*, V (1938), p. 915-18.
137. Ibid., p. 913-39.
138. Tagebuch Luise Solmitz, 13 de setembro, 14 de setembro de 1938.
139. Ibid., 16 de setembro de 1938.
140. Kershaw, *The "Hitler Myth"*, p. 132-9.
141. Tagebuch Luise Solmitz, 30 de setembro de 1938.
142. Behnken (ed.), Deutschland-Berichte, V (1938), p. 944-6.
143. Ibid., p. 947.
144. Shirer, *Berlin Diary*, p. 117.
145. Domarus, *Hitler*, II, p. 1245 (tradução corrigida).
146. Ibid., p. 1244-55 (tradução corrigida).
147. Kershaw, *The "Hitler Myth"*, p. 123-4.
148. Tampke, *Czech-German Relations*, p. 57; Volker Zimmermann, *Die Sudetendeutschen im NS-Staat. Politik und Stimmung der Bevölkerung im Reichsgau Sudetenland (1938--1945)* (Essen, 1999), p. 79-82; Peter Heumos, *Die Emigration aus der Tschechoslowakei nach Westeuropa und dem Nahen Osten 1938-1945* (Munique, 1989), p. 15-27; Detlef Brandes *et al.* (eds.), *Erzwungene Trennung: Vertreibungen und Aussiedlungen in und aus der Tschechoslowakei 1938-1947 im Vergleich mit Polen, Ungarn und Jugoslawien*

(Essen, 1999). Posteriormente, muitos refugiados emigraram para a Grã-Bretanha e outros países fora da região.
149. Tampke, *Czech-German Relations*, p. 57-9; Zimmermann, *Die Sudetendeutschen*, p. 183-209; Hayes, *Industry and Ideology*, p. 232-43; Feldman, *Allianz*, p. 302-4; Alice Teichova, "The Protectorate of Bohemia and Moravia (1939-1945): The Economic Dimension", em Mikulás Teich (ed.), *Bohemia in History* (Cambridge, 1998), p. 267-305, nas p. 267-9.
150. Hans Roos, *A History of Modern Poland from the Foundation of the State in the First World War to the Present Day* (Londres, 1966 [1961]), p. 154-6; Macartney e Palmer, *Independent Eastern Europe*, p. 387-8.
151. Ibid., p. 388-9; Jörg K. Hoensch, *A History of Modern Hungary 1867-1986* (Londres, 1988 [1984]), p. 131-41.
152. Macartney e Palmer, *Independent Eastern Europe*, p. 388-7.
153. Kershaw, *Hitler*, II, p. 157-68.
154. Ibid., 168-71; Macartney e Palmer, *Independent Eastern Europe*, p. 398-9: Donald Cameron Watt, *How War Came: The Immediate Origins of the Second World War, 1938-1939* (Londres, 1989), p. 141-54; Hildebrand, *Das vergangene Reich*, p. 666--78; Weinberg, *The Foreign Policy*, II, p. 465-534; Fröhlich (ed.), *Die Tagebücher*, I/VI, p. 285-7 (15 de março de 1939).
155. Vojtech Mastny, *The Czechs under Nazi Rule: The Failure of National Resistance, 1939-42* (Londres, 1971), p. 45-64; Fröhlich (ed.), *Die Tagebücher*, I/VI, p. 289 (17 de março de 1939).
156. Teichova, "The Protectorate", p. 274-5.
157. Fröhlich (ed.), *Die Tagebücher*, I/VI, p. 125 (2 de outubro de 1928); Mastny, *The Czechs*, p. 56; Detlef Brandes, *Die Tschechen unter deutschem Protektorat*, I: *Besatzungspolitik, Kollaboration und Widertsand im Protektorat Böhmen und Mähren bis Heydrichs Tod* (Munique, 1968); idem, "Die Politik des Dritten Reiches gegenüber der Tschechoslowakei", em Funke (ed.), *Hitler, Deutschland und die Mächte*, p. 508-23; idem, "Nationalsozialistische Tschechenpolitik im Protektorat Böhmen und Mähren", em idem e Vaclav Kural (eds.), *Der Weg in die Katastrophe: Deutsch-tschechoslowakische Beziehungen 1938-1947* (Essen, 1994), p. 39-56.
158. Brandes, *Die Tschechen*, p. 154-5; Mastny, *The Czechs*, p. 65-85; Teichova, "The Protectorate", p. 277-80; David Blaazer, "Finance and the End of Appeasement: The Bank of England, the National Government and the Czech Gold", *Journal of Contemporary History*, 40 (2005), p. 25-40.
159. Nicholas, *The Rape*, p. 43-4; Mastny, *The Czechs*, p. 80-2.
160. Detalhes, inclusive a citação de Göring (tradução corrigida), em Herbert, *Hitler's Foreign Workers*, p. 57; ver "Sitzungsbericht zur 2. Sitzung des Reichsverteidigungsrabes", em *International Military Tribunal*, XXXIII, p. 147-60, p. 153-4.
161. Hoensch, *Modern Hungary*, p. 142-3; Macartney e Palmer, *Independent Eastern Europe*, p. 400-1.
162. Watt, *How War Came*, p. 156-7; Kershaw, *Hitler*, II, p. 175-6; ver também Martin Broszat, "Die memeldeutschen Organisationen und der Nationalsozialismus 1933--1939", *VfZ* 5 (1957), p. 273-8.
163. Behnken (ed.), *Deutschland Berichte*, VI (1939), p. 275-93; citações na p. 283; Kershaw, *The "Hitler Myth"*, p. 139-40.

164. Neville Chamberlain, *The Struggle for Peace* (Londres, 1939), p. 418; Fröhlich (ed.), *Die Tagebücher*, VI/VI, p. 291-2 (19 de março de 1939).
165. Anna M. Cienciala, "Poland in British and French Policy in 1939: Determination to Fight – or Avoid War?", *Polish Review*, p. 34 (1989), p. 199-226; Watt, *How War Came*, p. 162-87; Parker, *Chamberlain and Appeasement*, p. 204-6; Simon Newman, *March 1939: The British Guarantee to Poland: A Study in the Continuity of British Foreign Policy* (Oxford, 1976); Philip M. H. Bell, *The Origins of the Second World War in Europe* (Londres, 1986), p. 250-5.
166. Ver, no geral, Andreas Hillgruber, *Deutsche Grossmacht- und Weltpolitik im 19. und 20. Jahrhundert* (Düsseldorf, 1979 [1977]), p. 180-97.
167. Kershaw, *Hitler*, II, p. 177-90; Christian Hartmann e Sergej Slutsch, "Franz Halder und die Kriegsvorbereitungen im Frühjahr 1939: Eine Ansprache des Generalstabschefs des Heers", *VfZ* 45 (1997), p. 467-95; Fröhlich (ed.), *Die Tagebücher*, I/VI, p. 323 (21 de abril de 1939); Watt, *How War Came*, p. 188-98; Domarus (ed.), *Hitler*, III, p. 1519-96.
168. Ibid., p. 1616-24.
169. Weinberg, *The Foreign Policy*, II, p. 192-248.
170. Domarus (ed.), *Hitler*, III, p. 1633.
171. Watt, *How War Came*, p. 232-4; Joachim von Ribbentrop, *The Ribbentrop Memoirs* (Londres, 1954 [1953]), p. 109-15.
172. David M. Glantz, *Stumbling Colossus: The Red Army on the Eve of World War* (Lawrence, Kans., 1998); John Erickson, *The Soviet High Command: A Military--Political History, 1918-1941* (Londres, 2001 [1962]).
173. Dmitri Volkogonov, *Stalin: Triumph and Tragedy* (Londres, 1995 [1989]), p. 357.
174. Watt, *How War Came*, p. 447-61; Kershaw, *Hitler*, II, p. 189-205; Weinberg, *The Foreign Policy*, II, p. 601-11, Fröhlich (ed.), *Die Tagebücher*, I/VII, p. 73 (23 de agosto de 1939); mais detalhes em Anthony Read e David Fisher, *The Deadly Embrace: Hitler, Stalin, and the Nazi-Soviet Pact, 1939-1941* (Londres, 1988); Geoffrey K. Roberts, *The Unholy Alliance: Stalin's Pact with Hitler* (Londres, 1991), p. 221-6.
175. Ver Hans-Erich Volkmann (ed.), *Das Russlandbild im Dritten Reich* (Colônia, 1994).
176. Robert Service, *Stalin: A Biography* (Londres, 2004), p. 395-403; Roberts, *The Unholy Alliance*, p. 267-8, para os protocolos secretos adicionais.
177. Weber, "*Weisse Flecken*", p. 36-7; Institut für Geschichte der Arbeiterbewegung (ed.), *In den Fängen des NKWD: Deutsche Opfer des stalinistischen Terrors in der UdSSR* (Berlim, 1991); Margarete Buber-Neumann, *Under Two Dictators* (Londres, 1949), p. 159-75.
178. Peukert, *Die KPD im Widerstand*, p. 326-33.
179. Kershaw, *Hitler*, II, p. 205-6; Fröhlich (ed.), *Die Tagebücher*, I/VII, p. 73 (23 de agosto de 1939).
180. Kley, *Hitler*, p. 201-24.
181. Behnken (ed.), *Deutschland-Berichte*, VI (1939), p. 546-60; Kershaw, *Hitler*, II, p. 197-201; Levine, *Hitler's Free City*; Rüdiger Ruhnau, *Die Freie Stadt Danzig, 1919-1939* (Berg am See, 1979); Weinberg, *The Foreign Policy*, II, p. 525-627, para uma narrativa de amplo espectro da crise; Albert S. Kotowski, *Polens Politik gegenüber seiner deutschen Minderheit 1919-1939* (Wiesbaden, 1998); e Martin Broszat, *Zweihundert Jahre deutsche Polenpolitik* (Frankfurt am Main, 1972 [1963]), p. 173-

-233, para avaliações sóbrias sobre a situação dos alemães étnicos na Polônia independente; Christian Raitz von Frentz, *A Lesson Forgotten: Minority Protection under the League of Nations: The Case of the German Minority in Poland, 1920-1934* (Münster, 2000), para a dimensão internacional.
182. Behnken (ed.), *Deutschland-Berichte*, VI (1939), p. 561.
183. Maschmann, *Account Rendered*, p. 58.
184. Ilse McKee, *Tomorrow the World* (Londres, 1960), p. 27; mais genericamente, Ian Kershaw, "Der Überfall auf Polen und die öffentliche Meinung in Deutschland", em Ernst W. Hansen et al. (eds.), *Politischer Wandel, organisierter Gewalt und nationale Sicherheit: Beiträge zur neueren Geschichte Deutschlands und Frankreichs: Festschrift für Klaus-Jürgen Müller* (Munique, 1995), p. 237-50.
185. Broszat et al. (eds.), *Bayern*, I, p. 131 (Aus Monatsbericht des Bezirksamts, 30.6.1939); ver também Kershaw, *The "Hitler Myth"*, p. 142.
186. Carl J. Burckhardt, *Meine Danziger Mission 1937-1939* (Munique, 1960), p. 337-53; Watt, *How War Came*, p. 322-7, 433-40; Herbert S. Levine, "The Mediator: Carl J. Burckhardt's Efforts to Avert a Second World War", *Journal of Modern History*, 45 (1973), p. 439-53; e Paul Stauffer, *Zwischen Hofmannsthal und Hitler: Carl J. Burckhardt: Facetten einer aussergewöhnlichen Existenz* (Zurique, 1991).
187. Watt, *How War Came*, p. 462-78; Kershaw, *Hitler*, II, p. 211-4; para Henderson, ver Neville, *Appeasing Hitler*.
188. Domarus (ed.), *Hitler*, III, p. 1663-7; para as esperanças mantidas por Hitler quanto à neutralidade britânica, ver, por exemplo, Fröhlich (ed.), *Die Tagebücher*, I/VII, p. 75 (24 de agosto de 1939).
189. Domarus (ed.), *Hitler*, III, p. 1668-9; Kershaw, *Hitler*, II, p. 206-10; ver também Winfried Baumgart, "Zur Ansprache Hitlers vor den Führern der Wehrmacht am 22. August 1939. Eine quellenkritische Untersuchung", *VfZ* 16 (1968), p. 120-49; Hermann Böhm, "Zur Ansprache Hitlers vor den Führern der Wehrmacht am 22. August 1939", *VfZ* 19 (1971), p. 294-300; e Winfried Baumgart, "Zur Ansprache Hitlers vor den Führern der Wehrmacht am 22. August 1939: Eine Erwiderung", *VfZ* 19 (1971), p. 301-4.
190. Gerwin Strobl, *The Germanic Isle: Nazi Perceptions of Britain* (Cambridge, 2000), p. 301-4.
191. Watt, *How War Came*, p. 479-528.
192. Kershaw, *Hitler*, II, p. 218-23; Domarus (ed.), *Hitler*, III, p. 1700-42; Hildebrand, *Das vergangene Reich*, p. 678-704.
193. Höhne, *The Order*, p. 238-44; Jürgen Runzheimer, "Der Überfall auf den Sender Gleiwitz im Jahre 1939", *VfZ* 10 (1962), p. 408-26; Watt, *How War Came*, p. 530-4; Alfred Spiess e Heiner Lichtenstein, *Das Unternehmen Tannenberg: Der Anlass zum Zweiten Weltkrieg* (Wiesbaden, 1979), p. 74-84, 132-5.
194. Domarus (ed.), *Hitler*, III, p. 1744-57 (tradução corrigida); narrativa militar-política em Horst Rhode, "Hitler's First Blitzkrieg and Its Consequences for Northeastern Europe", em Militärgeschichtliches Forschungsamt (ed.), *Germany and the Second World War*, II: *Germany's Initial Conquests in Europe* (Oxford, 2000 [1991]), p. 67--150; narrativa polonesa em Janusz Piekalkiewicz, *Polenfeldzug: Hitler und Stalin zerschlagen die Polnische Republik* (Bergisch-Gladbach, 1982); relatos detalhados

sobre o final da crise em Weinberg, *The Foreign Policy*, II, p. 628-55; e Kley, *Hitler*, p. 225-320.
195. Watt, *How War Came*, p. 530-89; Fröhlich (ed.), *Die Tagebücher*, I/VII, p. 82-8 (29 de agosto – 1º de setembro de 1939).
196. Parker, *Churchill and Appeasement*, p. 253-7.
197. Watt, *How War Came*, p. 590-604.
198. Ibid; Domarus (ed.), *Hitler*, III, p. 1758-91; Fröhlich (ed.), *Die Tagebücher*, I/VII, p. 90-2 (3-4 de setembro de 1939).
199. Klemperer, *German Resistance*, p. 110-34.
200. Kershaw, *Hitler*, II, p. 224-30; Leonidas E. Hill (ed.), *Die Weizsäcker-Papiere 1933--1950* (Frankfurt am Main, 1974), p. 162.
201. Broszat *et al.* (eds.), *Bayern*, I, p. 133-4 (Aus Monatsbericht des Gendarmerie--Kreisführers, 29.8.1939; Aus Monatsbericht des Bezirksamts, 30.9.1939).
202. Behnken (ed.), *Deutschland-Berichte*, VI (1939), p. 980.
203. Sywottek, *Mobilmachung*, p. 238-41; Shirer, *Berlin Diary*, p. 158-60.
204. Tagebuch Luise Solmitz, 29 de agosto de 1939.
205. Ibid., 31 de agosto de 1939.
206. Ibid., 1º de setembro de 1939.
207. Ver, no geral, Peter Fritzsche, "Nazi Modern", *Modernism/Modernity*, 3 (1996), p. 1-21.
208. Richard Bessel, *Nazism and War* (Londres, 2004), especialmente p. 32-89.
209. Domarus (ed.), *Hitler*, III, p. 1668-9.

Bibliografia

Abel, Karl-Dietrich, *Presselenkung im NS-Staat: Eine Studie zur Geschichte der Publizistik in der nationalsozialistischen Zeit* (Berlim, 1990 [1968]).

Abella, Irving M. & Troper, Harold, *None Is Too Many: Canada and the Jews of Europe, 1933-1948* (Nova York, 1983).

Abelshauser, Werner, "Germany: Guns, Butter, and Economic Miracles", in Harrison (ed.), *The Economics of World War II*, p. 122-76.

_____, "Kriegswirtschaft und Wirtschaftswunder. Deutschlands wirtschaftliche Mobilisierung für den Zweiten Weltkrieg und die Folgen für die Nachkriegszeit", *VfZ* 47 (1999), p. 503-38.

_____, *The Dynamics of German Industry: The German Road Towards the New Economy and the American Challenge* (Nova York, 2005).

_____ & Faust, Anselm (eds.), *Wirtschafts- und Sozialpolitik: Eine nationalsozialistische Revolution?* (Tübingen, 1983).

_____ et al., *German Industry and Global Enterprise: BASF: The History of a Company* (Cambridge, 2004).

Abendroth, Hans-Henning, *Hitler in der spanischen Arena: Die deutschspanischen Beziehungen im Spannungsfeld der europäischen Interessenpolitik vom Ausbruch des Bürgerkrieges bis zum Ausbruch des Weltkrieges, 1936-1939* (Paderborn, 1973).

_____, "Deutschlands Rolle im Spanischen Bürgerkrieg", in Funke (ed.), *Hitler, Deutschland und die Mächte*, p. 471-88.

Abrams, Lynn, *Workers' Culture in Imperial Germany: Leisure and Recreation in the Rhineland and Westphalia* (Londres, 1992).

Ach, Manfred & Pentrop, Clemens (eds.), *Hitlers "Religion": Pseudoreligiöse Elemente im nationalsozialistischen Sprachgebrauch* (Munique, 1991 [1979]).

Ackermann, Josef, *Heinrich Himmler als Ideologe* (Göttingen, 1970).

Adam, Peter, *The Arts of the Third Reich* (Londres, 1992).

Adam, Uwe Dietrich, *Judenpolitik im Dritten Reich* (Düsseldorf, 1972).

_____, "How Spontaneous Was the Pogrom?", in Pehle (ed.), *November 1938*, p. 73-94.

Adamthwaite, Anthony, "France and the Coming of War", in Finney (ed.), *The Origins of the Second World War*, p. 78-89.

Adler-Rudel, Salomon, *Jüdische Selbsthilfe unter dem Naziregime 1933-1939, im Spiegel der Berichte der Reichsvertretung der Juden in Deutschland* (Tübingen, 1974).

Akademie der Künste, Berlim (ed.), *Zwischen Anpassung und Widerstand: Kunst in Deutschland 1933-1945* (Berlim, 1978).

Albrecht, Dieter (ed.), *Der Notenwechsel zwischen dem Heiligen Stuhl und der Deutschen Reichsregierung* (3 vols., Mainz, 1965-80).

_____ et al. (eds.), *Politik und Konfession: Festschrift für Konrad Repgen zum 60. Geburtstag* (Berlim, 1983).

Albrecht, Gerd, *Nationalsozialistische Filmpolitik: Eine soziologische Untersuchung über die Spielfilme des Dritten Reichs* (Stuttgart, 1969).

_____, *Der Film im Dritten Reich: Eine Dokumentation* (Karlsruhe, 1979).

Allen, William Sheridan, *The Nazi Seizure of Power: The Experience of a Single German Town, 1922-1945* (Nova York, 1984 [1965]).

_____, "Social Democratic Resistance against Hitler and the European Tradition of Underground Movements", in Nicosia & Stokes (eds.), *Germans Against Nazism*, p. 191-204.

Alter, Reinhard, *Gottfried Benn: The Artist and Politics – 1910-1934* (Frankfurt am Main, 1976).

Alte Synagoge (ed.), *Entrechtung und Selbsthilfe: Zur Geschichte der Juden in Essen unter dem Nationalsozialismus* (Essen, 1994).

Altgeld, Wolfgang, *Katholizismus, Protestantismus, Judentum: Über religiös begründete Gegensätze und nationalreligiöse Ideen in der Geschichte des deutschen Nationalismus* (Mainz, 1992).

Altgeld, Wolfgang, "Religion, Denomination and Nationalism in Nineteenth--Century Germany", in Smith (ed.), *Protestants, Catholics, and Jews*, p. 49-65.

Anderl, Gabriele & Rupnow, Dirk, *Die Zentralstelle für jüdische Auswanderung als Beraubungsinstitution* (Viena, 2004).

Angermund, Ralph, *Deutsche Richterschaft 1919-1945: Krisenerfahrung, Illusion, politische Rechtsprechung* (Frankfurt am Main, 1990).

Applebaum, Anne, *Gulag: A History of the Soviet Camps* (Londres, 2003).

Applegate, Celia, "The Past and Present of *Hausmusik* in the Third Reich", in Kater & Riethmüller (eds.), *Music and Nazism*, p. 136-49.

Arendt, Hannah, *The Origins of Totalitarianism* (Londres, 1973 [1955]).

Aretin, Karl Otmar von, "Der bayerische Adel von der Monarchie zum Dritten Reich", in Broszat *et al.* (eds.), *Bayern*, III, p. 513-68.

_____ & Buchheim, Karl (eds.), *Krone und Ketten: Erinnerungen eines bayerischen Edelmannes* (Munique, 1955).

Arndt, Karl, "Die Münchener Architekturszene 1933/34 als ästhetisch--politisches Konfliktfeld", in Broszat *et al.* (eds.), *Bayern*, III. 443-512.

_____, "Das 'Haus der deutschen Kunst' – ein Symbol der neuen Machtverhältnisse", in Schuster (ed.), *Die "Kunststadt" München*, p. 61-82.

_____, *Nationalsozialismus und "Entartete Kunst": Die "Kunststadt" München 1937* (Munique, 1988).

_____, "Paul Ludwig Troost als Leitfigur der nationalsozialistischen Räpresentationsarchitektur", in Lauterbach (ed.), *Bürokratie und Kult*, p. 147-56.

Arntz, H. Dieter, *Ordensburg Vogelsang 1934-1945: Erziehung zur politischen Führung im Dritten Reich* (Euskirchen, 1986).

Arold, Stefan, *Die technische Entwicklung und rüstungswirtschaftliche Bedeutung des Lokomotivbaus der Deutschen Reichsbahn im Dritten Reich (1933-1945)* (Stuttgart, 1997).

Aronson, Shlomo, *Reinhard Heydrich und die Frühgeschichte von Gestapo und SD* (Stuttgart, 1971).

Aster, Sidney, "'Guilty Men': The Case of Neville Chamberlain", in Finney (ed.), *The Origins of the Second World War*, p. 62-77.

Ayass, Wolfgang, *"Asoziale" im Nationalsozialismus* (Stuttgart, 1995).

Ayçoberry, Pierre, *The Nazi Question: An Essay on the Interpretations of National Socialism* (1922-1975) (Nova York, 1981).

Bacharach, Walter Zwi, "The Catholic Anti-Jewish Prejudice, Hitler and the Jews", in Bankier (ed.), *Probing*, p. 415-30.

Backes, Klaus, *Hitler und die bildenden Künste: Kulturverständnis und Kunstpolitik im Dritten Reich* (Colônia, 1988).

Bahr, Ehrhard, "Nazi Cultural Politics: Intentionalism v. Functionalism", in Cuomo (ed.), *National Socialist Cultural Policy*, p. 5-22.

Baird, Jay W., "From Berlin to Neubabelsberg: Nazi Film Propaganda and Hitler Youth Quex", *Journal of Contemporary History*, 18 (1983), p. 495--515.

_____, *To Die for Germany: Heroes in the Nazi Pantheon* (Bloomington, Ind., 1990).

Bajohr, Frank, "Gauleiter in Hamburg. Zur Person und Tätigkeit Karl Kaufmanns", *VfZ* 43 (1995), p. 27-95.

_____, "The 'Aryanization' of Jewish Companies and German Society: The Example of Hamburg", in Bankier (ed.), *Probing*, p. 226-45.

_____, *Parvenüs und Profiteure: Korruption in der NS-Zeit* (Frankfurt am Main, 2001).

_____, *"Aryanization" in Hamburg: The Economic Exclusion of Jews and the Confiscation of their Property in Nazi Germany* (Nova York, 2002 [1997]).

_____ (ed.), *Norddeutschland im Nationalsozialismus* (Hamburgo, 1993).

_____ & Szodrzynski, Joachim, "'Keine jüdische Hautcreme mehr benutzen.' Die antisemitische Kampagne gegen die Hamburger Firma Beiersdorf", in Herzig (ed.), *Die Juden in Hamburg*, p. 15-26.

Bajohr, Stefan, "Weiblicher Arbeitsdienst im 'Dritten Reich'. Ein Konflikt zwischen Ideologie und Ökonomie", *VfZ* 28 (1980), p. 331-57.

Bankier, David, *The Germans and the Final Solution: Public Opinion under Nazism* (Oxford, 1992).

_____ (ed.), *Probing the Depths of German Antisemitism: German Society and the Persecution of the Jews, 1933-1941* (Jerusalém, 2000).

Baranowski, Shelley, *The Confessing Church, Conservative Elites, and the Nazi State* (Nova York, 1986).

Baranowski, Shelley, "East Elbian Landed Elites and Germany's Turn to Fascism: The Sonderweg Controversy Revisited", *European History Quarterly*, 26 (1996), p. 209-40.

_____, *Strength Through Joy: Consumerism and Mass Tourism in the Third Reich* (Nova York, 2004).

Barbian, Jan-Pieter, *Literaturpolitik im "Dritten Reich": Institutionen, Kompetenzen, Betätigungsfelder* (Munique, 1995 [1993]).

Barbian, Peter, "Literary Policy in the Third Reich", in Cuomo (ed.), *National Socialist Cultural Policy*, p. 155-96.

Barkai, Avraham, *From Boycott to Annihilation: The Economic Struggle of German Jews 1933-1943* (Hanover, NH, 1989 [1988]).

_____, "Die deutschen Unternehmer und die Judenpolitik im 'Dritten Reich'", *Geschichte und Gesellschaft*, 15 (1989), p. 235-7.

_____, *Nazi Economics: Ideology, Theory, and Policy* (Oxford, 1990 [1988]).

_____, "German Interests in the Haavara-Transfer Agreement 1933-1939", *Leo Baeck Institute Yearbook* 35 (1990), p. 254-66.

_____, "The Fateful Year 1938: The Continuation and Acceleration of Plunder", in Pehle (ed.), *November 1938*, p. 95-122.

_____, "Jewish Life under Persecution", in Meyer (ed.), *German-Jewish History*, p. 231-57.

_____, "Shifting Organizational Relationships", in Meyer (ed.), *German--Jewish History*, p. 259-82.

_____, "Self-Help in the Dilemma: 'To Leave or to Stay?'", in Meyer (ed.), *German-Jewish History*, p. 313-32.

Barker, Theo (ed.), *The Economic and Social Effects of the Spread of Motor Vehicles: An International Centenary Tribute* (Londres, 1988).

Barlach, Ernst, *Die Briefe* (ed. Friedrich Dross, 2 vols., Munique, 1968-69).

Barnett, Victoria, *For the Soul of the People: Protestant Protest against Hitler* (Oxford, 1992).

Barron, Stephanie (ed.), *Degenerate Art: The Fate of the Avant-Garde in Nazi Germany* (Los Angeles, 1991).

_____, "The Galerie Fischer Auction", in idem (ed.), *Degenerate Art*, p. 135--71.

Bärsch, Claus-Ekkehard, *Die politische Religion des Nationalsozialismus: Die religiöse Dimension der NS-Ideologie in der Schriften von Dietrich Eckhard, Joseph Goebbels, Alfred Rosenberg und Adolf Hitler* (Munique, 1998).

Bartetzko, Dieter, *Zwischen Zucht und Ekstase: Zur Theatralik von NS--Architektur* (Berlim, 1985).

Barth, Karl, *Karl Barth zum Kirchenkampf: Beteiligung, Mahnung, Zuspruch* (Munique, 1956).

_____, *The German Church Conflict* (Londres, 1965).

Bästlein, Klaus, "Sondergerichte in Norddeutschland als Verfolgungsinstanz", in Bajohr (ed.), *Norddeutschland im Nationalsozialismus*, p. 218-38.

Bateson, Gregory, "An Analysis of the Nazi Film *Hitlerjunge Quex*", in Mead & Métraux (eds.), *The Study of Culture at a Distance*, p. 302-14.

Bauer, Gerhard, *Sprache und Sprachlosigkeit im "Dritten Reich"* (Colônia, 1990 [1988]).

Bauer, Yehuda, *My Brother's Keeper: A History of the American Jewish Joint Distribution Committee, 1929-1939* (Filadélfia, 1974).

Baumann, Angelika & Heusler, Andreas (eds.), *München "arisiert": Entrechtung und Enteignung der Juden in der NS-Zeit* (Munique, 2004).

Baumann, Jürgen, *Paragraph 175: Über die Möglichkeit, die einfache, nichtjugendgefährdende und nichtöffentliche Homosexualität unter Erwachsenen straffrei zu lassen* (Berlim, 1968).

Baumeister, Stefan, *NS-Führungskader: Rekrutierung und Ausbildung bis zum Beginn des Zweiten Weltkriegs, 1933-1939* (Konstanz, 1997).

Baumgart, Winfried, "Zur Ansprache Hitlers vor den Führern der Wehrmacht am 22. August 1939. Eine quellenkritische Untersuchung", *VfZ* 16 (1968), p. 120-49.

_____, "Zur Ansprache Hitlers vor den Führern der Wehrmacht am 22. August 1939: Eine Erwiderung", *VfZ* 19 (1971), p. 301-4.

Baumgärtner, Raimund, *Weltanschauungskampf im Dritten Reich: Die Auseinandersetzung der Kirchen mit Alfred Rosenberg* (Mainz, 1977).

Bayles, William D., *Caesars in Goosestep* (Nova York, 1940).

Bechstedt, Martin, "'Gestalthafte Atomlehre' – Zur 'Deutschen Chemie' im NS-Staat", in Mehrtens & Richter (eds.), *Naturwissenschaft*, p. 142-65.

Beck, Johannes *et al.* (eds.), *Terror und Hoffnung in Deutschland, 1933-1945: Leben im Faschismus* (Reinbek, 1980).

Becker, Wolfgang, *Film und Herrschaft; Organisationsprinzipien und Organisationsstrukturen der nationalsozialistischen Filmpropaganda* (Berlim, 1973).

Beer, Helmut, *Widerstand gegen den Nationalsozialismus in Nürnberg 1933- -1945* (Nuremberg, 1976).

Behnken, Klaus (ed.), *Deutschland-Berichte der Sozialdemokratischen Partei Deutschlands (Sopade) 1934-1940* (7 vols., Frankfurt am Main, 1980).

_____ & Wagner, Frank, *Inszenierung der Macht: Ästhetische Faszination im Faschismus* (Berlim, 1987).

Behrenbeck, Sabine, *Der Kult um die toten Helden: Nationalsozialistische Mythen, Riten und Symbole 1923 bis 1945* (Vierow bei Greifswald, 1996).

Bell, Philip M. H., *The Origins of the Second World War in Europe* (Londres, 1986).

Bellon, Bernard P., *Mercedes in Peace and War: German Automobile Workers, 1903-1945* (Nova York, 1990).

Benjamin, Walter, "Das Kunstwerk im Zeitalter seiner technischen Reproduzierbarkeit", in idem, *Gesammelte Schriften*, I/II, ed. Rolf Tiedermann & Hermann Schweppenhäuser (Frankfurt am Main, 1974).

Benn, Gottfried, *Gesammelte Werke*, ed. Dieter Wellershoff (4 vols., Wiesbaden, 1961).

Bennecke, Heinrich, *Die Reichswehr und der "Röhm-Putsch"* (Munique, 1964).

Bennhold, Martin (ed.), *Spuren des Unrechts: Recht und Nationalsozialismus. Beiträge zur historischen Kontinuität* (Colônia, 1989).

Bentley, James, *Martin Niemöller, 1892-1984* (Oxford, 1984).

Benz, Ute & Benz, Wolfgang, *Sozialisation und Traumatisierung: Kinder in der Zeit des Nationalsozialismus* (Frankfurt am Main, 1992).

Benz, Wolfgang (ed.), *Die Juden in Deutschland 1933-1945: Leben unter nationalsozialistischer Herrschaft* (Munique, 1988).

_____, "The Ritual and Stage Management of National Socialism. Techniques of Domination and the Public Sphere", in Milfull (ed.), *The Attractions of Fascism*, p. 273-88.

_____, "The Relapse into Barbarism", in Pehle (ed.), *November 1938*.

Benz, Wolfgang (ed.), *KZ-Aussenlager: Geschichte und Errinerung* (Dachau, 1999).

_____, *Flucht aus Deutschland: Zum Exil im 20. Jahrhundert* (Munique, 2001).

Beradt, Charlotte, *Das Dritte Reich des Traums* (Frankfurt am Main, 1981 [1966]).

Berenbaum, Michael, *A Mosaic of Victims: Non-Jews Persecuted and Murdered by the Nazis* (Nova York, 1990).

Bergen, Doris L., *Twisted Cross: The German Christian Movement in the Third Reich* (Chapel Hill, NC, 1996).

Berger, Stefan et al. (eds.), *Writing National Histories: Western Europe since 1800* (Londres, 1999).

Berghoff, Hartmut, *Zwischen Kleinstadt und Weltmarkt: Hohner und die Harmonika 1857-1961: Unternehmensgeschichte als Gesellschaftsgeschichte* (Paderborn, 1997).

Bergsdorf, Wolfgang, "Sprachlenkung im Nationalsozialismus", in Greiffenhagen (ed.), *Kampf um Wörter?*, p. 65-74.

Berliner Geschichtswerkstatt (ed.), *Alltagskultur, Subjektivität und Geschichte: zur Theorie und Praxis von Alltagsgeschichte* (Münster, 1994).

Berliner Illustrierte Nachtausgabe, 1933-39.

Bernett, Hajo, *Der jüdische Sport im nationalsozialistischen Deutschland 1933--1938* (Schorndorf, 1978).

Bernhard, Hans Joachim et al. (eds.), *Der Reichstagsbrandprozess und Georgi Dimitroff: Dokumente* (2 vols., Berlim, 1981-89).

Bessel, Richard, *Political Violence and the Rise of Nazism: The Storm Troopers in Eastern Germany 1925-1934* (Londres, 1984).

_____ (ed.), *Life in the Third Reich* (Oxford, 1987).

_____ (ed.), *Fascist Italy and Nazi Germany: Comparisons and Contrasts* (Cambridge, 1996).

_____, *Nazism and War* (Londres, 2004).

Bessen, Dorothea, "Der Jüdische Kulturbund Rhein-Ruhr 1933-1938", in Alte Synagoge (ed.), *Entrechtung und Selbsthilfe*, p. 43-65.

Bethge, Eberhard, *Dietrich Bonhoeffer: Theologe, Christ, Zeitgenosse* (Munique, 1967).

Beyerchen, Alan D., *Scientists under Hitler: Politics and the Physics Community in the Third Reich* (New Haven, Conn., 1977).

Billstein, Reinhold et al., *Working for the Enemy: Ford, General Motors, and Forced Labor in Germany during the Second World War* (Nova York, 2000).

Blaazer, David, "Finance and the End of Appeasement: The Bank of England, the National Government and the Czech Gold", *Journal of Contemporary History*, 40 (2005), p. 25-40.

Black, Peter, "Ernst Kaltenbrunner: Chief of the Reich Security Main Office", in Smelser & Zitelmann (eds.), *The Nazi Elite*, p. 133-43.

_____, *Ernst Kaltenbrunner: Vassall Himmlers: Eine SS-Karriere* (Paderborn, 1991).

Blackbourn, David, *Populists and Patricians: Essays in Modern German History* (Londres, 1987).

Blackburn, Gilmer W., *Education in the Third Reich: A Study of Race and History in Nazi Textbooks* (Albany, NY, 1985).

Blaich, Fritz, "Die bayerische Industrie 1933-1939. Elemente von Gleichschaltung, Konformismus end Selbstbehauptung", in Broszat et al. (eds.), *Bayern*, II, p. 237-80.

_____, *Wirtschaft und Rüstung im "Dritten Reich"* (Düsseldorf, 1987).

_____, "Why Did the Pioneer Fall Behind? Motorization in Germany between the Wars", in Barker (ed.), *The Economic and Social Effects of the Spread of Motor Vehicles*, p. 149-55.

Blaschke, Olaf (ed.), *Konfessionen im Konflikt: Deutschland zwischen 1800 und 1970: Ein zweites konfessionelles Zeitalter* (Göttingen, 2002).

Blasius, Dirk, "Die Ausstellung 'Entartete Musik' von 1938. Ein Beitrag zum Kontinuitätsproblem der deutschen Geschichte", in Haberl & Korenke (eds.), *Politische Deutungskulturen*, p. 199-211.

Blasius, Rainer A., *Für Grossdeutschland – gegen den grossen Krieg: Staatssekretär Ernst Frhr. von Weizsäcker in den Krisen um die Tschechoslowakei und Polen 1938/39* (Colônia, 1981).

Blau, Bruno, *Das Ausnahmerecht für die Juden in Deutschland 1933-1945* (Düsseldorf, 1954 [1952]).

Bleuel, Hans Peter, *Strength Through Joy: Sex and Society in Nazi Germany* (Londres, 1973 [1972]).

Blumenberg, Werner, *Kämpfer für die Freiheit* (Berlim, 1959).

Boak, Helen L., "The State as an Employer of Women in the Weimar Republic", in Lee & Rosenhaft (eds.), *The State and Social Change in Germany*, p. 61-98.

Boas, Jacob, "German-Jewish Internal Politics under Hitler 1933-1939", *Leo Baeck Institute Yearbook*, 29 (1984), p. 2-25.

Boberach, Heinz (ed.), *Berichte des SD und der Gestapo über Kirchen und Kirchenvolk in Deutschland 1934-1944* (Mainz, 1971).

_____, *Meldungen aus dem Reich, 1938-1945: Die geheimen Lageberichte des Sicherheitsdienstes der SS* (17 vols., Herrsching, 1984).

Bock, Gisela, *Zwangssterilisation im Nationalsozialismus: Studien zur Rassenpolitik und Frauenpolitik* (Opladen, 1986).

_____, "Antinatalism, Maternity and Paternity in National Socialist Realism", in Crew (ed.), *Nazism*, p. 110-40.

Bock, Helmut *et al.* (eds.), *Sturz ins Dritte Reich: Historische Miniaturen und Porträts 1933/35* (Leipzig, 1983).

Boelcke, Willi A., *Die deutsche Wirtschaft 1930-1945: Interna des Reichswirtschaftsministeriums* (Düsseldorf, 1983).

_____, *Die Kosten von Hitlers Krieg: Kriegsfinanzierung und finanzielles Kriegserbe in Deutschland 1933-1948* (Paderborn, 1985).

Boese, Engelbrecht, *Das öffentliche Bibliothekswesen im Dritten Reich* (Bad Honnef, 1987).

Bohleber, Werner & Drew, Jörg, *"Gift, das du unbewusst eintrinkst..." Der Nationalsozialismus und die deutsche Sprache* (Bielefeld, 1994 [1991]).

Böhm, Hermann, "Zur Ansprache Hitlers vor den Führern der Wehrmacht am 22. August 1939", *VfZ* 19 (1971), p. 294-300.

Bohn, Robert & Danker, Uwe, *"Standgericht der inneren Front": Das Sondergericht Altona/Kiel 1932-1945* (Hamburgo, 1998).

Böhnert, Gunnar C., "An Analysis of the Age and Education of the SS Führerkorps 1925-1939", *Historical Social Research*, 12 (1979), p. 4-17.

Bolchover, Richard, *British Jewry and the Holocaust* (Cambridge, 1993).

Bollmus, Reinhard, *Das Amt Rosenberg und seine Gegner: Studien zum Machtkampf im nationalsozialistischen Herrschaftssystem* (Stuttgart, 1970).

Bollmus, Reinhard, "Alfred Rosenberg: National Socialism's 'Chief Ideologue'?", in Smelser & Zitelman (eds.), *The Nazi Elite*, p. 183-93.
Bonhoeffer, Dietrich, *Gesammelte Schriften* (Munique, 1958).
Bork, Siegfried, *Missbrauch der Sprache: Tendenzen nationalsozialistischer Sprachregelung* (Munique, 1970).
Borkin, Joseph, *The Crime and Punishment of I. G. Farben* (Nova York, 1978).
Bormann, Alexander von, "Das nationalsozialistische Gemeinschaftslied", in Denkler & Prümm (eds.), *Die deutsche Literatur*, p. 256-80.
Bornscheuer, Karl-Dieter (ed.), *Justiz im Dritten Reich: NS-sondergerichtsverfahren in Rheinland-Pfalz: Eine Dokumentation* (3 vols., Frankfurt am Main, 1994).
Borrmann, Norbert, *Paul Schultze-Naumburg, 1869-1949: Maler, Publizist, Architekt: Vom Kulturreformer der Jahrhundertwende zum Kulturpolitiker im Dritten Reich* (Essen, 1989).
Böttcher, Robert, *Kunst und Kunsterziehung im neuen Reich* (Breslau, 1933).
Botz, Gerhard, *Die Eingliederung Österreichs in das deutsche Reich: Planung und Verwirklichung des politisch-administrativen Anschlusses (1938-1940)* (Linz, 1972).
_____, *Wohnungspolitik und Judendeportation in Wien 1938 bis 1945: Zur Funktion des Antisemitismus als Ersatz nationalsozialistischer Sozialpolitik* (Viena, 1975).
_____, *Der 13. März 38 und die Anschlussbewegung: Selbstaufgabe, Okkupation und Selbstfindung Osterreichs 1908-1945* (Viena, 1978).
_____, *Wien, vom "Anschluss" zum Krieg: Nationalsozialistische Machtübernahme und politisch-soziale Umgestaltung am Beispiel der Stadt Wien 1938/39* (Viena, 1978).
Boveri, Margret, *Wir lügen alle: Eine Hauptstadtzeitung unter Hitler* (Olten, 1965).
Boyer, Christoph, *Nationale Kontrahenten oder Partner? Studien zu den Beziehungen zwischen Tschechen und Deutschen in der Wirtschaft der CSR* (Munique, 1999).
Bracher, Karl Dietrich et al., *Die nationalsozialistische Machtergreifung: Studien zur Errichtung des totalitären Herrschaftssystems in Deutschland 1933/34* (3 vols., Frankfurt am Main, 1974 [1960]).

Bracher, Karl Dietrich *et al.* (eds.), *Deutschland 1933-1945: Neue Studien zur nationalsozialistischen Herrschaft* (Bonn, 1993 [1992]).

Bracht, Hans-Günther, *Das höhere Schulwesen im Spannungsfeld von Demokratie und Nationalsozialismus: Ein Beitrag zur Kontinuitätsdebatte am Beispiel der preussischen Aufbauschule* (Frankfurt am Main, 1998).

Brackmann, Karl-Heinz & Birkenhauer, Renate, *NS-Deutsch: Selbstverständliche Begriffe und Schlagwörter aus der Zeit des Nationalsozialismus* (Straelen, 1988).

Braham Randolph L., *The Politics of Genocide: The Holocaust in Hungary* (2 vols., Nova York, 1980).

_____, *Perspectives on the Holocaust* (Boston, 1983).

_____ (ed.), *Jewish Leadership during the Nazi Era: Patterns of Behavior in the Free World* (Nova York, 1985).

Brakelmann, Günter, "Hoffnungen und Illusionen evangelischer Prediger zu Beginn des Dritten Reiches: gottesdienstliche Feiern aus politischen Anlässen", in Peukert & Reulecke (eds.), *Die Reihen fast geschlossen*, p. 129-48.

_____, "Nationalprotestantismus und Nationalsozialismus", in Jansen *et al.* (eds.), *Von der Aufgabe der Freiheit*, p. 337-50.

Bramsted, Ernest Kohn, *Goebbels and National Socialist Propaganda, 1925--1945* (East Lansing, Mich., 1965).

Brand-Claussen, Bettina (ed.), *Beyond Reason: Art and Psychosis: Works from the Prinzhorn Collection* (Londres, 1996).

Brandes, Detlef, "Die Politik des Dritten Reiches gegenüber der Tschechoslowakei", in Funke (ed.), *Hitler, Deutschland und die Mächte*, p. 508-23.

_____, *Die Tschechen unter deutschem Protektorat* (2 vols., Munique, 1967-75).

_____ & Kural, Vaclav (eds.), *Der Weg in die Katastrophe: Deutschtschechoslowakische Beziehungen 1938-1947* (Essen, 1994).

_____ *et al.*, *Erzwungene Trennung: Vertreibungen und Aussiedlungen in und aus der Tschechoslowakei, 1938-1947 im Vergleich mit Polen, Ungarn und Jugoslawien* (Essen, 1999).

Brandt, Harm-Hinrich & Stickler, Mattiàs (eds.), "Der Burschen Herrlichkeit": Geschichte und Gegenwart des studentischen Korporationswesens (Würzburg, 1998).

Bräutigam, Petra, *Mittelständische Unternehmer im Nationalsozialismus: Wirtschaftliche Entwicklungen und soziale Verhaltensweisen in der Schuh- und Lederindustrie Badens und Württembergs* (Munique, 1997).

Brechtken, Magnus, *"Madagaskar für die Juden": Antisemitische Idee und politische Praxis 1885-1945* (Munique, 1997).

Breitman, Richard & Kraut, Alan, *American Refugee Policy and European Jewry, 1933-1945* (Bloomington, Ind., 1987).

Breitschneider, Heike, *Der Widerstand gegen den Nationalsozialismus in München 1933 bis 1945* (Munique, 1968).

Breker, Arno, *Im Strahlungsfeld der Ereignisse 1925-1965* (Preussisch Oldendorf, 1972).

Brenner, Hildegard, *Die Kunstpolitik des Nationalsozialismus* (Reinbek, 1963).

Brenner, Peter J., *Reisekultur in Deutschland: Von der Weimarer Republik zum "Dritten Reich"* (Tübingen, 1997).

Breyvogel, Wilfried & Lohmann, Thomas, "Schulalltag im Nationalsozialismus", in Peukert & Reulecke (eds.), *Die Reihen fast geschlossen*, p. 199-221.

Bridenthal, Renate & Koonz, Claudia, "Beyond *Kinder, Küche, Kirche*: Weimar Women in Politics and Work", in Bridenthal *et al.* (eds.), *When Biology Became Destiny*, p. 33-65.

Bridenthal, Renate *et al.* (eds.), *When Biology Became Destiny: Women in Weimar and Nazi Germany* (Nova York, 1984).

Brinkmann, Reinhold, "The Distorted Sublime: Music and National Socialist Ideology – A Sketch", in Kater & Riethmüller (eds.), *Music and Nazism*, p. 42-63.

Brintzinger, Klaus-Rainer, *Die Nationalökonomie an den Universitäten Freiburg, Heidelberg und Tübingen 1918-1945: Eine institutionenhistorische, vergleichende Studie der wirtschaftswissenschaftlichen Fakultäten und Abteilungen südwestdeutscher Universitäten* (Frankfurt am Main, 1996).

Broder, Henryk M. & Geisel, Eike (eds.), *Premiere und Pogrom: Der Jüdische Kulturbund 1933-1941: Texte und Bilder* (Berlim, 1992).

Brook-Shepherd, Gordon, *The Austrians: A Thousand-year Odyssey* (Londres, 1996).

Broszat, Martin, "Die memeldeutschen Organisationen und der Nationalsozialismus 1933-1939", *VfZ* 5 (1957), p. 273-8.

——, *Der Staat Hitlers: Grundlegung und Entwicklung seiner inneren Verfassung* (Munique, 1969).

——, "The Concentration Camps 1933-1945", in Krausnick *et al.*, *Anatomy*, p. 397-496.

——, *Zweihundert Jahre deutsche Polenpolitik* (Frankfurt am Main, 1972 [1963]).

——, "Politische Denunziationen in der NS-Zeit: Aus Forschungserfahrungen im Staatsarchiv München", *Archivalische Zeitschrift*, 73 (1977), p. 221-38.

—— & Möller, Horst (eds.), *Das Dritte Reich: Herrschaftsstruktur und Geschichte* (Munique, 1986 [1983]).

—— & Schwabe, Klaus (eds.), *Die Deutschen Eliten und der Weg in den Zweiten Weltkrieg* (Munique, 1989).

—— *et al.* (eds.), *Bayern in der NS-Zeit* (6 vols., Munique, 1977-83).

Browder, George C., *Foundations of the Nazi Police State: The Formation of Sipo and SD* (Lexington, Ky., 1990).

——, *Hitler's Enforcers: The Gestapo and the SS Security Service in the Nazi Revolution* (Nova York & Oxford, 1996).

Brücks, Andrea, "Zwangssterilisation gegen 'Ballastexistenzen'", in Frahm *et al.* (eds.), *Verachtet – verfolgt – vernichtet*, p. 103-8.

Brumme, Martin F., "'Prachtvoll fegt der eiserne Besen durch die deutschen Lande.' Die Tierärzte und das Jahr 1933", in Meinel & Voswinckel (eds.), *Medizin*, p. 173-82.

Brunck, Helma, *Die Deutsche Burschenschaft in der Weimarer Republik und im Nationalsozialismus* (Munique, 1999).

Brunner, Claudia, *Arbeitslosigkeit im NS-Staat: Das Beispiel München* (Pfaffenweiler, 1997).

Brunner, Otto & Gerhard, Dietrich (eds.), *Europa und Übersee: Festschrift für Egmont Zechlin* (Hamburgo, 1961).

Bruns-Wüstefeld, Alex, *Lohnende Geschäfte: Die "Entjudung" der Wirtschaft am Beispiel Göttingens* (Hanover, 1997).

Buber-Neumann, Margarete, *Under Two Dictators* (Londres, 1949).

Buchheim, Christoph, "Zur Natur des Wirtschaftsaufschwungs in der NS--Zeit", in idem *et al.* (eds.), *Zerrissene Zwischenkriegszeit: Wirtschaftshistorische Beiträge: Knut Borchardt zum 65. Geburtstag* (Baden-Baden, 1994), p. 97-119.

_____, "Die Wirtschaftsentwicklung im Dritten Reich – mehr Desaster als Wunder. Eine Erwiderung auf Werner Abelshauser", *VfZ* 49 (2001), p. 653-4.

Buchheim, Hans, "Command and Compliance", in Krausnick *et al.*, *Anatomy*, p. 303-96.

_____, "The SS: Instrument of Domination", in Krausnick *et al.*, *Anatomy*, p. 127-301.

Buchheit, Gert, *Ludwig Beck, ein preussischer General* (Munique, 1964).

Buchwitz, Otto, *50 Jahre Funktionär der deutschen Arbeiterbewegung* (Stuttgart, 1949).

Budrass, Lutz, *Flugzeugindustrie und Luftrüstung in Deutschland 1918-1945* (Düsseldorf, 1998).

Bukey, Evan B., "Popular Opinion in Vienna after the Anschluss", in Parkinson (ed.), *Conquering the Past*, p. 151-64.

Bullen, R. J. *et al.* (eds.), *Ideas into Politics: Aspects of European History 1880--1950* (Londres, 1984).

Burckhardt, Carl Jacob, *Meine Danziger Mission, 1937-1939* (Munique, 1960).

Burleigh, Michael, *Germany Turns Eastwards: A Study of Ostforschung in the Third Reich* (Cambridge, 1988).

_____, *Death and Deliverance: "Euthanasia" in Germany c. 1900-1945* (Cambridge, 1994).

_____, *The Third Reich: A New History* (Londres, 2000).

_____ & Wippermann, Wolfgang, *The Racial State: Germany 1933-1945* (Cambridge, 1991).

Burrin, Philippe, *Hitler and the Jews: The Genesis of the Holocaust* (Londres, 1994 [1989]).

Burrin, Philippe, "Political Religion. The Relevance of a Concept", *History and Memory*, 9 (1997), p. 321-49.

Busch, Eberhard, *Karl Barths Lebenslauf: Nach seinen Briefen und autobiographischen Texten* (Munique, 1975).

Bussemer, Thymian, *Propaganda und Populärkultur: Konstruierte Erlebniswelten im Nationalsozialismus* (Wiesbaden, 2000).

Bussmann, Georg, *German Art of the Twentieth Century* (Munique, 1985).

Bussmann, Walter, "Zur Entstehung und Überlieferung der 'Hossbach-Niederschrift'", *VfZ* 16 (1968), p. 373-8.

Büttner, Ursula (ed.), *Die Deutschen und die Judenverfolgung im Dritten Reich* (Hamburgo, 1992).

_____, "'The Jewish Problem becomes a Christian Problem': German Protestants and the Persecution of the Jews in the Third Reich", in Bankier (ed.), *Probing*, p. 431-59.

_____ (ed.), *Das Unrechtsregime. Internationale Forschung über den Nationalsozialismus: Festschrift für Werner Jochmann zum 65. Geburtstag* (2 vols., Hamburgo, 1986).

Caplan, Jane, "Bureaucracy, Politics and the National Socialist State", in Stachura (ed.), *The Shaping*, p. 234-56.

_____, "'The Imaginary Unity of Particular Interests': The 'Tradition' of the Civil Service in German History", *Social History*, 4 (1978), p. 299-317.

_____, *Government Without Administration: State and Civil Service in Weimar and Nazi Germany* (Oxford, 1988).

Caron, Vicki, *Uneasy Asylum: France and the Jewish Refugee Crisis, 1933-1942* (Stanford, 1999).

Carr, Edward Hallett, *The Twilight of Comintern, 1930-1935* (Londres, 1982).

Carroll, Berenice A., *Design for Total War: Arms and Economics in the Third Reich* (Haia, 1968).

Carsten, F. L., *Fascist Movements in Austria: From Schönerer to Hitler* (Londres, 1977).

_____, *The German Workers and the Nazis* (Londres, 1995).

Castellan, Georges, *L'Allemagne de Weimar, 1918-1933* (Paris, 1969).

Castell Rüdenhausen, Adelheid Gräfin zu, "'Nicht mitzuleiden, mitzukämpfen sind wir da!' Nationalsozialistische Volkswohlfahrt im Gau Westfalen-

-Nord", in Peukert & Reulecke (eds.), *Die Reihen fast geschlossen*, p. 223-44.

Cebulla, Florian, *Rundfunk und ländliche Gesellschaft 1924-1945* (Göttingen, 2004).

Cecil, Robert, *The Myth of the Master Race: Alfred Rosenberg and Nazi Ideology* (Londres, 1972).

Cesarani, David, *The Making of Modern Anglo-Jewry* (Oxford, 1990).

_____, *Eichmann: His Life and Crimes* (Londres, 2004).

Chamberlain, Neville, *The Search for Peace* (Londres, 1939).

Childers, Thomas & Caplan, Jane (eds.), *Reevaluating the Third Reich* (Nova York, 1993).

Chroust, Peter, *Giessener Universität und Faschismus: Studenten und Hochschullehrer, 1918-1945* (2 vols., Münster, 1994).

Cienciala, Anna M., "Poland in British and French Policy in 1939: Determination to Fight – or Avoid War?", *Polish Review*, 34 (1989), p. 199-226.

Clark, Christopher, *The Politics of Conversion: Missionary Protestantism and the Jews in Prussia, 1728-1941* (Oxford, 1995).

Clay, Catrine & Leapmahn, Michael, *Master Race: The Lebensborn Experiment in Nazi Germany* (Londres, 1995).

Conquest, Robert, *The Great Terror: A Reassessment* (Londres, 1992 [1968]).

Conradi, Peter, *Hitler's Piano Player: The Rise and Fall of Ernst Hanfstaengl, Confidant of Hitler, Ally of FDR* (Nova York, 2004).

Conway, John S., *The Nazi Persecution of the Churches 1933-1945* (Londres, 1968).

Conze, Eckart, *Von deutschem Adel: Die Grafen von Bernstorff im zwanzigsten Jahrhundert* (Stuttgart, 2000).

Cornelissen, Christoph, *Gerhard Ritter: Geschichtswissenschaft und Politik im 20. Jahrhundert* (Düsseldorf, 2001).

Corni, Gustavo, *Hitler and the Peasants: Agrarian Policy of the Third Reich, 1930-1939* (Princeton, NJ, 1990 [1989]).

_____, "Richard Walther Darré: The Blood and Soil Ideologue", in Smelser & Zitelmann (eds.), *The Nazi Elite*, p. 18-27. Corni, Gustavo & Gies, Horst,

Brot, Butter, Kanonen: Die Ernährungswirtschaft in Deutschland unter der Diktatur Hitlers (Berlim, 1997).
Crew, David F., *Germans on Welfare: From Weimar to Hitler* (Nova York, 1998).
_____ (ed.), *Nazism and German Society, 1933-1945* (Londres, 1994).
Cuomo, Glenn R., "Purging an 'Art-Bolshevist': The Persecution of Gottfried Benn in the Years 1933-1938", *German Studies Review*, 9 (1986), p. 85--105.
_____ (ed.), *National Socialist Cultural Policy* (Nova York, 1995).
Czarnowski, Gabriele, "'The Value of Marriage for the *Volksgemeinschaft*': Policies towards Women and Marriage under National Socialism", in Bessel (ed.), *Fascist Italy*, p. 94-112.
Dahm, Volker, "Kulturelles und geistiges Leben", in Benz (ed.), *Die Juden*, p. 75-267.
_____, "Nationale Einheit und partikulare Vielfalt. Zur Frage der kulturpolitischen Gleichschaltung im Dritten Reich", *VfZ* 43 (1995), p. 221-65.
Dammer, Susanna, "Kinder, Küche, Kriegsarbeit – Die Schulung der Frauen durch die NS-Frauenschaft", in Frauengruppe Faschismusforschung (ed.), *Mutterkreuz*, p. 215-45.
David, Henry p. *et al.*, "Abortion and Eugenics in Nazi Germany", *Population and Development Review*, 14 (1988), p. 81-112.
Debus, Karl H., "Die Reichskristallnacht in der Pfalz", *Zeitschrift für die Geschichte des Oberrheins*, 129 (1981), p. 445-515.
Deischmann, Hans, *Objects: A Chronicle of Subversion in Nazi Germany* (Nova York, 1995).
Deist, Wilhelm, "The Rearmament of the Wehrmacht", in Militärgeschichtliches Forschungsamt (ed.), *Germany*, I: *The Build-up of German Aggression*, p. 373-540.
Denkler, Horst & Prümm, Karl (eds.), *Die deutsche Literatur im Dritten Reich: Themen, Traditionen, Wirkungen* (Stuttgart, 1976).
Deschner, Günther, "Reinhard Heydrich: Security Technocrat", in Smelser & Zitelmann (eds.), *The Nazi Elite*, p. 85-96.
Deutsch, Harold C., *The Conspiracy Against Hitler in the Twilight War* (Minneapolis, 1968).

De Witt, Thomas E., "'The Struggle Against Hunger and Cold': Winter Relief in Nazi Germany, 1933-1939", *Canadian Journal of History*, 12 (1978), p. 361-81.

Diels, Rudolf, *Lucifer ante Portas: Es spricht der erste Chef der Gestapo* (Stuttgart, 1950).

Dierker, Wolfgang, "'Niema's Jesuiten, Niema's Sektierer': Die Religionspolitik des SD 1933-1941", in Wildt (ed.), *Nachrichtendienst*, p. 86-117.

Dietrich, Richard & Oestreich, Gerhard (eds.), *Forschungen zu Staat und Verfassung: Festgabe für Fritz Hartung* (Berlim, 1958).

Diewald-Kerkmann, Gisela, *Politische Denunziation im NS-Regime oder die kleine Macht der "Volksgenossen"* (Bonn, 1995).

_____, "Denunziantentum und Gestapo. Die freiwilligen 'Helfer' aus der Bevölkerung", in Paul & Mallmann (eds.), *Die Gestapo*, p. 288-305.

_____ et al., *Vor braunen Richtern: Die Verfolgung von Widerstandshandlungen, Resistenz und Sogenannter Heimtücke durch die Justiz in Bielefeld 1933--1945* (Bielefeld, 1992).

Dilks, David, "'We Must Hope for the Best and Prepare for the Worst': the Prime Minister, the Cabinet and Hitler's Germany 1937-1939", in Finney (ed.), *The Origins of the Second World War*, p. 43-61.

Diller, Ansgar, *Rundfunkpolitik im Dritten Reich* (Munique, 1980).

Dimitroff, Georgi, *Reichstagsbrandprozess: Dokumente, Briefe und Aufzeichnungen* (Berlim, 1946).

Distel, Barbara & Jakusch, Ruth, *Konzentrationslager Dachau, 1933-1945* (Munique, 1978).

Dithmar, Reinhard, "Literaturunterricht und Kriegserlebnis im Spiegel der nationalsozialistischen Programmatik", in Hohmann (ed.), *Erster Weltkrieg*, p. 54-74.

Ditt, Karl, *Sozialdemokraten im Widerstand: Hamburg in der Anfangsphase des Dritten Reiches* (Hamburgo, 1984).

Dohms, Peter, *Flugschriften in Gestapo-Akten: Nachweis und Analyse der Flugschriften in den Gestapo-Akten des Hauptstaatsarchivs* (Siegburg, 1977).

Domarus, Max (ed.), *Hitler: Speeches and Proclamations, 1932-1945: The Chronicle of a Dictatorship* (4 vols., Londres, 1990-[1962-63]).

Dörner, Bernward, "Alltagsterror und Denunziation. Zur Bedeutung von Anzeigen aus der Bevölkerung für die Verfolgungswirkung des nationalsozialistischen 'Heimtücke-Gesetzes' in Krefeld", in Berliner Geschichtswerkstatt (ed.), *Alltagskultur, Subjektivität und Geschichte: Zur Theorie und Praxis der Alltagsgeschichte* (Münster, 1994), p. 254-71.

_____, "Gestapo und 'Heimtücke'. Zur Praxis der Geheimen Staatspolizei bei der Verfolgung von Verstössen gegen das 'Heimtücke-Gesetz'", in Paul & Mallmann (eds.), *Die Gestapo,* p. 325-43.

_____, *"Heimtücke": Das Gesetz als Waffe: Kontrolle, Abschreckung und Verfolgung in Deutschland, 1933-1945* (Paderborn, 1998).

_____, "NS-Herrschaft und Denunziation. Anmerkungen zu Defiziten in der Denunziationsforschung", *Historical Social Research,* 26 (2001), p. 55- -69.

Döscher, Hans-Jürgen, *"Reichskristallnacht": Die November-Pogrome 1938* (Frankfurt am Main, 1988), p. 57-76.

Drechsler, Nanny, *Die Funktion der Musik im deutschen Rundfunk, 1933-1945* (Pfaffenweiler, 1988).

Drewniak, Boguslaw, *Das Theater im NS-Staat: Szenarium deutscher Zeitgeschichte, 1933-1945* (Düsseldorf, 1983).

_____, *Der deutsche Film 1938-1945: Ein Gesamtüberblick* (Düsseldorf, 1987).

_____, "The Foundations of Theater Policy in Nazi Germany", in Cuomo (ed.), *National Socialist Cultural Policy,* p. 67-94.

Drobisch, Klaus, "Theodor Eicke. Verkörperung des KZ-Systems", in Bock *et al.* (eds.), *Sturz ins Dritte Reich,* p. 283-9.

_____, "Alltag im Zuchthaus Luckau 1933 bis 1939", in Eichholtz (ed.), *Verfolgung, Alltag, Widerstand,* p. 242-72.

_____, "Frühe Konzentrationslager", in Giebeler *et al.* (eds.), *Die frühen Konzentrationslager in Deutschland,* p. 41-60.

_____ & Wieland, Günther, *System der NS-Konzentrationslager 1933-1939* (Berlim, 1993).

Du Bois, Josiah E., Jr, *The Devil's Chemists: 24 Conspirators of the International Farben Cartel Who Manufacture Wars* (Boston, Mass., 1952).

Duhnke, Horst, *Die KPD von 1933 bis 1945* (Colônia, 1972).

Dülffer, Jost, *Weimar, Hitler und die Marine: Reichspolitik und Flottenbau, 1920-1939* (Düsseldorf, 1973).
Dülffer, Jost, "Zum 'decision-making process' in der deutschen Aussenpolitik 1933-1939", in Funke (ed.), *Hitler, Deutschland und die Mächte*, p. 186-204.
_____, "Grundbedingungen der nationalsozialistischen Aussenpolitik", in Haupts & Mölich (eds.), *Strukturelemente*, p. 61-88.
_____, "Albert Speer: Cultural and Economic Management", in Smelser & Zitelmann (eds.), *The Nazi Elite*, p. 212-23.
_____ et al., *Hitlers Städte: Baupolitik im Dritten Reich* (Colônia, 1978).
Dümling, Albrecht, "The Target of Racial Purity: The 'Degenerate Music' Exhibition in Düsseldorf, 1938", in Etlin (ed.), *Art*, p. 43-72.
_____, Girth, Peter (eds.), *Entartete Musik: Eine kommentierte Rekonstruktion zur Düsseldorfer Ausstellung von 1938* (Düsseldorf, 1988).
_____ (ed.), *Banned by the Nazis: Entartete Musik: The Exhibition of Düsseldorf, 1938 in Texts and Documents* (Londres, 1995 [1988]).
Dusik, Bärbel (ed.), *Hitler: Reden, Schriften, Anordnungen: Februar 1925 bis Januar 1933* (5 vols., Munique, 1992-98).
Düsing, Bernhard, *Die Geschichte der Abschaffung der Todesstrafe in der Bundesrepublik Deutschland unter besonderer Berücksichtigung ihres parlamentarischen Zustandekommens* (Schwenningen/Neckar, 1952).
Düwell, Kurt, "Jewish Cultural Centers in Nazi Germany: Expectations and Accomplishments", in Reinharz & Schatzberg (eds.), *The Jewish Response*, p. 294-316.
Dwork, Deborah & Van Pelt, Robert Jan, *Holocaust: A History* (Nova York, 2002).
Eckert, Rainer, "Gestapo-Berichte. Abbildungen der Realität oder reine Spekulation?", in Paul & Mallmann (eds.), *Die Gestapo*, p. 200-18.
Eckhardt, Karl August, *Die Grundschulbildung* (Dortmund, 1938).
Edinger, Lewis Joachim, *German Exile Politics: The Social Democratic Executive Committee in the Nazi Era* (Berkeley, Calif., 1956).
Eggers, Kurt, *Deutsche Gedichte* (Munique, 1938).
Ehrke-Rotermund, Heidrun & Rotermund, Erwin, *Zwischenreiche und Gegenwelten: Texte und Vorstudien zur 'Verdeckten Schreibweise' im "Dritten Reich"* (Munique, 1999).

Eicher, Thomas et al., *Theater im "Dritten Reich": Theaterpolitik, Spielplanstruktur, NS-Dramatik* (Seelze-Velber, 2000).

Eichholtz, Dietrich, "Zum Anteil des IG Farben Konzerns an der Vorbereitung des Zweiten Weltkrieges", *Jahrbuch für Wirtschaftsgeschichte* (1969), p. 83-105.

_____, (ed.), *Verfolgung, Alltag, Widerstand: Brandenburg in der NS-Zeit: Studien und Dokumente* (Berlim, 1993).

Eichhorn, Ernst et al., *Kulissen der Gewalt: Das Reichsparteitagsgelände in Nürnberg* (Munique, 1992).

Eichler, Volker, "Die Frankfurter Gestapo-Kartei. Entstehung, Struktur, Funktion, Überlieferungsgeschichte und Quellenwert", in Paul & Mallmann (eds.), *Die Gestapo*, p. 178-99.

Eidenbenz, Mathias, *"Blut und Boden": Zu Funktion und Genese der Metaphern des Agrarismus und Biologismus in der nationalsozialistischen Bauernpropaganda R. W. Darrés* (Berna, 1993).

Eilers, Rolf, *Die nationalsozialistische Schulpolitik: Eine Studie zur Funktion der Erziehung im totalitären Staat* (Colônia, 1963).

Eksteins, Modris, *The Limits of Reason: The German Democratic Press and the Collapse of Weimar Democracy* (Oxford, 1975).

Emmerich, Wolfgang, "Die Literatur des antifaschistischen Widerstandes in Deutschland", in Denkler & Prümm (eds.), *Die deutsche Literatur*, p. 427--58.

Emmerson, James Thomas, *The Rhineland Crisis, 7 March 1936: A Critical Study in Multilateral Diplomacy* (Londres, 1977).

Ericksen, Robert P., *Theologians under Hitler: Gerhard Kittel, Paul Althaus, and Emanuel Hirsch* (New Haven, Conn., 1985).

_____, "A Radical Minority: Resistance in the German Protestant Church", in Nicosia & Stokes (eds.), *Germans Against Nazism*, p. 115-36.

Erickson, John, *The Soviet High Command: A Military-Political History, 1918--1941* (Londres, 2001 [1962]).

Erker, Paul, *Industrieeliten in der NS-Zeit: Anpassungsbereitschaft und Eigeninteresse von Unternehmen in der Rüstungs- und Kriegswirtschaft, 1936-1945* (Passau, 1993).

Eschenburg, Theodor, "Streiflichter zur Geschichte der Wahlen im Dritten Reich", *VfZ* 3 (1955), p. 311-16.

Esenwein-Rothe, Ingeborg, *Die Wirtschaftsverbände von 1933 bis 1945* (Berlim, 1965).

Etlin, Richard A. (ed.), *Art, Culture, and Media under the Third Reich* (Chicago, 2002).

Euler, Friederike, "Theater zwischen Anpassung und Widerstand. Die Münchner Kammerspiele im Dritten Reich", in Broszat *et al.* (eds.), *Bayern,* II, p. 91-173.

Evans, Richard J., *The Feminist Movement in Germany, 1894-1933* (Londres, 1976).

_____, *Death in Hamburg: Society and Politics in the Cholera Years, 1830-1910* (Oxford, 1987).

_____ (ed.), *Kneipengespräche im Kaiserreich: Die Stimmungsberichte der Hamburger politischen Polizei 1892-1914* (Reinbek, 1989).

_____, *Rituals of Retribution: Capital Punishment in Germany 1600-1987* (Oxford, 1996).

_____, *Lying About Hitler: History, Holocaust, and the David Irving Trial* (Nova York, 2001).

_____, *The Coming of the Third Reich* (Londres, 2003).

_____ & Geary, Dick (eds.), *The German Unemployed: Experiences and Consequences of Mass Unemployment from the Weimar Republic to the Third Reich* (Londres, 1987).

_____ & Lee, William Robert (eds.), *The German Family: Essays on the Social History of the Family in Nineteenth- and Twentieth-Century Germany* (Londres, 1981).

_____, *The German Peasantry: Conflict and Community in Rural Society from the Eighteenth to the Twentieth Centuries* (Londres, 1986).

Exner, Peter, *Ländliche Gesellschaft und Landwirtschaft in Westfalen, 1919--1969* (Paderborn, 1997).

Fackler, Guido, *"Des Lagers Stimme": Musik im KZ: Alltag und Häftlingskultur in den Konzentrationslagern 1933 bis 1936* (Bremen, 2000).

Fallada, Hans, *Kleiner Mann – was nun?* (Reinbek, 1978 [1932]).

_____, *Wer einmal aus dem Blechnapf frisst* (Reinbek, 1980 [1934]).

_____, *Wir hatten mal ein Kind: Eine Geschichte und Geschichten* (Reinbek, 1980 [1934]).

Fallada, Hans, *Altes Herz geht auf die Reise* (Munique, 1981 [1936]).

_____, *Der eiserne Gustav: Roman* (Berlim, 1984 [1938]).

_____, *Der Trinker/Der Alpdruck* (Berlim, 1987 [1950]).

_____, *Wolf unter Wölfen* (Reinbek, 1991 [1937]).

_____, *Little Man – What Now?* (trad. Susan Bennet, Londres, 1996).

Fallois, Immo von, *Kalkül und Illusion: Der Machtkampf zwischen Reichswehr und SA während der Röhm-Krise 1934* (Berlim, 1994).

Farquharson, John E., *The Plough and the Swastika: The NSDAP and Agriculture in Germany 1928-45* (Londres, 1976).

Faulenbach, Bernd, "Tendenzen der Geschichtswissenschaft im 'Dritten Reich'", in Knigge-Tesche (ed.), *Berater der Braunen Macht*, p. 26-52.

Faulhaber, Michael von, *Judaism, Christianity and Germany: Advent Sermons Preached in St Michael's, Munich, in 1933* (Londres, 1934).

Faust, Anselm (ed.), *Verfolgung und Widerstand im Rheinland und in Westfalen, 1933-1945* (Colônia, 1992).

Feilchenfeld, Werner et al., *Haavara-Transfer nach Palästina und Einwanderung deutscher Juden 1933-1939* (Tübingen, 1972).

Feiten, Willi, *Der Nationalsozialistische Lehrerbund: Entwicklung und Organisation: Ein Beitrag zum Aufbau und zur Organisationsstruktur des nationalsozialistischen Herrschaftssystems* (Weinheim, 1981).

Feldman, Gerald D., *Allianz and the German Insurance Business, 1933-1945* (Cambridge, 2001).

Ferguson, Niall, *Paper and Iron: Hamburg Business and German Politics in the Era of Inflation, 1897-1927* (Cambridge, 1995).

Fest, Joachim C., *The Face of the Third Reich* (Londres, 1979 [1963]).

_____, *Plotting Hitler's Death: The Story of the German Resistance* (Londres, 1996 [1994]).

Fichtl, Franz et al., *"Bambergs Wirtschaft Judenfrei": Die Verdrängung der jüdischen Geschäftsleute in den Jahren 1933 bis 1939* (Bamberg, 1998).

Fieberg, Gerhard (ed.), *Im Namen des deutschen Volkes: Justiz und Nationalsozialismus: Katalog zur Ausstellung des Bundesministers der Justiz* (Colônia, 1989).

Figes, Orlando & Kolinitskii, Boris, *Interpreting the Russian Revolution: The Language and Symbols of 1917* (New Haven, Conn., 1999).

Fings, Karola & Sparing, Frank, *z. Zt. Zigeunerlager: Die Verfolgung der Düsseldorfer Sinti und Roma im Nationalsozialismus* (Colônia, 1992).

_____ et al., *From "Race Science" to the Camps: The Gypsies during the Second World War* (Hatfield, 1997).

Finney, Patrick (ed.), *The Origins of the Second World War* (Londres, 1997).

Fischer, Albert, "Jüdische Privatbanken im 'Dritten Reich'", *Scripta Mercaturae: Zeitschrift für Wirtschafts- und Sozialgeschichte*, 28 (1994), p. 1-54.

_____, *Hjalmar Schacht und Deutschlands "Judenfrage": Der "Wirtschaftsdiktator" und die Vertreibung der Juden aus der deutschen Wirtschaft* (Colônia, 1995).

_____, "The Minister of Economics and the Expulsion of the Jews from the German Economy", in Bankier (ed.), *Probing*, p. 213-25.

Fischer, Wolfram, *Deutsche Wirtschaftspolitik 1918-1945* (Opladen, 1968).

Fiss, Karen A., "In Hitler's Salon: The German Pavilion at the 1937 Paris Exposition Internationale", in Etlin (ed.), *Art*, p. 316-42.

Flessau, Kurt-Ingo, *Schule der Diktatur: Lehrpläne und Schulbücher des Nationalsozialismus* (Munique, 1977).

_____ et al. (eds.), *Erziehung im Nationalsozialismus: "...und sie werden nicht mehr frei ihr ganzes Leben!"* (Colônia, 1987).

Fliedner, Hans-Joachim, *Die Judenverfolgung in Mannheim 1933-1945* (Stuttgart, 1971).

Foertsch, Hermann, *Schuld und Verhängnis: Die Fritsch-Krise im Frühjahr 1938 als Wendepunkt in der Geschichte der nationalsozialistischen Zeit* (Stuttgart, 1951).

Foitzik, Jan, *Zwischen den Fronten: Zur Politik, Organisation und Funktion linker politischer Kleinorganisationen im Widerstand 1933 bis 1939/40* (Bonn, 1986).

Forman, Paul, "Physics and Beyond: Historiographic Doubts: Encounters and Conversations with Werner Heisenberg", *Science*, 172 (14 de maio de 1971), p. 687-8.

Forschbach, Edmund, *Edgar J. Jung: Ein konservativer Revolutionär. 30. Juni 1934* (Pfullingen, 1984).

Fox, John P., *Germany and the Far Eastern Crisis, 1931-1938: A Study in Diplomacy and Ideology* (Oxford, 1982).

Fraenkel, Ernst, *The Dual State: Law and Justice in National Socialism* (Nova York, 1941).

Frahm, Klaus *et al.* (eds.), *Verachtet – verfolgt – vernichtet: Zu den vergessenen Opfern des NS-Regimes* (Hamburgo, 1986).

Frank, Hartmut (ed.), *Faschistische Architekturen: Planen und Bauen in Europa, 1930 bis 1945* (Hamburgo, 1985).

Frank, Willard C., "The Spanish Civil War and the Coming of the Second World War", *International History Review*, 9 (1987), p. 368-409.

Franz, Günther (ed.), *Bauernschaft und Bauernstand 1500-1970: Büdinger Vorträge 1911-1972* (Limburg, 1975).

Frauengruppe Faschismusforschung (ed.), *Mutterkreuz und Arbeitsbuch: Zur Geschichte der Frauen in der Weimarer Republik und im Nationalsozialismus* (Frankfurt am Main, 1981).

Frei, Norbert, *Nationalsozialistische Eroberung der Provinzpresse: Gleichschaltung, Selbstanpassung und Resistenz in Bayern* (Stuttgart, 1980).

_____ & Schmitz, Johannes, *Journalismus im Dritten Reich* (Munique, 1989).

_____, *National Socialist Rule in Germany: The Führer State 1933-1945* (Oxford, 1993 [1987]).

Frese, Matthias, *Betriebspolitik im "Dritten Reich": Deutsche Arbeitsfront, Unternehmer und Staatsbürokratie in der westdeutschen Grossindustrie, 1933-1939* (Paderborn, 1991).

Freund, Florian, "Mauthausen – zu Strukturen von Haupt- und Aussenlagern", in Benz (ed.), *KZ-Aussenlager*, p. 254-72.

Friedländer, Saul, *Pius XII and the Third Reich* (Londres, 1966).

_____, *Nazi Germany and the Jews: The Years of Persecution 1933-1939* (Nova York, 1997).

Friemert, Chup, *Schönheit der Arbeit: Produktionsästhetik im Faschismus* (Munique, 1980).

Fritzsche, Peter, "Nazi Modern", *Modernism/Modernity*, 3 (1996), p. 1-21.

Fröhlich, Elke (ed.), *Die Tagebücher von Joseph Goebbels*, I: *Aufzeichnungen 1923-1941* (9 vols.); II: *Diktate 1941-1945* (15 vols.) (Munique, 1993--2000).

_____, "Die drei Typen der nationalsozialistischen Ausleseschulen", in Leeb (ed.), *"Wir waren"*, p. 192-210.

Frommann, Eberhard, *Die Lieder der NS-Zeit: Untersuchungen zur nationalsozialistischen Liedpropaganda von den Anfängen bis zum Zweiten Weltkrieg* (Colônia, 1999).

Froschauer, Hermann, "Streicher und 'Der Stürmer'", in Ogan & Weiss (eds.), *Faszination und Gewalt*, p. 41-8.

_____ & Geyer, Renate, *Quellen des Hasses: Aus dem Archiv des "Stürmer" 1933-1945* (Nuremberg, 1988).

Früh, Eckhart, "Terror und Selbstmord in Wien nach der Annexion Österreichs", in Kreissler (ed.), *Fünfzig Jahre danach*, p. 216-26.

Fuchs, Konrad, *Ein Konzern aus Sachsen: Das Kaufhaus Schocken als Spiegelbild deutscher Wirtschaft und Politik 1901 bis 1953* (Stuttgart, 1990).

Funke, Manfred (ed.), *Hitler, Deutschland und die Mächte: Materialien zur Aussenpolitik des Dritten Reiches* (Düsseldorf, 1976).

_____, "Nationalsozialistische Tschechenpolitik im Protektorat Böhmen und Mähren", in idem & Vaclav Kural (eds.), *Der Weg in die Katastrophe: Deutschtschechoslowakische Beziehungen 1938-1947* (Essen, 1994).

_____ et al. (eds.), *Demokratie und Diktatur: Geist und Gestalt politischer Herrschaft in Deutschland und Europa: Festschrift für Karl Dietrich Bracher* (Düsseldorf, 1987).

Gackenholz, Hermann, "Reichskanzlei 5. November 1937: Bemerkungen über 'Politik und Kriegführung' im Dritten Reich", in Dietrich & Oestreich (eds.), *Forschungen zu Staat und Verfassung*, p. 459-84.

Gadberry, Glen W., *Theatre in the Third Reich, the Prewar Years: Essays on Theatre in Nazi Germany* (Westport, Conn., 1995).

Gailus, Manfred, *Protestantismus und Nationalsozialismus: Studien zur nationalsozialistischen Durchdringung des protestantischen Sozialmilieus in Berlin* (Colônia, 2001).

Gall, Lothar, "Franz Schnabel (1887-1966)", in Lehmann & Melton (eds.), *Paths*, p. 155-65.

Gall, Lothar, *Krupp: Der Aufstieg eines Industrieimperiums* (Berlim, 2000).

_____, "Richard Strauss und das 'Dritte Reich' oder: Wie der Künstler Strauss sich missbrauchen liess", in Krellmann (ed.), *Wer war Richard Strauss?*, p. 123-36.

_____ & Pohl, Manfred (eds.), *Die Eisenbahn in Deutschland: Von den Anfängen bis zur Gegenwart* (Munique, 1999).

Gamm, Hans-Jochen, *Der braune Kult: Das Dritte Reich und seine Ersatzreligion. Ein Beitrag zur politischen Bildung* (Hamburgo, 1962).

_____, *Der Flüsterwitz im Dritten Reich: Mündliche Dokumente zur Lage der Deutschen während des Nationalsozialismus* (Munique, 1990 [1963]).

Ganssmüller, Christian, *Die Erbgesundheitspolitik des Dritten Reiches: Planung, Durchführung und Durchsetzung* (Colônia, 1987).

Garbe, Detlef, *Zwischen Widerstand und Martyrium: Die Zeugen Jehovas im "Dritten Reich"* (Munique, 1993).

Gatzen, Helmut, *Novemberpogrom 1938 in Gütersloh: Nachts Orgie der Gewalt, tags organisierte Vernichtung* (Gütersloh, 1993).

Gedye, George E. R., *Fallen Bastions: The Central European Tragedy* (Londres, 1939).

Geiger, Theodor Julius, *Die soziale Schichtung des deutschen Volkes* (Stuttgart, 1967 [1932]).

Gellately, Robert, *The Politics of Economic Despair: Shopkeepers and German Politics 1890-1914* (Londres, 1974).

_____, "The Gestapo and German Society: Political Denunciation in the Gestapo Case Files", *Journal of Modern History*, 60 (1988), p. 654-94.

_____, *The Gestapo and German Society: Enforcing Racial Policy 1933-1945* (Oxford, 1990).

_____, "Allwissend und allgegenwärtig? Entstehung, Funktion und Wandel des Gestapo-Mythos", in Paul & Mallmann (eds.), *Die Gestapo*, p. 47-72.

_____, "Die Gestapo und die deutsche Gesellschaft: Zur Entstehungsgeschichte einer selbstüberwachenden Gesellschaft", in Schmiechen-Ackermann (ed.), *Anpassung, Verweigerung, Widerstand*, p. 109-21.

_____, *Backing Hitler: Consent and Coercion in Nazi Germany* (Oxford, 2001).

Gellately, Robert & Nathan Stoltzfus (eds.), *Social Outsiders in Nazi Germany* (Princeton, NJ, 2001).

Genschel, Helmut, *Die Verdrängung der Juden aus der Wirtschaft im Dritten Reich* (Göttingen, 1966).

Gereke, Günther, *Ich war königlich-preussischer Landrat* (Berlim, 1970).

Gerlach, Wolfgang, *Als die Zeugen schwiegen: Bekennende Kirche und die Juden* (Berlim, 1993 [1987]).

"Germany's Economic Recovery", *The Economist*, (10.8.1935), p. 271-2.

Gersdorff, Ursula von, *Frauen im Kriegsdienst 1914-1945* (Stuttgart, 1969).

Gestier, Markus, *Die christlichen Parteien an der Saar und ihr Verhältnis zum deutschen Nationalstaat in den Abstimmungskämpfen 1935 und 1955* (St Ingbert, 1991).

Geyer, Michael, "Das Zweite Rüstungsprogramm (1930-1934): Eine Dokumentation", *Militärgeschichtliche Mitteilungen*, 17 (1975), p. 125--72.

_____, *Deutsche Rüstungspolitik 1860-1980* (Frankfurt am Main, 1984).

_____ & Lehmann, Hartmut (eds.), *Religion und Nation: Nation und Religion: Beiträge zu einer unbewältigten Geschichte* (Göttingen, 2004).

Giebeler, Karl *et al.* (eds.), *Die frühen Konzentrationslager in Deutschland: Austausch zum Forschungsstand und zur pädagogischen Praxis in Gedenkstätten* (Bad Boll, 1996).

Gies, Horst, R. *Walther Darré und die nationalsozialistische Bauernpolitik in den Jahren 1930 bis 1933* (Frankfurt am Main, 1966).

_____, "NSDAP und landwirtschaftliche Organisationen in der Endphase der Weimarer Republik", *VfZ* 15 (1967), p. 341-67.

_____, "Die nationalsozialistische Machtergreifung auf dem agrarpolitischen Sektor", *Zeitschrift für Agrargeschichte und Agrarsoziologie*, 16 (1968), p. 210-32.

_____, "Der Reichsnährstand: Organ berufsständischer Selbstverwaltung oder Instrument staatlicher Wirtschaftslenkung?", *Zeitschrift für Agrargeschichte und Agrarsoziologie*, 21 (1973), p. 216-33.

_____, "Revolution oder Kontinuität? Die personelle Struktur des Reichsnährstandes", in Franz (ed.), *Bauernschaft und Bauernstand*, p. 323-30.

Gies, Horst, "Aufgaben und Probleme der nationalsozialistischen Ernährungswirtschaft 1933-1939", *Vierteljahrschrift für Sozial- und Wirtschaftsgeschichte*, 22 (1979), p. 466-99.

_____, "Die Rolle des Reichsnährstandes im Nationalsozialistischen Herrschaftssystem", in Hirschfeld & Kettenacker (eds.), *The "Führer State"*, p. 270-304.

_____, "Landbevölkerung und Nationalsozialismus. Der Weg in den Reichsnährstand", *Zeitgeschichte*, 13 (1986), p. 123-41.

Gilbert, Martin, *The Roots of Appeasement* (Londres, 1966).

Giles, Geoffrey J., "The Rise of the National Socialist Students' Association and the Failure of Political Education in the Third Reich", in Stachura (ed.), *The Shaping*, p. 160-85.

_____, *Students and National Socialism in Germany* (Princeton, NJ, 1985).

_____, "'The Most Unkindest Cut of All': Castration, Homosexuality and Nazi Justice", *Journal of Contemporary History*, 27 (1992), p. 41-61.

_____, "The Institutionalization of Homosexual Panic in the Third Reich", in Gellately & Stoltzfus (eds.), *Social Outsiders*, p. 233-55.

Gillessen, Günther, *Auf verlorenem Posten: Die Frankfurter Zeitung im Dritten Reich* (Berlim, 1986).

Gimbel, John, *Science, Technology, and Reparations: Exploitation and Plunder in Postwar Germany* (Stanford, Calif., 1990).

Glantz, David M., *Stumbling Colossus: The Red Army on the Eve of World War* (Lawrence, Kans., 1998).

Glaser, Hermann & Silenius, Axel (eds.), *Jugend im Dritten Reich* (Frankfurt am Main, 1975).

Godau, Marion, "Anti-Moderne?", in Weissler (ed.), *Design in Deutschland, 1933-1945*, p. 74-87.

Gohl, Beate, *Jüdische Wohlfahrtspflege in Nationalsozialismus: Frankfurt am Main 1933-1943* (Frankfurt am Main, 1997).
Golczewski, Frank, *Kölner Universitätslehrer und der Nationalsozialismus: Personengeschichtliche Ansätze* (Colônia, 1988).
Golücke, Friedhelm, *Korporationen und Nationalsozialismus* (Schernfeld, 1989).
Gordon, Sarah Ann, *Hitler, Germans, and the "Jewish Question"* (Princeton, 1984).
Götz, Margarete, *Die Grundschule in der Zeit des Nationalsozialismus: Eine Untersuchung der inneren Ausgestaltung der vier unteren Jahrgänge der Volksschule auf der Grundlage amtlicher Massnahmen* (Bad Heilbrunn, 1997).
Graeb-Könneker, Sebastian, *Autochthone Modernität: Eine Untersuchung der vom Nationalsozialismus geförderten Literatur* (Opladen, 1996).
Graf, Christoph, "Kontinuitäten und Brüche. Von der Politischen Polizei der Weimarer Republik zur Geheimen Staatspolizei", in Paul & Mallmann (eds.), *Die Gestapo*, p. 73-83.
Graml, Hermann, "Wer bestimmte die Aussenpolitik des Dritten Reiches? Ein Beitrag zur Kontroverse um Polykratie und Monokratie im NS--Herrschaftssystem", in Funke *et al.* (eds.), *Demokratie und Diktatur*, p. 223-36.
_____, "Grundzüge nationalsozialistische Aussenpolitik", in Broszat & Möller (eds.), *Das Dritte Reich*, p. 104-26.
_____, *Reichskristallnacht: Antisemitismus und Judenverfolgung im Dritten Reich* (Munique, 1988). Traduzido para o inglês como *Anti-Semitism in the Third Reich* (Cambridge, Mass., 1992).
_____, "Integration und Entfremdung: Inanspruchnahme durch Staatsjugend und Dienstpflicht", in Benz & Benz (eds.), *Sozialisation und Trauma--tisierung*, p. 74-9.
Grasberger, Franz (ed.), *Der Strom der Töne trug mich fort: Die Welt um Richard Strauss in Briefen* (Tutzing, 1967).
Gravenhorst, Lerke & Tatschmurat, Carmen (eds.), *Töchter-Fragen: NS--Frauengeschichte* (Freiburg, 1990).
Greenbaum, Alfred A. (ed.), *Minority Problems in Eastern Europe between the World Wars with Emphasis on the Jewish Minority* (Universidade Hebraica

de Jerusalém, Instituto de Estudos Avançados, texto datilografado, Jerusalém, 1988).

Gregor, A. James, *Fascism: The Classic Interpretations of the Interwar Period* (Morristown, NJ, 1983).

Gregor, Neil, *Daimler-Benz in the Third Reich* (Londres, 1998).

Greiffenhagen, Martin (ed.), *Kampf um Wörter? Politische Begriffe im Meinungsstreit* (Munique, 1980).

Grimm, Reinhold, "Im Dickicht der inneren Emigration", in Denkler & Prümm (eds.), *Die deutsche Literatur*, p. 406-26.

Gritschneider, Otto, *"Der Führer hat Sie zum Tode verurteilt...": Hitlers "Röhm-Putsch"-Morde vor Gericht* (Munique, 1993).

Grocek, Ferdinand, "Ein Staat im Staate – der I. G.-Farben Konzern", *Marxistische Blätter*, 4 (1966), p. 41-8.

Grossmann, Kurt Richard, *Ossietzky, ein deutscher Patriot* (Frankfurt, 1973 [1963]).

Gruchmann, Lothar, "Die bayerische Justiz im politischen Machtkampf 1933/34: Ihr Scheitern bei der Strafverfolgung von Mordfällen in Dachau", in Broszat *et al.* (eds.), *Bayern*, II, p. 415-28.

_____, *Justiz im Dritten Reich, 1933-1940: Anpassung und Unterwerfung in der Ära Gürtner* (Munique, 1988).

_____, "'Blutschutzgesetz' und Justiz: Entstehung und Anwerdug des Nürnberger Gesetzes vom 15 September 1935", in Ogan & Weiss (eds.), *Faszination und Gewalt*, p. 49-60.

Grunberger, Richard, *A Social History of the Third Reich* (Harmondsworth, 1974 [1971]).

Grundmann, Friedrich, *Agrarpolitik im "Dritten Reich": Anspruch und Wirklichkeit des Reichserbhofgesetzes* (Hamburgo, 1979).

Gruner, Wolf, "Die Reichshauptstadt und die Verfolgung der Berliner Juden 1933-1945", in Rürup *et al.* (eds.), *Jüdische Geschichte*, p. 229-66.

_____, *Der geschlossene Arbeitseinsatz deutscher Juden: Zur Zwangsarbeit als Element der Verfolgung 1938-1943* (Berlim, 1997).

_____, "Public Welfare and the German Jews under National Socialism", in Bankier (ed.), *Probing*, p. 78-105.

Grüttner, Michael, *Studenten im Dritten Reich* (Paderborn, 1995).

_____, "Die Korporationen und der Nationalsozialismus", in Brandt & Stickler (eds.), *"Der Burschen Herrlichkeit"*, p. 125-43.
Guenther, Irene, *Nazi Chic?: Fashioning Women in the Third Reich* (Oxford, 2004).
Guenther, Peter, "Three Days in Munich, July 1937", in Barron (ed.), *Degenerate Art*, p. 33-43.
Gulick, Charles Adams, *Austria from Habsburg to Hitler* (Berkeley, Calif., 1948).
Gutman, Yisrael (ed.), *Encyclopedia of the Holocaust* (4 vols., Nova York, 1990).
_____, *The Jews of Poland between Two World Wars* (Hanover, NH, 1989).
Gutsche, Willibald & Petzold, Joachim, "Das Verhältnis der Hohenzollern zum Faschismus", *Zeitschrift für Geschichtswissenschaft*, 29 (1981), p. 917-39.
Guttsman, W. L., *Workers' Culture in Weimar Germany: Between Tradition and Commitment* (Oxford, 1990).
Haack, Hanna, "Arbeitslose in Deutschland. Ergebnisse und Analyse der Berufszählung vom 16. Juni 1933", *Jahrbuch für Wirtschaftsgeschichte* (1986), p. 36-69.
Haar, Ingo, *Historiker im Nationalsozialismus: Deutsche Geschichtswissenschaft und der "Volkstumskampf" im Osten* (Göttingen, 2002).
Haarmann, Hermann et al. (eds.), *"Das war ein Vorspiel nur –": Bücherverbrennung in Deutschland 1933: Voraussetzungen und Folgen. Ausstellung der Akademie der Künste vom 8. Mai bis 3. Juli 1983* (Berlim, 1983).
Haberl, Othmar N. & Korenke, Tobias (eds.), *Politische Deutungskulturen: Festschrift für Karl Rohe* (Baden-Baden, 1999).
Hachtmann, Rüdiger, *Industriearbeit im "Dritten Reich": Untersuchungen zu den Lohn- und Arbeitsbedingungen in Deutschland, 1933-1945* (Göttingen, 1989).
_____, "Bürgertum, Revolution, Diktatur – zum vierten Band von Hans--Ulrich Wehlers 'Gesellschaftsgeschichte'", *Sozial-Geschichte*, 19 (2004), p. 60-87.
Haerdter, Michael (ed.), *Wohnsitz: Nirgendwo: Vom Leben und vom Überleben auf der Strasse* (Berlim, 1982).

Haffner, Sebastian, *Defying Hitler: A Memoir* (Londres, 2002 [2000]).

Haftmann, Werner, *Verfemte Kunst: Bildende Künstler der inneren und äusseren Emigration in der Zeit des Nationalsozialismus* (Colônia, 1986).

Hagemann, Jürgen, *Die Presselenkung im Dritten Reich* (Bonn, 1970).

Hagen, William W., "Before the 'Final Solution': Toward a Comparative Analysis of Political Anti-Semitism in Interwar Germany and Poland", *Journal of Modern History*, 68 (1996), p. 351-81.

Hahn, Fred (ed.), *Lieber Stürmer! Leserbriefe an das NS-Kampfblatt 1924-1945* (Stuttgart, 1978).

Hale, Oron J., *The Captive Press in the Third Reich* (Princeton, NJ, 1964).

Hamann, Brigitte, *Winifred Wagner oder Hitlers Bayreuth* (Munique, 2002).

Händler-Lachmann, Barbara & Werther, Thomas, *Vergessene Geschäfte, verlorene Geschichte: Jüdisches Wirtschaftsleben in Marburg und seine Vernichtung im Nationalsozialismus* (Marburg, 1992).

Hanke, Peter, *Zur Geschichte der Juden in München zwischen 1933 und 1945* (Munique, 1967).

Hansen, Ernst W. et al. (eds.), *Politischer Wandel, organisierte Gewalt und nationale Sicherheit: Beiträge zur neueren Geschichte Deutschlands und Frankreichs: Festschrift für Klaus-Jürgen Müller* (Munique, 1995).

Hardy, Alexander G., *Hitler's Secret Weapon: The "Managed" Press and Propaganda Machine of Nazi Germany* (Nova York, 1968).

Harrison, Edward D. R., "The Nazi Dissolution of the Monasteries: A Case-Study", *English Historical Review*, 109 (1994), p. 323-55.

Harrison, Mark (ed.), *The Economics of World War II: Six Great Powers in International Comparison* (Cambridge, 1998).

Hartmann, Christian & Slutsch, Sergej, "Franz Halder und die Kriegsvorbereitungen im Frühjahr 1939. Eine Ansprache des Generalstabschefs des Heers", *VfZ* 45 (1997), p. 467-95.

Hase-Mihalik, Eva von & Kreuzkamp, Doris, *Du kriegst auch einen schönen Wohnwagen: Zwangslager für Sinti und Roma während des Nationalsozialismus in Frankfurt am Main* (Frankfurt am Main, 1990).

Hass, Kurt, *Jugend unterm Schicksal: Lebensberichte junger Deutscher 1946-1949* (Hamburgo, 1950).

Hauner, Milan, "Did Hitler Want a World Dominion?", *Journal of Contemporary History*, 13 (1978), p. 15-32.
Haupt, Heinz-Gerhard (ed.), *Die radikale Mitte: Lebensweisen und Politik von Kleinhändlern und Handwerkern in Deutschland seit 1848* (Munique, 1985).
Haupts, Leo & Möhlich, Georg (eds.), *Strukturelemente des Nationalsozialismus: Rassenideologie, Unterdrückungsmaschinerie, Aussenpolitik* (Colônia, 1981).
Hausen, Karin, "Mother's Day in the Weimar Republic", in Bridenthal *et al.* (eds.), *When Biology Became Destiny*, p. 131-52.
_____, "The 'German Mother's Day' 1923-1933", in Medick & Sabean (eds.), *Interest and Emotion*, p. 371-413.
Hay, Gerhard, "Rundfunk und Hörspiel als 'Führungsmittel' des Nationalsozialismus", in Denkler & Prümm (eds.), *Die deutsche Literatur*, p. 366-81.
Hayes, Peter, "Fritz Roessler and Nazism: The Observations of a German Industrialist, 1930-37", *Central European History*, 20 (1987), p. 58-83.
_____, *Industry and Ideology: I. G. Farben in the Nazi Era* (Nova York, 1987).
_____, "Zur umstrittenen Geschichte der I. G. Farbenindustrie AG", *Geschichte und Gesellschaft*, 18 (1992), p. 405-17.
_____, "Polycracy and Policy in the Third Reich: The Case of the Economy", in Childers & Caplan (eds.), *Reevaluating the Third Reich*, p. 190-210.
_____, "Big Business and 'Aryanization' in Germany 1933-1939", *Jahrbuch für Antisemitismusforschung*, 3 (1994), p. 254-81.
_____, *From Cooperation to Complicity: Degussa in the Third Reich* (Nova York, 2005).
_____ & Wojak, Irmtrud (eds.), *"Arisierung" im Nationalsozialismus: Volksgemeinschaft, Raub und Gedächtnis* (Frankfurt am Main, 2000).
Heer, Hannes, *Ernst Thälmann in Selbstzeugnissen und Bilddokumenten* (Reinbek, 1975).
Hehemann, Rainer, *Die "Bekämpfung des Zigeunerunwesens" im Wilhelminischen Deutschland und in der Weimarer Republik, 1871-1933* (Frankfurt am Main, 1987).

Hehl, Ulrich von *et al.* (eds.), *Priester unter Hitlers Terror: Eine biographische und statistische Erhebung* (2 vols., Mainz, 1996 [1984]).

Heiber, Helmut, "Der Fall Grünspan", *VfZ* 5 (1957), p. 134-72.

_____, *Walter Frank und sein Reichsinstitut für Geschichte des neuen Deutschlands* (Stuttgart, 1966).

_____ (ed.), *Goebbels-Reden* (2 vols., Düsseldorf, 1971-72).

Heilbronner, Oded, *Die Achillesferse des deutschen Katholizismus* (Gerlingen, 1998).

Heim, Susanne, "The German-Jewish Relationship in the Diaries of Victor Klemperer", in Bankier (ed.), *Probing*, p. 312-25.

_____, *Kalorien, Kautschuk, Karrieren: Pflanzenzüchtung und landwirtschaftliche Forschung in Kaiser-Wilhelm-Instituten 1933-1945* (Göttingen, 2003).

Heineman, Elizabeth D., *What Difference Does a Husband Make? Women and Marital Status in Nazi and Postwar Germany* (Londres, 1999).

Heinonen, Reijo E., *Anpassung und Identität: Theologie und Kirchenpolitik der Bremer Deutschen Christen 1933-1945* (Göttingen, 1978).

Heinrich-Hampf, Vroni, "Über Gartenidylle und Gartenarchitektur im Dritten Reich", in Frank (ed.), *Faschistische Architekturen*, p. 271-81.

Heinzelmann, Herbert, "Die Heilige Messe des Reichsparteitage. Zur Zeichensprache von Leni Riefenstahls 'Triumph des Willens'", in Ogan & Weiss (eds.), *Faszination und Gewalt*, p. 163-8.

Heisenberg, Werner, *Der Teil und das Ganze: Gespräche im Umkreis der Atomphysik* (Munique, 1969).

Heller, Celia S., *On the Edge of Destruction: Jews of Poland between the Two World Wars* (Nova York, 1977).

Helmreich, Ernst C., *The German Churches under Hitler: Background, Struggle, and Epilogue* (Detroit, Mich., 1979).

Hemmer, Willi, *Die "unsichtbaren" Arbeitslosen: Statistische Methoden, soziale Tatsachen* (Zeulenroda, 1935).

Henke, Josef, *England in Hitlers politischem Kalkül 1935-1939* (Boppard, 1973).

Hentschel, Klaus (ed.), *Physics and National Socialism: An Anthology of Primary Sources* (Basle, 1996).

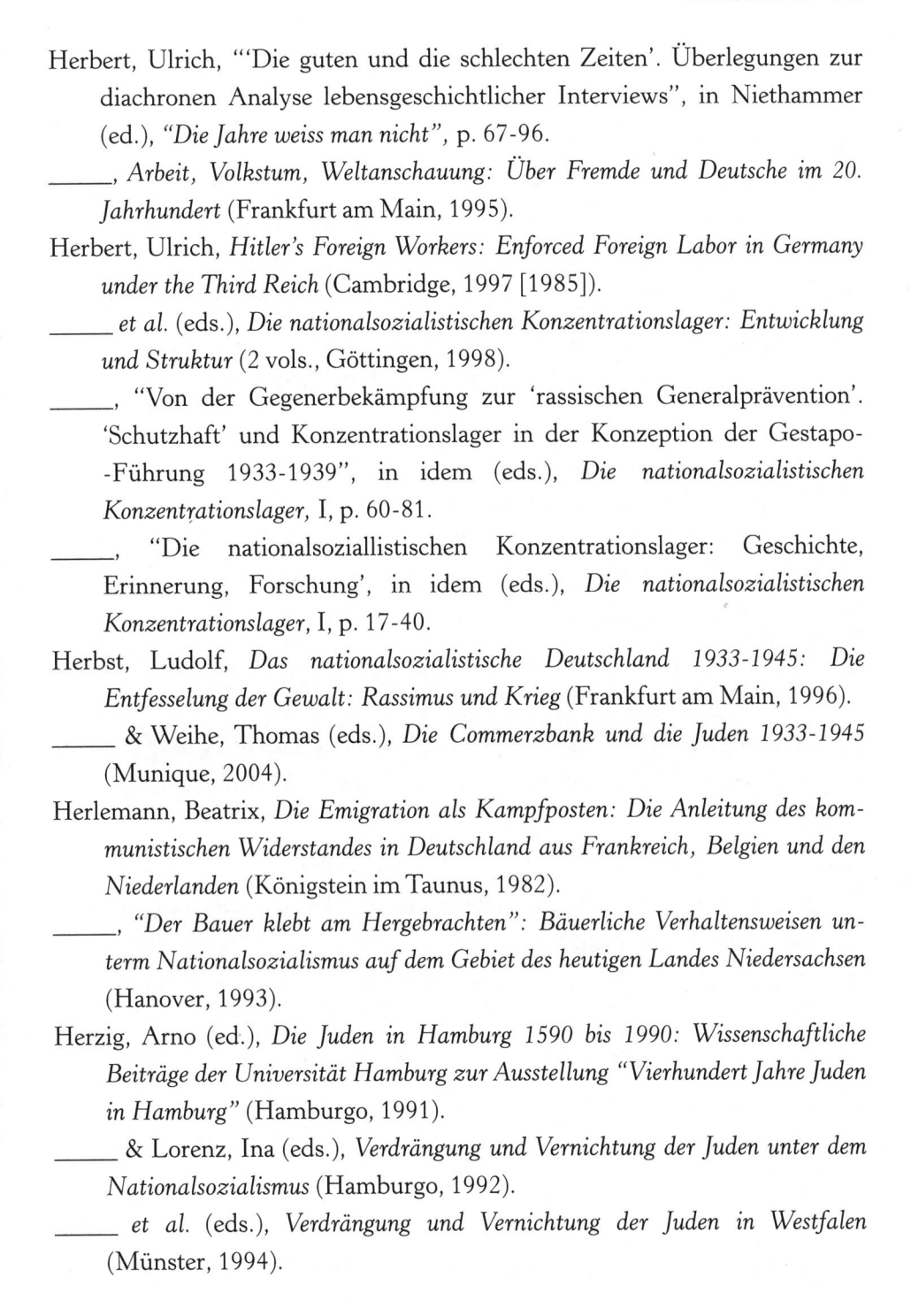

Herbert, Ulrich, "'Die guten und die schlechten Zeiten'. Überlegungen zur diachronen Analyse lebensgeschichtlicher Interviews", in Niethammer (ed.), *"Die Jahre weiss man nicht"*, p. 67-96.

____, *Arbeit, Volkstum, Weltanschauung: Über Fremde und Deutsche im 20. Jahrhundert* (Frankfurt am Main, 1995).

Herbert, Ulrich, *Hitler's Foreign Workers: Enforced Foreign Labor in Germany under the Third Reich* (Cambridge, 1997 [1985]).

____ et al. (eds.), *Die nationalsozialistischen Konzentrationslager: Entwicklung und Struktur* (2 vols., Göttingen, 1998).

____, "Von der Gegenerbekämpfung zur 'rassischen Generalprävention'. 'Schutzhaft' und Konzentrationslager in der Konzeption der Gestapo--Führung 1933-1939", in idem (eds.), *Die nationalsozialistischen Konzentrationslager*, I, p. 60-81.

____, "Die nationalsoziallistischen Konzentrationslager: Geschichte, Erinnerung, Forschung', in idem (eds.), *Die nationalsozialistischen Konzentrationslager*, I, p. 17-40.

Herbst, Ludolf, *Das nationalsozialistische Deutschland 1933-1945: Die Entfesselung der Gewalt: Rassimus und Krieg* (Frankfurt am Main, 1996).

____ & Weihe, Thomas (eds.), *Die Commerzbank und die Juden 1933-1945* (Munique, 2004).

Herlemann, Beatrix, *Die Emigration als Kampfposten: Die Anleitung des kommunistischen Widerstandes in Deutschland aus Frankreich, Belgien und den Niederlanden* (Königstein im Taunus, 1982).

____, *"Der Bauer klebt am Hergebrachten": Bäuerliche Verhaltensweisen unterm Nationalsozialismus auf dem Gebiet des heutigen Landes Niedersachsen* (Hanover, 1993).

Herzig, Arno (ed.), *Die Juden in Hamburg 1590 bis 1990: Wissenschaftliche Beiträge der Universität Hamburg zur Ausstellung "Vierhundert Jahre Juden in Hamburg"* (Hamburgo, 1991).

____ & Lorenz, Ina (eds.), *Verdrängung und Vernichtung der Juden unter dem Nationalsozialismus* (Hamburgo, 1992).

____ et al. (eds.), *Verdrängung und Vernichtung der Juden in Westfalen* (Münster, 1994).

Herzstein, Robert Edwin, *The War that Hitler Won: The Most Infamous Propaganda Campaign in History* (Londres, 1979).

Heske, Henning, *"...und morgen die ganze Welt": Erdkundeunterricht im Nationalsozialismus* (Giessen, 1988).

Heskett, John, "Modernism and Archaism in Design in the Third Reich", in Taylor & van der Will (eds.), *The Nazification of Art*, p. 110-27.

Hetzer, Gerhard, "Die Industriestadt Augsburg. Eine Sozialgeschichte der Arbeiteropposition", in Broszat *et al.* (eds.), *Bayern*, III, p. 1-234.

_____, "Ernste Bibelforscher in Augsburg", in Broszat *et al.* (eds.), *Bayern*, IV, p. 621-44.

Heumos, Peter, *Die Emigration aus der Tschechoslowakei nach Westeuropa und dem Nahen Osten 1938* (Munique, 1989).

Hildebrand, Klaus, *Vom Reich zum Weltreich: Hitler, NSDAP und koloniale Frage 1919-1945* (Munique, 1969).

_____, *The Foreign Policy of the Third Reich* (Londres, 1973 [1970]).

_____, *Das vergangene Reich: Deutsche Aussenpolitik von Bismarck bis Hitler, 1871-1945* (Stuttgart, 1995).

_____, "Die Deutsche Reichsbahn in der nationalsozialistischen Diktatur 1933-1945", in Gall & Pohl (eds.), *Die Eisenbahn in Deutschland*, p. 163--243.

Hildesheimer, Esriel, *Jüdische Selbstverwaltung unter dem NS-Regime: Der Existenzkampf der Reichsvertretung und Reichsvereinigung der Juden in Deutschland* (Tübingen, 1994).

Hill, Leonidas E. (ed.), *Die Weizsäcker-Papiere 1933-1950* (Frankfurt am Main, 1974).

Hillgruber, Andreas, "Grundzüge der nationalsozialistischen Aussenpolitik 1933-1945", *Saeculum*, 24 (1973), p. 328-45.

_____, *Deutsche Grossmacht- und Weltpolitik im 19. und 20. Jahrhundert* (Düsseldorf, 1979).

Hirsch, Martin *et al.* (eds.), *Recht, Verwaltung und Justiz im Nationalsozialismus: ausgewählte Schriften, Gesetze und Gerichtsentscheidungen von 1933 bis 1945* (Colônia, 1984).

Hirschfeld, Gerhard & Kettenacker, Lothar (eds.), *The "Führer State": Myth and Reality: Studies on the Structure and Politics of the Third Reich* (Stuttgart, 1981).
Hitler, Adolf, *Mein Kampf* (Londres, 1969 [1925-27]).
_____, *The Speeches of Adolf Hitler, April 1922-August 1939: An English Translation of Representative Passages* (Nova York, 1981).
Hockerts, Hans Günter, *Die Sittlichkeitsprozesse gegen katholische Ordensangehörige und Priester 1936/37: Eine Studie zur nationalsozialistischen Herrschaftstechnik und zum Kirchenkampf* (Mainz, 1971).
_____, "Die Goebbels-Tagebücher 1932-1941: Eine neue Hauptquelle zur Erforschung der nationalsozialistischen Kirchenpolitik", in Albrecht *et al.* (eds.), *Politik und Konfession: Festschrift für Konrad Repgen zum 60. Geburtstag* (Berlin, 1983), p. 359-92.
Hoensch, Jörg K., *A History of Modern Hungary, 1867-1986* (Londres, 1988 [1984]).
Hoffmann, Hilmar (ed.), *The Triumph of Propaganda: Film and National Socialism, 1933-1945* (Providence, RI, 1996).
Hoffmann, Peter, "Generaloberst Ludwig Becks militärpolitisches Denken", *Historische Zeitschrift*, 234 (1981), p. 101-21.
_____, *Widerstand – Staatsstreich – Attentat: Der Kampf der Opposition gegen Hitler* (4ª ed., Munique, 1985).
_____, *Claus Schenk Graf von Stauffenberg und seine Brüder* (Stuttgart, 1992).
Hohmann, Joachim S., *Geschichte der Zigeunerverfolgung in Deutschland* (Frankfurt am Main, 1981).
_____ (ed.), *Erster Weltkrieg und nationalsozialistische "Bewegung" im deutschen Lesebuch 1933-1945* (Frankfurt am Main, 1988).
_____, *Verfolgte ohne Heimat: Die Geschichte der Zigeuner in Deutschland* (Frankfurt am Main, 1990).
_____, *Robert Ritter und die Erben der Kriminalbiologie: "Zigeunerforschung" im Nationalsozialismus und in Westdeutschland im Zeichen des Rassismus* (Frankfurt am Main, 1991).
_____ (ed.), *Keine Zeit für gute Freunde: Homosexuelle in Deutschland 1933--1969 – Ein Lese- und Bilderbuch* (Berlin, 1982).

_____ & Larger, Hermann, "*Stolz, ein Deutscher zu sein...*": *Nationales Selbstverständnis in Schulaufsätzen, 1914-1945* (Frankfurt am Main, 1995).

Höhne, Heinz, *The Order of the Death's Head: The Story of Hitler's SS* (Londres, 1972 [1966]).

_____, *Mordsache Röhm: Hitlers Durchbruch zur Alleinherrschaft, 1933-1934* (Reinbek, 1984).

Höhne, Heinz, *Die Zeit der Illusionen: Hitler und die Anfänge des Dritten Reiches 1933-1936* (Düsseldorf, 1991)

Hojer, Ernst, *Nationalsozialismus und Pädagogik: Umfeld und Entwicklung der Pädagogik Ernst Kriecks* (Würzburg, 1996).

Homburg, Heidrun, *Rationalisierung und Industriearbeit: Arbeitsmarkt – Management – Arbeiterschaft im Siemens-Konzern Berlin 1900-1939* (Berlim, 1991).

_____, "Warenhausunternehmen und ihre Gründer in Frankreich und Deutschland oder: eine diskrete Elite und mancherlei Mythen", *Jahrbuch für Wirtschaftsgeschichte* (1992), p. 183-219.

Homze, Edward L., *Arming the Luftwaffe: The Reich Air Ministry and the German Aircraft Industry, 1919-39* (Lincoln, Nebr., 1976).

Hopster, Norbert & Nassen, Ulrich, *Literatur und Erziehung im Nationalsozialismus: Deutschunterricht als Körperkultur* (Paderborn, 1983).

Horn, Daniel B., "The Hitler Youth and Educational Decline in the Third Reich", *History of Education Quarterly*, 16 (1976), p. 425-47.

Horn, Gerd-Rainer, "Radicalism and Moderation within German Social Democracy in Underground and Exile, 1933-1936", *German History*, 15 (1997), p. 200-20.

Horne, John N. & Kramer, Alan, *German Atrocities, 1914: A History of Denial* (New Haven, Conn., 2001).

Höpfner, Hans-Paul, *Die Universität Bonn im Dritten Reich: Akademische Biographien unter nationalsozialistischer Herrschaft* (Bonn, 1999).

Höss, Rudolf, *Commandant of Auschwitz: The Autobiography of Rudolf Hoess* (Londres, 1959 [1951]).

Hossbach, Friedrich, *Zwischen Wehrmacht und Hitler, 1934-1938* (Göttingen, 1965 [1949]).

Huber, Engelbert, *Das ist Nationalsozialismus* (Stuttgart, 1933).
Huber, Ernst Rudolf, *Verfassungsrecht des Grossdeutschen Reiches* (Hamburgo, 1939).
Huck, Gerhard (ed.), *Sozialgeschichte der Freizeit: Untersuchungen zum Wandel der Alltagskultur in Deutschland* (Wuppertal, 1980).
Hull, David Stewart, *Film in the Third Reich: A Study of the German Cinema, 1933-1945* (Berkeley, Calif., 1969).
Hull, David Stewart, "On the Trail of Missing Masterpieces: Modern Art from German Galleries", in Barron (ed.), *Degenerate Art*, p. 121-33.
Hüttenberger, Peter, "Heimtückefälle vor dem Sondergericht München 1933--1939", in Broszat et al. (eds.), *Bayern*, IV, p. 435-526.
Iber, Harald, *Christlicher Glaube oder rassischer Mythus: Die Auseinandersetzung der Bekennenden Kirche mit Alfred Rosenbergs Der Mythus des 20. Jahrhunderts* (Frankfurt am Main, 1987).
Iggers, Georg G. (ed.), *The Social History of Politics: Critical Perspectives in West German Historical Writing since 1945* (Leamington Spa, 1985).
_____, "Introduction", in idem (ed.), *The Social History of Politics*, p. 1-48.
Infield, Glenn B., *Leni Riefenstahl: The Fallen Film Goddess* (Nova York, 1976).
Institut für die Geschichte der Arbeiterbewegung (ed.), *In den Fängen des NKWD: Deutsche Opfer des stalinistischen Terrors in der UdSSR* (Berlim, 1991).
Jacobsen, Hans Adolf, *Nationalsozialistische Aussenpolitik, 1933-1938* (Frankfurt am Main, 1968).
_____ et al. (eds.), *Ausgewählte Dokumente zur Geschichte des Nationalsozialismus, 1933-1945* (3 vols., Bielefeld, 1961).
Jádi, Inge et al. *Beyond Reason: Art and Psychosis. Works from the Prinzhorn Collection* (Londres, 1996).
James, Harold, "Die Deutsche Bank und die Diktatur 1933-1945", in Lothar Gall et al., *Die Deutsche Bank 1870-1995* (Munique, 1993), p. 315-408.
_____, "Innovation and Conservatism in Economic Recovery: The Alleged 'Nazi Recovery' of the 1930s", in Childers & Caplan (eds.), *Reevaluating the Third Reich*, p. 114-38.
_____, *The Deutsche Bank and the Nazi Economic War against the Jews: The Expropriation of Jewish-owned Property* (Cambridge, 2001).

_____, *The Nazi Dictatorship and the Deutsche Bank* (Cambridge, 2004).

Janda, Annegret, "The Fight for Modern Art: The Berlin Nationalgalerie after 1933", in Barron (ed.), *Degenerate Art*, p. 105-18.

_____ (ed.), *Das Schicksal einer Sammlung: Aufbau und Zerstörung der Neuen Abteilung der Nationalgalerie im ehemaligen Kronprinzen-Palais: Unter den Linden 1918-1945* (Berlim, 1986).

Jansen, Christian, *Professoren und Politik: Politisches Denken und Handeln der Heidelberger Hochschullehrer 1914-1935* (Göttingen, 1992).

_____ et al. (eds.), *Von der Aufgabe der Freiheit: Politische Verantwortung und bürgerliche Gesellschaft im 19. und 20. Jahrhundert: Festschrift für Hans Mommsen zum 5. November 1995* (Berlim, 1995).

Janssen, Karl-Heinz, "Eine Welt brach zusammen", in Glaser & Silenius (eds.), *Jugend im Dritten Reich*, p. 88-90.

_____ & Tobias, Fritz, *Der Sturz der Generäle: Hitler und die Blomberg-Fritsch Krise 1938* (Munique, 1994 [1938]).

Jarausch, Konrad H., *Deutsche Studenten 1800-1970* (Frankfurt am Main, 1984).

_____, *The Unfree Professions: German Lawyers, Teachers, and Engineers, 1900-1950* (Nova York, 1990).

Jaskot, Paul B., *The Architecture of Oppression: The SS, Forced Labor and the Nazi Monumental Building Economy* (Londres, 2000).

Jaworski, Rudolf, *Vorposten oder Minderheit?: Der sudetendeutsche Volkstumskampf in den Beziehungen zwischen der Weimarer Republik und der CSR* (Stuttgart, 1977).

Jelavich, Barbara, *Modern Austria: Empire and Republic, 1815-1986* (Cambridge, 1987).

Jellonnek, Burkhard, *Homosexuelle unter dem Hakenkreuz: Die Verfolgung von Homosexuellen in Dritten Reich* (Paderborn, 1990).

_____, "Staatspolizeiliche Fahndungs- und Ermittlungsmethoden gegen Homosexuelle. Regionale Differenzen und Gemeinsamkeiten", in Paul & Mallmann (eds.), *Die Gestapo*, p. 343-56.

Joachimsthaler, Anton, *Hitlers Liste: Ein Dokument persönlicher Beziehungen* (Munique, 2003).

John, Eckhard, *Musikbolschewismus: Die Politisierung der Musik in Deutschland, 1918-1938* (Stuttgart, 1994).

Johnson, Eric A., *Nazi Terror: The Gestapo, Jews, and Ordinary Germans* (Nova York, 1999).

Jung, Otmar, *Plebiszit und Diktatur: Die Volksabstimmungen der Nationalsozialisten: Die Fälle "Austritt aus dem Völkerbund" (1933), "Staatsoberhaupt" (1934) und "AnschlussÖsterreichs" (1938)* (Tübingen, 1995).

Jupper, Alfons (ed.), *Staatliche Akten über die Reichskonkordatsverhandlungen 1933* (Mainz, 1969).

Kaftan, Kurt Gustav, *Der Kampf um die Autobahnen: Geschichte der Autobahnen in Deutschland 1907-1935* (Berlim, 1955).

Kaienburg, Hermann, "Funktionswandel des KZ-Kosmos? Das Konzentrationslager Neuengamme 1938-1945", in Herbert et al. (eds.), *Die nationalsozialistischen Konzentrationslager*, p. 259-84.

———, *"Vernichtung durch Arbeit": Der Fall Neuengamme: Die Wirtschaftsbestrebungen der SS und ihre Auswirkungen auf die Existenzbedingungen der KZ-Gefangenen* (Bonn, 1990).

Kaiser, Ernst & Knorn, Michael, *"Wir lebten und schliefen zwischen den Toten": Rüstungsproduktion, Zwangsarbeit und Vernichtung in den Frankfurter Adlerwerken* (Frankfurt am Main, 1994).

Kaiser, Fritz, *Führer durch die Ausstellung Entartete Kunst* (Berlim, 1937).

Kaiser, Jochen-Christoph, "Protestantismus, Diakonie und 'Judenfrage' 1933--41", *VfZ* 37 (1989), p. 673-714.

Kalshoven, Hedda (ed.), *Ich denk so viel an Euch: Ein deutsch-holländischer Briefwechsel 1920-1949* (Munique, 1995 [1991]).

Kaplan, Marion A., *Between Dignity and Despair: Jewish Life in Nazi Germany* (Nova York, 1998).

Kappeler, Alphons, *Ein Fall von "Pseudologia phantastica" in der deutschen Literatur: Fritz Reck-Malleczewen* (2 vols., Göppingen, 1975).

Kàrlsch, Rainer & Stokes, Raymond G., *Faktor Öl: Die Geschichte der Mineralölwirtschaft in Deutschland 1859-1974* (Munique, 2003).

Karow, Yvonne, *Deutsches Opfer: Kultische Selbstauslöschung auf den Reichsparteitagen der NSDAP* (Berlim, 1997).

Kaschuba, Wolfgang, *Lebenswelt und Kultur der unterbürgerlichen Schichten im 19. und 20. Jahrhunderi* (Munique, 1990).

_____ & Lipp, Carola, "Kein Volk steht auf, kein Sturm bricht los. Stationen dörflichen Lebens auf dem Weg in den Faschismus", in Beck *et al.* (eds.), *Terror und Hoffnung,* p. 111-55.

_____, *Dörfliches Überleben: Zur Geschichte materieller und sozialer Reproduktion ländlicher Gesellschaft im 19. und frühen 20. Jahrhundert* (Tübingen, 1982).

Kater, Michael H., "Die ernsten Bibelforscher im Dritten Reich", *VfZ* 17 (1969), p. 181-218.

_____, "Die deutsche Elternschaft im nationalsozialistischen Erziehungssystem. Ein Beitrag zur Sozialgeschichte der Familie", *Vierteljahrsschrift für Sozial- und Wirtschaftsgeschichte,* 67 (1980), p. 484-512.

_____, "Medizin und Mediziner im Dritten Reich", *Historische Zeitschrift,* 244 (1987), p. 299-352.

_____, *Doctors under Hitler* (Chapel Hill, NC, 1989).

_____, *Different Drummers: Jazz in the Culture of Nazi Germany* (Nova York, 1992).

_____, *The Twisted Muse: Musicians and their Music in the Third Reich* (Nova York, 1997).

_____, *Composers of the Nazi Era: Eight Portraits* (Nova York, 2000).

_____, *Hitler Youth* (Cambridge, Mass., 2004).

_____ & Riethmüller, Albrecht (eds.), *Music and Nazism: Art under Tyranny, 1933-1945* (Laaber, 2003).

Kehrl, Hans, *Krisenmanager im Dritten Reich: 6 Jahre Frieden, 6 Jahre Krieg: Erinnerungen* (Düsseldorf, 1973).

Keim, Wolfgang, *Erziehung unter der Nazi-Diktatur* (2 vols., Darmstadt, 1995--97).

Keinemann, Friedrich, *Vom Krummstab zur Republik: Westfälischer Adel unter preussischer Herrschaft 1802-1945* (Bochum, 1997).

Keitz, Christine, "Die Anfänge des modernen Massentourismus in der Weimarer Republik", *Archiv für Sozialgeschichte,* 33 (1993), p. 179-209.

Keller, Bernhard, *Das Handwerk im faschistischen Deutschland: Zum Problem der Massenbasis* (Colônia, 1980).

Kershaw, Ian, "Antisemitismus und Volksmeinung. Reaktionen auf die Judenverfolgung", in Broszat *et al.* (eds.), *Bayern*, II, p. 280-348.

____, "The Persecution of the Jews and German Popular Opinion in the Third Reich", *Leo Baeck Institute Year Book*, 26 (1981), p. 261-89.

____, *Popular Opinion and Political Dissent in the Third Reich: Bavaria 1933--1945* (Oxford, 1983).

Kershaw, Ian, "How Effective Was Nazi Propaganda?", in Welch (ed.), *Nazi Propaganda*, p. 180-205.

____, *The "Hitler Myth": Image and Reality in the Third Reich* (Oxford, 1987).

____, "Der Überfall auf Polen und die öffentliche Meinung in Deutschland", in Hansen *et al.* (eds.), *Politischer Wandel*, p. 237-50.

____, *Hitler, 1889-1936: I Hubris* (Londres, 1998).

____, *Hitler, 1936-1945: II Nemesis* (Londres, 2000).

____, *The Nazi Dictatorship: Problems and Perspectives of Interpretation* (4ª ed., Londres, 2000 [1985]).

Kersten, Felix, *The Kersten Memoirs, 1940-1945* (Londres, 1956 [1952]).

Kessler, Harry Graf, *Tagebücher, 1918-1937* (ed. Wolfgang Pfeiffer-Belli, Frankfurt am Main, 1982 [1961]).

Ketelsen, Uwe-Karsten, *Literatur und Drittes Reich* (Schernfeld, 1992).

Kiaulehn, Walther, *Mein Freund der Verleger – Ernst Rowohlt und seine Zeit* (Reinbek, 1967).

Kieffer, Fritz, *Judenverfolgung in Deutschland – eine innere Angelegenheit? Internationale Reaktionen auf die Flüchtlingsproblematik 1933-1939* (Stuttgart, 2002).

Kiemeier, Klaus, *The UFA Story: A History of Germany's Greatest Film Company 1918-1945* (Nova York, 1996).

Kimmel, Günther, "Das Konzentrationslager Dachau: Eine Studie zu den nationalsozialistischen Gewaltverbrechen", in Broszat *et al.* (eds.), *Bayern*, II, p. 349-413.

Kirchberg, Peter, "Typisierung in der Kraftfahrzeugindustrie und der Generalbevollmächtigte für das Kraftfahrwesen", *Jahrbuch für Wirtschaftsgeschichte* (1969), p. 117-42.

Kirchliches Jahrbuch für die Evangelische Kirche in Deutschland 1933-1944 (Gütersloh, 1948).

Kirkpatrick, Clifford, *Women in Nazi Germany* (Londres, 1939).

Kitchen, Martin, *The Coming of Austrian Fascism* (Londres, 1980).

Kittel, Manfred, "Konfessioneller Konflikt und politische Kultur in der Weimarer Republik", in Blaschke (ed.), *Konfessionen im Konflikt*, p. 243-98.

Klee, Ernst, *Die SA Jesu Christi: Die Kirchen im Banne Hitlers* (Frankfurt am Main, 1989).

Kleiber, Lore, "'Wo ihr seid, da soll die Sonne scheinen!' – Der Frauenarbeitsdienst am Ende der Weimarer Republik und im Nationalsozialismus", in Frauengruppe Faschismusforschung (ed.), *Mutterkreuz*, p. 188-214.

Klein, Burton H., *Germany's Economic Preparations for War* (Cambridge, Mass., 1959).

Klein, Thomas (ed.), *Die Lageberichte der Geheimen Staatspolizei über die Provinz Hessen-Nassau, 1933-1936* (Colônia, 1986).

Kleine, George H., "Adelsgenossenschaft und Nationalsozialismus", *VfZ* 26 (1978), p. 100-43.

Klemperer, Klemens von, *German Resistance Against Hitler: The Search for Allies Abroad, 1938-1945* (Oxford, 1992).

Klemperer, Victor, *LTI: Notizbuch eines Philologen* (Leipzig, 1975 [1947]).

_____, *I Shall Bear Witness: The Diaries of Victor Klemperer 1933-1941* (Londres, 1998 [1995]).

_____, *Tagebücher 1933-1934 (Ich will Zeugnis ablegen bis zum letzten: Tagebücher 1933-1945*, I) (Berlim, 1999 [1995]).

Klepper, Jochen, *Unter dem Schatten Deiner Flügel: Aus den Tagebüchern der Jahre 1932-1942* (Stuttgart, 1956).

Klessmann, Christoph, "Osteuropaforschung und Lebensraumpolitik im Dritten Reich", in Lundgreen (ed.), *Wissenschaft im Dritten Reich*, p. 350-83.

Kley, Stefan, *Hitler, Ribbentrop und die Entfesselung des Zweiten Weltkriegs* (Paderborn, 1996).

Kling, Willi, *Kleine Geschichte der I. G. Farben – der Grossfabrikant des Todes* (Berlim, 1957).

Klingemann, Carsten, "Social-scientific Experts – No Ideologues: Sociology and Social Research in the Third Reich", in Turner & Käsler (eds.), *Sociology Responds to Fascism*, p. 127-54.

———, *Soziologie im Dritten Reich* (Baden-Baden, 1996).

Klinksiek, Dorothee, *Die Frau im NS-Staat* (Stuttgart, 1982).

Klönne, Arno, *Jugend im Dritten Reich: Die Hitler-Jugend und ihre Gegner* (Colônia, 1999 [1982]).

Klöss, Erhard (ed.), *Reden des Führers: Politik und Propaganda Adolf Hitlers, 1922-1945* (Munique, 1967).

Klotzbach, Kurt, *Gegen den Nationalsozialismus: Widerstand und Verfolgung in Dortmund 1930-1945: Eine historisch-politische Studie* (Hanover, 1969).

Knauer, Wilfried (ed.), *Nationalsozialistische Justiz und Todesstrafe: Eine Dokumentation zur Gedenkstätte in der Justizvollzugsanstalt Wolfenbüttel* (Braunschweig, 1991).

Knigge-Tesche, Renate (ed.), *Berater der Braunen Macht: Wissenschaft und Wissenschaftler im NS-Staat* (Frankfurt am Main, 1999).

Knipping, Franz & Müller, Klaus-Jürgen, *Machtbewusstsein in Deutschland am Vorabend des Zweiten Weltkrieges* (Paderborn, 1984).

Koch, Hans-Jörg, *Das Wunschkonzert im NS-Rundfunk* (Colônia, 2003).

Kochan, Lionel, "Martin Niemöller", in Gutman (ed.), *Encyclopedia of the Holocaust*, III, p. 1.061.

Kocka, Jürgen (ed.), *Theorien in der Praxis des Historikers* (Göttingen, 1977).

Kohlrausch, Eduard (ed.), *Deutsche Strafgesetze vom 19. Dezember 1932 bis 12. Juni 1934* (Berlim, 1934).

Komjathy, Anthony T. & Stockwell, Rebecca, *German Minorities and the Third Reich: Ethnic Germans of East Central Europe between the Wars* (Nova York, 1980).

König, Ulrich, *Sinti und Roma unter dem Nationalsozialismus: Verfolgung und Widerstand* (Bochum, 1989).

Königseder, Angelika & Wetzel, Juliane, "Die 'Bilderverbrennung' 1939 – ein Pendant?", in *Zeitschrift für Geschichtswissenschaft*, 5 (2003), p. 439-46.

Koonz, Claudia, *Mothers in the Fatherland: Women, the Family, and Nazi Politics* (Londres, 1988 [1987]).

Kopf, Paul & Miller, Max (eds.), *Die Vertreibung von Bischof Joannes Baptista Sproll von Rottenburg, 1938-1945: Dokumente zur Geschichte des kirchlichen Widerstands* (Mainz, 1971).

Kopper, Christopher, "Die 'Arisierung' jüdischer Privatbanken im Nationalsozialismus", *Sozialwissenschaftliche Information für Unterricht und Studium*, 20 (1991), p. 11-6.

Kopper, Christopher, "Privates Bankwesen im Nationalsozialismus. Das Bankhaus M. M.Warburg & Co.", in Werner Plumpe & Christian Kleinschmidt (eds.), *Unternehmen zwischen Markt und Macht: Aspekte deutscher Unternehmens- und Industriegeschichte im 20 Jahrhundert* (Essen, 1992), p. 61-73.

_____, *Zwischen Marktwirtschaft und Dirigismus: Bankenpolitik im "Dritten Reich", 1933-1939* (Bonn, 1995).

Körber, Robert, *Rassensieg in Wien, der Grenzfeste des Reiches* (Viena, 1939).

Kornrumpf, Martin, *HAFRABA e.V.: Deutsche Autobahn-Planung 1926-1934* (Bonn, 1990).

Kosthorst, Erich & Walter, Bernd, *Konzentrations und Strafgefangenenlager im Dritten Reich: Beispiel Emsland* (3 vols., Düsseldorf, 1983).

Kotowski, Albert S., *Polens Politik gegenüber seiner deutschen Minderheit, 1919--1939* (Wiesbaden, 1998).

Kracauer, Siegfried, *From Caligari to Hitler: A Psychological History of the German Film* (Princeton, NJ, 1947).

Kracik, Jörg, *Die Politik des deutschen Aktivismus in der Tschechoslowakei, 1920-1938* (Frankfurt am Main, 1999).

Kramer, David, "Jewish Welfare Work under the Impact of Pauperization", in Paucker *et al.* (eds.), *The Jews in Nazi Germany*, p. 173-88.

Kramer, Helgard, "Frankfurt's Working Women: Scapegoats or Winners of the Great Depression?", in Evans & Geary (eds.), *The German Unemployed*, p. 108-41.

Kratzsch, Gerhard, *Der Gauwirtschaftsapparat der NSDAP: Menschenführung – "Arisierung" – Wehrwirtschaft im Gau Westfalen-süd: Eine Studie zur Herrschaftspraxis im totalitären Staat* (Münster, 1989).

_____, "Die 'Entjudung' der mittelständischen Wirtschaft im Regierungsbezirk Arnsberg", in Herzig *et al.* (eds.), *Verdrängung und Vernichtung*, p. 91-114.

Kraul, Margret, *Das deutsche Gymnasium 1780-1980* (Frankfurt am Main, 1984).
Krausnick, Helmut et al., *Anatomy of the SS State* (Londres, 1968 [1965]).
Kreimeier, Klaus, *The UFA Story: A History of Germany's Greatest Film Company, 1918-1945* (Nova York, 1996).
Kreisster, Felix (ed.), *Fünfzig Jahre danach – der "Anschluss" von innen gesehen* (Viena, 1989).
Krellmann, Hanspeter (ed.), *Wer war Richard Strauss?: Neunzehn Antworten* (Frankfurt am Main, 1999).
Kreutzer, Heike, *Das Reichskirchenministerium im Gefüge der nationalsozialistischen Herrschaft* (Düsseldorf, 2000).
Kroll, Gerhard, *Von der Weltwirtschaftskrise zur Staatskonjunktur* (Berlim, 1958).
Kropat, Wolf-Arno, *Kristallnacht in Hessen: Der Judenpogrom vom November 1938: Eine Dokumentation* (Wiesbaden, 1997 [1988]).
_____, *"Reichskristallnacht": Der Judenpogrom vom 7. bis 10. November 1938 – Urheber, Täter, Hintergründe* (Wiesbaden, 1997).
_____ (ed.), *Justiz und Judenverfolgung* (2 vols., Wiesbaden, 1975).
Krudener, Jürgen von, "Zielkonflikte in der nationalsozialistischen Agrarpolitik: Ein Beitrag zur Diskussion des Leistungsproblems in zentralgelenkten Wirtschaftssystemen", *Zeitschrift für Wirtschafts- und Sozialwissenschaften*, 94 (1974), 335-61.
Krüger, Hardy, "Von der Ordensburg nach Babelsberg", in Leeb (ed.), *"Wir waren"*, p. 49-55.
Krüger, Peter, *Die Aussenpolitik der Republik von Weimar* (Darmstadt, 1985).
Krüger-Charlé, Michael, "Carl Goerdelers Versuche der Durchsetzung einer alternativen Politik 1933 bis 1937", in Schmädeke & Steinback (eds.), *Der Widerstand*, p. 383-404.
Kucera, Jaroslav, *Minderheit im Nationalstaat: Die Sprachenfrage in den tschechisch-deutschen Beziehungen 1918-1938* (Munique, 1999).
Kube, Alfred, *Pour le mérite und Hakenkreuz: Hermann Göring im Dritten Reich* (Munique, 1987 [1986]).
_____, "Hermann Goering: Second Man in the Third Reich", in Smelser & Zitelmann (eds.), *The Nazi Elite*, p. 62-73.

Kühl, Stefan, *The Nazi Connection: Eugenics, American Racism, and German National Socialism* (Nova York, 1994).

Kühnl, Reinhard, "Reichsdeutsche Geschichtswissenschaft", in Tröger (ed.), *Hochschule*, p. 92-104.

Kulka, Otto Dov, "Die Nürnberger Rassengesetze und die deutsche Bevölkerung im Lichte geheimer NS-Lage- und Stimmungsberichte", *VfZ* 32 (1984), p. 582-624.

_____ (ed.), *Deutsches Judentum unter dem Nationalsozialismus*, I: *Dokumente zur Geschichte der Reichsvertretung der deutschen Juden 1933-1939* (Tübingen, 1997).

Kupper, Alfons (ed.), *Staatliche Akten über die Reichskonkordatsverhandlungen 1933* (Mainz, 1969).

Kwiet, Konrad, "Nach dem Pogrom: Stufen der Ausgrenzung", in Benz (ed.), *Die Juden*, p. 545-659.

_____, "To Leave or Not to Leave: The German Jews at the Crossroads", in Pehle (ed.), *November 1938*, p. 139-53.

_____ & Eschwege, Helmut (eds.), *Selbstbehauptung und Widerstand: Deutsche Juden im Kampf um Existenz und Menschenwürde 1933-1945* (Hamburgo, 1984).

Laak, Dirk van, "Die Mitwirkenden bei der 'Arisierung'. Dargestellt am Beispiel der rheinisch-westfälischen Industrieregion, 1933-1940", in Büttner (ed.), *Die Deutschen*, p. 231-57.

_____, "'Wenn einer ein Herz im Leibe hat, der lässt sich von einem deutschen Arzt behandeln' – Die 'Entjudung' der Essener Wirtschaft von 1933 bis 1941", in Alte Synagoge (ed.), *Entrechtung und Selbsthilfe*, p. 12-30.

Lächele, Rainer, *Ein Volk, ein Reich, ein Glaube: Die Deutschen Christen in Württemberg 1925-1960* (Stuttgart, 1993).

Ladwig-Winters, Simone, *Wertheim, ein Warenhausunternehmen und seine Eigentümer: Ein Beispiel der Entwicklung der Berliner Warenhäuser bis zur "Arisierung"* (Münster, 1997).

_____, "The Attack on Berlin Department Stores (*Warenhäuser*) after 1933", in Bankier (ed.), *Probing*, p. 246-67.

Lambert, Peter, "From Antifascist to Volkshistoriker: *Demos* and *Etnos* in the Political Thought of Fritz Rörig, 1921-45", in Berger *et al.* (eds.), *Writing National Histories*, p. 137-49.

Lammers, Britta, *Werbung im Nationalsozialismus: Die Kataloge der "Grossen Deutschen Kunstausstellung", 1937-1944* (Weimar, 1999).

Lane, Barbara Miller, *Architecture and Politics in Germany, 1918-1945* (Cambridge, Mass., 1968).

Lange, Sabine, *"...wir haben nicht nur das Chaos, sondern wir stehen an einem Beginn..." Hans Fallada 1945-1946* (Neubrandenburg, 1988).

Langelüddeke, Albrecht, *Die Entmannung von Sittlichkeitsverbrechern* (Berlim, 1963).

Laqua, Carsten, *Wie Micky unter die Nazis fiel: Walt Disney und Deutschland* (Reinbek, 1992).

Laqueur, Walter, *Fascism: A Reader's Guide: Analyses, Interpretations, Bibliography* (Nova York, 1976).

Large, David Clay (ed.), *Contending with Hitler: Varieties of German Resistance in the Third Reich* (Washington, DC, 1991).

Lärmer, Karl, *Autobahnbau in Deutschland 1933 bis 1945: Zu den Hintergründen* (Berlim, 1975).

Larsen, Stein U. *et al.* (eds.), *Who Were the Fascists? Social Roots of European Fascism* (Bergen, 1980).

Lauterbach, Iris (ed.), *Bürokratie und Kult: Das Parteizentrum der NSDAP am Königsplatz in München: Geschichte und Rezeption* (Munique, 1995).

Lautmann, Rüdiger, *Seminar: Gesellschaft und Homosexualität* (Frankfurt am Main, 1977).

_____, "Gay Prisoners in Concentration Camps as Compared with Jehovah's Witnesses and Political Prisoners", in Berenbaum (ed.), *A Mosaic of Victims*, p. 200-6.

Lee, W. Robert & Rosenhaft, Eve (eds.), *The State and Social Change in Germany 1880-1980* (Oxford, 1990).

Leeb, Johannes (ed.), *"Wir waren Hitlers Eliteschüler": Ehemalige Zöglinge der NS-Ausleseschulen brechen ihr Schweigen* (Hamburgo, 1998).

Lehmann, Hartmut & Melton, James Van Horn (eds.), *Paths of Continuity: Central European Historiography from the 1930s to the 1950s* (Cambridge, 1994).

_____ & Oexle, Otto Gerhard (eds.), *Nationalsozialismus in den Kulturwissenschaften* (2 vols., Göttingen, p. 2004-5).

Lehmann, Joachim, "Mecklenburgische Landwirtschaft und 'Modernisierung' in den dreissiger Jahren", in Bajohr (ed.), *Norddeutschland im Nationalsozialismus*, p. 335-46.

Lehmbruch, Hans, "Acropolis Germaniae. Der Königsplatz-Forum der NSDAP", in Lauterbach (ed.), *Bürokratie und Kult*, p. 17-46.

Lehnert, Detlef, *Sozialdemokratie zwischen Protestbewegung und Regierungspartei 1848 bis 1983* (Frankfurt am Main, 1983).

Leimkugel, Franz, "Antisemitische Gesetzgebung in der Pharmazie, 1933-1939", in Meinel & Voswinckel (eds.), *Medizin*, p. 230-5.

Leiser, Erwin, *Nazi Cinema* (Londres, 1974 [1968]).

Leitz, Christian, "Nazi Germany's Intervention in the Spanish Civil War and the Foundation of HISMA/ROWAK", in Preston & Mackenzie (eds.), *The Republic Besieged*, p. 53-85.

Lenger, Friedrich, *Sozialgeschichte der deutschen Handwerker seit 1800* (Frankfurt am Main, 1988).

Lenz, Rudolf, *Karstadt: Ein deutscher Warenhauskonzern 1920-1950* (Stuttgart, 1995).

Levi, Erik, *Music in the Third Reich* (Nova York, 1994).

Levine, Herbert S., *Hitler's Free City: A History of the Nazi Party in Danzig, 1925-39* (Chicago, 1973).

_____, "The Mediator: Carl J. Burckhardt's Efforts to Avert a Second World War", *Journal of Modern History*, 45 (1973), p. 439-53.

Lewy, Guenter, *The Catholic Church and Nazi Germany* (Nova York, 1964).

_____, *The Nazi Persecution of the Gypsies* (Nova York, 2000).

Ley, Michael & Schoeps, Julian H., *Der Nationalsozialismus als politische Religion* (Bodenheim, 1997).

Ley, Robert, *Soldaten der Arbeit* (Munique, 1938).

Lidtke, Vernon L., *The Alternative Culture: Socialist Labor in Imperial Germany* (Nova York, 1985).

Lindner, Helmut, "'Deutsche" und 'gegentypische' Mathematik. Zur Begründung einer 'arteigenen Mathematik' im 'Dritten Reich' durch Ludwig Bieberbach", in Mehrtens & Richter (eds.), *Naturwissenschaft*, p. 88-115.

Lingelbach, Karl Christoph, *Erziehung und Erziehungstheorien im nationalsozialistischen Deutschland: Ursprünge und Wandlungen der 1933-1945 in Deutschlands vorherrschenden erziehungstheoretischen Strömungen: Ihre politischen Funktionen und ihr Verhältnis zur ausserschulischen Erziehungspraxis des "Dritten Reiches"* (Frankfurt am Main, 1987 [1970]).

Linsmayer, Ludwig, *Politische Kultur im Saargebiet 1920-1932: Symbolische Politik, verhinderte Demokratisierung, nationalisiertes Kulturleben in einer abgetrennten Region* (St. Ingbert, 1992).

Löffler, Peter (ed.), *Bischof Clemens August Graf von Galen: Akten, Briefe und Predigten 1933-1946*, I: *1933-1939* (Mainz, 1988).

Lohalm, Uwe, "Local Administration and Nazi Anti-Jewish Policy", in Bankier (ed.), *Probing*, p. 109-46.

London, John, *Theatre under the Nazis* (Manchester, 2000).

London, Louise, "Jewish Refugees, Anglo-Jewry and British Government Policy", in Cesarani (ed.), *The Making of Modern Anglo-Jewry*, p. 163-90.

_____, *Whitehall and the Jews, 1933-1948: British Immigration Policy, Jewish Refugees, and the Holocaust* (Cambridge, 2000).

Longerich, Peter, *Die braunen Bataillone: Geschichte der SA* (Munique, 1989).

_____, "Nationalsozialistische Propaganda", in Bracher *et al.* (eds.), *Deutschland 1933-1945*, p. 291-314.

_____, *Politik der Vernichtung: Eine Gesamtdarstellung der nationalsozialistischen Judenverfolgung* (Munique, 1998).

_____, *Der ungeschriebene Befehl: Hitler und der Weg zur "Endlösung"* (Munique, 2001).

Lorentz, Bernhard, "Die Commerzbank und die 'Arisierung' im Altreich. Ein Vergleich der Netzwerkstrukturen und Handlungsspielräume von Grossbanken in der NS-Zeit", *VfZ* 50 (2002), p. 237-68.

Lorenz, Saskia, "Die Zerstörung der Synagogen unter dem Nationalsozialismus", in Herzig (ed.), *Verdrängung und Vernichtung*, p. 153-72.

Löwenthal, Richard, *Die Widerstandsgruppe "Neu Beginnen"* (Berlim, 1982).

_____ & von zur Mühlen, Patrick (eds.), *Widerstand und Verweigerung in Deutschland 1933 bis 1945* (Berlim, 1982).

Lowry, Stephen, *Pathos und Politik: Ideologie in Spielfilmen des Nationalsozialismus* (Tübingen, 1991).

Lucassen, Leo, *Zigeuner: Die Geschichte eines polizeilichen Ordnungsbegriffes in Deutschland, 1700-1945* (Colônia, 1996).

Ludewig, Hans-Ulrich & Kuessner, David, *"Es sei also jeder gewarnt": Das Sondergericht Braunschweig 1933-1945* (Braunschweig, 2000).

Ludwig, Johannes, *Boykott – Enteignung – Mord: Die "Entjudung" der deutschen Wirtschaft* (Hamburgo, 1989).

Lundgreen, Peter (ed.), *Wissenschaft im Dritten Reich* (Frankfurt am Main, 1985).

Luther, Hans, *Vor dem Abgrund, 1930-1933: Reichsbankpräsident in Krisenzeiten* (Berlim, 1964).

Lüttichau, Mario-Andreas von, "'Deutsche Kunst' and 'Entartete Kunst': Die Münchner Ausstellungen 1937", in Schuster (ed.), *Die "Kunststadt" München*, p. 12-36.

_____, "'Entartete Kunst', Munich, 1937: A Reconstruction", in Barron (ed.), *Degenerate Art*, p. 45-81.

Macartney, Carlile A. & Palmer, Alan, *Independent Eastern Europe: A History* (Londres, 1966).

Mack Smith, Denis, *Mussolini's Roman Empire* (Londres, 1976).

_____, *Modern Italy: A Political History* (New Haven, Conn., 1997 [1959]).

Macrakis, Kristie, *Surviving the Swastika: Scientific Research in Nazi Germany* (Nova York, 1993).

Maier, Hans, *Politische Religionen: Die totalitären Regime und das Christentum* (Freiburg, 1995).

Maier, Helmut (ed.), *Rüstungsforschung im Nationalsozialismus: Organisation, Mobilisierung und Entgrenzung der Technikwissenschaften* (Göttingen, 2002).

Mairgünther, Wilfred, *Reichskristallnacht* (Kiel, 1987).

Maiwald, Klaus-Jürgen, *Filmzensur im NS-Staat* (Dortmund, 1983).

Malinowski, Stephan, *Vom König zum Führer: Sozialer Niedergang und politische Radikalisierung im deutschen Adel zwischen Kaiserreich und NS-Staat* (Berlim, 2003).

Mallmann, Klaus-Michael & Gerhard, Paul, *Das zersplitterte Nein: Saarländer gegen Hitler* (Bonn, 1989).

_____, *Herrschaft und Alltag: Ein Industrierevier im Dritten Reich* (Bonn, 1991).

_____, "Omniscient, Omnipotent, Omnipresent? Gestapo, Society and Resistance", in Crew (ed.), *Nazism*, p. 166-96.

_____, *Milieus und Widerstand: Eine Verhaltensgeschichte der Gesellschaft im Nationalsozialismus* (Bonn, 1995).

Manchester, William, *The Arms of Krupp, 1587-1968* (Nova York, 1970 [1968]).

Mandell, Richard D., *The Nazi Olympics* (Londres, 1972 [1971]).

Mann, Reinhard, *Protest und Kontrolle im Dritten Reich: Nationalsozialistische Herrschaft im Alltag einer rheinischen Grossstadt* (Frankfurt am Main, 1987).

Marcon, Helmut, *Arbeitsbeschaffungspolitik der Regierungen Papen und Schleicher: Grundsteinlegung für die Beschäftigungspolitik im Dritten Reich* (Berna, 1974).

Marcus, Joseph, *Social and Political History of the Jews in Poland, 1919-1939* (Berlim, 1983).

Marschalck, Peter, *Bevölkerungsgeschichte Deutschlands im 19. und 20. Jahrhundert* (Frankfurt am Main, 1984).

Marshall-Cornwell, James *et al.* (eds.), *Akten zur deutschen auswärtigen Politik, 1918-1945: Aus den Akten des Deutschen Auswärtigen Amtes* (séries A-E, Baden-Baden, 1951-95).

Marssolek, Inge, "Radio in Deutschland 1923-1960: Zur Sozialgeschichte eines Mediums", *Geschichte und Gesellschaft,* 27 (2001), p. 207-39.

_____, "'Die Zeichen an der Wand'. Denunziation aus der Perspective des jüdischen Alltags im 'Dritten Reich'", *Historical Social Research,* 26 (2001), p. 204-18.

_____ & Saldern, Adelheid von (eds.), *Zuhören und Gehörtwerden,* I: *Radio im Nationalsozialismus: Zwischen Lenkung und Ablenkung* (Tübingen, 1998).

_____, *Radiozeiten: Herrschaft, Alltag, Gesellschaft (1924-1960)* (Potsdam, 1999).

Martens, Stefan, "Die Rolle Hermann Görings in der deutschen Aussenpolitik 1937/38", in Knipping & Müller (eds.), *Machtbewusstsein*, p. 75-82.

_____, *Hermann Göring: "Erster Paladin des Führers" und "Zweiter Mann im Reich"* (Paderborn, 1985).

Marxen, Klaus, *Das Volk und sein Gerichtshof: Eine Studie zum nationalsozialistischen Volksgerichtshof* (Frankfurt am Main, 1994).

Marwell, David G., "Ernst Hanfstaengl: Des 'Führers Klavierspieler'", in Smelser *et al.* (eds.), *Die braune Elite, II: 21 weitere biographische Skizzen*, p. 137-49.

Maschmann, Melita, *Account Rendered: A Dossier on My Former Self* (Londres, 1964).

Mason, Timothy W., "The Primacy of Politics – Politics and Economics in National Socialist Germany", in Woolf (ed.), *The Nature of Fascism*, p. 165-95.

_____, "'The Legacy of 1918 for National Socialism'", in Nicholls & Matthias (eds.), *German Democracy*, p. 215-40.

_____ (ed.), *Arbeiterklasse und Volksgemeinschaft: Dokumente und Materialien zur deutschen Arbeiterpolitik 1936-1939* (Opladen, 1975).

_____, "The Workers' Opposition in Nazi Germany", *History Workshop Journal*, 11 (1987), p. 120-37.

_____, *Social Policy in the Third Reich: The Working Class and the "National Community"* (Providence, RI, 1993 [1977]).

_____, "The Domestic Dynamics of Nazi Conquests: A Response to Critics", in Childers & Caplan (eds.), *Reevaluating the Third Reich*, p. 161-89.

_____, *Nazism, Fascism and the Working Class* (Cambridge, 1995).

_____, "Women in Germany, 1925-1940: Family, Welfare and Work", in idem, *Nazism, Fascism and the Working Class*, p. 131-211.

Mastny, Vojtech, *The Czechs under Nazi Rule: The Failure of National Resistance, 1939-1942* (Londres, 1971).

Matthias, Erich, *Mit dem Gesicht nach Deutschland* (Düsseldorf, 1968).

Matzerath, Horst (ed.), *"...vergessen kann man die Zeit nicht, das ist nicht möglich...": Kölner erinnern sich an die Jahre 1929-1945* (Colônia, 1985).

_____ & Volkmann, Heinrich, "Modernisierungstheorie und Nationalsozialismus", in Kocka (ed.), *Theorien*, p. 86-116.

Maurer, Trude, "The Background for Kristallnacht: The Expulsion of Polish Jews", in Pehle (ed.), *November 1938*, p. 44-72.

Mayer, Paul (ed.), *Ernst Rowohlt in Selbstzeugnissen und Bilddokumenten* (Reinbeck, 1968).

McKee, Ilse, *Tomorrow the World* (Londres, 1960).

McLeod, Hugh, *Piety and Poverty: Working-Class Religion in Berlin, London, and Nova York, 1870-1914* (Nova York, 1996).

_____, *Religion and the People of Western Europe, 1789-1989* (Oxford, 1997 [1981]).

Mead, Margaret & Métraux, Rhoda (eds.), *The Study of Culture at a Distance* (Chicago, 1953).

Medick, Hans & Sabean, David (eds.), *Interest and Emotion: Essays in the Study of Family and Kinship* (Cambridge, 1984).

Meehan, Patricia, *The Unnecessary War: Whitehall and the German Resistance to Hitler* (Londres, 1992).

Mehl, Stefan, *Das Reichsfinanzministerium und die Verfolgung der deutschen Juden, 1933-1943* (Berlim, 1990).

Mehrtens, Herbert, "Entartete Wissenschaft? Naturwissenschaften und Nationalsozialismus", in Siegele-Wenschkewitz & Stuchlik (eds.), *Hochschule*, p. 113-28.

_____, "Kollaborationsverhältnisse: Natur- und Technikwissenschaften im NS-Staat und ihre Historie", in Meinel & Voswinckel (eds.), *Medizin*, p. 13-32.

_____ & Richter, Steffen (eds.), *Naturwissenschaft, Technik und NS-Ideologie: Beiträge zur Wissenschaftsgeschichte des Dritten Reichs* (Frankfurt am Main, 1980).

Meier, Kurt, *Die Deutschen Christen: Das Bild einer Bewegung im Kirchenkampf des Dritten Reiches* (Göttingen, 1964).

Meier-Benneckenstein, Paul (ed.), *Dokumente der deutschen Politik*, IV: *Deutschlands Aufstieg zur Grossmacht 1936* (Berlim, 1937).

Meinel, Christoph & Voswinckel, Peter (eds.), *Medizin, Naturwissenschaft, Technik und Nationalsozialismus: Kontinuitäten und Diskontinuitäten* (Stuttgart, 1994).

Melton, James Van Horn, "Continuities in German Historical Scholarship, 1933-1960", in Lehmann & Melton (eds.), *Paths*, p. 1-18.

Melzer, Emanuel, "The Polish Authorities and the Jewish Question, 1930- -1939", in Greenbaum (ed.), *Minority Problems*, p. 77-81.

Mendelsohn, Ezra, *The Jews of East Central Europe Between the World Wars* (Bloomington, Ind., 1983).

Mendes-Flohr, Paul, "Jewish Cultural Life under National Socialism", in Meyer (ed.), *German-Jewish History*, p. 283-312.

Mensing, Björn, *Pfarrer und Nationalsozialismus: Geschichte einer Verstrickung am Beispiel der Evangelisch-Lutherischen Kirche in Bayern* (Göttingen, 1998).

Menz, Egon, "Sprechchor und Aufmarsch. Zur Entstehung des Thingspiels", in Denkler & Prümm (eds.), *Die deutsche Literatur*, p. 330-46.

Merker, Reinhard, *Die bildenden Künste im Nationalsozialismus: Kulturideologie, Kulturpolitik, Kulturproduktion* (Colônia, 1983).

Merkl, Peter H., *Political Violence under the Swastika: 581 Early Nazis* (Princeton, NJ, 1975).

Merson, Allan, *Communist Resistance in Nazi Germany* (Londres, 1985).

Messerschmidt, Manfred, "Foreign Policy and Preparation for War", in Militärgeschichtliches Forschungsamt (ed.), *Germany*, p. 541-717.

Meyer, Beate, *"Jüdische Mischlinge": Rassenpolitik und Verfolgungserfahrung 1933-1945* (Hamburgo, 1999).

_____, "The Mixed Marriage: A Guarantee of Survival or a Reflection of German Society during the Nazi Regime?", in Bankier (ed.), *Probing*, p. 54-77.

Meyer, Michael, *The Politics of Music in the Third Reich* (Nova York, 1991).

Meyer, Michael A. (ed.), *German-Jewish History in Modern Times* (4 vols., Nova York, 1998 [1996]).

Meyhoff, Andreas, *Blohm und Voss im "Dritten Reich": Eine Hamburger Grossfwerft zwischen Geschäft und Politik* (Hamburgo, 2001).

Meynert, Joachim, *Was vor der "Endlösung" geschah: Antisemitische Ausgrenzung und Verfolgung in Minden-Ravensberg, 1933-1945* (Münster, 1988).

Mezger, Edmund, *Kriminalpolitik auf kriminologischer Grundlage* (Stuttgart, 1934).

Michaelis, Herbert & Schraepler, Ernst (eds.), *Ursachen und Folgen: Vom deutschen Zusammenbruch 1918 und 1945 bis zur staatlichen Neuordnung Deutschlands in der Gegenwart* (25 vols., Berlim, p. 1965-79).

Michalka, Wolfgang, "Conflicts within the German Leadership on the Objectives and Tactics of German Foreign Policy 1933-39", in Mommsen & Kettenacker (eds.), *The Fascist Challenge and the Policy of Appeasement*, p. 48-60.

―――, *Ribbentrop und die deutsche Weltpolitik, 1933-1940: Aussenpolitische Konzeptionen und Entscheidungsprozesse im Dritten Reich* (Munique, 1989 [1980]).

―――, "Joachim von Ribbentrop: From Wine Merchant to Foreign Minister", in Smelser & Zitelmann (eds.), *The Nazi Elite*, p. 165-72.

Milfull, John (ed.), *The Attractions of Fascism: Social Psychology and Aesthetics of the "Triumph of the Right"* (Nova York, 1990).

Militärgeschichtliches Forschungsamt (ed.), *Germany and the Second World War* (10 vols., Oxford, 1990-[1979-]).

Miller, Susanne & Polthoff, Heinrich, *A History of German Social Democracy: From 1848 to the Present* (Leamington Spa, 1986).

Milton, Sybil, "The Expulsion of Polish Jews from Germany October 1938 to July 1939: A Documentation", *Leo Baeck Institute Yearbook*, 29 (1984), p. 169-200.

―――, "Die Konzentrationslager der dreissiger Jahre im Bild der in- und ausländischen Presse", in Herbert et al. (eds.), *Die nationalsozialistischen Konzentrationslager*, p. 135-47.

―――, "'Gypsies' as Social Outsiders in Nazi Germany", in Gellately & Stoltzfus (eds.), *Social Outsiders*, p. 212-32.

Milward, Alan S., "Fascism and the Economy", in Laqueur (ed.), *Fascism: A Reader's Guide*, p. 409-53.

Minuth, Karl-Heinz (ed.), *Akten der Reichskanzlei: Die Regierung Hitler, 1933-1934* (2 vols., Boppard, 1983).
Mockler, Anthony, *Haile Selassie's War* (Oxford, 1984).
Moeller, Felix, *Der Filmminister: Goebbels und der Film im Dritten Reich* (Berlim, 1998).
Möller, Horst, "Nationalsozialistische Wissenschaftsideologie", in Tröger (ed.), *Hochschule*, p. 65-76.
Moltmann, Günter, "Weltherrschaftsideen Hitlers", in Brunner & Gerhard (eds.), *Europa und Übersee*, p. 197-240.
Mommsen, Hans, *Beamtentum im Dritten Reich: Mit ausgewählten Quellen zur nationalsozialistischen Beamtenpolitik* (Stuttgart, 1976).
_____ & Grieger, Manfred, *Das Volkswagenwerk und seine Arbeiter im Dritten Reich* (Düsseldorf, 1996).
_____ & Willems, Susanne (eds.), *Herrschaftsalltag im Dritten Reich: Studien und Texte* (Düsseldorf, 1988).
Mommsen, Wolfgang J. & Kettenacker, Lothar (eds.), *The Fascist Challenge and the Policy of Appeasement* (Londres, 1983).
Montefiore, Simon Sebag, *Stalin: The Court of The Red Tsar* (Londres, 2003).
Morsch, Günter, "Oranienburg-Sachsenhausen, Sachsenhausen-Oranienburg", in Herbert *et al.* (eds.), *Die nationalsozialistischen Konzentrationslager*, p. 111-34.
Morse, Arthur D., *While Six Million Died: A Chronicle of American Apathy* (Nova York, 1967).
Moser, Jonny, "Depriving Jews of Their Legal Rights in The Third Reich", in Pehle (ed.), *November 1938*, p. 127-32.
Mosse, George L. (ed.), *Nazi Culture: Intellectual, Cultural and Social Life in the Third Reich* (Londres, 1966).
_____, *The Nationalization of the Masses: Political Symbolism and Mass Movements in Germany from the Napoleonic Wars through the Third Reich* (Nova York, 1975).
_____ (ed.), *International Fascism: New Thoughts and New Approaches* (Londres, 1979).
Mosse, Werner E., *The German-Jewish Economic Elite, 1820-1935: A Socio--Cultural Profile* (Oxford, 1989).

Mühlen, Patrick von zur, *"Schlagt Hitler an der Saar!": Abstimmungskampf, Emigration und Widerstand im Saargebiet, 1933-1935* (Bonn, 1979).

Müller, Christian, *Das Gewohnheitsverbrechergesetz vom 24. November 1933. Kriminalpolitik als Rassenpolitik* (Baden-Baden, 1997).

─────, "'Modernes' Strafrecht im Nationalsozialismus: Das Gewohnheitsverbrechergesetz vom 24. 11. 1933", in Franz-Josef Düwell & Thomas Bormbaum (eds.), *Themen juristischer Zeitgeschichte*, III (Baden-Baden, 1999), p. 46-70.

Müller, Franz, *Ein "Rechtskatholik" zwischen Kreuz und Hakenkreuz: Franz von Papen als Sonderbevollmächtigter Hitlers in Wien 1934-1938* (Frankfurt am Main, 1990).

Müller, Hans, *Deutsches Bauerntum zwischen Gestern und Morgen* (Witzburg, 1940).

Müller, Ingo, "Nationalsozialistische Sondergerichte. Ihre Stellung im System des deutschen Strafverfahrens", in Bennhold (ed.), *Spuren des Unrechts*, p. 17-34.

Müller, Joachim, *Sterilisation und Gesetzgebung bis 1933* (Husum, 1985).

Müller, Klaus-Jürgen, *Das Heer und Hitler: Armee und nationalsozialistisches Regime 1933-1940* (Stuttgart, 1969).

───── (ed.), *General Ludwig Beck: Studien und Dokumente zur politischmilitärischen Vorstellungswelt und Tätigkeit des Generalstabschefs des deutschen Heeres 1933-1938* (Boppard, 1980).

─────, "Militärpolitik nicht Militäropposition!", *Historische Zeitschrift*, 235 (1982), p. 355-71.

Müller-Waldeck, Gunnar & Ulrich, Roland, *Hans Fallada: Sein Leben in Bildern und Briefen* (Berlim, 1997).

Münkel, Daniela, *Bauern und Nationalsozialismus: Der Landkreis Celle im Dritten Reich* (Bielefeld, 1991).

─────, "Hakenkreuz und 'Blut und Boden'. Bäuerliches Leben im Landkreis Celle 1933-1939", *Zeitschrift für Agrargeschichte und Agrarsoziologie*, 40 (1992), p. 206-47.

─────, *Nationalsozialistische Agrarpolitik und Bauernalltag* (Frankfurt am Main, 1996).

_____, *Der lange Abschied vom Agrarland: Agrarpolitik, Landwirtschaft und ländliche Gesellschaft zwischen Weimar und Bonn* (Göttingen, 2000).

Muskalla, Dieter, *NS-Politik an der Saar unter Josef Bürckel: Gleichschaltung – Neuordnung – Verwaltung* (Saarbrücken, 1995).

Mussgnug, Dorothee, *Die Reichsfluchtsteuer 1931-1933* (Berlim, 1993).

Nelles, Dieter, "Jan Valtins Tagebuch der Hölle – Legende und Wirklichkeit eines Schlüsselromans der Totalitarismustheorie", *1999: Zeitschrift für Sozialgeschichte des 20. und 21. Jahrhunderts*, 9 (1994), p. 11-45.

_____, "Organisation des Terrors im Nationalsozialismus", *Sozialwissenschaftliche Literatur-Rundschau*, 25 (2002), p. 5-28.

_____, "Die Rehabilitation eines Gestapo-Agenten: Richard Krebs/Jan Valtin", *Sozial-Geschichte*, 18 (2003), p. 148-58.

Neugebauer, Wolfgang (ed.), *Widerstand und Verfolgung im Burgenland: Eine Dokumentation* (Viena, 1979).

Neuhäusler, Johann, *Kreuz und Hakenkreuz: Der Kampf des Nationalsozialismus gegen die katholische Kirche und der kirchliche Widerstand* (Munique, 1946).

Neurath, Paul Martin, *Die Gesellschaft des Terrors: Innenansichten der Konzentrationslager Dachau und Buchenwald* (Frankfurt am Main, 2004).

Neville, Peter, *Appeasing Hitler: The Diplomacy of Sir Nevile Henderson, 1937--39* (Basingstoke, 1999).

Newman, Simon, *March 1939: The British Guarantee to Poland: A Study in the Continuity of British Foreign Policy* (Oxford, 1976).

Nicholas, Lynn H., *The Rape of Europa: The Fate of Europe's Treasures in the Third Reich and the Second World War* (Nova York, 1994).

Nicholls, Anthony J. & Matthias, Erich (eds.), *German Democracy and the Triumph of Hitler: Essays in Recent German History* (Londres, 1971).

Nicosia, Francis R., *The Third Reich and the Palestine Question* (Londres, 1985).

_____, "Ein nützlicher Feind: Zionismus im nationalsozialistischen Deutschland 1933-1939", *VfZ* 37 (1989), p. 367-400.

_____ & Lawrence D. Stokes (eds.), *Germans Against Nazism: Nonconformity, Opposition and Resistance in the Third Reich: Essays in Honour of Peter Hoffmann* (Oxford, 1990).

Niedhart, Gottfried & Broderick, George, *Lieder in Politik und Alltag des Nationalsozialismus* (Frankfurt am Main, 1999).

Niemann, Harry & Herman, Armin (eds.), *Die Entwicklung der Motorisierung im Deutschen Reich und den Nachfolgestaaten* (Stuttgart, 1995).

Niemöller, Martin, *From U-boat to Pulpit* (Londres, 1936 [1934]).

_____, *Dahlemer Predigten 1936/37* (Munique, 1981).

Niermann, Hans-Eckhard, *Die Durchsetzung politischer und politisierter Strafjustiz im Dritten Reich* (Düsseldorf, 1995).

Niethammer, Lutz (ed.), *"Die Jahre weiss man nicht, wo man die heute hinsetzen soll": Faschismuserfahrungen im Ruhrgebiet: Lebensgeschichte und Sozialkultur im Ruhrgebiet 1930 bis 1960* (Berlim, 1983).

Nipperdey, Thomas, *Deutsche Geschichte 1866-1918* (2 vols., Munique, 1990).

Niven, William, "The Birth of Nazi Drama? Thing Plays", in London (ed.), *Theatre under the Nazis*, p. 54-95.

Noakes, Jeremy, "The Oldenburg Crucifix Struggle of November 1936: A Case Study of Opposition in the Third Reich", in Stachura (ed.), *The Shaping*, p. 210-33.

_____, "Nazism and Revolution", in Noel O'Sullivan (ed.), *Revolutionary Theory and Political Reality* (Londres, 1983), p. 73-100.

_____, "Nazism and Eugenics: The Background to the Nazi Sterilization Law of 14 July 1933", in Bullen *et al.* (eds.), *Ideas into Politics*, p. 75-94.

_____, "Wohin gehören die 'Judenmischlinge'? Die Entstehung der ersten Durchführungsverordnungen zu den Nürnberger Gesetzen", in Büttner (ed.), *Das Unrechtsrregime*, II, p. 69-89.

_____, "The Origins, Structure and Function of Nazi Terror", in O'Sullivan (ed.), *Terrorism, Ideology and Revolution*, p. 67-87.

_____, "Social Outcasts in the Third Reich", in Bessel (ed.), *Life in the Third Reich*, p. 183-96.

_____, "The Development of Nazi Policy towards the German-Jewish 'Mischlinge', 1933-1945", *Leo Baeck Institute Year Book*, 34 (1989), p. 291-354.

_____ & Geoffrey Pridham (eds.), *Nazism 1919-1945* (4 vols., Exeter, 1983-98 [1974]).

Nitschke, Peter, "Polizei und Gestapo. Vorauseilender Gehorsam oder polykratischer Konflikt?", in Paul & Mallmann (eds.), *Die Gestapo*, p. 306-22.

Noam, Ernst & Kropat, Wolf-Arno (eds.), *Justiz und Judenverfolgung* (2 vols., Wiesbaden, 1975).

Nothnagel, Hans & Dähn, Ewald, *Juden in Suhl: Ein geschichtlicher Überblick* (Konstanz, 1995).

Novick, Peter, *The Holocaust and Collective Memory: The American Experience* (Londres, 2000).

Nye, David E. (ed.), *Technologies of Landscape: From Reaping to Recycling* (Amherst, Mass., 1999).

Obenaus, Herbert, "The Germans: 'An Antisemitic People'. The Press Campaign after 9 November 1938", in Bankier (ed.), *Probing*, p. 147-80.

Oberkrome, Willi, *Volksgeschichte: Methodische Innovation und völkische Ideologisierung in der deutschen Geschichtswissenschaft 1918-1945* (Göttingen, 1992).

Obst, Dieter, *Reichskristallnacht: Ursachen und Verlauf des antisemitischen Pogroms vom November 1938* (Frankfurt am Main, 1991).

Oehler, Christiane, *Die Rechtsprechung des Sondergerichts Mannheim 1933--1945* (Berlim, 1997).

Ogan, Bernd & Weiss, Wolfgang W., *Faszination und Gewalt: Zur politischen Ästhetik des Nationalsozialismus* (Nuremberg, 1992).

O'Neill, Robert J., *The German Army and the Nazi Party 1933-1939* (Londres, 1968 [1966]).

Orth, Karin, *Das System der nationalsozialistischen Konzentrationslager: Eine politische Organisationsgeschichte* (Hamburgo, 1999).

Ortmeyer, Benjamin, *Schulzeit unterm Hitlerbild: Analysen, Berichte, Dokumente* (Frankfurt am Main, 1996).

Osterroth, Franz & Schuster, Dieter, *Chronik der deutschen Sozialdemokratie* (Hanover, 1963).

O'Sullivan, Noel (ed.), *Terrorism, Ideology and Revolution* (Brighton, 1986).

Overy, Richard J., "Cars, Roads, and Economic Recovery in Germany, 1932--1938", *Economic History Review*, 2ª série, 28 (1975), p. 466-83.

_____, "The German Pre-war Production Plans: November 1936-April 1939", *English Historical Review*, 90 (1975), p. 778-97.

_____, "The German *Motorisierung* and Rearmament: A Reply", *Economic History Review*, 32 (1979), p. 107-13.

Overy, Richard J., "Heavy Industry in the Third Reich: The Reichswerke Crisis", *European History Quarterly*, 15 (1985), p. 313-39.

_____, "Unemployment in the Third Reich", *Business History*, 29 (1987), p. 253-82.

_____, *War and Economy in the Third Reich* (Oxford, 1994).

_____, *The Dictators: Hitler's Germany and Stalin's Russia* (Nova York, 2004).

Padover, Saul K., *Experiment in Germany: The Story of an American Intelligence Officer* (Nova York, 1946).

Pahl-Weber, Elke & Schubert, Dirk, "Myth and Reality in National Socialist Town Planning and Architecture: Housing and Urban Development in Hamburg, 1933-45", *Planning Perspectives*, 6 (1991), p. 161-88.

Papen, Franz von, *Memoirs* (Londres, 1952).

Paret, Peter, *An Artist Against the Third Reich: Ernst Barlach, 1933-1938* (Cambridge, 2003).

Parker, Robert A. C., *Chamberlain and Appeasement: British Policy and the Coming of the Second World War* (Londres, 1993).

_____, "Alternatives to Appeasement", in Finney (ed.), *The Origins of the Second World War*, p. 206-21.

_____, *Churchill and Appeasement* (Londres, 2000).

Parkinson, Fred (ed.), *Conquering the Past: Austrian Nazism Yesterday and Today* (Detroit, Mich., 1959).

Pätzold, Kurt & Runge, Irene, *Pogromnacht 1938* (Berlim, 1988).

Paucker, Arnold *et al.* (eds.), *The Jews in Nazi Germany, 1933-1945* (Tübingen, 1986).

Paul, Gerhard, *"Deutsche Mutter – heim zu Dir!": Warum es misslang, Hitler an der Saar zu schlagen: Der Saarkampf 1933-1935* (Colônia, 1984).

_____, *Aufstand der Bilder: Die NS-Propaganda vor 1933* (Bonn, 1990).

_____ & Mallmann, Klaus-Michael, "Auf dem Wege zu einer Sozialgeschichte des Terrors: Eine Zwischenbilanz", in idem (eds.), *Die Gestapo*, p. 3-18.

_____, *Milieus und Widerstand: Eine Verhaltensgeschichte der Gesellschaft im Nationalsozialismus* (Bonn, 1995).

_____ (eds.), *Die Gestapo: Mythos und Realität* (Darmstadt, 1995).

Pauley, Bruce F., *Hitler and the Forgotten Nazis: A History of Austrian National Socialism* (Chapel Hill, NC, 1981).

Pauley, Bruce F., *From Prejudice to Persecution: A History of Austrian Anti-semitism* (Chapel Hill, NC, 1992).

Pehle, Walter H., *November 1938: From "Reichskristallnacht" to Genocide* (Nova York, 1991).

Pentzlin, Heinz, *Hjalmar Schacht: Leben und Wirken einer umstrittenen Persönlichkeit* (Berlim, 1980).

Perkins, John, "Nazi Autarchic Aspirations and the Beet-Sugar Industry, 1933-39", *European History Quarterly*, 29 (1990), p. 497-518.

Perry, Marvin & Schweitzer, Frederick M., *Jewish-Christian Encounters over the Centuries: Symbiosis, Prejudice, Holocaust, Dialogue* (Nova York, 1994).

Petach, Joachim, "Architektur als Weltanschauung: Die Staats- und Parteiarchitektur im Nationalsozialismus", in Ogan & Weiss (eds.), *Faszination und Gewalt*, p. 197-204.

Peter, Karen (ed.), *NS-Presseanweisungen der Vorkriegszeit: Edition und Dokumentation*, V: *1937* (Munique, 1998); VI: *1938* (Munique, 1999).

Peterson, Agnes. F. et al. (eds.), *Himmler: Geheimreden 1933 bis 1945* (Frankfurt am Main, 1974).

Peterson, Edward N., *The Limits of Hitler's Power* (Princeton, N.J., 1969).

Petrick, Fritz, "Eine Untersuchung zur Beseitigung der Arbeitslosigkeit unter der deutschen Jugend in den Jahren von 1933 bis 1935", *Jahrbuch für Wirtschaftsgeschichte* (1967), p. 287-300.

Petropoulos, Jonathan, "A Guide through the Visual Arts Administration of the Third Reich", in Cuomo (ed.), *National Socialist Cultural Policy*, p. 121-53.

_____, *Art as Politics in the Third Reich* (Chapel Hill, NC, 1996).

_____, *The Faustian Bargain: The Art World in Nazi Germany* (Nova York, 2000).

_____, "From Seduction to Denial: Arno Breker's Engagement with National Socialism", in Etlin (ed.), *Art*, p. 205-29.

Petsch, Joachim, "Architektur und Städtebau im Dritten Reich – Anspruch und Wirklichkeit", in Peukert & Reulecke (eds.), *Die Reihen fast geschlossen*, p. 175-98.

Petzina, Dietmar, "Hauptprobleme der deutschen Wirtschaftspolitik 1932/33", *VfZ* 15 (1967), p. 18-55.

_____, *Autarkiepolitik im Dritten Reich: Der nationalsozialistische Vierjahresplan* (1936-42) (Stuttgart, 1968).

_____, *Die deutsche Wirtschaft in der Zwischenkriegszeit* (Wiesbaden, 1977).

_____, "The Extent and Causes of Unemployment in the Weimar Republic", in Stachura (ed.), *Unemployment*, p. 29-48.

_____ et al. (eds.), *Sozialgeschichtliches Arbeitsbuch, III: Materialien zur Statistik des Deutschen Reiches 1914-1945* (Munique, 1978).

Petzold, Joachim, *Franz von Papen: Ein deutsches Verhängnis* (Munique, 1995).

Peukert, Detlev J. K., *Die KPD im Widerstand: Verfolgung und Untergrundarbeit an Rhein und Ruhr 1933 bis 1945* (Wuppertal, 1980).

_____, "Working-Class Resistance: Problems and Options", in Large (ed.), *Contending with Hitler*, p. 35-48.

_____, "The Genesis of the 'Final Solution' from the Spirit of Science", in Childers & Caplan (eds.), *Reevaluating the Third Reich*, p. 234-52.

_____ & Reulecke, Jürgen (eds.), *Die Reihen fast geschlossen: Beiträge zur Geschichte des Alltags unterm Nationalsozialismus* (Wuppertal, 1981).

Peuschel, Harald, *Die Männer um Hitler: Braune Biographien – Martin Bormann, Joseph Goebbels, Hermann Göring, Reinhard Heydrich, Heinrich Himmler und andere* (Düsseldorf, 1982).

Phillips, Marcus S., "The Nazi Control of the German Film Industry", *Journal of European Studies*, 1 (1971), p. 37-68.

Picker, Henry (ed.), *Hitlers Tischgespräche im Führerhauptquartier 1941-42* (Bonn, 1951).

Piekalkiewicz, Janusz, *Polenfeldzug: Hitler und Stalin zerschlagen die Polnische Republik* (Bergisch Gladbach, 1982).

Pikarski, Margot & Uebel, Günter (eds.), *Die KPD lebt! Flugblätter aus dem antifaschistischen Widerstandskampf der KPD 1933-1945* (3 vols., Berlim, 1980-89).

_____, *Gestapo-Berichte über den antifaschistischen Widerstandskampf der KPD 1933 bis 1945* (3 vols., Berlim, 1989-90).

Pine, Lisa, "The Dissemination of Nazi Ideology and Family Virtues through School Textbooks", *History of Education*, 25 (1996), p. 91-110.

Pine, Lisa, *Nazi Family Policy, 1933-1945* (Oxford, 1997).

Pingel, Falk, *Häftlinge unter SS-Herrschaft: Widerstand, Selbstbehauptung und Vernichtung im Konzentrationslager* (Hamburgo, 1978).

_____, "Konzeption und Praxis der nationalsozialistischen Konzentrationslager 1933 bis 1938. Kommentierende Bemerkungen", in Herbert *et al.* (eds.), *Die nationalsozialistischen Konzentrationslager*, p. 148-66.

Plache, Bruno, *Das Raumgefüge der Welt: Erdkundebuch für Schulen mit höheren Lehrzielen*, I: *Deutschland* (Göttingen, 1939).

Plant, Richard, *The Pink Triangle: The Nazi War against Homosexuals* (Edinburgh, 1987 [1986]).

Platner, Geert (ed.), *Schule im Dritten Reich, Erziehung zum Tod? Eine Dokumentation* (Munique, 1983).

Plum, Günter, "Wirtschaft und Erwerbsleben", in Benz (ed.), *Die Juden in Deutschland 1933-1945*, p. 268-313.

Plumpe, Gottfried, *Die I. G. Farbenindustrie AG: Wirtschaft, Technik und Politik 1904-1945* (Berlim, 1990).

_____, "Antwort auf Peter Hayes", *Geschichte und Gesellschaft*, 18 (1992), p. 526-32.

Plumpe, Werner & Kleinschmidt, Christian (eds.), *Unternehmen zwischen Markt und Macht: Aspekte deutscher Unternehmens- und Industriegeschichte im 20. Jahrhundert* (Essen, 1992).

Pöggeler, Franz, "Politische Inhalte in Fibeln und Lesebüchern des 'Dritten Reiches'", in Hohmann (ed.), *Erster Weltkrieg*, p. 75-104.

Pohle, Heinz, *Der Rundfunk als Instrument der Politik: Zur Geschichte des Rundfunks von 1923 bis 1928* (Hamburgo, 1955).

Pois, Robert A., *National Socialism and the Religion of Nature* (Londres, 1986).

Poliakov, Léon & Wulf, Josef (eds.), *Das Dritte Reich und seine Denker: Dokumente* (Berlim, 1959).

Poller, Walter, *Arztschreiber in Buchenwald: Bericht des Häftlings 996 aus Block 36* (Hamburgo, 1946).

Polster, Bernd, *Swing Heil: Jazz im Nationalsozialismus* (Berlim, 1989).

Pommerin, Reiner, *"Sterilisierung der Rheinlandbastarde": Das Schicksal einer farbigen deutschen Minderheit 1918-1937* (Düsseldorf, 1979).

Potter, Pamela M., "The Nazi 'Seizure' of the Berlin Philharmonic, or the Decline of a Bourgeois Musical Institution', in Cuomo (ed.), *National Socialist Cultural Policy*, p. 39-65.

_____, *Most German of the Arts: Musicology and Society from the Weimar Republic to the End of Hitler's Reich* (New Haven, Conn., 1998).

Prantl, Helmut (ed.), *Die kirchliche Lage in Bayern nach den Regierungspräsidentenberichten 1933-1943, V: Regierungsbezirk Pfalz 1933-1940* (Mainz, 1978).

Preston, Paul, *The Spanish Civil War, 1936-39* (Londres, 1986).

_____, *Franco: A Biography* (Londres, 1993).

_____ & Mackenzie, Anne L. (eds.), *The Republic Besieged: Civil War in Spain 1936-1939* (Edinburgo, 1996).

Prieberg, Fred K., *Musik im NS-Staat* (Frankfurt am Main, 1982).

_____, *Trial of Strength: Wilhelm Furtwängler in the Third Reich* (Londres, 1991 [1986]).

Prinz, Michael, *Vom neuen Mittelstand zum Volksgenossen: Die Entwicklung des sozialen Status der Angestellten von der Weimarer Republik bis zum Ende der NS-Zeit* (Munique, 1986).

Prinzhorn, Hans, *Bildnerei der Geisteskranken: Ein Beitrag zur Psychologie und Psychopathologie der Gestaltung* (Berlim, 1922).

Probst, Volker, *Der Bildhauer Arno Breker* (Bonn, 1978).

Proctor, Robert N., *Racial Hygiene: Medicine under the Nazis* (Londres, 1988).

_____, *The Nazi War on Cancer* (Princeton, NJ, 1999).

Prümm, Karl, "Das Erbe der Front. Der antidemokratische Kriegsroman der Weimarer Republik und seine nationalsozialistische Fortsetzung", in Denkler & Prümm (eds.), *Die deutsche Literatur*, p. 138-64.

Przyrembel, Alexandra, *"Rassenschande": Reinheitsmythos und Vernichtungslegitimation im Nationalsozialismus* (Göttingen, 2003).

Pyta, Wolfram, *Dorfgemeinschaft und Parteipolitik, 1918-1933: Die Verschränkung von Milieu und Parteien in den protestantischen Landgebieten Deutschlands in der Weimarer Republik* (Düsseldorf, 1996).

Quine, Maria S., *Population Politics in Twentieth-Century Europe: Fascist Dictatorships and Liberal Democracies* (Londres, 1996).

Rabinbach, Anson G., "Toward a Marxist Theory of Fascism and National Socialism", *New German Critique*, 1 (1974), p. 127-53.

_____, "The Aesthetics of Production in the Third Reich", in Mosse (ed.), *International Fascism*, p. 189-222.

Rabinovici, Doron, "Expediting Expropriation and Expulsion: The Impact of the 'Vienna Model' on Anti-Jewish Policies in Nazi Germany, 1938", *Holocaust and Genocide Studies*, 14 (2000), p. 390-414.

_____, *Instanzen der Ohnmacht: Wien 1938-1945: Der Weg zum Judenrat* (Frankfurt am Main, 2000).

Rainbird, Sean (ed.), *Max Beckmann* (Nova York, 2003).

Raitz von Frentz, Christian, *A Lesson Forgotten: Minority Protection under the League of Nations: The Case of the German Minority in Poland, 1920-1934* (Münster, 2000).

Rammstedt, Otthein, "Theorie und Empirie des Volksfeindes. Zur Entwicklung einer 'deutschen Soziologie'", in Lundgreen (ed.), *Wissenschaft*, p. 253-313.

Rave, Paul Ortwin, *Kunstdiktatur im Dritten Reich* (Hamburgo, 1949).

Read, Anthony & Fisher, David, *The Deadly Embrace: Hitler, Stalin, and the Nazi-Soviet Pact, 1939-1941* (Londres, 1988).

_____, *Kristallnacht: Unleashing the Holocaust* (Londres, 1989).

Rebentisch, Dieter, "Die 'politische Beurteilung' als Herrschaftsinstrument der NSDAP", in Peukert & Reulecke (eds.), *Die Reihen fast geschlossen*, 107-28.

Reck, Friedrich, *Bockelson: Geschichte eines Messenwahns* (Stuttgart, 1968 [1937]).

_____, *Diary of a Man in Despair* (Londres, 2000 [1966]).

Reese, Dagmar & Sachse, Carola, "Frauenforschung zum Nationalsozialismus. Eine Bilanz", in Gravenhorst & Tatschmurat (eds.), *Töchter-Fragen*, p. 73-106.

Regge, Jürgen & Schubert, Werner (eds.), *Quellen zur Reform des Straf- und Strafprozessrechts, 2. Abteilung: NS-Zeit (1933-1939) – Strafgesetzbuch*, I: *Entwürfe eines Strafgesetzbuchs*; II: *Protokolle der Strafrechtskommission des Reichsjustizministeriums* (2 vols., Berlim, 1988-89).

Reich, Simon, *The Fruits of Fascism: Postwar Prosperity in Historical Perspective* (Ithaca, NY, 1990).

Reichel, Peter, *Der schöne Schein des Dritten Reiches: Faszination und Gewalt des Faschismus* (Munique, 1992).

_____, "'Volksgemeinschaft' und Führer-Mythos", in Ogan & Weiss (eds.), *Faszination und Gewalt*, p. 137-50.

Reichl, Johannes M., *Das Thingspiel: Über den Versuch eines nationalsozialistischen Lehrstück-Theaters (Euringer – Heynick – Möller)* (Frankfurt, 1998).

Reichsjugendführung, *HJ im Dienst, Ausbildungsvorschrift für die Ertüchtigung der deutschen Jugend* (Berlim, 1935).

Reif, Heinz, *Adel im 19. und 20. Jahrhundert* (Munique, 1999).

_____ (ed.), *Adel und Bürgertum in Deutschland*, II: *Entwicklergslinien und Wendepunkte im 20. Jahrhundert* (Berlim, 2001).

Reinharz, Jehuda & Schatzberg, Walter (eds.), *The Jewish Response to German Culture: From the Enlightenment to the Second World War* (Hanover, NH, 1985).

Remane, Horst, "Conrad Weygand und die 'Deutsche Chemie'", in Meinel & Voswinckel (eds.), *Medizin*, p. 183-91.

Remy, Steven P., *The Heidelberg Myth: The Nazification and Denazification of a German University* (Cambridge, Mass., 2002).

Rentschler, Eric, *The Ministry of Illusion: Nazi Cinema and its Afterlife* (Cambridge, Mass., 1996).

Resse, Dagmar, "Bund Deutscher Mädel. Zur Geschichte der weiblichen deutschen Jugend im Dritten Reich", in Frauengruppe Faschismusforschung (ed.), *Mutterkreuz*, p. 163-87.

Reuband, Karl-Heinz, "Denunziation im Dritten Reich. Die Bedeutung von Systemunterstützung und Gelegenheitsstrukturen", *Historical Social Research*, 26 (2001), p. 219-34.

Reuth, Ralf Georg, *Goebbels: Eine Biographie* (Munique, 1990).

Reynolds, David, *In Command of History: Churchill Fighting and Writing the Second World War* (Londres, 2004).

Rheinland-Pfalz, Ministerium der Justiz (ed.), *Justiz im Dritten Reich: NS- -Sondergerichtsverfahren in Rheinland-Pfalz: Eine Dokumentation* (3 vols., Frankfurt am Main, 1994).

Rhodes, James M., *The Hitler Movement: A Modern Millenarian Revolution* (Stanford, 1980).

Ribbe, Wolfgang (ed.), *Die Lageberichte der Geheimen Staatspolizei über die Provinz Brandenburg und die Reichshauptstadt Berlin 1933 bis 1936*, I: *Der Regierungsbezirk Potsdam* (Colônia, 1998).

Ribbentrop, Joachim von, *The Ribbentrop Memoirs* (Londres, 1954 [1953]).

Ribhegge, Wilhelm, *Geschichte der Universität Münster: Europa in Westfalen* (Münster, 1985).

Richardi, Hans-Günter, *Schule der Gewalt: Das Konzentrationslager Dachau 1933-1934* (Munique, 1983).

Richards, Donald Ray, *The German Bestseller in the Twentieth Century: A Complete Bibliography and Analysis, 1915-1940* (Berna, 1968).

Richarz, Monika, *Jüdisches Leben in Deutschland: Selbstzeugnisse zur Sozialgeschichte 1918-1945* (3 vols., Stuttgart, 1982).

Richter, Steffen, "Die 'Deutsche Physik'", in Mehrtens & Richter (eds.), *Naturwissenschaft*, p. 116-41.

Riefenstahl, Leni, *Memoiren 1902-1945* (Berlim, 1990 [1987]).

Riethmüller, Albrecht, "Stefan Zweig and the Fall of the Reich Music Chamber President Richard Strauss", in Kater & Riethmüller (eds.), *Music and Nazism*, p. 269-91.

Rigg, Bryan Mark, *Hitler's Jewish Soldiers: The Untold Story of Nazi Racial Laws and Men of Jewish Descent in the German Military* (Lawrence, Kans., 2002).

Rinser, Luise, *Saturn auf der Sonne* (Frankfurt am Main, 1994).

Ritchie, James M., *Gottfried Benn: The Unreconstructed Expressionist* (Londres, 1972).

_____, *German Literature under National Socialism* (Londres, 1983).

Ritschl, Albrecht, *Deutschlands Krise und Konjunktur 1924-1934: Binnenkonjunktur, Auslandsverschuldung und Reparationsproblem zwischen Dawes-Plan und Transfersperre* (Berlim, 2002).

Ritter, Gerhard, "Die deutschen Historikertage", *Geschichte in Wissenschaft und Unterricht*, 4 (1953), p. 513-21.

Robbins, Keith, *Munich 1938* (Londres, 1968).

Roberts, Geoffrey K., *The Unholy Alliance: Stalin's Pact with Hitler* (Londres, 1991).

Rohde, Horst, "Hitler's First Blitzkrieg and Its Consequences for North-eastern Europe", in Militärgeschichtliches Forschungsamt (ed.), *Germany*, II, p. 67-150.

Röhr, Werner, "Über die Initiative zur terroristischen Gewalt der Gestapo – Fragen und Einwände zu Gerhard Paul', in idem & Brigitte Berlekamp (eds.), *Terror, Herrschaft und Alltag im Nationalsozialismus: Probleme der Sozialgeschichte des deutschen Faschismus* (Münster, 1995), p. 211-24.

Roos, Hans, *A History of Modern Poland: From the Foundation of the State in the First World War to the Present Day* (Londres, 1966 [1961]).

Rosenberg, Alfred, *Blut und Ehre: Ein Kampf für deutsche Wiedergeburt: Reden und Aufsätze von 1919-1933* (Munique, 1934).

_____, *Der Mythos des 20. Jahrhunderts: Eine Wertung der seelisch-geistigen Gestaltenkämpfe unserer Zeit* (Munique, 1935).

Rosenkranz, Herbert, *Verfolgung und Selbstbehauptung: Die Juden in Österreich 1938-1945* (Viena, 1978).

Rosenstock, Werner, "Exodus 1933-1939: A Survey of Jewish Emigration from Germany", *Leo Baeck Institute Yearbook*, 1 (1956), p. 373-90.

Rösgen, Hans Jürgen, *Die Auflösung der katholischen Studentenverbände im Dritten Reich* (Bochum, 1995).

Ross, Dieter, *Hitler und Dollfuss: Die deutsche Österreich-Politik, 1933-1934* (Hamburgo, 1966).

Rossmeissl, Dieter, *"Ganz Deutschland wird zum Führer halten..."*: *Zur politischen Erziehung in den Schulen des Dritten Reiches* (Frankfurt am Main, 1985).

Rostock, Jürgen & Zadnicek, Franz, *Paradiesruinen: Das KdF-Seebad der Zwanzigtausend auf Rügen* (Berlim, 1997 [1992]).

Rothfels, Hans, *Ostraum Preussentum und Reichsgedanke: Historische Abhandlungen, Vorträge und Reden* (Leipzig, 1935).

Rüger, Maria (ed.), *Kunst und Kunstkritik der dreissiger Jahre: 29 Standpunkte zu künstlerischen und ästhetischen Prozessen und Kontroversen* (Dresden, 1990).

Ruhnau, Rüdiger, *Die Freie Stadt Danzig, 1919-1939* (Berg am See, 1979).

Runzheimer, Jürgen, "Der Überfall auf den Sender Gleiwitz im Jahre 1939", *VfZ* 10 (1962), p. 408-26.

Rürup, Reinhard (ed.), *Jüdische Geschichte in Berlin* (Berlim, 1995).

Sachse, Carola, *Industrial Housewives: Women's Social Work in the Factories in Nazi Germany* (Londres, 1987).

Safrian, Hans, *Die Eichmann-Männer* (Viena, 1992).

_____, "Expediting Expropriation and Expulsion: The Impact of the 'Vienna Model' on Anti-Jewish Policies in Nazi Germany, 1938", *Holocaust and Genocide Studies*, 14 (2000), p. 390-414.

Saldern, Adelheid von, *Mittelstand im 'Dritten Reich': Handwerker – Einzelhändler – Bauern* (Frankfurt am Main, 1985 [1979]).

_____, "'Alter Mittelstand' im 'Dritten Reich'. Anmerkungen zu einer Kontroverse", *Geschichte und Gesellschaft*, 12 (1986), p. 235-43.

_____, "Victims or Perpetrators? Controversies about the Role of Women in the Nazi State", in Crew (ed.), *Nazism*, p. 141-65.

_____, "'Art for the People': From Cultural Conservatism to Nazi Cultural Policies", in idem, *The Challenge of Modernity*, p. 299-347.

Saldern, Adelheid von, *The Challenge of Modernity: German Social and Cultural Studies, 1890-1960* (Ann Arbor, 2002).

Salewski, Michael, *Die deutsche Seekriegsleitung 1935-1945* (3 vols., Frankfurt am Main, 1970-75).

Sänger, Fritz, *Politik der Täuschungen. Missbrauch der Presse im Dritten Reich: Weisungen, Informationen, Notizen, 1933-1939* (Viena, 1975).

Sasuly, Richard, *I. G. Farben* (Nova York, 1947).

Sauer, Paul (ed.), *Die Schicksale der jüdischen Bürger Baden-Württembergs während der nationalsozialistischen Verfolgungszeit 1933-1945* (Stuttgart, 1969).

Sauerbruch, Ferdinand, *Das war mein Leben* (Bad Wörishofen, 1951).

Sbacchi, Alberto, *Legacy of Bitterness: Ethiopia and Fascist Italy, 1935-1941* (Lawrenceville, NJ, 1997).

Schaafhausen, Frederick W., *Das Auslandsdeutschtum* (Colônia, 1934).

Schaary, David, "The Romanian Authorities and the Jewish Communities in Romania between the Two World Wars', in Greenbaum (ed.), *Minority Problems*, p. 89-95.

Schacht, Hjalmar H. G., *My First Seventy-Six Years: The Autobiography of Hjalmar Schacht* (Londres, 1955).

Schadt, Jörg (ed.), *Verfolgung und Widerstand unter dem Nationalsozialismus in Baden: Die Lageberichte der Gestapo und des Generalstaatsanwalts Karlsruhe, 1933-1940* (Stuttgart, 1976).

Schäfer, Hans Dieter, *Das gespaltene Bewusstsein: Über deutsche Kultur und Lebenswirklichkeit 1933-1945* (Munique, 1982).

Schausberger, Norbert, *Der Griff nach Österreich: Der Anschluss* (Viena, 1978).

_____, "Wirtschaftliche Aspekte des Anschlusses Österreichs an das Deutsche Reich (Dokumentation)", *Militärgeschichtliche Mitteilungen*, 8 (1970), p. 133-64.

Schemm, Hans, *Hans Schemm spricht: Seine Reden und sein Werk* (Bayreuth, 1941 [1935]).

Schenkendorf, Leopold von & Hoffmann, Heinrich, *Kampf um's dritte Reich: Eine historische Bilderfolge* (Altona-Bahrenfeld, 1933).

Scherer, Klaus, *"Asoziale" im Dritten Reich: Die vergessenen Verfolgten* (Münster, 1990).

Schirach, Baldur von, *Die Hitler-Jugend: Idee und Gestalt* (Leipzig, 1938 [1934]).

Schleier, Hans, "Die Historische Zeitschrift 1918-1943", in Streisand (ed.), *Studien über die deutsche Geschichtswissenschaft*, II, p. 51-302.

_____, "German Historiography under National Socialism: Dreams of a Powerful Nation-state and German Volkstum Come True", in Berger *et al.* (eds.), *Writing National Histories*, p. 176-88.

Schleiermacher, Sabine, *Sozialethik im Spannungsfeld von Sozial- und Rassenhygiene: Der Mediziner Hans Harmsen im Centralausschuss für die Innere Mission* (Husum, 1998).

Schliebs, Siegfried, "Verboten, verbrannt, verfolgt... Wolfgang Herrmann und seine 'Schwarze Liste: Schöne Literatur' vom Mai 1933. Der Fall des Volksbibliothekars Dr Wolfgang Herrmann", in Haarmann *et al.* (eds.), *"Das war ein Vorspiel nur..."*, p. 442-54.

Schlotterbeck, Friedrich, *The Darker the Night, The Brighter The Stars: A German Worker Remembers (1933-1945)* (Londres, 1947).

Schlüter, Holger, *Die Urteilspraxis des nationalsozialistischen Volksgerichtshofs* (Berlim, 1995).

Schmädeke, Jürgen & Steinbach, Peter (eds.), *Der Widerstand gegen den Nationalsozialismus: Die deutsche Gesellschaft und der Widerstand gegen Hitler* (Munique, 1986).

Schmeer, Karlheinz, *Die Regie des öffentlichen Lebens im Dritten Reich* (Munique, 1956).

Schmid, Hans-Dieter, "'Anständige Beamte' und 'üble Schläger'. Die Staatspolizeileitstelle Hannover", in Paul & Mallmann (eds.), *Die Gestapo*, p. 133-60.

Schmidl, Erwin A., *März 38: Der deutsche Einmarsch in Österreich* (Viena, 1987).

Schmidt, Herbert, *"Beabsichtige ich die Todesstrafe zu beantragen": Die nationalsozialistische Sondergerichtsbarkeit im Oberlandesgerichtsbezirk Düsseldorf 1933-1945* (Essen, 1998).

Schmidt, Jürgen, *Martin Niemöller im Kirchenkampf* (Hamburgo, 1971).

Schmidt, Uta C., "Der Volksempfänger: Tabernakel moderner Massenkultur", in Marssolek & von Saldern (eds.), *Radiozeiten*, p. 136-59.

Schmidt-Schönbeck, Charlotte, *300 Jahre Physik und Astronomie an der Kieler Universität* (Kiel, 1965).

Schmiechen-Ackermann, Detlef, *Anpassung, Verweigerung, Widerstand: Soziale Milieus, politische Kultur und der Widerstand gegen den*

Nationalsozialismus in Deutschland im regionalen Vergleich (Berlim, 1997).

_____, *Kooperation und Abgrenzung: Bürgerliche Gruppen, evangelische Kirchengemeinden und katholisches Sozialmilieu in der Auseinandersetzung mit dem Nationalsozialismus in Hannover* (Hanover, 1999).

_____, "Der 'Blockwart'. Die unteren Parteifunktionäre im nationalsozialistischen Terror- und Überwachungsapparat", *VfZ* 48 (2000), p. 575-602.

Schmoldt, Benno (ed.), *Schule in Berlin: Gestern und heute* (Berlim, 1989).

Schmuhl, Hans-Walter, *Rassenhygiene, Nationalsozialismus, Euthanasie: Von der Verhütung zur Vernichtung "lebensunwerten Lebens", 1890-1945* (Göttingen, 1987).

Schmutzer, Reinhard, "Der Wahlsieg der Sudetendeutsche Partei: Die Legende von der faschistischen Bekenntniswahl", *Zeitschrift für Ostforschung*, 41 (1992), p. 345-84.

Schnass, Franz, *Nationalpolitische Heimat- und Erdkunde, eine lebensnahe Methodik* (Osterwieck am Harz, 1938).

Schneider, Christian et al., *Das Erbe der NAPOLA: Versuch einer Generationengeschichte des Nationalsozialismus* (Hamburgo, 1996).

Schneider, Michael, "The Development of State Work Creation Policy in Germany, 1930-1933", in Stachura (ed.), *Unemployment*, p. 163-86.

_____, *"Unterm Hakenkreuz": Arbeiter und Arbeiterbewegung 1933 bis 1939* (Bonn, 1999).

Schneider, Thomas Martin, *Reichsbischof Ludwig Müller: Eine Untersuchung zu Leben, Werk und Persönlichkeit* (Göttingen, 1993).

Schneider, Tobias, "Bestseller im Dritten Reich. Ermittlung und Analyse der meistverkauften Romane in Deutschland 1933-1944", *VfZ* 52 (2004), p. 77-97.

Schnell, Ralf, *Literarische innere Emigration: 1933-1945* (Stuttgart, 1976).

Schnorbach, Hermann, *Lehrer und Schule unterm Hakenkreuz: Dokumente des Widerstands von 1930 bis 1945* (Königstein im Taunus, 1983).

Schoenbaum, David, *Hitler's Social Revolution: Class and Status in Nazi Germany, 1933-1939* (Londres, 1967).

Scholder, Klaus, *Die Kirchen und das Dritte Reich*, I: *Vorgeschichte und Zeit der Illusionen 1918-1934* (Frankfurt am Main, 1977).

_____, *Die Kirchen und das Dritte Reich*, II: *Das Jahr der Ernüchterung 1934: Barmen und Rom* (Berlim, 1985).

Scholtz, Harald, *NS-Ausleseschulen: Internatsschulen als Herrschaftsmittel des Führerstaates* (Göttingen, 1973).

Schönberger, Angela, *Die neue Reichskanzlei von Albert Speer: Zum Zusammenhang von nationalsozialistischer Ideologie und Architektur* (Berlim, 1981).

Schönhagen, Benigna, *Tübingen unterm Hakenkreuz: Eine Universitätsstadt in der Zeit des Nationalsozialismus* (Tübingen, 1991).

Schönwälder, Karen, *Historiker und Politik: Geschichtswissenschaft im Nationalsozialismus* (Frankfurt am Main, 1992).

Schopf, Roland, "Von Nibelungentreue, Märtyrertod und verschwörerischer Verschwiegenheit", in Hohmann (ed.), *Erster Weltkrieg*, p. 194-214.

Schoppmann, Claudia, *Days of Masquerade: Life Stories of Lesbian Women during the Third Reich* (Nova York, 1996 [1993]).

Schöttler, Peter, *Geschichtsschreibung als Legitimationswissenschaft 1918-1945* (Frankfurt am Main, 1997).

Schröder, Gerald, "Die 'Wiedergeburt' der Pharmazie – 1933 bis 1934", in Mehrtens & Richter (eds.), *Naturwissenschaft*, p. 166-88.

Schubert, Dirk, "'...Ein neues Hamburg entsteht...'. Planungen in der 'Führerstadt' Hamburg zwischen 1933-1945", in Hartmut Frank (ed.), *Faschistische Architekturen*, p. 299-318.

Schubert, Giselher, "The Aesthetic Premises of a Nazi Conception of Music", in Kater & Riethmüller (eds.), *Music and Nazism*, p. 64-74.

Schuker, Stephen A., "France and the Remilitarization of the Rhineland, 1936", *French Historical Studies*, 14 (1986), 299-338. (Também em Finney (ed.), *The Origins of the Second World War*, p. 222-44.)

Schulte-Sasse, Linda, *Entertaining the Third Reich: Illusions of Wholeness in Nazi Cinema* (Durham, NC, 1996).

Schultheis, Herbert, *Die Reichskristallnacht in Deutschland nach Augenzeugenberichten* (Bad Neustadt an der Saale, 1985).

Schulz, Günther, *Die Angestellten seit dem 19. Jahrhundert* (Munique, 2000).

Schulze, Winfried, *Deutsche Geschichtswissenschaft nach 1945* (Munique, 1989).

_____, "German Historiography from the 1930s to the 1950s", in Lehmann & Melton (eds.), *Paths*, p. 19-42.

Schumann, Hans Gerd, *Nationalsozialismus und Gewerkschaftsbewegung: Die Vernichtung der deutschen Gewerkschaften und der Aufbau der "Deutschen Arbeitsfront"* (Hanover, 1958).

Schuschnigg, Kurt, et al., *Austrian Requiem* (Londres, 1947).

Schuster, Peter-Klaus (ed.), *Die "Kunststadt" München 1937: Nationalsozialismus und "entartete Kunst"* (Munique, 1988).

Schütz, Erhard H. & Gruber, Eckard, *Mythos Reichsautobahn: Bau und Inszenierung der "Strassen des Führers" 1933-1941* (Berlim, 1996).

Schwabe, Klaus, "Change and Continuity in German Historiography from 1933 into the Early 1950s: Gerhard Ritter (1888-1967)", in Lehmann & Melton (eds.), *Paths*, p. 82-108.

Schwartz, Michael, "Bauern vor dem Sondergericht. Resistenz und Verfolgung im bäuerlichen Milieu Westfalens", in Faust (ed.), *Verfolgung und Widerstand*, p. 113-23.

_____, *Sozialistische Eugenik: Eugenische Sozialtechnologien in Debatten und Politik der deutschen Sozialdemokratie 1890-1933* (Bonn, 1995).

Schwarzwäller, Wulf C., *The Unknown Hitler: His Private Life and Fortune* (Bethesda, Md., 1989 [1986]).

Schweitzer, Arthur, "Der ursprüngliche Vierjahresplan", *Jahrbücher für Nationalökonomie und Statistik*, 160 (1956), p. 348-96.

_____, *Big Business in the Third Reich* (Bloomington, Ind., 1964).

Schwingl, Georg, *Die Pervertierung der Schule im Nationalsozialismus: Ein Beitrag zum Begriff "Totalitäre Erziehung"* (Regensburg, 1993).

Scobie, Alex, *Hitler's State Architecture: The Impact of Classical Antiquity* (Filadélfia, Pa., 1990).

Seeger, Andreas, "Vom bayerischen 'Systembeamten' zum Chef der Gestapo. Zur Person und Tätigkeit Heinrich Müllers (1900-1945)", in Paul & Mallmann (eds.), *Die Gestapo*, p. 255-67.

Seidler, Franz Wilhelm, *Fritz Todt: Baumeister des Dritten Reiches* (Munique, 1986).

_____, "Fritz Todt: From Motorway Builder to Minister of State", in Smelser & Zitelmann (eds.), *The Nazi Elite*, p. 245-56.

Seier, Hellmut, "Der Rektor als Führer. Zur Hochschulpolitik des Reichserziehungsministeriums 1934-1945", *VfZ* 12 (1964), p. 105-46.

_____, "Nationalsozialistisches Wissenschaftsverständnis und Hochschulpolitik", in Siegele-Wenschkewitz & Stuchlik (eds.), *Hochschule*, p. 5-21.

Semmens, Kristin A., *Seeing Hitler's Germany: Tourism in The Third Reich* (Londres, 2005).

Sereny, Gitta, *Albert Speer: His Battle with Truth* (Londres, 1995).

Service, Robert, *Stalin: A Biography* (Londres, 2004).

Seton-Watson, Hugh, *Eastern Europe between the Wars, 1918-1941* (Nova York, 1967 [1945]).

Shand, James, "The *Reichsautobahn*: Symbol for the Third Reich", *Journal of Contemporary History*, 19 (1984), p. 189-200.

Shapiro, Paul A., "Prelude to Dictatorship in Romania: The National Christian Party in Power, December 1937-February 1938", *Canadian-American Slavic Studies*, 8 (1974), p. 45-88.

Sherman, A. Joshua, *Island Refuge: Britain and Refugees from the Third Reich, 1933-1939* (Londres, 1973).

Sherman, A. Joshua, "A Jewish Bank during the Schacht Era: M. M. Warburg & Co., 1933-1938", in Paucker (ed.), *The Jews in Nazi Germany 1933--1943*, p. 16-76.

Shirer, William L., *Berlin Diary: The Journal of a Foreign Correspondent, 1934--1941* (Londres, 1970 [1941]).

Siegele-Wenschkewitz, Leonore & Stuchlik, Gerda, *Hochschule und Nationalsozialismus: Wissenschaftsgeschichte und Wissenschaftsbetrieb als Thema der Zeitgeschichte* (Frankfurt am Main, 1990).

Siegert, Toni, "Das Konzentrationslager Flossenbürg, gegründet für sogenannte Asoziale und Kriminelle", in Broszat *et al.* (eds.), *Bayern*, II, p. 429-93.

Siemsen, Hans, *Die Geschichte des Hitlerjungen Adolf Goers* (Düsseldorf, 1947).

Silverman, Dan P., "A Pledge Unredeemed: The Housing Crisis in Weimar Germany", *Central European History*, 3 (1970), p. 119-20.

_____, *Hitler's Economy: Nazi Work Creation Programs, 1933-1936* (Londres, 1998).

Skrentny, Werner, *Hamburg zu Fuss: 20 Stadtteilrundgänge durch Geschichte und Gegenwart* (Hamburgo, 1986).

Smelser, Ronald M., *The Sudeten Problem, 1933-1938: Volkstumspolitik and the Formulation of Nazi Foreign Policy* (Folkestone, 1975).

_____, *Robert Ley: Hitler's Labor Front Leader* (Oxford, 1988).

_____, "Robert Ley: The Brown Collectivist", in idem & Zitelmann (eds.), *The Nazi Elite*, p. 144-54.

_____ & Zitelmann, Rainer (eds.), *The Nazi Elite* (Basingstoke, 1993 [1989]).

Smelser, Ronald M. et al. (eds.), *Die Braune Elite*, II: *21 weitere biographische Skizzen* (Darmstadt, 1993).

Smith, Bradley F., "Die Überlieferung der Hossbach-Niederschrift im Lichte neuer Quellen", *VfZ* 38 (1990), p. 329-36.

_____ & Peterson, Agnes F. (eds.), *Heinrich Himmler: Geheimreden 1933-1945* (Frankfurt am Main, 1974).

Smith, Helmut Walser, *German Nationalism and Religious Conflict: Culture, Ideology, Politics, 1870-1914* (Princeton, NJ, 1995).

_____ (ed.), *Protestants, Catholics, and Jews in Germany, 1800-1914* (Oxford, 2001).

Sneeringer, Julia, *Winning Women's Votes: Propaganda and Politics in Weimar Germany* (Chapel Hill, NC, 2002).

Sofsky, Wolfgang, *Die Ordnung des Terrors: Das Konzentrationslager* (Frankfurt am Main, 1993).

Solmitz, Luise, *Tagebach* (Staatsarchiv der Freien- und Hansestadt Hamburg, p. 622-1, 111511-13: Familie Solmitz; transcrições em Forschungsstelle für Zeitgemschichte, Hamburgo).

Somary, Felix, *The Raven of Zürich: The Memoirs of Felix Somary* (Londres, 1986).

Sommer, Theo, *Deutschland und Japan zwischen den Mächten, 1935-1940: Vom Antikominternpakt zum Dreimächtepakt: Eine Studie zur diplomatischen Vorgeschichte des Zweiten Weltkriegs* (Tübingen, 1962).

Sontag, Susan, "Fascinating Fascism", in Taylor & van der Will (eds.), *The Nazification of Art*, p. 204-18.

Southworth, Herbert R., *Guernica! Guernica!: A Study of Journalism, Diplomacy, Propaganda, and History* (Berkeley, Calif., 1977).

Sowade, Hanno, "Otto Ohlendorf: Non-conformist, SS Leader and Economic Functionary", in Smelser & Zitelmann (eds.), *The Nazi Elite*, p. 155-64.

Sparing, Frank, "The Gypsy Camps: The Creation, Character and Meaning of an Instrument for the Persecution of Sinti and Romanies under National Socialism" in Fings et al., From "Race Science" to the Camps, p. 39-70.

_____, "Zwangskastration im Nationalsozialismus. Das Beispiel der Kriminalbiologischen Sammelstelle Köln", in Peter Busse & Klaus Schreiber (eds.), Kriminalbiologie (Düsseldorf, 1997).

Speer, Albert, Inside the Third Reich: Memoirs (Londres, 1971 [1970]).

Spektorowski, Alberto & Mizrachi, Elisabeth, "Eugenics and the Welfare State in Sweden: The Politics of Social Margins and the Idea of a Productive Society", Journal of Contemporary History, 39 (2004), 333-52.

Spenceley, Geoffrey, "R. J. Overy and the Motorisierung: A Comment", Economic History Review, 32 (1979), p. 100-106.

Spiess, Alfred & Lichtenstein, Heiner, Das Unternehmen Tannenberg: Der Anlass zum Zweiten Weitkrieg (Wiesbaden, 1979).

Spiker, Jürgen, Film und Kapital: Der Weg der deutschen Filmwirtschaft zum nationalsozialistischen Einheitskonzern (Berlim, 1975).

Splitt, Gerhard, Richard Strauss 1933-1935: Ästhetik und Musikpolitik zu Beginn der nationalsozialistischen Herrschaft (Pfaffenweiler, 1987).

Spode, Hasso, "'Der deutsche Arbeiter reist': Massentourismus im Dritten Reich", in Huck (ed.), Sozialgeschichte der Freizeit, p 281-306.

_____, "Ein Seebad für zwanzigtausend Volksgenossen: Zur Grammatik und Geschichte des Fordistischen Urlaubs", in Brenner (ed.), Reisekultur in Deutschland, p. 7-47.

Sponheuer, Bernd, "The National Socialist Discussion on the 'German Quality' in Music", in Kater & Riethmüller (eds.), Music and Nazism, p. 32-42.

Spotts, Frederic, Bayreuth: A History of the Wagner Festival (New Haven, Conn., 1994).

_____, Hitler and the Power of Aesthetics (Londres, 2002).

Stachura, Peter D. (ed.), The Shaping of the Nazi State (Londres, 1978).

_____ (ed.), Unemployment and the Great Depression in Weimar Germany (Londres, 1986).

Stahlmann, Michael, Die erste Revolution in der Autoindustrie: Management und Arbeitspolitik von 1900-1940 (Frankfurt am Main, 1993).

Staritz, Ekkehart, *Deutsches Volk und deutscher Raum: Vom alten Germanien zum Dritten Reich* (Berlim, 1938).
Stasiewski, Bernhard (ed.), *Akten deutscher Bischöfe über die Lage der Kirche, 1933-1945* (6 vols., Mainz, 1968-85).
Statistisches Jahrbuch für das Deutsche Reich, 59 (Berlim, 1941-42).
Stauffer, Paul, *Zwischen Hofmannsthal und Hitler: Carl J. Burckhardt: Facetten einer aussergewöhnlichen Existenz* (Zurique, 1991).
Steer, George L., *Caesar in Abyssinia* (Londres, 1936).
Steigmann-Gall, Richard, *The Holy Reich: Nazi Conceptions of Christianity, 1919-1945* (Cambridge, 2003).
_____, "Was National Socialism a Political Religion or a Religious Politics?", in Geyer & Lehmann (eds.), *Religion und Nation: Nation und Religion*, p. 386-408.
Stein, Leo, *I Was in Hell with Niemoeller* (Londres, 1942).
Steinberg, Hans-Josef, *Widerstand und Verfolgung in Essen, 1933-1945* (Hanover, 1969).
Steinberg, Michael Stephen, *Sabers and Brown Shirts: The German Students' Path to National Socialism, 1918-1935* (Chicago, 1977).
Steinberg, Rolf, *Nazi-Kitsch* (Darmstadt, 1975).
Steinhaus, Hubert, *Hitlers pädagogische Maximen: "Mein Kampf" und die Destruktion der Erziehung im Nationalsozialismus* (Frankfurt am Main, 1981).
Steinweis, Alan E., "Weimar Culture and the Rise of National Socialism: The Kampfbund für deutsche Kultur", *Central European History*, 24 (1991), p. 402-23.
_____, *Art, Ideology and Economics in Nazi Germany: The Reich Chambers of Music, Theater, and the Visual Arts* (Chapel Hill, NC, 1993).
_____, "Cultural Eugenics: Social Policy, Economic Reform, and the Purge of Jews from German Cultural Life", in Cuomo (ed.), *National Socialist Cultural Policy*, p. 23-37.
Stephenson, Jill, *Women in Nazi Society* (Londres, 1975).
_____, "The Nazi Organisation of Women, 1933-1939", in Stachura (ed.), *The Shaping*, p. 186-209.

_____, "*Reichsbund der Kinderreichen*: The League of Large Families in the Population Policy of Nazi Germany", *European Studies Review*, 9 (1979), p. 350-75.

_____, *The Nazi Organization of Women* (Londres, 1981).

_____, "Women's Labor Service in Nazi Germany", *Central European History*, 15 (1982), p. 241-65.

Sternberger, Dolf, *Aus dem Wörterbuch des Unmenschen* (Düsseldorf, 1968 [1957]).

Stibbe, Matthew, *Women in the Third Reich* (Londres, 2003).

Stieg, Margaret F., *Public Libraries in Nazi Germany* (Tuscaloosa, Ala., 1992).

Stites, Richard, *The Women's Liberation Movement in Russia: Feminism, Nihilism, and Bolshevism 1860-1930* (Princeton, NJ, 1978).

_____, *Russian Popular Culture: Entertainment and Society since 1900* (Cambridge, 1992).

Stoakes, Geoffrey, *Hitler and the Quest for World Dominion* (Leamington Spa, 1986).

Stokes, Lawrence D., *Kleinstadt und Nationalsozialismus: Ausgewählte Dokumente zur Geschichte von Eutin, 1918-1945* (Neumünster, 1984).

Stokes, Raymond G., "From the I. G. Farben Fusion to the Establishment of BASF AG (1925-1952)", in Abelshauser *et al.*, *German Industry*, p. 206--361.

Stollmann, Rainer, "Faschistische Politik als Gesamtkunstwerk. Tendenzen der Ästhetisierung des politischen Lebens im Nationalsozialismus", in Denkler & Prümm (eds.), *Die deutsche Literatur*, p. 83-101.

Stoltzfus, Nathan, *Resistance of the Heart: Intermarriage and the Rosenstrasse Protest in Nazi Germany* (Nova York, 1996).

Stommer, Rainer, "'Da oben versinkt einem der Alltag...'. Thingstätten im Dritten Reich als Demonstration der Volksgemeinschaftsideologie", in Peukert & Reulecke (eds.), *Die Reihen fast geschlossen*, p. 149-73.

_____ (ed.), *Reichsautobahn: Pyramiden des Dritten Reichs: Analysen zur Ästhetik eines unbewältigten Mythos* (Marburg, 1982).

_____, *Die inszenierte Volksgemeinschaft: Die "Thing-Bewegung" im Dritten Reich* (Marburg, 1985).

Stone, Marla, *The Patron State: Culture and Politics in Fascist Italy* (Princeton, NJ, 1998).

Storek, Henning, *Dirigierte Öffentlichkeit: Die Zeitung als Herrschaftsmittel in den Anfangsjahren der nationalsozialistischen Regierung* (Opladen, 1972).

Stöver, Bernd, *Volksgemeinschaft im Dritten Reich: Die Konsensbereitschaft der Deutschen aus der Sicht sozialistischer Exilberichte* (Düsseldorf, 1993).

Stöver, Bernd (ed.), *Berichte über die Lage in Deutschland: Die Meldungen der Gruppe Neu Beginnen aus dem Dritten Reich 1933-1936* (Bonn, 1996).

Straumann, Lukas & Wildmann, Daniel, *Schweizer Chemieunternehmen im "Dritten Reich"* (Zurique, 2001).

Strauss, Herbert A., "Jewish Emigration from Germany: Nazi Policies and Jewish Responses", *Leo Baeck Institute Yearbook*, 25 (1980), p. 313-61 e 26 (1981), p. 343-409.

_____, "The Drive for War and the Pogroms of November 1938: Testing Explanatory Models", *Leo Baeck Institute Yearbook*, 35 (1990), 267-78.

Strauss, Werner, "'Das Reichsministerium des Innern und die Judengesetzgebung': Aufzeichnungen von Dr. Bernhard Lösener", *VfZ* 9 (1961), p. 264-313.

Streisand, Joachim (ed.), *Studien über die deutsche Geschichtswissenschaft von 1871 bis 1945* (2 vols., Berlim, 1965, 1969).

Strobl, Gerwin, *The Germanic Isle: Nazi Perceptions of Britain* (Cambridge, 2000).

Strohmeyer, Klaus, *Warenhäuser: Geschichte, Blüte und Untergang im Warenmeer* (Berlim, 1980).

Strothmann, Dietrich, *Nationalsozialistische Literaturpolitik: Ein Beitrag zur Publizistik im Dritten Reich* (Bonn, 1960).

Struve, Walter, *Aufsteig und Herrschaft des Nationalsozialismus in einer industriellen Kleinstadt: Osterode am Harz 1918-1945* (Essen, 1992).

Studnitz, Cecilia von, *Es war wie ein Rausch: Fallada und sein Leben* (Düsseldorf, 1997).

Stümke, Hans-Georg, "Vom 'unausgeglichenen Geschlechtshaushalt': Zur Verfolgung Homosexueller", in Frahm *et al.* (eds.), *Verachtet*, p. 46-63.

_____ & Finkler, Rudi, *Rosa Winkel, rosa Listen: Homosexuelle und "Gesundes Volksempfinden" von Auschwitz bis heute* (Reinbek, 1981).

Suhling, Lothar, "Deutsche Baukunst. Technologie und Ideologie im Industriebau des 'Dritten Reiches'", in Mehrtens & Richter (eds.), *Naturwissenschaft*, p. 243-81.

Suhr, Elke, *Die Emslandlager: Die politische und wirtschaftliche Bedeutung der emsländischen Konzentrations- und Strafgefangenlager, 1933-1945* (Bremen, 1985).

Swatek, Dieter, *Unternehmenskonzentration als Ergebnis und Mittel nationalsozialistischer Wirtschaftspolitik* (Berlim, 1972).

Sydnor, Charles W., *Soldiers of Destruction: The SS Death's Head Division, 1933-1945* (Princeton, NJ, 1990 [1977]).

Sywottek, Jutta, *Mobilmachung für den totalen Krieg: Die propagandistische Vorbereitung der deutschen Bevölkerung auf den Zweiten Weltkrieg* (Opladen, 1976).

Szczesny, Gerhard, *Als die Vergangenheit Gegenwart war: Lebensanlauf eines Ostpreussen* (Berlim, 1990).

Tal, Uriel, *Structures of German "Political Theology" in the Nazi Era* (Tel Aviv, 1979).

Tampke, Jürgen, *Czech-German Relations and the Politics of Central Europe: From Bohemia to the EU* (Londres, 2003).

Tannenbaum, Edward R., *The Fascist Experience: Italian Society and Culture, 1922-1945* (Nova York, 1972).

Tarnowski, Wolfgang, *Ernst Barlach und der Nationalsozialismus: Ein Abendvortrag, gehalten am 20. Oktober 1988 in der Katholischen Akademie Hamburg* (Hamburgo, 1989).

Taylor, Alan J. P., *The Origins of the Second World War* (Harmondsworth, 1964 [1961]).

Taylor, Brandon & van der Will, Wilfried (eds.), *The Nazification of Art: Art, Design, Music, Architecture, and Film in the Third Reich* (Winchester, 1990).

Taylor, Robert R., *The Word in Stone: The Role of Architecture in the National Socialist Ideology* (Berkeley, Calif., 1974).

Teich, Mikulás (ed.), *Bohemia in History* (Cambridge, 1998).
Teichova, Alice, "The Protectorate of Bohemia and Moravia (1939-1945): The Economic Dimension", in Teich (ed.), *Bohemia in History*, p. 267-305.
Temin, Peter, *Lessons from the Great Depression* (Cambridge, Mass., 1989).
Tenfelde, Klaus, "Proletarische Provinz: Radikalisierung und Widerstand in Penzberg/Oberbayern 1900 bis 1945", in Broszat *et al.* (eds.), *Bayern*, IV, p. 320-37.
Tennstedt, Florian, "Wohltat und Interesse. Das Winterhilfswerk des Deutschen Volkes. Die Weimarer Vorgeschichte und ihre Instrumentalisierung durch das NS-Regime", *Geschichte und Gesellschaft*, 13 (1987), p. 157-80.
Tessner, Magnus, *Die deutsche Automobilindustrie im Strukturwandel von 1919 bis 1938* (Colônia, 1994).
Teut, Anna, *Architektur im Dritten Reich, 1933-1945* (Frankfurt am Main, 1967).
Thamer, Hans-Ulrich, "Von der 'Ästhetisierung der Politik': Die Nürnberger Parteitage der NSDAP", in Ogan & Weiss (eds.), *Faszination und Gewalt*, p. 95-103.
Thies, Jochen, *Architekt der Weltherrschaft: Die "Endziele" Hitlers* (Düsseldorf, 1976).
_____, "Nazi Architecture – A Blueprint for World Domination: The Last Aims of Adolf Hitler", in Welch (ed.), *Nazi Propaganda*, p. 45-64.
Thomae, Otto, *Die Propaganda-Maschinerie: Bildende Kunst und Öffentlichkeitsarbeit im Dritten Reich* (Berlim, 1978).
Thomann, Klaus-Dieter, "'Krüppel sind nicht minderwertig.' Körperbehinderte im Nationalsozialismus", in Meinel & Voswinckel (eds.), *Medizin*, p. 208-20.
Thomas, Hugh, *The Spanish Civil War* (3ª ed., Londres, 1986 [1961]).
Thomas, Walter, *Bis der Vorhang fiel* (Dortmund, 1947).
_____, *Richard Strauss und seine Zeitgenossen* (Munique, 1964).
Thyssen, Fritz, *I Paid Hitler* (Londres, 1941).
Todt, Fritz, "Der Strassenbau im nationalsozialistischen Staat", in Hans Heinrich Lammers & Hans Pfundtner (eds.), *Grundlagen, Aufbau und*

Wirtschaftsordnung des national sozialistischen Staates (Berlim, 1937), III: *Die Wirtschaftsordnung des nationalsozialistischen Staates.*

Toepser-Ziegert, Gabriele (ed.), *NS-Presseanweisungen der Vorkriegszeit: Edition und Dokumentation,* I: *1933;* II: *1934;* III: *1935;* IV: *1936* (Munique, 1984-93).

Tomascewski, Jerzy, "Economic and Social Situation of Jews in Poland, 1918- -1939", in Greenbaum (ed.), *Minority Problems,* p. 101-6.

Tooze, J. Adam, *Statistics and the German State, 1900-1945: The Making of Modern Economic Knowledge* (Cambridge, 2001).

Townshend, Charles, *Terrorism: A Very Short Introduction* (Oxford, 2002).

Trapp, Joachim, *Kölner Schulen in der NS-Zeit* (Colônia, 1994).

Treue, Wilhelm, "Rede Hitlers vor der deutschen Presse (10 November 1938)", *VfZ* 6 (1958), p. 175-91.

_____ (ed.), "Hitlers Denkschrift zum Vierjahresplan 1936", *VfZ* 3 (1955), p. 184-203.

Trial of the Major War Criminals before the International Military Tribunal, Nuremberg, 14 November 1945-1 October 1946 (Nuremberg, 1948).

Tröger, Annemarie, "Die Frau im wesensgemässen Einsatz", in Frauengruppe Faschismusforschung (ed.), *Mutterkreuz,* p. 246-72.

_____, "The Creation of a Female Assembly-Line Proletariat", in Bridenthal et al. (eds.), *When Biology Became Destiny,* p. 237-70.

Tröger, Jörg, *Forschung als Waffe: Rüstungsforschung in der Kaiser-Wilhelm- -Gesellschaft und das KWI für Metallforschung 1900 bis 1947* (Göttingen, 2005).

_____ (ed.), *Hochschule und Wissenschaft im Dritten Reich* (Frankfurt am Main, 1984).

Tuchel, Johannes, *Konzentrationslager: Organisationsgeschichte und Funktion der "Inspektion der Konzentrationslager", 1934-1938* (Boppard, 1991).

_____, "Gestapa und Reichssicherheitshauptamt. Die Berliner Zentralinstitutionen der Gestapo", in Paul & Mallmann (eds.), *Die Gestapo,* p. 84-100.

_____, "Planung und Realität des Systems der Konzentrationslager 1934- -1938", in Herbert et al. (eds.), Die nationalsozialistischen Konzentrationslager, p. 43-59.

Turner, Henry Ashby, Jr., "Fritz Thyssen and 'I Paid Hitler'", VfZ 19 (1971), p. 225-44.

_____, German Big Business and the Rise of Hitler (Nova York, 1985).

_____, "Fallada for Historians", German Studies Review, 36 (2003), p. 477-92.

_____, "Fascism and Modernization", in idem (ed.), Reappraisals of Fascism, p. 117-39.

_____ (ed.), Reappraisals of Fascism (Nova York, 1975).

Turner, Stephen p. & Käsler, Dirk (eds.), Sociology Responds to Fascism (Londres, 1992).

Tyrell, Albrecht (ed.), Führer befiehl... Selbstzeugnisse aus der "Kampfzeit" des NSDAP: Dokumentation und Analyse (Düsseldorf, 1969).

Ueberhorst, Horst (ed.), Elite für die Diktatur: Die Nationalpolitischen Erziehungsanstalten 1933-1945: Ein Dokumentarbericht (Düsseldorf, 1969).

_____, "Feste, Fahnen, Feiern: Die Bedeutung politischer Symbole und Rituale im Nationalsozialismus", in Voigt (ed.), Symbole der Politik, p. 157-78.

Ueberschär, Gerd R. & Vogel, Winfried, Dienen und Verdienen: Hitlers Geschenke an seine Eliten (Frankfurt, 1999).

Uhlig, Heinrich, Die Warenhäuser im Dritten Reich (Colônia, 1956).

Unverricht, Elsbeth, Unsere Zeit und Wir: Das Buch der deutschen Frau (Gauting, 1932).

Vaget, Hans Rudolf, "Hitler's Wagner: Musical Discourse as Cultural Space", in Kater & Riethmüller (eds.), Music and Nazism, p. 15-31.

Vago, Bela, The Shadow of the Swastika: The Rise of Fascism and Anti-Semitism in the Danube Basin, 1936-1939 (Londres, 1975).

Valtin, Jan (pseud. Richard Krebs), Out of the Night (Londres, 1941, republicado com posfácio de Lyn Walsh et al., Londres, 1988).

Voegelin, Eric, The New Science of Politics: An Introduction (Chicago, 1952).

Vogel, Rolf, Ein Stempel hat gefehlt: Dokumente zur Emigration deutscher Juden (Munique, 1977).

Voigt, Rüdiger (ed.), Symbole der Politik: Politik der Symbole (Opladen, 1989).

Volk, Ludwig, *Bayerns Episkopat und Klerus in der Auseinandersetzung mit dem Nationalsozialismus 1930-1934* (Mainz, 1965).

Völkischer Beobachter, 1933-39.

Volkmann, Hans-Erich, *Das Russlandbild im Dritten Reich* (Colônia, 1994).

_____, "The National Socialist Economy in Preparation for War", in Militärgeschichtliches Forschungsant (ed.), *Germany and the Second World War*, p. 157-372.

Volkogonov, Dmitri, *Stalin: Triumph and Tragedy* (Londres, 1995 [1989]).

Vollmer, Bernhard (ed.), *Volksopposition im Polizeistaat: Gestapo- und Regierungsberichte 1934-1936* (Stuttgart, 1957).

Vollnhals, Clemens, "Jüdische Selbsthilfe bis 1938", in Benz (ed.), *Die Juden in Deutschland*, p. 314-411.

Vondung, Klaus, *Magie und Manipulation: Ideologischer Kult und politische Religion des Nationalsozialismus* (Göttingen, 1971).

_____, "Der literarische Nationalsozialismus. Ideologische, politische und sozialhistorische Wirkungszusammenhänge", in Denkler & Prümm (eds.), *Die deutsche Literatur*, p. 44-65.

Vorländer, Herwart, "NS-Volkswohlfahrt und Winterhilfswerk des deutschen Volkes", *VfZ* 34 (1986), p. 341-80.

_____, *Die NSV: Darstellung und Dokumentation einer nationalsozialistischen Organisation* (Boppard, 1988).

Vosskamp, Wilhelm, "Kontinuität und Diskontinuität: Zur deutschen Literaturwissenschaft im Dritten Reich", in Lundgreen (ed.), *Wissenschaft*, p. 140-62.

Wachsmann, Nikolaus, "From Indefinite Confinement to Extermination: 'Habitual Criminals' in the Third Reich", in Gellately & Stoltzfus (eds.), *Social Outsiders in Nazi Germany*, p. 165-91.

_____, *Hitler's Prisons: Legal Terror in Nazi Germany* (New Haven, Conn., 2004).

Waddington, Geoffrey T., "Hitler, Ribbentrop, die NSDAP und der Niedergang des Britischen Empire 1935-1938", *VfZ* 40 (1992), p. 273--306.

Wagner, Caroline, *Die NSDAP auf dem Dorf: Eine Sozialgeschichte der NS--Machtergreifung in Lippe* (Münster, 1998).

Wagner, Kurt, *Leben auf dem Lande im Wandel des Industrialisierung: "Das Dorf war früher auch keine heile Welt": Die Veränderung der dörflichen Lebensweise und der politischen Kultur vor dem Hintergrund der Industrialisierung, am Beispiel des nordhessischen Dorfes Körle* (Frankfurt am Main, 1986).

_____ & Wilke, Gerhard, "Dorfleben im Dritten Reich: Körle in Hessen", in Peukert & Reulecke (eds.), *Die Reihen fast geschlossen*, p. 85-106.

Wagner, Patrick, "'Vernichtung der Berufsverbrecher'. Die vorbeugende Verbrechensbekämpfung der Kriminalpolizei bis 1937", in Herbert *et al.* (eds.), *Die nationalsozialistischen Konzentrationslager*, p. 87-110.

_____, *Volksgemeinschaft ohne Verbrecher: Konzeptionen und Praxis der Kriminalpolizei in der Zeit der Weimarer Republik und des Nationalsozialismus* (Hamburgo, 1996).

Wagner, Walter F., *Der Volksgerichtshof im nationalsozialistischen Staat* (Stuttgart, 1974).

Waiwald, Klaus-Jürgen, *Filmzensur im NS-Staat* (Dortmund, 1983).

Waldenfels, Ernst von, *Der Spion, der aus Deutschland kam: Das geheime Leben des Seemanns Richard Krebs* (Berlim, 2003).

Walter, Michael, *Hitler in der Oper: Deutsches Musikleben 1919-1945* (Stuttgart, 1995).

Walton, John K., *The British Seaside: Holidays and Resorts in the Twentieth Century* (Manchester, 2000).

Wasserstein, Bernard, *Britain and the Jews of Europe, 1939-1945* (Oxford, 1979).

_____, "Patterns of Jewish Leadership in Great Britain during the Nazi Era", in Braham (ed.), *Jewish Leadership during the Nazi Era*, p. 29-43.

Watt, Donald Cameron, "German Plans for the Reoccupation of the Rhineland: A Note", *Journal of Contemporary History*, 1 (1966), p. 193--99.

_____, *How War Came: The Immediate Origins of the Second World War, 1938--1939* (Londres, 1989).

Weber, Hermann, *Die Wandlung des deutschen Kommunismus: Die Stalinisierung der KPD in der Weimarer Republik* (ed. resumida, Frankfurt am Main, 1971 [1969]).

_____, "Die KPD in der Illegalität", in Löwenthal & von zur Mühlen (eds.), *Widerstand*, p. 83-101.

Weber, Hermann, *"Weisse Flecken" in der Geschichte: Die KPD-Opfer der Stalinistischen Säuberungen und ihre Rehabilitierung* (Frankfurt am Main, 1990).

Weber, Rosco G. S., *The German Student Corps in the Third Reich* (Nova York, 1986)

Weckbecker, Gerd, *Zwischen Freispruch und Todesstrafe: Die Rechtsprechung der nationalsozialistischen Sondergerichte Frankfurt a.M. und Bromberg* (Baden-Baden, 1998).

Weekly Report of the German Institute for Business Research (com Suplementos), (Institut für Konjunkturforschung, Berlim, 1933-39).

Weeks, Jeffrey, *Sex, Politics, and Society: The Regulation of Sexuality since 1800* (Londres, 1981).

Wehler, Hans-Ulrich, *Deutsche Gesellschaftsgeschichte*, IV: *Vom Beginn des ersten Weltkriegs bis zur Gründung der beiden deutschen Staaten 1914-1949* (Munique, 2003).

Wehner, Heinz, "Die Rolle des faschistischen Verkehrswesens in der ersten Periode des zweiten Weltkrieges", *Bulletin des Arbeitskreises Zweiter Weltkrieg*, 2 (1966), p. 37-61.

Weinberg, Gerhard L., "Hitler's Private Testament of May 2, 1938", *Journal of Modern History*, 27 (1955), p. 415-19.

_____, *The Foreign Policy of Hitler's Germany*, I: *Diplomatic Revolution in Europe, 1933-36* (Londres, 1970).

_____, *The Foreign Policy of Hitler's Germany*, II: *Starting World War II, 1937- -1939* (Chicago, 1980).

Weinberg, Jeshajahu et al., *The Holocaust Museum in Washington* (Nova York, 1995).

Weindling, Paul, *Health, Race and German Politics Between National Unification and Nazism, 1870-1945* (Cambridge, 1989)

Weiss, Hermann, "Ideologie der Freizeit im Dritten Reich: Die NS- -Gemeinschaft 'Kraft durch Freude'", *Archiv für Sozialgeschichte*, 33 (1993), p. 289-303.

Weissler, Sabine (ed.), *Design in Deutschland, 1933-45: Ästhetik und Organisation des Deutschen Werkbundes im "Dritten Reich"* (Giessen, 1990).

Weitz, Eric D., *Creating German Communism, 1890-1990: From Popular Protests to Socialist State* (Princeton, 1997).

Welch, David (ed.), *Nazi Propaganda: The Power and the Limitations* (Londres, 1983).

―――, *Propaganda and the German Cinema, 1933-1945* (Oxford, 1983).

―――, *The Third Reich: Politics and Propaganda* (Londres, 2002).

Wenning, Norbert, "Das Gesetz gegen die Überfüllung deutscher Schulen und Hochschulen vom 25. April 1933 – ein erfolgreicher Versuch der Bildungsbegrenzung?", *Die deutsche Schule*, 78 (1986), p. 141-60.

Werner, Karl Ferdinand, *Das NS-Geschichtsbild und die deutsche Geschichtswissenschaft* (Stuttgart, 1967).

Werner, Kurt & Biernat, Karl-Heinz, *Die Köpenicker Blutwoche, Juni, 1933* (Berlim, 1958).

Wessel, Horst A., *Thyssen & Co., Mülheim an der Ruhr: Die Geschichte einer Familie und ihrer Unternehmung* (Stuttgart, 1991).

Wessling, Berndt Wilhelm, *Wieland Wagner, der Enkel: Eine Biographie* (Colônia, 1997).

West, Shearer, *The Visual Arts in Germany 1890-1937: Utopia and Despair* (Manchester, 2000).

Westheim, Paul, *Paul Westheim: Kunstkritik aus den Exil*, ed. Tanja Frank (Hanau, 1985).

Westphal, Uwe, *Werbung im Dritten Reich* (Berlim, 1989).

Wetzel, Juliane, "Auswanderung aus Deutschland", in Benz (ed.), *Die Juden in Deutschland*, p. 413-98.

Wetzel, Kraft & Hagemann, Peter, *Zensur: Verbotene deutsche Filme 1933-1945* (Berlim, 1978).

Wetzell, Richard F., *Inventing the Criminal: A History of German Criminology, 1880-1945* (Chapel Hill, NC, 2000).

Weyrather, Irmgard, "Numerus Clausus für Frauen – Studentinnen im Nationalsozialismus", in Frauengruppe Faschismusforschung (ed.), *Mutterkreuz*, p. 131-62.

―――, *Muttertag und Mutterkreuz: Der Kult um die "deutsche Mutter" im Nationalsozialismus* (Frankfurt am Main, 1993).

Whealey, Robert H., *Hitler and Spain: The Nazi Role in the Spanish Civil War, 1936-1939* (Lexington, Ky., 1989).

Wheeler-Bennett, John W., *The Nemesis of Power: The German Army in Politics, 1918-1945* (Londres & Nova York, 1953).

_____ et al. (eds.), *Documents on German Foreign Policy 1918-1945* (13 vols., Londres, 1950-70).

Wickert, Christl, "Popular Attitudes to National Socialist Antisemitism: Denunciations for 'Insidious Offenses' and 'Racial Ignominy'", in Bankier (ed.), *Probing*, p. 282-95.

Wieland, Günther, *Das war der Volksgerichtshof: Ermittlungen, Fakten, Dokumente* (Pfaffenweiler, 1989).

Wiesemann, Falk, "Juden auf dem Lande: die wirtschaftliche Ausgrenzung der jüdischen Viehhändler in Bayern", in Peukert & Reulecke (eds.), *Die Reihen fast geschlossen*, p. 381-96.

Wildt, Michael, "Violence against Jews in Germany, 1933-1939", in Bankier (ed.), *Probing*, p. 181-212.

_____, *Generation des Unbedingten: Das Führungskorps des Reichssicherheitshauptamtes* (Hamburgo, 2002).

_____ (ed.), *Nachrichtendienst, politische Elite, Mordeinheit: Der Sicherheitsdienst des Reichsführers-SS* (Hamburgo, 2003).

Wilke, Gerhard, "The Sins of the Fathers: Village Society and Social Control in the Weimar Republic", in Evans & Lee (eds.), *The German Peasantry*, p. 174-204.

_____, "Village Life in Nazi Germany", in Bessel (ed.), *Life in the Third Reich*, p. 17-24.

_____ & Wagner, Kurt, "Family and Household: Social Structures in a German Village Between the Two World Wars", in Evans & Lee (eds.), *The German Family*, p. 120-47.

Williams, Jenny, *More Lives Than One: A Biography of Hans Fallada* (Londres, 1998).

Willrich, Wolfgang, *Säuberung des Kunsttempels: Eine kunstpolitische Kampfschrift zur Gesundung deutscher Kunst im Geiste nordischer Art* (Munique, 1937).

Wingfield, Nancy M., *Minority Politics in a Multinational State: The German Social Democratic Party 1918-1938* (Nova York, 1989).

Winkler, Dörte, *Frauenarbeit im 'Dritten Reich'* (Hamburgo, 1977).

Winkler, Hans Joachim, *Legenden um Hitler: Schöpfer der Autobahnen* (Berlim, 1963).

Winkler, Heinrich August, *Mittelstand, Demokratie und Nationalsozialismus: Die politische Entwicklung von Handwerk und Kleinhandel in der Weimarer Republik* (Colônia, 1972).

_____, "Der entbehrliche Stand. Zur Mittelstandspolitik im 'Dritten Reich'", *Archiv für Sozialgeschichte*, 17 (1977), p. 1-40.

_____, "Ein neuer Mythos vom alten Mittelstand. Antwort auf eine Antikritik", *Geschichte und Gesellschaft*, 12 (1986), p. 548-57.

_____, *Der Weg in die Katastrophe: Arbeiter und Arbeiterbewegung in der Weimarer Republik 1930 bis 1933* (Berlim, 1987).

_____ (ed.), *Die deutsche Staatskrise 1930-1933: Handlungsspielräume und Alternativen* (Munique, 1992).

Winkler, Klaus, *Fernsehen unterm Hakenkreuz: Organisation – Programm – Personal* (Colônia, 1994).

Winkler, Kurt, "Inszenierung der Macht: Weltausstellung 1937. Das 'Deutsche Haus' als Standarte", in Behnken & Wagner (eds.), *Inszenierung*, p. 217-25.

Winkler-Mayerhöfer, Andrea, *Starkult als Propagandamittel? Studien zum Unterhaltungsfilm im Dritten Reich* (Munique, 1992).

Wippermann, Wolfgang, *Zur Analyse des Faschismus: Die sozialistischen und kommunistischen Faschismustheorien 1921-1945* (Frankfurt am Main, 1981).

_____, *Das Leben in Frankfurt zur NS-Zeit* (4 vols., Frankfurt am Main, 1986).

_____, "Das Berliner Schulwesen in der NS-Zeit. Fragen, Thesen und methodische Bemerkungen", in Schmoldt (ed.), *Schule in Berlin*, p. 57-73.

_____ & Brucker-Boroujerdi, Ute, "Nationalsozialistische Zwangslager in Berlin III: Das 'Zigeunerlager Marzahn'", *Berliner Forschungen*, 2 (1987), p. 189-94.

Wiskemann, Elizabeth, *The Rome-Berlin Axis: A History of the Relations Between Hitler and Mussolini* (Londres, 1949).

Wisotzky, Klaus, *Der Ruhrbergbau im Dritten Reich: Studien zur Sozialpolitik im Ruhrbergbau und zum sozialen Verhalten der Bergleute in den Jahren 1933 bis 1939* (Düsseldorf, 1983).

Wissmann, Sylvelin, *Es war eben unsere Schulzeit: Das Bremer Volksschulwesen unter dem Nationalsozialismus* (Bremen, 1993).

Witetschek, Helmut (ed.), *Die kirchliche Lage in Bayern nach den Regierungspräsidentenberichten 1933-1945* (7 vols., Mainz, 1966-71).

Witte, Karsten, "Die Filmkomödie im Dritten Reich", in Denkler & Prümm (eds.), *Die deutsche Literatur*, p. 347-65.

_____, *Lachende Erben, toller Tag: Filmkomödie im Dritten Reich* (Berlim, 1995).

Wöhlert, Meike, *Der politische Witz in der NS-Zeit am Beispiel ausgesuchter SD-Berichte und Gestapo-Akten* (Frankfurt am Main, 1997).

Wojak, Irmtrud et al., *"Arisierung" im Nationalsozialismus: Volksgemeinschaft, Raub und Gedächtnis* (Frankfurt, 2000).

Wolbert, Klaus, *Die Nackten und die Toten des "Dritten Reiches": Folgen einer politischen Geschichte des Körpers in der Plastik des deutschen Faschismus* (Giessen, 1982).

Wolf, Norbert, *Ernst Ludwig Kirchner 1880-1938: On the Edge of the Abyss of Time* (Colônia, 2003).

Wolffsohn, Michael, "Arbeitsbeschaffung und Rüstung im nationalsozialistischen Deutschland 1933", *Militärgeschichtliche Mitteilungen*, 22 (1977), p. 9-19.

Wollenberg, Jörg (ed.), *The German Public and the Persecution of Jews, 1933--1945: "No One Participated, No One Knew"* (Atlantic Highlands, NJ, 1996 [1989]).

Wollstein, Günter, "Eine Denkschrift des Staatssekretärs Bernhard von Bülow vom März 1933", *Militärgeschichtliche Mitteilungen*, 1 (1973), p. 77-94.

_____, *Vom Weimarer Revisionismus zu Hitler: Das Deutsche Reich und die Grossmächte in der Anfangsphase der nationalsozialistischen Herrschaft in Deutschland* (Bonn, 1973).

Wolschke-Bulmahn, Joachim & Gröning, Gert, "The National Socialist Garden and Landscape Ideal: Bodenständigkeit (Rootedness in the Soil)", in Etlin (ed.), *Art*, p. 73-97.

Woolf, Stuart J. (ed.), *The Nature of Fascism* (Londres, 1968).

Woycke, James, *Birth Control in Germany, 1871-1933* (Londres, 1988).

Wright, Jonathan & Stafford, Paul, "Hitler, Britain and the Hossbach Memorandum", *Militärgeschichtliche Mitteilungen*, 42 (1987), p. 77-123.

Wulf, Joseph, *Die bildenden Künste im Dritten Reich: Eine Dokumentation* (Gütersloh, 1963).

_____, *Literatur und Dichtung im Dritten Reich: Eine Dokumentation* (Gütersloh, 1963).

_____, *Presse und Funk im Dritten Reich: Eine Dokumentation* (Gütersloh, 1963).

_____, *Musik im Dritten Reich: Eine Dokumentation* (Gütersloh, 1963).

_____, *Theater und Film im Dritten Reich: Eine Dokumentation* (Gütersloh, 1963).

Wulff, Birgit, *Arbeitslosigkeit und Arbeitsbeschaffungsmassnahmen in Hamburg 1933-1939: Eine Untersuchung zur nationalsozialistischen Wirtschafts- und Sozialpolitik* (Frankfurt am Main, 1987).

_____, "The Third Reich and the Unemployed: National Socialist Work--creation Schemes in Hamburg, 1933-4", in Evans & Geary (eds.), *The German Unemployed*, p. 281-302.

Wüllenweber, Hans, *Sondergerichte im Dritten Reich: Vergessene Verbrechen der Justiz* (Frankfurt am Main, 1990).

Wyman, David S., *Paper Walls: America and the Refugee Crisis, 1938-1941* (Amherst, Mass., 1968).

Wynot, James D., Jr., "'A Necessary Cruelty': The Emergence of Official Anti--Semitism in Poland, 1935-39", *American Historical Review*, 76 (1971), p. 1.035-58.

Zabel, James A., *Nazism and the Pastors: A Study of the Ideas of Three Deutsche Christen Groups* (Missoula, Mont., 1976).

Zeidler, Manfred, *Das Sondergericht Freiberg: Zu Justiz und Repression in Sachsen, 1933-1940* (Dresden, 1998).

Zeile, Christine, "Ein biographischer Essay", in Friedrich R. Reck--Malleczewen, *Tagebuch eines Verzweifelten* (Frankfurt am Main, 1994), p. 251-98.

Zeinhefer, Siegfried, "Die Reichsparteitage der NSDAP", in Ogan & Weiss (eds.), *Faszination und Gewalt*, p. 79-94.

Zeldin, Theodore (ed.), *Conflicts in French Society: Anticlericalism, Education and Morals in the Nineteenth Century: Essays* (Londres, 1970).

Zeller, Thomas, "'The Landscape's Crown': Landscape, Perception, and Modernizing Effects of the German Autobahn System, 1934-1941", in Nye (ed.), *Technologies of Landscape*, p. 218-40.

Zelnhefer, Siegfried, *Die Reichsparteitage der NSDAP: Geschichte, Struktur und Bedeutung der grössten Propagandafeste im nationalsozialistischen Feierjahr* (Neustadt an der Aisch, 1991).

_____ & Käs, Rudolf (eds.), *Kulissen der Gewalt: Das Reichsparteitagsgelände in Nürnberg* (Munique, 1992).

Zeman, Zbynek. A. B., *Nazi Propaganda* (Oxford, 1973).

Zerner, Ruth, "German Protestant Responses to Nazi Persecution of the Jews", in Braham (ed.), *Perspectives on the Holocaust*, p. 57-68.

_____, "Martin Niemöller, Activist as Bystander: The Oft-Quoted Reflection", in Perry & Schweitzer (eds.), *Jewish-Christian Encounters over the Centuries*, p. 327-40.

Ziegler, Dieter, "Die Verdrängung der Juden aus der Dresdner Bank 1933--1938", *VfZ* 47 (1999), p. 187-216.

Ziegler, Hans Severus, *Entartete Musik: Eine Abrechnung* (Düsseldorf, 1938).

Ziegler, Walter (ed.), *Die kirchliche Lage in Bayern nach den Regierungspräsidentenberichten 1933-1943*, IV: Regierungsbezirk Niederbayern und Oberpfalz 1933-1945 (Mainz, 1973).

Zimmermann, Michael, "Ausbruchshoffnungen: Junge Bergleute in den dreissigen Jahren", in Niethammer (ed.), *Die Jahre weiss man nicht*, p. 97-132.

_____, *Verfolgt, vertrieben, vernichtet: Die nationalsozialistische Vernichtungspolitik gegen Sinti und Roma* (Essen, 1989).

_____, *Rassenutopie und Genozid: Die nationalsozialistische "Lösung der Zigeunerfrage"* (Hamburgo, 1996).

Zimmermann, Peter, "Die Bildsprache des Nationalsozialismus im Plakat", in Rüger (ed.), *Kunst*, p. 223-36.

Zimmermann, Volker, *Die Sudetendeutschen im NS-Staat: Politik und Stimmung der Bevölkerung im Reichsgau Sudetenland (1938-1945)* (Essen, 1999).

Zipfel, Friedrich, "Gestapo and SD: A Sociographic Profile of the Organisers of the Terror", in Larsen *et al.* (eds.), *Who Were the Fascists?*, p. 301-11.

Zitelmann, Rainer, *Hitler: The Policies of Seduction* (Londres, 1999 [1987]).

Zofka, Zdenek, *Die Ausbreitung des Nationalsozialismus auf dem Lande: Eine regionale Fallstudie zur politischen Einstellung der Landbevölkerung in der Zeit des Aufstiegs und der Machtergreifung der NSDAP 1928-1936* (Munich, 1979).

_____, "Dorfeliten und NSDAP. Fallbeispiele der Gleichschaltung aus dem Kreis Günzburg", in Broszat *et al.* (eds.), *Bayern*, IV, p. 383-434.

Zolling, Peter, *Zwischen Integration und Segregation: Sozialpolitik im "Dritten Reich" am Beispiel der "Nationalsozialistischen Volkswohlfahrt" (NSV) in Hamburg* (Frankfurt am Main, 1986).

Zollitsch, Wolfgang, "Adel und adlige Machteliten in der Endphase der Weimarer Republik. Standespolitik und agrarische Interessen", in Winkler (ed.), *Die deutsche Staatskrise*, p. 239-56.

Zuschlag, Christoph, "An 'Educational Exhibition'. The Precursors of Entartete Kunst and Its Individual Venues", in Barron (ed.), *Degenerate Art*, p. 83-103.

_____, *"Entartete Kunst": Ausstellungsstrategien in Nazi-Deutschland* (Worms, 1995).

Índice onomástico

Números em negrito indicam mapas

Abrahamson, Ludwig 622
Acordo de 756-8, 761-5, 773-4, 782, 784
África do Sul 754, 626, 673
Ahaus, Westphalia 439
Albers, Hans 160
Alsácia-Lorena 691, 700
Alvensleben, Ludolf von 477
Amann, Max 175-7, 464
Amery, Leo 787
Amsterdã 209, 454
Anheisser, Siegfried 229
Arden, Elizabeth (cosméticos) 590
Argentina 626, 673
Aristóteles 352
Arnswalde (aldeia), Brandenburg 441
Auerbach (aldeia), Saxônia 440
Augsburg (aldeia), Baviera 78, 131-2, 142
Augspurg, Anita 583
Augusto Guilherme, príncipe da Prússia 476
Austrália 626, 673
Áustria 21, 25, 54, 90, 139, 141, 225, 289, 408, 413, 425, 614, 649, 680, 691-6, 699-700, 705, 710, 714, 716, 720, 724-33, 734, 735-44, 747, 749-50, 752, 755, 758, 760--1, 766, 769, 771, 774, 797-8

Bach, Johann Sebastian 224, 239
Bach-Zelewski, Erich von dem 56, 477
Backe, Herbert 400-1
Backhaus, Wilhelm 172
Baden 277, 526
Baden-Baden 440
Baeck, rabino Leo 629
Ballerstedt, Otto 56
Barlach, Ernst 198-201, 204, 212
Barth, Karl 267, 365
Bartók, Béla 230
Basileia 372, 373, 375
Baudissin, conde Klaus von 204
Bauer, Otto 697
Bauhaus 204, 250, 375
Baum, Hermann 622

Bäumer, Gertrud 583
Bautzen 92
Baviera 25, 55, 67, 75, 93, 107, 200, 220, 264, 276-7, 281, 285, 288, 328, 333, 356, 405, 485, 487-8, 531, 550, 595, 608, 610, 661, 689, 731, 761
Bayreuth 223, 237, 780
Beck, general Ludwig 44-5, 63, 417, 721, 750-1, 792
Beckmann, Max 21, 35, 205, 209-10, 213
Beecham, Sir Thomas 228
Beethoven, Ludwig van 224, 247
Belarus 482
Bélgica 22-3, 260, 628, 753
Benn, Gottfried 190-1
Beradt, Charlotte 134-5
Berchtesgaden, Baviera 202, 220, 728, 730
Berg, Alban 230-1
Bergengruen, Werner 187
Berlim 24-6, 34, 39, 43, 50, 52-3, 55- -6, 62, 67, 69, 75, 81, 85-7, 91-2, 113, 124, 126, 134, 139, 159, 162, 171-2, 176-7, 179, 186, 194, 199, 204, 206, 210, 213, 218-22, 223, 226, 228, 230-3, 242, 246, 261-3, 265-6, 269, 273-4, 277, 280, 283, 295, 304, 311, 348, 366-7, 372, 376, 378, 398, 403, 405-6, 422, 430, 434-5, 438, 447, 461, 462-5, 467-8, 473, 486, 504, 507, 510-1, 519, 523-4, 526-8, 530, 536, 544, 553, 562, 564, 593, 597, 599, 600, 608-9, 618, 642-4, 648-50, 656, 661-2, 665, 703-4, 707-8, 710, 721, 728-9, 732, 747, 751, 753, 755, 759, 762, 765, 771, 773, 775-6, 782, 784, 790, 791, 794
Berlin, Irving 228
Bernau 292
Bertram, cardeal Adolf 276, 284, 288
Best, Werner 64, 73, 144
Beuys, Joseph 310
Bismarck, príncipe Otto von 20-2, 77, 80, 152, 255, 260, 275, 280, 290, 299, 472, 475, 575
Bizet, Georges 238
Blaskowitz, general Johannes 767
Blöcker, Otto 152
Blomberg, general Werner von 43-4, 48-50, 57, 61, 63, 255, 412, 430, 694-5, 704, 711, 717, 720-3, 792
Blum, Léon 684
Blumenberg, Werner 78
Bochum 194
Bockelson, Jan 188
Bodelschwingh, Fritz von 263
Boêmia 746, 761, 766-7; *veja também* Tchecoslováquia
Boeters, Gerhard 577, 580
Böhme, Ernst 512
Bohr, Niels 357, 359
Bolívia 626
Bonaparte, Napoleão 59, 743
Bonhoeffer, Dietrich 265-6, 268
Bonn 267, 354, 365, 367
Bonsack, Heinrich 545-6
Bormann, Martin 67, 101, 295, 334, 338, 421, 611, 645, 670, 742
Born, Max 35, 357
Bosch, Carl 174
Bose, Herbert von 47, 53, 145

Bouhler, Philipp 296
Brackmann, Albert 361
Brahms, Johannes 224
Brandenburgo 100, 544
Brandt, Karl 653
Brandt, Willy 81
Brasil 183, 408, 626, 673
Bratislava 355, 763
Brauchitsch, general Walther von 723, 750, 774
Braun, Eva 378, 590, 689
Braunschweig 435, 510-2, 515
Brecht, Bertolt 35, 185-7, 234
Bredow, general Kurt von 53, 145
Breker, Arno 201-2, 215, 246, 794
Bremen 123, 315
Brentano, Lujo 395
Breslau 55, 276, 308, 437, 456, 551, 589, 611
Bruckner, Anton 247
Brückner, Helmut 600-1
Brückner, Wilhelm 527
Brüning, Heinrich 27, 28-9, 43, 54, 279, 379, 406, 446, 509, 550, 694
Buber-Neumann, Margarete 778
Buchenwald, campo de concentração 110, 113-7, 120, 466, 621, 622, 664
Buchner, Ernst 204, 206
Buchwitz, Otto 79
Budapeste 683
Büdingen 441
Bulgária 408, 531
Bülow, Bernhard von 694
Bünger, Wilhelm 91
Bürckel, Josef 732-3, 742
Burckhardt, Carl 782, 785

Burg, Hansi 160
Burgenland 739
Busch, Fritz 223, 514
Bütefisch, Heinrich 72
Butlin, Billy 533

Camarões 595
Canadá 626, 706
Canaris, almirante Wilhelm 751, 789
Carlos Magno 20, 361
Carol II, rei da Romênia 682-3, 764
Cárpatos-Ucrânia 763, 771
Carsten, Francis 81
Cézanne, Paul 212
Chagall, Marc 212
Chamberlain, Neville 319, 753-6, 758-9, 773-4, 782, 786-8, 799
Charlottenburg 139
Churchill, Winston 786
Chvalkovsky, Franzisek 765
Ciano, Galeazzo 709-10, 719, 784
Colômbia 408
Colônia 180, 292, 310, 327, 353, 557, 596, 662
Costa Rica 408
Cuba 408

Dahlem, Berlin 262, 267, 273-4
Dahlerus, Birger 782
Daluege, Kurt 76
Dannecker, Theodor 629
Danzig (Gdansk) 647, 695, 758, 764, 774-5, 780-2, 784-6, 797
Darmstadt 373

Darré, Richard Walther 46, 294, 398--402, 406, 412, 479-86, 494, 568, 688
David, Hans Walter 779
Debussy, Claude 238
Degenhardt, Carl 519
Delbrück, Hans 395
Dickens, Charles 192
Diels, Rudolf 75
Dietrich, Marlene 160
Dietrich, Otto 176, 307
Dietrich, Sepp 50, 527
Dimitrov, Georgi 91
Dinamarca 79, 408, 581, 628, 691, 776
Dirks, Walter 174
Disney, Roy 161-2
Disney, Walt 161
Ditzen, Rudolf (Hans Fallada) 182-5, 187, 191
Dix, Otto 205, 212
Dmowski, Roman 680
Dollfuss, Engelbert 697-9, 709, 728, 733, 736
Domagk, Gerhard 369
Donat, Wolfgang 341
Donop (vila), Lippe 488-9
Dresden 205, 252, 367, 639
Duisburg 115, 544
Durango, Espanha 718
Düsseldorf 84, 86, 123, 131, 194, 213, 226, 227, 261, 312, 656-7

Eberlein, Hugo 88-9
Ebermannstadt (distrito), Baviera 781, 789

Eberstein, barão Karl von 74, 477
Ebert, Friedrich 24
Eckell, Johannes 426
Eden, Anthony 45, 709, 726
Eggers, Kurt 189
Egk, Werner 235, 240, 246
Eglfing-Haar, asilo de 576
Ehrhardt, capitão Hermann 54
Eichenauer, Richard 227
Eichmann, Adolf 629, 739-41
Eicke, Theodor 52, 107-10, 121, 664
Einstein, Albert 35, 58, 355-7
Eisenstein, Sergei 158
Elberfeld 403
Ellerhusen, Paul 462
Eltz-Rübenach, Peter von 282
Emsland, norte da Alemanha 101
Engels, Friedrich 302
Equador 408
Erbach, Willi 463
Erfurt 589
Espanha 85, 245, 716-7
Essen 50, 85, 204, 428-30, 453, 463, 663
Esslingen, Württemberg 657
Estados Unidos da América 127, 165, 204, 222, 233-4, 244, 297, 376, 395, 409, 416, 418, 456, 530, 581, 625, **626**, 642, 672-3, 675, 679, 724
Estíria, Áustria 726
Estônia **408**, **692**, 776, 778
Ettighofer, Paul Coelestin 195

Falkenstein (aldeia), Saxônia 439-40
Fallada, Hans *veja* Ditzen, Rudolf

Faulhaber, cardeal Michael 276, 284, 292, 661-2
Feder, Gottfried 373, 407, 539
Felipe, príncipe de Hesse 731
Feuchtwanger, Lion 185
Fey, major Emil 736
Fiehler, Gerhard 457
Filipinas 626
Finck, Wilhelm 467-8
Finlândia 408, 531, 603, 692
Flechtheim, Alfred 208
Flick, Friedrich 72
Forester, Cecil Scott 192
Forster, Albert 785
Fraenkel, Ernst 65
França 23, 85, 260, 291, 376, 413, 418, 425, 427, 591, 628, 645, 684, 692, 693, 696, 700-3, 705, 710, 711, 716-7, 719, 720, 726, 749, 753, 757-8, 763-4, 773-6, 778, 781, 783, 786-8
Franco, general Francisco 245, 716-7, 719, 724
Francônia 268, 550, 606, 608, 657, 659
Frank, Hans 96, 350, 719
Frank, Karl Hermann 767
Frank, Walter 362
Frankfurt am Main 114, 123, 128-9, 213, 372, 440, 593, 649, 664
Frankfurter, David 653
Frederico Guilherme, príncipe herdeiro 476
Frederico, o Grande, rei da Prússia 59, 364
Freiberg, Saxônia 297
Freudenberg, Carl 453
Freusberg 292-3

Frick, Wilhelm 46, 69, 75-6, 281, 306, 312, 345, 356, 509, 554, 573, 614, 766
Frie, Karl 444-5
Friedrichshain (distrito), Berlim 152
Friedrichstadt 655-6
Fritsch, general Werner von 44, 61, 412, 430, 720-3, 744, 792
Funk, Walther 415, 667, 688, 723
Fürstenwalde 455
Furtwängler, Wilhelm 171-2, 225, 228, 231-3, 240

Galen, Clemens von, bispo de Münster 280, 282, 284
Garbo, Greta 179
Gather, Wilhelm 86
Gauguin, Paul 212
Gebensleben, Eberhard 511, 515-6
Gebensleben, Elisabeth 511-6
Gebensleben, Friedrich Karl 510-6
Gebensleben, Irmgard 511
Gedye, George 738
Genebra 694-5, 709
George VI, rei da Grã-Bretanha 708
Gera 49, 435
Gereke, Günter 379
Gerlich, Fritz 279
Gershwin, George 243
Girmann, Ernst 559-61
Glass, Fridolin 698
Gleiwitz, Alta Silésia 547, 785
Globke, Hans 614
Globocnik, Odilo 725
Glogau 56
Goebbels, Magda 553, 590

Goebbels, Paul Joseph 26, 30, 32, 34,
36, 46-8, 50, 52, 56-7, 92, 94,
134, 150-3, 156-9, 160, 162-3,
167-72, 174-8, 181, 184, 188,
193-6, 199, 201, 205-6, 211-2,
220, 223-6, 228-9, 231-4, 237,
240, 242-3, 246-9, 251, 253-4,
263, 267, 275, 281-3, 286-8, 291,
295-6, 301, 308, 326, 334, 382,
406, 464, 468, 514, 519, 539,
549-50, 553, 563, 566, 579, 584,
608-9, 613, 616, 642, 647-9, 652-
-6, 662-8, 688, 701, 708, 721-2,
724, 730, 750, 752, 753, 756-7,
771, 775, 780-1, 798
Goerdeler, Carl 228-9, 400, 411, 541,
751-2
Goethe, Johann Wolfgang von 193,
634
Göring, Hermann 26, 30, 39, 46, 48,
50, 53-5, 59, 69-70, 75-6, 91, 94,
129, 145, 171, 202, 212, 232-3,
256, 281, 300-1, 396, 400-2, 406,
410-2, 414-5, 416, 418-9, 426,
428, 433, 437, 440, 446, 448, 456,
464-5, 467, 510, 514, 526, 543,
545, 566, 595-6, 611-3, 634, 636,
650, 666-68, 670, 672, 677, 688,
708, 720-3, 725-6, 730-1, 735,
742, 749-50, 752, 755-6, 759,
765, 770, 775, 782, 789, 798-9
Görlitz 501
Gotha 435
Göttingen 448
Grã-Bretanha 409, 418, 425, 602, 630,
660, 674, 693, 696, 706, 710, 715,
717, 719, 720, 726, 744, 750-2,
753, 755-7, 763, 773-6, 779, 782-
-3, 786-8; *veja também*
Chamberlain, Neville
Graener, Paul 238
Grashof, Otto 297-8
Grécia 408
Greenwood, Arthur 787-8
Gregor, Joseph 226
Gröber, arcebispo Konrad 277
Gross, Walter 351, 573, 596
Grosz, George 205, 212
Gruhn, Margarethe 721
Gründgens, Gustav 193-4
Grünewald, Matthias 231
Grynszpan, Herschel 652-3, 665
Guenther, Peter 208-9, 216
Guatemala 408
Guilherme, príncipe de Hesse 477
Guilherme, príncipe herdeiro da
Alemanha 159
Guilherme II, Kaiser 22, 24, 43, 62,
159, 429, 459-60, 476, 558
Gulbranssen, Trygve 197
Gumbel, Emil Julius 339
Gunzenhausen (aldeia), Francônia 439
Gürtner, Franz, ministro da justiça do
Reich 56-7, 66, 96, 98, 255, 267,
577, 722
Gustloff, Wilhelm 653

Haberstock, Karl 211
Habicht, Theo 699
Hácha, Emil 765-6
Haeften, Hans-Bernd von 751
Haffner, Sebastian *veja* Pretzel,
Raimund

Hahn, Otto 360
Halder, general Franz 751-2
Halifax, *Lord* 726, 787-8
Halle-Merseburg 74, 87
Haller, Johannes 361-2
Hamburgo 48, 58, 80, 94, 114, 116, 125-6, 152-3, 209, 218, 243, 321, 339, 350, 372, 373, 375, 386, 385, 443-7, 449-50, 455, 457, 462, 465, 609, 640, 659, 704, 790
Hammerstein, general Kurt von 44
Hamsun, Knut 192
Handel, Georg Friedrich 229
Hanfstaengl, Eberhard 204-6
Hanfstaengl, Ernst "Putzi" 159, 707, 724
Hanover 78, 92, 544, 652
Harbou, Thea von 160
Harlan, Veit 160
Hartmann, Karl Amadeus 241-2
Hassell, Ulrich von 710, 723
Haupt, Joachim 329, 331
Hauptmann, Gerhart 160
Heckel, Erich 209
Heckert, Fritz 82
Heidegger, Martin 35, 353
Heine, Heinrich 193
Heines, Edmund 42, 51-2, 600
Heinkel, Ernst 504
Heisenberg, Werner 357-60
Heissmeyer, August 381
Helldorf, conde Wolf Heinrich, 648
Henderson, Sir Nevile 782-4
Henkell, Annelies 707
Henlein, Konrad 747, 749, 754, 760-1
Hertz, Gustav 35

Hertz, Heinrich 355
Hess, Rudolf 26, 46, 49, 52, 67, 70, 96, 101, 155-6, 295, 334, 338-9, 341--2, 367, 373, 436, 438, 456, 461, 501, 519, 545, 611, 614, 655
Hesse 295, 441, 489, 608, 652, 654
Heydebreck, Max 45
Heydrich, Reinhard 49, 53-5, 74-6, 86, 96, 110, 114, 124, 128, 144, 275, 285, 295, 357, 444, 650, 655, 666, 671-2, 677, 722, 736, 738, 785
Heymann, Lida Gustava 583
Hilgenfeldt, Erich 553
Himmler, Heinrich 48-9, 53-4, 56, 70, 71-6, 86, 106-7, 109-11, 113-4, 123, 157, 251, 275-7, 280, 285, 294-6, 298, 300, 326, 349, 358, 363, 400, 456, 476-7, 480, 507, 573, 588-9, 593-5, 597-601, 654--5, 668, 676, 688, 732, 736, 759
Hindemith, Paul 231-4, 240, 690
Hindenburg, Paul von 22, 24, 27-9, 30, 34, 43-7, 49-50, 57-8, 62, 70, 90, 137-8, 153, 200, 250, 279, 328, 458, 460, 476, 478, 605, 694
Hinkel, Hans 634
Hirschberg 56
Hitler, Adolf 20, 25-32, 34-6, 38-9, 43-61, 62-7, 70-1, 76-7, 79, 90-1, 93-4, 101, 103-4, 111, 114-6, 123, 126, 129-30, 132, 135, 137--9, 145-6, 151-9, 162, 165, 168--71, 173-5, 177-9, 183, 186-9, 191-2, 195-7, 199-200, 202-7,

210-22, 226, 233-8, 242, 245-50,
252-4, 256, 262-5, 267-8, 270-3,
275, 279-83, 285, 288-93, 296-7,
300-3, 304-5, 307-8, 310, 313,
317-9, 324, 328-35, 338, 340,
342, 345-7, 349, 352-3, 355, 360,
362, 364, 366, 369, 372-80, 382-
-4, 388-90, 393-8, 402, 404-7,
410-8, 421, 423, 425, 427, 430,
432-3, 434, 436-9, 442-3, 445-7,
449, 458-61, 466-69, 472, 474-6,
478, 480, 482, 485, 489-90, 501,
503, 506-8, 510-15, 520-1, 524-
-7, 539, 545-6, 548, 550-1, 553,
559, 562-5, 567-70, 572-3, 577,
584-5, 590, 596, 599-600, 606-7,
611-2, 615-7, 627, 636, 639, 641-
-4, 646-50, 653-5, 662-3, 666-8,
670, 677-9, 688-96, 698-700,
703-4, 706-15, 716-33, 742-5,
747-61, 763-67, 770-2, 773-89,
791-2, 794, 797
Hoegner, Wilhelm 577
Hoffmann, Heinrich 211, 216, 527,
688-9
Hofmannsthal, Hugo von 225
Hohberg und Buchwald, Anton von
56
Hohner, Ernst 244-5
Holanda 511, 675, 775; *veja também*
Países Baixos
Honiok, Franz 785
Horten, Helmut 454
Hórthy, almirante Miklós 683, 762,
770

Höss, Rudolf 107-10, 298
Hossbach, coronel Friedrich 412-3,
425, 616, 720, 722, 744
Huber, Ernst Rudolf 64-5
Hugenberg, Alfred 32, 46, 137, 141,
173, 405-6, 429, 479-80, 483
Hungria 230, 408, 682-3, 692, 693,
755, 762-4, 770-1, 776, 791

Idinger, Ignaz 457
Innitzer, cardeal Theodor 733
Istambul 531
Itália 107, 245, 291, 372, 399, 408,
531, 535, 591, 691, 705, 709-10,
716, 727, 776, 784, 787
Iugoslávia 408, 691, 692, 776

Jäger, August 264, 268
Jannings, Emil 160, 184
Japão **626**, 706, 719
Jawlensky, Alexei 205
Jellinek, Walter 515
Johst, Hanns 190, 563
Jung, Edgar 46, 48, 53-4, 145
Jünger, Ernst 188, 261
Junkers, Hugo 404
Justi, Ludwig 204

Kaas, prelado Ludwig 285
Kahr, Gustav Ritter von 55, 145, 405
Kaltenbrunner, Ernst 725, 736, 740
Kandinsky, Vassily 35, 205-6, 209

ÍNDICE ONOMÁSTICO 1015

Karl, Anton 527
Karlsbad 81
Karlsruhe 712
Kassel 180, 652
Kaufmann, Karl 443, 457, 465
Kayser, Albert 95
Keitel, general Wilhelm 723, 728, 731
Kempka, Erich 51
Keppler, Wilhelm 426, 731
Kerrl, Hanns 271, 296
Kessler, conde Harry 224
Ketteler, Wilhelm von 736
Kiel 655
Kirchner, Ernst Ludwig 21, 35, 205, 210, 212
Kirov, Sergei 88
Kladno 767
Klausener, Erich 53-4, 145, 277
Klee, Paul 35, 204, 209, 212
Kleiber, Erich 230
Klemperer, Eva 638-9
Klemperer, Georg 639
Klemperer, Otto 35
Klemperer, Victor 132, 134, 137-9, 250, 252, 368, 376, 439-40, 467, 638-9, 644, 675-6, 744
Klepper, Jochen 59, 133, 167, 270, 661
Klinke, Hans Peter 222
Klotz, Clemens 526, 533
Klug, Ulrich 457
Koblenz 286
Koch, Karl 466
Köhler, Walter 426
Kohrt, Wilhelmina 622
Kokoschka, Oskar 204, 209
Königsberg 354, 441
Konstanz 528

Körle (vila), Hesse 489-91
Kovno (Kaunas) 771
Kranz, Heinrich Wilhelm 366
Krauch, Carl 426
Krause, Reinhold 265, 267
Krebs, Richard 125-7
Krefeld 544
Krenek, Ernst 228
Krieck, Ernst 317, 351, 353-4
Krieger, Hannelore 622-3
Kröger, Theodor 195
Krüger, Hardy 334
Krupp von Bohlen und Halbach, Gustav 428-31
Kun, Béla 683
Kurzweil, Moses 658

Lammers, Hans-Heinrich 66-7, 342, 688
Landsberg 26, 377, 572
Lang, Fritz 160, 164
Langenpreising 488
Leander, Zarah 160
Leipzig 73, 91, 192, 228, 357, 400, 514, 532, 586, 724
Lenard, Philipp 354-8
Lênin, Vladmir Ilyich 89, 302
Lenz, Fritz 366, 572-4, 583, 596
Leoncavallo, Ruggero 238
Leonding 732
Lessing, Gotthold Ephraim 193
Letônia 408, 692, 776, 778
Leverkusen 520
Levi, Hermann 229

Ley, Robert 135, 141, 172, 294, 331-2, 400, 406, 464, 468, 520-2, 524-9, 536, 553, 565-6
Líbia 531
Lichtenberg, Provost Bernhard 661
Liebermann, Max 201, 204, 212
Liebknecht, Karl 82, 85
Liechtenstein **692**
Lindgens, Arthur 438
Linz 236, 698, 730, 732-3, 735, 742
Lippe 143, 488
Lituânia 408, 692, 764, 778, 785
Litvinov, Maxim 776
Lochner, Louis P. 48
Loewenheim, Walter 81
Loos, Theodor 160
Löwenherz, Josef 740-1
Lübeck 194, 655
Lucerna 212, 297
Ludendorff, general Erich 22, 55, 178, 294-5
Ludwig, Alfred 464
Lüneburg 582
Lutero, Martim 263-4, 282, 291, 513, 575
Luther, Hans 394, 396
Lutze, Viktor 52, 157
Luxemburgo **692**
Luxemburgo, Rosa 82, 85, 88

Macke, August 205
Madagascar 682
Madeira, Ilha da 531, 534
Madri 719
Magdeburg 199, 608, 649, 654
Mahler, Gustav 227, 238
Maillol, Aristide 201
Manderbach, Richard 334
Mann, Heinrich 185
Mann, Klaus 186, 190
Mann, Thomas 21, 35, 185, 190, 225
Marburg 48-9, 268, 350, 441, 448
Marc, Franz 204-5, 212
Marx, Karl 302
Marzahn, Berlin 593
Maschmann, Melita 125, 200, 319-20, 422, 558, 618-9, 623, 661, 781
Matisse, Henri 209, 212
May, Karl 197
Mayer, Albert 671
Mayer, Helene 642
Mayer, Moritz 658, 664, 671
Mayer, Paul 183
Mayer, Rupert 286
Mayer-Quade, Joachim 655-6
Mecklenburg 39, 183, 199-200, 477, 481
Meier, Julius 621-2
Meiser, bispo Hans 268
Meissner, secretário de Estado Otto 58, 688
Meitner, Lise 360
Memel 764, 771, 797
Mendelssohn, Felix 227-9, 239
Meppen 663-4
Mergenthaler, Christian 289
Messerschmidt, Wilhelm 504

ÍNDICE ONOMÁSTICO 1017

Metternich, conde Clemens Wenzel Lothar 77, 80
Metzingen 457
México 291, 626
Mezger, Edmund 96, 104
Michelangelo 201
Mies van der Rohe, Ludwig 217-8, 375
Mietraching (vila), Baviera 488
Miklas, Wilhelm 730
Milch, Erhard 418
Mirre, Ludwig 460
Modigliani, Amadeo 212
Molotov, Vyacheslav 776-7
Morávia 746, 761. 766
Mozart, Wolfgang Amadeus 229, 239, 634
Muchow, Reinhard 519, 522, 524
Müller, Ernst 55
Müller, Heinrich 123-4, 655
Müller, Karl Alexander von 362
Müller, Ludwig, bispo do Reich 263--4, 266-8
Müller, Wilhelm 358
Munch, Edvard 212
Munique 24-5, 45, 50-2, 55, 59, 74, 78, 123, 129-30, 170, 177, 194, 201, 206, 208, 211, 215-9, 277, 286, 288, 293, 357-8, 367, 403, 440-1, 448, 460, 465, 472, 474, 504, 521, 550, 649, 653-5, 659, 662, 664, 666, 699, 715, 731, 754-5, 767, 779, 780, 789, 798
Münster 188, 280
Mussolini, Benito 25, 48, 591, 696-7, 699, 709-10, 716-7, 719, 726-7, 731, 755-6, 783-4

Mutschmann, Martin 326, 519, 639

Neudeck, leste da Prússia 47, 49, 63, 478
Neumann, Heinz 82, 88, 778
Neurath, Konstantin von 412, 441, 694, 710, 720, 723, 767, 792
Nicarágua 408
Niemöller, Martin 261-2, 266-7, 269--74
Nigéria 408
Nolde, Emil 204-5
Northeim (burgo), Baixa Saxônia 559--62
Noruega 408, 535, 581, 776
Nuremberg 60, 152, 154-6, 203, 205, 220, 233-4, 237, 254, 293, 318, 426, 504, 508, 546, 612, 643, 649, 754, 780, 784, 794
Nyrt, prefeito 488

Obersalzberg, Baviera 67, 465, 689, 780, 782
Ohlendorf, Otto 73
Oldenburg 282, 485
Oncken, Hermann 361
Orff, Carl 235-6
Ossietzky, Carl von 186-7
Osten, Lina von 74
Oster, Hans 751, 789
Otte, Carlo 444
Otto von Habsburg, arquiduque 727
Owens, Jesse 643

Pacelli, cardeal Eugenio 276, 283-4, 289
Países Baixos 408, 692; *veja também* Holanda
Palestina 623, 627, 629, 631, 638, 671, 673, 741
Papen, Franz von 29-30, 46-50, 53, 137, 145, 255, 379, 381, 388, 406, 429-30, 700, 707, 727, 736
Paraguai 408
Paul, Hugo 86
Peru 408
Petersen, Jan 187
Pfeiffer, Hans 84
Pfennigsdorf, Emil 365
Pfitzner, Hans 238-9
Picasso, Pablo 209, 212, 718
Pieck, Wilhelm 85
Piłsudski, Józef 681
Pio IX, papa 291
Pio XI, papa 276, 284
Pirow, Oswald 678
Planck, Erwin 61
Platão 352
Ploetz, Alfred 573-4
Pollack, Isidor 737
Poller, Walter 117-9, 121
Polônia 23, 363, 408, 418, 424, 482, 630, 650-1, 652, 680-4, 692, 693, 695-6, 704, 745, 755, 762, 764, 773-8, 780, 782-6, 789, 798
Pomerânia 41, 333, 441, 476, 482, 608
Ponte, Lorenzo da 229
Porsche, Ferdinand 377, 504
Posse, Hans 742
Potsdam 253, 267, 270-2, 512

Praga 47, 78, 84, 230, 242, 254, 319, 609, 753, 755, 763, 765-9
Pretzel, Raimund 624
Prokofiev, Serge 246
Protzen, Carl Theodor 375
Prússia 69, 75, 81, 114, 266, 311, 328--9, 375, 461, 632-4
Puccini, Giacomo 238

Raeder, almirante Erich 74, 412, 706, 720, 775
Rath, Ernst vom 652-4, 664-5, 668-70
Rathenau, Walther 183, 355
Raubal, Angela ("Geli") 689
Reck-Malleczewen, Friedrich 132, 188, 293, 472, 477, 565, 659
Regensburg (aldeia), Baviera 78
Reichenau, general Walther von 44, 50, 61, 63
Reinhardt, Fritz 380
Remarque, Erich Maria 185, 195
Remmele, Hermann 82, 89
Renânia 138, 141, 269, 467, 520-1, 595-6, 608, 694, 706, 711-6, 725, 742, 749
Renânia-Westfália 377, 705
Renner, Karl 733
República Dominicana 626
Respighi, Ottorino 238
Reuter, vice-almirante Ludwig von 459
Rheydt 544
Ribbentrop, Joachim von 179, 706-8, 711, 719, 723, 744, 756, 759, 765, 771, 776-7, 779, 782, 784, 798-9

Richthofen, coronel Wolfram von 718-9
Riefenstahl, Leni 156-7, 246-7, 251, 643
Ritter, Gerhard 364
Ritter, Dr Robert 594
Röhm, Ernst 39-40, 42-6, 49-54, 56, 59, 61, 86, 110, 144, 279, 334, 515, 563, 599-601, 606
Röhricht, Eberhard 274
Roma 32, 275, 719, 742
Romênia 630, 682-4, 691, **692**, 764
Röntgen, Wilhelm 355
Rosenberg, Alfred 101, 169-71, 185, 199-200, 205, 225, 229, 232, 234-7, 240, 241, 247, 267, 279-80, 282, 290-2, 294-6, 352, 355-6, 361, 363, 566, 600, 694, 708, 779
Rosenheim 281
Rosenheim, Julius 623
Rostock 547
Roth, Carola 209
Rothenberg, Franz 737
Rothfels, Hans 363
Rowohlt, Ernst 181
Rüdin, Ernst 578, 596
Ruhr 261, 312, 403, 562, 595, 705, 716, 757
Rummelsburg 45
Rússia *veja* União Soviética
Rust, Bernhard 46, 169, 171-2, 204-5, 300, 310, 327-9, 331, 338, 348, 350, 352, 632

Saarbrücken 127-8, 663, 704
Sachsenburg 110

Salazar, Antonio 531
Salomon, Ernst von 183
Salzgitter 428
Sauber, Georg 657-8
Sauckel, Fritz 447
Sauerbruch, Ferdinand 368
Schacht, Hjalmar 395-7, 399, 402, 406-12, 414-17, 426, 428, 430, 437, 441-2, 445, 451, 497, 690, 423, 751, 789, 792
Schardt, Alois 204
Schaub, Julius 527, 662
Scheel, Gustav Adolf 339-40
Schell, coronel von 433
Schellenberg, Walter 73
Schemm, Hans 152, 311, 335-6, 356
Schenzinger, Karl Aloys 195-6
Schiller, Friedrich 193, 634
Schinkel, Friedrich von 220
Schirach, Baldur von 243, 277, 280, 292, 313, 317-8, 322, 324-6, 331, 342, 553, 566
Schlageter, Albert Leo 261
Schleicher, general Kurt von 29, 53-4, 56, 59, 61, 96, 145, 379, 381, 390, 459
Schlemmer, Oskar 204, 215
Schleswig-Holstein 328, 395
Schlösser, Rainer 193
Schlotterbeck, Friedrich 102
Schlotterer, Gustav 444
Schmeling, Max 244
Schmid, Wilhelm Eduard 55
Schmidt, Otto 722
Schmidt, Waldemar 87
Schmidt-Rottluff, Karl 198, 205
Schmitt, Kurt 405-7, 436, 451

Schmitt, Ludwig 55
Schmoller, Gustav 395
Scholtz-Klink, Gertrud 583-5
Schönberg, Arnold 35, 223, 227-8, 230, 239, 242
Schönerer, Georg Ritter von 697-8
Schöpwinkel, Robert 466-7
Schreck, Julius 51
Schrödinger, Erwin 35
Schulenburg, conde Fritz-Dietlof 509--10
Schultze, Walter "Bubi" 353
Schultze-Naumburg, Paul 218
Schulz, Paul 54
Schuschnigg, Kurt von 698-9, 725, 727-31, 736, 738, 765
Schwanenwerder (ilha) 464
Schwarz, Franz Xaver 334
Schwerin von Krosigk, Lutz 255, 667
Scott, Sir Walter 192
Selassié, Hailé, imperador da Etiópia 709
Seldte, Franz 379-80, 412
Sembach, Emil 56
Sethe, Paul 174
Seyss-Inquart, Arthur 725, 728-32
Shakespeare, William 194
Shirer, William L. 154-5, 644, 711, 730, 755, 759, 790
Shostakovich, Dmitri 246
Sibelius, Jean 238
Sibéria 88
Siemens, Georg von 395
Signac, Paul 212
Silésia 486, 501, 535, 693, 761, 781-2
Silverberg, Paul 430

Simon, John 708
Six, Franz 73
Solingen-Ohligs 83
Solmitz, major Friedrich 640-1, 676-7, 758, 790
Solmitz, Luise 58-9, 62, 139, 141, 145, 153, 250, 567, 640-1, 647-8, 659, 676-7, 704-5, 712, 743, 758, 790
Sonnemann, Leopold 174
Sotke, Fritz 189
Spahn, Martin 353
Speer, Albert 115, 219-22, 246, 460, 464, 533, 553, 643-4, 688-90, 736, 791
Sperrle, general Hugo 718, 728
Spilker, Inge 527
Spoerl, Heinrich 196
Sproll, bispo Joannes 141
Stäbel, Friedrich Oskar 463
Stade, norte da Alemanha 493
Stálin, Josef 31, 88-9, 245-6, 427, 567, 591, 776-9, 783
Stark, Johannes 356-8, 360
Stauffenberg, tenente Claus von 61
Stauss, Emil Georg von 437-8
Steed, Henry Wickham 175
Steinbeck, John 192
Steinhäusl, Otto 736
Stelling, Johannes 39
Sternberger, Dolf 174
Stettin 106, 123
Stoeckel, Walter 367
Stralsund 199, 434, 608
Strasser, Gregor 29, 54, 56, 67, 75, 380, 521
Strasser, Otto 55, 199

ÍNDICE ONOMÁSTICO 1021

Straubing 578
Strauss, Richard 171, 223-6, 231, 238--9, 241, 634, 643
Stravinsky, Igor 230, 235
Streicher, Julius 129, 177-8, 243, 305, 308, 521, 606, 608-11, 613
Stresemann, Gustav 694, 696
Stuckart, Wilhelm 614, 766
Stuckenschmidt, Hans-Heinz 230
Stuttgart 657
Sudetos 614, 693, 747, 754-6, 758, 760-1, 771, 792, 797
Suécia 408, 581, 776
Suhr, Otto 174
Suíça 160, 210, 234, 408, 581, 724

Tanganica (posteriormente Tanzânia) 595
Tchecoslováquia 278, 363, 408, 413, 424-5, 628, 660, 678, 683, 691, 704, 720, 744-5, 746, 749, 750-2, 754-6, 760, 762, 764, 769, 774, 781, 789; *veja também* Sudetos
Teschen, Tchecoslováquia 762
Tessenow, Heinrich 219, 222
Thieme, Emma 95
Thierack, Otto-Georg 92-3
Thomson, Joseph John 355
Thyssen, Fritz 427-8, 430
Tietz, Hermann 435-6
Tietz, Leonard 437
Tietz, Oscar 435
Tietz, Ursula 437

Todt, Fritz 372-5, 378, 389, 504, 751
Toscanini, Arturo 223
Trapp, Max 238
Tremel-Eggert, Kuni 195
Treuchtlingen 657-8, 664
Trier 543-4
Troost, Paul Ludwig 216-7, 219-20, 246
Trossingen, Suábia 244-5
Trott zu Solz, Adam von 751
Trunk, Hans 578
Tschirschky-Bögendorf, Günther 700
Turíngia 457
Turquia 408, 430, 776

Ulbricht, Walter 84-5
Ungewitter, Richard 459
União Soviética 83, 87-9, 91, 245-6, 411, 427, 566, 692, 705, 711, 717, 719, 736, 753, 776, 778-9, 782, 789
Universidade de 341, 358, 395, 463
Uruguai 408, 626

Valtin, Jan *veja* Krebs, Richard
van der Lubbe, Marinus 30, 90-1, 256
Van Gogh, Vincent 204, 212
Vaticano 276, 283-4, 287, 289, 467, 587-8
Veneza 48
Venezuela 626

Verdi, Giuseppe 238
Viernstein, Theodor 577
Vlaminck, Maurice 212

Xangai 673
Wäckerle, Hilmar, comandante do campo 107
Wagner, Adolf 50, 356, 426
Wagner, Cosima 236
Wagner, Gerhard 367-8, 506, 582
Wagner, Richard 171, 224, 232, 235--8, 634, 724
Wagner, senador Robert 456, 675
Wagner, Siegfried 237
Wagner, Winifred 236-7, 590
Walter, Bruno 35, 223
Wannsee 220
Warburg, Frederic 624
Warnemünde 547
Wartenburg, conde Peter Yorck von 751
Washington, D.C. 222
Webern, Anton von 230, 242
Wedekind, Frank 21
Weiss, Wilhelm 177
Weizsäcker, Ernst von 751, 756, 775, 777
Wenger, Alois 528
Werner, Paul 105
Wertheim, Abraham 343
Wertheim, Georg 437-8
Wertheim, Ida 343
Wessel, Horst 152-3, 158-9, 188, 293, 305

Westfália 269, 439, 608
Westheim, Paul 221
Wildenstein, Daniel (negociante de arte) 212
Wilmersdorf 139
Wilson, presidente Woodrow 683
Wilson, Sir Horace 755
Windsor, duque e duquesa de 526
Wisliceny, Dieter 629
Wismar 304
Witzleben, general de divisão Erwin von 61, 751
Wöhrmeier, prefeito 488-9
Wolfen 546
Wolff, Otto 444
Wollheim, Gerd 208
Woyrsch, Udo von 56, 600
Wurm, bispo Theophil 262, 268
Württemberg 268, 288-9, 632, 649
Württemberg-Hohenzollern 457
Würzburg 123, 350

Ziegler, Adolf 206, 210-3, 216
Ziegler, Hans Severus 227-8
Ziegler, Wilhelm 419-20
Zillig, Winfried 231
Zöberlein, Hans 195
Zurique 213
Zweig, Arnold 185
Zweig, Stefan 225-6
Zwickau 577

Conheça também outros títulos do selo Crítica

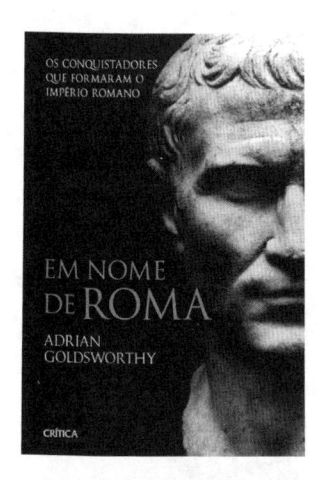

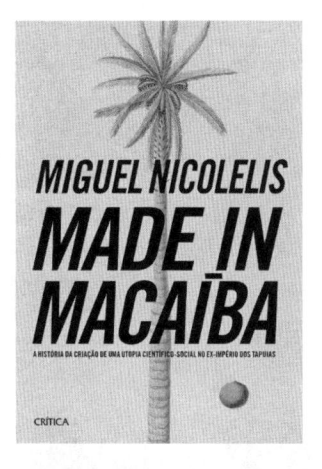

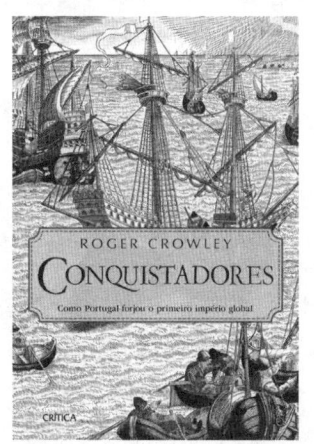

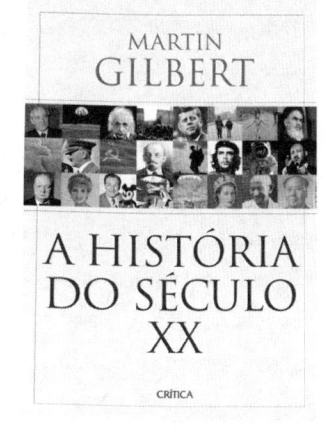

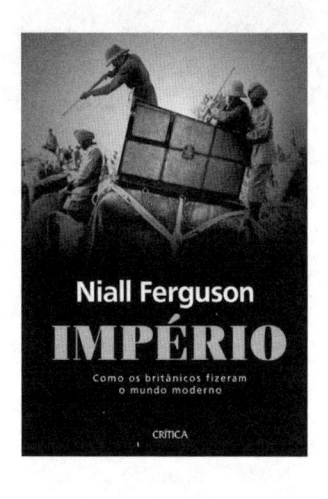

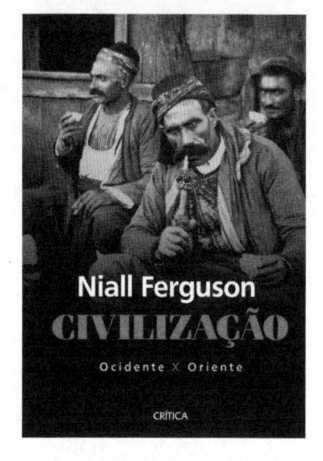

- **Em nome de Roma** — Adrian Goldsworthy
- **Made in Macaíba** — Miguel Nicolelis
- **Muito além do nosso eu** — Miguel Nicolelis
- **A invenção da natureza: A vida e as descobertas de Alexander von Humboldt** — Andrea Wulf
- **Conquistadores: Como Portugal forjou o primeiro império global** — Roger Crowley
- **Uma breve história do Brasil** — Mary Del Priore • Renato Venancio
- **A história do século XX** — Martin Gilbert
- **Império: Como os britânicos fizeram o mundo moderno** — Niall Ferguson
- **Civilização: Ocidente X Oriente** — Niall Ferguson

LEIA TAMBÉM OS OUTROS DOIS TÍTULOS DA SÉRIE

**Acreditamos
nos livros**

Este livro foi composto em Horley Old Style MT e impresso pela
Geográfica para a Editora Planeta do Brasil em março de 2022.